완역

성
리
대
전

❷

이 저서는 2010년 정부(교육과학기술부)의 재원으로 한국연구재단의 지원을 받아 수행된 연구임(NRF-2010-322-A00065)

완역
성리대전 ❷

윤용남·이충구·김재열·윤원현
추기연·이철승·심의용·김형석
이치억·김현경 역주

正蒙
皇極經世書

學古房

성리대전 총목차

性理大全書目錄　성리대전서 목록

6

8

正蒙一 정몽 1

正蒙一
정몽 1

[5-0-0-1]

門人范育序曰 : “張夫子之爲此書也, 有六經之所未載, 聖人之所未言. 蓋道一而已, 語上極乎高明, 語下涉乎形器, 語大至於無間, 語小入於無眹, 一有窒而不通, 則於理爲妄. 『正蒙』之言, 高者抑之, 卑者擧之, 虛者實之, 礙者通之, 衆者一之, 合者散之, 要之立乎大中至正之矩. 天之所以運, 地之所以載, 日月之所以明, 鬼神之所以幽, 風雲之所以變, 江河之所以流, 物理以辨, 人倫以正. 造端者微, 成能者著, 知德者崇, 就業者廣, 本末上下, 貫乎一道. 過乎此者, 淫遁之狂言也 ; 不及乎此者, 邪詖之卑說也. 推而放諸有形而准, 推而放諸無形而准, 推而放諸至動而准, 推而放諸至靜而准, 無不包矣, 無不盡矣, 無大可過矣, 無細可遺矣. 言若是乎其極矣, 道若是乎其至矣, 聖人復起, 無有間乎斯言矣.”

제자인 범육范育[1]의 서문에서 말했다. “장부자張夫子[張載][2]가 지은 이 책은 육경이 아직 싣지 못한 것이 있고, 성인이 아직 말하지 않은 것이 있다. 도는 하나일 뿐인데, 위를 말할 때에는 고명高明[3]에

---

1 范育 : 宋代의 三水(현재 섬서성) 출신이다. 자는 巽之이고, 戶部侍郎과 枢密都承旨 등의 벼슬을 했다. 장재의 제자이다. 그가 죽은 뒤, 高宗은 紹興2年(1132)에 그에게 '文閣學士'라고 추증했다.

2 張載(1020~1077) : 송대 성리학자이다. 자는 子厚이고, 橫渠先生이라고 불린다. 大梁(현 하남성 開封) 사람으로 거주지는 鄁縣橫渠鎮(현 섬서성 眉縣)이었다. 1057년 진사에 급제했고 雲巖令 · 崇政院校書 등을 역임하였다. 젊어서 병법을 좋아하여 범중엄에게 서신을 보냈다가 『中庸』을 읽을 것을 권유받고, 얼마 뒤 六經에 전념하게 되었다. 특히 『易』과 『中庸』을 중시하여 『正蒙』 · 『西銘』 · 『易說』 등을 지었는데, 이로써 나중에 '關學'의 창시자가 되었다.

3 『中庸』 26장의 다음과 같은 내용 가운데 일부를 참조한 것이다. “지극한 誠은 쉼이 없으니, 쉼이 없으면 오래가고, 오래가면 징험이 나타나며, 징험이 되면 길고 멀며, 길고 멀면 넓고 두터우며, 넓고 두터우면 높고

다다르고, 아래를 말할 때에는 물체에까지 미치며, 큰 것을 말할 때에는 틈이 없는 데까지 이르고, 작은 것을 말할 때에는 조짐이 없는 데까지 들어가니, 하나라도 막혀서 통하지 않으면 이치에 어긋나게 된다. 요컨대 『정몽』의 내용은 높은 것은 누르고, 낮은 것은 들어올리며, 빈 것은 채우고, 막힌 것은 통하게 하며, 많은 것은 하나로 하고, 모인 것은 흩어지게 하였으니, 대중지정大中至正의 법도를 세운 것이다. 하늘이 운행하는 것, 땅이 싣는 것, 해와 달이 밝은 것, 귀신이 그윽한 것, 바람과 구름이 변하는 것, 강과 하천이 흐르는 것을 물리物理로써 분별하고, 인륜으로써 바로잡았다. 실마리를 시작한 것은 미미하고, 공능을 이룬 것은 드러나며, 덕을 안 것은 높고, 사업을 이룬 것은 넓으니, 근본과 말단과 위와 아래가 하나의 도로 관통했다. 이것보다 지나친 것은 방탕한 말과 도피한 말의 허황된 말이고, 이것에 미치지 못한 것은 사특한 말과 편벽된 말의 천박한 말이다.[4] 미루어 형체가 있는 데 놓아도 맞고, 미루어 형체가 없는 데 놓아도 맞으며, 미루어 지극히 움직이는 데 놓아도 맞고, 미루어 지극히 고요한 데 놓더라도 맞아, 포함하지 않음이 없고, 다하지 않음이 없으니, 크더라도 지나칠 수 없고, 작더라도 빠트릴 수 없다. 말은 이와 같이 지극하고, 도도 이와 같이 지극하니, 성인이 다시 나오더라도 이 말에 이의가 없을 것이다."

[5-0-0-2]

門人蘇昞序曰 : "先生著『正蒙』書數萬言. 一日從容請曰, '敢以區別成誦何如?' 先生曰 , '吾之作是書也, 譬之枯株, 根本枝葉莫不悉備. 充榮之者, 其在人功而已. 又如晬盤示兒, 百物具在, 顧取者如何爾.' 於是輒就其編, 會歸義例. 略效『論語』·『孟子』篇次章句, 以類相從爲十七篇."

제자인 소병蘇昞[5]의 서문에서 말했다. "선생은 『정몽』 책에서 수많은 말을 저술했다. 하루는 조용히 청하여 '감히 구별을 지어 암기하는 것이 어떻습니까?'라고 물었다. 선생이 말하였다. '내가 지은 이 책은 비유하자면 시든 나무와 같아서 뿌리와 가지와 잎이 다 갖추어지지 않음이 없다. 꽃을 피게 하는 것은 사람의 노력에 달려있을 뿐이다. 또 돌잡이 상을 아이에게 보여줄 때, 많은 물건이

밝다. 넓고 두터움은 만물을 싣는 것이고, 높고 밝음은 만물을 덮는 것이며, 길고 오래됨은 만물을 이루는 것이다. 넓고 두터움은 땅에 짝하고, 높고 밝음은 하늘에 짝하며, 길고 오래됨은 끝이 없다.(至誠無息, 不息則久, 久則徵, 徵則悠遠, 悠遠則博厚, 博厚則高明. 博厚, 所以載物也; 高明, 所以覆物也; 悠久, 所以成物也. 博厚配地, 高明配天, 悠久無疆.)"

4 『孟子』「公孫丑上」의 다음과 같은 내용을 참조한 것이다. "편벽된 말에 그 가려진 것을 알고, 방탕한 말에 그 빠져 있는 것을 알며, 사특한 말에 어긋난 것을 알고, 도피하는 말에 논리가 궁한 것을 안다. 마음에서 생겨나 정사에 해로움을 끼치고, 정사에서 발현되어 일에 해로움을 끼친다. 성인이 다시 나와도 반드시 내 말을 따를 것이다.(詖辭知其所蔽, 淫辭知其所陷, 邪辭知其所離, 遁辭知其所窮. 生於其心, 害於其政; 發於其政, 害於其事. 聖人復起, 必從吾言矣.)"

5 蘇昞 : 송나라 때의 유학자이다. 자는 季明이고, 武功(현재 섬서성 무공) 출신이다. 세상 사람들은 그를 무공 선생이라고 불렀다. 장재의 문인이다. 후에 정호와 정이에게서 배웠다. 벼슬은 太常博士를 역임하였다. 『論語』와 『孟子』의 편제 순서와 장구를 본받아 『正蒙』을 17편으로 구성했다.

갖추어져 있는데, 다만 잡는 자가 어떻게 하느냐에 달려 있을 뿐인 것과 같다.' 이에 바로 그 책에 나아가 주제별로 모았다. 대략 『논어』와 『맹자』의 편제 순서와 장구를 본받아서 종류별로 서로 묶어 17편으로 구성했다.”

[5-0-0-3]

呂汲公曰 : “先生云, ‘此書吾積年致思之所得, 其言殆合於前聖與! 大要發端示人而已, 其觸廣之, 則有待於學者. 正如老木一株, 枝別固多, 所少者潤澤華葉爾.’”

여급공呂汲公[6]이 말했다. “선생은 ‘이 책은 내가 여러 해 동안 깊이 생각해서 터득한 것인데, 그 말은 아마도 이전의 성인에 부합할 것이다! 중요한 것은 실마리를 들춰내서 사람들에게 보여줬을 뿐이니, 다가가서 넓히는 것은 배우는 사람을 기다려야 할 것이다. 바로 오래된 나무 한 그루에 가지가 확실히 많지만, 부족한 것은 싱싱한 꽃과 잎일 뿐인 것과 같다.’라고 말했다.”

[5-0-0-4]

程子曰 : “橫渠之言誠有過者, 乃在『正蒙』.”[7]

정자程子程頤[8]가 말했다. “횡거橫渠張載의 말에 진실로 잘못이 있는 것은 바로 『정몽』에 있다.”

[5-0-0-5]

“子厚以清虛一大名天道, 是以器言, 非形而上者.”[9]

(정자가 말했다.) “자후子厚張載는 청허일대清虛一大를 천도라고 명명했는데, 이것은 기器로 말한 것이지, 형이상의 것이 아니다.”

[5-0-0-6]

“橫渠立清虛一大爲萬物之源恐未安. 須兼清濁虛實乃可言. 神道體物不遺, 不應有方所.”[10]

---

6 여급공呂汲公 : 呂大防(1027~1097) 字는 微仲이고 京兆府藍田(현재 陝西藍田) 사람이다. 북송의 정치인이다. 할아버지인 呂通은 太常博士이고, 아버지인 呂黃簡은 比部郎中이며, 呂大忠의 동생이고, 呂大鈞(1031~1082)과 呂大臨(1040~1092)의 형이다. 仁宗皇祐元年(1049)에 進士가 되었고, 哲宗 때 翰林學士가 되어 開封府에 파견 나갔다. 元祐元年(1086)에 兼門下省侍郎이 되어 汲郡公에 봉해졌다.

7 『二程文集』 권10 「書啓 · 答楊時論西銘書」

8 程頤(1033~1107) : 송대 성리학자이다. 자는 正叔이고, 호는 伊川이다. 洛陽(현 하남성 낙양) 사람으로 형 程顥와 함께 二程으로 불린다. 15세 무렵에 형과 함께 주돈이에게 배운 적이 있으며, 18세에는 태학에 유학하면서 「顔子所好何學論」을 지어 胡瑗이 경이롭게 여겼다고 한다. 秘書省校書郎 · 崇政殿說書 등을 역임하였으나, 거의 30년을 강학에 힘을 쏟아 북송 시대 신유학의 기반을 정초하였다. 이정의 학문은 ‘洛學’이라고 하며, 특히 程頤의 학문은 주희에게 결정적으로 영향을 끼쳤다. 이른바 ‘程朱學’이라고 하면 정이와 주희의 학문을 지칭한다. 저서는 『易傳』 · 『經說』 · 『文集』 등이 있다.

9 『二程遺書』 권11 그런데 『二程遺書』에는 ‘名’이 ‘爲’로 되어 있다.

10 『二程遺書』 권2상 「元豐己未呂與叔東見二先生語」

(정자가 말했다.) "횡거가 청허일대清虛一大를 세워 만물의 기원으로 삼은 것은 아마도 온당치 않은 듯하다. 반드시 맑음과 흐림 및 비움과 채움을 겸해야 말이 될 수 있다. 신묘한 도는 만물의 골간이 되어 빠트림이 없으나, 반드시 공간이 있어야 하는 것은 아니다."

[5-0-0-7]

龜山楊氏曰 : "『正蒙』之書, 關中學者尊信之與『論語』等. 其徒未嘗輕以示人, 蓋恐未信者不惟無益, 徒增其鄙慢爾. 如「西銘」一篇, 伊川謂與'孟子性善養氣之論同功, 皆前聖所未發'也. 詳味之, 乃見其用意之深. 性命之說, 雖揚雄猶未能造其藩籬, 況他人乎? 而世儒易言之, 多見其妄也. 孔子曰'五十而知天命.' 以孔子之聖, 猶待五十而後知, 則所知蓋有未易言者, 非止如世儒之說也. 學者當求之聖人, 不當徒爲空言而已."[11]

구산양씨龜山楊氏[楊時][12]가 말했다. "『정몽』이란 책은 관중의 학자들이 존중하고 신뢰하기를 『논어』와 동등하게 했다. 그 학도들이 가볍게 사람들에게 보여주지 않은 것은 아직 신뢰하지 않는 자들이 무익하게 여기거나, 단지 소홀히 여기는 일이 더해질까 염려했기 때문이다. 예컨대 「서명」 한 편에 대해 이천伊川[程頤]은 '맹자의 성선性善과 양기養氣론과 공로가 같으니, 다 이전 성인들이 아직 밝히지 않은 것이다.'[13]라고 했다. 상세히 살펴야 그 의도의 깊이를 볼 수 있다. 성性과 명命의 설명은 비록 양웅揚雄[14]이라도 그 언저리에 미치지 못하는데, 하물며 다른 사람은 어떻겠는가? 그런데 세상의 유학자들이 쉽게 말하니, 다만 그 경망함을 보일 뿐이다.[15] 공자는 '50세에 천명을 안다.'[16]라고 말했다. 공자의 성스러움으로도 50세가 된 후에 알았으니, 앞에는 쉽게 말하지 못하는 것도 있으므로,

---

11 『龜山集』 권2 「書五·五答胡康侯其四」

12 양시(楊時 : 1053~1135) : 북송의 성리학자이고, 閩學의 창시자이다. 자는 中立이고 호는 龜山이며 시호는 文靖이다. 南劍州(지금의 복건성) 將樂縣 출신이다. 1076년에 과거에 합격하였으나, 10년 간 벼슬하지 않다가 후에 벼슬하여 龍圖閣直學士에 올랐으며, 金나라에 대항하고, 和議를 반대하였다. 정호와 정이 형제에게서 학문을 배워, 주희와 장식과 여조겸 등에게 전수하였다. 『中庸』의 誠으로 정호와 정이의 격물치지설을 설명하였고, 理一分殊를 설명하면서, 그것을 유가의 도덕관념과 인생철학에 구체적으로 운용하고자 하였다. 정호의 우주관을 조술하여 氣一元論을 주저서로 『龜山集』·『龜山語錄』·『二程粹言』 등이 있다.

13 『二程文集』 권10 「書啓·答楊時論西銘書」 그런데 『二程文集』에는 '前聖所未發'이 '孟子性善養氣之論同功'의 앞에 배치되어 있다.

14 揚雄(B.C.53~18) : 자는 子雲이다. 서한시대 城都(현 사천성 성도) 사람으로 成帝 때 給事黃門郎이 되고 王莽 때는 校書天祿閣으로 대부의 반열에 올랐다. 초기에는 형식상 사마상여를 모방하여 『甘泉』·『河東』·『羽獵』·『長楊』 四賦를 지었으나, 후기에는 『易』을 본떠서 『太玄』을 짓고 『論語』를 본떠서 『法言』을 지었다. 사람의 본성에 대해서는 '性善惡混說'을 주장하였다.

15 『論語』 「子張」의 다음과 같은 내용을 참조한 것이다. "숙손무숙이 중니를 헐뜯자, 자공이 말했다. 그렇게 하지 마라. 중니는 헐뜯을 수 없다. 다른 사람의 현명함은 언덕이어서 넘을 수 있지만, 중니는 해와 달이어서 넘을 수 없다. 사람들이 비록 스스로 끊고자 하더라도 어찌 해와 달이 훼손되겠는가? 다만 자기의 분수를 알지 못함을 보일 뿐이다."("叔孫武叔毀仲尼, 子貢曰 : '無以爲也. 仲尼不可毀也. 他人之賢者, 丘陵也, 猶可踰也 ; 仲尼, 日月也, 無得而踰焉. 人雖欲自絶, 其何傷於日月乎? 多見其不知量也.'")

16 『論語』 「爲政」

단지 세상 유학자들의 말과 같은 것에 그치지 않는다. 배우는 사람들은 마땅히 성인에게서 구하고, 단지 공허한 말을 하지 않도록 해야 할 뿐이다."

[5-0-0-8]

五峯胡氏曰: "先生極天地·陰陽之本, '窮神化', 一天人, 所以息邪說而正人心, 故自號其書曰『正蒙』. 其志大, 其慮深且遠矣."[17]

오봉호씨五峯胡氏[胡宏][18]가 말했다. "선생은 천지와 음양의 근본을 지극히 하여, '신神과 변화를 궁구하였으며'[19], 하늘과 사람을 하나로 하였기 때문에 사특한 이론을 멈추게 하고 인심을 바르게 하였으므로, 스스로 그 책을 호칭하여 『정몽』이라고 했다. 그 뜻이 크고, 그 생각이 깊을 뿐만 아니라 원대하다."

[5-0-0-9]

朱子曰: "橫渠作『正蒙』時, 或夜裏默坐徹曉. 其勇如此, 故其書規模廣大, 欲盡窮萬物之理."[20]

주자朱子[朱熹][21]가 말했다. "횡거가 『정몽』을 지을 때, 어떤 경우에는 밤중에 묵묵히 앉아 밤을 새웠다. 그 용기가 이와 같았기 때문에 그 책의 규모가 광대하니 만물의 리理를 다 궁구하고자 하였다."

[5-0-0-10]

"『正蒙』精深難窺測. 要其本原, 則不出六經『語』·『孟』. 且熟讀『語』·『孟』, 以程門諸公之說求之, 涵泳其間, 當自有得. 然後此等文字可循次而及, 方見好處. 如今不須雜博, 却不濟

---

17 『五峯集』 권3 「雜文·橫渠『正蒙』序」
18 오봉호씨五峯胡氏: 胡宏(1105~1155) 자는 仁仲이고, 호는 五峰이다. 宋代 建寧 崇安(현 복건성 소속) 사람으로 胡安國의 아들이다. 어려서 楊時·仲良에게 배우고 마침내 부친의 학문을 닦아 張栻에게 전수하여 湖湘學派의 창시자가 되었다. 楊時 이후 남송에 낙학을 전파한 중요한 인물이다. 저서는 『知言』·『五峰集』 등이 있다.
19 이 내용은 『周易』 「繫辭下」 5장의 "窮神"과 "知化"의 내용을 결합하여 축약한 것으로 보인다.
20 『朱子語類』 99권, 4조목의 "그는 『正蒙』을 지을 때, 어떤 경우에는 밤중에 묵묵히 앉아 밤을 새웠다. 그는 다만 이와 같은 용기가 있고 나서야 지을 수 있었다.(他做『正蒙』時, 或夜裏默坐徹曉. 他直是恁地勇, 方做得.)"라는 내용과 『朱子語類』 18권, 107조목의 "『正蒙』과 같은 경우는 만물의 理를 다 궁구하였다.(如『正蒙』, 是盡窮萬物之理.)"라는 내용을 결합한 것이다.
21 朱熹(1130~1200): 송대 성리학자이다. 자는 元晦·仲晦이고, 호는 晦庵·晦翁·考亭·紫陽·遯翁 등이다. 婺源(현재 강서성 무원현) 사람으로 建陽(현재 복건성 건양현)에서 살았다. 1148년에 진사에 급제하여 同安主簿·秘書郎·知南康軍·江西提刑·實文閣待制·侍講 등을 역임하였다. 스승 李侗을 통해 二程의 신유학을 전수받고, 북송 유학자들의 철학사상을 집대성하여 신유학의 체계를 정립하였다. 편저서는 『程氏遺書』·『程氏外書』·『伊洛淵源錄』·『古今家祭禮』·『近思錄』 등의 편찬과 『四書集注』·『西銘解』·『太極圖說解』·『通書解』·『四書或問』·『詩集傳』·『周易本義』·『易學啓蒙』·『孝經刊誤』·『小學』·『楚辭集注』·『資治通鑑綱目』·『八朝名臣言行錄』 등이 있다. 막내 아들 朱在가 편찬한 『朱文公集』(100권, 속집 11권, 별집 10권)과 黎靖德이 편찬한 『朱子語類』(140권)가 있다.

事, 無收拾也. 若果於此有味, 則世間一種無緊要文字, 皆是妄言綺語, 自無工夫看得矣."22

(주자가 말했다.) "『정몽』은 정밀하고 깊어서 헤아리기가 어렵다. 그 본원을 살펴보면 육경과 『논어』와 『맹자』에서 벗어나지 않는다. 우선 『논어』와 『맹자』를 충분히 읽고, 여러 정이程頤 제자들의 이론으로 『논어』와 『맹자』를 탐구하여 그 사이에서 충분히 이해할 때 마땅히 저절로 터득하는 것이 있을 것이다. 그런 후에 이러한 글이 순차적으로 미칠 수 있어야 비로소 장점을 볼 수 있다. 오늘날에는 반드시 잡박할 필요가 없으니, 일을 구제하지 못하고 수습하지도 못하기 때문이다. 만약 이것[雜駁]에 맛을 들인다면 세상에 중요함이 없는 글은 다 허망한 마사여구이니, 저절로 공부함이 없음을 알 수 있다."

[5-0-0-11]

"『正蒙』所論道體, 覺得源頭有未是處, 故伊川云'過處乃在『正蒙』.' 答書之中云, '非明睿所照, 而考索至此.' 蓋橫渠却只是一向苦思求將向前去, 却欠涵泳以待其義理自形見處. 如云'由氣化有道之名', 說得是好; 終是生受辛苦, 聖賢便不如此說. 試教明道說, 便不同. 如以'太虛'·'太和'爲道體, 却只是說得形而下者, 皆是'發而皆中節謂之和'處."23

(주자가 말했다.) "『정몽』에서 논한 도체道體는 근원에 옳지 않은 곳이 있다고 생각하므로, 이천程頤이 '잘못한 곳은 바로 『정몽』에 있다.'24라고 했다. 답장 속에는 '밝은 지혜로 비춘 것이 아니고, 사색이 여기에 이른 것이다.'25라고 했다. 횡거는 다만 줄곧 애써 생각하여 앞으로 향하기만 했을 뿐, 오히려 충분히 이해하여 그 의리가 저절로 드러나기를 기다리는 면에 결핍이 있다. 예컨대 '기화로부터 도의 이름이 있다.'26라고 한 말은 좋지만, 끝내는 괜한 수고만 했으니, 성현은 이와 같이 말하지 않았을 것이다. 시험 삼아 명도에게 말하라면 달랐을 것이다. 예컨대 '태허'와 '태화'를 도체로 여기는 것은 다만 형이하를 말한 것이니, 다 '발현하여 모두 절도에 맞는 것을 어울림이라고 한다.'27라는 것이다."

[5-0-0-12]

"『正蒙』說道體處, 如'太和'·'太虛'·'虛空'云者, 止是說氣. 說聚散處, 其流乃是箇大輪廻. 蓋其思慮攷索所至, 非性分自然之知. 若語道理, 惟是周子說'無極而太極'最好. 如'由太虛

22 『朱文公別集』 권2 「書·程允夫」
23 『朱子語類』 권99, 3조목
24 『二程文集』 권10 「書啓·答楊時論西銘書」
25 『二程文集』 권10 「答橫渠先生書」 이 부분에 대해 정이는 다음과 같이 스스로 주석을 했다. "밝음이 비춘다는 것은 마치 눈이 가늘고 작은 것을 보아도 다 식별하는 것과 같다. 사색이 이른다는 것은 마치 작은 것을 헤아려도 오류가 없을 정도로 비슷하게 보는 것과 같다.(明所照者, 如目所觀纖微, 盡識之矣. 考索至者, 如揣料於物約, 見髣髴爾能無差乎.)"
26 『正蒙』 「太和篇」
27 『中庸』 1장

有天之名, 由氣化有道之名, 合虛與氣有性之名, 合性與知覺有心之名', 亦説得有理, '由氣化有道之名', 如所謂'率性之謂道'是也. 然使明道形容此理, 必不如此説. 伊川所謂'橫渠之言誠有過者乃在『正蒙』', '以清虛一大爲萬物之原, 有未安'等語, 槩可見矣."[28]

(주자가 말했다.) "『정몽』에서 도체道體라고 한 것은 예컨대 '태화'·'태허'·'허공' 등인데, 단지 기氣를 말한 것일 뿐이다. 모이고 흩어진 것을 말한 곳은 그 유폐가 바로 큰 윤회[29]이다. 이는 생각하고 탐색하여 이른 것이지, 본성처럼 저절로 그러한 앎이 아니다. 만약 도리를 말한다면 오직 주자周子[30]가 말한 '무극이면서 태극이다.'[31]라고 한 것이 가장 좋다. 예컨대 '태허로부터 천의 이름이 있고, 기화로부터 도의 이름이 있으며, 허虛와 기를 합하여 성性의 이름이 있고, 성과 지각을 합하여 심心의 이름이 있다.'[32]라고 하는 것에는 또한 말에 일리가 있으니, '기화로부터 도의 이름이 있다.'라고 하는 것은 이른바 '성을 따르는 것을 도라고 한다.'[33]라는 것이 이것이다. 그러나 명도에게 이 리를 묘사하게 한다면 반드시 이와 같이 말하지는 않았을 것이다. 이천이 말한 '횡거의 말에 진실로 잘못이 있는 곳은 바로 『정몽』에 있다.'[34]라는 것과 '청허일대를 만물의 근원으로 여긴 것은 온당하지 않다.'[35]라는 등의 말에서 대개 알 수 있다."

[5-0-0-13]

黃瑞節曰: "朱子撮取周子·張子·程子之書爲『近思錄』, 凡六百一十二條. 自『正蒙』來者二十六條, 又於『正蒙』中表章「西銘」自爲一書. 嘗述靜春劉氏之説曰, '宋有四篇文字, 「太極圖」·「西銘」·「易傳序」·「春秋傳序」, 是也.' 二序, 伊川程子之筆云."

황서절黃瑞節[36]이 말했다. "주자는 주자周子와 장자張子와 정자程子의 책을 모아 『근사록』을 편찬했으니, 모두 612조목이다. 『정몽』에서 가져온 것은 26조목이고, 또 『정몽』 가운데 「서명」을 드러내어

....

28 『朱子語類』 권99, 6조목

29 『朱子語類』 권99, 32조목에서 이 부분에 대해 다음과 같이 밝힌다. "횡거는 불교의 윤회설을 물리쳤다. 그러나 그가 모이고 흩어지며 굽히고 편다고 말한 곳은 그 폐단이 오히려 큰 윤회이다.(橫渠闢釋氏輪回之説. 然其説聚散屈伸處, 其弊却是大輪回.)"

30 주자周子: 周惇頤(1017~1073) 자는 茂叔이고, 호는 濂溪이며, 원래 이름은 惇實이었는데, 북송 제5대 황제인 英宗(1063~1067)의 옛 이름 〈趙宗實〉을 피하여 惇頤로 이름을 고쳤다. 宋代 道州營道(현 호남성 道縣) 사람으로 송대 신유학의 개조이다. 分寧主簿·知南昌·知郴州·知南康軍 등을 역임하였다. 二程의 스승이며, 주희의 형이상학 체계에 큰 영향을 끼쳤다. 저서는 『太極圖説』·『通書』·「愛蓮説」 등이 있다.

31 『太極圖説』

32 『正蒙』「太和篇」

33 『中庸』 1장

34 『二程文集卷十』 권10 「書啓·答楊時論西銘書」

35 李幼武 纂集 『宋名臣言行錄外集』 권4 「張載橫渠先生明公」

36 黃瑞節: 자는 觀樂이다. 송·원대 安福 사람으로 송대에 泰和州學을 역임했으나, 원대에서는 은거하여 학문에 힘썼다. 주희가 편찬한 『太極解義』·『通書解』·『正蒙解』·『易學啓蒙』·『家禮』·『律呂新書』·『皇極經世』에 주석을 가하여 『朱子成書』라는 책을 지었다.

따로 한 책을 만들었다. 일찍이 정춘 유씨靜春劉氏[37]의 말을 이어서 '송대에는 4편의 글이 있는데, 「태극도」와 「서명」과 「역전서문」과 「춘추전서문」이 그것이다.'[38]고 말했다. 두 서문은 이천의 글이다."

太和篇 第一 제1 태화편

[5-1-1]

太和所謂道, 中涵浮沉·升降·動靜相感之性, 是生絪縕·相盪·勝負·屈伸之始. 其來也, 幾微易簡; 其究也, 廣大堅固. 起知於易者, 乾乎; 效法於簡者, 坤乎. 散殊而可象爲氣, 淸通而不可象爲神. 不如野馬絪縕, 不足謂之太和. 語道者知此, 謂之知道; 學『易』者見此, 謂之見『易』. 不如是, 雖周公才美, 其智不足稱也已.

태화[39]란 이른바 도이니, 그 속에 뜸과 가라앉음·오름과 내림·움직임과 고요함 등의 서로 감感하는 성性을 함유하여, 이것이 부빔[40]·서로 굴림[41]·이김과 짐·굽힘과 펼침[42] 등의 시작을 생기게 한다. 그것이 시작할 때에는 은미하고 쉽고 간단하며, 그것이 끝날 때에는 광대하고 견고하다. 쉬움에서 주관하기 시작한 것은 건乾이고, 간단함에서 본받는 것은 곤坤이다. 흩어지고 달라져 형상화할 수 있는 것은 기氣가 되고, 맑고 통하여 형상화할 수 없는 것은 신神이 된다. 아지랑이[43]의 부빔만 못하다

. . . .

37 劉子澄 : 이름은 淸之이고, 자는 淸叔이며, 호는 靜齋이다. 太和(현재 江西省 泰和) 사람이다. 甯宗嘉定十三年(1230)에 진사가 되었다. 나중에 廬山에 은거하였다.

38 『朱子語類』 권139, 42조목의 다음과 같은 내용을 참조한 것이다. 유자증이 말했다. "본 왕조에는 다만 4편의 글이 잘 있을 뿐이다. 「太極圖」와 「書銘」과 「易傳序」와 「春秋傳序」 등이다.(劉子澄言 : 本朝只有四篇文字好. 「太極圖」·「西銘」·「易傳序」·「春秋傳序」.)"

39 『周易』「乾卦·象傳」 "「象傳」에서 '크도다! 건원이여. 만물이 그것을 취하여 시작하니, 하늘을 거느린다. 구름이 운행하고 비가 내리니, 온갖 것들이 흘러 형체를 이룬다. 처음과 끝을 환히 밝히면 여섯 자리가 때에 맞게 이루어지니, 때에 맞게 여섯 용을 타서 하늘을 부린다. 건도가 변화하여 각기 性과 命을 바르게 한다. 태화를 보전하고 합하니, 이롭고 곧다. 뭇 사물의 우두머리로 나오니, 모든 나라가 다 평안하다.'라고 말했다. (「象」曰, '大哉! 乾元. 萬物資始, 乃統天. 雲行雨施, 品物流形. 大明終始, 六位時成, 時乘六龍以御天. 乾道變化, 各正性命. 保合大和, 乃利貞. 首出庶物, 萬國咸寧.')"는 내용을 참조한 것이다.

40 『周易』「繫辭下」 5장 "천지가 부비니 만물이 변화하여 순수해지고, 남녀가 정기를 합침에 만물이 변화하여 생겨난다."("天地絪縕, 萬物化醇, 男女構精, 萬物化生.")는 내용을 참조한 것이다.

41 『周易』「繫辭上」 1장 "이 때문에 강과 유가 서로 문지르고, 팔괘가 서로 구른다."("是故剛柔相摩, 八卦相盪.")는 내용을 참조한 것이다.

42 『周易』「繫辭下」 5장 "가는 것은 굽힘이고 오는 것은 폄이니, 굽힘과 폄이 서로 感하여 이로움이 생긴다."("往者屈也, 來者信也, 屈信相感而利生焉.")는 내용을 참조한 것이다.

43 『莊子』「逍遙遊」

면 태화라고 말할 수 없다. 도를 말하는 자가 이것을 안다면 도를 안다고 하고, 『역易』을 배우는 자가 이것을 보면 『역易』을 본다고 한다. 이와 같지 않으면 비록 주공의 재능과 아름다움을 가졌더라도[44], 그 지혜는 일컫기에 부족하다.

[5-1-1-1]

朱子曰 : "此以太和狀道體, 與‘發而中節之和’無異."

주자가 말했다. "이것은 태화로 도체를 묘사한 것이니, ‘발현하여 모두 절도에 맞는 것을 어울림이라고 한다.’[45]라는 것과 다르지 않다."

[5-1-2]

‘太虛’無形, 氣之本體. 其聚其散, 變化之客形爾. 至靜無感, 性之淵源; 有識有知, 物交之客感爾. 客感客形, 與無感無形, 惟‘盡性’者一之.

‘태허太虛’[46]는 형체가 없는 것으로 기氣의 본래 모습이다. 그것이 모이거나 흩어지는 것은 변화의 일시적인 모습일 뿐이다. 지극히 고요하여 감感이 없는 것은 성性의 근원이고, 식별이 있고 앎이 있는 것은 사물이 교류하는 데서 나타나는 일시적인 감응일 뿐이다. 일시적인 감응[感]과 일시적인 모습[形] 및 감感 없음과 모습 없음은 오직 ‘성性을 다하는’[47] 사람이라야 하나로 꿸 수 있다.

[5-1-2-1]

朱子曰 : "客感客形與無感無形, 未免分截作兩段事. 聖人不如此說, 只說形而上·形而下而已."

주자가 말했다. "일시적인 감응[感]과 일시적인 모습[形] 및 감感 없음과 모습 없음은 두 일로 나누는 것을 면하지 못했다. 성인은 이와 같이 말하지 않고, 다만 형이상과 형이하라고 말할 뿐이다."

---

44 『論語』「泰伯」 "주공의 재능과 아름다움을 가졌더라도, 가령 교만하고 인색하다면 그 나머지는 볼 것이 없다."("子曰, 如有周公之才之美, 使驕且吝, 其餘不足觀也已.")는 내용을 참조한 것이다.

45 『中庸』 1장

46 『莊子』「知北遊」 "이 때문에 곤륜산을 지나지 않고, 태허를 건너지 않는다."("是以不過乎崑崙, 不遊乎太虛.") 라는 내용을 참조한 것이다.

47 『周易』「설괘」의 "옛날에 성인이 『易』을 지음에 신명의 그윽한 도움을 받아 시초를 생기게 하고, 하늘을 셋으로 하고 땅을 둘로 하여 수에 의지하며, 음양의 함을 보아 괘를 세우고, 굳셈과 부드러움을 발휘하여 효를 생기게 하니, 도와 덕에 어울려 따르고 義를 따르며, 理를 궁구하고 性을 구현하여 命에 이른다.(昔者聖人之作『易』也, 幽贊於神明而生蓍, 參天兩地而倚數, 觀變於陰陽而立卦, 發揮於剛柔而生爻, 和順於道德而理於義, 窮理盡性以至於命.)"라는 내용과 『中庸』 22장의 "오직 세상의 지극한 誠은 그 性을 구현할 수 있으니, 그 性을 구현할 수 있으면 사람의 性을 구현할 수 있고, 사람의 性을 구현할 수 있으면 사물의 性을 구현할 수 있으며, 사물의 性을 구현할 수 있으면 천지의 화육을 도울 수 있고, 천지의 화육을 도울 수 있으면 천지와 함께 셋이 될 수 있다.(唯天下至誠, 爲能盡其性; 能盡其性, 則能盡人之性; 能盡人之性, 則能盡物之性; 能盡物之性, 則可以贊天地之化育; 可以贊天地之化育, 則可以與天地參矣.)"라는 내용을 참조한 것이다.

[5-1-3]

天地之氣, 雖聚散攻取百塗, 然其爲理也順而不妄. 氣之爲物, 散入無形, 適得吾體; 聚爲有象, 不失吾常. 太虛不能無氣, 氣不能不聚而爲萬物, 萬物不能不散而爲太虛. 循是出入, 是皆不得已而然也. 然則聖人盡道其間, 兼體而不累者, 存神其至矣. 彼語寂滅者, 徃而不反; 徇生執有者, 物而不化, 二者雖有間矣, 以言乎失道則均焉.

하늘과 땅의 기는 비록 모이고 흩어지며 물리치고 취하는 작용[48]이 온갖 모습으로 나타나지만, 그 이치는 순하여 제멋대로 하지 않는다. 기라는 것은 흩어져 형체가 없는 상태에 들어가서 마침 자신의 본체를 얻고, 모여 형상을 갖게 되어 자신의 항상성을 잃지 않는다. 태허는 기가 없을 수 없고, 기는 모여 만물이 되지 않을 수 없으며, 만물은 흩어져 태허가 되지 않을 수 없다. 이를 따라 나아가고 들어오는 것은 다 어쩔 수 없이 그러하다. 그렇다면 성인聖人은 그 사이에서 도를 다하고 체體를 겸하면서도 얽매이지 않는 자이니, 신神을 보존함이 지극하다. 저 적멸을 주장하는 자는 가서 돌아오지 않고, 오래 살려고 있음[有]에 집착하는 자는 물物이 되어 변화하지 않으니, 둘은 비록 차이가 있지만, 도를 잃은 것으로 말하면 같다.

[5-1-4]

聚亦吾體, 散亦吾體. 知死之不亡者, 可與言性矣.

모인 것 또한 나의 몸이고, 흩어진 것 또한 나의 몸이다. 죽어도 없어지지 않는 것을 아는 자라야 더불어 성性을 말할 수 있다.

[5-1-5]

知虛空卽氣, 則有無隱顯, 神化性命, 通一無二; 顧聚散出入, 形不形, 能推本所從來, 則深於『易』者也. 若謂'虛能生氣', 則虛無窮, 氣有限, 體用殊絶, 入老氏"有生於無"自然之論, 不識所謂"有無混一"之常. 若謂萬象爲太虛中所見之物, 則物與虛不相資, 形自形, 性自性, 形性天人不相待而有, 陷於浮屠以山河大地爲見病之說. 此道不明, 正由懵者略知體虛空爲性, 不知本天道爲用. 反以人見之小, 因緣天地, 明有不盡, 則誣世界乾坤爲幻化. 幽明不能擧其要, 遂躐等妄意而然. 不悟"一陰一陽", "範圍天地", "通乎晝夜", 三極大中之矩, 遂使儒佛老莊, 混然一途. 語天道性命者, 不罔於'恍惚夢幻', 則定以"有生於無"爲窮高極微之論. 入德之途, 不知擇術而求, 多見'其蔽於諆而陷於淫矣.'

허공이 바로 기氣임을 알면 있음과 없음 및 숨김과 드러남, 신神과 변화와 성性과 명命이 하나이지 둘이 아니라는 것에 통하며, 모임과 흩어짐 및 나감과 들어옴, 형체와 형체 아님을 살펴서 유래를 추구하면 『역易』을 깊게 이해한 것이다. 만약 '허虛가 기를 생겨나게 할 수 있다.'[49]라고 한다면 허는

....

48 물리치고 취하는 작용: 『周易』「繫辭下」 12장, "사랑과 미움이 서로 쳐서 吉凶이 생겨나고, 멂과 가까움이 서로 취하여 悔吝이 생긴다.(愛惡相攻而吉凶生, 遠近相取而悔吝生.)"라는 내용을 참조한 것이다.

무궁하고 기는 유한하여 체와 용이 끊어져 노자의 "있음은 없음에서 생겨난다."[50]라는 저절로 그러함의 이론에 빠져, 이른바 '있음과 없음이 하나로 뒤섞여 있다.'라는 상도常道라는 것을 알지 못할 것이다. 만약 모든 것들이 태허 속에서 드러난 사물이라고 한다면 사물과 허는 서로 의지하지 않아서 형체는 형체이고, 성은 성이 되어, 형체와 성 및 천과 인간이 서로 의지하지 않아도 있게 되니, 불교의 산과 내와 대지를 병통으로 보는 이론에 빠질 것이다. 이 도가 밝아지지 않은 것은 바로 어리석은 사람이 허공을 근간으로 하는 것이 성性이 됨을 대략 알지만, 천도를 근본으로 하는 것이 작용이 됨을 알지 못했기 때문이다. 도리어 사람의 좁은 소견으로 천지를 인연으로 여겨 밝음에 다하지 못함이 있으니, 세상천지가 환상이라고 속였다. 어두움과 밝음에 대해 그 핵심을 이해할 수 없어서, 마침내 비약하여 함부로 그렇게 했다. '한 번은 음이 되고 한 번은 양이 된다.'[51]라는 것이 "천지의 변화를 본뜨고"[52], "낮과 밤을 통하여"[53], 삼극[天地人]의 크게 적중하는 법도라는 것을 깨닫지 못하고, 마침내 유가와 불교와 도가를 혼연한 하나의 길로 여기도록 했다. 천도와 성명性命을 말하는 경우에도 황홀한 몽환[54]에 빠지지 않는다면 반드시 "있음은 없음에서 생겨난다."라는 것을 매우 높고 매우 은미한 이론으로 여긴다. 덕에 들어가는 길에 방법을 택하여 구할 줄 모르니, 다만 '치우침에 가려지고 음탕함에 빠져 있다.'[55]라고 하는 것을 알 수 있다.

[5-1-6]

氣塊然太虛, 升降飛揚, 未嘗止息, 『易』所謂'絪縕', 莊生所謂'生物以息相吹''野馬'者歟. 此虛實·動靜之機, 陰陽·剛柔之始. '浮而上者陽之淸, 降而下者陰之濁.' 其感遇聚散, 爲風雨, 爲雪霜, 萬品之流形, 山川之融結, 糟粕煨燼, "無非敎也."

기는 태허에 충만하여, 오르고 내리며 날려 그치거나 쉰 적이 없으니, 『역』에서 말한 '부빔'일 것이고, 장생莊生[莊周][56]이 말한 '생물이 입김을 서로 내뿜는 것'[57]이 '아지랑이'[58]일 것이라는 것이다. 이

49 『淮南子』「天文訓」 "도는 虛霩에서 시작하니, 허확은 우주를 낳고, 우주는 기를 낳는다.(道始于虛霩, 虛霩生宇宙, 宇宙生氣.)"라는 내용을 참조한 것이다.

50 『도덕경』 제40장

51 『周易』「繫辭上」 5장

52 『周易』「繫辭上」 4장

53 『周易』「繫辭上」 4장

54 『金剛般若波羅蜜經』「應化非眞分」 "모든 법은 꿈과 허깨비와 물거품과 그림자 같다."("一切有爲法, 如夢·幻·泡·影)라는 내용을 참조한 것이다.

55 『孟子』「公孫丑上」 "무엇을 知言이라고 합니까? 맹자가 말했다. '치우친 말에 그 가려진 것을 알고, 음탕한 말에 그 빠져 있는 것을 알며, 간사한 말에 그 어긋난 것을 알고, 도피하는 말에 그 궁한 것을 안다. 그 마음에서 생겨나 그 정사에 해를 끼치고, 그 정사에서 발현하여 그 일에 해를 끼친다. 성인이 다시 일어나도 반드시 나의 말을 따를 것이다.'"("何謂知言? 曰: '詖辭知其所蔽, 淫辭知其所陷, 邪辭知其所離, 遁辭知其所窮. 生於其心, 害於其政; 發於其政, 害於其事. 聖人復起, 必從吾言矣.'")라는 내용을 참조한 것이다.

56 莊子(B.C.369?~B.C.286?) : 자는 子休이고, 이름은 周이며, 南華眞人으로 追號하기도 하였다. 전국시대 楚蒙(현 하남성 商邱) 사람으로 정확한 생몰 연대는 미상이나 孟子와 거의 비슷한 시대에 활약한 것으로 전해진

것이 비움과 채움 및 움직임과 고요함의 낌새이고, 음과 양 및 굳셈과 부드러움의 시작이다. '떠서 위에 있는 것은 양의 맑음이고, 내려와 아래에 있는 것은 음의 흐림'[59]이다. 그것이 감感하고 만나 모이고 흩어져 바람과 비가 되고, 눈과 서리가 되니, 온갖 것들이 흘러 형체를 이룬 것, 산과 내가 융합한 것, 술지게미와 타고 남은 것까지 "교敎가 아님이 없다."[60]

[5-1-6-1]

朱子曰 : "'塊然太虛', 此張子所謂'虛空即氣'也. 蓋天在四畔, 地居其中, 減得一尺地, 遂有一尺氣, 但人不見耳. 此是未成形者." "'及至浮而上, 降而下', 則已成形者, 若'融結, 糟粕煨燼', 即是氣之查滓. 要之, 皆是示人以理."[61]

주자가 말했다. "'태허에 충만하다.'라는 것은 장자張子張載가 말하는 '허공은 바로 기이다.'라는 것이다. 하늘은 사방에 있고, 땅은 그 속에 있는데, 한 자의 땅을 파내면 마침내 한 자의 기가 채워지지만, 사람이 보지 못할 뿐이다. 이것은 아직 형체를 이룬 것이 아니다." "'떠서 위에 있는 것과 내려와 아래에 있는 것'에 이르러서는 이미 형체를 이룬 것이고, '융합한 것, 술지게미와 타고 남은 것'이라는 것과 같은 것은 바로 기의 찌꺼기이다. 요약하면 다 사람에게 리理로써 보여준다."

[5-1-6-2]

"升降飛揚, 所以生人物者, 未嘗止息. 但人不見耳."[62]

(주자가 말했다.) "오르고 내리며 날림은 사람과 만물을 생기게 하는 것이니, 그치거나 쉰 적이 없다. 다만 사람이 보지 못할 뿐이다."

[5-1-6-3]

問 : "言機言始, 莫是說理否?"

曰 : "此本只是說氣, 理自在其中. 一動一靜, 便是機處."[63]

• •

다. 漆園吏를 역임하였다. 그의 사상은 주로 老子의 無爲思想을 계승·발전하여, 老子와 함께 道家의 상징으로 여겨진다. 저서로 『莊子』가 있다.

57 『莊子』「逍遙遊」

58 『莊子』「逍遙遊」

59 『淮南子』「天文訓」 "맑은 양은 가볍게 날아서 하늘이 되고, 거듭 흐림은 엉겨 가라앉아서 땅이 된다.(清陽者薄靡而爲天, 重濁者凝滯而爲地.)"라는 내용을 참조한 것이다.

60 『禮記』「孔子閒居」 "하늘에는 사계절이 있기에 봄과 가을과 겨울과 여름이 있고, 바람과 비와 서리와 이슬이 있으니, 이치가 아닌 것이 없다. 땅은 신묘한 기를 싣고 있기에 신묘한 기가 바람과 천둥을 만들고, 바람과 천둥이 흘러 형체를 만들며 온갖 것들을 생겨나게 하니, 이치가 아닌 것이 없다.(天有四時, 春秋冬夏, 風雨霜露, 無非敎也. 地載神氣, 神氣風霆, 風霆流形, 庶物露生, 無非敎也.)"라는 내용을 참조한 것이다.

61 『朱子語類』 권98, 2조목

62 『朱子語類』 권98, 3조목

63 『朱子語類』 권98, 4조목 가운데 일부이다. 이와 관련된 『朱子語類』의 원형은 다음과 같다. 問 : "此虛實動靜

물었다. "낌새를 말하고 시작을 말하는 것은 혹시 리를 설명하는 것입니까?"

(주자가) 대답했다. "이것은 본래 단지 기만 말했으나, 리가 본래 그 속에 있다. 한 번 움직이고 한 번 고요한 것이 바로 낌새가 일어나는 곳이다."

[5-1-6-4]

問 : "'始'字之義如何?"

曰 : "'始'是如生物底母子相似, 萬物都從這裏生出去. '升降飛揚', 便合這虛實動靜兩句. 所以虛實動靜陰陽剛柔者, 便是這升降飛揚者爲之, 非兩般也."[64]

물었다. "시작이다始'이라는 글의 뜻은 무엇입니까?

(주자가) 대답했다. "'시작이다始'이란 사물을 낳는 어미와 서로 비슷하니, 만물은 모두 이것에서 생겨난다. '오르고 내리며 난다.'라는 것은 바로 이 비움과 채움 및 움직임과 고요함虛實動靜의 두 구절을 합한다. 따라서 비움과 채움과 움직임과 고요함과 음과 양과 굳셈과 부드러움虛實動靜陰陽剛柔은 바로 이 오르고 내리며 나는 것이 하게 하는 것이지, 두 부분이 아니다."

[5-1-6-5]

"'無非敎也', '敎'便是說理."[65] "『禮記』中'天道至敎, 聖人至德', 與孔子'予欲無言', 天地與聖人都一般, 精底都從粗底上發見, 道理都從氣上流行. 雖至粗底物, 無非是道理發見. 天地與聖人皆然."[66] "此等言語, 都是經煅煉底語. 須熟念細看."[67]

(주자가 말했다.) "'교敎가 아님이 없다.'라는 것에서 '교'는 리理를 말한다." "『예기』의 '천도는 지극한 교이고, 성인은 지극한 덕이다.'[68]라는 것과 공자의 '나는 말이 없고자 한다.'[69]라는 것에서 천지와 성인은 모두 같으니, 정밀한 것은 모두 거친 것에서 발현되고, 도리는 모두 기에서 유행한다. 비록 매우 거친 것이라도 도리가 드러나지 않음이 없다. 천지와 성인은 모두 그렇다." "이러한 말은 모두 단련을 거친 말이다. 반드시 충분히 생각하고 자세히 살펴보아야 한다."

[5-1-7]

氣聚, 則'離明'得施而有形; 氣不聚, 則'離明'不得施而無形. 方其聚也, 安得不謂之'客'; 方其散也, 安得遽謂之'無'? 故聖人仰觀俯察, 但云"知幽明之故", 不云'知有無之故.' 盈天地之

之機, 陰陽剛柔之始.' 言機言始, 莫是說理否?" 曰 : "此本只是說氣, 理自在其中. 一箇動, 一箇靜, 便是機處, 無非敎也. 敎便是說理."

64 『朱子語類』 권98, 5조목
65 『朱子語類』 권98, 4조목
66 『朱子語類』 권98, 6조목
67 『朱子語類』 권98, 4조목
68 『禮記』「禮器」
69 『論語』「陽貨」

間者, 法象而已. 文理之察, 非離不相覩也. 方其形也, 有以知幽之因; 方其不形也, 有以知明之故.

기가 모이면 리명離明[70]을 쓸 수 있어서 형체가 있고, 기가 모이지 않으면 리명離明을 쓸 수 없어서 형체가 없다. 기가 모일 때에 어찌 '일시적인 모습'이라고 말하지 않을 수 있겠으며, 기가 흩어질 때에 어찌 갑자기 없음[無]이라고 말하겠는가? 그러므로 성인은 우러러보고 굽어 살피며, 단지 "어두움과 밝음의 까닭을 안다."[71]라고는 하지만, '있음과 없음의 까닭을 안다.'라고는 하지 않는다. 천지 사이에 가득 찬 것은 법상法象[사물의 구체적인 형상][72]일 뿐이다. 조리의 살핌은 눈이 아니면 서로 보지 못한다. 드러날 때에 어두움의 원인을 알고, 드러나지 않을 때에 밝음의 까닭을 안다.

[5-1-7-1]
　　或問朱子曰: "離明何謂也?"
　　曰: "此說似難曉. 有作日光說, 有作日說. 看來只是氣聚則目得而見, 不聚則不得而見, 『易』所謂'離爲目'是也."[73]
　　어떤 사람이 주자에게 물었다. "리명離明이란 무엇을 말합니까?"
　　(주자가) 대답했다. "이 말은 알기가 어려울 듯하다. 어떤 경우에는 햇빛이라고 말하고, 어떤 경우에는 눈이라고 말한다. 보기에 다만 기가 모이면 눈으로 볼 수 있고, 모이지 않으면 볼 수 없으니, 『역』에서 말하는 '리는 눈이다.'[74]라는 것이 이것이다."

[5-1-7-2]
　　"形之時, 其幽之因已在此; 不形之際, 其明之故已在此. 聚者散之因, 散者聚之故."[75]
　　"드러날 때에는 그 어두움의 원인이 이미 여기에 있고, 드러나지 않을 때에는 그 밝음의 원인이 이미 여기에 있다. 모인 것은 흩어짐의 원인이고, 흩어진 것은 모임의 까닭이다."

[5-1-8]
氣之聚散於太虛, 猶冰凝釋於水. 知太虛即氣則無無, 故聖人語性與天道之極, 盡於參伍之神變易而已. 諸子淺妄, 有有無之分, 非窮理之學也.

. . . .

70　『周易』「離卦 ☲」의 특징인 '밝음'을 의미한다. 「설괘」 5장에서는 "리란 밝음이니, 만물이 모두 서로 본다."(離也者, 明也, 萬物皆相見)라고 하고, 9조목에서는 "리는 눈이 된다."(離爲目)라고 하며, 16장에서는 "리는 불이고, 해이며, 번개이다."(離爲火, 爲日, 爲電)라고 한다.

71　『周易』「繫辭上」 4장 "우러러 하늘의 무늬[天文]를 보고, 숙여서 땅의 이치를 살피니, 이 때문에 어두움과 밝음의 까닭을 안다."(仰以觀於天文, 俯以察於地理, 是故知幽明之故.)

72　『周易』「繫辭上」 11장 "이 때문에 법상은 천지보다 큰 것이 없다."(是故法象莫大乎天地)

73　『朱子語類』 권99, 12조목

74　『周易』「설괘」 9장

75　『朱子語類』 권99, 12조목. 단 『朱子語類』에는 앞부분이 "蓋以形之時, 此幽之因已在此"로 되어 있다.

기가 태허에서 모이고 흩어지는 것은 얼음이 물에서 얼고 녹는 것과 같다. 태허가 바로 기라는 것을 알면 없음이란 없으므로 성인이 성性과 천도의 지극함을 말한 것은 뒤섞여 나가는 신神의 변역을 다했을 뿐이다. 많은 학자들이 낮고 망령되어 있음과 없음의 구분을 둔 것은 리理를 궁구하는 학문이 아니다.

[5-1-9]

太虛爲淸, 淸則無礙, 無礙故神. 反淸爲濁, 濁則礙, 礙則形.

태허는 맑으니, 맑으면 거치적거림이 없고, 거치적거림이 없기 때문에 신묘하다. 맑음에 반하는 것은 흐림이니, 흐리면 거치적거림이 있고, 거치적거림이 있으면 형체를 이룬다.

[5-1-9-1]

程子曰 : "神氣相極, 周而無餘, 謂'氣外有神, 神外有氣', 是兩之也. 淸者爲神, 濁者何獨非神乎?"

정자程頤가 말했다. "신神과 기는 서로 정점으로서 가득하여 남김이 없으니, '기 바깥에 신神이 있고, 신神 바깥에 기가 있다.'라고 하면 이것은 둘로 한 것이다. 맑은 것은 신神이 되는데, 흐린 것은 왜 유독 신神이 아닌가?"

[5-1-9-2]

問 : "'太虛'之說, 本是說無極, 却是說得'無'字."

朱子曰 : "無極是該貫虛實·淸濁而言. '無極'字落在中間, '太虛'字落在一邊了, 便是難說. 聖人熟了, 說出便恁地平正, 而今把意思去形容他, 却有時偏了. 明道說, '氣外無神, 神外無氣. 謂淸者爲神, 則濁者非神乎?' 後來亦有人與橫渠說, 橫渠却云, '淸者可以該濁, 虛者可以該實', 却不知'形而上者', 還他是理, '形而下者', 還他是氣. 既說是虛, 便是與實對了; 既說是淸, 便是與濁對了."[76]

물었다. "'태허'라는 말은 본래 무극을 말하는 것인데, 또 '없음無'이라는 글자를 말했습니다."

주자가 대답했다. "무극無極은 비움과 채움 및 맑음과 흐림을 다 관통하여 말한 것이다. '무극'이라는 글자는 중간에 떨어지고, '태허'라는 글자는 한 쪽에 떨어지니, 바로 말하기가 어렵다. 성인은 익숙하여 말한 것이 바로 이와 같이 공정하지만, 이제 의도를 가지고 그것을 형용하면 오히려 때로 치우침이 있다. 명도程顥가 '기 바깥에 신神이 없고 신神 바깥에 기가 없다. 맑은 것이 신神이 된다면 흐린 것은 신神이 아니라는 말인가?'라고 말했다. 후에 또한 어떤 사람이 횡거張載에게 말하니, 횡거는 오히려 '맑은 것은 흐린 것을 포함할 수 있고, 비운 것은 채운 것을 포함할 수 있다.'라고 말했으니, 오히려 '형이상자'는 그것이 리이고, '형이하자'는 그것이 기라는 것을 알지 못했다. 이미 비움이라고

---

76 『朱子語類』 권99, 8조목 그런데 『朱子語類』에서는 "形而下者'還他是'氣'"에서 '氣'자가 '器'자로 되어 있지만, 의미는 같다.

말하면 바로 채움과 상대한 것이고, 이미 맑음이라고 말하면 바로 흐림과 상대한 것이다."

[5-1-10]

凡氣, 淸則通, 昏則壅. 淸極則神, 故聚而有間, 則風行而聲聞具達, 淸之驗與! 不行而至, 通之極與!

기는 맑으면 통하고, 흐리면 막힌다. 맑음이 지극하면 신묘하므로 모이더라도 틈이 있으니, 가령 바람이 불 때에 소리와 (귀로) 들림이 함께 전달되는 것은 맑음의 징험이로다! 가지 않아도 이르는 것은 통함의 지극함이로다!

[5-1-11]

由太虛有天之名, 由氣化有道之名. 合虛與氣有性之名, 合性與知覺有心之名.

태허로부터 천이라는 이름이 있고, 기화로부터 도라는 이름이 있다. 허와 기를 합하여 성性이란 이름이 있고, 성과 지각을 합하여 심心이란 이름이 있다.

[5-1-11-1]

朱子曰 : "本只是一箇太虛, 漸細分得密爾. 且太虛便是四者之總體, 而不離乎四者而言.[77] '由氣化有道之名', 氣化是陰陽造化, 寒·暑·晝·夜, 雨·露·霜·雪, 山·川·木·石, 金·水·火·土, 皆是. 只此便是太虛, 但雜却氣化說. 雖雜氣化說, 而實不離乎太虛, 未說到人物各具當然之理處. '合虛與氣有性之名', 有這氣, 道理便隨在裏面; 無此氣, 則道理無安頓處. 如水中月, 須是有此水, 方映得月. 心之知覺, 又是那氣之虛靈底. 聰明視聽, 作爲運用, 皆是. 有這知覺, 方運用得這道理. 所以張子說, '「人能弘道」, 是心能盡性; 「非道弘人」, 是性不知檢其心.' 邵子說, '心者, 性之郛郭.' 此等語皆秦漢以下人道不到."[78]

- -

77 '而不離乎四者而言'이 『朱子語類』 권60, 45조목에는 '而不雜乎四者而言'으로 되어 있다. 의미로 볼 때, '離'보다 '雜'이 타당하다.

78 『朱子語類』 권60, 45조목의 다음과 같은 내용을 축약한 것이다. "태허로부터 말미암는다."라는 말을 묻습니다. 대답했다. "근본은 다만 하나의 태허일 뿐인데, 점점 세분화하면서 엄밀하게 말했다. 또 태허는 바로 이 네 가지의 총체이지만, 네 가지에 섞지 않고 말하였다. '기화로부터 도의 이름이 있다.'라는 것에서 기화는 그 음양의 조화이고, 추위·더위·낮·밤, 비·이슬·서리·눈, 산·내·나무·돌, 쇠·물·불·흙이 다 이것이며 바로 태허인데, 다만 바로 섞임은 오히려 기화로 말했다. 비록 기화를 섞었지만, 실제로는 태허에서 떠나지 않은 것이니, (이는)아직 사람과 만물이 각기 당연한 리를 갖춘 것은 말하지 않았다." 물었다. "태허는 바로 태극도 윗면의 원둘레이고, 기화는 바로 원둘레 속의 음양의 동정입니까?" 대답했다. "그렇다." 또 대답했다. "'허와 기가 합하여 성의 이름이 있다.'라고 하는 것은 이러한 기가 있으니, 도리는 바로 속에 있고, 이 기가 없으면 도리는 머물 곳이 없다. 마치 물속의 달은 반드시 이 물이 있어야 비로소 그 하늘의 달을 비출 수 있는 것과 같고, 이 물이 없으면 끝내 이 달이 없는 것과 같다. 마음의 지각은 또 그 기가 비어 신령스러운 것이다. 보고 듣는 것의 밝음과 운용하는 것은 다 이 지각이 있어야 비로소 이러한 도리를 운용할 수 있다. 따라서 張載는 '「사람이 도를 넓힐 수 있다.」라는 것은 마음이 성을 다 구현하는 것이고, 「도가 사람을 넓히지

주자가 말했다. "본래는 단지 하나의 태허일 뿐이지만, 점점 세밀하게 나누었을 뿐이다. 또 태허는 네 가지의 총체이지만, 네 가지를 섞어서 말한 것은 아니다. '기화로부터 도란 이름이 있다.'라는 것에서 기화는 음양의 조화이고, 추위·더위·낮·밤, 비·이슬·서리·눈, 산·내·나무·돌, 쇠·물·불·흙이 다 이것이다. 단지 이것이 바로 태허일 뿐이지만, 기화를 섞어서 말한 것이다. 비록 기화를 섞어서 말한 것이지만, 실제로는 태허에서 떠나지 않으며, 사람과 만물이 각기 당연한 리를 갖춘 것은 아직 말하지 않았다. '허와 기를 합하여 성이란 이름이 있다.'라고 하는 것은 이러한 기가 있으면 도리가 바로 따라서 이 속에 있고, 이 기가 없으면 도리는 머물 곳이 없다. 마치 물속의 달은 반드시 이 물이 있어야 비로소 달을 비출 수 있는 것과 같다. 마음의 지각은 또 그 기가 비어 신령스러운 것이다. 잘 보고 잘 듣는 행위와 운용이 다 이것이다. 이러한 지각이 있어야 비로소 이러한 도리를 운용할 수 있다. 따라서 장자張載는 「사람이 도를 넓힐 수 있다.」[79]라는 것은 마음이 성을 다하는 것이고, 「도가 사람을 넓히지 않는다.」[80]라는 것은 성性이 그 마음을 단속하는 것을 알지 못하는 것이다.'라고 말한다. 소자邵雍는 '마음은 성의 외곽이다.'라고 했다. 이러한 말은 다 진나라와 한나라 이후의 사람들이 말하지 못한 것이다."

[5-1-11-2]

"'由太虛有天之名', 都是箇自然底. '由氣化有道之名', 是虛底物在實上見, 無形底因有形而見."[81] "氣有形而虛無迹. 以有形之氣具無迹之理, 故謂之性也."

(주자가 말했다.) "'태허로부터 천이란 이름이 있다.'라는 것은 모두 자연적인 것이다. '기화로부터 도라는 이름이 있다.'라는 것은 빈 것이 실제에서 드러나는 것이고, 형체가 없는 것이 형체가 있는 것으로 인하여 드러난다는 것이다." "기는 형체가 있지만, 허는 흔적이 없다. 형체 있는 기로써 흔적 없는 리를 갖추었으므로 성이라고 한다."

[5-1-11-3]

"'由太虛有天之名, 合虛與氣有性之名', 是'天命之謂性'管此兩句. '由氣化有道之名', 是'率

....

않는다.」라는 것은 性이 그 마음을 검증하는 것을 알지 못하는 것이다.'라고 말한다. 또 邵雍은 '마음은 성의 외곽이다.'라고 했다. 이러한 말은 다 진나라와 한나라 이후의 사람들이 말하지 못한 것이다."(問"由太虛"云云. 曰: "本只是一箇太虛, 漸漸細分, 說得密耳. 且太虛便是這四者之總體, 而不雜乎四者而言. '由氣化有道之名', 氣化是那陰陽造化, 寒·暑·晝·夜, 雨·露·霜·雪, 山·川·木·石, 金·水·火·土, 皆是只這箇, 便是那太虛, 只是便雜卻氣化說. 雖雜氣化, 而實不離乎太虛, 未說到人物各其當然之理處." 問: "太虛便是太極圖上面底圓圈, 氣化便是圓圈裏陰靜陽動否?" 曰: "然." 又曰: "'合虛與氣有性之名', 有這氣, 道理便隨在裏面, 無此氣, 則道理無安頓處. 如水中月, 須是有此水, 方映得那天上月; 若無此水, 終無此月也. 心之知覺, 又是那氣之虛靈底. 聰明視聽, 作爲運用, 皆是有這知覺, 方運用得這道理. 所以橫渠說: 「人能弘道」, 是心能盡性; 「非道弘人」, 是性不知檢心.' 又邵子曰: '心者, 性之郛郭.' 此等語, 皆秦漢以下人道不到.")

79 『論語』「衛靈公」
80 『論語』「衛靈公」
81 『朱子語類』 권60, 47조목

性之謂道'管此一句. '合性與知覺有心之名', 此又是'天命之謂性', 這下管此一句."[82]
(주자가 말했다.) "태허로부터 천이라는 이름이 있고, 허와 기를 합하여 성이라는 이름이 있다.'라는 것은 '천명을 성이라고 한다.'라는 것이 이 두 구절을 포괄한다. '기화로부터 도라는 이름이 있다.'라는 것은 '성을 따르는 것을 도라고 한다.'라는 것이 이 한 구절을 포괄한다. '성과 지각을 합하여 심이라는 이름이 있다.'라고 했는데, 이것은 또 '천명을 성이라고 한다.'라는 것이고, 이것은 바로 이 한 구절을 포괄한다."

[5-1-11-4]

潛室陳氏曰 : "四者本是一理, 但所由之名異耳. 從太虛上看, 則謂之天, 天爲太極是也; 從氣上看, 則謂之道, '一陰一陽之道'是也; 從虛與氣合上看, 則謂之性, 天命之性是也; 從性與知覺合上看, 知覺是血氣動物, 則謂之心. 其實一理爾."[83]

잠실 진씨陳埴[84]가 말했다. "넷은 본래 하나의 리이지만, 유래하는 이름이 다를 뿐이다. 태허에서 보면 하늘이라고 하니 하늘은 태극이 된다는 것이 이것이고, 기에서 보면 도라고 하니 '한 번은 음이 되고 한 번은 양이 되는 도가 이것이며, 허와 기를 합하는 것에서 보면 성이라고 하니 천명의 성이 이것이고, 성과 지각을 합하는 것에서 보면 지각은 혈기의 동물이니 마음이라고 한다. 사실은 하나의 리일 뿐이다."

[5-1-12]

鬼神者, 二氣之良能也. 聖者, 至誠得天之謂. 神者, 太虛妙應之目. 凡天地法象, 皆神化之糟粕爾.

귀와 신은 두 기[陰陽]의 양능이다. 성聖은 성誠을 지극히 하여 천天을 얻는 것을 말한다. 신은 태허의 오묘한 감응을 지목한 것이다. 천지의 법상法象은 다 신묘한 변화의 지게미일 뿐이다.

[5-1-12-1]

朱子曰 : "伊川謂'鬼神者造化之迹', 却不如橫渠所謂'二氣之良能.' 蓋程說固好, 但只渾淪在這裏. 張說分明便見有箇陰陽在."
問, "良能之義."
曰 : "只是二氣之自然者耳. 屈伸·徃來, 是二氣自然能如此."
問 : "伸是神, 屈是鬼否?"

- - - - - - - - - - - - - - - - - - -
82 『朱子語類』 권60, 49조목
83 陳埴 撰 『木鍾集』 권10
84 陳埴 : 자는 器之이고, 호는 木鍾이며, 이른바 潛室先生이라고 한다. 宋代 永嘉(현 절강성 溫州) 사람으로 通直郎을 역임하였다. 어려서는 葉適에게 배우고 나중에는 주희에게 배웠다. 저서는 『木鍾集』·『禹貢辨』·『洪範解』 등이 있다.

曰 : "氣之方來皆屬陽, 是神; 氣之反皆屬陰, 是鬼. 午前是神, 午後是鬼. 初一以後是神, 十六以後是鬼. 草木方發生是神, 凋落是鬼. 人自少至壯是神, 衰老是鬼. 噓是神, 吸是鬼. 風雷鼓動是神, 收斂是鬼."[85]

주자가 말했다. "이천程頤이 '귀와 신은 조화의 흔적이다.'[86]라고 했는데, 횡거張載가 '두 기의 양능이다.'[87]라고 말한 것만 못하다. 정이의 말은 참으로 좋지만, 다만 여기에서는 모호하다. 장재의 말이 분명하니, 바로 여기에 음양이 있음을 보았다."

"양능의 의미를 묻습니다."

(주자가) 대답했다. "다만 두 기가 저절로 그러한 것일 뿐이다. 굽힘과 폄 및 감과 옴은 두 기의 저절로 그러함이 이와 같을 수 있다."

물었다. "폄은 신神이고, 굽힘은 귀鬼입니까?"

85 『朱子語類』 권63, 130조목의 다음과 같은 내용을 축약한 것이다. 물었다. "張載가 '두 기의 양능이다.'라고 말한 것에서 무엇을 '양능'이라고 말합니까?" 대답했다. "굽힘과 폄, 감과 옴은 두 기의 저절로 그러함이 이와 같을 수 있다." 물었다. "폄은 神이고, 굽힘은 鬼입니까?" 선생이 손을 둥근 책상 위에 올려놓고 곧바로 그 가운데를 가리키며 "이 도리는 원인데, 다만 가운데에서 이와 같이 분별된다. 기가 바야흐로 오는 것은 다 양에 속하니 神이고, 기가 되돌아가는 것은 다 음에 속하니 鬼이다. 해는 午時로부터 이전은 神이고, 午時 이후는 鬼이다. 달은 초사흘 이후는 다 신이고, 16일 이후는 귀이다."라고 말했다. 동백우가 물었다. "해와 달을 상대로 해서 말할 때, 해는 신이고, 달은 귀입니까?" 대답했다. "또한 그렇다. 풀과 나무가 바야흐로 생겨나는 것은 신이고, 시들어 쇠락하는 것은 귀이다. 사람은 어려서부터 장성할 때까지는 신이고, 쇠락하여 늙는 것은 귀이다. 코로 숨을 내쉬는 것은 신이고, 들이마시는 것은 귀이다." 순이 程頤가 말한 "하늘은 높고 땅은 낮으니 건곤이 정해졌다. 그것을 우레와 천둥으로 울리고, 바람과 비로 적신다."라는 내용을 들었다. 대답했다. "천지의 조화는 다 귀신이니, 옛사람들이 風伯과 雨師에게 제사 지내는 까닭이다." 물었다. "바람과 우레가 고동치는 것은 신이고, 거두어들이는 곳은 귀입니까?" 대답했다. "그렇다. 넋은 귀에 속하고, 기는 신에 속한다. 나무를 쪼개어 불타오르게 한 것은 신이고, 적셔져서 불어난 성질은 넋이다. 사람들의 말과 동작은 기이니 신에 속하고, 정신과 피는 넋이니 귀에 속한다. 발용처는 다 양에 속하니 신이고, 기가 정해진 곳은 다 음에 속하니 백이다. 식별을 아는 것은 신이고, 일을 기억하는 곳은 넋이다. 사람은 처음 태어났을 때에 기가 많고 넋이 적으나 후에 넋이 점점 왕성해지고, 노인이 되면 넋이 점점 적고 귀와 눈이 어두워지며 정력이 강하지 않고 일을 기억하는 것이 충분하지 않다. 아이들은 성품을 기억함이 없으니, 또한 넋이 충분하지 않다. 장난을 좋아하는 것이 중첩되지 않으니, 또한 넋이 충분하지 않다."(曰 : "橫渠謂二氣之良能, 何謂良能?" 曰 : "屈伸往來, 是二氣自然能如此." 曰 : "伸是神, 屈是鬼否?" 先生以手圈卓上而直指其中, 曰 : "這道理圓, 只就中分別恁地. 氣之方來皆屬陽, 是神; 氣之反皆屬陰, 是鬼. 日自午以前是神, 午以後是鬼. 月自初三以後是神, 十六以後是鬼." 童伯羽問 : "日月對言之, 日是神, 月是鬼否?" 曰 : "亦是. 草木方發生來是神, 彫殘衰落是鬼. 人自少至壯是神, 衰老是鬼. 鼻息呼是神, 吸是鬼." 淳擧程子所謂 "天尊地卑, 乾坤定矣. 鼓之以雷霆, 潤之以風雨". 曰 : "天地造化, 皆是鬼神, 古人所以祭風伯雨師." 問 : "風雷鼓動是神, 收斂處是鬼否?" 曰 : "是. 魄屬鬼, 氣屬神. 如析木煙出, 是神; 滋潤底性是魄. 人之語言動作是氣, 屬神; 精血是魄, 屬鬼. 發用處皆屬陽, 是神; 氣定處皆屬陰, 是魄. 知識處是神, 記事處是魄. 人初生時氣多魄少, 後來魄漸盛; 到老, 魄又少, 所以耳聾目昏, 精力不强, 記事不足. 某今覺魂有餘而陰不足, 事多記不得. 小兒無記性, 亦是魄不足. 好戲不定疊, 亦是魄不足.")

86 『伊川易傳』 권1 「周易上經」

87 『正蒙』 「太和篇」 "귀와 신은 두 기의 양능이다."("鬼神者, 二氣之良能也")

(주자가) 대답했다. "기가 다가오는 것은 다 양에 속하니 신神이고, 기가 되돌아가는 것은 다 음에 속하니 귀鬼이다. 오전은 신이고, 오후는 귀이다. 초하루 이후는 신이고, 십육 일 이후는 귀이다. 초목이 바야흐로 생겨나는 것은 신이고, 시들어 떨어지는 것은 귀이다. 사람들이 어려서부터 장성할 때까지는 신이고, 쇠락하여 늙은 것은 귀이다. 내뿜는 것은 신이고, 들이마시는 것은 귀이다. 바람과 우레가 고동치는 것은 신이고, 거두어들이는 것은 귀이다."

[5-1-12-2]

上蔡謝氏曰 : "橫渠說得別. 這簡便是天地間妙用."

상채 사씨上蔡謝氏(謝良佐)[88]가 말했다. "횡거橫渠의 말이 각별하다. 이것은 바로 천지 사이의 오묘한 작용이다."

[5-1-13]

天道不窮, 寒暑已; 衆動不窮, 屈伸已. 鬼神之實, 不越二端而已矣.

천도가 끝나지 않는 것은 추위와 더위이고, 많은 움직임이 끝나지 않는 것은 굽힘과 폄일 뿐이다. 귀鬼와 신神의 실질은 두 가지를 넘지 않을 뿐이다.

[5-1-14]

兩不立, 則一不可見; 一不可見, 則兩之用息. 兩體者, 虛實也, 動靜也, 聚散也, 清濁也, 其究一而已.

둘이 서지 않으면 하나를 볼 수 없고, 하나를 볼 수 없으면 둘의 작용이 그친다. 둘의 체는 비움과 채움, 움직임과 고요함, 모임과 흩어짐, 맑음과 흐림이지만, 그것은 궁극적으로 하나일 뿐이다.

[5-1-15]

感而後有通, 不有兩則無一. 故聖人以剛柔立本, 乾坤毀則無以見易.

감感한 후에 통함이 있으니[89], 둘이 있지 않으면 하나가 없다. 그러므로 성인은 굳셈과 부드러움으로 근본을 세우니, 건과 곤이 무너지면 역을 보지 못한다.

[5-1-16]

游氣紛擾, 合而成質者, 生人物之萬殊; 其陰陽兩端循環不已者, 立"天地之大義."

....

88 謝良佐(1050~1103) : 자는 顯道이고, 시호는 文肅이며, 上蔡先生이라고 불리었다. 游酢·呂大臨·楊時와 함께 '程門四先生'이라 일컫고 상채학파의 시조가 되었다. 처음에 정호에게 배우다가 정호가 죽자 정이에게 배웠다. 宋代 上蔡(현재 하남성) 사람으로 知應城縣·京師에 이르렀다. 저서는 『論語解』·『上蔡語錄』 등이 있다.

89 『周易』「繫辭上」 "『역』은 생각이 없고, 인위가 없으며, 고요히 움직이지 않다가 感하여 마침내 천하의 사리에 통한다.(『易』无思也, 无爲也, 寂然不動, 感而遂通天下之故.)"라는 내용을 참조한 것이다.

떠도는 기가 어지럽게 흩날리다가 모여서 질質을 이룬 것이 많은 사람과 만물을 낳은 것이고, 음과 양의 둘이 순환하여 그치지 않는 것이 "천지의 큰 뜻"[90]을 세운 것이다.

[5-1-16-1]

朱子曰 : "此一段專說氣, 未及言理. '游氣紛擾', 此言氣, 到此已是查滓麤濁者, 去生人物, 蓋氣之用也. '動靜兩端', 說氣之本. 上章言'塊然太虛'一段, 亦是發明此意. [91]

주자가 말했다. "이 단락에서는 오로지 기만을 말하고 아직 리를 말하지 않았다. '떠도는 기가 어지럽게 흩날리다'라고 했는데, 이것은 기를 말한 것이고, 여기에 이르면 이미 찌꺼기와 흐린 것이 사람과 만물을 낳으니, 기의 작용이다. '움직임과 고요함의 둘'이라고 한 것은 기의 근본을 말한 것이다. 위 문장에서 '태허에 충만하다.'라고 말한 단락은 또한 이러한 뜻을 밝힌 것이다."

[5-1-16-2]

"陰陽即氣也, 豈陰陽之外復有游氣耶? 所謂游氣者, 指其所以賦與萬物. 一物各得一箇性命, 便有一箇形質. 此皆氣合而成之也. "[92]

(주자가 말했다.) "음양이 바로 기인데, 어찌 음양 바깥에 다시 떠도는 기가 있겠는가? 이른바 떠도는 기란 만물에 부여한 것을 가리킨다. 하나의 사물이 각기 하나의 성과 명을 얻으면 하나의 형질을 가진다. 이것은 다 기가 모여서 이룬 것이다."

[5-1-16-3]

"陰陽循環如磨, 游氣紛擾如磨中出者. 『易』曰 : '陰陽相摩, 八卦相盪, 鼓之以雷霆, 潤之以風雨, 日月運行, 一寒一暑', 此陰陽之循環也. '乾道成男, 坤道成女', 此游氣之紛擾也. "[93]

(주자가 말했다.) "음양이 순환하는 것은 맷돌과 같고, 떠도는 기가 어지럽게 흩날리는 것은 맷돌 속에서 나오는 것과 같다. 『역』에서 '음과 양은 서로 비비고, 팔괘는 서로 맞물려 돌아, 우레와 천둥으로 고무시키고, 바람과 비로 윤택하게 하며, 해와 달이 운행하고, 한 번은 춥고 한 번은 덥다.'[94]라

. . . .

90 『周易』「歸妹괘」 "귀매는 천지의 큰 뜻이다.(歸妹, 天地之大義.)"
91 『朱子語類』 권98, 7조목의 다음과 같은 내용을 축약한 것이다. 물었다. "'유행하는 기가 어지럽게 흩날린다.' 라는 단락은 기와 리를 말한 것입니까?" 말했다. "이 단락은 오로지 기를 말하고 아직 리를 말하지 않았다. '유행하는 기가 어지럽게 흩날리고 모여서 質을 이룬 것은 사람과 만물의 만 가지로 달라지게 한 것이다.'라고 했는데, 이것은 기를 말한 것이고, 이것은 이미 찌꺼기와 더러움에 이른 것이며, 사람과 만물을 낳는 것은 기의 작용이다. '움직임과 고요함의 둘이 순환하여 그치지 않는 것은 천지의 큰 뜻을 세우는 것이다.'라고 했는데, 이것은 기의 근본을 말한 것이다. 위 문장에서 '태허를 충만하게 한다.'라고 말한 단락은 또한 이러한 뜻을 밝힌 것이다."(問 : "'游氣紛擾'一段, 是說氣與理否?" 曰 : "此一段專是說氣, 未及言理. '游氣紛擾, 合而成質者, 生人物之萬殊', 此言氣, 到此已是渣滓粗濁者; 去生人物, 蓋氣之用也. '其動靜兩端, 循環不已者, 立天地之大義', 此說氣之本. 上章言'氣塊然太虛'一段, 亦是發明此意.")
92 『朱子語類』 권98, 8조목
93 『朱子語類』 권98, 9조목

고 말했으니, 이것은 음양의 순환이다. '건도는 남자를 이루고, 곤도는 여자를 이룬다.'[95]라고 했으니, 이것은 떠도는 기가 어지럽게 흩날리는 것이다."

[5-1-16-4]

"循環不已者, '乾道變化'也; 合而成質者, '各正性命'也."[96]

(주자가 말했다.) "순환하여 그치지 않는 것은 '건도가 변화한다.'라는 것이고, 모여 질을 이루는 것은 '각각 성性과 명命을 바르게 한다.'[97]는 것이다."

[5-1-16-5]

"晝夜運而無息, 便是陰陽之兩端. 其四邊散出紛擾者, 便是游氣以生人物之萬殊. 如麵磨相似, 其四邊只管層層散出. 天地之氣, 運轉無已, 只管層層生出人物. 其中有麤有細, 如人物有偏有正."[98]

(주자가 말했다.) "낮과 밤이 운행하여 쉬지 않는 것이 바로 음양의 둘이다. 그것이 사방으로 흩어져 어지럽게 흩날리는 것은 바로 떠도는 기가 많은 사람과 만물을 낳게 하는 것이다. 예컨대 밀가루를 맷돌로 가는 것처럼 사방으로 오직 겹겹이 흩어져 나오는 것과 같다. 천지의 기는 운행이 그치지 않고, 오직 겹겹이 사람과 만물을 낳을 뿐이다. 그 속에 거침도 있고 세밀함도 있으니, 마치 사람과 만물이 치우침이 있고 바름도 있는 것과 같다."

[5-1-16-6]

"游, 是散殊, 比如一箇水車, 一上一下, 兩邊只管袞轉, 這便是'循環不已, 立天地之大義'底. 一上一下, 只管袞轉, 中間帶得水灌漑得所在, 便是'生人物之萬殊.' 天地之間, 二氣只管運轉. 不知不覺生出一箇人, 不知不覺又生出一箇物. 卽他這箇幹轉, 便是生物時節."[99]

(주자가 말했다.) "떠돈다는 것은 갖가지로 흩어지는 것이니, 비유하자면 하나의 무자위[水車]가 한 번 오르고 한 번 내려갈 때 두 가장자리는 오로지 계속 굴러가는 것과 같으니, 이것이 바로 '순환하여 그치지 않고 천지의 대의를 세운다.'라는 것이다. 한 번 오르고 한 번 내려갈 때 오로지 계속 굴러가면서 중간에 물을 퍼서 있어야 할 곳에 물을 대는 것과 같은 것이 바로 '많은 사람과 만물을 낳는 것이다.' 하늘과 땅 사이에는 두 기가 오직 운행할 뿐이다. 알지도 못하고 깨닫지도 못하는 사이에 한 사람을 낳고, 알지도 못하고 깨닫지도 못하는 사이에 또 한 사물을 낳는다. 곧 이와 같이 돌고 도는 것이 바로 만물을 생기게 하는 때이다."

. . . .

94 『周易』「繫辭上」 1장
95 『周易』「繫辭上」 1장
96 『朱子語類』 권98, 9조목
97 『周易』「乾卦·象傳」
98 『朱子語類』 권98, 5조목
99 『朱子語類』 권98, 11조목

[5-1-16-7]

"游氣, 是'氣之發散生物'底氣. 游, 亦流行之意. 紛擾者, 參錯不齊. 既生物, 便是游氣. 若是生物常運行而不息者, 二氣初無增損也."[100]

(주자가 말했다.) "떠도는 기는 '기가 발산하여 만물을 낳는다.'는 기이다. 유游는 또한 유행의 뜻이다. 어지럽게 흩날린다는 것은 섞여 가지런하지 않은 것이다. 이미 만물을 낳는 것은 바로 떠도는 기이다. 이와 같이 만물을 낳으며 항상 운행하여 쉬지 않는 것은 두 기가 애초부터 더하거나 덜함이 없는 것이다."

[5-1-16-8]

"此固是一物. 但渠所說'游氣紛擾, 合而成質', 恰是指陰陽交會言之. '陰陽兩端, 循環不已', 却是指那分開底說. 蓋陰陽只管混了闢, 闢了混. 故周子云, '混兮闢兮. 其無窮兮!'"[101]

(주자가 말했다.) "이것은 진실로 하나의 것이다. 그러나 그張載가 말한 '떠도는 기가 어지럽게 흩날리고 결합하여 질을 이룬다.'라는 것은 마치 음양이 만나는 것을 가리켜 말하는 것과 같다. '음양의 둘은 순환하여 그치지 않는다.'라는 것은 그것이 분리된 것을 가리켜 말한 것이다. 음양은 오로지 닫혔다가 열리고, 열렸다가 닫힌다. 그러므로 주자周子는 '닫힘이여 열림이여, 그것은 끝이 없도다!'[102]라고 하였다."

[5-1-16-9]

"游氣是裏面底, 譬如一箇扇相似. 扇便是立天地之大義底, 扇出風來便是生人物底."[103]

(주자가 말했다.) "떠도는 기는 속의 것인데, 비유하자면 하나의 부채와 서로 비슷하다. 부채는 바로 천지의 대의를 세우는 것이고, 부채가 바람을 일으키는 것이 바로 사람과 만물을 낳는 것과 같다."

[5-1-17]

"日月相推而明生, 寒暑相推而歲成", '神易無方體', "一陰一陽", "陰陽不測", 皆所謂"通乎晝夜之道"也.

"해와 달이 서로 번갈아 나와 밝음이 생기고, 추위와 더위가 서로 번갈아 나와 한 해가 이루어지며"[104], '신과 역은 (고정된) 장소와 (정해진) 형체가 없으며'[105], "한 번은 음이 되고 한 번은 양이 된다."[106]라는 것과 "음양은 헤아릴 수 없다."[107]라는 것은 다 이른바 "낮과 밤의 도에 통달한다."[108]

---

100 『朱子語類』 권98, 12조목
101 『朱子語類』 권98, 13조목
102 『周元公集』 「動靜第十六章」
103 『朱子語類』 권98, 16조목
104 『周易』 「繫辭下」 5장
105 『周易』 「繫辭上」 4장 '神은 (고정된) 장소가 없고, 역은 모습이 없다.(神无方而易无體)'라는 내용을 참조한 것이다.

라는 것이다.

[5-1-18]

晝夜者, 天之一息乎; 寒暑者, 天之晝夜乎! 天道春秋分而氣易, 猶人一寤寐而魂交. 魂交成夢, 百感紛紜, 對寤而言, 一身之晝夜也. 氣交爲春, 萬物糅錯, 對秋而言, 天之晝夜也. 氣本之虛, 則湛本無形. 感而生, 則聚而有象. 有象斯有對, 對必反其爲. 有反斯有仇, 仇必和而解. 故愛惡之情, 同出於太虛, 而卒歸於物欲. 倏而生, 忽而成, 不容有毫髮之間, 其神矣夫!

낮과 밤은 하늘의 한 호흡이며, 추위와 더위는 하늘의 낮과 밤이로다! 천도의 봄과 가을이 나누어져 기가 바뀌는 것은 사람이 한 번 자고 일어날 때에 혼이 교체하는 것과 같다. 혼이 교체하여 꿈을 꿀 때에 온갖 감각이 어지럽게 섞이는 것은 깨는 것에 상대해 말한 것이니, 한 몸의 낮과 밤이다. 기가 교체하여 봄이 될 때에 만물이 섞인 것은 가을에 상대해 말한 것이니, 하늘의 낮과 밤이다. 기는 태허에 뿌리를 두니, 맑음은 본래 형체가 없다. 감感하여 생기면 모여 형상이 있을 것이다. 형상이 있으면 상대가 있고, 상대는 반드시 그 하는 일이 반대이다. 상반되는 것이 있으면 짝이 있고, 짝은 반드시 어울리고 해결한다. 그러므로 사랑과 미움의 정은 함께 태허에서 나오지만, 끝내 물욕으로 귀결된다. 갑자기 생겼다가 홀연히 이루어져 조금의 틈을 용납하지 않으니, 신묘하구나!

[5-1-19]

造化所成, 無一物相肖者, 以是知萬物雖多, 其實一物; 無無陰陽者, 以是知天地變化, 二端而已.

조화로 이루어진 것이 하나도 서로 비슷한 것이 없기 때문에 만물이 비록 많더라도 사실은 하나라는 것을 알고, 음양이 없는 것이 없기 때문에 천지와 변화는 둘일 뿐임을 안다.

[5-1-20]

萬物形色, 神之糟粕. "性與天道"云者, 易而已矣. 心所以萬殊者, 感外物爲不一也. "天大無外", 其爲感者, 絪縕二端而已.

만물의 모습은 신의 찌꺼기이다. "성과 천도"[109]라고 말하는 것은 역易일 뿐이다. 마음이 만 가지로 달라지는 것은 외물을 느끼는 것이 한결같지 않기 때문이다. "하늘은 커서 바깥이 없는데"[110], 그 감

---

106 『周易』「繫辭上」5장
107 『周易』「繫辭上」5장
108 『周易』「繫辭上」4장
109 『論語』「公冶長」
110 『莊子』「天下」 "지극히 커서 바깥이 없는 것을 태일이라고 한다.(至大無外, 謂之大一)"라는 내용을 참조한 것이다.

응하는 것은 (음양) 두 끝이 비비는 것뿐이다.

[5-1-21]

物之所以相感者, 利用出入, 莫知其鄉, 一萬物之妙者與! 氣與志, 天與人, 有交勝之理. 聖人在上而‘下民咨’, ‘氣壹之動志也’. ‘鳳凰儀’, ‘志壹之動氣也.’

사물이 서로 감응하게 하는 것神은 이용하고 출입할 때에 그 방향을 알지 못하니, 만물을 하나로 하는 오묘함이구나! 기와 의지, 천과 인간은 서로 이기는 이치가 있다. 성인이 위에 있으나 ‘아래의 백성들이 탄식한 것’[111]은 ‘기의 한결같음이 뜻을 움직인 것’[112]이다. ‘봉황새가 날아와 의식에 맞게 춤을 춘 것’[113]은 ‘의지의 한결같음이 기를 움직인 것’[114]이다.

參兩篇 第二 제2 삼양편

[5-2-1]

地所以兩, 分剛柔·男女而效之, 法也; 天所以參, 一太極·兩儀而象之, 性也.

땅이 둘이 되는 까닭[115]은 굳셈과 부드러움, 남자와 여자를 나누어 본받은 것이 준칙이기 때문이며, 하늘이 셋이 되는 까닭[116]은 태극과 양의(음과 양)를 하나로 여겨 상징한 것이 성性이기 때문이다.

[5-2-2]

一物兩體, 氣也. 一故神.兩在故不測 兩故化.推行於一 此天之所以參也.

하나의 물物이면서 두 체가 기이다. 하나이기 때문에 신묘하다. 양쪽에 있기 때문에 헤아릴 수 없다. 둘이기 때문에 변화한다. 하나로 미루어 간다. 이것이 하늘이 셋이 되는 까닭이다.

[5-2-2-1]

朱子曰 : “此語極精. ‘一故神’, 自註云‘兩在故不測’, 只是這一物, 周行乎事物之間. 如陰陽

---

111 『書經』「堯典」 ‘아, 사악이여. 많은 홍수가 널리 해를 끼쳐 엄청난 물이 산을 삼키고 언덕을 잠기게 하며, 광대하게 흐르는 물이 하늘에 닿는 듯하다. 아래의 백성들은 이를 염려한다. 이를 다스릴 만한 사람이 있는가?(咨, 四岳, 湯湯洪水方割, 蕩蕩懷山襄陵, 浩浩滔天. 下民其咨, 有能俾乂?)’라는 내용을 참조한 것이다.

112 『孟子』「公孫丑上」 ‘기가 한결같으면 뜻을 움직인다.(氣壹則動志也)’라는 내용을 참조한 것이다.

113 『書經』「益稷」 ‘소소(순임금의 음악) 9장을 연주하니, 봉황새도 날아와 의식에 맞게 춤을 추었다.(簫韶九成, 鳳皇來儀)’라는 내용을 참조한 것이다.

114 『孟子』「公孫丑上」 ‘뜻이 한결같으면 기를 움직인다.(志壹則動氣)’라는 내용을 참조한 것이다.

115 『周易』「說卦」 1장 “하늘을 셋으로 하고 땅을 둘로 하여 수를 정립한다.(參天兩地而倚數)”라는 것에서 ‘兩地’

116 『周易』「설괘」 1장 “하늘을 셋으로 하고 땅을 둘로 하여 수를 정립한다.(參天兩地而倚數)”라는 것에서 ‘參天’

·屈伸·往來·上下, 以至於行乎十百千萬之中, 無非這一箇物事, 所以謂'兩在故不測.' '兩故化', 自註云'推行於一.' 凡天下之事, 一不能化, 惟兩而後能化. 且如一陰一陽, 始能化生萬物. 雖是兩, 要之亦推行乎此一爾."[117]

주자가 말했다. "이 말은 매우 정밀하다. '하나이기 때문에 신묘하다.'라는 것 아래에 자신이 주를 내어 '양쪽에 있기 때문에 헤아릴 수 없다.'라고 한 것은 다만 이 하나의 물物이 사물 사이에서 두루 행한다는 것이다. 예컨대 음과 양, 굽힘과 폄, 감과 옴, 위와 아래로부터 십, 백, 천, 만 속에서 행함에 이르기까지 이 하나의 물物이 아님이 없으므로 '양쪽에 있기 때문에 헤아릴 수 없다.'라고 말한다. '둘이기 때문에 변화한다.'라는 것 아래에 자신이 주를 내어 '하나로 미루어 간다.'라고 했다. 일반적으로 세상의 일에서 하나는 변화할 수 없고, 오직 둘인 이후에야 변화할 수 있다. 바로 한 번은 음이 되고 한 번은 양이 되어야 비로소 만물을 변화시켜 낳을 수 있는 것과 같다. 비록 둘이지만 요지는 또한 이 하나로 미루어 행할 뿐이다."

[5-2-2-2]

"一, 是一箇道理, 却有兩端, 用處不同. 譬如陰陽, 陰中有陽, 陽中有陰; 陽極生陰, 陰極生陽, 所以神化無窮."[118]

(주자가 말했다.) "하나는 하나의 도리이지만, 오히려 둘이 있기에 작용하는 곳이 다르다. 음양에 비유하면 음 속에 양이 있고, 양 속에 음이 있으며, 양이 지극하면 음을 낳고 음이 지극하면 양을 낳기 때문에 신묘한 변화가 끝이 없다."

[5-2-2-3]

"兩者, 陰陽·消長·進退. 非一, 則陰陽·消長無自而見; 非陰陽·消長, 則一不可得而見."[119]

(주자가 말했다.) 둘은 음과 양, 사라짐과 자람, 나아감과 물러남이다. 하나가 아니면 음과 양, 사라짐과 자람을 볼 수 없고, 음과 양, 사라짐과 자람이 아니면 하나를 볼 수 없다.

[5-2-2-4]

"一故神. 譬之人身, 四體皆一物, 故觸之而無不覺, 不待心使至此而後覺也. 此所謂「感而

....

117 『朱子語類』 권98, 33조목
118 『朱子語類』 권98, 32조목
119 『朱子語類』 권98, 35조목의 다음과 같은 내용을 축약한 것이다. "하나이기 때문에 신묘하고, 둘이기 때문에 변화한다." 둘은 음과 양·사라짐과 자람·나아감과 물러남이다. 둘은 하나로 미루어 가는 것이고, 하나는 둘이 되는 것이다. "하나가 서지 않으면 둘을 볼 수 없고, 둘을 볼 수 없으면 하나의 도가 멈춘다." 張載의 이 말이 매우 정밀하다. 하나가 아니라면 음과 양·사라짐과 자람의 유래를 볼 수 없고, 음과 양·사라짐과 자람이 아니라면 하나 또한 볼 수 없다.("一故神, 兩故化." 兩者, 陰陽·消長·進退. 兩者, 所以推行於一; 一所以爲兩. "一不立, 則兩不可得而見, 兩不可見, 則一之道息矣." 橫渠此說極精. 非一, 則陰陽·消長無自而見, 非陰陽·消長, 則一亦不可得而見矣.)

逐通, 不行而至, 不疾而速」也.’ 發於心, 達於氣, 天地與吾身共只是一團物事. 所謂鬼神者, 只是自家氣. 自家心下思慮纔動, 這氣即敷於外, 自然有所感通."[120]

(주자가 말했다.) "'하나이기 때문에 신묘하다. 사람 몸에 비유하면 사지는 다 하나의 물物이므로 접촉할 때 느끼지 않을 수 없어서 마음이 여기에 이르도록 시킨 다음에 느끼게 하는 것이 아니다. 이것이 이른바 「감感하여 마침내 통하니 가지 않아도 이르고 서두르지 않아도 빠르다.」[121]라고 하는 것이다.'[122] 마음에서 발동하여 기에 도달하니 천지와 내 몸은 모두 한 덩어리의 일일 뿐이다. 이른바 귀신은 단지 자신의 기일 뿐이다. 자신의 마음에서 생각이 일어나자마자 이 기가 바로 바깥으로 펼쳐져서 저절로 감하여 통하는 것이 있다."

[5-2-3]

地純陰凝聚於中, 天浮陽運旋於外. 此天地之常體也. 恒星不動, 純繫乎天, 與浮陽運旋而不窮者也. 日月五星逆天而行, 并包乎地者也. 地在氣中, 雖順天左旋, 其所繫辰象隨之稍遲, 則反移徙而右爾. 間有緩速不齊者, 七政之性殊也. 月陰精[123], 反乎陽者也, 故其右行最速. 日爲陽精, 然其質本陰, 故其右行雖緩, 亦不純繫乎天, 如恒星不動. 金水附日前後進退而行者, 其理精深, 存乎物感可知矣. 鎮星地類, 然根本五行, 雖其行最緩, 亦不純繫乎地也. 火者亦陰質, 爲陽萃焉, 然其氣比日而微, 故其遲倍日. 惟木乃歲一盛衰, 故歲歷一辰. 辰者, 日月一交之次, 有歲之象也.

지구는 순수한 음陰으로서 안에서 응결하였고, 하늘은 뜬 상태로 바깥에서 돈다. 이것이 하늘과 지구의 평상적인 모습이다. 항성恒星은 움직이지 않고 완전히 하늘에 매어 있으면서 떠있으면서 끝없이 함께 돈다. 해와 달과 오성五星 등은 하늘을 거슬러 운행하며 지구를 감싸는 자이다. 지구는 기氣 속에 있기에 비록 하늘을 따라 왼쪽에서부터 (오른쪽으로) 돌지만[左旋],[124] 그 매인 신상辰象[해와 달

120 『朱子語類』 권98, 31조목
121 『周易』 「繫辭上」 10장의 다음과 같은 내용을 축약한 것이다. "셋과 다섯으로 변하고, 그 수를 섞어 종합하며, 그 변화에 통하여 마침내 세상의 무늬를 이룬다. 그 수를 지극히 하여 마침내 세상의 象을 정한다. 세상의 지극한 변화가 아니면 그 누가 여기에 참여할 수 있겠는가? 역은 생각함도 없고, 작위함도 없다. 고요하여 움직이지 않고, 感하여 마침내 세상의 일에 통한다. 세상의 지극한 神이 아니라면 그 누가 여기에 참여할 수 있겠는가? 역은 성인이 깊은 것을 지극히 하고, 낌새를 연구하는 것이다. 오직 깊기 때문에 세상의 뜻에 통할 수 있고, 오직 낌새이기 때문에 세상의 업무를 이루며, 오직 신묘하기 때문에 서두르지 않아도 빠르고 가지 않아도 이른다.(參伍以變, 錯綜其數. 通其變, 遂成天下之文; 極其數, 遂定天下之象. 非天下之至變, 其孰能與於此? 易无思也, 无爲也, 寂然不動, 感而遂通天下之故. 非天下之至神, 其孰能與於此? 夫易, 聖人之所以極深而硏幾也. 唯深也, 故能通天下之志; 唯幾也, 故能成天下之務; 唯神也, 故不疾而速, 不行而至.)"
122 『橫渠易說』 권3 「繫辭上」
123 '月陰精'은 '月爲陰精'으로 해야 된다. 王植 『正蒙初義』 권2 참조
124 왼쪽에서부터 (오른쪽으로) 돌지만[左旋]: 左旋은 시계방향으로 도는 것이고, 右旋은 시계 반대방향으로 도는 것임. 『性理羣書句解』 10권 "若順天而行(猶順天道而行) 是左旋也(是自左而旋)", 『五禮通考』 권166 "북

등]들이 따라가는데 조금 늦으면 (하늘과) 반대로 옮겨서 우선右旋할 뿐이다. 그중에 속도가 같지 않은 것은 칠정七政[125]의 성性이 다르기 때문이다. 달은 음의 정수로서 양에 반대되는 것이기 때문에 오른쪽에서부터 (왼쪽으로) 도는 것[右旋]이 가장 빠르다. 해는 양의 정수이지만 그 바탕이 본래 음이기 때문에 오른쪽에서부터 도는 것이 비록 느리더라도, 또한 완전히 하늘에 매여 있는 것은 아니니, 항성이 움직이지 않는 것과 비슷하다. 금성[126]과 수성은 해에 붙어서 앞뒤로 왔다 갔다 하니, 그 이치가 정밀하고 깊으며, 사물과 감응하는 데에 존재함을 알 수 있다.[127] 진성鎭星[土星]은 지구와 같은 종류이지만, 오행에 뿌리를 두고 있으니, 비록 그 도는 것이 가장 느리더라도, 또한 완전히 지구에 매인 것은 아니다. 화성은 또한 음이 바탕이고 양이 모인 것이지만, 그 기氣가 해에 비해 미약하므로 그 더딤이 해의 두 배이다. 오직 목성만은 한 해에 한 번 흥성하였다가 쇠퇴하므로, 한 해에 한 신[一辰]을 경과한다.[128] 신辰은 해와 달이 한번 교차하는 자리[次]이니[129], 한 해의 상象을 지닌다.

[5-2-3-1]

黃瑞節曰 : "此段日月右行之說, 與後段異同, 未詳."

황서절이 말했다. "이 단락의 해와 달이 오른쪽에서부터 돈다는 이론은 뒤 단락과 다르니, 분명하지

· ·

쪽을 보고 선다. 왼쪽에 있는 사람은 오른쪽에서부터 (왼쪽으로) 돌아서(右旋) 서쪽을 보고 활을 당기고, 오른쪽에 있는 사람은 왼쪽에서부터 (오른쪽으로) 돌아서(左旋) 동쪽을 보고 활을 당긴다. 모두 남쪽을 보고 화살 하나를 낀다.(北面立 左者右旋西面張弓 右者左旋東面張弓 俱南面挾一箭)" 및 『書蔡氏傳旁通』 1권上 "북쪽에 앉아서 남쪽을 향하면 동쪽은 왼쪽이 되고 서쪽은 오른쪽이 된다. 하늘의 운행은 서쪽에서 하강하고 동쪽에서 상승한다. 그러므로 (왼쪽에서부터 오른쪽으로 도는) 좌선이 된다.(坐北面南, 則東爲左西爲右. 天運降於西, 升於東. 故爲左旋)"

125 칠정은 『書經』 「舜典」의 "선기와 옥형으로 살펴, 칠정을 고르게 하였다.(在璿璣玉衡, 以齊七政.)"에 대해, 蔡沈의 『書經集傳』에 의하면 해, 달, 금성, 목성, 수성, 화성, 토성 등을 말한다.

126 금성은 어느 경우에는 초저녁 무렵 서쪽 하늘에서 가장 먼저 나타나고, 또 다른 경우에는 아침에 동쪽 하늘에서 가장 늦게까지 보인다.

127 이 부분에 대해 왕부지는 『張子正蒙註』에서 '알 수 없다.'라고 지적한다.

128 『國語』, 『書經』, 『禮記』 등에 의하면 옛사람들은 해와 달의 운행과 절기의 변화를 설명하기 위해 黃道(태양의 視軌道. 지구에서 보아 태양이 지구를 중심으로 운행하는 것처럼 보이는 天球上의 大圓) 부근에서 하늘을 한 바퀴 도는 것에 대해 西로부터 東으로 향하는 방향을 12등분 했는데, 그것을 12次라고 한다. 12차는 星紀(12월), 玄枵, 諏訾, 降婁, 大梁, 實沈, 鶉首, 鶉火, 鶉尾, 壽星, 大火, 析木 등인데, 이것은 紀年을 활용했기 때문에 '歲星紀年法'이라고 한다. 또한 옛사람들은 이 12등분을 동으로부터 서로 향하는 방향을 설정하여 丑, 子, 亥, 戌, 酉, 申, 未, 午, 巳, 辰, 卯, 寅 등의 地支를 배열했는데, 그것을 12辰이라고 하며, '太歲紀年法'이라고 한다. 이처럼 한 해에 목성이 한 辰을 경과하기 때문에 "오직 목성만 한 해에 한 번 흥성하였다가 쇠퇴한다."라고 했다. 그러나 현대의 천문학에 의하면 목성의 공전주기는 11.86년이다.

129 『春秋左傳』 「昭公7年」의 다음과 같은 내용에서 辰의 의미를 확인할 수 있다. 晉平公이 말하였다. "과인에게 신에 대해 많이 말하는데 말의 내용이 같지 않으니, 무엇을 신이라고 하는가?" 伯瑕(士文伯)가 대답했다. "해와 달이 만나는 곳을 辰이라고 하므로, 해를 배합했습니다.(公曰 : "多語寡人辰而莫同, 何謂辰?" 對曰 : "日月之會是謂辰, 故以配日.)" 그런데 이 내용은 앞에서 설명한 '세성기년법'이나 '태세기년법'과 다른 방식의 辰에 대한 옛사람들의 해석이다.

않다."

[5-2-4]

凡圜轉之物, 動必有機. 旣謂之機, 則動非自外也. 古今謂天左旋, 此直至粗之論爾, 不考
日月出没恒星昏曉之變. 愚謂在天而運者, 惟七曜而已. 恒星所以爲晝夜者, 直以地氣乗
機, 左旋於中, 故使恒星河漢因一作回北爲南, 日月因天隱見. 太虛無體, 則無以驗其遷動於
外也.

회전하는 것은 움직일 때에 반드시 동인이 있다. 이왕에 동인이라고 말한다면 움직임은 바깥에서 온
것이 아니다. 예부터 지금까지 하늘은 왼쪽에서부터 돈다고 하였으니, 이것은 다만 지극히 거친 이
론일 뿐, 해와 달의 뜨고 짐과 항성의 저녁과 새벽의 변화를 살피지 않은 것이다. 나는 하늘에서 도
는 것은 오직 7요(해, 달, 오성)일 뿐이라고 생각한다. 항성이 낮과 밤이 되는 것[130]은 바로 지구의
기운이 동인을 타고 안에서 왼쪽에서부터[131] 돌므로 항성과 은하銀河로 하여금 북을 돌아서 因因자가
어떤 본에는 회回자로 되어 있다. 남으로 가게 하고, 해와 달로 하여금 하늘에 따라 숨거나 드러나게 하
는 것이다. 태허는 형체가 없으니, 바깥에서 움직이는 것을 징험할 방법이 없다.

[5-2-5]

天左旋. 處其中者順之, 少遲則反右矣.

하늘은 왼쪽에서부터 돈다. 그 안에 있는 것은 그것을 따르되, 조금 더딘 것은 도리어 오른쪽에서부
터 돈다[右旋한다].

[5-2-5-1]

或問朱子曰 : "天道左旋, 日月右行如何?"
曰 : "自疏家有此說. 人皆守定. 張子說日月皆是左旋, 說得好. 盖天行甚健, 一日一夜, 周
三百六十五度四分度之一, 又進過一度. 日行速, 健次於天, 一日一夜, 周三百六十五度四
分度之一, 起度端, 終度端, 無贏縮正恰好. 被天進一度, 則日爲退一度, 二日天進二度, 則
日爲退二度, 趕天不上. 積至三百六十五日四分日之一, 則天所進過之度, 又恰周得本數,
而日所退之度, 亦恰退盡本數, 遂與天會而成一年. 月行遲, 一日一夜, 三百六十五度四分
度之一行不盡, 比天爲退了十三度十九分度之七. 至二十七日半强而一周天與初躔合. 又行
二日有奇, 爲二十九日半强與日會. 進數爲順天而左, 退數爲逆天而右. 曆家以進數難筭,
只以退數筭之, 此是截法. 故謂之右行, 取其易見日月之度爾. 乃云'日行遲月行速', 此錯說
也. 曆家若順筭, 則筭著那相去處度數多. 今以其相近處言故易筭. 蔡季通云, '西域有九執

....

130 이 말은 항성이 낮에 나타나기도 하고 밤에 나타나기도 한다는 의미이다.
131 왕부지는 이 부분에 대해, 『張子正蒙註』에서 '왼쪽'이 아니라, '오른쪽'이라고 했다.

曆是順筭.’”132

어떤 사람이 주자에게 물었다. "천도가 왼쪽에서부터 돌고, 해와 달이 오른쪽에서부터 도는 것은 무엇 때문입니까?"

(주자가 대답했다.) "소를 낸 사람이 이 말을 한 뒤부터 사람들이 다 고수하였다. 장자(張載)가 해와 달은 다 왼쪽에서부터 돈다고 말했는데, 좋은 말이다. 하늘의 운행은 매우 굳세어서 한 번의 낮과 한 번의 밤 동안 365와 1/4도를 돌고, 또 1도를 더 간다. 해의 운행은 빨라서 굳세기가 하늘 다음이니 한 번의 낮과 한 번의 밤 동안 365와 1/4를 돌아, 시작점과 끝점이 남거나 모자람이 없이 꼭 맞다. 하늘이 1도 나아감으로 인해 해는 1도 물러나고, 2일 동안에 하늘이 2도 나아가면 해는 2도 물러나니, 하늘을 따라잡을 수 없다. 누적한 것이 365와 1/4분일에 이르면 하늘이 더 간 도수도 본수에

• •
132 『朱子語類』 권2, 10조목, 12조목, 13조목, 18조목의 다음과 같은 내용을 축약한 것이다.
　　10조목 물었다. "천도는 왼쪽에서부터, 동에서 서로 향하고, 해와 달이 오른쪽에서부터 운행하는 것은 무엇 때문입니까?" 대답했다. "횡거가 해와 달은 다 왼쪽에서부터 돈다고 했는데, 좋은 말이다. 하늘의 운행은 매우 굳세어 한 번의 낮과 한 번의 밤 동안 365와 1/4도를 돌고, 또 1도를 더 나아간다. 해의 운행은 빨라 굳세기가 하늘 다음이어서 한 번의 낮과 한 번의 밤 동안 365와 1/4를 도니, 바로 꼭 맞다. 하늘이 1도 나아가는 것에 비해 해는 1도 물러난다. 2일 동안 하늘이 2도 나아가면 해는 2도 물러난다. 누적된 것이 365와 1/4일에 이르면 하늘이 더 나아간 도수도 본수에 꼭 맞게 돌고, 해가 물러난 도수 또한 본수에 꼭 맞게 물러나, 마침내 하늘과 만나서 1년을 이룬다. 달의 운행은 더디어서 한 번의 낮과 한 번의 밤 동안 365와 1/4를 다 운행하지 못하니, 하늘에 비해 13도 남짓 물러난다. 나아가는 수는 하늘을 따라 왼쪽에서부터 돌고, 물러나는 수는 하늘을 거슬러 오른쪽에서부터 돈다. 역법가들은 나아간 수로는 계산이 어렵다고 여기고 단지 물러난 수로 그것을 계산하므로, 오른쪽에서부터 돈다고 말한다.(問: "天道左旋, 自東而西, 日月右行, 則如何?" 曰: "橫渠說日月皆是左旋, 說得好. 蓋天行甚健, 一日一夜周三百六十五度四分度之一, 又進過一度. 日行速, 健次於天, 一日一夜周三百六十五度四分度之一, 正恰好. 比天進一度, 則日爲退一度. 二日天進二度, 則日爲退二度. 積至三百六十五日四分日之一, 則天所進過之度, 又恰周得本數; 而日所退之度, 亦恰退盡本數, 遂與天會而成一年. 月行遲, 一日一夜三百六十五度四分度之一行不盡, 比天爲退了十三度有奇. 進數爲順天而左, 退數爲逆天而右. 曆家以進數難算, 只以退數算之, 故謂之右行.)
　　12조목 "천도와 해와 달과 오성은 다 왼쪽에서부터 돈다. 천도는 날마다 한 번 하늘을 도는데 항상 1도를 지난다. 해 또한 날마다 한 번 하늘을 도는데, 시작점과 끝점이 천도에 비해 항상 1도 모자란다. 달의 운행은 13과 1/4도에 미치지 못한다. 지금 사람은 오히려 달의 운행이 빠르고 해의 운행이 더디다고 말하는데, 이것은 잘못된 말이다. 그러나 역법가들은 오른쪽에서부터 도는 것을 이론으로 삼아 쉽게 해와 달의 도수를 보는 것을 취할 뿐이다."("天道與日月五星皆是左旋. 天道日一周天而常過一度. 日亦日一周天, 起度端, 終度端, 故比天道常不及一度. 月行不及十三度四分度之一. 今人卻云月行速, 日行遲, 此錯說也. 但曆家以右旋爲說, 取其易見日月之度耳.")
　　18조목 물었다. "이와 같이 말한다면 해는 하늘의 운행에 비해 1도 더디고, 달은 하늘의 운행에 비해 13도 남짓 더딥니다." 대답했다. "역법가들이 이와 같이 말한다면 서로의 떨어진 거리를 계산한 도수가 많다. 이제 서로 가까운 것으로 말하기 때문에 쉽게 계산한다. 계통(蔡元定)이 '서역에 九執曆이 있으니, 오히려 이것은 순리대로 계산한 것이다.'라고 말하는 것을 들었다."(問: "如此說, 則是日比天行遲了一度, 月比天行遲了十三度有奇." 曰: "曆家若如此說, 則算著那相去處度數多. 今只以其相近處言, 故易算. 聞季通云: '西域有九執曆, 卻是順算.'")

꼭 맞게 돌고, 해가 물러난 도수 또한 본수에 꼭 맞게 물러나니, 마침내 하늘과 만나서 1년을 이룬다. 달의 운행은 더디어서 한 번의 낮과 한 번의 밤 동안 365와 1/4도를 다 운행하지 못하니, 하늘에 비해 13과 7/19분을 뒤처졌다. 27과 1/2일 남짓에 이르러 한 번 하늘을 돈 것이 처음 궤도와 합치한다. 또 2일 남짓 가서 29와 1/2일 남짓이 되어 해와 만난다. 나아가는 수는 하늘을 따라 왼쪽에서부터 돌고, 물러나는 수는 하늘을 거슬러 오른쪽에서부터 돈다. 역법가들은 나아가는 수로는 계산이 어렵기 때문에 다만 물러나는 수로 계산하였으니, 이것이 절법截法이다. 그러므로 오른쪽에서부터 돈다고 하니, 보기 쉬운 해와 달의 도수를 취했을 뿐이다. 이에 '해가 도는 것은 더디고 달이 도는 것은 빠르다.'라고 하는데, 이것은 잘못된 말이다. 역법가들이 순리대로 계산하면 그 서로의 떨어진 거리를 계산한 도수가 많다. 이제 서로 가까운 것으로 말하기 때문에 쉽게 계산한다. 채계통蔡元定[133]은 '서역에 구집력九執曆이 있으니, 이것은 순리대로 계산한 것이다'[134]라고 했다."

[5-2-5-2]

"天無體, 二十八宿便是天體, 隨天而定. 日月與五星, 則皆隨天左轉, 而緩急各不同, 不隨天而定也. 橫渠'少遲則反右'之說極精. 如以一大輪在外, 一小輪載日月在內, 大輪轉急, 小輪轉慢. 雖都是左轉, 只有急有慢, 便覺日月似右轉了."[135] "『禮記』「月令」疏云, '二十八宿

133 蔡元定(1135~1198) : 송대의 성리학자이다. 자는 季通이고, 호는 西山이다. 시호는 文節이고, 建州 建陽 출신이다. 蔡發의 아들이며, 蔡沈의 아버지이다. 채원정은 아버지에게서 『二程語錄』과 『正蒙』과 『皇極經世書』를 배웠다. 후에 주희를 찾아가 주희를 스승으로 여겼다. 그러나 주희는 채원정의 학문을 인정하여 벗으로 대우했으며, 여러 곳에서 오는 사람들로 하여금 먼저 채원정에게 질정하도록 했다. 채원정의 학문은 의리학과 상수학을 겸하는 『易』을 활용하여 소옹의 『皇極經世書』를 주석하였다. 그의 학문 방법은 '數'로 이치를 밝히는 것이다. 저서로 『律呂新書』·『大衍詳說』·『皇極經世』·『洪範解』·『太玄潛虛指要』 등이 있다.

134 그런데 송나라 때 張世南이 撰한 『游宦紀聞』 권8에 의하면 고려에도 '구집력(고대 인도에서 사용한 역법으로 해와 달과 오성 및 두 숨겨진 별 등의 9曜를 말하는데, 두 숨겨진 별은 羅喉와 計都이다. 라후와 계도는 중국식 번역어에서는 없고, 梵語에서 온 것으로 黃道와 白道의 昇交點과 降交點을 말한다.)'이 있었다고 한다. "고려 나라에 구집력이 있었다."(高麗國有九執曆). 이것은 서역의 '구집력'이 이미 당나라 때(開元 6년에 瞿曇悉達에게 번역하게 함. 명나라 邢雲路 撰『古今律曆考』 권27 참조) 중국에 소개되었고, 당나라와 활발한 교역을 했던 당시의 우리나라에서도 이 '구집력'이 소개되었음을 의미한다.

135 『朱子語類』 권2, 14조목, 39조목, 17조목, 16조목의 다음과 같은 내용을 축약한 것이다.
14조목 또 말했다. "하늘은 형체가 없고, 다만 28수가 바로 천체이다. 해와 달이 다 角宿로부터 일어나니, 하늘 또한 角宿로부터 일어난다. 해는 하루에 한 바퀴를 도는데, 여전히 다만 그 각수에 이르고, 하늘은 한 번 돌고 또 각수를 약간 지난다. 날마다 누적해가면 1년은 바로 해와 만난다."(又曰 : "天無體, 只二十八宿便是天體. 日月皆從角起, 天亦從角起. 日則一日運一周, 依舊只到那角上; 天則一周了, 又過角些子. 日日累上去, 則一年便與日會."
39조목 횡거가 말했다. "해와 달과 오성 또한 하늘을 따라 돈다. 마치 28수가 하늘을 따라 정해진 것은 다 광선이 있고, 오성이 거슬러 돌아 움직인 것은 광선이 없는 것과 같다."(橫渠言 : "日月五星亦隨天轉. 如二十八宿隨天而定, 皆有光芒; 五星逆行而動, 無光芒.")
17조목 "진나라 천문지에서 논한 것이 또한 좋으니, 대부분 許敬宗(592~672)이 그렇게 했다. 해와 달이 하늘

及諸星，皆循天左行. 一日一夜一周天. 一周天之外更行一度'[136]，其說可證也. "

(주자가 말했다.) "하늘은 체體가 없고, 28수[137]가 바로 천체이니, 하늘을 따라 정해졌다. 해와 달과 오성은 다 하늘을 따라 왼쪽에서부터 돌지만, 속도는 각기 달라 하늘을 따라 정해지지 않는다. 횡거[張載]의 '조금 더딘 것은 오히려 오른쪽에서부터 돈다.'라는 이론이 매우 정밀하다. 마치 하나의 큰 바퀴는 바깥에 있고, 하나의 작은 바퀴가 안에 해와 달을 싣고 있는 것과 같아서 큰 바퀴가 빠르게 돌 때 작은 바퀴는 느리게 돈다.[138] 비록 모두 왼쪽에서부터 돌지만 단지 속도가 있으니, 바로 해와 달이 오른쪽에서부터 도는 것과 같다고 느낄 뿐이다." "『예기』「월령」의 소에 '28수와 모든 별은 다 하늘을 따라 왼쪽에서부터 돈다. 한 번의 낮과 한 번의 밤 동안 하늘을 한 바퀴 돈다. 하늘을

을 따라 왼쪽에서부터 돈다고 하는 것은 횡거의 주장과 같이 하는 것이 비교적 순하다. 역법가들은 느린 것은 오히려 빠르다고 하고, 빠른 것은 오히려 느리다고 말한다. 역법의 수는 해와 달과 별이 지나는 수이다."("晉天文志論得亦好, 多是許敬宗爲之. 日月隨天左旋, 如橫渠說較順. 五星亦順行, 曆家謂之緩者反是急, 急者反是緩. 曆數, 謂日月星所經歷之數.")

16조목 물었다. "경성은 왼쪽에서부터 돌고, 위성과 해와 달은 오른쪽에서부터 돕니까?" 대답했다. "지금 많은 사람들이 이와 같이 말한다. 횡거는 하늘은 왼쪽에서부터 돌고, 해와 달 또한 왼쪽에서부터 돈다고 말했다. 보기에 횡거의 말이 매우 옳다. 다만 사람들이 이해하지 못하는 것을 염려했기 때문에 『詩傳』에서는 단지 옛 이론을 실었다." 어떤 사람이 말했다. "이 또한 쉽게 알 수 있습니다. 마치 하나의 큰 바퀴는 바깥에 있고, 하나의 작은 바퀴는 안에 해와 달을 싣고 있기에 큰 바퀴가 빠르게 돌 때 작은 바퀴는 느리게 도는 것과 같습니다. 비록 모두 왼쪽에서부터 돌지만 단지 빠름이 있고 느림이 있으니, 바로 해와 달이 오른쪽에서부터 굴러가는 것과 같다고 느낄 뿐입니다." 대답했다. "그렇다. 다만 이와 같다면 역법가들의 '거스름'이라는 글자는 다 '따름'이라는 글자로 고쳐야 하고, '물러남'이라는 글자는 다 '나아감'이라는 글자로 고쳐야 한다."(問: "經星左旋, 緯星與日月右旋, 是否?" 曰: "今諸家是如此說. 橫渠說天左旋, 日月亦左旋. 看來橫渠之說極是. 只恐人不曉, 所以詩傳只載舊說." 或曰: "此亦易見. 如以一大輪在外, 一小輪載日月在內, 大輪轉急, 小輪轉慢. 雖都是左轉, 只有急有慢, 便覺日月似右轉了." 曰: "然. 但如此, 則曆家逆'字皆著改做'順'字, '退'字皆著改做'進'字.")

136 정현 주 공영달 소 『禮記正義』 권14 「月令」 제6

137 二十八宿는 스물여덟 개의 별자리로 동서남북에 각각 7개의 별자리가 있다. 동쪽에는 모양이 龍과 같다고 하여 蒼龍(青龍)7수라고 하는데, 角星·亢星·底星·旁星·心星·尾星·箕星 등이 여기에 해당한다. 서쪽에는 모양이 호랑이와 같다고 하여 白虎7수라 하는데, 奎星·婁星·胃星·昴星·畢星·觜星·參星 등이 여기에 해당한다. 남쪽에는 모양이 새와 같다고 하여 朱鳥(朱雀)7수라고 하는데, 井星·鬼星·柳星·星星·張星·翼星·軫星 등이 여기에 해당한다. 북쪽에는 모양이 거북이와 뱀과 같다고 하여 玄武7수라고 하는데, 斗星·牛星·女星·虛星·危星·室星·壁星 등이 여기에 해당한다. 또한 각 방위의 七星을 子·丑·寅·卯·辰·巳·午·未·申·酉·戌·亥 등의 12방위에 배치한다. 동쪽의 角星·亢星·底星은 壽星이며 辰 방위이고, 旁星·心星·尾星은 大火이며 卯 방위이고, 箕星은 析木이며 寅 방위이다. 서쪽의 奎星·婁星·胃星은 降類이며 戌 방위이고, 昴星·畢星은 大梁이며 酉 방위이고, 觜星·參星은 實沈이며 申 방위이다. 남쪽의 井星·鬼星은 鶉首이며 未 방위이고, 柳星·星星·張星은 鶉火이며 午 방위이고, 翼星·軫星은 鶉尾이며 巳 방위이다. 북쪽의 斗星·牛星·女星은 星紀이며 丑 방위이고, 虛星·危星은 玄枵이며 子 방위이고, 室星·壁星은 諏訾이며 亥 방위이다.

138 이때 바퀴란 동심원의 바퀴를 의미한다.

한바퀴 도는 것 외에 1도를 더 간다.'라고 하였으니, 그 말을 징험할 수 있다."

[5-2-6]

地, 物也; 天, 神也. 物無踰神之理. 顧有地斯有天, 若其配然爾.

땅은 물物이고, 하늘은 신神이다. 물物이 신神을 넘을 리理가 없다. 다만 땅이 있어야 하늘이 있으니, 마치 서로 짝이 된 것 같다.

[5-2-6-1]

朱子曰 : "天包乎地, 天之氣又行乎地之中. 故橫渠云'地對天不過.'"[139]

주자가 말했다. "하늘은 땅을 감싸고, 하늘의 기는 또 땅속에서 유행한다. 그러므로 횡거는 '땅은 하늘에 짝하는데 지나지 않는다.'라고 했다."

[5-2-7]

地有升降, 日有修短. 地雖凝聚不散之物, 然二氣升降其間, 相從而不已也. 陽日上, 地日降而下者, 虛也; 陽日降, 地日進而上者, 盈也. 此一歲寒暑之候也. 至於一晝夜之盈虛·升降, 則以海水潮汐驗之爲信; 然間有小大之差, 則繫日月朔望, 其精相感.

땅은 오르고 내림이 있고, 해는 길고 짧음이 있다. 땅은 비록 응결하여 모여서 흩어지지 않는 물物이지만, 두 기가 그 사이에서 오르고 내리며 끊임없이 서로 따른다. 양陽이 날마다 위로 올라가고 땅이 날마다 아래로 내려오는 것은 비움이고, 양이 날마다 내려오고 땅이 날마다 위로 나아가는 것은 채움이다. 이것이 한 해의 추위와 더위의 징후이다. 한 번의 낮과 밤사이의 채움과 비움, 오름과 내림에 이르러서는 바닷물의 밀물과 썰물로 징험해 보면 믿을 만하지만, 그 사이에 크고 작은 차이[140]가 있는 것은 해와 달의 초하루와 보름에 관계하니 그 정기가 서로 감응한다.

[5-2-7-1]

邵子曰 : "海潮者, 地之喘息也. 所以應月者, 從其類也."[141]

소자邵子[142]가 말했다. "바다의 밀물은 땅의 호흡이다. 달에 응하는 까닭은 같은 부류[143]를 따르기

---

139 『朱子語類』권1, 27조목
140 밀물과 썰물 간격의 평균 시간은 12시간 25분이다. 하루에 두 차례 밀물과 썰물이 있기 때문에 둘이 합하면 24시간 50분이다. 이것은 한 번의 낮과 밤 동안의 채움과 비움 및 오름과 내림이다. 그러나 매일의 밀물과 썰물은 전날의 밀물과 썰물에 비해 평균 50분의 차이가 난다. 이것이 바로 작고 큼의 차이이다. 그리고 달의 인력은 태양의 약 2.7배이기 때문에 밀물과 썰물은 주로 달의 운행에 따라 변화한다.
141 邵雍 『皇極經世書』권14 「觀物外篇下」
142 邵雍(1011~1077) : 자는 堯夫이고, 호는 安樂先生이며, 蘇文山 百源가에 은거하여 百源先生이라고도 불리었다. 시호는 康節이다. 宋代 范陽(현 하북성 涿縣) 사람으로 만년에는 洛陽에 거주하였는데, 이때 司馬光·呂公著·富弼 등이 그를 존경하여 함께 교류하면서 대저택을 증여하였다. 李之才에게 圖書先天象數學을 배웠

때문이다."

[5-2-7-2]

朱子曰：“天地之間, 東西爲緯, 南北爲經. 故子·午·卯·酉爲四方之正位, 而潮之進退, 以月至此位爲節爾.”[144]

주자가 말하였다. "하늘과 땅 사이에서 동과 서는 위도가 되고 남과 북은 경도가 된다. 그러므로 자·오·묘·유는 사방의 정위正位가 되고, 조수가 나아가고 물러나는 것은 달이 이 자리에 이른 것으로 마디를 삼을 뿐이다."

[5-2-7-3]

黃瑞節曰：“此段‘地有升降, 日有修短, 及證以海水潮汐之候’, 皆用舊說. 今考先儒皆謂‘地在天中, 水環地外, 四遊升降, 不越三萬里. 春遊過東方五千里, 其下降如其數; 秋遊過西方五千里, 其上升如其數; 夏遊在南, 故日在其上; 冬遊過北, 故日在其南. 此冬夏晝夜之長短, 因地有升降而然. 人處地上, 如在舟中, 但見岸之移, 而不知舟之轉也.’ 至於論潮, 則謂‘天包水, 水承地, 而一元之氣升降於太空之中. 地乘水力, 與元氣相爲升降. 氣升而地沉, 則海水溢上而爲潮; 氣降而地浮, 則海水縮而爲汐. 一晝一夜, 陰陽之氣再升再降, 故一日之間潮汐皆再.’ 其說與地有四遊相爲表裏.

황서절이 말했다. "이 단락에서 '땅은 오르고 내림이 있고, 해는 길고 짧음이 있는 것과 바닷물의 밀물과 썰물의 징후로 징험하는 것'은 다 옛 이론을 사용하는 것이다. 지금 살펴보니, 선배 유학자들은 다 '땅은 하늘 가운데 있고, 물은 땅 바깥을 두르고 있는데 땅이 사방으로 오르고 내리는 것이 3만 리를 넘지 않는다. 봄에는 동쪽 5천 리를 가서 아래로 내려가는 것이 그 수와 같고, 가을에는 서쪽 5천리를 가서 오르는 것이 그 수와 같으며, 여름에는 남쪽으로 가기 때문에 해가 그 위에 있고, 겨울에는 북쪽으로 가기 때문에 해가 그 남쪽에 있다. 이것이 겨울과 여름의 밤낮의 길이가 짧거나 긴 것이니, 땅의 오르고 내림이 있기 때문에 그렇다. 사람이 땅 위에 있는 것은 마치 배 속에 있을 때에 다만 해안이 옮겨가는 것을 보면서도 배가 움직이는 것을 알지 못하는 것과 같다.'고 말한다. 조수를 논하는 경우에는 '하늘은 물을 감싸고, 물은 땅을 받들며 일원의 기가 큰 허공 속에서 오르고 내린다. 땅은 물의 힘을 타고 원기와 함께 서로 오르고 내린다. 기가 올라가 땅이 가라앉으면 바닷물이 위로 넘쳐서 밀물이 되고, 기가 내려와서 땅이 뜨면 바닷물이 줄어들어 썰물이 된다. 한 번의 낮과 한 번의 밤 동안 음양의 기가 두 번 오르고 두 번 내려오므로 하루 사이에 밀물과 썰물은 모두 두 번 일어난다.'고 말한다. 그 이론은 땅이 사방으로 간다는 것과 서로 표리의 관계가 된다.

....

다고 한다. 그는 도가사상의 영향을 받고 유가의 易哲學을 발전시켜 독특한 數理哲學을 완성하였다. 그의 易學은 朱熹에게 큰 영향을 주었다. 저서는 『皇極經世』·『伊川擊壤集』·『漁樵問答』 등이 있다.

143 여기에서 부류는 모두 달과 땅을 의미하는 것으로 陰을 가리킨다.

144 『朱文公集』 권58 「書·答張敬之」

然以渾天術觀之, 天形斜倚, 半在地上, 北極出地三十六度, 其南五十五度, 正當地之中. 又其南十二度爲夏至之日道, 天在地上最高, 故晝長. 又其南二十四度爲春秋分之日道, 天在地上稍低, 故晝夜平. 又其南二十四度爲冬至之日道, 天在地上最低, 故晝短. 其南下入地纔三十一度而已. 此晝夜長短, 乃天體高低自然之理, 非因地之升降也.

그러나 혼천술渾天術로 관찰하면 하늘의 모습은 기울어져 있는데, 반은 땅 위에 있으며, 북극[145]은 땅의 36도 나와 있으니, 그 남쪽 55도는 바로 땅의 중앙에 해당한다. 또 그 남쪽 12도는 하지 때 해의 길이니, 하늘이 땅 위에서 가장 높으므로 낮이 길다. 또 그 남쪽 24도는 춘분과 추분 때 해의 길이이니, 하늘이 땅 위에서 조금 낮아지므로 낮과 밤이 고르다. 또 그 남쪽 24도는 동지 때 해의 길이이니, 하늘이 땅 위에서 가장 낮으므로 낮이 짧다. 그 남쪽은 아래로 땅에 들어갔을 때 겨우 31도일 뿐이다. 이것이 낮과 밤의 길고 짧음이니 바로 천체의 높고 낮음의 자연스러운 이치이지 땅의 오르고 내림으로 인한 것이 아니다.

潮汐消長, 則惟余襄公『海潮圖序』最明. 蓋潮之消息, 皆繫於月. 月臨卯酉, 則潮漲乎東西; 月臨子午, 則潮平乎南北. 晝夜之運, 日行一度, 月行十三度有奇, 故太陰西沒之期, 常緩於太陽三刻有奇. 潮信之來, 率亦如是. 自朔至朢, 常緩一夜潮. 自朢至晦, 復緩一晝潮. 朔朢前後月行差疾, 故晦前三日潮勢長, 朔後三日潮勢大. 朢亦如之. 月弦之際, 月行差遲, 故潮之去來, 勢亦稍小. 一月則潮盛於朔朢之後, 一歲則潮盛於春秋之中. 春夏晝潮常大, 秋冬夜潮常大. 蓋歲之有春秋, 猶月之有朔朢, 天地之常數也. 此潮之消息, 乃繫乎月之進退, 亦非因地之浮沉也. 張子特用舊說而未之易耳. 因附見之."[146]

밀물과 썰물이 줄어들고 불어나는 것은 오직 여양공余襄公[147]이 지은 『해조도서海潮圖序』가 가장 분명하다. 밀물이 줄어들고 늘어나는 것은 다 달에 달려 있다. 달이 묘卯나 유酉에 임하면 조수는 동이나 서에서 팽창하고, 태음太陰: 달이 자子나 오午에 임하면 조수는 남이나 북에서 고르다. 낮과 밤의 운행은 해가 1도 지나갈 때 달은 13도 남짓 지나가므로 달이 서쪽으로 질 무렵에 항상 태양보다 3각 남짓 느리다. 조수가 올 때에도 대부분 또한 이와 같다. 초하루부터 보름에 이르기까지 항상 한 번의 밤만큼 조수가 늦어진다. 보름부터 그믐에 이르기까지 다시 한 번의 낮만큼 조수가 늦어진다. 초하루와 보름 전후에 달의 운행이 조금 빠르므로 그믐 전 3일 동안 조수의 기세가 드세고, 초하루 후 3일 동안 조수의 기세가 크다. 보름 또한 그와 같다. 반달이 될 때에 달의 운행이 조금 더디므로 조수가 가고 올 때, 기세 또한 조금 작아진다. 한 달 중에서는 조수가 초하루와 보름 후에 왕성하고, 한 해 중에서는 조수가 봄과 가을 중에 왕성하다. 봄과 여름은 낮에 조수가 항상 크고, 가을과 겨울은 밤에 조수가 항상 크다. 한 해에 봄과 가을이 있는 것은 한 달에 초하루와 보름이

---

145 북극. 북녘 하늘의 맨 끝이다. 地軸 북단의 연장선이 天球와 서로 만나는 지점이다.

146 鮑雲龍 撰 『天原發微』 권1하

147 余靖(1000~1064) : 북송 시대 韶州曲江(현재 廣東省 韶關) 사람이며, 관원이다. 본명은 希古이고, 字는 安道이며, 號는 武溪이고, 시호가 襄이다. 저서로 『武溪集』이 있다.

있는 것과 같으니, 하늘과 땅의 정상적인 법칙이다. 이것이 조수의 줄어듦과 불어남이니, 바로 달의 나아감과 물러남에 달려 있는 것이지, 또한 땅의 뜸과 가라앉음으로 인한 것이 아니다. 장자張載는 다만 옛 이론을 활용하여 아직 바꾸지 않았을 뿐이다. 이 때문에 이 말들을 덧붙여 보인다."

[5-2-8]

日質本陰, 月質本陽, 故於朔望之際, 精魄反交, 則光爲之食矣.

해의 바탕은 본래 음이고, 달의 바탕은 본래 양이므로 초하루와 보름일 때에 해와 달이 어긋나면 빛이 그것에 의해 먹힌다.

[5-2-8-1]

朱子曰 : "曆家說天有五道, 而今且將黃赤道說. 天正如一圓匣相似. 赤道是那匣子相合縫處, 在天之中. 黃道一半在赤道之內, 一半在赤道之外, 東西兩處與赤道相交. 度, 却是將天橫分爲許多度數. 會時, 是日月在黃道赤道十字路頭相交處相撞著. 望時, 是月與日正相向, 如一箇在子, 一箇在午. 日所以食於朔者, 月常在下, 日常在上, 旣是相會, 被月在下面遮了日, 故日食. 望時月食, 謂之闇虛. 蓋火日外影, 其中實闇, 到望時, 恰當著其中闇處, 故月食. 至明中有闇虛, 其闇至微. 望時月與之正對無分毫相差, 月爲闇虛所射, 故食."[148]

주자가 말했다. "역법가들은 하늘에는 5도道[149]가 있다고 말하는데, 지금은 우선 황도黃道와 적도赤道

....

[148] 『朱子語類』권2, 4조목과 5조목의 다음과 같은 내용을 축약한 것이다.

4조목 숙기가 물었다. "하늘에는 몇 도가 있습니까?" 대답했다. "역법가들의 말에 의하면 5도가 있다. 그러나 지금은 황도와 적도를 말하는데, 적도는 바로 하늘의 가운데에 있으니 마치 상자의 꿰맨 모양과 같고, 황도는 그 적도의 사이에 있다."(叔器問 : "天有幾道?" 曰 : "據曆家說有五道. 而今且將黃赤道說, 赤道正在天之中, 如合子縫模樣, 黃道是在那赤道之間.")

5조목 같은 度와 같은 道를 묻습니다. 대답했다. "하늘에는 황도가 있고 적도도 있다. 하늘은 바로 하나의 둥근 상자와 비슷한데, 적도는 그 상자가 서로 봉합된 곳이고 하늘의 가운데에 있다. 황도는 절반은 적도 안에 있고, 절반은 적도 바깥에 있기에 동서 두 곳에서 적도가 서로 만난다. 度는 바로 하늘을 가로로 나눈 많은 도수이다. 만날 때에는 해와 달이 황도와 적도의 십자로 서로 교차하는 곳에서 부딪친다. 보름에는 달과 해가 정면으로 서로 향한다. 마치 하나의 子가 있고, 하나의 午가 있는 것은 다 동일한 度인 것과 같다. 예컨대 달이 11도에서 마치고 해 또한 11도에서 마치는 것과 같음을 말한다. 비록 이 1도가 같지만, 오히려 남과 북은 서로 향한다. 해가 초하루에 먹히는 것은 달이 항상 아래에 있고 해가 항상 위에 있기에 만났을 때에 달이 아래에서 해를 가렸기 때문에 해가 먹힌다. 보름일 때에 달이 먹히는데, 진실로 음이 감히 양과 맞수이지만, 역법가들은 또한 그것을 暗虛라고 한다. 태양은 밖으로 빛을 내뿜는데, 그 속은 진실로 어두워서 보름에 이를 때에 그 속의 어두운 곳을 꼭 만나므로 달이 먹힌다."(問同度同道. 曰 : "天有黃道, 有赤道. 天正如一圓匣相似, 赤道是那匣子相合縫處, 在天之中. 黃道一半在赤道之內, 一半在赤道之外, 東西兩處與赤道相交. 度, 却是將天橫分爲許多度數. 會時是日月在那黃道赤道十字路頭相交處冢撞著. 望時是月與日正相向. 如一箇在子, 一箇在午, 皆同一度. 謂如月在畢十一度, 日亦在畢十一度. 雖同此一度, 却南北相向. 日所以蝕於朔者, 月常在下, 日常在上, 旣是相會, 被月在下面遮了日, 故日蝕. 望時月蝕, 固是陰敢與陽敵, 然曆家又謂之暗虛. 蓋火日外影, 其中實暗, 到望時恰當著其中暗處, 故月蝕.)

를 가지고 말한다. 하늘은 바로 하나의 둥근 상자와 비슷하다. 적도는 그 상자가 서로 봉합된 곳이니, 하늘의 가운데에 있다. 황도는 그 절반이 적도 안에 있고, 그 절반은 적도 바깥에 있으며, 황도의 동서 두 곳에서 적도와 서로 만난다. 도度는 바로 하늘을 가로로 나눈 많은 도수이다. 만날 때에는 해와 달이 황도와 적도의 십자로 서로 교차하는 곳에서 만난다. 보름에는 달과 해가 정면으로 서로 향하니, 마치 하나는 자子에 있고, 하나는 오午에 있는 것 같다. 해가 초하루에 먹히는 것日食은 달이 항상 아래에 있고 해가 항상 위에 있기에 만났을 때에 아래에 있는 달에 의해 해가 가려졌기 때문에 해가 먹힌다. 보름일 때에 달이 먹히는데, 그것을 암허暗虛라고 한다. 태양火日[150]은 빛을 밖으로 내뿜는데, 그 속은 진실로 어두워서 보름에 이를 때에 그 속의 어두운 곳을 꼭 만나므로 달이 먹힌다. 지극히 밝음 속에 암허가 있으니, 그 어두움은 지극히 은미하다. 보름일 때에 달이 암허와 정면으로 마주하여 조금도 서로의 차이가 없으면 달은 암허에게 쏘이게 되므로 먹힌다."

[5-2-8-2]

黃瑞節曰: "『春秋』疏云, '日月同處, 則日被月映而形魄不見', 故食. 朔則交會, 故食必在朔. 然而每朔皆會, 應每月皆食. 杜預云, '日月動物, 雖行度有大量, 不能不小有盈縮. 故雖有交會而不食者, 或有頻交而食者.' 又云, '日月異道, 交互相錯. 月之一周, 必半在日道裏, 從外而入內; 半在日道表, 從內而出外. 或六入七出, 或七入六出. 凡十三出入而與日會. 曆家謂之交道, 通而計之, 一百七十三日有餘而有一交.' 唐一行『日議』云, '日行黃道, 月有九道. 其所行之道, 遇交則有薄蝕之變也. 至於合朔如合璧, 則不食; 其交不軌道, 則食也. 故驗日食者, 必以日躔月道之交驗之耳.' 五代王朴云, '自古相傳, 皆謂「近交則日月有食」, 殊不知日月之相掩, 與闇虛之相射, 其理有異.'

황서절이 말했다. "『춘추』의 소에서 '해와 달이 같은 곳에 있으면 해는 달이 비추는 것에 의해 모습이 보이지 않는다.'[151]라고 하였으므로 먹힌다. 초하루에는 만나므로 먹히는 것은 반드시 초하루에 있다. 그러나 매 초하루마다 만나니, 매달에 마땅히 다 먹혀야 한다. 두예는 '해와 달은 움직이는 것이니, 비록 운행하는 도수가 매우 많지만, 조금이라도 참과 기울어짐이 없을 수 없다. 그러므로 비록 만나더라도 먹히지 않는 경우가 있지만, 어떤 경우에는 자주 만나서 먹히는 것이 있다.'라고 했다. 또 '해와 달은 길을 달리하면서 서로 교차한다. 달이 한 번 돌 때에 반드시 절반은 해의 길 속에 있어 바깥으로부터 안으로 들어가고, 절반은 해의 길 곁에 있어 안으로부터 바깥으로 나오니, 어떤 경우에는 6일은 들어가고 7일은 나오며, 어떤 경우에는 7일은 들어가고 6일은 나온다. 13회 나아가고 들어오면서 해와 만난다. 역법가들이 교도交道라고 하는데, 통틀어 계산하면 173일 남짓에서 한 번의 만남이 있다.'라고 했다. 당나라 일행의 『일의』에서 '해는 황도를 지나고 달에는 9도가 있다.

---

149 靑道, 赤道, 白道, 黑道, 黃道

150 『晉書』「紀瞻傳」 "이 때문에 金과 水의 밝음은 안으로 비치고, 火와 日의 빛은 밖으로 빛난다.(是以金水之明內鑒, 火日之光外輝.)"

151 『春秋左傳』「隱公」 3년 "봄 주왕 2월 기사일에 일식이 있었다."("春, 王二月己巳, 日有食之")에 대한 공영달의 소

그것들이 가는 길에서 만나면 조금 먹히는 변화가 있다. 초하루에 합삭合朔(해와 달이 같은 궁에서 만나는 것)이 합벽合璧(해와 달이 함께 동시에 떠오르는 것)과 같음에 이르면 먹히지 않고, 그 만남이 궤도가 아니라면 먹힌다(일식이 일어난다). 그러므로 해가 먹히는 것을 징험하는 것은 반드시 해의 궤도와 달의 길이 만나는 곳에서 징험하는 것일 뿐이다.'라고 했다. 5대 때의 왕박은 '예로부터 서로 전하여 모두가 말하기를 「가까이에서 만나면 해와 달이 먹히는 것이 있다.」라고 한 것은 다만 해와 달이 서로 가리는 것과 암허가 서로 쏘는 것이 그 이치에 다름이 있음을 전혀 모르는 것이다.'라고 했다.

今據諸家之說, 所謂九道者, 青道二, 赤道二, 白道二, 黑道二, 與黃道而九也. 月不行黃道, 止行其餘八道. 但此八道, 皆斜出入於黃道之內外, 故謂之九道耳. 月一歲凡十三次經天, 則二十六次出入於黃道之內外. 一次經天, 則一次入一次出也. 或六次入七次出, 或七次入六次出, 各十三出入也. 此二十六次出入於黃道之時, 有二十四次皆不與日會, 惟有兩次與日會. 故疏云, '通計一百七十三日有餘而有一交也', 於此時方有食. 然而有食有不食者, 或日月同道之際, 道有分數, 故食亦有分數; 或小有盈縮, 遂從邊而過, 故有不食也. 呂氏『詩記』「十月之交篇」, 載孔疏之說亦然. 若以定法論之, 一歲兩交當兩食, 而春秋二百四十二年, 日食三十六, 唐二百九十年食百餘, 何也? 此杜預所謂'有雖交會而不食者, 或有頻交而食者也.' 朱子與王朴之說合. 日月之相掩與闇虛之所射, 是日月食之理也."

이제 여러 학자들의 말에 의하면 이른바 9도란 청도 둘, 적도 둘, 백도 둘, 흑도 둘이 황도와 함께 아홉이다.[152] 달은 황도를 다니지 않고 다만 나머지 8도를 다닌다. 그러나 이 8도는 다 황도의 안팎을 비스듬히 드나들므로[153], 그것을 9도라고 말할 뿐이다. 달은 한 해에 13번 하늘을 지나며, 황도의 안팎을 26번 드나든다. 한 번 하늘을 지나는 것은 한 번 들어오고 한 번 나가는 것이다. 어떤 경우에는 여섯 번 들어오고 일곱 번 나가며, 어떤 경우에는 일곱 번 들어오고 여섯 번 나가니, 각각 열세 번 나가고 들어온다. 이것은 황도를 26번 드나들 때에 24번은 다 해와 만나지 못함이 있고, 오직 두 번만 해와 만남이 있는 것이다. 그러므로 공영달의 소疏에서는 '통틀어 173일 남짓에 한 번 교차한다.'[154]라고 했으니, 이때에 비로소 먹힘이 있다. 그러나 먹힘이 있거나 먹히지 않음이 있는 것은

----

152 9도에 대해 蔡沈은 『書經集傳』(「洪範」)에서 다음과 같이 설명한다. "해는 中道가 있고, 달은 九行이 있다. 중도는 黃道이니, 북으로 東井에 이르면 북극과의 거리가 가까워지고, 남으로 牽牛에 이르면 북극과의 거리가 멀어지며, 동으로 角에 이르고 서로 婁에 이르면 북극과의 거리가 중앙인 것이 이것이다. 9행은, 黑道 둘은 황도의 북으로 나오고, 赤道 둘은 황도의 남으로 나오며, 白道 둘은 황도의 서로 나오고, 청도 둘은 황도의 동으로 나오니, 황도까지 아울러 九行이 된다. 해가 지극히 남쪽으로 가서 견우에 이르면 동지가 되고, 지극히 북쪽으로 가서 동정에 이르면 하지가 되며, 남북이 중앙이어서 동쪽으로 角에 이르고 서쪽으로 婁에 이르면 춘분과 추분이 된다. 달은 입춘과 춘분에는 청도를 따르고, 입추와 추분에는 백도를 따르며, 입동과 동지에는 흑도를 따르고, 입하와 하지에는 적도를 따르니, 이른바 '해와 달의 운행이 겨울이 있고, 여름이 있다.'라는 것이다. 달이 동북쪽으로 가서 箕星에 들어가면 바람이 많고, 달이 서남쪽으로 가서 畢星에 들어가면 비가 많으니, 이른 바 '달이 별을 따라서 바람이 불고 비가 내리게 한다.'라는 것이다."

153 드나들므로: 여기에서 '드나들므로'는 오르고 내린다는 의미이다.

어떤 경우에는 해와 달이 같은 궤도일 때에도 궤도에 분수分數가 있으므로 먹힘 또한 분수가 있고, 어떤 경우에는 조금 차거나 기울어짐이 있기에 마침내 가장자리로부터 지나가므로 먹히지 않음이 있다. 여동래呂東萊가 『가숙독시기家塾讀詩記』「10월지교十月之交」편에 공영달의 소를 실은 이론 또한 그렇다. 만약 규정으로 논하면 한 해에 두 번 만나 두 번 먹혀야 하는데, 춘추 시기 242년 동안에 해가 36번 먹히고, 당나라 290년 동안에 100여 차례 먹힌 것은 무엇 때문인가? 이것은 두예杜預가 말한 '비록 만나더라도 먹히지 않는 경우가 있지만, 어떤 경우에는 자주 만나서 먹히는 것이 있다.'라는 것이다. 주자와 왕박王柏의 말이 합당하다. 해와 달이 서로 가리는 것과 암허[155]가 쏘는 것은 해와 달이 먹히는 이치이다."

[5-2-9]

虧盈法[156] : 月於人爲近, 日遠在外, 故月受日光常在於外, 人視其終初, 如鈎之曲, 及其中天也, 如半璧然. 此虧盈之驗也.

이지러짐과 참의 법 : 달은 사람에게 가깝고 해는 멀리 바깥에 있으므로 달이 햇빛을 받는 것은 항상 바깥에 있으니 사람이 보기에 그 처음과 끝은 마치 굽은 갈고리 같고, 중천에 이르렀을 때에는 둥근 옥의 반쪽과 같다. 이것이 이지러짐과 참의 징험이다.

[5-2-9-1]

朱子曰 : "曆家舊說, 月朔則去日漸遠, 故魄死而明生. 旣望則去日漸近, 故魄生而明死. 至晦而朔, 則又遠日而明復生, 所謂'死而復育也.' 此說誤矣. 若果如此, 則未望之前, 西近東遠, 而始生之明當在月東; 旣望之後, 東近西遠, 而未死之明却在月西矣. 安得未望載魄於西, 旣望終魄於東, 而遡日以爲明乎? 故惟近世沈括之說得之. 蓋括之言曰, '月本無光, 猶一銀丸, 日曜之乃光耳. 光之初生, 日在其旁, 故光側而所見纔如鈎, 日漸遠, 則斜照而光稍滿.' 大抵如一彈丸, 以粉塗其半, 側視之, 則粉處如鈎; 對視之, 則正圓也. 近歲王普又中其說. '月生明之夕, 但見其一鈎. 至日月相望, 而人處其中, 方得見其全明. 必有神人能凌倒景, 旁日月, 而往參其間, 則雖弦晦之時, 亦復見其全明, 而與望夕無異耳.' 以此觀之, 則知月光常滿. 但自人所立處視之, 有偏有正, 故見其光有盈有虧. 非旣死而復生也."[157]

주자가 말했다. "역법가들의 옛 이론에, 달은 초하루에 해로부터의 거리가 점점 멀어지므로 어두운 부분은 죽고 밝은 부분은 산다. 16일이면 해로부터의 거리가 점점 가까워지므로 어두운 부분은 살아나고 밝은 부분은 죽는다. 그믐으로부터 초하루에 이르면 또 해와 멀어지지만 밝은 부분이 다시 생기니, 이른바 '죽었다가 다시 살아난다.'는 것이다. 이 말은 잘못되었다. 만일 이와 같다면 아직

---

154 『春秋左傳』「昭公21年」 "가을 7월 임오일 초하루에 일식하다"("秋七月壬午朔, 日有食之")에 대한 공영달의 소
155 암허 : 월식 때 달이 지구의 그림자에 가려 어두워진 부분
156 달은 초하루, 상현, 보름, 하현, 그믐에 따라 모양이 이지러지기도 하고 채워지기도 한다.
157 宋 王應麟 撰 『六經天文編』 권상

보름 이전에는 서쪽이 가깝고 동쪽이 멀어서 처음 생기는 밝은 부분이 달의 동쪽에 있어야 하고, 16일 이후에는 동쪽이 가깝고 서쪽이 멀어서 아직 죽지 않은 밝은 부분이 오히려 달의 서쪽에 있어야 한다. 어찌 14일[未望] 이전에 서쪽에서 달빛이 시작되었다가 16일 이후에 동쪽에서 달빛[魄]을 마쳐서 해를 따라가며 밝아지겠는가? 그러므로 오직 최근에 심괄沈括沈存中[158]의 이론이 옳다. 괄은 '달은 본래 빛이 없고, 하나의 은빛 탄환과 같아서 해가 비추어야 빛날 뿐이다. 빛이 처음 생길 때에는 해가 그 옆에 있으므로 곁을 비춰서 보이는 것이 그야말로 갈고리와 같고, 해가 점점 멀어지면 비스듬히 비춰서 빛이 조금씩 가득해진다.'라고 했다. 대체로 하나의 탄환에 그 절반을 분칠하고, 옆에서 보면 분칠한 곳이 갈고리 같고, 정면으로 보면 동그란 원이 되는 것과 같다. 최근의 왕보王普[159]도 그것에 대해 거듭 말했다. '달이 밝아지는 저녁에 다만 하나의 갈고리를 볼 뿐이다. 해와 달이 서로 바라보고 사람이 그 중간에 있을 때에야 비로소 그것의 온전히 밝은 것을 볼 수 있다. 반드시 신묘한 사람이 있기에 도영倒影[160]에 올라가 해와 달을 옆에 끼고 그 사이에 참여할 수 있다면 비록 상현·하현과 그믐의 때에도 또한 다시 그것의 온전히 밝은 것을 보리니 보름 저녁과 다름이 없을 것이다.'라고 했다. 이것으로 보면 달빛이 항상 가득함을 알 수 있다. 그러나 사람이 서 있는 곳으로부터 보면 치우친 것도 있고 바른 것도 있으므로 그 빛을 봄에 참도 있고 이지러짐도 있는 것이지, 이미 죽었다가 다시 살아나는 것이 아니다."

[5-2-9-2]

"古今皆言月有闕, 惟沈存中云'無闕.' 蓋晦日, 則與日相疊了, 或從上過, 或從下過, 皆不受光. 至初三方漸漸離開了, 人在下面側看見, 則其光闕. 至望日, 則月與日正相對, 人在中間正看見, 則其光方圓. "[161]

(주자가 말했다.) "예나 지금이나 모두 달은 이지러짐이 있다고 말하지만, 오직 심존중沈存中沈括만 '이지러짐이 없다.'라고 한다. 그믐날에는 해와 서로 겹쳐지니, 어떤 경우에는 위로부터 지나가고, 어떤 경우에는 아래로부터 지나가는데 다 빛을 받지 않는다. 초사흘에 이르러서야 비로소 점점 분리되는데, 사람들이 아래에서 측면으로 보면 그 빛이 결락缺落된다. 보름날에 이르면 달과 해가 정면으로 서로 마주하는데, 사람들이 중간에서 정면으로 보면 그 빛이 비로소 둥글다."

[5-2-9-3]

問 : "月中影是地影否?"

---

158 沈括(1031~1095) : 字는 存中이고, 號는 夢溪丈人이며, 杭州 錢塘(현재 절강성 항주) 사람이고, 북송 시대 과학자이다. 특히 천문학, 수학, 물리학, 화학, 지질학, 기상학, 지리학, 농학, 의학 등에서 탁월한 성과를 거두었다. 저서로 『夢溪筆談』이 있다.

159 王普. 주희의 선배로 알려져 있다.

160 '倒景' : '倒影'이라고 하는데, 하늘의 가장 높은 곳을 말한다. 해와 달빛이 오히려 아래로부터 위로 비추니, 도영에서 아래로 해와 달을 보면 그림자가 모두 거꾸로 서 있는 모양을 띤다.

161 『朱子語類』 권2, 26조목의 일부와 27조목의 일부를 결합하였다.

曰 : "前輩有此說."[162] "日月在天, 如兩鏡相照. 而地居其中, 四旁皆空水也. 故月中微黑之
處, 乃鏡中天地之影, 略有形似而非眞有物也."[163]

물었다. "달 속의 그림자는 땅의 그림자입니까?"

(주자가) 대답했다. "선배들이 이러한 말을 했다." "해와 달이 하늘에 있는 것은 두 거울이 서로
비추는 것과 같다. 그러나 땅은 그 속에 자리하고 네 주위는 다 푸른 공간이다. 그러므로 달 속의
작은 검은 곳은 바로 거울 속 천지의 그림자이니, 대략 형체가 있는 것 같지만 참으로 사물이 있는
것은 아니다."

[5-2-9-4]

問弦之義.

曰 : "上弦是月盈及一半, 如弓之上弦; 下弦是月虧了一半, 如弓之下弦."

又問 : "是四分取半否?"

曰 : "二分二至, 亦是四分取半.' 曆家謂'紓前縮後, 近一遠三.' 以天之圍言之, 上弦與下弦
時, 月日相看, 皆四分天之一."[164]

현弦의 뜻을 묻습니다.

(주자가) 대답했다. "상현은 달이 절반 채워진 것으로 마치 활에서 현이 위에 있는 것과 같고, 하현은
달이 절반 이지러진 것으로 마치 활에서 현이 아래에 있는 것과 같다."

또 물었다. "이 사분력四分曆[165]은 절반을 취한 것입니까?"

(주자가) 대답했다. "'춘분과 추분, 동지와 하지 또한 사분에서 절반을 취한 것이다.' 역법가들은
'앞을 느슨하게 하고 뒤를 줄이며, 하나를 가까이 하고 셋을 멀리 한다.'라고 했다. 하늘의 둘레로
말하면 상현과 하현일 때에 달과 해가 서로 보니, 모두 하늘을 넷으로 나눈 것 가운데 하나이다."

· · · · · · · · · · · · · · · · · · · ·

162 『朱子語類』 권2, 31조목

163 宋 王應麟 撰 『六經天文編』 권상

164 『朱子語類』 권2, 28조목

165 四分曆 중국 後漢의 章元帝로부터 魏의 明宗 때까지 150년 동안 三統曆에 이어 사용된 태음·태양력법으로
編訢이 만들었다고 한다. 사분력은 흔히 1회귀년을 365와 1/4일로 하고 1삭망월을 29와 499/940일로, 그리고
19년에 7개의 윤달을 둔 역법을 가리키나 구체적으로는 後漢 元和 2년(85)에 실시한 역법을 가리킨다. 古六
曆도 사분법을 사용하였기에 구분을 하기 위해 역사에는 고육력을 "고사분력"으로 칭하고, 사분력을 "후한사
분력"으로 칭했다. 사분력은 동지점을 고사분력의 牽牛 初度의 위치에서 斗 21과 1/4도로 고쳤고, 황도도수
로 해와 달의 운행과 위치를 계산하였다. 이는 오행성이 會合하는 주기 수치의 정확성을 높였고, 실제 관측
수치로 28수의 적도도수와 황도도수, 24절기의 태양 위치와 昏旦中星(새벽과 황혼시에 남중하는 별), 晝夜漏
刻(물시계를 사용하기 위한 낮과 밤의 각수)과 晷影長短(그림자 길이의 길고 짧음) 등의 중요수치를 얻었다.
사분력이 정한 수치는 모두 태초력보다 정확하고 삼국의 衛 원제 咸熙 원년(263)까지 사용되었다.

[5-2-9-5]

黃瑞節曰: "'紓前縮後'云者, 曆家謂'春分月弦東井日在奎, 秋分月弦南斗日在角.' '月在前日在後也, 近一遠三'云者, 曆家以周天爲四分, 近一分, 遠三分也."

황서절이 말했다. "'앞을 느슨하게 하고 뒤를 줄인다.'라고 말하는 것은 역법가들이 '춘분일 때에 달의 현현은 동의 정수井宿에 있고 해는 규수奎宿에 있으며, 추분일 때에 달의 현현은 남의 두수斗宿에 있고 해는 각수角宿에 있다.'라고 말한다. '달은 앞에 있고 해는 뒤에 있으니, 하나를 가까이 하고 셋을 멀리 한다.'라고 말하는 것은 역법가들이 하늘의 둘레를 넷으로 나누어 1분을 가까이 하고, 3분을 멀리 하는 것이다."

[5-2-10]

月所位者陽, 故受日之光, 不受日之精. 相望中弦, 則光爲之食, 精之不可以二也.

달이 자리한 것은 양이므로 해의 빛을 받지만, 해의 정기를 받지는 않는다. 서로 바라보면서 현현이 맞으면 빛이 그것에 의해 먹히지만 정기가 둘로 나누어질 수는 없다.

[5-2-11]

日月雖以形相物, 考其道則有施受健順之差焉. 星月金水受光於火日, 陰受而陽施也.

해와 달은 비록 형체로써 만물을 돕지만, 그 도를 살피면 베풂과 받음, 굳셈과 순함의 차이가 있다. 별과 달과 금성과 수성은 태양에게서 빛을 받으니, 음은 받고 양은 베푸는 것이다.

[5-2-12]

陰陽之精, 互藏其宅, 則各得其所安. 故日月之形, 萬古不變. 若陰陽之氣, 則循環迭至, 聚散相盪, 升降相求, 絪縕相揉. 蓋相兼相制, 欲一之而不能. 此其所以屈伸無方, 運行不息, 莫或使之, 不曰性命之理, 謂之何哉?

음양의 정기는 서로 그 집에 저장하니, 각기 편안한 곳을 얻은 것이다. 그러므로 해와 달의 형체는 영원히 변하지 않는다. 만약 음양의 기라면 서로 갈마들며 순환하게 하고, 서로 밀어서 모이고 흩어지게 하며, 서로 쫓아가며 오르락내리락하게 하고, 서로 끌어당겨 부비게 한다. 서로 합치거나 서로 제어하기를 하나로 하고자 하여도 할 수 없다. 이것이 굽힘과 폄에 제한이 없고 운행이 쉬지 않는 까닭이며, 시키는 자는 없으니, 성명性命의 리理라고 말하지 않으면 무엇이라고 말하겠는가?

[5-2-12-1]

或問程子曰: "'陰陽之精, 互藏其宅', 然乎?"

曰: "此言甚有味. 由人如何看. 水離物不得, 故水有離之象; 火能入物, 故火有坎之象."[166]

어떤 사람이 정자程頤에게 물었다. "'음양의 정기는 서로 그 집에 저장한다.'라고 하는데, 그렇습니까?"

---

166 『二程外書』권7 「胡氏本拾遺」

(정이가) 대답했다. "이 말은 매우 의미가 있다. 사람이 어떻게 보느냐에 달려 있다. 물은 물物을 떠날 수 없으므로 물에는 이괘離卦☲[불]의 상상象이 있고, 불은 물物에 들어갈 수 있으므로 불에는 감괘坎卦☵[물]의 상상象이 있다."

[5-2-13]

"日月得天", 得自然之理也, 非"蒼蒼"之形也.

"해와 달이 하늘을 얻었다."[167]라는 것은 저절로 그러한 이치를 얻는 것이지, "푸르고 푸른 하늘"[168]의 형체는 아니다.

[5-2-14]

閏餘生於朔不盡周天之氣. 而世傳交食法與閏異術, 蓋有不知而作者爾.

윤달[169]은 초하루에 하늘을 한 바퀴 도는 절기가 다 끝나지 않은 데에서 생긴다. 그러나 세상에 전해

. . . .

167 『周易』「恒卦‧象傳」, "해와 달이 하늘을 얻어 오래도록 비추고, 사계절이 변화하여 오래도록 이루며, 성인이 그 도를 오래도록 지켜서 세상이 교화되니, 그 일정함을 관찰하여 천지만물의 실정을 볼 수 있다."("日月得天 而能久照, 四時變化而能久成, 聖人久於其道而天下化成, 觀其所恒, 而天地萬物之情可見矣.")

168 『莊子』「逍遙遊」"하늘의 푸르고 푸름은 그 색을 바르게 표현한 것인가? 그것은 멀어서 끝까지 이른 것이 없는 것인가? 아래를 내려다볼 때에도 또한 이와 같을 뿐이다." ("天之蒼蒼, 其正色邪? 其遠而無所至極邪? 其視下也, 亦若是則已矣.")

169 『書經』「虞書‧堯典」의 "요임금이 말했다. 아, 너희들 義씨와 和씨야. 기는 366일이니, 윤달을 사용함으로써 사계절을 정하여 해를 이루어 진실로 백관을 다스려서 모든 공적이 다 넓혀질 것이다."("帝曰 : 咨汝羲暨和, 朞, 三百有六旬有六日, 以閏月定四時成歲, 允釐百工, 庶績咸熙.")라는 내용에 근거한다. 閏: 閏率. 1년 12개월 동안 해의 운행 시간과 달의 운행 시간의 차이 비율. 곧 10과 827/940일인 바, 氣盈(5와 1/4일)과 朔虛(5와 592/940일)를 합한 시간이다. 해와 달의 1년 운행 시간의 중간 숫자 360일을 기준으로 놓고 기영은 360일보다 해가 더 운행한 시간 5와 1/4일을 말하고, 삭허는 달이 덜 운행한 시간 5와 592/940일을 말한다. 윤율의 개념은 "1년의 윤율은 기영과 삭허를 합한 수이다.(一歲閏率者, 合氣盈朔虛之數也)"(『書蔡氏傳旁通』권1 上)에 나타난다. 閏의 자형은 '王이 門에 있는 윤달'로 풀이된다. 『說文解字』에 의하면 "閏은 '餘分의 달이다. 5년에 두 번 윤달이 든다. 告朔의 禮는 天子가 宗廟에 있게 되고, 閏月에는 門 안에 있게 된다. 王이 門 안에 있는 뜻을 따랐다."라고 하여, 곡삭의 예에 천자가 문 안에 있고 종묘에 있지 않는 달이라는 것이다. 告朔은 '매월 초하룻날 종묘에 간직한 그 달의 달력을 꺼내어 사용하려 할 때 종묘에 고하는 일이다. 또한 氣盈에서 氣는 24節氣이고, 盈은 많다는 뜻으로, 이는 24절기에 의한 날의 수효가 360보다 많은 것을 말한다. 이는 "기영은 24절기로 계산하여 360 이외의 많은 것이다."(『書蔡氏傳旁通』권1 상)에 나타난다. 朔虛에서 朔은 12개월이고, 虛는 적다는 뜻으로, 이는 12개월에 의한 날의 수효가 360보다 적은 것을 말한다. 이는 "삭허는 12개월로 계산하여 360 이내의 적은 것이다."(『書蔡氏傳旁通』권1 상)에 나타난다. 한편 閏餘成歲란 4계절이 정해지고 나면 또 그 나머지 날을 두어 윤율로 삼는다. 30일을 1달로 삼고 12달을 1년으로 삼으니, 1년마다 360일이 있다. 그러나 하늘의 기운이 한 번 돌면 여기에 그치지 않고 올해 입춘일로부터 내년 입춘일까지는 공통으로 365일 남짓이어서 1년마다 5일 남짓이 남는데, 이를 氣盈이라 하고 또 大餘라고도 한다. 30일을 1달로 하게 되는 데에 이르면 또 부족하여 이 달 合朔(해와 달의 운행이 초하루에 만남) 때부터 다음 달 합삭 때까지 약 29.5일이므로 小盡月(1개월이 29일인 달)이 있게 되고, 쌓인 것이

지는 교식법[170]이 윤율과 다른 것은 알지 못하고 만든 자가 있기 때문이다.

[5-2-14-1]

朱子曰 : "'周天之氣', 謂二十四氣也. 月有大小, 朔不得盡此氣, 而一歲日子足矣, 故置閏."[171]

주자가 말했다. "'주천지기周天之氣'는 24절기를 말한다. 한 달에는 크고 작음이 있기에 초하루에 이 절기를 다하지 못하였고, 한 해의 날짜는 충분하므로 윤달을 둔다."

[5-2-14-2]

"天體至圓, 周圍三百六十五度四分度之一, 繞地左旋, 常一日一周而過一度. 日麗天而少遲, 一日繞地一周無餘, 而常不及天一度. 積三百六十五日九百四十分日之二百三十五而與天會. 是一歲日行之數也. 月麗天而尤遲, 一日常不及天十三度十九分度之七. 積二十九日九百四十分日之四百九十九而與日會. 十二會, 得全日三百四十八, 餘分之積, 五千九百八十八. 如日法九百四十而一, 得六, 不盡三百四十八. 通計得日三百五十四, 九百四十分日之三百四十八, 是一歲月行之數也. 歲有十二月, 月有三十日. 三百六十日, 歲之常數也. 故日行而多五日九百四十分日之二百三十五者, 爲氣盈; 月行而少五日九百四十分日之五百九十二者, 爲朔虛, 合氣盈朔虛而閏生焉. 一歲閏率, 則十日九百四十分日之八百二十七; 三歲一閏, 則三十二日九百四十分日之六百單一; 五歲再閏, 則五十四日九百四十分日之三百七十五; 十有九歲七閏, 則氣朔分齊, 是爲一章."[172]

(주자가 말했다.) "천체는 지극히 둥근데, 둘레는 365와 1/4도이며, 땅을 감싸고서 왼쪽에서부터 도니, 항상 하루에 한 바퀴를 돌고 1도를 더 지나간다. 해는 하늘에 매여 조금 더디니, 하루에 땅을 감싸고서 한 바퀴 도는데 나머지가 없지만 항상 하늘보다 1도 못 미친다. 이에 365와 235/940일을 누적하여 하늘과 만난다. 이것이 한 해에 해가 돈 수이다. 달은 하늘에 매여 더욱 더디며 하루에 하늘보다 13과 7/19도 못 미친다. 29와 499/940일을 누적하여 해와 만난다. 열두 번 만나면 온전한 날을 얻은 것이 348일이요 여분의 누적은 5988이다. 일법日法 940을 1일로 계산하면 6을 얻고 나머지는 348이다. 얻은 날을 통틀어 계산하면 354와 384/940일이 되니, 이는 1년 동안 달이 운행한 수이다.

1년을 마치는 데에 이르면 5일 남짓 적은데 이를 朔虛라고 하며, 또 小餘라고도 한다. 두 가지를 합하여 계산하면 해마다 10일 남짓 남고 3년에 약 1달이 남고 5년에 약 2달이 남고 8년에 약 3달이 남아서 봄이 여름으로 들어가게 된다. 쌓인 것이 17년에 이르면 약 6달이 남아서 여름이 도리어 겨울이 되며 겨울이 도리어 여름이 되고 추위와 더위가 바뀌어 1년이 이루어지지 않는다. 이에 唐堯[요임금]가 閏月을 두어서 『書經』「堯典」에 이르기를 "윤달을 사용하여야 네 계절이 확정되고 한 해가 이루어진다."라고 한 것이 이것이다.

170 交食法 : 일식과 월식이 발생할 때 일정한 주기성이 있고, 태양과 달과 지구도 원래 상대하는 위치로 돌아온다. 옛사람들은 이러한 일식과 월식이 교체하는 하늘의 현상을 계산했는데, 이것을 교식법이라고 한다.
171 『朱子語類』 권2, 61조목
172 『朱子語類』 권2, 14조목

한 해는 12개월이고 한 달은 30일이다. 360일은 한 해의 상수常數이다. 그러므로 해의 운행이 상수보다 5와 235/940일 많은 것은 기영氣盈이고, 달의 운행이 상수보다 5와 592/940일 적은 것은 삭허朔虛이니, 기영氣盈과 삭허朔虛를 합하여 윤달이 생긴다. 1년 동안의 윤달은 10과 827/940일이니, 3년 동안 한 번 윤달을 두면 32와 601/940일이며, 5년 동안 두 번 윤달을 두면 54와 375/940일이다. 19년 동안 일곱 번 윤달을 두면 절기와 초하루의 시작(경계)이 일치하니[氣朔分齊],[173] 이것이 1장이다."

• •

173 절기와 초하루의 시작(경계)이 일치하니[氣朔分齊] : '氣朔分齊'는 節氣와 초하루의 시작이 일치한다는 뜻이다. 해가 하늘을 한 바퀴 도는 시간과 달이 하늘을 한 바퀴 도는 시간이 서로 달라서 24절기의 分期와 한 달의 週期가 일치하지 않는다. 그래서 달력을 만들 때 冬至日을 子月의 1일로 하여 시작하더라도 시간이 지날수록 24절기의 각 分期와 월의 朔望이 어긋난다. 이에 이를 맞추기 위해서 윤달을 둔다. 3년에 한 달, 5년에 두 달, 8년에 석 달씩 윤달을 두어나가면 비슷하기는 하지만 완전히 일치하지는 않는다. 그러다가 19년에 일곱 달의 윤달을 두면 분기와 주기가 일치한다. 즉 19년 후에 冬至日에 초하루가 된다. 그래서 19년 7閏法을 1章으로 한다. 그러나 이것도 날짜만 일치할 뿐이고, 시간까지 0時로 일치하지 않는다. 시간까지 일치시키려면 81章이 지나야 한다.

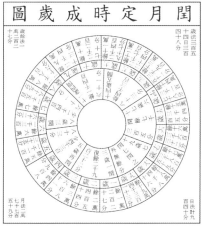

「書傳圖」에 있는 위의 그림에서 윤율 10과 827/940일을 가분수로 환산하면 10227/940일이고, 이를 19년 누적하면 10227×19=194313분이 되고, 이를 다시 대분수로 환산하면 206과 673/940일이 된다. 한편 1개월은 29와 499/940일이고, 이를 가분수로 환산하면 27759/940일이고, 이를 7개월의 윤달을 두는 것으로 계산하면 27759×7=194313분이 되고, 이를 다시 가분수로 환산하면 206과 673/940일이 된다. 즉 19년간의 윤율의 합과 7개월의 윤달의 날수가 서로 일치한다. 이에 양력인 절기의 시작(冬至日)과 음력인 子月의 초하루가 일치한다. 한편 이것은 19년 동안 누적된 절기와 초하루의 206과 673/940일의 경계와 7윤달의 206과 673/940일의 경계가 같은 것이다. 이것을 구체적으로 설명하면 다음과 같다. 이른바 '절기와 초하루의 시작(경계)이 일치한다.(氣朔分齊)'라는 것은 19년 동안 절기와 초하루를 합하여 206일을 얻고 다하지 않은 나머지가 673/940일의 경계이며, 7윤달도 206일에 다하지 않은 나머지가 673/940일의 경계이어서 절기와 초하루의 경계(206과 673/940일=10과 827/940일×19년)가 7윤달의 경계(206와 673/940일=29와 499/940일×7윤달)와 19년에 이르러 모두 같아지게 되는데, 이것이 이른바 「절기와 초하루의 시작(경계)이 같아서(氣朔分齊)」 1장이 된다.'라고 하는 것이다.(『書經傳說彙纂』 권1 「堯典」)
이상을 정리하면 다음과 같다.

黃瑞節曰: "曆家以一日爲九百四十分. 所謂‘九百四十分日之二百三十五’者, 是一日內二百
三十五分也. 所謂‘餘分之積五千九百八十八’者, 一會餘四百九十九, 十二會乘之, 得五千九
百八十八也. 所謂‘如日法九百四十而一’者, 如筭日之法以九百四十分爲一日也. ‘得六’者,
得六日也. ‘不盡三百四十八’者, 將餘分五千九百八十八除之, 六日外猶餘三百四十八分也.
日行積三百六十五日, 九百四十分日之二百三十五與天會, 是一歲三百六十日, 而日行多五
日又二百三十五分也. 月行積三百五十四日, 九百四十分日之三百四十八, 爲十二會, 是一
歲三百六十日, 而月行少五日又五百九十二分也. 將日行所多五日又二百三十五分, 合月行
所少五日又五百九十二分, 通得十日又八百二十七分, 一歲之閏率也. ‘三歲一閏’, 合三歲之
間日行所多, 月行所少, 通得三十二日又六百單一分也. ‘五歲再閏’, 合五歲之間日行所多,
月行所少, 通得五十四日又三百七十五分也. ‘十九歲七閏’, 合十九歲日行所多, 月行所少,
通得整日一百九十. 每歲餘分八百二十七, 以十九乘之, 得一萬五千七百一十三, 以日法九
百四十分而一除之, 得十六日, 猶餘六百七十三分. 并一百九十日, 通二百單六日又六百七
十三分也. 今爲七閏月, 每月二十九日, 通二百單三日. 每月餘分四百九十九分, 以七乘之,
得三千四百九十二. 以日法九百四十分而一除之, 得三日, 猶餘六百七十三分. 并二百單三
日, 通二百單六日又六百七十三分也. 所謂‘氣朔分齊’者, 十九年合氣盈朔虛, 得二百單六
日, 不盡六百七十三分, 七閏月, 亦二百單六日, 不盡六百七十三分. 氣之分, 與朔之分, 至
十九年而皆齊. 此所謂‘氣朔分齊, 而爲一章也.’"

황서절이 말했다. "역법가들은 하루를 940 등분하였다. 이른바 ‘구백사십분일지이백삼십오九百四十分
日之二百三十五’는 하루 중의 235분이다. 이른바 ‘여분지적오천구백팔십팔餘分之積五千九百八十八’은 한
번 만날 때 나머지가 499이고, 12를 곱하면 5988을 얻는다. 이른바 ‘여일법구백사십이일如日法九百四十
十而一’은 마치 일日을 계산하는 방법이 940분을 1일로 삼는 것과 같다는 것이다. 득육得六은 6일을
얻는 것이다. ‘부진삼백사십팔不盡三百四十八’은 여분 5988을 나누어서 6일 외에 아직 348분이 남은
것이다. 해의 운행이 365와 235/940일을 누적하여 하늘과 만나니, 이것은 1년 360일에 해가 5일
235분을 더 간 것이다. 달의 운행이 354와 348/940일을 누적하여 12번 만나니, 1년은 360일에 달이
5일 592분을 덜 간 것이다. 해가 5일 235분 더 간 것과 달이 5일 592분을 덜 간 것을 합하여 모두

. . . .

19년 절기와 초하루의 日數. 10과 827/940일×19년=206과 673/940일. 19년 7윤달의 일수. 29와 499/940일×7
윤달=206과 673/940일. 19년 태양의 운행 일수. 365와 1/4일×19년=6939와 3/4일. 19년 달의 운행 일수.
29와 499/940일×12월×19년+29와 499/940일×7윤달=354와 348/940×19+206과 673/940=6733과 32/940+206과
673/ 940=6939와 3/4일. 19년 월수. 19년×12월+7윤달=235개월
해와 달이 만나는 시간 : 해로는 19년, 달로는 235월, 날로는 6939와 3/4일. 19년의 절기와 초하루의 일수와
7윤달의 일수는 206과 673/940일로 동일하다. 그리고 19년 동안 태양의 운행 일수와 달의 운행 일수는 6939
와 3/4일(235개월)로 동일하다. 따라서 19년(6939와 3/4일, 235개월)은 태양의 운행 일수와 달의 운행 일수의
최소공배수가 되어 태양계 운행의 한 단락을 짓는데, 이를 1장이라고 한다.

10일 827분을 얻으니, 1년의 윤율이다. '삼세일윤三歲一閏'은 3년 동안 해가 더 간 것과 달이 덜 간 것을 합하여 모두 32일 601분 얻는다. '오세재윤五歲再閏'은 5년 동안 해가 더 간 것과 달이 덜 간 것을 합하여 모두 54일 375분을 얻는다. '십구세칠윤十九歲七閏'은 19년 동안 해가 더 간 것과 달이 덜 간 것을 합하여 모두 190일을 얻는다. 매년의 여분餘分 827을 19로 곱하면 15713을 얻고, 일법日法 940분을 1일로 계산하여 나누면 16일을 얻고 아직 673분이 남는다. 여기에 190일을 더하면 모두 206일 673분이다. 이제 7번의 윤달을 두면 매월 29일이니, 모두 203일이다. 매월 여분 499를 7로 곱하면 3492를 얻는다. 일법日法 940을 1일로 계산하여 나누면 3일을 얻고 아직 673분이 남는다. 여기에 203일을 더하면 모두 206일 673분이다. 이른바 '기삭분제氣朔分齊'는 19년 동안의 기영氣盈과 삭허朔虛를 합하여 206일을 얻고 673분이 남는데, 7번의 윤달도 또한 206일이고 673분이 남는다. 절기의 경계와 초하루의 경계가 19년에 이르러 다 같아진 것이다. 이것이 이른바 '기삭분제 이위일장氣朔分齊, 而爲一章'이다."

[5-2-15]
陽之德主於遂, 陰之德主於閉.

양의 덕은 통달을 위주로 하고, 음의 덕은 닫음을 위주로 한다.

[5-2-16]
陰性凝聚, 陽性發散; 陰聚之, 陽必散之, 其勢均散. 陽爲陰累, 則相持爲雨而降; 陰爲陽得, 則飄揚爲雲而升. 故雲物班布太虛者, 陰爲風驅, 欲聚而未散者也. 凡陰氣凝聚, 陽在內者不得出, 則奮擊而爲雷霆; 陽在外者不得入, 則周旋不舍而爲風. 其聚有遠近虛實, 故雷風有小大暴緩. 和而散, 則爲霜雪雨露; 不和而散, 則爲戾氣曀霾. 陰常散緩, 受交於陽, 則風雨調, 寒暑正.

음의 성질은 응결하여 모으고 양의 성질은 펼쳐 흩트리니, 음이 모으면 양은 반드시 흩트리는데, 그 세는 모두 흩어진다. 양이 음의 방해를 받으면 서로 붙잡고 비가 되어 내리고, 음이 양의 도움을 얻으면 휘날려서 구름이 되어 오른다. 그러므로 구름이 태허에 분포된 것은 음이 바람에 몰려서 모여 흩어지지 않는 것이다. 음기가 응결하여 모일 때 안에 있는 양이 나오지 못하면 격렬하게 부딪쳐 우레와 천둥소리가 되고, 밖에 있는 양이 들어가지 못하면 빙빙 돌며 자리 잡지 못해서 바람이 된다. 그 모임에 멀고 가까움, 허술함과 단단함이 있으므로 우레와 바람에 크기와 속도의 차이가 있다. 조화롭게 흩어지면 서리와 눈과 비와 이슬이 되고, 조화롭지 않게 흩어지면 사나운 기와 음산한 흙비[174]가 된다. 음은 흩어짐이 늦으니 양기와 교류하면 바람과 비가 조화로워지고 추위와 더위도 정

---

174 『詩經』「國風・邶風・終風」의 다음과 같은 내용 가운데 일부를 인용한 것이다. "종일 바람이 불고 또 맹렬한데, 나를 돌아보면 웃을 때도 있구나. 희롱과 방탕과 비웃음과 오만함이니, 마음이 서럽구나. 종일 바람이 불고 또 흙비가 내리는데, 순하게 즐겨 오는구나. 가지도 않고 오지도 않는데, 근심만 오래도록 이어지는 나의 생각이로다. 종일 바람이 불고 또 음산한데, 하루도 안 돼서 어두워지는구나. 잠에서 깨어 잠을 이루지

상이 된다.

[5-2-16-1]

朱子曰：“此一段見得陰陽之情. 陽氣正升, 忽遇陰氣, 則相持而下爲雨. 蓋陽氣輕, 陰氣重, 故陽氣爲陰氣壓墜而下也. 陰氣正升, 忽遇陽氣, 則助之飛騰而上爲雲也. 陽氣伏於陰氣之內不得出, 故爆開而爲雷也. 陰氣凝結於內, 陽氣欲入不得, 故旋繞其外不已而爲風, 至吹散陰氣盡乃已也. 戾氣, 飛雹之類; 暗霾, 黃霧之類, 皆陰陽邪惡不正之氣. 所以雹水穢濁, 或青黑色.”[175]

주자가 말했다. “이 단락에서 음양의 실정을 볼 수 있다. 양기가 막 올라갈 때 홀연히 음기를 만나면 서로 붙잡아 내려와서 비가 된다. 양기는 가볍고 음기는 무거우므로 양기는 음기에 눌려서 아래로 떨어진다. 음기가 막 올라갈 때 홀연히 양기를 만나면 날아오르는 것을 도와 올라가 구름이 된다. 양기는 음기 안에서 잠복되어 나오지 못하므로 폭발하여 우레가 된다. 음기가 안에서 응결하여 있으면 양기가 들어가고 싶어도 들어가지 못하므로 끊임없이 그 바깥을 감싸고 돌아서 바람이 되니, 음기를 불어 다 흩트리면 이에 그친다. 사나운 기는 떨어지는 우박 따위이고, 음산한 흙비는 누런 안개 따위이니, 모두 음양의 사악하고 바르지 않은 기이다. 따라서 우박과 물이 더럽고 혼탁하거나, 어떤 경우에는 검푸른 색이 된다.”

· ·

못하는데, 말을 하고자 하면 재채기만 나오네. 음산하고 음산한 구름과 으르렁 으르렁하는 우레로다. 잠에서 깨어 잠을 이루지 못하는데, 말하고자 하면 생각만 나오네.(終風且暴, 顧我則笑. 謔浪笑敖, 中心是悼. 終風且霾, 惠然肯來. 莫往莫來, 悠悠我思. 終風且曀, 不日有曀. 寤言不寐, 願言則嚔. 曀曀其陰, 虺虺其雷. 寤言不寐, 願言則懷.)

175 『朱子語類』 권99, 17조목의 다음과 같은 내용을 축약한 것이다. 횡거가 “양은 음의 방해를 받으면 서로 붙잡아 비를 내린다.”라는 것은 양기가 막 올라갈 때 홀연히 음기를 만나면 서로 붙잡아 내려와서 비가 된다. 양기는 가볍고 음기는 무거우므로 양기는 음기에 눌려서 아래로 떨어진다. “음이 양의 도움을 얻으면 휘날려서 구름이 되어 오른다.”라는 것은 음기가 막 올라갈 때 홀연히 양기를 만나면 날아오르는 것을 도와 올라가 구름이 된다는 것이다. “음기가 응결하여 모일 때 안에 있는 양이 나오지 못하면 격렬하게 부딪쳐 우레와 천둥소리가 된다.”라는 것은 양기는 음기 안에서 잠복되어 나오지 못하므로 폭발하여 우레가 된다는 것이다. “밖에 있는 양이 들어가지 못하면 빙빙 돌며 자리 잡지 못해서 바람이 된다.”라는 것은 음기가 안에서 응결하여 있으면 양기가 들어가고 싶어도 들어가지 못하므로 끊임없이 그 바깥을 감싸고 돌아서 바람이 되니, 음기를 불어 다 흩트리면 이에 그친다는 것이다. “조화롭게 흩어지면 서리와 눈과 비와 이슬이 되고, 조화롭지 않게 흩어지면 사나운 기와 음산한 흙비가 된다.”라는 것은 사나운 기는 떨어지는 우박 따위이고, 음산한 흙비는 누런 안개 따위이니, 모두 음양의 사악하고 바르지 않은 기라는 것이다. 따라서 우박과 물은 더럽고 혼탁하거나, 어떤 경우에는 검푸른 색이 된다. (橫渠云：“陽爲陰累, 則相持爲雨而降.” 陽氣正升, 忽遇陰氣, 則相持而下爲雨. 蓋陽氣輕, 陰氣重, 故陽氣爲陰氣壓墜而下也. “陰爲陽得, 則飄揚爲雲而升.” 陰氣正升, 忽遇陽氣, 則助之飛騰而上爲雲也. “陰氣凝聚, 陽在內者不得出, 則奮擊而爲雷霆.” 陽氣伏於陰氣之內不得出, 故爆開而爲雷也. “陽在外者不得入, 則周旋不舍而爲風.” 陰氣凝結於內, 陽氣欲入不得, 故旋繞其外不已而爲風, 至吹散陰氣盡乃已也. “和而散, 則爲霜雪雨露; 不和而散, 則爲戾氣暗霾.” 戾氣, 飛雹之類; 暗霾, 黃霧之類, 皆陰陽邪惡不正之氣. 所以雹水穢濁, 或青黑色.)

[5-2-17]

天象者, 陽中之陰; 風霆者, 陰中之陽.

하늘의 상象[176]은 양 가운데 음이고, 바람과 천둥소리는 음 가운데 양이다.

[5-2-18]

雷霆感動雖速, 然其所由來亦漸爾. 能窮神化所從來, 德之盛者歟.

우레와 천둥의 감感함과 움직임이 비록 빠르지만, 그 유래는 또한 점차로 이루어진 것이다. 신묘함과 변화의 유래를 궁구할 수 있는 것은 덕의 왕성함일 것이다.[177]

[5-2-19]

火日外光, 能直而施; 金水內光, 能闢而受. 受者隨材各得; 施者所應無窮, 神與形·天與地之道歟!

화火와 일日은 빛을 밖으로 뿜으니 곧바로 펼 수 있고, 금金과 수水는 빛을 안으로 받아들이니 열어서 받을 수 있다.[178] 받는 것은 재질에 따라 각기 얻고, 펴는 것은 감응하는 것이 끝이 없으니, 신神과 형체, 하늘과 땅의 도일 것이다!

[5-2-20]

木曰曲直, 能旣曲而反申也. 金曰從革, 一從革而不能自反也. 水火, 氣也, 故炎上潤下, 與陰陽升降, 土不得而制焉. 木金者, 土之華實也, 其性有水火之雜. 故木之爲物, 水漬則生, 火然而不離也, 蓋得土之浮華於水火之交也. 金之爲物, 得火之精於土之燥, 得水之精於土之濡. 故水火相待而不相害, 鑠之反流而不耗, 蓋得土之精實於水火之際也. 土者, 物之所以成始而成終也, 地之質也, 化之終也, 水火之所以升降, 物兼體而不遺者也.

목木은 굽기도 하고 곧기도 하는데[179], 이미 굽었더라도 오히려 펼 수 있다. 금金은 사람의 뜻에 따라

---

176 『周易』「繫辭上」 1장 "하늘에서는 상象을 이루고 땅에서는 형체를 이루니, 변화가 나타난다.(在天成象, 在地成形, 變化見矣.)"

177 『周易』「繫辭下」 5장 "신묘함을 궁구하고 변화를 아는 것은 덕의 왕성함이다."("窮神知化, 德之盛也.")

178 『淮南子』「天文訓」 "밝음은 기를 토한 것이니, 이 때문에 火는 바깥이 빛난다고 하고, 어두움은 기를 머금은 것이니, 이 때문에 水는 안이 빛난다고 한다. 기를 토한 것은 펼치고, 기를 머금은 것은 변화하니, 이 때문에 양은 펼치고 음은 변화한다. 하늘의 치우친 기가 성낸 것은 바람이 되고, 천지가 기를 머금어 어울린 것은 비가 된다. 음양이 서로 부벼서 感하여 우레가 되고, 격렬하여 천둥이 되며, 어지러워 안개가 된다. 양기가 이기면 흩어져 비와 이슬이 되고, 음기가 이기면 엉겨 서리와 눈이 된다. 깃털이 있는 것은 날아다니는 부류이므로 양에 속하고, 껍질과 비늘이 있는 것은 잠복하는 부류이므로 음에 속한다.(明者吐氣者也, 是故火曰外景; 幽者含氣者也, 是故水曰內景. 吐氣者施, 含氣者化, 是故陽施陰化. 天之偏氣, 怒者爲風; 天地之含氣, 和者爲雨. 陰陽相薄, 感而爲雷, 激而爲霆, 亂而爲霧. 陽氣勝, 則散而爲雨露; 陰氣勝, 則凝而爲霜雪. 毛羽者飛行之類也, 故屬於陽; 介鱗者蟄伏之類也, 故屬於陰.)"라는 내용을 응용한 것이다.

변하는데[180], 한 번 따라 변하면 스스로 돌이킬 수 없다. 수水와 화火는 기이므로 위로 타오르고 아래로 적시며[181], 음양과 함께 오르거나 내리는데, 토土가 그것을 제어할 수 없다. 목木과 금金은 토土의 꽃과 열매이니, 그들의 성질은 수水와 화火의 성분이 섞여 있다. 그러므로 목木이라는 것은 수水가 스며들면 생겨나고, 화火가 타오르더라도 사라지지 않으니, 수水와 화火의 만남에서 토土의 표면적인 꽃을 얻은 것이다. 금金이라는 것은 마른 토土에서 화火의 정수를 얻고, 젖은 토土에서 수水의 정수를 얻는다. 그러므로 수水와 화火가 서로 의존하면서 서로 침범하지 않고, 녹이더라도 오히려 흐를 뿐 사라지지 않으니, 수水와 화火가 만날 때 토土의 정실精實을 얻는다. 토土는 물物이 시작을 이루고 끝을 이루는 것이어서[182] 땅의 바탕이며 변화의 끝이고, 수水와 화火가 오르거나 내리는 것이니 물物이 체體를 겸하여 빠트릴 수 없는 것이다.[183]

[5-2-20-1]

朱子曰 : "五行之說, 『正蒙』一段說得最好. 不輕下一字."[184]

주자가 말했다. "오행에 관한 이론은『정몽』의 이 단락의 말이 가장 좋다. 한 글자라도 가볍게 쓰지 않았다."

[5-2-20-2]

問 : "陰陽五行如何?"

曰 : "康節說得法密, 橫渠說得理透."[185]

물었다. "음양오행은 어떻습니까?"

(주자가) 대답했다. "강절의 말은 법이 엄밀하고, 횡거의 말은 리가 투철하다."

[5-2-20-3]

問 : "金木水火體質屬土."

曰 : "『正蒙』有一說好, 只金與木之體質屬土, 水與火却不屬土."[186]

물었다. "금목수화金木水火의 체질은 토土에 속합니다."

---

179 『書經』「洪範」
180 『書經』「洪範」 일반적으로 金의 성질에 대해 '따르거나 변하'는 것으로 번역하기도 하지만, 장재의 이 글은 금은 '사람의 뜻에 따라 변하'는 것으로 생각하는 공영달의 소가 더 적합할 것으로 여겨, 공영달의 소에 의거해 번역하였다.
181 『書經』「洪範」
182 『周易』「說卦」 5장 "간은 동북의 괘이니, 만물의 끝을 이루는 것이면서 시작을 이루는 것이므로 간에서 이룬다고 한다.(艮東北之卦也, 萬物之所成終而所成始也, 故曰成言乎艮.)"
183 『中庸』 16장 "사물의 體가 되어 빠트릴 수 없다.(體物而不可遺)"
184 『朱子語類』 권1, 53조목
185 『朱子語類』 권1, 56조목
186 『朱子語類』 권1, 54조목

(주자가) 대답했다. "『정몽』에 좋은 말이 있으니, 금과 목의 체질은 토에 속하고, 수와 화는 오히려 토에 속하지 않는다."

[5-2-20-4]

"陰以陽爲質, 陽以陰爲質. 水內明而外暗, 火內暗而外明."[187]

(주자가) 말했다. "음은 양을 바탕으로 하고, 양은 음을 바탕으로 한다. 수水는 안이 밝지만 바깥은 어둡고, 화火는 안이 어둡지만 바깥은 밝다."

[5-2-20-5]

西山眞氏曰 : "'日火外景, 金水內景', 本『淮南子』之說. 道家謂日火揚光於外, 故日有食, 火 有滅; 金水潛光於內, 故無窮. 以此爲養生之法, 收視反觀, 潛神不曜."

서산 진씨가 말했다. "'일日과 화火는 빛을 밖으로 뿜고, 금金과 수水는 빛을 안으로 들인다.'라는 것은 본래 『회남자』의 말이다. 도가에서는 일日과 화火는 바깥으로 빛을 떨치므로 해는 먹힘이 있고 화火는 사멸이 있으며, 금金과 수水는 안으로 빛을 가라앉히므로 끝이 없다고 한다. 이것을 양생養生 의 법으로 삼으니, 밖을 보는 것을 거두어 돌이켜 안으로 살피고, 정신을 감추어 밖으로 드러내지 않는다."

[5-2-21]

冰者, 陰凝而陽未勝也; 火者, 陽麗而陰未盡也. 火之炎, 人之蒸, 有影無形, 能散而不能受 光者, 其氣陽也.

얼음은 음이 응결한 것을 양이 아직 이기지 못한 것이고, 화火는 양이 빛나는 것을 음이 소진시키지 못한 것이다. 화火의 불꽃과 사람의 열기는 빛은 있으나 형체가 없고, 흩어질 수는 있으나 빛을 받을 수 없는 것이니, 기의 양이다.

[5-2-22]

陽陷於陰爲水, 附於陰爲火.

양은 음에 빠져 수水가 되고, 음에 붙어 화火가 된다.[188]

. . . .
187 『朱子語類』 권1, 61조목
188 여기에서 양이 음에 빠져 水가 된다는 것은 감괘(☵)의 모습을 말한 것이고, 음에 붙어 火가 된다는 것은 리괘(☲)의 모습을 말한 것이다.

天道篇 第三 제3 천도편

[5-3-1]

天道四時行百物生, 無非至教. 聖人之動, 無非至德, 夫何言哉?

천도는 사계절이 운행하고 만물이 생겨나니 지극한 교화가 아님이 없다.[189] 성인의 행동은 지극한 덕이 아님이 없으니[190] 무슨 말이 필요한가?

[5-3-2]

'天體物不遺', 猶仁體事無不在也. "禮儀三百, 威儀三千", 無一物而非仁也. "昊天曰明, 及爾出王; 昊天曰旦, 及爾游衍", 無一物之不體也.

'하늘은 사물의 체體가 되어 빠트리지 않는다.'[191]라는 것은 인仁이 일의 체가 되어 없는 곳이 없다는 것과 같다. "예의禮儀[經禮]는 삼백여 종류이고 위의威儀[曲禮]는 삼천여 종류이다."[192]라는 것은 하나라도 인仁이 아님이 없다. "큰 하늘은 밝으므로 네가 나가서 다닐 적에 함께하시며, 큰 하늘은 밝으므로 네가 노닐 적에 함께하신다."[193]라는 것은 하나라도 체인하지 않음이 없는 것이다.

[5-3-2-1]

朱子曰 : "此數句, 從赤心片片說出來, 荀揚豈能到? 體物, 猶言爲物之體也, 蓋物物有箇天理; 體事, 謂事事是仁做出來. 如'禮儀三百, 威儀三千', 須得仁以爲骨子. 凡言體, 便是做他那骨子. 本是言物以天爲體, 事以仁爲體. 緣須著從上說, 故如此下語. 體物爲物之體, 猶言幹事爲事之幹也. 出王之王音往. 言徃來游衍, 無非是理. 無一物之不體, 猶言無一物不將這箇做骨. "[194]

....

189 『禮記』「孔子閒居」 "하늘에는 사계절이 있기에 봄과 여름과 가을과 겨울이 있고, 바람과 비와 서리와 이슬이 있으니, 교화되지 않음이 없다."("天有四時, 春秋冬夏, 風雨霜露, 無非教也.")라는 내용을 참조한 것이다.

190 『禮記』「禮器」 "천도는 지극한 교화이고, 성인은 지극한 덕이다."("天道至敎, 聖人至德")라는 내용을 참조한 것이다.

191 『中庸』 16장 "사물의 본체가 되어 빠트릴 수 없다."("體物而不可遺")라는 내용을 참조한 것이다.

192 『中庸』 27장

193 『詩經』「大雅·生民之什·板」

194 『朱子語類』 98권 20~24조목에 있는 다음과 같은 여러 내용을 축약한 것이다.
  20조목 횡거가 말하기를 "'하늘은 사물의 體가 되어 빠트리지 않는다.'라는 것은 仁이 일을 체인하지 않음이 없는 것과 같은 것이다."라고 했는데, 이 여러 구절은 조각조각 순수한 마음에서 나온 말이니, 순자와 양웅이 어떻게 이를 수 있을까?(橫渠謂"天體物而不遺, 猶仁體事而無不在". 此數句, 是從赤心片片說出來, 荀揚豈能到?)
  21조목 조공보가 "'하늘은 사물의 體가 되어 빠트리지 않는다.'라는 것은 仁이 일을 체인하여 있지 않음이 없는 것과 같은 것이다."라는 것을 물었다. 대답했다. "體物은 사물의 體가 되는 것과 같아서 사물마다 천리

주자가 말했다. "이 여러 구절은 조각조각 순수한 마음에서 나온 말이니, 순자와 양웅이 어떻게 이를 수 있을까? 체물體物은 사물의 체體가 되는 것과 같아서 사물마다 천리가 있고, 체사體事는 일마다 인이 한다는 것이다. 예컨대 '예의는 삼백여 종류이고, 위의는 삼천여 종류이다.'와 같은 것은 반드시 인을 골자로 여기는 것이다. 체體는 바로 인이 그러한 골자가 되는 것을 말한다. 본래 사물은 하늘을 체體로 삼고, 일은 인을 체體로 삼는다는 것을 말한다. 반드시 위의 말에 착근했기 때문에 이와 같이 말한다. 체물體物이 사물의 체體라고 하는 것은 간사幹事가 일의 기둥이라고 말하는 것과 같다. 출왕出王에서의 왕王은 음이 '왕往'이다. 돌아다니고 노닐 때에도 이 리理가 아님이 없음을 말한다. 하나라도 체體가 아님이 없다는 것은 하나라도 이러한 골자가 아님이 없다고 말하는

가 있고, 體사는 일마다 인이 한다는 것이다. 예컨대 '예의는 삼백여 종류이고, 위의는 삼천여 종류이다.'와 같은 것은 반드시 인이 하여야 비로소 얻는다. 體는 바로 그러한 인이 그러한 골자가 되는 것을 말한다."(趙共父問"天體物而不遺, 猶仁體事而無不在". 曰: "體物, 猶言爲物之體也, 蓋物物有箇天理; 體事, 謂事事是仁做出來. 如'禮儀三百, 威儀三千', 須是仁做始得. 凡言體, 便是做他那骨子.")

22조목 조공보가 물었다. "'「하늘은 사물의 體가 되어 빠트리지 않는다.」라는 것은 仁이 일을 체인하여 있지 않음이 없는 것과 같은 것이다.'라는 것을 가지고 사물마다 다 천리가 있고, 일마다 다 인이 있음을 보는 것입니까?" 대답했다. "그렇다. 하늘이 사물에서 체가 되고 인이 일에서 체가 되는 것은 하늘은 사물에서 체가 되고 인은 일에서 체가 된다고 말하는 것과 같다. 본래 사물은 하늘을 體로 삼고, 일은 인을 體로 삼는다고 말한다. 반드시 위의 말에 착근했기 때문에 반드시 이와 같이 말한다." 조치도가 물었다. "'하늘은 사물의 體가 되어 빠트릴 수 없다.'라는 것과 같습니까?" 대답했다. "그렇다." 말했다. "선생께서 '일의 기둥'이란 말을 쉽게 풀어주십시오." 대답했다. "일의 기둥은 일의 기둥이 된다고 말하는 것과 같고, 사물의 체는 사물의 체가 된다고 말하는 것과 같다." 조공보가 물었다. 아래 글에 "'「예의는 300여 종류이고, 위의는 3000여 종류이다.」라는 것은 하나라도 인이 아님이 없다.'라는 것입니다." 말했다. "'예의는 300여 종류이고, 위의는 3000여 종류이다.'라고 하지만, 반드시 인을 골자로 삼아야 한다.'(趙共父問: "'天體物而不遺, 猶仁體事而無不在也.' 以見物各有天理, 事事皆有仁?" 曰: "然. 天體在物上, 仁體在事上; 猶言天體於物, 仁體於事. 本是言物以天爲體, 事以仁爲體, 緣須著從上說, 故如此下語." 致道問: "與'物體而不可遺'一般否?" 曰: "然." 曰: "先生易解將'幹事'說." 曰: "幹事, 猶言爲事之幹; 體物, 猶言爲物之體." 共父問: "下文云: '禮儀三百, 威儀三千', 無一物而非仁也.'" 曰: "禮儀三百, 威儀三千', 然須得仁以爲骨子.")

23조목 물었다. "'「하늘은 사물의 體가 되어 빠트리지 않는다.」라는 것은 仁이 일을 체인하여 있지 않음이 없는 것과 같은 것이다.'라고 한 것은 무엇 때문입니까?" 대답했다. "리는 사물의 체이고, 인은 일의 체이다. 일마다 사물마다 다 천리를 갖추고 있으니, 다 인이 하는 것이다. 인은 일의 체이다. 사물의 體라고 하는 것은 幹事가 일의 기둥이라고 말하는 것과 같다. '예의는 300여 종류이고, 위의는 3000여 종류이다.'라는 것은 인이 아니면 행할 수 없다. 비유하자면 의복은 반드시 사람이 입어야 비로소 되는 것과 같다. 또 '앉을 때에는 시동처럼 한다.'라는 것은 반드시 행해야 한다. 체라고 말한 것은 반드시 기초 골자가 되는 것이다." (問: "'天體物而不遺, 猶仁體事而無不在?', 何也?" 曰: "理者物之體, 仁者事之體. 事事物物, 皆具天理, 皆是仁做得出來. 仁者, 事之體. 體物, 猶言幹事, 事之幹也. '禮儀三百, 威儀三千', 非仁則不可行. 譬如衣服, 必有箇人著方得. 且如'坐如尸', 必須是做得. 凡言體者, 必是做箇基骨也.")

24조목 "하늘이 밝아서 네가 나가서 다닐 적에 함께한다."라는 것에서 王은 음이 '往'이니, 왕래하고 노닐 때에도 이 理가 아님이 없음을 말한다. "하나라도 체인하지 않음이 없다."라는 것은 하나라도 이러한 골자가 아님이 없다고 말하는 것과 같다.("昊天曰明, 及爾出王", 音往, 言往來游衍, 無非是理. "無一物之不體", 猶言無一物不將這箇做骨.)

것과 같다."

[5-3-3]

“上天之載”, 有感必通. 聖人之爲, 得爲而爲之也.

“하늘의 일”[195]은 감感이 있기에 반드시 통한다[196]. 성인의 행함은 행할 수 있는 것을 행한다.

[5-3-4]

天不言而四時行. ‘聖人神道設敎而天下服.’ 誠於此, 動於彼, 神之道與! 成變化, 行鬼神, 成行, 陰陽之氣而已矣.[197] 韓本有此一段.

‘하늘은 말을 하지 않지만’[198] 사계절은 유행한다. ‘성인이 신묘한 도로 가르침을 펼치니 세상 사람들이 복종한다.’[199] 여기에서 성실하고, 저기에서 움직이는 것은 신묘한 도일 것이다! “변화를 이루고 귀신을 행한다.’에서 이룸과 행함은 음양의 기일 뿐이다.” 한본韓本에 이 단락이 있다.

[5-3-5]

“天不言而信, 神不怒而威.” 誠故信, 無私故威.

“하늘은 말을 하지 않아도 진실하고, 신은 성내지 않아도 위엄이 있다.”[200] 성실하므로 진실하고, 사사로움이 없으므로 위엄이 있다.

[5-3-6]

天之不測謂神, 神而有常謂天.

하늘에서 헤아릴 수 없는 것을 신이라고 하고,[201] 신이면서 일정함이 있는 것을 하늘이라고 한다.

· · · · · · · · · · · · · · · · · · · ·

195 『詩經』「大雅·文王之什·文王」 “하늘의 일은 소리도 없고 냄새도 없다.”(“上天之載, 無聲無臭.”)라는 내용을 참조한 것이다.

196 『周易』「繫辭上」 10장 “역은 생각함이 없고 작위함도 없어서 고요히 움직이지 않다가 感하여 마침내 세상의 일에 통한다. 세상의 지극한 神이 아니라면 그 누가 여기에 관여할 수 있겠는가?”(“易无思也, 无爲也, 寂然不動, 感而逐通天下之故. 非天下之至神, 其孰能與於此?”)라는 내용을 참조한 것이다.

197 宋, 方聞一 『大易粹言』 권67 「繫辭上3」

198 『禮記』「樂記」 “하늘은 말을 하지 않는데도 진실하고, 신은 성내지 않는데도 위엄이 있다.(天則不言而信, 神則不怒而威)”라는 내용을 참조한 것이다.

199 『周易』「觀卦☰·象傳」 “하늘의 신묘한 도를 보니 사계절이 어긋나지 않고, 성인이 신묘한 도로 가르침을 펼치니, 세상 사람들이 복종한다.(觀天之神道, 而四時不忒; 聖人以神道設敎, 而天下服矣.)”라는 내용을 참조한 것이다.

200 『禮記』「樂記」

201 『周易』「繫辭上」 4장 “낳고 낳는 것을 역이라고 하고, 상을 이루는 것을 건이라고 하며, 법을 본받는 것을 곤이라고 하고, 수를 극진히 헤아려 미래를 아는 것을 점이라고 하며, 변하여 통하게 되는 것을 일이라고 하고, 음양의 변화를 헤아릴 수 없는 것을 신이라고 한다.(生生之謂易, 成象之謂乾, 效法之謂坤, 極數知來之

[5-3-7]

運於無形之謂道, 形而下者不足以言之.

운행할 때 형체가 없는 것을 도라고 하고,[202] 형체가 있는 것[203]으로는 그것을 충분하게 말할 수 없다.

[5-3-8]

"鼓萬物而不與聖人同憂", 天道也. 聖不可知也. 無心之妙, 非有心所及也.

"만물을 고동시키되 성인과 더불어 같이 근심하지 않는다."[204]라는 것은 천도이다. 성인도 알 수 없다. 무심의 오묘함은 마음이 미칠 수 있는 것이 아니다.

[5-3-9]

"不見而章", 已誠而明也; "不動而變", 神而化也; "無爲而成", "爲物不貳也."

"나타내지 않아도 드러난다."라는 것은 이미 성誠이면서 밝음이고, "움직이지 않아도 변한다."라는 것은 신神이면서 변화이며, "작위함이 없어도 이룬다."라는 것은 "물物이 되는 것이 둘이 아니다."[205]라는 것이다.

[5-3-10]

已誠而明, 故能"不見而章, 不動而變, 無爲而成."

이미 성이면서 밝기 때문에 능히 "나타내지 않아도 드러나고, 움직이지 않아도 변화하며, 작위함이 없어도 이룬다."

[5-3-11]

富有廣大, 不禦之盛與; 日新悠久, 無疆之道與!

부유하고 광대하니, 막을 수 없는 성대함이여! 날마다 새롭고 유구하니, 끝없는 도道여![206]

[5-3-12]

天之知物不以耳目心思, 然知之之理過於耳目心思. 天視聽以民, 明威以民, 故『詩』·『書』

謂占, 通變之謂事, 陰陽不測之謂神.)"라는 내용을 참조한 것이다.

202 『周易』「繫辭上」 12장 "형이상의 것을 도라고 한다.(形而上者謂之道.)"라는 내용을 참조한 것이다.

203 『周易』「繫辭上」 12장 "형이하의 것을 器라고 한다.(形而下者謂之器.)"라는 내용을 참조한 것이다.

204 『周易』「繫辭上」 5장

205 『中庸』 26장 "나타내지 않아도 드러나고, 움직이지 않아도 변하며, 작위함이 없어도 이룬다. 하늘과 땅의 도는 한 마디 말로 다할 수 있고, 그 만물이 됨은 둘이 아니니, 만물을 낳는 것을 헤아릴 수 없다.(不見而章, 不動而變, 無爲而成. 天地之道, 可一言而盡也, 其爲物不貳, 則生物不測.)"라는 내용을 참조한 것이다.

206 『周易』「繫辭上」 5장 "부유함을 큰 사업이라고 하고, 날마다 새로워지는 것을 성대한 덕이라고 한다."("富有之謂大業, 日新之謂盛德")라는 내용을 참조한 것이다.

所謂帝天之命, 主於民心而已焉.

하늘은 만물을 아는 데에는 귀와 눈과 마음을 사용하지 않지만, 그것을 아는 이치는 귀와 눈과 마음을 능가한다. 하늘이 보고 듣는 것은 백성을 통해 하고[207], 하늘이 밝고 위엄을 부리는 것은 백성을 통해 하므로[208], 『시경』과 『서경』에서 말하는 상제와 하늘의 명命은 백성의 마음에 뿌리를 둔다.

[5-3-12-1]

或問朱子曰 : "所謂帝天之命, 主於民心."

曰 : "皆此理也. 民心之所向, 即天心之所存也."[209]

어떤 사람이 주자에게 물었다. "상제와 하늘의 명은 백성의 마음에 뿌리를 둔다고 말하는 것입니다." : 주자가 말했다. "다 이 이치이다. 백성의 마음이 향하는 곳은 바로 하늘의 마음이 보존된 곳이다."

[5-3-13]

"化而裁之存乎變", 存四時之變, 則周歲之化可裁; 存晝夜之變, 則百刻之化可裁. "推而行之存乎通", 推四時而行, 則能存周歲之通; 推晝夜而行, 則能存百刻之通.

"화化하여 마름질하는 것은 변變에 있다."[210]라는 것은 사계절의 변화가 보존된다면 한 해의 화化가 마름질될 수 있고, 낮과 밤의 변화가 보존된다면 백각[211]의 화化가 마름질될 수 있다는 것이다. "미루어 행하는 것은 통함에 있다."[212]라는 것은 사계절을 미루어 행하면 한 해의 통함이 보존될 수 있고, 낮과 밤을 미루어 행하면 백각의 통함이 보존될 수 있다는 것이다.

[5-3-14]

"神而明之存乎其人", 不知"上天之載", 當存文王. "黙而成之""存乎德行", 學者常存德性, 則自然黙成而信矣. 存文王則知"天載之神", 存衆人則知物性之神.

"신묘하고 밝은 것은 그 사람에게 있으니."[213] "하늘의 일"[214]을 알지 못하면 마땅히 문왕을 보존해야 한다. "묵묵히 이루는 것"[215]은 "덕행에 있으니,"[216] 배우는 자가 항상 덕성을 보존하면 자연히 묵

· · · · · · · · · · · · · · ·

207 『書經』「太誓中」 "하늘이 보는 것은 우리 백성이 보는 것으로부터 하고, 하늘이 듣는 것은 우리 백성이 듣는 것으로부터 한다.(天視自我民視, 天聽自我民聽)"라는 내용을 참조한 것이다.

208 『書經』「皐陶謨」, "하늘이 밝혀주고 두려워하게 하는 것은 우리 백성이 밝혀주고 두려워하게 하는 것으로부터 한다.(天明畏, 自我民威)"라는 내용을 참조한 것이다.

209 『朱子語類』 권99, 18조목

210 『周易』「繫辭上」 12장

211 百刻 : 하루 시간을 刻으로 계산한 수이다. 하루가 100각이면 1각은 현재 시간으로 14.4분(14분 24초)이다.

212 『周易』「繫辭上」 12장

213 『周易』「繫辭上」 12장

214 『詩經』「大雅 · 文王之什 · 文王」 "하늘의 일은 소리도 없고 냄새도 없다.(上天之載, 無聲無臭.)"라는 내용을 참조한 것이다.

묵히 이루어져 미덥다. 문왕을 보존하면 "하늘의 일의 신묘함"을 알고, 많은 사람을 보존하면 물성物性의 신묘함을 안다.

[5-3-15]
谷之神也有限, 故不能通天下之聲. 聖人之神惟天, 故能周萬物而知.

'곡谷의 신'[217]은 한계가 있으므로 세상의 소리에 통할 수 없다. 성인의 신은 오직 하늘이므로 만물을 두루하여 알 수 있다.[218]

[5-3-16]
聖人有感無隱, 正猶天道之神.

성인이 감응은 있으나 숨김이 없는 것은 바로 천도의 신과 같다.

[5-3-17]
"形而上者", 得意斯得名, 得名斯得象. 不得名, 非得象者也. 故語道至於不能象, 則名言亡矣.

"형이상의 것"[219]은 뜻을 얻어야 이름을 얻고, 이름을 얻어야 형상을 얻는다. 이름을 얻지 못하는 것은 형상을 얻은 것이 아니다. 그러므로 도를 말할 때 형상할 수 없는 데에 이르면 형용할 말도 없다.[220]

[5-3-18]
世人知道之自然, 未始識自然之爲體爾.

세상 사람들은 도의 저절로 그러함을 알면서도, 아직 저절로 그러함이 체體가 됨을 알지는 못한다.

---

215 『周易』「繫辭上」 12장
216 『周易』「繫辭上」 12장
217 『도덕경』 6장, "곡신은 죽지 않으니, 이것을 현빈이라고 한다.(谷神不死, 是謂玄牝.)"라는 내용을 참조한 것이다.
218 『周易』「繫辭上」 4장, "앎은 만물을 두루 하고, 도는 세상을 구제하므로 지나치지 않는다.(知周乎萬物, 而道濟天下, 故不過.)"라는 내용을 참조한 것이다.
219 『周易』「繫辭上」 12장, "형이상의 것을 도라고 한다.(形而上者謂之道.)"라는 내용을 참조한 것이다.
220 『周易』「繫辭上」 12장, "공자가 말했다. '글은 말을 다하지 못하고, 말은 뜻을 다하지 못한다.' 그렇다면 성인의 뜻은 볼 수 없는가? 공자가 말했다. '성인은 상을 세워 뜻을 다하고, 괘를 갖추어 참과 거짓을 다하며, 말을 매어서 그 말을 다하고, 변하고 통하여서 이로움을 다하며, 고무시켜서 神을 다한다.'(子曰: '書不盡言, 言不盡意.' 然則聖人之意其不可見乎? 子曰: '聖人立象以盡意, 設卦以盡情僞, 繫辭焉以盡其言, 變而通之以盡利, 鼓之舞之以盡神.')"라는 내용을 참조하여, 뜻과 이름과 형상의 관계 문제를 설명한 것이다.

[5-3-19]

有天德, 然後天地之道可一言而盡.

하늘의 덕을 지닌 다음에 천지의 도에 대해 한마디로 다 말할 수 있다.

[5-3-20]

正明不爲日月所眩, 正觀不爲天地所遷.

바르게 밝힌 것[正明]은 해와 달에 의해 어두워지지 않으며, 바르게 본 것[正觀]은 천지에 의해 옮겨지지 않는다.[221]

神化篇 第四　제4 신화편

[5-4-1]

神, 天德; 化, 天道. 德, 其體; 道, 其用, 一於氣而已.

신神은 천덕天德이고, 변화는 천도天道이다. 덕은 그 체體이고, 도는 그 용用인데, 기氣에서 하는 것은 한 가지일 뿐이다.

[5-4-2]

"神無方, 易無體", 大且一而已爾.

"신神은 고정된 장소가 없고, 역은 정해진 형체가 없으니"[222], 크고 또 하나일 뿐이다.

[5-4-3]

虛明一作靜照鑒, 神之明也; "無遠近幽深", "利用出入", 神之充塞無間也.

비었으면서도 밝아 어떤 판본은 정靜으로 되어 있다. 환하게 살피는 것이 신神의 명明이고, "멀고 가깝거나 어둡고 깊음이 없이"[223] "쓰임을 이롭게 하여 드나드는 것"[224]은 신神이 가득 채워져 틈이 없는 것

---

221 『周易』「繫辭下」1장 "천지의 도는 바르게 보는 것이고, 해와 달의 도는 바르게 밝히는 것이다.(天地之道, 貞觀者也; 日月之道, 貞明者也)"라는 내용을 참조한 것이다.

222 『周易』「繫辭上」4장

223 『周易』「繫辭上」10장 "역에 성인의 도가 넷이 있으니, 말로써 하는 자는 그 말을 숭상하고, 행동으로써 하는 자는 그 변화를 숭상하며, 기구를 만드는 자는 그 象을 숭상하고, 점을 치는 자는 그 점을 숭상한다. 이 때문에 군자는 장차 할 일이 있고 장차 갈 일이 있으니, 말로 물으면 그 命을 받음이 메아리 같아서 멀고 가까움 및 어둡고 깊음이 없이 마침내 올 것을 안다. 세상의 지극한 精함이 아니라면 그 누가 여기에 관여하겠는가?(易有聖人之道四焉, 以言者尙其辭, 以動者尙其變, 以制器者尙其象, 以卜筮者尙其占. 是以君子將有爲也, 將有行也, 問焉而以言, 其受命也如嚮, 无有遠近幽深, 遂知來物. 非天下之至精, 其孰能與於此?)"라는 내용을 참조한 것이다.

이다.

[5-4-4]

天下之動, 神鼓之也; 辭不鼓舞, 則不足以盡神.

천하의 움직임은 신神이 고동친 것이고, 말로 고무[225]시키지 못하면 신神을 다할 수 없다.

[5-4-5]

鬼神, 往來屈伸之義. 故天曰神, 地曰示, 人曰鬼.

귀와 신은 가거나 옴 및 굽히거나 폄[226]의 뜻이다. 그러므로 하늘을 신神이라고 하고, 땅을 기示(祇)[227]라고 하며, 사람을 귀鬼라고 한다.

[5-4-5-1]

　"神示者, 歸之始; 歸往者, 來之終."[228]

　(주자가 말했다.) "천신과 지신은 돌아옴의 시작이고, 돌아가는 것은 옴의 끝이다."

[5-4-5-2]

　朱子曰 : "『說文』'示'字, 以有所示爲義, 故'視'字從'示'. 天之氣生而不息, 故曰神; 地之氣顯然示人, 故曰示. 一說, '一而大, 謂之天; 二而小, 謂之地.' 二而小, 即'示'字也. '天曰神, 地曰示'者, 蓋其氣未嘗或息也. 人鬼, 則其氣有所歸矣."[229]

　주자가 말했다. "『설문해자』에서 '시示'자는 보는 것이 있음을 뜻으로 삼았기 때문에 '시視'자는 '시示'를 따랐다. 하늘의 기가 생겨서 쉬지 않으므로 신神이라고 하고, 땅의 기가 드러나서 사람에게 보이므로 기示라고 했다. 어떤 이론에는 '하나이면서 큰 것을 하늘이라고 하고, 둘이면서 작은 것을 땅이

---

224 『周易』「繫辭上」11장 "이 때문에 문을 닫는 것을 곤이라고 하고, 문을 여는 것을 건이라고 하며, 한 번 닫고 한 번 여는 것을 變이라고 하고, 가고 오는 것이 끝이 없음을 通이라고 하며, 나타난 것을 象이라고 하고, 형체를 器라고 하며, 지어서 쓰는 것을 법이라고 하고, 쓰는 것을 이롭게 하여 드나들며, 백성이 다 쓰는 것을 神이라고 한다.(是故闔戶謂之坤, 闢戶謂之乾, 一闔一闢謂之變, 往來不窮謂之通, 見乃謂之象, 形乃謂之器, 制而用之謂之法, 利用出入, 民咸用之謂之神.)"라는 내용을 참조한 것이다.

225 『周易』「繫辭上」12장 "공자가 말했다. '성인은 상을 세워 뜻을 다하고, 괘를 갖추어 참과 거짓을 다하며, 말을 매어서 그 말을 다하고, 변하고 통하여서 이로움을 다하며, 고무시켜서 神을 다한다.'(子曰 : '聖人立象以盡意, 設卦以盡情僞, 繫辭焉以盡其言, 變而通之以盡利, 鼓之舞之以盡神.')"라는 내용을 참조한 것이다.

226 『周易』「繫辭下」5장 "가는 것은 굽힘이고 오는 것은 폄이니, 굽힘과 폄이 서로 感하여 이로움이 생긴다.(往者屈也, 來者信也, 屈信相感而利生焉.)"는 내용을 참조한 것이다.

227 기祇 : '보일 시' '귀신 기'의 同形異義 한자이다. 따라서 본문에서 '示'에 음을 달 때, 글자의 의미로 쓸 경우에는 '시'로 발음하고, 귀신의 의미로 사용할 경우에는 '기'로 발음한다.

228 주희 『中庸輯略』 권상 「中庸」 16장

229 『朱子語類』 권99, 10조목

라고 한다. 둘이면서 작은 것이 바로 '시示'자이다. '하늘을 신神이라고 하고 땅을 기示라고 한다.'라는 것은 그 기가 어떤 경우에도 쉬지 않는 것이다. 사람을 귀鬼라고 하는 것은 그 기가 돌아갈 곳이 있는 것이다."

[5-4-6]

形而上者, 得辭斯得象矣. 神爲不測, 故緩辭不足以盡神. 化爲難知, 故急辭不足以體化.

형이상의 것은 말을 얻었기에 상을 얻은 것이다. 신神은 헤아릴 수 없으므로 완사緩辭[느린 말, 상세하고 구체적인 말]는 충분하게 신神을 다하지 못한다. 화化는 알기가 어려우므로 급사急辭[급한 말, 간결한 말]는 충분하게 화化를 체득하지 못한다.

[5-4-6-1]

朱子曰 : "神自是急底物事, 緩辭如何形容之? 如'陰陽不測之謂神', '神無方, 易無體', 皆是急辭. 化是漸漸而化, 若急辭以形容之, 則不可. "230

주자가 말했다. "신神은 본래 간결한 것이니, 완사로 어떻게 그것을 묘사하겠는가? '음양의 변화를 헤아릴 수 없는 것을 신神이라고 한다.'라는 것과 '신神은 고정된 장소가 없고, 역은 정해진 형체가 없다.'라는 것은 다 간결한 말이다. 화化는 점점 변화하는 것이니, 만약 급사로 그것을 묘사한다면 안 될 것이다."

[5-4-7]

氣有陰陽, 推行有漸爲化, 合一不測爲神. 其在人也, 知義用利, 則神化之事備矣. 德盛者, 窮神則知不足道, 知化則義不足云. 天之化也運諸氣, 人之化也順夫時; 非氣非時, 則化之名何有? 化之實何施? 『中庸』曰"至誠爲能化", 孟子曰"大而化之", 皆以其德合陰陽, "與天地同流"而無不通也. 所謂氣也者, 非待其蒸鬱凝聚, 接於目而後知之, 苟健·順·動·止·浩然·湛然之得言, 皆可名之象爾. 然則象若非氣, 指何爲象? 時若非象, 指何爲時? 世人取釋氏'銷礙入空', 學者'舍惡趨善'以爲化, 此直可爲始學遣累者, 薄乎云爾, 豈天道神化所同語也哉?

기에는 음양이 있는데, 미루어 운행할 때 점차적인 과정이 있는 것이 화化이고, 하나로 합치하여 헤아릴 수 없는 것이 신神이다. 그것이 사람에게서 지혜와 의로움을 이롭게 사용한다면 신神과 화化의 일이 갖추어질 것이다. 덕이 왕성한 자가 신神을 궁구하면 지혜가 부족하다고 말하고, 화化를 알면 의로움이 부족하다고 말한다. 하늘의 화化는 기에서 운행하고, 사람의 화化는 때에 순응하니, 기가 아니고 때가 아니면 화化의 이름이 어떻게 있겠으며, 화化의 열매가 어떻게 펼쳐질 수 있겠는가? 『중용』에서 "세상의 지극한 성誠이라야 화化할 수 있다."231라고 말한 것과 맹자가 "크고 화化한 것"232

. . . .

230 『朱子語類』 권99, 20조목

이라고 말한 것은 다 그 덕을 음양에 합치한 것이니, "천지와 더불어 한 가지로 흐르기"[233] 때문에 통하지 않음이 없다. 이른바 기는 쪄서 막히거나 응결하여 모여 눈이라는 감각기관에 접촉하기를 기다린 후에 아는 것이 아니니, 진실로 굳셈, 순함, 움직임, 그침[234], 넓고 큼, 맑음 등의 말은 다 이름의 상상象이라고 할 수 있다. 그러므로 상상이 만약 기가 아니라면 무엇을 가리켜 상상이라고 하겠는가? 때가 만약 상상이 아니라면 무엇을 가리켜 때라고 하겠는가? 세상 사람들은 불교의 '거리낌을 녹여 없애 공空으로 들어가는 것을 취하고', 배우는 사람은 '악을 버리고 선으로 향하는 것'을 화化로 여기는데, 이것은 다만 배우기를 시작하자마자 누추함을 버리려는 것으로서 천박한 것이라고 말할 수 있으니, 어찌 천도나 신화神化와 똑같이 말하겠는가?

[5-4-7-1]

朱子曰 : "'神化'二字, 雖程子說得亦不甚分明, 惟是橫渠推出來, 曰'推行有漸爲化, 合一不

---

231 『中庸』23장 "그 다음은 한 끝을 지극히 함이니, 한 끝을 미루어 이루면 誠할 수 있고, 성하면 드러나며, 드러나면 뚜렷해지고, 뚜렷해지면 밝아지며, 밝아지면 움직이고, 움직이면 변하며, 변하면 化하는 것이니, 오직 세상의 지극한 誠이라야 化할 수 있다.(其次致曲, 曲能有誠, 誠則形, 形則著, 著則明, 明則動, 動則變, 變則化, 唯天下至誠爲能化.)"라는 내용을 참조한 것이다.

232 『孟子』「盡心下」의 다음과 같은 내용을 참조한 것이다. 호생불해가 물었다. "악정자는 어떤 사람입니까?" 맹자가 대답했다. "착한 사람이며, 진실한 사람이다." (호생불해가) 물었다. "무엇을 착하다고 하고, 무엇을 진실하다고 합니까?" (맹자가 대답했다) "하고자 할 만한 것을 善이라고 하고, 선을 자기에게 갖추고 있는 것을 信이라고 하며, 참됨을 채우는 것을 美라고 하고, 참됨을 채워 빛남이 있는 것을 大라고 하며, 크고 화化한 것을 聖이라고 하고, 성스러워 알 수 없는 것을 神이라고 한다. 악정자는 두 가지의 중간이고 네 가지의 아래이다.(浩生不害問曰 : "樂正子, 何人也?" 孟子曰 : "善人也, 信人也." "何謂善, 何謂信?" 曰 : "可欲之謂善, 有諸己之謂信, 充實之謂美, 充實而有光輝之謂大, 大而化之之謂聖, 聖而不可知之之謂神. 樂正子二之中, 四之下也.)" 그런데 맹자의 이 글에 대해 주희는 다음과 같이 주석하였다. "어울림과 순함이 마음속에 쌓여 덕과 재능이 밖으로 드러나서,' 아름다움이 그 속에 있으면서 4지(두 팔과 두 다리)로 나타나고 사업으로 발현되면 덕업이 지극히 성대하여 더할 만한 것이 없게 된다. 대인이면서 化할 수 있기에 그 큰 것으로 하여금 사라져서 다시는 볼 만한 흔적이 없게 된다면 생각하지 않고 힘쓰지 않아도 조용히 도에 맞으니, 인력으로 할 수 있는 것이 아니다. 장재는 '대인은 인위적으로 할 수 있지만, 化는 인위적으로 할 수 없으니, 익숙하게 하는 데 달려 있을 뿐이다.'라고 했다. 程頤는 '성스러워 알 수 없다는 것은 성인이 지극히 오묘하여 사람이 헤아릴 수 없다는 것이지, 성인 위에 또 한 등급인 신인이 있다는 것이 아니다.'라고 했다.('和順積中, 而英華發外,' 美在其中而暢於四支, 發於事業, 則德業至盛而不可加矣. 大而能化, 使其大者, 泯然無復可見之迹, 則不思不勉, 從容中道, 而非人力之所能爲矣. 張子曰'大可爲也, 化不可爲也, 在熟之而已矣.' 程子曰, '聖不可知, 謂聖之至妙, 人所不能測, 非聖人之上, 又有一等神人也.')"

233 『孟子』「盡心上」"군자가 지나간 곳은 교화가 되고, 있는 곳은 신묘하기에 위와 아래가 천지와 더불어 한 가지로 흐르니, 어찌 조금 돕는다고 말하겠는가?(夫君子所過者化, 所存者神, 上下與天地同流, 豈曰小補之哉?)"라는 내용을 참조한 것이다.

234 『周易』「說卦傳」7장 '건은 굳셈이고, 곤은 순함이며, 진은 움직임이고, 손은 들어감이며, 감은 빠짐이고, 리는 매달림이며, 간은 그침이고, 태는 기쁨이다.(乾, 健也; 坤, 順也; 震, 動也; 巽, 入也; 坎, 陷也; 離, 麗也; 艮, 止也; 兌, 說也.)'라는 내용을 참조한 것이다.

測爲神.’”

又曰 : “‘一故神, 兩在故不測’, 言‘兩在’者, 或在陰, 或在陽, 在陰時全體都是陰, 在陽時全體都是陽. 化是逐一挨將去底, 一日復一日, 一月復一月, 節節挨將去, 便成一年, 這是化.”235

주자가 말했다. “‘신화神化’ 두 글자는 비록 정자가 말했을지라도 또한 매우 분명하지는 않고, 오직 횡거만이 미루어내어, ‘미루어 운행할 때 점차적인 과정이 있는 것이 화化이고, 하나로 합치하여 헤아릴 수 없는 것이 신神이다’라고 했다.

또 말했다. ‘하나이기 때문에 신묘하고, 양쪽에 있기 때문에 헤아릴 수 없다.’라고 한 것에서 ‘양쪽에 있다.’라고 한 것은 어떤 경우에는 음에 있고, 어떤 경우에는 양에 있으며, 음에 있을 때에는 전체가 모두 음이고, 양에 있을 때에는 전체가 모두 양임을 말하는 것이다. 화化는 한 번 미는 것에 따라 가는 것이다. 하루가 다시 하루가 되고 한 달이 다시 한 달이 되어 마디마디 밀어가면 바로 한 해가 되니, 이것이 화化이다.”

[5-4-7-2]

問 : “象若非氣, 指何爲象? 時若非象, 指何爲時?”

曰 : “且如天地日月, 若無這氣, 何以撐挂得成這象? 象無晦明, 何以別其爲晝夜? 無寒暑, 何以別其爲冬夏?”236

물었다. “상象이 만약 기가 아니라면 무엇을 가리켜 상象이라고 하겠는가? 때가 만약 상象이 아니라면 무엇을 가리켜 때라고 하겠는가?’

(주자가 말했다.) “바로 천지와 해와 달과 같으니, 만약 이러한 기가 없다면 무엇으로 떠받쳐서 이러한 상象을 이룰 수 있겠는가? 상象이 어두움과 밝음이 없다면 무엇으로 그것이 낮과 밤이 됨을 구별할 수 있겠는가? 추위와 더위가 없다면 무엇으로 그것이 겨울과 여름이 됨을 구별할 수 있겠는가?”

[5-4-8]

“變則化”, 由粗入精也; “化而裁之謂之變”, 以著顯微也. “谷神不死”, 故能微顯而不揜.

“변하면 화化한다.”237라는 것은 거친 것으로부터 정밀한 것으로 들어가는 것이고, “화化하여 마름질 하는 것을 변變이라고 한다.”238라는 것은 나타난 것으로 은미함을 드러내는 것이다. “곡신은 죽지 않으므로”239 은미한 것이 드러나 가릴 수 없다.

• •

235 『朱子語類』 권98, 36조목
236 『朱子語類』 권99, 21조목
237 『中庸』 23장 “변하면 化하는 것이니, 오직 세상의 지극한 誠이라야 化할 수 있다.(變則化, 唯天下至誠爲能化.)”라는 내용을 참조한 것이다.
238 『周易』「繫辭上」 12장
239 『도덕경』 6장 “곡신은 죽지 않는다.(谷神不死.)”라는 내용을 참조한 것이다.

[5-4-9]

鬼神常不死, 故誠不可掩; 人有是心在隱微, 必乘間而見. 故君子雖處幽獨, 防亦不懈.

귀신은 항상 죽지 않으므로 성誠을 가릴 수 없고, 사람이 이 마음을 가지고 있으면 은미한 곳에 있더라도, 반드시 틈을 타서 드러난다. 그러므로 군자는 비록 어두운 곳에 홀로 있을지라도 방지하는 것 또한 게을리 하지 않는다.

[5-4-10]

神化者, 天之良能, 非人能. 故大而位天德, 然後能"窮神知化."

신神과 화化는 하늘의 양능이니, 사람이 할 수 있는 것이 아니다. 그러므로 크게 천덕에 자리한 후에야 "신神을 궁구하고 화化를 알 수 있다."[240]

[5-4-11]

大可爲也, 大而化不可爲也, 在熟而已. 『易』謂"窮神知化", 乃德盛仁熟之致, 非智力能强也.

큰 것은 할 수 있지만 '커서 화化하는 것'은 할 수 없으니, 숙련됨에 달려 있을 뿐이다. 『역』에서 "신神을 궁구하고 화化를 알 수 있다."[241]라고 한 것은 덕의 왕성함과 인의 숙련됨이 이룬 것이지, 지혜와 힘으로 할 수 있는 것이 아니다.

[5-4-12]

"大而化之", 能不勉而大也, 不已而天, 則不測而神矣.

"커서 화化하는 것"[242]은 힘쓰지 않고 크게 할 수 있는 것이니, 끊임없이 수양하여 천과 하나가 된다면 헤아릴 수 없는 신神의 경계에 이를 것이다.

[5-4-13]

先後天而不違, 順至理而推行, 知無不合也. 雖然, 得聖人之任者, 皆可勉而至, 猶不害於未化爾. 大幾聖矣, 化則位乎天德矣.

하늘보다 앞서 하거나 뒤쳐져 하더라도 어기지 않는 것[243]은 지극한 이치를 따라 미루어 행하는 것

---

240 『周易』「繫辭下」5장 "神을 궁구하고 化를 안다.(窮神知化.)"
241 『周易』「繫辭下」5장 "神을 궁구하고 化를 안다.(窮神知化.)"
242 『孟子』「盡心下」의 다음과 같은 내용을 참조한 것이다. "하고자 할 만한 것을 善이라고 하고, 선을 자기에게 갖추고 있는 것을 信이라고 하며, 참됨을 채우는 것을 美라고 하고, 참됨을 채워 빛남이 있는 것을 大라고 하며, 크고 化한 것을 聖이라고 하고, 聖스러워 알 수 없는 것을 神이라고 한다.(可欲之謂善, 有諸己之謂信, 充實之謂美, 充實而有光輝之謂大, 大而化之之謂聖, 聖而不可知之之謂神.)"
243 『周易』「乾卦·文言傳」"'대인'은 천지와 더불어 그 덕을 합치고, 해와 달과 더불어 그 밝음을 합치며, 사계절과 더불어 그 차례를 합치고, 귀신과 더불어 그 길흉을 합치며, 하늘보다 앞서 하더라도 하늘이 어기지 않고, 하늘보다 뒤쳐져 하더라도 천시를 받든다. 하늘도 또한 어기지 않는데, 하물며 사람은 어떠하겠는가?

이니, 지혜가 합치되지 않음이 없다. 비록 그럴지만 성인의 임무를 얻은 자는 다 힘써서 이를 수 있으니, 아직 화化하지 않은 것에 방해되지 않는 것과 같을 뿐이다. 큼은 거의 성聖이니, 화化하게 되면 천덕에 자리 잡을 것이다.

[5-4-14]

大則不驕, 化則不吝.

크면 교만하지 않고, 화化하면 인색하지 않다.[244]

[5-4-15]

無我而後大, 大成性而後聖, 聖位天德不可致知謂神. 故神也者, 聖而不可知.

사욕이 없어진 다음에 커지고, 커서 성性을 이룬 다음에 성스러워지며, 성스러움이 천덕에 자리하여 앎을 지극히 할 수 없는 것이 신神이다. 그러므로 신神은 성스러워서 알 수 없다.

[5-4-16]

'見幾'則義明, 動而不括則用利, 屈伸順理, 則身安而德滋. "窮神知化", 與天爲一, 豈有我所能勉哉? 乃德盛而自致爾. "精義入神", 事豫吾内, 求利吾外也; "利用安身", 素利吾外, 致養吾内也; "窮神知化", 乃養盛自致, 非思勉之能强. 故崇德而外, 君子未或致知也.

'낌새를 알면'[245] 의로움이 밝아지고, 움직여서 막히지 않으면 쓰는 것이 이로우며, 굽힘과 폄이 이치를 따르면 몸이 편안하고 덕이 불어난다. "신神을 궁구하고 화化를 알 수 있다."[246]라는 것은 천과 하나가 되는 것이니, 어찌 내가 힘쓸 수 있는 것이 있겠는가? 이에 덕이 왕성하여 저절로 이룰 뿐이다. "의로움을 정밀하게 하여 신神에 들어간다."[247]라는 것은 내 안에서 "일을 미리 하고"[248], 내 바깥

하물며 귀신은 어떠하겠는가?(夫'大人'者, 與天地合其德, 與日月合其明, 與四時合其序, 與鬼神合其吉凶, 先天而天弗違, 後天而奉天時. 天且弗違, 而況於人乎? 況於鬼神乎?)"라는 内容을 참조한 것이다.

244 『論語』「泰伯」"주공의 재능과 아름다움을 가졌더라도, 가령 교만하고 인색하다면 그 나머지는 볼 것이 없다.(子曰, 如有周公之才之美, 使驕且吝, 其餘不足觀也已.)"라는 内容을 참조한 것이다.

245 『周易』「繫辭下」5장 "공자가 말했다. '낌새를 아는 것은 神일 것이다. 군자가 윗사람과 사귀되 아첨하지 않고, 아랫사람과 사귀되 함부로 하지 않으니 그 낌새를 아는구나! 낌새란 움직임의 은미함이니, 길한 것이 먼저 나타나는 것이다. 군자는 낌새를 보고 일어나서 종일을 기다리지 않는다. 『易』에서 「단단하기가 돌이라. 하루를 마치지 아니하니 바르고 길하다」라고 했다. 단단하기가 돌과 같은데, 어찌 날을 마치기를 기다리겠는가? 단연코 알 수 있다. 군자는 은미한 것도 알고 드러난 것도 알며, 부드러움도 알고, 굳셈도 알기 때문에 수많은 사람이 우러러볼 것이다.'(子曰: '知幾其神乎! 君子上交不諂, 下交不瀆, 其知幾乎! 幾者, 動之微, 吉之先見者也. 君子見幾而作, 不俟終日. 『易』曰, 「介于石. 不終日, 貞吉.」介如石焉, 寧用終日? 斷可識矣! 君子知微知彰, 知柔知剛, 萬夫之望.')"라는 内容을 참조한 것이다.

246 『周易』「繫辭下」5장 "神을 궁구하고 化를 안다.(窮神知化.)"

247 『周易』「繫辭下」5장 "의로움을 정밀하게 하여 신에 들어가는 것은 씀을 이루는 것이다.(精義入神, 以致用也.)"라는 内容을 참조한 것이다.

에서 이로움을 구한다는 것이며, "쓰는 것을 이롭게 하고 몸을 편안하게 한다."[249]라는 것은 평소 내 바깥을 이롭게 하고, 평소 내 마음을 양육하는 것이며, "신神을 궁구하고 화化를 알 수 있다."라는 것은 수양이 왕성하여 저절로 이루어지는 것이지 억지로 생각하고 힘써서 할 수 있는 것이 아니다. 그러므로 덕을 높이는 것 외에 군자는 '어떤 경우에도 앎을 이루지 않았다.'[250]

[5-4-16-1]

朱子曰 : "精熟義理而造於神, 事素定乎內, 而乃所以求利乎外也; 通達其用而身得其安, 素利乎外, 而乃所以致養其內也, 蓋內外相應之理."[251]

주자가 말했다. "의리가 정밀하고 익숙하여 신神에서 나아가는 것은 일이 평소 마음에서 정해지면 밖에서 이로움을 구하는 것이고, 그 씀을 통달하여 몸이 그 편안함을 얻어 평소 밖에서 이롭게 하면 그 마음을 수양하는 것을 지극히 하는 것이니, 안팎이 서로 응하는 이치이다."

[5-4-16-2]

"入神, 是入至於微妙處. 此却似向內做工夫, 非是作用於外, 然乃所以致用於外也. 故嘗謂門人曰 : '吾學旣得於心, 則修其辭命; 辭無差, 然後斷事; 斷事無失, 吾乃沛然. 「精義入神」者, 豫而已.' 橫渠可謂'精義入神.'"[252]

(주자가 말했다.) "신神에 들어가는 것은 지극히 미묘한 곳에 들어가는 것이다. 이것은 안으로 향하는 공부와 같은 것이며, 밖에서 작용하는 것이 아니지만, 밖에서 씀을 지극히 하는 것이다. 그러므로 일찍이 제자들에게 말하였다. '우리가 배우는 것은 이미 마음에서 얻으면 그 말을 수련하는 것이고, 말에 오류가 없은 후에 일을 결단하며, 결단한 일에 잘못이 없으면 내가 충만하다. 「의로움을 정밀하게 하여 신神에 들어간다.」라는 것은 미리 하는 것일 뿐이다.' 횡거는 '의로움을 정밀하게 하여 신神에 들어간다.'라고 말할 수 있다."

[5-4-17]

神不可致思, 存焉可也; 化不可助長, 順焉可也. 存虛明, 久至德, 順變化, 達時中, 仁之至, 義之盡也. 知微知彰, 不舍而繼其善, 然後可以成之性矣.

....

248 『中庸』 20장 "일을 미리 하면 서고, 미리 하지 않으면 폐한다. 말을 미리 정하면 차질이 나지 않고, 일을 미리 정하면 곤란하지 않으며, 행동을 미리 정하면 병폐가 없고, 도를 미리 정하면 궁하지 않다.(凡事豫則立, 不豫則廢. 言前定則不跲, 事前定則不困, 行前定則不疚, 道前定則不窮.)"라는 내용을 참조한 것이다.

249 『周易』 「繫辭下」 5장 "쓰는 것을 이롭게 하고 몸을 편안하게 하는 것은 덕을 높이는 것이다.(利用安身, 以崇德也.)"라는 내용을 참조한 것이다.

250 『周易』 「繫辭下」 5장 "이를 지난 이후는 혹 알지 못하니, 神을 궁구하여 化를 아는 것은 덕의 왕성함이다.(過此以往, 未之或知也, 窮神知化, 德之盛也.)"라는 내용을 참조한 것이다.

251 『朱子語類』 권98, 51조목

252 『朱子語類』 권98, 52조목

신神은 생각으로 이룰 수 있는 것이 아니니 보존하는 것이 좋고, 화化는 조장해서는 안 되는 것이니 따르는 것이 좋다. 비어 밝은 것을 보존하고, 지극한 덕을 오래도록 하고, 변화를 따르며, 때에 맞게 하는 것이 인의 지극함이고 의로움의 다함이다. 은미한 것도 알고 드러난 것도 알며[253], 포기하지 않고 그 선善을 이은 후에 성性을 이룰 수 있다.

[5-4-18]

聖不可知者, 乃天德良能, 立心求之, 則不可得而知之.

성스러워서 알 수 없는 것은 천덕과 양능이니, 마음을 세우고 구하더라도 알 수 없다.

[5-4-19]

聖不可知謂神, 莊生繆妄, 又謂有'神人'焉.

성스러워서 알 수 없는 것을 신神이라고 하는데, 장생莊生이 오류를 범한 것은 또 '신인神人'[254]이 있음을 말한 것이다.

[5-4-20]

惟神爲能變化, 以其一天下之動也. '人能知變化之道, 其必知神之爲也.'

오직 신神만이 변화할 수 있으므로 세상의 움직임을 하나로 한다. '사람은 변화의 도를 알 수 있으니, 반드시 신이 하는 것을 알아야 한다.'[255]

[5-4-21]

見易則神其幾矣.

· ·

253 『周易』「繫辭下」 5장 "공자가 말했다. '낌새를 아는 것은 神일 것이다! 군자가 윗사람과 사귀되 아첨하지 않고, 아랫사람과 사귀되 함부로 하지 않으니 그 낌새를 아는구나! 낌새란 움직임의 은미함이니, 길함이 먼저 나타나는 것이다. 군자는 낌새를 보고 일어나서 종일을 기다리지 않는다. 역에서 「단단하기가 돌이라. 하루를 마치지 아니하니 바르고 길하다」라고 했다. 단단하기가 돌과 같은데, 어찌 날을 마치기를 기다리겠는가? 단연코 알 수 있다. 군자는 은미한 것도 알고 드러난 것도 알며, 부드러움도 알고, 굳셈도 알기 때문에 수많은 사람이 우러러볼 것이다.'(子曰 : '知幾其神乎! 君子上交不諂, 下交不瀆, 其知幾乎! 幾者, 動之微, 吉之先見者也. 君子見幾而作, 不俟終日. 易曰, 「介于石. 不終日, 貞吉.」 介如石焉, 寧用終日? 斷可識矣! 君子知微知彰, 知柔知剛, 萬夫之望.')"라는 내용을 참조한 것이다.

254 『莊子』「逍遙遊」 "지인은 자기(어떤 경우에는 紀 : 벼리)가 없고, 신인은 공효가 없으며, 성인은 이름이 없다.(至人無己, 神人無功, 聖人無名.)"「천하」 "으뜸에서 떠나지 않은 것을 천인이라고 하고, 정미함에서 떠나지 않은 것을 신인이라고 하며, 참에서 떠나지 않는 것을 지인이라고 하고, 하늘을 으뜸으로 삼고 덕을 근본으로 삼으며 도를 문으로 삼아 조짐을 보고 변화에 따르는 사람을 성인이라고 한다.(不離於宗, 謂之天人; 不離於精, 謂之神人; 不離於眞, 謂之至人; 以天爲宗, 以德爲本, 以道爲門, 兆於變化, 謂之聖人.)"

255 『周易』「繫辭上」 9장 "공자가 말했다. 변화의 도를 아는 사람은 신이 하는 것을 알 것이다.(子曰 : '知變化之道者, 其知神之所爲乎!')"라는 내용을 참조한 것이다.

역易을 보면 거의 신神일 것이다.'256

[5-4-22]

"知幾其神", 由經正以貫之, 則寧用終日? 斷可識矣. 幾者, 象見而未形也, 形則涉乎明, 不待神而後知也. "吉之先見"云者, 順性命則所先皆吉也.

"낌새를 아는 것은 그 신일 것이니"257 일정한 바른 도로 꿰뚫었으면, 어찌 하루 종일을 다 쓰겠는가? 단연코 알 수 있다. 낌새는 상이 드러났으나 아직 형체가 없는 것이다. 형체가 있으면 밝혀지니 신神을 기다린 후에 아는 것이 아니다. "길함이 먼저 나타난다."라고 한 것은 성性과 명命을 따르면 먼저 하는 것이 다 길하다는 것이다.258

[5-4-23]

知神而後能饗帝饗親, 見易而後能知神. 是故'不聞性與天道'而能制禮作樂者, 末矣.

신神을 안 후에 '하늘에 제향할 수 있고 부모에게 제향할 수 있으며'259, 역을 이해한 후에 신을 알 수 있다. 이 때문에 '성과 천도를 듣지 못하고서'260 예禮를 짓고 악樂을 지을 수 있는 자는 말단이다.

[5-4-24]

"精義入神", 豫之至也.

"의로움을 정밀하게 하여 신神에 들어간다."261라는 것은 미리 함의 지극함이다.

. . . .

256 『周易』「繫辭下」 5장 "공자가 말했다. '낌새를 아는 것은 그 신일 것이다.'(子曰 : '知幾其神乎!')"라는 내용을 참조한 것이다.

257 『周易』「繫辭下」 5장

258 『周易』「繫辭下」 5장 "공자가 말했다. '낌새를 아는 것은 神일 것이다. 군자가 윗사람과 사귀되 아첨하지 않고, 아랫사람과 사귀되 함부로 하지 않으니 그 낌새를 아는구나! 낌새란 움직임의 은미함이니, 길함이 먼저 나타나는 것이다. 군자는 낌새를 보고 일어나서 종일을 기다리지 않는다. 『역』에서 「단단하기가 돌이라. 하루를 마치지 아니하니 바르고 길하다」라고 했다. 딘단하기가 돌과 같은데, 어찌 날을 마치기를 기다리겠는가? 단연코 알 수 있다. 군자는 은미한 것도 알고 드러난 것도 알며, 부드러움도 알고, 굳셈도 알기 때문에 수많은 사람이 우러러볼 것이다.'(子曰 : '知幾其神乎! 君子上交不諂, 下交不瀆, 其知幾乎! 幾者, 動之微, 吉之先見者也. 君子見幾而作, 不俟終日. 『易』曰, 「介于石. 不終日, 貞吉.」 介如石焉, 寧用終日? 斷可識矣! 君子知微知彰, 知柔知剛, 萬夫之望.')"라는 내용을 참조한 것이다.

259 『禮記』「祭義」 "오직 성인만이 하늘에 제향할 수 있고, 효자만이 부모에게 제향할 수 있다.(唯聖人爲能饗帝, 孝子爲能饗親)"라는 내용을 참조한 것이다.

260 『論語』「公冶長」 "자공이 말했다. '선생님의 문장은 들을 수 있었지만, 선생님께서 성과 천도를 말한 것은 들을 수 없었다.'(子貢曰 : '夫子之文章, 可得而聞也; 夫子之言性與天道, 不可得而聞也.')"라는 내용을 참조한 것이다.

261 『周易』「繫辭下」 5장

[5-4-25]

‘徇物’喪心’, ‘人化物而滅天理’者乎! ‘存神過化’, ‘忘物累’而順性命者乎!

‘외물에 따라’[262] ‘마음을 잃는 것’[263]은 ‘사람이 물화物化되어 천리를 없앤 것’[264]이리라! ‘있는 곳은 신묘하고 지나간 곳은 교화가 된다.’[265]라는 것은 ‘사물의 얽매임을 잊고’[266] 성性과 명命을 따른 것이리라!

[5-4-26]

敦厚而不化, 有體而無用也, 化而自失焉, 循物而喪己也. “大德敦化”, 然後仁智一而聖人之事備. 性性爲能存神, 物物爲能過化.

돈독하고 두텁더라도 교화되지 않으면 체體는 있지만 용用이 없는 것이고, 교화되더라도 자신을 잃으면 외물에 따라 자기를 잃은 것이다. “큰 덕이 교화를 돈독하게 한”[267] 후에 인仁과 지혜가 하나되어 성인의 일이 갖추어진다. 성性을 성性대로 하는 것은 ‘있는 곳이 신묘하기 때문’이고, 물物을 물物대로 하는 것은 ‘지나가는 곳이 교화되기 때문’[268]이다.

[5-4-26-1]

　　西山眞氏曰 : “‘過化存神’, 此四字本出『孟子』. ‘過化’, 謂聖人凡所經歷處人皆化之. ‘存神’,

. . . .

262　『呂氏春秋』「仲春紀·貴生」 “지금 세상의 군자는 몸을 위태롭게 하고 삶을 버림으로써 외물을 따른다.(今世俗之君子, 危身棄生以徇物)”라는 내용을 참조한 것이다.

263　『春秋左傳』「昭公」 25년 “슬퍼하거나 즐거워하거나, 즐거워하거나 슬퍼하는 것은 다 마음을 잃은 것이다.(哀樂而樂哀, 皆喪心也.)”라는 내용을 참조한 것이다.

264　『禮記』「樂記」 “외물이 사람을 感하는 것이 끝이 없고, 사람이 좋아함과 싫어함에 절도가 없으면 외물이 이르러 사람이 외물에 감화된다. 사람이 외물에 감화되는 것은 천리를 없애고 인욕을 궁구하는 것이다.”(“夫物之感人無窮, 而人之好惡無節, 則是物至而人化物也. 人化物也者, 滅天理而窮人欲者也.”)라는 내용을 참조한 것이다.

265　『孟子』「盡心上」 “군자가 지나간 곳은 교화가 되고, 있는 곳은 신묘하기에 위와 아래가 천지와 더불어 한 가지로 흐르니, 어찌 조금 돕는다고 말하겠는가?(夫君子所過者化, 所存者神, 上下與天地同流, 豈曰小補之哉?)”라는 내용을 참조한 것이다.

266　『莊子』「天道」 “하늘의 즐거움을 아는 사람은 살아 있을 때에는 하늘과 함께 움직이고, 죽어서는 사물에 동화된다. 고요할 때에는 음기와 덕을 함께 하고, 움직일 때에는 양기와 파동을 함께 한다. 이 때문에 하늘의 즐거움을 아는 사람은 하늘의 원망을 받지도 않고, 사람의 비난을 받지도 않으며, 사물의 얽매임도 받지 않고, 귀신의 책망도 받지 않는다.(知天樂者, 其生也天行, 其死也物化. 靜而與陰同德, 動而與陽同波. 故知天樂者, 無天怨, 無人非, 無物累, 無鬼責.)”라는 내용을 참조한 것이다.

267　『中庸』 30장 “만물이 함께 길러져서 서로 침해하지 않고, 도가 함께 행하여져서 서로 어그러지지 않는다. 작은 덕은 내가 되어 흐르고 큰 덕은 교화를 돈독하게 하니, 이것은 천지가 크게 되는 것이다.(萬物並育而不相害, 道並行而不相悖. 小德川流, 大德敦化, 此天地之所以爲大也.)”라는 내용을 참조한 것이다.

268　『孟子』「盡心上」 “군자가 지나간 곳은 교화가 되고, 있는 곳은 신묘하다.(夫君子所過者化, 所存者神.)”라는 내용을 참조한 것이다.

謂其中所存神妙.『正意』只是如此, 至橫渠先生乃謂'性性爲能存神', '物物爲能過化.' 下'性' 字, 指本然者而言, 上'性'字, 是謂我能全其性, 而不爲情所蕩而失其性, 則其所存者神妙而 不可測. 下'物'字, 指事物而言; 上'物'字, 指我之應物而言. 謂'物物'各自有理. 我隨其理以 應之, 物各付物, 不以己之私意參乎其間, 則事過弗留, 如冰之釋, 如風之休. 後來諸老先生 多本其說, 獨文公不以爲然者, 蓋孟子之意, 未說到如此深故也. 文公解經, 每務平實如此. 然橫渠先生之說, 亦不可不知也. "269

서산 진씨가 말했다. "'지나간 곳은 교화가 되고, 있는 곳은 신묘하다.[過化存神]'라는 이 네 글자는 본래 『맹자』에서 나왔다. '지나간 곳은 교화된다.[過化]'라는 것은, 성인이 지나가는 곳에는 사람들이 다 교화된다는 것이다. '있는 곳은 신묘하다.[存神]'라는 것은 그 속에 있는 곳이 신묘하다는 것이다. 『맹자정의』는 다만 이와 같을 뿐이니, 횡거 선생은 이에 '성性을 성性대로 하는 것은 있는 곳이 신묘 하기 때문'이고, '물物을 물物대로 하는 것은 지나가는 곳이 교화되기 때문'이라고 하는 것에 이르렀 다. 아래의 '성性'자는 본연을 가리킨 말이고, 위의 '성性'자는 내가 그 성性을 온전히 하지만 정情이 흐리게 한 것에 의해 그 성性을 잃지 않으면 그 있는 곳이 신묘해서 헤아릴 수 없음을 말하는 것이다. 아래의 '물物'자는 사물을 가리킨 말이고, 위의 '물物'자는 내가 사물에 응한 것을 가리켜 말한다. '물物을 물物대로 한다.'라는 것에는 각자의 이치가 있다. 나는 그 이치에 따라 응하고, 물物은 각각 물物을 붙이며, 자기의 사사로운 뜻으로 그 사이에 참여하지 않으면 일이 지나가고 머물지 않는 것이 마치 얼음이 녹는 것 같고 바람이 쉬는 것 같다. 뒷날에 여러 선생들이 대부분 그 말을 근본으로 하였지만, 유독 문공만이 그렇게 여기지 않은 것은, 맹자의 뜻이 이와 같이 깊은 것을 말하지 않기 때문이다. 문공이 경을 해석할 때에는 매번 이와 같이 평탄하고 알찬 것에 힘썼다. 그러나 횡거 선생의 말 또한 알지 않으면 안 된다."

[5-4-27]

無我然後得正己之盡, 存神然後妙應物之感. "範圍天地之化而不過", 過則溺於空, 淪於靜, 旣不能存夫神, 又不能知夫化矣.

나의 사사로움을 없앤 후에 자기를 바르게 하는 것을 다하고, 신묘함을 보존한 후에 사물에 오묘하 게 감응한다. "천지의 변화를 본떠서 지나치지 않다."270라고 하니, 지나치면 공소함에 빠지고 적멸 함에 젖어서 신묘함을 보존할 수 없고 또 변화를 알 수 없다.

[5-4-28]

"旁行不流", '圓神'不倚也. "百姓日用而不知", 溺於流也.

269 真德秀, 『西山文集』 권30 「問過化存神」
270 『周易』 「繫辭上」 4장 "천지의 변화를 본떠서 지나치지 않고, 만물을 곡진히 이루어서 빠트리지 않으며, 낮과 밤의 도에 통하여서 알기 때문에 신은 고정된 장소가 없고 역은 정해진 형체가 없다.(範圍天地之化而不過, 曲成萬物而不遺, 通乎晝夜之道而知, 故神无方而易无體.)"라는 내용을 참조한 것이다.

"두루 통하여도 휩쓸리지 않는다."[271]라는 것은 '둥글어서 신묘하여'[272] 치우치지 않는다는 것이다. "백성은 날마다 사용하여도 알지 못한다."[273]라는 것은 휩쓸림에 빠진다는 것이다.

[5-4-29]

義以反經爲本, 經正則精. 仁以"敦化"爲深, 化行則顯. "義入神", 動一靜也; 仁"敦化", 靜一動也. 仁"敦化"則"無體", "義入神"則"無方."

의로움은 "정상적인 도리로 돌아오는 것"[274]을 근본으로 삼으니 정상적인 도리가 바르면 정밀해지고, 인仁은 "교화를 돈독하게 하는 것"[275]을 깊음으로 여기니 교화가 행해지면 나타난다. "의로움이 신神에 들어간다."[276]라는 것은 움직이면 한 번 고요해지는 것이고, 인이 "교화를 돈독하게 한다."[277]라는 것은 고요하면 한 번 움직이는 것이다. 인이 "교화를 돈독하게 하는 것"[278]은 "정해진 형체가 없고"[279], "의로움이 신神에 들어가는 것"[280]은 "고정된 장소가 없다."[281]

動物篇 第五　제5 동물편

[5-5-1]

動物本諸天, 以呼吸爲聚散之漸; 植物本諸地, 以陰陽升降爲聚散之漸. 物之初生, 氣日至

---

271 『周易』「繫辭上」4장

272 『周易』「繫辭上」11장 "이 때문에 시초[蓍]의 덕은 둥글어서 신묘하고, 괘의 덕은 반듯해서 지혜롭다."("是故蓍之德圓而神, 卦之德方以知.")라는 내용을 참조한 것이다.

273 『周易』「繫辭上」5장 "한 번은 음이 되고 한 번은 양이 되는 것을 道라고 하고, 그것을 잇는 것을 善이라고 하며, 그것을 이룬 것을 性이라고 한다. 어진 사람은 그것을 보고 仁이라고 하고, 지혜로운 사람은 그것을 보고 지혜라고 하는데, 백성은 날마다 사용하면서도 알지 못하기 때문에 군자의 도가 드물다.(一陰一陽之謂道. 繼之者善也, 成之者性也. 仁者見之謂之仁, 知者見之謂之知, 百姓日用而不知, 故君子之道鮮矣.)"라는 내용을 참조한 것이다.

274 『孟子』「盡心下」"군자는 정상적인 도리로 돌아올 뿐이다. 정상적인 도리가 바르면 서민이 일어나고, 서민이 일어나면 사특함이 없어진다.(君子反經而已矣. 經正, 則庶民興; 庶民興, 斯無邪慝矣.)"라는 내용을 참조한 것이다.

275 『中庸』30장 "작은 덕은 내가 되어 흐르고 큰 덕은 교화를 돈독하게 하니, 이것은 천지가 크게 되는 것이다.(小德川流, 大德敦化, 此天地之所以爲大也.)"라는 내용을 참조한 것이다.

276 『周易』「繫辭下」5장 "의로움이 신에 들어간다.(義入神.)"라는 내용을 참조한 것이다.

277 『中庸』30장

278 『中庸』30장

279 『周易』「繫辭上」4장

280 『周易』「繫辭下」5장

281 『周易』「繫辭上」4장

而滋息; 物生旣盈, 氣日反而游散. 至之謂神, 以其申也; 反之爲鬼, 以其歸也.

동물은 하늘에 뿌리를 두기 때문에 호흡을 삶(모음)과 죽음(흩어짐)의 점차적인 과정으로 삼고, 식물은 땅에 뿌리를 두기 때문에 음양의 오름과 내림을 모음과 흩어짐의 점차적인 과정으로 여긴다. 생물이 처음 태어날 때에는 기가 날마다 이르러 번식하고, 생물이 태어나 이미 성숙하면 기가 날마다 되돌아와 흩어져 떠돌아다닌다. 이르는 것을 신神이라고 하는 것은 그것이 펼쳐지기 때문이고, 되돌아가는 것이 귀鬼가 되는 것은 그것이 돌아가기 때문이다.

[5-5-1-1]

朱子曰 : "此息只是生息之'息', 非止息之'息'. 孟子言'日夜之所息', 程子謂'息'字有二義. 愚謂只是生息."282

주자가 말했다. "여기에서 식息은 생식의 '식息'이지, 그침의 '식息'이 아니다. 맹자는 '낮과 밤에 자라는 것'283을 말했고, 정자는 '식息'자에는 두 뜻이 있다고 했다. 나는 다만 생식이라고 생각한다."

[5-5-1-2]

"'至之謂神, 反之謂鬼', 固是. 然雷風山澤亦有神, 今之廟貌亦謂之神, 亦以方伸之氣爲言耳. 此處要錯綜周徧而觀之. 伸中有屈, 屈中有伸. 伸中有屈, 如人有魄是也; 屈中有伸, 如鬼有靈是也."284

(주자가 말했다.) '이르는 것을 신神이라고 하고, 되돌아가는 것을 귀鬼라고 한다.'라고 했는데, 진실로 그렇다. 그러나 우레·바람·뫼·연못 또한 신神이 있는데, 지금 사당 역시 신神이라고 하는 것은 또한 막 펼치는 기로 말하는 것일 뿐이다. 이곳을 종합해서 두루 살펴보아야 한다. 펼침 속에 굽힘이 있고, 굽힘 속에 펼침이 있다. 펼침 속에 굽힘이 있는 것은 마치 사람이 백魄을 갖고 있는 것과 같고, 굽힘 속에 펼침이 있는 것은 마치 귀鬼가 령靈을 갖고 있는 것과 같다.

....

282 『朱子語類』권98, 26조목의 다음과 같은 내용을 축약한 것이다. 물었다 "'생물이 처음 태어날 때에는 기가 날마나 이르러 번식한다.'고 했는데, 여기에서 息은 다민 생식의 '息'이지, 그침의 '息'이 아닙니까? 대답했다. 그렇다. 일찍이 맹자는 '낮과 밤에 자라는 것'을 말했고, 정자는 '식'자에는 두 뜻이 있다고 했다. 나는 후에 생각해보니, 다만 생식이다.(問 : "'物之初生, 氣日至而滋息', 此息只是生息之'息', 非止息之'息'否?" 曰 : "然. 嘗看孟子言'日夜之所息', 程子謂'息'字有二義. 某後來看, 只是生息.)

283 『孟子』「告子上」 "우산의 나무가 일찍이 아름다웠는데, 큰 도읍의 교외에 있었기 때문에 도끼와 자귀로 베니, 아름답게 될 수 있겠는가? 이것은 낮과 밤에 자라는 것과 비와 이슬이 윤택하게 하는 것에 싹과 움이 나오는 것이 없지 않지만, 소와 양이 또 좇아 길러지니 저와 같이 반질반질하다. 사람이 그 반질반질함을 보고 일찍이 재목이 있지 않은 것으로 여기니, 이것이 어찌 산의 성품이겠는가?(牛山之木嘗美矣, 以其郊於大國也, 斧斤伐之, 可以爲美乎? 是其日夜之所息, 雨露之所潤, 非無萌蘗之生焉, 牛羊又從而牧之, 是以若彼濯濯也. 人見其濯濯也, 以爲未嘗有材焉, 此豈山之性也哉?)"라는 내용 가운데 일부를 적용한 것이다.

284 『朱子語類』권98, 28조목

[5-5-1-3]

"人死便是歸, '祖考來格'便是神. "[285]

(주자가 말했다.) "사람의 죽음은 바로 돌아감이고, '조상이 와서 이르는 것'[286]은 바로 신神이다."

[5-5-2]

氣於人, 生而不離, 死而游散者謂魂, 聚成形質, 雖死而不散者謂魄.

사람에게서 기는, 살아 있을 때에 떠나지 않고 죽었을 때 흩어져 떠돌아다니는 것을 혼魂이라 하며, 모여서 형질을 이루고 비록 죽더라도 흩어지지 않는 것을 백魄이라고 한다.[287]

[5-5-3]

海水凝則冰, 浮則漚, 然冰之才, 漚之性, 其存其亡, 海不得而與焉. 推是足以究死生之說. 伊川程子改'與'爲'有.'

바닷물이 응결하면 얼음이 되고 뜨면 거품이 되지만, 얼음의 재질과 거품의 성질이 그것을 보존시키고 그것을 없애는 것이지, 바다가 관여할 수 있는 것이 아니다. 이것을 미루면 삶과 죽음의 이론을 충분히 탐구할 수 있다. 정이천은 '여與'를 '유有'로 고쳤다.

[5-5-4]

有息者根於天, 不息者根於地. 根於天者不滯於用, 根於地者滯於方, 此動植之分也.

호흡하는 것은 하늘에 뿌리를 두고, 호흡하지 않는 것은 땅에 뿌리를 둔다. 하늘에 뿌리를 두는 것은 쓰는 데 막히지 않고, 땅에 뿌리를 두는 것은 장소에 막히니, 이것이 동물과 식물의 구분이다.

[5-5-5]

生有先後, 所以爲天序; 小大高下相並而相形焉, 是謂天秩. 天之生物也有序, 物之旣形也有秩. 知序然後經正, 知秩然後禮行.

생겨남에는 앞과 뒤가 있기 때문에 하늘의 순서가 되는 것이고, 작음과 큼 및 높음과 낮음이 서로 아우르면서 서로 형상을 이루니, 이것을 하늘의 질서라고 한다.[288] 하늘이 만물을 생기게 하는 것에

---

285 『朱子語類』 권98, 27조목

286 『書經』 「虞書·益稷」

287 魂과 魄에 대해서는 『春秋左傳』 「昭公7年」 "사람이 태어나서 처음으로 변화한 것을 魄이라고 하고, 魄이 생긴 뒤에 陽을 魂이라고 한다. 쓰는 사물이 자세하고 많으면 혼과 백이 강하다. 이 때문에 정신이 신명의 경지에 이르는 경우도 있다.(人生始化曰魄, 旣生魄, 陽曰魂. 用物精多, 則魂魄强. 是以有精爽至於神明)"라는 내용에서 보이고, 『說文解字』에서는 "魂은 陽氣이고, 魄은 陰神이다.(魂, 陽氣也; 魄, 陰神也.)"라고 했는데, 후대의 학자들은 대체로 혼과 백에 대해 이러한 설명을 수용하고 있다.

288 『書經』 「皐陶謨」 "하늘이 차례로 법을 두니 우리 五典을 바로잡아 다섯 가지를 도탑게 하고, 하늘이 차례로 禮를 두니 우리 오례로부터 하여 떳떳함이 있게 하소서!(天敍有典, 勑我五典, 五惇哉; 天秩有禮, 自我五禮,

도 순서가 있으니, 만물이 이미 형체를 이룬 것 또한 질서가 있다. 질서를 안 다음에 법도가 바르게 되고, 질서를 안 다음에 예의가 행해진다.

[5-5-6]

凡物能相感者, 鬼神施受之性也; 不能感者, 鬼神亦體之而化矣.

만물이 서로 감응할 수 있는 것은 귀신이 주고받는 성性이고, 감응할 수 없는 것은 귀신 또한 체현하여 변화한다.

[5-5-7]

物無孤立之理, 非同異·屈伸·終始以發明之, 則雖物非物也. 事有始卒乃成, 非同異·有無相感, 則不見其成, 不見其成, 則雖物非物. 故一"屈伸相感而利生焉."

물物에는 고립된 이치가 없으니, 같음과 다름, 굽힘과 폄, 시작과 끝으로 그것을 밝히지 않으면 비록 물物이라도 물物이 아니다. 일에는 시작과 끝이 있기에 이루니, 같음과 다름, 있음과 없음이 서로 감응하지 않으면 그 이룸을 보지 못하고, 그 이룸을 보지 못하면 비록 물物이라도 물物이 아니다. 그러므로 한결같이 "굽힘과 폄이 서로 감응하여 이로움이 생겨난다."[289]라고 했다.

[5-5-8]

獨見獨聞, 雖小異, 怪也, 出於疾與妄也. 共見共聞, 雖大異, 誠也, 出陰陽之正也.

홀로 보고 홀로 듣는 것은 비록 조금 다르더라도 괴이한 것이니, 결점과 경망함에서 나온다. 함께 보고 함께 듣는 것은 비록 크게 다르더라도 성誠이니, 음양의 바름에서 나온다.

[5-5-9]

賢才出, 國將昌; 子孫才, 族將大.

현명하고 재능 있는 사람이 나오면 나라가 장차 번창하고, 자손이 재능이 있으면 가문이 장차 번성할 것이다.

[5-5-10]

人之有息, 蓋"剛柔相摩", 乾坤闔闢之象也.

사람에게 호흡이 있는 것은 "굳셈과 부드러움이 서로 문지르고"[290], 하늘과 땅이 열리고 닫히는 모습이다.

．．．．．．．．．．．．．．．．．．．．．．．．
有庸哉!)"라는 내용을 응용하였다.
289 『周易』「繫辭下」 5장
290 『周易』「繫辭上」 1장

[5-5-11]

寤, 形開而志交諸外也; 夢, 形閉而氣專乎内也. 寤所以知新於耳目, 夢所以緣舊於習心. 醫謂‘飢夢取, 飽夢與’, 凡寤夢所感, 專語氣於五藏之變, 容有取焉爾.

깨어났을 때에는 형체[몸]가 열려서 뜻이 밖과 교류하고, 꿈꿀 때에는 형체가 닫혀서 기가 오로지 안에서만 있다.[291] 깨어났을 때에는 귀와 눈이 새로운 것을 아는 것이고, 꿈을 꿀 때에는 마음이 익숙하게 옛것에 관계하는 것이다. 의사가 '배고프면 꿈이 취하고, 배부르면 꿈이 준다.'라고 하는 것은 꿈꿀 때나 깨었을 때 감응하는 것이 오로지 기가 오장의 변화에서 취하는 것이 있음을 말하는 것이다.

[5-5-12]

聲者, 形氣相軋而成. 兩氣者, 谷響雷聲之類; 兩形者, 桴鼓叩擊之類. 形軋氣, 羽扇敲矢之類; 氣軋形, 人聲笙簧之類. 是皆物感之良能, 人皆習知而不察者爾.

소리는 형체와 기가 서로 마찰하여 이루어진다. 두 기는 계곡의 음향과 천둥소리 따위이고, 두 형체는 북을 치고 두드리는 소리 따위이다. 형체가 기를 마찰시키는 것은 깃털 부채를 부치고 화살을 발사하는 것 따위이고, 기가 형체를 마찰시키는 것은 사람의 소리와 피리 소리 따위이다. 이것은 모두 사물이 감응하는 양능이지, 사람이 모두 익히 알아서 살피는 것이 아니다.

[5-5-13]

形也, 聲也, 臭也, 味也, 溫涼也, 動靜也, 六者莫不有五行之別, 同異之變, 皆帝則之, 必察者歟!

형체, 소리, 냄새, 맛, 따뜻하고 서늘함, 움직임과 고요함, 이 여섯은 오행이 분별되고 같음과 다름의 변화가 있지 않은 것이 없는데, 모두 상제가 법칙(자연스러운 규율)을 만들었으므로 반드시 살펴야 할 것이다.

誠明篇 第六　제6 성명편

[5-6-1]

誠明所知, 乃天德良知, 非聞見小知而已.

성誠과 밝음이 아는 것은 바로 천덕天德의 양지良知이지, 보고 듣는 작은 앎이 아니다.

....

291 『莊子』「齊物論」 "(세속적인 사람은) 잠들어서는 꿈을 꾸어 마음이 쉴 사이가 없고, 깨어나서는 몸이 외계의 욕망을 받아들여 사물과 접촉해서 분쟁을 일으켜 날마다 마음속에서 싸운다.(其寐也魂交, 其覺也形開, 與接爲構, 日以心鬪.)"라는 내용을 참조한 것이다.

[5-6-2]

天人異用, 不足以言誠; 天人異知, 不足以盡明. 所謂誠明者, 性與天道不見乎小大之別也.

하늘과 사람의 작용이 다른 것은 성誠을 말하기에 부족하고, 하늘과 사람의 앎이 다른 것은 밝음을 다하기에 부족하다. 이른바 성誠과 밝음은 성性과 천도가 크고 작음의 구별에서 보는 것이 아니다.

[5-6-3]

義命合一存乎理, 仁智合一存乎聖, 動靜合一存乎神, 陰陽合一存乎道, 性與天道合一存乎誠.

의義와 명命은 리理에서 합일되고, 인仁과 지智는 성聖에서 합일되며, 움직임과 고요함은 신神에서 합일되고, 음陰과 양陽은 도道에서 합일되며, 성性과 천도天道는 성誠에서 합일된다.

[5-6-4]

天所以長久不已之道, 乃所謂誠. 仁人孝子所以事天誠身, 不過不已於仁孝而已. 故"君子誠之爲貴."

하늘이 오래도록 그치지 않게 하는 도[292]는 이른바 성誠이다. 어진 사람과 효자가 하늘을 섬기고 자신을 성誠하게 하는 것은,[293] 다만 仁과 孝를 그치지 않는 것뿐이다. 그러므로 "군자는 성誠을 귀하게 여긴다."[294]

[5-6-5]

誠有是物, 則有終有始, 僞實不有, 何終始之有? 故曰"不誠無物."

성誠에는 이 물物이 있으니, 끝도 있고 시작도 있는데 거짓과 진실이 없다면 어떻게 시작과 끝이 있겠는가? 그러므로 "성誠이 아니면 물物이 없다."[295]라고 하였다.

[5-6-6]

"自明誠", 由窮理而盡性也; "自誠明", 由盡性而窮理也.

"밝음으로 말미암아 성誠해진다."[296]라는 것은 리를 궁구함으로 말미암아 성性을 다한다는 것이고, "성誠으로 말미암아 밝아진다."[297]라는 것은 성性을 다함으로 말미암아 리를 궁구한다는 것이다.

· ·

292 『周易』「恒卦·象傳」, "천지의 도는 오래도록 그치지 않을 뿐이다(天地之道, 恒久而不已也.)"라는 내용을 참조한 것이다.

293 『中庸』20장 "자신을 誠하게 하는 것에는 도가 있으니, 善에 밝지 않으면 자신을 誠하게 하지 못한다.(誠身有道, 不明乎善, 不誠乎身矣.)"라는 내용을 참조한 것이다.

294 『中庸』25장

295 『中庸』25장

296 『中庸』21장

297 『中庸』21장

[5-6-7]

性者萬物之一源, 非有我之得私也. 惟大人爲能盡其道. 是故立必俱立, 知必周知, 愛必兼愛, 成不獨成. 彼自蔽塞而不知順吾理者, 則亦末如之何矣.

성性은 만물에서의 단 하나의 근원으로 내가 사사롭게 할 수 있는 것이 아니다. 오직 대인만이 그 도를 다할 수 있다. 이 때문에 설 때에는 반드시 함께 서고, 알 때에는 반드시 두루 알며, 사랑할 때에는 반드시 아울러 사랑하고, 이룰 때에는 홀로 이루지 않는다. 저들은 가리고 막힘으로 말미암아 우리의 리理를 따르는 것을 알지 못하는 자이니, 또한 어떻게 할 수가 없다.

[5-6-7-1]

朱子曰 : "所謂性者, 人物之所同得. 非惟己有是, 人亦有是; 非惟人有是, 物亦有是."298
주자가 말했다. "이른바 성性은 사람과 만물이 함께 얻는 것이다. 오직 자기에게만 이것이 있는 것이 아니고, 다른 사람에게도 이것이 있으며, 오직 다른 사람에게만 이것이 있는 것이 아니고, 만물에게도 이것이 있다."

[5-6-8]

天能爲性, 人謀爲能. 大人盡性, 不以天能爲能, 而以人謀爲能. 故曰"天地設位, 聖人成能."
하늘의 능력은 성性이 되고, 사람의 도모는 재능이 된다.299 대인은 성을 다하여 하늘의 능력을 재능으로 삼지 않고 사람의 도모를 재능으로 삼는다. 그러므로 "천지가 자리를 세우니, 성인이 공능을 이룬다."300라고 했다.

[5-6-9]

盡性, 然後知生無所得, 則死無所喪.
성性을 다한 후에 살아서 얻을 것이 없으니 죽어서 잃을 것이 없음을 안다.

[5-6-10]

未嘗無之謂體, 體之謂性.
없은 적이 없음을 체體라고 하고, 체體를 성性이라고 한다.

....

298 『朱子語類』 권98, 30조목
299 왕부지는 『張子正蒙註』에서 "하늘의 능력은 굳셈과 순함과 오상의 體이고, 사람의 도모는 살피고 확충하는 用이다.(天能者, 健順五常之體也; 人謀者, 察識擴充之用也.)"라고 했다. 이 때문에 "천지가 자리를 세운다.(天地設位)"라는 것은 誠이고, "성인이 공능을 이룬다.(聖人成能)"라는 것은 성하는 것(誠之)이라고 할 수 있다.
300 『周易』「繫辭下」 12장

[5-6-11]

天所性者通極於道, 氣之昏明不足以蔽之; 天所命者通極於性, 遇之吉凶不足以戕之; 不免乎蔽之戕之者, 未之學也. 性通乎氣之外, 命行乎氣之內, 氣無內外, 假有形而言爾. 故思知人不可不知天, 盡其性然後能至於命.

하늘이 부여한 성性은 도에 극진히 통달하니 기氣의 어두움과 밝음이 그것을 가리기에 부족하고, 하늘이 명命한 것은 성性에 극진히 통달하니 만나는 길함과 흉함이 그것을 소멸시키기에 부족하며, 그것을 가리거나 해치는 것을 면하지 못하는 자는 아직 배우지 못한 것이다. 성性은 기氣의 밖에서 통하고, 명命은 기의 안에서 운행하지만, 기는 안팎이 없으므로 형체가 있다고 가탁하여 말할 뿐이다. 그러므로 사람을 알려고 마음먹으면 하늘을 알지 않을 수 없고,[301] 그 성을 다한 후에 명에 이를 수 있다.

[5-6-12]

知性知天, 則陰陽·鬼神皆吾分內爾.

성을 알고 하늘을 알면 음양과 귀신은 다 나의 몫 안에 있을 뿐이다.

[5-6-13]

天性在人, 正猶水性之在冰, 凝釋雖異, 爲物一也, 受光有小大·昏明, 其照納不二也.

천성이 사람에게 있는 것은 바로 물의 성분이 얼음 안에 있는 것 같아서 응결함과 녹음이 비록 다르지만 동일한 물건이며, 빛을 받을 때 크고 작음과 어둡고 밝음이 있지만 받아들인 빛은 둘이 아니다.

[5-6-13-1]

問 : "冰水之說, 何謂近釋氏?"

朱子曰 : "水性在冰只是凍, 凝成箇冰, 有甚造化? 及其釋, 則這冰復歸於水, 便有迹了. 與天性在人自不同."

"猶程子'器受日光'之說便是否?"

曰 : "是. 除了器, 日光便不見, 却無形了."[302]

물었다. "얼음과 물에 관한 이론은 왜 불교와 가깝다고 합니까?"

주자가 말했다. "물의 성분이 얼음에 있다고 하는 것은 다만 얼었을 때인데, 응결할 때 얼음이 되는 것은 깊은 조화가 있는 것인가? 그것이 녹으면 이 얼음은 다시 물로 돌아가지만, 바로 흔적이 남는다. 천성이 사람에게 있다는 것과는 본래 같지 않다."

"정자가 '그릇은 햇빛을 받는다.'라는 이론과 같은 것이 바로 이것입니까?

---

301 『孟子』「盡心上」 "그 마음을 다하는 자는 그 성을 알고, 그 성을 알면 하늘을 안다.(盡其心者, 知其性也. 知其性, 則知天矣.)"라는 내용을 참조한 것이다.

302 『朱子語類』 권99, 24조목

(주자가 대답했다.) "그렇다. 그릇을 제거하면 햇빛은 바로 보이지 않으니, 곧 형체가 없다."

[5-6-14]

天良能本吾良能, 顧爲有我所喪爾. 明天人之本無二.

하늘의 양능은 본래 나의 양능이니, 다만 내가 잃은 것이 있을 뿐이다. 하늘과 사람은 본래 둘이 아님을 밝혔다.

[5-6-15]

上達反天理, 下達循人欲者與!

위에 도달하는 자(군자)는 천리로 되돌아오고, 아래에 도달하는 자(소인)는 인욕을 따르는 자이구나![303]

[5-6-16]

性其總, 合兩也; 命其受, 有則也. 不極總之要, 則不至受之分, 盡性窮理而不可變, 乃吾則也. 天所自不能已者謂命, 不能無感者謂性. 雖然, 聖人猶不以所可憂而同其無憂者, 有相之道存乎我也.

성性은 사람이 품수받은 자질의 총칭으로 둘(천지의 성과 기질의 성)을 합한 것이고, 명命은 사람이 받은 것으로 규율을 갖추고 있다. 총칭의 중요함을 극진하게 하지 않으면 받은 소질을 지극하게 하지 못하며, 성을 다하고 리를 궁구해도 변할 수 없는 것이 바로 나의 규율이다. 하늘이 스스로 그칠 수 없게 한 것을 명이라고 하고, 감感이 없을 수 없는 것을 성性이라고 한다. 비록 그렇더라도 성인은 오히려 근심할 수 있는 것[性]으로 근심이 없는 것[命]과 같게 하지 않는 자이니, 서로 돕는 방법은 나에게 보존되어 있다.

[5-6-16-1]

或問朱子曰 : "物所不能無感謂性."

曰 : "有此性, 自是因物有感. 見於君臣父子日用事物當然處, 皆感也, 所謂'感而遂通'是也. 此句對了'天所不能自己謂命.' 蓋此理自無息止時, 晝夜寒署無一時停, 故'逝者如斯', 而程子謂'與道爲體.' 這道理, 古今晝夜無須臾息, 故曰'不能已.'"[304]

어떤 사람이 주자에게 물었다. "물物이 감感이 없을 수 없는 것을 성性이라고 합니다."

(주자가) 대답했다. "이 성性이 있다는 것은 본래 물物로 인하여 감感이 있다는 것이다. 임금과 신하, 아버지와 아들의 도리가 날마다 쓰는 사물의 당연한 곳에서 드러나는 것이 다 감感이니, 이른바 '감感하여 마침내 통한다.'[305]라는 것이 이것이다. 이 구절은 '하늘이 스스로 그칠 수 없게 한 것을

• •

303 『論語』「憲問」 "군자는 상달하고, 소인은 하달한다.(君子上達, 小人下達.)"라는 내용을 참조한 것이다.
304 『朱子語類』 권99, 26조목

명이라고 한다.'라는 것과 대구對句이다. 이 리理가 스스로 그침이 없을 때, 낮과 밤, 추위와 더위가 한순간이라도 멈추지 않기 때문에 '가는 것이 이와 같으며'[306], 정자가 '도와 더불어 체가 된다.'라고 말하는 것이다. 이 도리는 옛날이나 지금이나 낮이나 밤이나 잠깐이라도 쉬지 않으므로 '그칠 수 없다.'라고 한다."

[5-6-16-2]

問 : "性只是理, 安能感? 恐此語只可名'心'否?"

曰 : "橫渠此言雖未親切, 然感固是心. 所以感者, 亦是此心中有此理, 方能感."[307]

물었다. "성性은 다만 리理인데 어찌 감感할 수 있겠습니까? 아마도 이 말은 다만 '마음心'이라고 할 수 있습니까?"

(주자가 대답했다.) "횡거의 이 말이 비록 친절하지 않지만, 감感하는 것은 진실로 이 마음이다. 감感하는 것은 또한 이 마음속에 이 리理가 있어서 비로소 감感할 수 있다."

[5-6-17]

湛一, 氣之本; 攻取, 氣之欲. 口腹於飮食, 鼻舌於臭味, 皆攻取之性也. 知德者屬厭而已. 不以嗜欲累其心, 不以小害大, 末喪本焉爾.

담일湛一[맑고 순수하며 합일하는 것]은 기의 근본이고, 빼앗고 취하는 것은 기의 욕구이다. 입과 배가 마시고 먹는 것, 코와 혀가 냄새 맡고 맛보는 것은 모두 빼앗고 취하는 성질이다. 덕을 아는 자는 만족할 뿐이다.[308] 좋아하는 것으로 그 마음을 얽매이게 하지 않는 것은 작은 것으로 큰 것을 해치거나 말단으로 근본을 손상하게 하는 것이 아니다.

[5-6-17-1]

問 : "'湛一, 氣之本; 攻取, 氣之欲.'"

朱子曰 : "湛一, 是未感物之時, 湛然純一, 此是氣之本. 攻取, 如目之欲色, 耳之欲聲, 便是氣之欲."

曰 : "攻取是攻取那物否?"

曰 : "是."[309]

물었다. "'담일湛一은 기의 근본이고, 빼앗고 취하는 것은 기의 욕구이다.'라고 했습니다."

---

305 『周易』「繫辭上」 10장

306 『論語』「子罕」

307 『朱子語類』 권99, 25조목의 내용을 축약한 것이다.

308 『春秋左傳』「昭公28年」 "먹는 것을 마치자, 소인의 배를 군자의 마음으로 삼고자 하니, 만족할 뿐입니다.(及饋之畢, 願以小人之腹爲君子之心, 屬厭而已.)"라는 내용을 참조한 것이다.

309 『朱子語類』 권98, 120조목

주자가 대답했다. "담일은 물物이 아직 감感하지 않을 때 맑고 순일하니, 이것이 기의 근본이다. 빼앗고 취하는 것은 마치 눈이 색을 보려고 하고 귀가 소리를 들으려고 하는 것과 같으니 바로 기의 욕구이다."

물었다. "빼앗고 취하는 것은 그 물物을 빼앗고 취하는 것입니까?"

(주자가 대답했다.). "그렇다."

[5-6-18]

心能盡性, "人能弘道也"; 性不知檢其心, "非道弘人也."

마음이 성性을 다할 수 있으니 "사람이 도를 넓힐 수 있고"[310], 성性은 그 마음을 제약하는 것을 알지 못하니 "도가 사람을 넓히는 것이 아니다."[311]

[5-6-19]

盡其性, 能盡人物之性, 至於命者, 亦能至人物之命, 莫不性諸道, 命諸天. 我體物未嘗遺, 物體我知其不遺也. 至於命, 然後能'成己成物', 不失其道.

그 성性을 다하면 사람과 물物의 성性을 다할 수 있고, 명命에 이르는 자는 또한 사람과 물物의 명命에 이를 수 있으니, 도에서 성性하지 않음이 없고 하늘에서 명命하지 않음이 없다. 내가 사물의 체體가 되어 빠트린 적이 없고,[312] 사물이 나의 체體가 되어 빠트리지 않는다는 것을 안다. 명命에 이른 다음에 '자기를 이루고 사물을 이룰'[313] 수 있기에 그 도를 잃지 않는다.

[5-6-20]

以生爲性, 旣不通晝夜之道, 且人與物等. 故告子之妄不可不詆.

생生을 성性으로 여기는 것[314]은 이미 낮과 밤의 도에 통하지[315] 않은 것이고, 게다가 인간과 만물을 동등히 여긴 것이다. 그러므로 고자의 경망함을 꾸짖지 않을 수 없다.

[5-6-21]

性於人無不善, 繫其善反不善反而已, 過天地之化, 不善反者也; 命於人無不正, 繫其順與不順而已, "行險以徼倖", 不順命者也.

....

310 『論語』「衛靈公」
311 『論語』「衛靈公」
312 『中庸』16장, "사물의 본체가 되어 빠트릴 수 없다."("體物而不可遺.")라는 내용을 참조한 것이다.
313 『中庸』25장을 참조한 것이다.
314 『孟子』「告子上」 "고자가 말했다. '生을 性이라고 한다.'"("告子曰 : '生之謂性.'")라는 내용을 참조한 것이다.
315 『周易』「繫辭上」 4장 "천지의 변화를 본떠서 지나치지 않고, 만물을 곡진히 이루어서 빠트리지 않으며, 낮과 밤의 도에 통하여서 알기 때문에 신은 고정된 장소가 없고 역은 정해진 형체가 없다."("範圍天地之化而不過, 曲成萬物而不遺, 通乎晝夜之道而知, 故神无方而易无體.")라는 내용을 참조한 것이다.

사람에게 성性은 선하지 않음이 없지만 잘 되돌리거나 잘 되돌리지 못함에 달려 있을 뿐이니 천지의 변화를 지나친 것[316]은 잘 되돌리지 못한 것이고, 사람에게 명命은 바르지 않음이 없지만 따르거나 따르지 않음에 달려 있을 뿐이니 "위험을 행하여 요행을 바라는 것"[317]은 명命을 따르지 않는 것이다.

[5-6-22]
形而後有氣質之性, 善反之則天地之性存焉. 故氣質之性, 君子有弗性者焉.

형체가 있은 다음에 기질의 성이 있으니 잘 되돌리면 천지의 성이 보존된다. 그러므로 기질의 성은 군자가 성性이 아닌 것으로 여기는 것이다.

[5-6-22-1]
朱子曰 : "天地之性, 則太極本然之妙, 萬殊之一本也. 氣質之性, 則二氣交運而生, 一本而萬殊也. "[318]

주자가 말했다. "천지의 성은 태극 본연의 오묘함이고 만 가지 다른 것들의 한 근본이다. 기질의 성은 두 기가 섞여 운행하여 생긴 것이고 한 근본이면서 만 가지로 다른 것이다."

[5-6-22-2]
"天地之性, 是理也. 纔到有陰陽五行處, 便有氣質之性, 於此便有昏明厚薄之殊. "[319]

(주자가 말했다.) "천지의 성은 이 리理이다. 음양오행이 있는 곳에 이르면 바로 기질의 성이 있으니, 여기에 바로 어두움과 밝음과 두터움과 엷음의 다름이 있다."

[5-6-22-3]
"論天地之性, 則專指理而言 ; 論氣質之性, 則以理與氣雜而言之. "[320]

(주자가 말했다.) "천지의 성을 논하면 오로지 리理를 가리켜서 말하고, 기질의 성을 논하면 리와 기가 섞이는 것으로 말한다."

[5-6-22-4]
"氣質, 陰陽五行所爲 ; 性, 即太極之全體. 但論氣質之性, 即此體墮在氣質之中爾, 非別有一性也. "[321]

---

316 『周易』「繫辭上」4장, "천지의 변화를 본떠서 지나치지 않는다."("範圍天地之化而不過.")라는 내용을 참조한 것이다.
317 『中庸』14장, "군자는 쉬운 곳에 살면서 命을 기다리고, 소인은 위험을 행하여 요행을 바란다.(君子居易以俟命, 小人行險以徼幸.)"라는 내용을 참조한 것이다.
318 眞德秀 『西山讀書記』 권2 「氣質之性」
319 『朱子語類』 권94, 76조목
320 『朱子語類』 권4, 46조목

(주자가 말했다.) "기질은 음양오행이 하는 것이고, 성性은 태극의 전체이다. 다만 기질의 성만 논하면 이 체體는 기질 속으로 떨어질 뿐이니, 별도로 한 성性이 있는 것이 아니다."

[5-6-22-5]

"氣質之說, 起於張程. 極有功於聖門, 有補於後學, 前此未曾有人說到. 故張程之說立, 則諸子之說泯矣."³²²

(주자가 말했다.) "기질의 이론은 장재와 정이에게서 시작되었다. 성인의 문하에 매우 공로가 있기에 후학들에게 도움이 있으니, 이전에는 이것에 대해 일찍이 말한 사람이 없었다. 그러므로 장재와 정이의 이론이 세워지면 여러 학자들의 이론이 사라질 것이다."

[5-6-22-6]

勉齋黃氏曰: "自孟子言性善, 而荀卿言性惡, 楊雄言善惡混, 韓文公言三品, 及至橫渠張子, 分爲天地之性, 氣質之性, 然後諸子之說始定. 蓋自其理而言之, 不雜乎氣質而爲言, 則是天地賦與萬物之本然者, 而寓乎氣質之中也. 故其言曰, '善反之則天地之性存焉.' 蓋謂天地之性, 未嘗離乎氣質之中也. 其以天地爲言, 特指其純粹至善, 乃天地賦予之本然也.

면재 황씨가 말했다. "맹자가 성선性善을 말함으로 말미암아 순자는 성악性惡을 말했고, 양웅은 선악의 혼재를 말했으며, 한유는 삼품을 말했고, 횡거 장자張載에 이르러 천지의 성과 기질의 성을 나눈 후에 여러 사람들의 이론이 비로소 정해졌다. 그 이치로 말하면, 기질에 섞이지 않고 말하는 것은 천지가 만물에 부여한 본연이지만 기질 속에 깃든다. 그러므로 '잘 되돌리면 천지의 성이 보존된다.'라고 말한다. 천지의 성이라고 말하는 것은 기질 속에서 떠난 적이 없다. 그것은 천지로 말하면 다만 그 순수하고 지극히 선한 것만 가리키는 것으로 바로 천지가 부여한 본연이다.

曰: "「形而後有氣質之性」, 其所以有善惡之不同, 何也?"
曰: "氣有偏正, 則所受之理隨而偏正. 氣有昏明, 則所受之理隨而昏明. 木之氣盛, 則金之氣衰, 故仁常多而義常少. 金之氣盛, 則木之氣衰, 故義常多而仁常少. 若此者, 氣質之性有善惡也."

물었다. '「형체가 있은 다음에 기질의 성이 있기」 때문에 선과 악의 다름이 있는데, 왜 그렇습니까?'
대답했다. '기는 치우침과 바름이 있으니, 받은 리가 그것에 따라 치우치거나 바르게 된다. 기는 어두움과 밝음이 있으니 받은 리가 그것에 따라 어둡거나 밝아진다. 목木의 기가 왕성하면 금金의 기가 쇠락하므로 인仁은 항상 많지만 의義는 항상 적다. 금金의 기가 왕성하면 목木의 기가 쇠락하므로 의義는 항상 많지만 인仁은 항상 적다. 이와 같은 것은 기질의 성에 선과 악이 있는 것이다.'

---

321 『朱子語類』 권94, 64목
322 『朱子語類』 권4, 64조목의 내용을 축약한 것이다.

曰：“旣言氣質之性有善惡，則不復有天地之性也．子思子又有未發之中，何也？”

曰：“性固爲氣質所雜矣．然方其未發也，此心湛然，物欲不生，則氣雖偏而理自正，氣雖昏而理自明，氣雖有贏乏，而理則無勝負．及其感物而動，則或氣動而理隨之，或理動而氣挾之．由是至善之理聽命於氣，善惡由之而判矣．此未發之前，天地之性純粹至善，而子思之所謂中也．’『記』曰，‘人生而靜，天之性也’，程子曰，‘其本也眞而靜，其未發也五性具焉，則理固有寂感，而靜則其本也．動則有萬變之不同焉．’愚嘗以是而質之先師矣．”答曰：“未發之前，氣不用事，所以有善而無惡．’至哉！此言也．”

말했다. ‘이미 기질의 성에 선과 악이 있다고 말한다면 다시 천지의 성이 있지 않습니다. 자사子思가 또 아직 발동하지 않은 중中이 있다고 했는데, 왜 그렇습니까?’

대답했다. ‘성性은 진실로 기질이 섞여 있는 것이다. 그러나 그것이 아직 발동하지 않을 때에는 이 마음이 맑아서 물욕이 생기지 않으니, 기氣가 비록 치우치더라도 리理는 스스로 바르고, 기가 비록 어둡더라도 리는 스스로 밝으며, 기가 비록 남거나 결핍이 있더라도 리는 이기거나 지지 않는다. 그것이 물物에 감感하여 움직이게 되면 어떤 경우에는 기가 움직이고 리는 그것을 따르며, 어떤 경우에는 리가 움직이고 기는 그것에 낀다. 이로부터 지극히 선한 리가 기에게 명命을 따르니, 선과 악이 그로부터 갈라진다. 이것이 아직 발동하기 전에 천지의 성은 순수하고 지극히 선하여 자사가 말한 중中이다.’『예기禮記』에는 ‘사람이 태어날 때 조용함이 천지의 성이다.’[323]라고 말했고, 정자는 ‘그 근본은 또한 참이면서 조용하고, 그것이 아직 발동하지 않았을 때에는 또한 오성五性이 갖추어졌으니, 리는 진실로 고요히 감感하는 것이 있지만 조용하면 그것의 근본이 되고, 움직이면 수많은 변화의 다름이 있다’라고 말했다. 나는 일찍이 이것을 선생님에게 질의했다. 대답하였다. ‘아직 발동하기 전에는 기가 일을 하지 않기 때문에 선은 있지만 악은 없다.’ 지극하도다! 이 말이여.”

[5-6-22-7]

西山眞氏曰：“張子有言，爲學大益，在自求變化氣質，此卽所謂‘善反之’者也．程子亦曰，學至氣質變，方是有功．亦是張子之意．”

서산 진씨가 말했다. “장자張載가 한 말은 학문을 하는데 크게 유익하며, 스스로 변화의 기질을 구하는데 있으니, 이것이 이른바 ‘잘 되돌리는’ 것이다. 정자程頤 또한 학문을 할 때에는 기질을 변화시키는데 이르러서야 비로소 공로가 있으니, 또한 장자張載의 뜻이다.”

[5-6-23]

人之剛柔·緩急·有才與不才，氣之偏也．天本參和不偏，養其氣，反之本而不偏，則盡性而天矣．性未成則善惡混，故亹亹而繼善者，斯爲善矣．惡盡去則善因以亡，故舍曰“善”而曰“成之者性．”

· ·

323 『禮記』「樂記」

사람의 강함과 부드러움, 느림과 조급함, 재주 있음과 재주 없음은 기의 치우침이다. 하늘은 본래 셋 (태극, 음, 양)이 어울려서 치우치지 않으니, 그 기를 기르고 근본을 되돌려 치우치지 않으면 성을 다하여 하늘과 하나가 된다. 성性이 아직 이루어지지 않으면 선과 악이 혼재되므로 부지런히 선을 이으면 선이 된다. 악이 다 제거되면 선도 그것으로 인해 없어지므로, "선"이라고 말하지 않고 "이룬 것이 性이다."[324]라고 말한다.

[5-6-24]

德不勝氣, 性命於氣; 德勝其氣, 性命於德. 窮理盡性, 則性天德, 命天理, 氣之不可變者, 獨死生修夭而已. 故論死生則曰"有命", 以言其氣也; 語富貴則曰"在天", 以言其理也. 此大德所以必受命, 易簡理得而成位乎天地之中也. 所謂天理也者, 能悅諸心, 能通天下之志之理也. 能使天下悅且通, 則天下必歸焉; 不歸焉者, 所乘所遇之不同, 如仲尼與繼世之君也. "舜禹有天下而不與焉"者, 正謂天理馴致, 非氣稟當然, 非志意所與也. 必曰"舜禹'云"者, 餘非乘勢則求焉者也.

덕德이 기氣를 이기지 못하면 성性과 명命은 기의 지배를 받고, 덕이 그 기를 이기면 성과 명은 덕의 훈도를 받는다. 리를 궁구하고 성을 다하면 성은 천덕이 되고 명은 천리가 되니, 기 가운데 변할 수 없는 것은 유독 죽음과 삶, 장수와 요절일 뿐이다. 그러므로 죽음과 삶을 논할 때에 "명이 있다."라고 말하는 것은 그 기로 말하기 때문이고, 부유함과 귀함을 말할 때에 "하늘에 있다."라고 말하는 것은 그 리로 말하기 때문이다. 이것은 큰 도덕자가 반드시 명을 받는 것이고, 쉽고 간단하게 리가 얻어져 천지 속에서 지위를 이룬 것이다. 이른바 천리는 마음에서 기뻐할 수 있고, 세상의 뜻에 통할 수 있는 이치이다. 세상 사람들로 하여금 기쁘거나 통하게 할 수 있다면 세상 사람들은 반드시 돌아올 것이고, 돌아오지 않는 자는 탄 것과 만나는 것이 다르니, 마치 공자와 대를 잇는 임금과 같다. "순과 우는 세상을 가지고 있으면서도 관여하지 않은"[325]자이니, 바로 천리가 길들고 이룬 것이지, 기품의 당연함이 아니고 의지가 관여한 것이 아님을 말한다. 반드시 "'순과 우'를 말한다."라고 하는 것은 나머지는 세勢를 타지 않고 찾는 자이기 때문이다.

[5-6-24-1]

朱子曰 : "張子只是說性與氣皆從上面流下來. 自家之德, 若不能有以勝其氣, 則祗是承當得他那所賦之氣. 若是德有以勝其氣, 則我之所以受其賦予者, 皆是德. 故窮理盡性, 則我之所受, 皆天之德, 其所以賦予我者, 皆天之理. 氣之不可變者, 惟死生修夭而已. 蓋死生修夭, 富貴貧賤, 這却還他氣. 至'義之於君臣, 仁之於父子', 所謂'命也, 有性焉, 君子不謂命

---

324 『周易』「繫辭上」5장
325 『論語』「泰伯」"공자가 말했다. '우뚝하도다! 순임금과 우임금은 세상을 가지고 있으면서도 그것에 관여하지 않았다.'(子曰: '巍巍乎! 舜禹之有天下也, 而不與焉.')"

也.'這箇却須由我, 不由他."[326]

주자가 말했다. "장자(張載)가 성(性)과 기(氣)를 말한 것은 다 위로부터 흘러 내려온 것이다. 자신의 덕이 그 기를 이길 수 없다면 다만 그가 그렇게 부여한 기를 받드는 것이다. 만약 이 덕이 그 기를 이긴다면 내가 그 부여된 것을 받는 것이 다 이 덕이다. 그러므로 리(理)를 궁구하고 성(性)을 다하면 내가 받은 것은 다 하늘의 덕이고, 나에게 부여된 것은 다 하늘의 리이다. 기 가운데 변할 수 없는 것은 죽음과 삶, 장수와 요절일 뿐이다. 죽음과 삶, 장수와 요절, 부유함과 귀함, 가난함과 천함, 이것은 또한 그 기이다. '의로움은 임금과 신하에 관계되고, 어짊은 부모와 자식에 관계한다.'라는 것에 이르는 것이 이른바 '명이나 성이 있으니, 군자는 명이라고 말하지 않는다.'라는 것이다. 이것은 오히려 반드시 나로부터 말미암는 것이지 다른 것으로부터 말미암는 것이 아니다."

[5-6-24-2]

"'性命於氣', 是性命都由氣, 則性不能全其本然, 命不能順其自然; '性命於德', 是性命都由德, 則性能全天德, 命能順天理."[327]

주자가 말했다. "'성(性)과 명(命)은 기에 관계한다.'라는 것은 성과 명은 모두 기로부터 말미암으니, 성은 그 본연을 온전하게 할 수 없고, 명은 그 자연스러움을 따를 수 없다는 것이다. '성과 명은 덕에 관계한다.'라는 것은 성과 명은 모두 덕으로부터 말미암으니, 성은 천덕을 온전하게 할 수 있고, 명은 천리를 따를 수 있다는 것이다."

[5-6-24-3]

問 : "先生舊說'性命於氣'之'命', 爲聽命之'命.' 今以'命'與'性'字平説, 所以後面分言'性天德, 命天理.' 不知如何."
曰 : "'命'字較輕."
問 : "若將'性命'作兩字看, 當云'性命皆由於氣, 由於德.'"
曰 : "橫渠文字自如此."[328]

물었다. "선생의 옛 이론인 '성(性)과 명(命)은 기에 관계한다.'라는 것에서 '명(命)'은 명령을 듣는다는 것에서의 '명'입니다. 이제 '명'과 '성'자를 고르게 말하였기 때문에 뒷부분에서 '성은 천덕이 되고, 명은 천리가 된다.'라고 구분하여 말했습니다. 어떻게 해야 하는지를 모르겠습니다."
(주자가 대답했다.) "'명'이라는 글자는 비교적 가볍다."
물었다. "만약 '성명'의 두 글자를 가지고 보면 마땅히 '성과 명은 모두 기에 말미암고, 덕에 말미암는다.'라고 말해야 합니다."
(주자가 대답했다.) "횡거의 글은 본래 이와 같다."

326 『朱子語類』 권98, 56조목
327 『朱子語類』 권4, 65조목의 내용을 축약한 것이다.
328 『朱子語類』 권98, 54조목의 내용을 축약한 것이다.

[5-6-24-4]

問 : "'窮理盡性, 則性天德, 命天理.' 這處性·命如何分別?"

曰 : "性是以其定者而言, 命是以其流行者而言. 命便是水恁地流底, 性便是將椀盛得來. 大椀盛得多, 小椀盛得少, 淨潔椀盛得清, 汙漫椀盛得濁."[329]

물었다. "'리를 궁구하고 성을 다하면 성은 천덕이 되고 명은 천리가 된다.'라고 했는데, 이곳에서 성과 명은 어떻게 분별합니까?"

(주자가 대답했다.) "성性은 정해진 것으로 말한 것이고, 명命은 유행하는 것으로 말한 것이다. 명은 바로 물이 흐르는 것과 같은 것이고, 성은 바로 그릇을 채우는 것과 같다. 큰 그릇은 많이 채우고 작은 그릇은 적게 채우며, 깨끗한 그릇은 맑은 것을 채우고 더러운 그릇은 흐린 것을 채운다."

[5-6-24-5]

潛室陳氏曰 : "義理不勝氣稟, 則性與命皆隨氣稟中去, 所以多不善. 若義理勝氣稟, 則性與命皆向義理中來, 所以爲善. 德謂義理之性 ; 氣謂血氣之性. 學問之道無他, 不過欲以義理勝血氣."[330]

잠실 진씨陳埴가 말했다. "의리義理가 기품을 이기지 못하면 성性과 명命은 다 기품 속으로 따라가기 때문에 선하지 않음이 많다. 만약 의리가 기품을 이긴다면 성과 명은 다 의리 속으로 향해 오기 때문에 선하게 된다. 덕은 의리의 성性을 말하고, 기는 혈기의 성性을 말한다. 학문의 도는 다른 것이 아니라, 의리가 혈기를 이기고자 하는 것에 지나지 않는다."

[5-6-25]

利者爲神, 滯者爲物. 是故風雷有象, 不速於心, 心禦見聞, 不弘於性.

예리한 것은 신神이고, 막힌 것은 물物이다. 이 때문에 바람과 우레는 상象이 있지만 마음보다 빠르지 않고, 마음[心]은 보고 듣는 것을 막지만 성性보다 넓지 않다.

[5-6-26]

上智下愚, 習與性相遠旣甚, 而不可變者也.

가장 지혜로운 사람과 가장 어리석은 사람[331]은 익힘과 성품의 서로 멀어짐이 이미 심하여 변할 수 없는 것이다.[332]

· · · · · · · · · · · · · · · · ·

329 『朱子語類』 권98, 57조목

330 陳埴, 『木鍾集』 권10, 「近思雜問附」

331 『論語』「陽貨」 "오직 가장 지혜로운 사람과 가장 어리석은 사람은 옮겨지지 않는다.(唯上知與下愚不移.)"라는 내용을 참조한 것이다.

332 『論語』「陽貨」 "본성은 서로 가까운데, 익히는 것에 따라 서로 멀어진다.(性相近也, 習相遠也.)"라는 내용을 참조한 것이다.

[5-6-27]
纖惡必除, 善斯成性矣; 察惡未盡, 雖善必粗矣.

작은 악이라도 반드시 제거하면 선은 성性을 이루고, 악을 살피는 것을 다하지 않으면 비록 선이라도 반드시 거칠어진다.

[5-6-28]
"不識不知, 順帝之則", 有思慮知識, 則喪其天矣. 君子所性, 與"天地同流", 異行而已焉.

"의식하지 못하고 알지 못하는 가운데 상제의 법칙을 따른다."³³³라는 것은 사려와 지식이 있으니, 그 하늘을 잃는 것이다. 군자가 성性대로 하는 것은 "천지와 한 가지로 흐르지만"³³⁴ 행동이 다를 뿐이다.

[5-6-29]
"在帝左右", 察天理而左右也. 天理者, 時義而已. 君子教人, 舉天理以示之而已, 其行己也, 述天理而時措之也.

"상제의 좌우에 계시도다."³³⁵라는 것은 천리를 살펴서 좌우에 둔다는 것이다. 천리란 때에 마땅함일 뿐이다. 군자가 사람을 가르칠 때에는 천리를 들어서 보일 뿐이고, 자기가 행할 때에는 천리에 따라 때에 맞게 조치하는 것이다.³³⁶

[5-6-30]
和樂, 道之端乎! 和則可大, 樂則可久, 天地之性, 久大而已矣.

어울림과 즐거움은 도의 단서일 것이다. 어울리면 클 수 있고, 즐거우면 오래갈 수 있으니, 천지의 성性은 오래가고 클 뿐이다.

[5-6-31]
莫非天也, 陽明勝, 則德性用; 陰濁勝, 則物欲行. 領惡而全好者, 其必由學乎!

하늘이 아님이 없으니 양의 밝음이 이기면 덕성이 사용되고, 음의 흐림이 이기면 물욕이 행해진다. 악을 다스려 온전히 좋게 하는 것은 반드시 배움으로 말미암을 것이다.

---

333 『詩經』「大雅·文王之什·皇矣」
334 『孟子』「盡心上」 "군자가 지나간 곳은 교화가 되고, 있는 곳은 신묘하기에 위와 아래가 천지와 더불어 한 가지로 흐르니, 어찌 조금 돕는다고 말하겠는가?(夫君子所過者化, 所存者神, 上下與天地同流, 豈曰小補之哉?)"라는 내용을 참조한 것이다.
335 『詩經』「大雅·文王之什·文王」
336 『中庸』 25장을 참조한 것이다.

[5-6-31-1]

朱子曰 : “只將自家意思體驗, 便見得. 人心虛靜, 自然淸明; 纔爲物欲所蔽, 便暗了, 此陰濁所以勝也.”[337]

주자가 말했다. “다만 자기의 뜻으로 체험하면 볼 수 있다. 인심은 비어 고요하고 자연은 청명하며, 막 물욕에 의해 가려지면 어두워지니, 이것은 음의 흐림이 이긴 것이다.”

[5-6-32]

“不誠不莊”, 可謂之盡性窮理乎? 性之德也, 未嘗僞且慢. 故知不免乎僞慢者, 未嘗知其性也.

“성誠하지 않고 장엄하지 않다.”[338]라는 것은 성性을 다하고 리理를 궁구한 것이라고 할 수 있는가? 성性의 덕은 거짓이나 거만한 적이 없다. 그러므로 거짓과 거만을 면하지 못하는 자는 일찍이 그 성性을 안 적이 없다는 것을 알 수 있다.

[5-6-33]

勉而後誠莊, 非性也, 不勉而誠莊, 所謂“不言而信, 不怒而威”者與!

힘쓴 다음에 성誠하고 장엄한 것은 성性이 아니고, 힘쓰지 않으면서 성誠하고 장엄한 것이 이른바 “말하지 않아도 신실하고, 성내지 않아도 위엄이 있는”[339] 자일 것이다.

[5-6-34]

生直理順, 則吉凶莫非正也; 不直其生者, 非幸福於回[340], 則免難於苟也.

살았을 때 정직한 사람은 리理에 순종하니 길함과 흉함을 만나더라도 바르지 않음이 없고, 살았을 때 정직하지 않은 사람도 사특함을 행복으로 삼지 않으면 구차한 데서 환난을 면한다.

[5-6-35]

“屈信相感而利生”, 感以誠也; “情僞相感而利害生”, 雜之僞也. 至誠則順理而利, 僞則不循理而害. 順性命之理, 則所謂吉凶, 莫非正也; 逆理, 則凶爲自取, 吉其險幸也.

“굽힘과 폄이 서로 감感하여 이로움이 생긴다.”[341]라는 것은 성誠으로 감感한 것이고, “진실과 거짓이

---

337 『朱子語類』 권98, 61조목

338 『禮記』「曲禮上」 “예가 아니면 誠하지 않고 장엄하지 않다.(非禮不誠不莊.)”라는 내용을 참조한 것이다.

339 『禮記』「樂記」 “하늘은 말을 하지 않아도 신실하고, 神은 성내지 않아도 위엄이 있다.(天則不言而信, 神則不怒而威.)”라는 내용을 참조한 것이다.

340 여기에서 回는 사특함이다. 『詩經』「大雅・文王之什・大明」, “그 덕이 사특하지 않다.(厥德不回.)”라는 내용을 참조할 수 있다.

341 『周易』「繫辭下」 5장 “가는 것은 굽힘이고 오는 것은 폄이니, 굽힘과 폄이 서로 感하여 이로움이 생긴다.(往者屈也, 來者信也, 屈信相感而利生焉.)”라는 내용을 참조한 것이다.

서로 감하여 이로움과 해로움이 생긴다."[342]라는 것은 거짓이 섞인 것이다. 지극히 성誠하면 리理를 따라 이로워지고, 거짓으로 하면 리理를 따르지 않아 해로워진다. 성명性命의 리理를 따르면 이른바 길함과 흉함을 만나더라도 바르지 않음이 없고, 리理를 거스르면 흉함은 스스로 취하고 길함은 위험 속에서 요행을 바라는 것이다.

[5-6-36]

"莫非命也, 順受其正", 順性命之理, 則得性命之正, 滅理窮欲, 人爲之招也.

"명命이 아님이 없으니, 그 바름을 따라 받는다."[343]라는 것은 성명性命의 리理를 따르면 성명性命의 바름을 얻지만, 리理를 멸하고 인욕을 궁구하는 것[344]은 사람이 초래하는 것이다.

大心篇 第七 제7 대심편

[5-7-1]

大其心, 則能體天下之物, 物有未體, 則心爲有外. 世人之心, 止於聞見之狹. 聖人盡性, 不以見聞梏其心, 其視天下無一物非我, 孟子謂'盡心則知性知天'以此. 天大無外, 故有外之心不足以合天心. 見聞之知, 乃物交而知, 非德性所知, 德性所知, 不萌於見聞.

그 마음을 크게 하면 세상의 만물을 체인할 수 있는데, 만물이 아직 체인되지 않음이 있는 것은 마음에 밖(경계)이 있기 때문이다. 세상 사람들의 마음은 견문見聞[보고 듣는 것과 같은 감각]의 좁음에 머무른다. 성인이 성性을 다하는 것은 견문見聞으로 그 마음을 묶지 않고, 세상에 하나라도 내가 아님이 없음을 보니, 맹자가 '마음을 다하면 성性을 알고 하늘을 안다.'[345]라고 한 것은 이 때문이다. 하늘은 커서 밖이 없으므로 밖이 있는 마음은 하늘의 마음에 충분하게 합치되지 않는다. 견문의 앎[見聞知][346]은 바로 외물과 교류하여 아는 것이지, 덕성德性이 아는 것[德性知][347]이 아니니, 덕성이 아는 것은 견문에서 싹트지 않는다.

. . . .

342 『周易』「繫辭下」 12장
343 『孟子』「盡心上」
344 『禮記』「樂記」 "사람이 사물화되는 것은 천리를 멸하고 인욕을 궁구하는 것이다.(人化物也者, 滅天理而窮人欲者也.)"라는 내용을 참조한 것이다.
345 『孟子』「盡心上」 "그 마음을 다하는 자는 그 성을 알고, 그 성을 알면 하늘을 안다.(盡其心者, 知其性也. 知其性, 則知天矣.)"라는 내용을 참조한 것이다.
346 見聞知란 보고 듣는 것과 같은 감각기능을 통해 얻는 감성적 인식을 말하는 것으로 개념과 판단과 추론이 동원되어 알게 되는 이성적 인식과 구별이 된다.
347 德性知[德性所知] 어떤 경우에는 德性之知란 도덕적 인식을 의미하는 것으로 감각기능을 통해 인식하는 감성적 인식과 구별된다.

[5-7-1-1]

朱子曰 : "體, 猶‘仁體事而無不在’[348], 言心理流行, 脉絡貫通, 無有不到. 苟一物有未體, 則便有不到處. 包括不盡, 是心爲有外. 蓋私意間隔, 而物我對立, 則雖至親, 且未必能無外矣. "[349]

주자가 말했다. "체體는 ‘인仁이 일을 체인하여 있지 않음이 없다.’라는 것과 같으니, 마음의 이치가 유행하고 맥락이 관통하여 이르지 않음이 없음을 말한다. 진실로 한 사물이라도 체인하지 않음이 있으면 이르지 않은 곳이 있게 된다. 포괄하기를 다하지 않음은 마음에 밖(경계)이 있기 때문이다. 사사로운 뜻이 간격을 형성하여 외물과 내가 대립하면 비록 지극한 친속이라도 또 반드시 밖이 없을 수가 없다."

[5-7-1-2]

問體之義.

曰 : "此是置心在物中, 究見其理, 如‘格物致知’之意, 與‘體用’之‘體’不同. "[350]

체인體의 뜻을 묻습니다.

(주자가 대답했다.) "이것은 마음을 사물 속에 두고 그 리理를 궁구하는 것으로 마치 ‘격물치지格物致知’의 뜻과 같아서 ‘체용體用’의 ‘체’와는 다르다."

[5-7-1-3]

問 : "不以聞見梏其心. "

曰 : "此是說聖人盡性事. 今人理會學. 先於見聞上做工夫到, 然後脫然貫通. 蓋尋常見聞一事, 只知得一箇道理, 若到貫通, 便都是一理, 曾子是已. "[351]

물었다. "보고 듣는 것으로 그 마음을 속박하지 못할 듯합니다."

(주자가) 대답했다. "이것은 성인이 성性을 다하는 일을 말한 것이다. 지금 사람들은 배움을 알아야 한다. 먼저 견문한 것에 대해 공부를 한 후에 초탈하여 관통할 수 있다. 보통 하나의 일을 견문하면 단지 하나의 도리를 알지만, 관통한다면 모두가 하나의 리理이니, 증자가 그렇게 하였다."[352]

---

348 『正蒙』「天道篇」의 "‘하늘은 사물의 體가 되어 빠트리지 않는다.’라는 것은 仁이 일을 체인하여 있지 않음이 없는 것과 같은 것이다.(‘天體物不遺’, 猶仁體事無不在也.)"라는 내용을 인용한 것이다.

349 『朱子語類』 권98, 63조목을 축약한 것이다.

350 『朱子語類』 권98, 65조목을 축약한 것이다.

351 『朱子語類』 권98, 67조목을 축약한 것이다.

352 관통한다면 모두가 … 하였다 : 『論語』「里仁」에서 孔子가 제자 증삼을 불러서 "나의 도는 하나의 이치로써 모든 일을 꿰뚫고 있다.(吾道一以貫之)"라고 하자, 증삼이 "네, 그렇습니다.(唯)"라고 곧장 대답하고는, 다른 문인들에게 "선생님의 도는 충서일 뿐이다.(夫子之道, 忠恕而已矣.)"라고 설명해 준 내용을 말한다.

[5-7-1-4]

"盡心, 則只是極其大; 心極其大, 則知性知天, 而無有外之心矣. 然. 孟子之意, 只是說窮理之至, 則心自然極其全體而無餘, 非是要大其心而後知性知天也."[353]

(주자가 말했다.) "마음을 다하면 다만 그 큼을 지극히 하는 것이니, 마음이 그 큼을 지극히 하면 성性을 알고 하늘을 알아서 밖의 마음이 있지 않다. 그렇다. 맹자의 뜻은 다만 리理를 궁구하는 지극함을 말한 것이니, 마음이 자연스럽게 그 전체를 지극히 하여 나머지가 없는 것이지 그 마음을 크게 하고자 한 후에 성性을 알고 하늘을 아는 것이 아니다."

[5-7-1-5]

問 : "如何是'有外之心?'"

曰 : "只是有私意, 便內外扞格. 只見得自家身已, 凡物皆不與己相關, 便是'有外之心.'"[354]

물었다. "어떻게 하는 것이 '밖이 있는 마음'입니까?"

(주자가 대답했다.) "다만 사사로운 뜻이 있으면 안과 밖이 막힌다. 다만 자기 자신만을 보면 외물은 모두 자기와 상관이 없으니 바로 '밖이 있는 마음'이다."

[5-7-1-6]

問 : "如何是'不足以合天心?'"

曰 : "天大無外, 物無不包. 物理所在, 一有所遺, 則吾心爲有外, 便與天心不相似."[355]

물었다. "어떻게 하는 것이 '하늘의 마음에 충분하게 합치되지 않는 것'입니까?"

(주자가 대답했다.) "하늘은 커서 밖이 없으니 물物을 포함하지 않음이 없다. 물物의 리理가 있는 것에 하나라도 빠트리는 것이 있으면 나의 마음에 밖이 있기 때문이니, 하늘의 마음과 서로 비슷하지 않다."

[5-7-1-7]

"橫渠此說固好. 然只管如此說, 相將便無規矩, 無歸着, 此心便瞥入虛空裏去了. 夫子爲萬世道德之宗, 都說得語意平易, 從得夫子之言, 便是無外之實."[356]

(주자가 말했다.) "횡거[張載]의 이 말이 진실로 좋다. 그러나 다만 이와 같이 말한다면 서로 기준이 없고 귀착점이 없으니, 이 마음은 바로 언뜻 볼 때 허공 속에 빠진 것과 같다. 공자가 영원히 도덕의 으뜸이 된 것은 모두 말을 할 때에 말뜻이 쉬워서이니, 공자의 말을 따르는 것은 바로 밖이 없는 실질이다."

---

353 『朱子語類』권98, 62조목을 축약한 것이다.
354 『朱子語類』권98, 69조목을 축약한 것이다.
355 『朱子語類』권98, 66조목을 축약한 것이다.
356 『朱子語類』권98, 69조목을 축약한 것이다.

[5-7-1-8]

西山眞氏曰 : "朱子云云, 蓋慮其弊至此. 學者未可以是疑張子之說也. "[357]

서산 진씨가 말했다. "주자가 말한 것은 그 병폐가 여기에 이를까 염려해서이다. 배우는 사람은 이것으로 장자(張載)의 말을 의심해서는 안 된다."

[5-7-2]

由象識心, 循象喪心. 知象者心, 存象之心, 亦象而已, 謂之心可乎?

상象으로부터 마음을 인식하고, 상象을 따라 마음을 잃는다. 상象을 아는 것은 마음이고, 상象을 보존시키는 마음 또한 상象일 뿐이니, 그것을 마음이라고 할 수 있는가?

[5-7-3]

人謂己有知, 由耳目有受也; 人之有受, 由内外之合也. 知合内外於耳目之外, 則其知也過人遠矣.

사람은 자기에게 앎이 생기는 것이 귀와 눈이 받아들이는 데에서 말미암는다고 하니, 사람이 받아들일 수 있는 것은 안과 밖의 합함으로 말미암는다. 귀와 눈의 밖에서 안과 밖을 합할 줄 알면, 그 앎은 사람들보다 뛰어남이 크다.

[5-7-4]

天之明莫大於日, 故有目接之, 不知其幾萬里之高也; 天之聲莫大於雷霆, 故有耳屬之, 莫知其幾萬里之遠也; 天之不禦莫大於太虛, 故心知廓之, 莫究其極也. 人病其以耳目見聞累其心, 而不務盡其心, 故思盡其心者, 必知心所從來而後能.

하늘의 밝음은 해보다 큰 것이 없으므로[358] 눈으로 관찰하면 높이가 몇 만 리 인지를 모르고, 하늘의 소리는 우레와 천둥소리보다 큰 것이 없으므로 귀로 들으면 거리가 몇 만 리 인지를 모르며, 하늘이 막히지 않기가 태허보다 큰 것이 없으므로 마음으로 둘레를 알고자 하면 그 끝을 궁구할 수 없다. 사람들의 병통은 귀와 눈의 듣고 보는 것으로 마음을 묶어서 마음을 다하지 않으므로 마음을 다하고자 하는 자는 반드시 마음이 유래한 것을 안 다음에야 할 수 있다.

[5-7-5]

耳目雖爲性累, 然合内外之德, 知其爲啓之之要也.

귀와 눈이 비록 성性을 묶기도 하지만, 안과 밖의 덕을 합하는 측면에서 귀와 눈은 그것을 계발하는 요체가 됨을 알 수 있다.

---

357 眞德秀 『西山讀書記』 권3 「心」
358 『周易』 「繫辭上」 11장 "象을 드러내 밝음을 나타내는 것은 해와 달보다 큰 것이 없다.(縣象著明, 莫大乎日月.)"라는 내용을 참조한 것이다.

[5-7-6]

成吾身者, 天之神也. 不知以性成身, 而自謂因身發智, '貪天功爲己力', 吾不知其知也. 民何知哉? 因物同異相形, 萬變相感, 耳目內外之合, 貪天功而自謂己知爾.

내 몸을 이루는 것은 하늘의 신이다. 성性으로 몸을 이룬다는 것을 알지 못하고 스스로 몸으로 인하여 지혜가 발휘된다고 하면 '하늘의 공로를 탐하여 자신의 공로로 삼는 것'359이니, 나는 그 앎을 알지 못하겠다. 백성들이 어떻게 알겠는가? 물物의 같고 다름이 서로 나타나고 온갖 변화가 서로 감응함에 따라 귀와 눈과 안과 밖이 합하는데, 하늘의 공로를 탐하여 스스로 자기의 앎이라고 말할 뿐이다.

[5-7-7]

體物體身, 道之本也, 身而體道, 其爲人也大矣. 道能物身故大, 不能物身而累於身, 則藐乎其卑矣.

물物을 체인하고 자신을 체인하는 것은 도의 근본이니, 자신으로 도를 체인하는 것은 그 사람됨이 또한 크다. 도는 자신을 물건으로 할 수 있으므로 크지만, 자신을 물건으로 할 수 없어서 자신에게 묶인다면 보잘것없이 비루해진다.

[5-7-7-1]

朱子曰 : "'非以身體道', 蓋是主於義理, 只知有義理, 却將身只做物樣看待. 謂如先理會身上利害是非, 便是以身體道. 如顏子'非禮勿視', 便只知有禮, 不知有己耳."360 "只是有義理, 直把自家作無物看. 伊川亦云, '除却身, 只是理.' 懸空只是箇義理."361

주자가 말했다. "'자신으로 도를 체인하지 않는다.'라는 것은 의리義理를 주로 하는 것으로 다만 의리가 있음을 알고, 자신을 다만 물物과 같이 취급한다. 먼저 자신에게서 이로움과 해로움, 옳음과 그름을 안다면 자신으로 도를 체인하는 것이라고 말할 수 있다. 예컨대 안자顏淵의 '예가 아니면 보지 말라.'362라는 것이 바로 다만 예가 있음을 알고 자기가 있음을 알지 못하는 것이다." "다만 의리가 있다는 것은 자신을 물物이 없는 것으로 여기는 것이다. 이천程頤이 또한 '자신을 제거하는 것은 다만 리理이다.'라고 했다. 허공에 매달린 것은 다만 의리일 뿐이다."

[5-7-8]

能以天體身, 則能體物也不疑.

---

359 『春秋左傳』「僖公24年」 "다른 사람의 재물을 훔치는 것도 오히려 도둑이라고 하는데, 하물며 하늘의 공로를 탐하여 자기의 공로로 삼는 것임에랴?(竊人之財, 猶謂之盜, 況貪天之功以爲己力乎?)"라는 내용을 참조한 것이다.
360 『朱子語類』 권99, 52조목을 축약한 것이다.
361 『朱子語類』 권99, 53조목을 축약한 것이다.
362 『論語』「顏淵」

하늘로 자신을 체인할 수 있으면 物物을 체인할 수 있는 것 또한 의심하지 않는다.

[5-7-9]

"成心"忘, 然後可與進於道. 成心者, 私意也.

"성심成心"363을 잊은 후에 함께 도에 나아갈 수 있다. 성심은 사사로운 뜻이다.

[5-7-10]

化則無成心矣. 成心者, 意之謂與!

화化하면 사사로운 뜻이 없다. 성심은 사사로운 뜻을 말하는 것이로다!

[5-7-11]

無成心者, 時中而已矣.

사사로운 뜻이 없는 자는 때에 맞게 할 뿐이다.

[5-7-12]

心存, 無盡性之理, 故聖不可知謂神. 此章言心者, 亦指私心爲言也.

사사로운 마음을 보존하면 성性을 다하는 리理가 없으므로, '성스러워서 알 수 없는 것을 신神'364이라고 한다. 이 장에서 마음을 말한 것은 또한 사심을 가리켜 말한 것이다.

[5-7-13]

以我視物, 則我大; 以道體物我, 則道大. 故君子之大也大於道, 大於我者, 容不免狂而已.

나로 物物을 보면 내가 크고, 도로 物物과 나를 체인하면 도가 크다. 그러므로 군자의 큼은 도道를 크게 여기는 것이다. 나를 크게 여기는 것은 혹 미치광이를 면하지 못할 것이다.

---

363 『莊子』「齊物論」 "成心을 따라 그것을 스승으로 삼으면 누군들 유독 스승이 없겠는가?(夫隨其成心而師之, 誰獨且無師乎?)"라는 내용을 참조한 것이다. 그런데 『莊子』의 '成心'에 대해 학자들마다 견해가 다르다. 예컨대 郭象은 "마음이 충분히 일신의 작용을 제어할 수 있는 것을 성심이라고 이르니, 사람들이 각자 그 성심을 스승으로 삼으면 사람들 각자에게 스승이 있게 된다.(夫心之足以制一身之用者, 謂之成心, 人自師其成心矣, 則人各自有師矣.)"라고 하여 성심을 긍정적으로 여긴다. 그러나 成玄英은 "한쪽의 편견을 고집하는 것을 성심이라고 이른다.(執一家之偏見, 謂之成心.)"라고 하여 성심을 부정적으로 바라본다. 장재는 이 '성심'에 대해 스스로 '사사로운 뜻'이라고 하여 부정적으로 보고 있다.

364 『孟子』「盡心下」, "하고자 할 만한 것을 선이라고 이르고, 자기에게 있는 것을 信이라고 이르며, 참됨을 채우는 것을 美라고 하고, 참됨을 채워 빛남이 있는 것을 크다고 하며, 커서 변화하는 것을 성스러움이라고 이르고, 성스러워서 알 수 없는 것을 神이라고 한다.(可欲之謂善, 有諸己之謂信, 充實之謂美, 充實而有光輝之謂大, 大而化之之謂聖, 聖而不可知之之謂神)"라는 내용을 참조한 것이다.

[5-7-14]

燭天理如向明, 萬象無所隱; 窮人欲如專顧影間, 區區於一物之中爾.

천리를 통찰하는 것은 밝음으로 향하는 것과 같아 온갖 것들은 숨는 것이 없으며, 인욕을 궁구하는 것은 마치 오로지 그림자 사이를 보는 것과 같아서 한 사물 속에 국한될 뿐이다.

[5-7-15]

釋氏不知天命, 而以心法起滅天地, 以小緣大, 以末緣本, 其不能窮而謂之幻妄, 眞所謂疑冰者歟! 夏蟲疑冰, 以其不識

불교는 천명을 알지 못하고 마음의 법도로 천지를 일으키기도 하고 멸하기도 하며, 작은 것으로 큰 것을 관련시키고 말단으로 근본을 관련시키며, 궁구할 수 없어서 그것을 허황된 망상이라고 이르니, 참으로 '여름 벌레가 겨울의 얼음을 의심하는 것'365을 말하는 것이로구나! 여름 벌레가 얼음을 의심하는 것은 그가 알지 못하기 때문이다.

[5-7-16]

釋氏妄意天性, 而不知範圍天用, 反以六根之微因緣天地. 明不能盡, 則誣天地日月爲幻妄, 蔽其用於一身之小, 溺其志於虛空之大, 此所以語大語小, 流遁失中. 其過於大也, 塵芥六合; 其蔽於小也, 夢幻人世. 謂之窮理可乎? 不知窮理而謂盡性可乎? 謂之無不知可乎? 塵芥六合, 謂天地爲有窮也; 夢幻人世, 明不能究所從也.

불교는 천성天性을 망령스러운 것으로 생각하여 하늘의 작용을 포용할 줄 모르고 오히려 육근六根366의 작은 것으로 천지를 관련시킨다. 밝음을 다할 수 없으니 하늘과 땅과 해와 달을 속여 허황된 망상으로 여기고, 한 몸의 작은 것으로 그 씀을 가리며, 허공의 큼으로 그 뜻을 빠트리니, 이것은 말의 큼과 말의 작음을 가지고 도피로 흘러 중中을 잃는다. 그것이 큼에서 지나친 것은 육합六合367을 먼지로 여기고, 그것이 작음을 가린 것은 사람의 세상을 꿈과 환상으로 여긴 것이다. 그것을 리理를 궁구했다고 말할 수 있는가? 리를 궁구함을 알지 못하고 성性을 다했다고 말할 수 있는가? 그것을 알지 못함이 없는 것이라고 말할 수 있는가? 육합을 먼지로 여기는 것은 천지에 한계가 있음을 말하는 것이고, 사람의 세상을 꿈과 환상으로 여기는 것은 유래를 궁구할 수 없는 것이 명백하다.

---

365 『莊子』「秋水」 "여름 벌레가 얼음에 대해 말할 수 없는 것은 계절에 구애받기 때문이다."("夏蟲不可以語於冰者, 篤於時也.")라는 내용을 참조한 것이다.

366 불교에서 말하는 눈[眼], 색色·귀[耳], 소리[聲]·코[鼻], 냄새·혀[舌], 맛·몸[身], 촉각·뜻[意], 생각[識] 등을 말한다.

367 동·서·남·북·위·아래를 말하는 것으로 우주를 의미한다.

中正篇 第八　제8 중정편

[5-8-1]

中正然後貫天下之道, 此君子之所以大居正也. 蓋得正則得所止, 得所止則可以弘而至於大. 樂正子·顏淵, 知欲仁矣. 樂正子不致其學, 足以爲善人信人, 志於仁無惡而已. 顏子好學不倦, 合仁與智, 具體聖人, 獨未至聖人之止爾.

중정中正[368]한 후에 세상의 도를 관통하니, 이는 군자가 크게 정正에 거처하는 것이다. 정正을 얻으면 그칠 것을 얻고, 그칠 것을 얻으면 넓혀서 큼에 이를 수 있다. 악정자와 안연은 인仁을 하고자 하는 것을 알았다. 악정자는 그 배움이 지극하지 않았음에도 충분히 선한 사람과 진실한 사람이 되어서 인仁에 뜻을 두고 악을 행하지 않았을 뿐이다. 안자顏淵는 학문을 좋아하고 게으르지 않았으며 인仁과 지혜를 합하여 성인의 형체를 갖추었지만, 유독 성인의 경지에 아직 이르지 않았을 뿐이다.

[5-8-2]

學者中道而立, 則有位以弘之. 無中道而弘, 則"窮大而失其居", 失其居則無地以崇其德, 與不及者同; 此顏子所以"克己""研幾", 必欲用其極也. 未至聖而不已, 故仲尼賢其進; 未得中而不居, 故'惜夫未見其止也.'

배우는 사람이 "중도에 서면"[369] 자리를 가지고 그것을 넓힌다. 중도가 없이 넓히면 "큼을 다하나 그 거처를 잃고"[370] 그 거처를 잃으면 근거지가 없어서 그 덕을 높이는 것이 미치지 못한 자와 같으니, 이는 안자顏淵가 "사욕을 이기"고[371] "낌새를 궁구하여"[372] 반드시 그 지극함을 쓰고자 하는 것이다. 아직 성인에 이르지 않아서 그치지 않으므로 공자는 그가 나아가는 것을 어질다고 했고, 아직 중을

. . . .

368 中正은 치우치지도 않고 기울어지지도 않으며 넘치지 않고 모자라지도 않으면서 옳음을 의미하는 것으로 유학에서 매우 중시하는 개념이다. 특히 이 개념은 『周易』에서 중요하게 취급한다. 예컨대 여섯 효 가운데 2효와 5효는 中에 해당하는데, 乾卦(䷀)일 경우에는 5효가 中이면서 正이고, 坤卦(䷁)일 경우에는 2효가 中이면서 正이다.

369 『孟子』「盡心上」 "큰 장인이 서툰 장인을 위하여 먹줄과 먹을 고치거나 폐하지 아니하며, 羿가 서툰 활잡이를 위하여 그 당기는 비율을 변화시키지 않는다. 군자가 당기고 쏘지 아니하며 뛰는 듯하여 중도에 서면 할 수 있는 자가 따른다.(大匠不爲拙工改廢繩墨, 羿不爲拙射變其彀率. 君子引而不發, 躍如也, 中道而立, 能者從之.)"라는 내용을 참조한 것이다.

370 『周易』「序卦傳」 하편 "큰 것을 다한 자는 반드시 그 거처를 잃는다.(窮大者, 必失其居.)"라는 내용을 참조한 것이다.

371 『論語』「顏淵」

372 『周易』「繫辭上」 10장 "역은 성인이 깊은 것을 지극히 하고 낌새를 궁구한 것이다. 오직 깊으므로 세상의 뜻에 통할 수 있고, 오직 낌새가 있으므로 세상의 일을 이룰 수 있으며, 오직 신묘하므로 서두르지 않아도 빠르고, 가지 않아도 이른다.(夫易, 聖人之所以極深而研幾也. 唯深也, 故能通天下之志; 唯幾也, 故能成天下之務; 唯神也, 故不疾而速, 不行而至.)"라는 내용을 참조한 것이다.

얻지 않아서 거처하지 않으므로 '그가 그치는 것을 보지 않음을 애석하게 여겼다.'[373]

[5-8-2-1]

黃瑞節曰 : "張子所引『論語』'未見其止', 其說與舊解不同. 舊解對'進'而言, 則'止'爲已義. 張子以'止'爲聖人之極功, 故言顔子'未至聖人之'止.' 未詳是否."

황서절이 말했다. "장자張載가 『논어』의 '그가 그치는 것을 보지 않았다.'라는 내용을 인용한 그 말은 옛 해석과 다르다. 옛 해석은 '나아가는 것'에 대해 말했으니, '지止'는 '그침'의 뜻이다. 장자張載는 '그침'을 성인의 지극한 공로로 여겼으므로 '안자顔淵가 아직 성인의 그침에 이르지 않았다'라고 말했다. 옳고 그름을 모르겠다."

[5-8-3]

大中至正之極, 文必能致其用, 約必能感而通. 未至於此, 其視聖人, 恍惚前後, 不可爲之像, 此顔子之嘆乎!

대중大中[374]과 지정至正의 지극함은 문文이 반드시 그 씀을 이룰 수 있고, 간략함[約]이 반드시 감感하여 통할 수 있다. 아직 여기에 이르지 않았을 때에 성인을 보면 앞에 있다가 황홀하게 앞과 뒤에 있기에 묘사할 수 없으니, 이것이 안자顔淵의 탄식일 것이다![375]

[5-8-4]

"可欲之謂善", '志仁則無惡也.' '誠善於心之謂信, 充內形外之謂美, 塞乎天地之謂大, 大能成性之謂聖', "天地同流"·"陰陽不測之謂神."

"하고자 할 만한 것을 선이라고 이르고"[376], '인에 뜻을 두면 악이 없다.'[377] '진실로 마음을 선하게 하는 것을 신의라고 하고, 안을 충실하게 하여 밖에 드러나는 것을 아름다움이라고 하며, 천지 사이

----

373 『論語』「子罕」"공자가 안연에게 일러 말했다. '애석하구나! 나는 그가 나아가는 것을 보고, 그치는 것을 보지 못했다.'(子謂顔淵, 曰: '惜乎! 吾見其進也, 未見其止也.')"라는 내용을 참조한 것이다.

374 『周易』「大有 ䷍」"「象傳」에서 말하기를 대유는 부드러운 것이 높은 위치를 얻고 크게 가운데가 되어 위와 아래가 응하므로 대유라고 한다. 그 덕이 굳세이 문화기 밝아지고 하늘에 응하여 때에 맞게 행하기 때문에 크게 형통해진다.(「象」曰: 大有, 柔得尊位大中, 而上下應之, 曰大有. 其德剛健而文明, 應乎天而時行, 是以元亨.)"라는 내용을 참조한 것이다.

375 『論語』「子罕」, "안연이 크게 탄식하여 말했다. '우러러보니 더욱 높고, 뚫어보니 더욱 견고하며, 바라보니 앞에 있다가 홀연히 뒤에 있다. 선생님께서 차분하게 사람을 잘 이끄시어 문으로써 나를 넓게 하시고 예로써 나를 요약하여 주셨다. 그만두려고 해도 그만둘 수 없어 이미 나의 재능을 다하니, 서 있는 것이 우뚝한 듯하다. 비록 따르고자 하지만 어떻게 해야 할지 모르겠다.'"(顔淵喟然歎曰: '仰之彌高, 鑽之彌堅; 瞻之在前, 忽焉在後. 夫子循循然善誘人, 博我以文, 約我以禮. 欲罷不能, 旣竭吾才, 如有所立卓爾. 雖欲從之, 末由也已.")라는 내용을 참조한 것이다.

376 『孟子』「盡心下」

377 『論語』「里仁」"진실로 인에 뜻을 두면 악이 없다.(苟志於仁矣, 無惡也.)"라는 내용을 참조한 것이다.

에 가득 채워진 것을 큼이라고 이르고, 큼이 능히 성性을 이룬 것을 성스러움이라고 하며'[378], "천지와 더불어 한가지로 흐르고"[379] "음양의 변화를 헤아릴 수 없는 것을 신神이라고 이른다."[380]

[5-8-5]

'高明不可窮, 博厚不可極', 則中道不可識, 蓋顔子之嘆也.

'높고 밝음에 다다를 수 없고 넓고 두터움에 극진할 수 없으면', 중도中道를 알 수 없으니, 이것이 안자[顔淵]의 탄식이다.[381]

[5-8-6]

君子之道, 成身成性以爲功者也, 未至於聖, 皆行而未成之地爾.

군자의 도는 자신을 이루고[382] 성性을 이루어[383] 공로로 삼는 것이니, 아직 성인에 이르지 않을 때에는 다 행하여도 이루지 못하는 경지일 뿐이다.

[5-8-7]

大而未化, 未能有其大, 化而後能有其大.

커도 화化하지 못하면 그 큼을 간직할 수 없으니, 화한 후에야 그 큼을 간직할 수 있다.

. . . .

378 『孟子』「盡心下」, "하고자 할 만한 것을 선이라고 이르고, 자기에게 있는 것을 信이라고 이르며, 참됨을 채우는 것을 美라고 하고, 참됨을 채워 빛남이 있는 것을 크다고 하며, 커서 변화하는 것을 성스러움이라고 이르고, 성스러워서 알 수 없는 것을 神이라고 이른다.(可欲之謂善, 有諸己之謂信. 充實之謂美, 充實而有光輝之謂大, 大而化之之謂聖, 聖而不可知之之謂神.)"라는 내용을 참조한 것이다.

379 『孟子』「盡心上」, "군자가 지나간 곳은 교화가 되고, 있는 곳은 신묘하기에 위와 아래가 천지와 더불어 한가지로 흐르니, 어찌 조금 돕는다고 말하겠는가?(夫君子所過者化, 所存者神, 上下與天地同流, 豈曰小補之哉?)"라는 내용을 참조한 것이다.

380 『周易』「繫辭上」5장

381 『論語』「子罕」10장 "안연이 길게 한숨을 쉬면서 말하였다. 우러를수록 더욱 높으며, 뚫을수록 더욱 견고하며, 바라보면 앞에 있더니 홀연히 뒤에 있도다.(顔淵喟然歎曰: "仰之彌高, 鑽之彌堅; 瞻之在前, 忽焉在後.)"라는 내용을 참조한 것이다.

382 『禮記』「哀公問」 "공자가 드디어 말했다. '옛날에 정치를 하는 데에는 사람을 사랑하는 것을 크게 여겼습니다. 사람을 사랑할 수 없으면 자신을 유지할 수 없고, 땅을 편안하게 할 수 없습니다. 땅을 편안하게 할 수 없으면 하늘을 즐길 수 없습니다. 하늘을 즐길 수 없으면 그 자신을 이룰 수 없습니다.' 공이 말했다. '감히 물으니, 무엇을 자신을 이루는 것이라고 합니까?' 공자가 대답했다. '일에 잘못이 없는 것입니다.'(孔子遂言曰: '古之爲政, 愛人爲大. 不能愛人, 不能有其身, 不能安土. 不能安土, 不能樂天. 不能樂天, 不能成其身.' 公曰: '敢問何謂成身?' 孔子對曰: '不過乎物.')"라는 내용을 참조한 것이다.

383 『周易』「繫辭上」7장 "역은 지극하구나! 역은 성인이 덕을 높이고 일을 넓히는 것이다. 앎은 높고 예는 낮으니, 높음은 하늘을 본받고 낮음은 땅을 본받는다. 하늘과 땅이 자리를 펼치면 역이 그 가운데 행하니, 性을 이룬 것을 보존하고 보존하는 것이 도와 의로 들어가는 문이다."("易其至矣乎! 夫易, 聖人所以崇德而廣業也. 知崇禮卑, 崇效天, 卑法地. 天地設位, 而易行乎其中矣, 成性存存, 道義之門.")라는 내용을 참조한 것이다.

[5-8-8]

知德以大中爲極, 可謂"知至"矣, '擇中庸而固執之', 乃至之之漸也. 惟知學然後能勉, 能勉然後日進而不息可期矣.

덕德을 아는 데서는 대중大中을 기준으로 삼으니, 앎이 지극하다고 이를 만하고,[384] '중용을 택하여 굳게 잡으니'[385] 바로 지극함이 점차 진전한다. 오직 배울 줄 안 연후에야 힘쓸 수 있고, 힘쓸 수 있은 후에야 날마다 나아가 그치지 않음을 기대할 수 있다.

[5-8-9]

體正則不待矯而弘, 未正必矯, 矯而得中, 然後可大. 故致曲於誠者, 必變而後化.

체體[386]가 바르면 바로잡을 필요 없이 넓어지는데, 아직 바르지 않으면 반드시 바로잡아야 하니 바로잡은 후에 클 수 있다. 그러므로 성誠에 한 부분을 지극히 하는 자는 반드시 변한 후에 화한다.[387]

[5-8-10]

極其大而後中可求, 止其中而後大可有.

그 큼을 지극히 한 후에 중中을 구할 수 있으니, 그 중에 머무른 후에 큼을 간직할 수 있다.

[5-8-11]

大亦聖之任, 雖非淸和一體之偏, 猶未忘於勉而大爾, 若聖人, 則性與天道無所勉焉.

큼 또한 성인의 임무인데, 비록 맑음과 어울림은 일체 가운데 치우친 것이 아니지만, 여전히 힘쓰는 것을 잊지 않으면서 크게 하는 것일 뿐이니, 성인이라면 성性과 천도에 힘쓰는 것이 없을 것이다.[388]

---

384 『周易』「乾卦」 "지극함을 알아 지극하게 하므로 함께 낌새를 말할 수 있다."("知至至之, 可與幾也.")라는 내용을 참조한 것이다.

385 『中庸』 20장 "誠은 하늘의 도이고, 성하는 것은 사람의 도이다. 성은 힘쓰지 않아도 中으로써 하게 되고 생각하지 않아도 터득하게 되니, 중도를 따르는 사람은 성인이다. 성하는 자는 선을 택하여 굳게 잡는 자이다.(誠者, 天之道也; 誠之者, 人之道也. 誠者不勉而中, 不思而得, 從容中道, 聖人也. 誠之者, 擇善而固執之者也.)"

386 『正蒙』「誠明篇」 "없은 적이 없음을 體라고 하고, 體를 性이라고 한다.(未嘗無之謂體, 體之謂性.)"라는 내용을 참조할 필요가 있다.

387 『中庸』 23장 "그 다음은 한 부분을 지극히 하여 이루는 것이니, 한 부분을 지극히 하여 이루면 성誠할 수 있다. 성하면 나타나고, 나타나면 뚜렷해지며, 뚜렷해지면 밝아지고, 밝아지면 움직이며, 움직이면 변하고, 변하면 化하는 것이니, 세상의 지극한 성이라야 화할 수 있다.(其次致曲, 曲能有誠. 誠則形, 形則著, 著則明, 明則動, 動則變, 變則化, 唯天下至誠爲能化.)"라는 내용을 참조한 것이다.

388 『孟子』「萬章下」 "맹자가 말했다. '백이는 성인 가운데 청렴한 사람이고, 이윤은 성인 가운데 일을 맡은 사람이며, 유하혜는 성인 가운데 어울린 사람이고, 공자는 성인 가운데 때에 맞게 한 사람이다. 공자를 「모아 크게 이룬 사람」이라고 말하는데 모아 크게 이루었다는 것은 금속 악기로 소리 내고 옥 악기로 거두는 것이다. 금속 악기로 소리 내는 것은 조리를 시작하는 것이고 옥 악기로 거두는 것은 조리를 마치는 것이다.

[5-8-12]

無所雜者清之極, 無所異者和之極. 勉而清, 非聖人之清; 勉而和, 非聖人之和. 所謂聖者, 不勉不思而至焉者也.

섞인 것이 없음은 맑음의 지극함이고, 다른 것이 없음은 어울림의 지극함이다. 힘써서 맑은 것은 성인의 맑음이 아니고, 힘써서 어울린 것은 성인의 어울림이 아니다. 이른바 성인은 힘쓰지 않고 생각하지 않아도 지극한 자이다.

[5-8-13]

勉蓋未能安也, 思蓋未能有也.

힘쓴다는 것은 아직 편안할 수 없는 것이고, 생각한다는 것은 아직 가질 수 없는 것이다.

[5-8-14]

不尊德性, 則學問從而不道; 不致廣大, 則精微無所立其誠; 不極高明, 則擇乎中庸失時措之宜矣.

덕성을 높이지 않으면 배우고 물음에 이르지 못하고, 광대함을 이루지 않으면 정미하는 데에 그 성誠을 세울 것이 없으며, 높고 밝음을 지극히 하지 않으면 중용을 택할 때에 시의時宜를 잃을 것이다.[389]

[5-8-15]

"絶四"之外, 心可存處, 蓋"必有事焉", 而'聖不可知也.'

"네 개를 끊는 것"[390] 외에 마음을 보존할 만한 곳에서 "반드시 일삼아 하더라도",[391] '성聖이 된 것인지는 알 수 없다.'

조리를 시작하는 것은 지혜의 일이고, 조리를 마치는 것은 성인의 일이다.'(孟子曰: '伯夷, 聖之淸者也; 伊尹, 聖之任者也; 柳下惠, 聖之和者也; 孔子, 聖之時者也. 孔子之謂「集大成」, 集大成也者, 金聲而玉振之也. 金聲也者, 始條理也; 玉振之也者, 終條理也. 始條理者, 智之事也; 終條理者, 聖之事也.')"라는 내용을 참조한 것이다.

389 『中庸』27장 "군자는 덕성을 높이고 묻고 배우는 것에 말미암고, 광대함을 이루고 정미함을 다하며, 높고 밝음을 지극히 하고 중용에 말미암고, 옛것을 연구하여 새것을 알며, 두터움을 돈독히 하여 예를 높인다. 이 때문에 위에 거해도 교만하지 않고 아랫사람이 되어도 배반하지 않는다. 나라에 도가 있을 때에는 그 말이 충분하게 도를 일으킬 수 있고, 나라에 도가 없을 때에는 그 침묵이 충분히 용납될 수 있다.(君子尊德性而道問學, 致廣大而盡精微, 極高明而道中庸, 溫故而知新, 敦厚以崇禮. 是故居上不驕, 爲下不倍. 國有道其言足以興, 國無道其黙足以容.)"라는 내용을 참조한 것이다.

390 『論語』「子罕」"공자는 다음과 같은 네 가지를 끊었다. 자의적인 것이 없었고, 장담한다는 것이 없었으며, 고집이 없었고, 사사로운 내가 없었다.(子絶四: 毋意, 毋必, 毋固, 毋我.)"

391 『孟子』「公孫丑上」"반드시 호연지기를 기르는 일에 종사하여 효과를 미리 기대하지 말고, 마음에서 잊지도 말며 조장하지도 말아라.(必有事焉而勿正, 心勿忘, 勿助長也.)"라는 내용을 참조한 것이다.

[5-8-16]

不得已, 當爲而爲之, 雖殺人皆義也; 有心爲之, 雖善皆意也. "正己"而物正, 大人也; 正己而正物, 猶不免有意之累也. 有意爲善, 利之也, 假之也; 無意爲善, 性之也, 由之也. 有意在善, 且爲未盡, 況有意於未善耶? 仲尼絶四, 自始學至成德, '竭兩端'之敎也.

어쩔 수 없이 마땅히 해야 할 것을 하면 비록 사람을 죽이더라도 다 의롭고, 사심을 가지고 하면 비록 선한 일을 하더라도 다 사사로운 뜻이 된다. "자기를 바르게 하여"[392] 물物이 바르게 되면 대인이니, 자기를 바르게 하고 물物을 바르게 하는 것은 오히려 사사로운 뜻의 얽매임을 면하지 못할 것이다. 사사로운 뜻을 가지고 선한 일을 하면 그것은 이로워함이고 거짓으로 하는 것이지만, 사사로운 뜻이 없이 선한 일을 하면 그것은 성性이고 말미암음이다. 사사로운 뜻을 가지고 선한 일을 하는 것도 다하지 못함이거늘 하물며 사사로운 뜻을 가지고 선하지 않은 일을 하는 것임에랴? 공자가 네 개를 끊은 것은 처음 배울 때부터 덕을 이룰 때까지 '양 끝을 다하는'[393] 가르침이다.

[5-8-17]

不得已而後爲, 至於不得爲而止, 斯智矣夫!

어쩔 수 없은 다음에 하고, 할 수 없음에 이르러 멈추는 것은 바로 지혜로움일 것이다!

[5-8-18]

意, 有思也; 必, 有待也; 固, 不化也; 我, 有方也. 四者有一焉, 則與天地爲不相似.

의意는 생각이 있는 것이고, 필必은 기대함이 있는 것이며, 고固는 변화하지 않는 것이고, 아我는 방위가 있는 것이다. 네 개 가운데 하나라도 있으면 천지와 서로 비슷하지 않게 된다.

[5-8-19]

天理一貫, 則無意·必·固·我之鑿. 意·必·固·我, 一物存焉, 非誠也, 四者盡去, 則"直養而無害"矣.

천리가 하나로 관통하면 의意·필必·고固·아我의 천착이 없다. 의·필·고·아 가운데 하나라도 있으면 성誠이 아니니, 네 가지가 다 제거되면 "곧음으로 길러서 해침이 없다.."[394]

....

392 『孟子』「公孫丑上」 "어진 자는 활 쏘는 것과 같아서 활 쏘는 자는 자기를 바르게 한 후에 발사한다. 발사했는데에도 맞지 않으면 자기를 이긴 자를 원망하지 않고, 도리어 자기에게서 찾을 뿐이다.(仁者如射, 射者正己而後發. 發而不中, 不怨勝己者, 反求諸己而已矣.)"라는 내용을 참조한 것이다.

393 『論語』「子罕」 "공자가 말했다. '내가 아는 것이 있는가? 아는 것이 없다. 비루한 사람이 나에게 묻되 텅비어 무식해도 나는 그의 두 끝을 살피면서 다 말해줄 뿐이다.'(子曰 : '吾有知乎哉? 無知也. 有鄙夫問於我, 空空如也, 我叩其兩端而竭焉.')"라는 내용을 참조한 것이다.

394 『孟子』「公孫丑上」 "감히 물으니, 무엇을 호연지기라고 합니까? 대답했다. 말하기가 어렵다. 그 기가 되는 것은 지극히 크고 지극히 굳세니, 곧음으로 기르고 해침이 없으면 천지 사이에 채워진다. 그 기가 의와 도에 짝하니, 이것이 없으면 결핍된다.('敢問何謂浩然之氣?' 曰 : '難言也. 其爲氣也, 至大至剛, 以直養而無害,

[5-8-20]

妄去然後得所止, 得所止然後得所養而進於大矣. 無所感而起, 妄也; 感而通, 誠也; 計度而知, 昏也; "不思而得", 素也.

경망함을 제거한 후에 그칠 것을 얻고, 그칠 것을 얻은 후에 기를 것을 얻어서 큰 것에 나아간다. 감感한 것이 없이 일으킨 것이 경망함이고, 감感하여 통한 것이 성誠이며, 계산하고 헤아려 아는 것이 어두움이고, "생각하지 않고 얻는 것"[395]이 바탕이다.

[5-8-21]

"事豫則立", 必有'教以先之', 盡教之善, 必精義以研之. "精義入神", 然後'立斯立, 動斯和'矣.

"일은 미리 하면 서니"[396], 반드시 '가르치는 것으로 먼저 하고'[397], 잘 가르치려면 반드시 의로움을 정밀하게 하여 연구한다. "의로움을 정밀하게 하여 신神에 들어간"[398] 후에 '세우면 서고, 움직이면 화합한다.'[399]

[5-8-22]

志道則進據者不止矣, 依仁則小者可游而不失和矣.

- - - - - - - - - - - - - - - - - - - -

則塞于天地之閒. 其爲氣也, 配義與道; 無是, 餒也.')"라는 내용을 참조한 것이다.

395 『中庸』20장 "誠은 하늘의 도이고, 성하는 것은 사람의 도이다. 성은 힘쓰지 않아도 中하고 생각하지 않아도 얻어서 여유롭게 道에 맞으니 성인이다. 성하는 자는 선을 택하여 굳게 잡는 자이다.(誠者, 天之道也; 誠之者, 人之道也. 誠者不勉而中, 不思而得, 從容中道, 聖人也. 誠之者, 擇善而固執之者也.)"라는 내용을 참조한 것이다.

396 『中庸』20장 "일을 미리 하면 서고, 미리 하지 않으면 폐한다. 말을 미리 정하면 차질이 나지 않고, 일을 미리 정하면 곤란하지 않으며, 행동을 미리 정하면 병폐가 없고, 도를 미리 정하면 궁하지 않다.(凡事豫則立, 不豫則廢. 言前定則不跲, 事前定則不困, 行前定則不疚, 道前定則不窮.)"라는 내용을 참조한 것이다.

397 『禮記』「學記」"옥은 쪼지 않으면 그릇을 이루지 못하고, 사람은 배우지 않으면 도를 알지 못한다. 이 때문에 옛날의 왕은 나라를 세우고 백성의 임금 노릇을 할 때에 가르치고 배우는 것을 우선으로 삼았다.(玉不琢, 不成器; 人不學, 不知道. 是故古之王者建國君民, 教學爲先.)"라는 내용을 참조한 것이다.

398 『周易』「繫辭下」5장 "의로움을 정밀하게 하여 신에 들어가는 것은 씀을 지극히 하는 것이다(精義入神, 以致用也.)"라는 내용을 참조한 것이다.

399 『論語』「子張」"진자금이 자공에게 말했다. '그대가 겸손해서이지 공자가 어찌 그대보다 현명하겠는가?' 자공이 말했다. '군자는 한 마디 말로 지혜롭기도 하고, 한 마디 말로 지혜롭지 않기도 하니, 말을 삼가지 않을 수 없다. 선생님께 미치지 못하는 것은 하늘을 사다리로 오를 수 없는 것과 같다. 선생님께서 나라를 얻는다면 이른바 세워주면 서고, 인도하면 행해지며, 편안하게 하면 따라오고, 고동시키면 어울리게 된다. 살아계시면 영광으로 여기고, 돌아가시면 슬퍼할 것이니, 어떻게 미칠 수 있겠는가?(陳子禽謂子貢曰: '子爲恭也, 仲尼豈賢於子乎?' 子貢曰: '君子一言以爲知, 一言以爲不知, 言不可不愼也. 夫子之不可及也, 猶天之不可階而升也. 夫子之得邦家者, 所謂立之斯立, 道之斯行, 綏之斯來, 動之斯和. 其生也榮, 其死也哀, 如之何其可及也?')"라는 내용을 참조한 것이다.

도에 뜻을 두면 나아가 근거하는 것이 그치지 않고, 인에 의지하면 자질구레 한 것은 지나칠 만하지만 화순和順함은 잃지 않는다.[400]

[5-8-23]

志學然後可與適道, 强禮然後可與立, 不惑然後可與權. 博文以集義, 集義以正經, 正經然後一以貫天下之道.

배움에 뜻을 둔 후에 함께 도에 나아갈 수 있고, 예를 강화한 후에 함께 설 수 있으며, 미혹되지 않은 후에 함께 권도를 행할 수 있다.[401] 문文을 넓힘으로써 의로움을 모으고, 의로움을 모음으로써 법도를 바르게 하고, 법도를 바르게 한 후에 하나로 세상의 도를 관통한다.

[5-8-24]

將窮理而不順理, 將精義而不徙義, 欲資深且習察, 吾不知其智也.

리理를 궁구하더라도[402] 리를 따르지 않고, 의로움을 정밀하게 하더라도[403] 의로움으로 옮기지 않으면서, 깊이 의지하고[404] 또 익힌 것을 반성하고자 한다면[405], 나는 지혜로운 것인지 알지 못하겠다.

[5-8-25]

知·仁·勇, 天下之達德, 雖本之有差, 及所以知之成之則一也. 蓋謂仁者以生知·以安行此五者; 智者以學知·以利行此五者; 勇者以困知·以勉行此五者.

지知·인仁·용勇은 세상의 보편적인 덕이니, 비록 그것을 근본으로 여기는 면에서 차이가 있더라도, 그것을 알고 그것을 이루는 것에 미쳐서는 하나이다. 어진 사람은 태어나면서부터 아는 것과 편안히

---

400 『論語』「述而」 "공자가 말했다. '도에 뜻을 두고, 덕에 근거하며, 인에 의지하고, 藝에서 노닌다.(子曰: '志於道, 據於德, 依於仁, 游於藝.')"라는 내용을 참조한 것이다.

401 『論語』「子罕」 "함께 배울 수 있어도 함께 도에 나아갈 수 없고, 함께 도에 나아갈 수 있어도 함께 설 수 없으며, 함께 설 수 있어도 함께 권도를 행할 수 없다.(可與共學, 未可與適道; 可與適道, 未可與立; 可與立, 未可與權.)"라는 내용을 참조한 것이다.

402 『周易』「說卦傳」의 "理를 궁구하고 性을 지극히 하여 命에 이른다."("窮理盡性, 以至於命.")라는 내용을 참조한 것이다.

403 『周易』「繫辭下」 5장, "의로움을 정밀하게 하여 신에 들어가는 것은 씀을 지극히 하는 것이다"("精義入神, 以致用也.")라는 내용을 참조한 것이다.

404 『孟子』「離婁下」, "군자가 도로써 깊이 나아가는 것은 스스로 터득하고자 함이다. 스스로 터득하면 거처함이 편안하고, 거처함이 편안하면 취함이 깊고, 취함이 깊으면 좌우에서 취할 때 그 근원을 만나므로 군자는 스스로 터득하고자 한다."("君子深造之以道, 欲其自得之也. 自得之, 則居之安; 居之安, 則資之深; 資之深, 則取之左右逢其原, 故君子欲其自得之也.")라는 내용을 참조한 것이다.

405 『孟子』「盡心上」, "행하면서도 드러내지 못하고, 익히면서도 살피지 못하니, 죽을 때까지 사용하면서도 그 도를 알지 못하는 자가 많다."("行之而不著焉, 習矣而不察焉, 終身由之而不知其道者, 衆也.")라는 내용을 참조한 것이다.

행하는 것으로 이 다섯 가지[五倫]를 행하고, 지혜로운 사람은 배워서 아는 것과 이롭게 행하는 것으로 이 다섯 가지를 행하며, 용기 있는 사람은 수고롭게 아는 것과 힘써 행하는 것으로 이 다섯 가지를 행한다.[406]

[5-8-26]

中心安仁, ‘無欲而好仁, 無畏而惡不仁, 天下一人而已’, 惟責己一身當然爾.

마음속에서 인仁을 편안하게 하고, ‘인욕이 없으면서 인仁을 좋아하고, 두려워함이 없으면서 불인不仁을 싫어하는 것은 세상에 한 사람뿐이니’[407], 오직 자기 한 사람에게 책임지우는 것이 당연하다.

[5-8-27]

行之篤者, 敦篤云乎哉! 如天道不已而然, 篤之至也.

행함이 신실한 자는 돈독하다고 이를 만하구나! 마치 천도가 그치지 않는 것과 같이 돈독함이 지극하다.

[5-8-28]

君子於天下, 達善達不善, 無物我之私. 循理者共悅之, 不循理者共改之. 改之者, 過雖在人如在己, 不忘“自訟”; 共悅者, 善雖在己, 蓋取諸人而爲, 必以與人焉. 善以天下, 不善以天下, 是謂達善達不善.’

군자가 세상에서 선을 두루 행하거나 불선을 두루 행하는 것은 대상[物]과 나 사이의 사사로움이 없는 것이다. 리理를 따르면 모두가 기뻐하고, 리를 따르지 않으면 모두가 고친다. 고치는 것은 허물이 비록 다른 사람에게 있어도 자기에게 있는 것 같이 하여 “스스로 뉘우치는 것”[408]을 잊지 않고, 모두가 기뻐하는 것은 선이 비록 자기에게 있더라도 다른 사람에게서 취하여 행하며, 반드시 다른 사람과 함께 한다.[409] 세상에서 선을 행하거나 세상에서 불선을 행하는 것, 이것을 ‘선을 두루 행하거나

---

406 『中庸』 20장 “세상의 보편적인 도가 다섯이고, 그것을 행하는 것은 셋이니, 임금과 신하, 부모와 자식, 남편과 아내, 형과 동생, 친구 등 다섯은 세상의 보편적인 도이다. 知·仁·勇 셋은 세상의 보편적인 덕인데 그것을 행하는 것은 하나이다. 어떤 경우에는 태어나면서부터 알고, 어떤 경우에는 배워서 알며, 어떤 경우에는 수고롭게 알지만, 그 아는 데 이르러서는 하나이다. 어떤 경우에는 편안하게 행하고, 어떤 경우에는 이롭게 행하며, 어떤 경우에는 힘써서 행하지만 그 공로를 이룸에 미쳐서는 하나이다.(天下之達道五, 所以行之者三, 曰君臣也, 父子也, 夫婦也, 昆弟也, 朋友之交也, 五者天下之達道也. 知·仁·勇三者, 天下之達德也, 所以行之者一也. 或生而知之, 或學而知之, 或困而知之, 及其知之一也. 或安而行之, 或利而行之, 或勉强而行之, 及其成功一也.)”라는 내용을 참조한 것이다.

407 『禮記』 「表記」 “인욕이 없으면서 仁을 좋아하는 자, 두려워함이 없으면서 不仁을 싫어하는 자는 세상에 한 사람뿐이다.(無欲而好仁者, 無畏而惡不仁者, 天下一人而已矣.)”라는 내용을 참조한 것이다.

408 『論語』 「公冶長」 “그만인가 보구나! 나는 그 허물을 보고 안으로 스스로를 뉘우치는 자를 보지 못했다.(已矣乎! 吾未見能見其過而內自訟者也.)”라는 내용을 참조한 것이다.

불선을 두루 행하는 것'이라고 말한다.

[5-8-29]

善人云者, 志於仁而未致其學, 能無惡而已. "君子名之必可言也", 如是.

선한 사람이라고 이르는 것은 인仁에 뜻을 두고서도 아직 배움을 지극하게 하지 않아 능히 악함이 없을 뿐이다. "군자가 이름을 붙이면 반드시 말할 수 있다."[410]라는 것이 이와 같다.

[5-8-30]

善人, 欲仁而未致其學者也. 欲仁, 故雖不踐成法, 亦不陷於惡, 有諸己也. "不入於室"由不學, 故無自而入聖人之室也.

선한 사람은 인仁을 하고자 하나, 아직은 그[仁] 배움을 끝까지 다하지 못한 자이다. 인을 하고자 하므로 비록 이미 이루어진 법규를 실천하지 않아도 또한 악에 빠지지 않고, 자기를 유지한다. "아직 방에 들어오지 못한 것은"[411] 배우지 않았기 때문이다. 그러므로 성인의 방에 들어갈 방법이 없다.

[5-8-31]

"惡不仁", 故"不善未嘗不知", 徒好仁而不惡不仁, 則習不察, 行不著. 是故徒善未必盡義,

. . . .

409 『孟子』「公孫丑上」"자로는 사람들이 그에게 허물이 있다고 알려주면 기뻐하였다. 우임금은 좋은 말을 들으면 절하였다. 위대한 순임금은 이것보다 더 큼이 있었으니, 선을 다른 사람들과 함께 하여 자기를 버리고 다른 사람을 따르며, 다른 사람에게서 취하여 선을 하는 것을 좋아하였다. (歷山에서)밭을 갈고 곡식을 심으며 (河濱에서) 질그릇을 굽고 (雷澤에서) 고기를 잡을 때부터 임금이 됨에 이르기까지 다른 사람에게서 취하지 않은 것이 없다. 다른 사람에게서 취하여 선을 행하는 것은 다른 사람이 선을 하도록 도와주는 것이다. 그러므로 군자는 다른 사람이 선을 하도록 도와주는 것보다 큰 것이 없다.(子路, 人告之以有過則喜. 禹聞善言則拜. 大舜有大焉, 善與人同, 舍己從人, 樂取於人以爲善. 自耕稼陶漁以至爲帝, 無非取於人者. 取諸人以爲善, 是與人爲善者也. 故君子莫大乎與人爲善.)"라는 내용을 참조한 것이다.

410 『論語』「子路」"자로가 말했다. '위나라 임금이 선생님을 맞이하여 정치를 하려고 하는데, 선생님께서는 장차 무엇을 먼저 하시겠습니까? 공자가 말했다. '반드시 이름을 바로잡겠다.' 자로가 말했다. '이것이군요. 선생님께서 실정을 모르시는 것이. 어떻게 바로잡으시렵니까?' 공자가 말했다. '거칠구나, 자로여! 군자는 알지 못하는 것에 대해 결여해둔다. 이름이 바르지 않으면 말이 순조롭지 않고, 말이 순조롭지 않으면 일이 이루어지지 않으며, 일이 이루어지지 않으면 예악이 융성하지 않고, 예악이 융성하지 않으면 형벌이 알맞게 집행되지 않으며, 형벌이 알맞게 집행되지 않으면 백성이 손발을 둘 곳이 없다. 그러므로 군자가 이름을 붙이면 반드시 말할 수 있고, 말할 수 있으면 반드시 행할 수 있다. 군자가 말을 할 때에는 구차한 것이 없을 뿐이다.'(子路曰: '衛君待子而爲政, 子將奚先?' 子曰: '必也正名乎.' 子路曰: '有是哉. 子之迂也. 奚其正?' 子曰: '野哉由也! 君子於其所不知, 蓋闕如也. 名不正, 則言不順; 言不順, 則事不成; 事不成, 則禮樂不興; 禮樂不興, 則刑罰不中; 刑罰不中, 則民無所措手足. 故君子名之必可言也, 言之必可行也. 君子於其言, 無所苟而已矣.)"라는 내용을 참조한 것이다.

411 『論語』「先秦」"공자가 말했다. '자로는 堂에는 올랐으나, 아직 방에는 들어오지 못했다.'(子曰: '由也升堂矣, 未入於室也.')"라는 내용을 참조한 것이다.

徒是未必盡仁, 好仁而惡不仁, 然後盡仁義之道.

"불인不仁을 미워하므로"[412] "불선不善이 있으면 알지 못한 적이 없고"[413], 다만 인을 좋아하고 불인을 미워하지 않으면 '익힘이 살펴지지 않고 행함이 드러나지 않는다.'[414] 그러므로 단지 선만으로는 반드시 의로움을 다하지는 못하며, 단지 옳음만으로는 반드시 인을 다하지 못하니, 인을 좋아하면서도 불인을 미워한 후에야 인의仁義의 도를 다할 수 있다.

[5-8-32]

"篤信好學", 篤信不好學, 不越爲'善人信士'而已. "好德如好色", 好仁爲甚矣. "見過而內自訟", 惡不仁而"不使加乎其身", 惡不仁爲甚矣. 學者不如是, 不足以成身, 故孔子未見其人, 必嘆曰"已矣乎!", 思之甚也.

"진실함을 돈독하게 하고 배우기를 좋아하는"[415] 것과 진실함을 돈독하게 하면서 배우기를 좋아하지 않는 것은 '선한 사람이며 진실한 사람이'[416] 되는 것을 넘지 못할 뿐이다. "덕을 좋아하기를 여색을 좋아하듯이 하는 것"[417]은 인을 매우 좋아하는 것이다. "허물을 보고 안으로 스스로를 뉘우치는 것"[418]과 불인을 미워하여 "그 몸에 더해지지 않게 하는 것"[419]은 불인을 매우 미워하는 것이다. 배

---

412 『論語』「里仁」 "나는 인을 좋아하는 자와 불인을 미워하는 자를 보지 못했다. 인을 좋아하는 자는 더할 나위 없이 좋고, 불인을 미워하는 자는 그가 인을 행하는 것이 불인한 자로 하여금 그 몸에 더해지지 않게 한다. (我未見好仁者, 惡不仁者. 好仁者, 無以尙之; 惡不仁者, 其爲仁矣, 不使不仁者加乎其身.)"

413 『周易』「繫辭下」 5장 "불선이 있으면 알지 못한 적이 없으며, 알면 다시 행한 적이 없었다.(有不善, 未嘗不知; 知之, 未嘗復行也.)"라는 내용을 참조한 것이다.

414 『孟子』「盡心上」 "행하면서도 드러내지 못하고, 익히면서도 살피지 못하니, 죽을 때까지 사용하더라도 그 도를 알지 못하는 자가 많다.(行之而不著焉, 習矣而不察焉, 終身由之而不知其道者, 衆也.)"라는 내용을 참조한 것이다.

415 『論語』「泰伯」 "진실함을 돈독하게 하고 배우기를 좋아하고, 죽음으로써 지켜서 도를 잘 실천하게 한다.(篤信好學, 守死善道.)"라는 내용을 참조한 것이다.

416 『孟子』「盡心下」 "호생불해가 물었다. '악정자는 어떤 사람입니까?' 맹자가 대답했다. '착한 사람이며, 진실한 사람이다.' (호생불해가) 물었다. '무엇을 착하다고 하고, 무엇을 진실하다고 합니까?' (맹자가 대답했다) '하고자 할 만한 것을 善이라고 하고, 선을 자기에게 갖추고 있는 것을 信이라고 하며, 참됨을 채우는 것을 美라고 하고, 참됨을 채워서 빛나는 것을 大라고 하며, 커서 化하는 것을 聖이라고 하고, 성스러워 알 수 없는 것을 神이라고 한다. 악정자는 두 가지의 중간이고 네 가지의 아래이다.'(浩生不害問曰: '樂正子, 何人也?' 孟子曰: '善人也, 信人也.' '何謂善, 何謂信?' 曰: '可欲之謂善, 有諸己之謂信, 充實之謂美, 充實而有光輝之謂大, 大而化之之謂聖, 聖而不可知之之謂神. 樂正子, 二之中, 四之下也.')"라는 내용을 참조한 것이다.

417 『論語』「子罕·衛靈公」 "나는 덕을 좋아하기를 여색을 좋아하듯이 하는 자를 아직 보지 못했다.(吾未見好德如好色者也.)"

418 『論語』「公冶長」 "그만인가 보구나! 나는 그 허물을 보고 안으로 스스로를 뉘우치는 자를 보지 못했다.(已矣乎! 吾未見能見其過而內自訟者也.)"라는 내용을 참조한 것이다.

419 『論語』「里仁」 "나는 인을 좋아하는 자와 불인을 미워하는 자를 아직 보지 못했다. 인을 좋아하는 자는 더할 나위 없이 좋고, 불인을 미워하는 자는 그가 인을 행하는 것이 불인으로 하여금 그 몸에 더해지지 않게

우는 사람이 이와 같지 못하고 충분히 자신을 이루지 못하므로 공자가 그 사람을 보지 못했다고 하고, 반드시 "그만인가 보구나!"[420]라고 탄식하였으니, 심각하게 생각한 것이다.

[5-8-33]

孫其志於仁則得仁, 孫其志於義則得義, 惟其敏而已.

인仁에 그 "뜻을 겸손히 두면"[421] 인을 얻고, 의로움에 그 뜻을 겸손히 두면 의로움을 얻으니, 오직 열심히 노력할 뿐이다.

[5-8-34]

'博文約禮', 由至著入至簡, 故可使不得叛而去. "溫故知新", "多識前言往行以蓄德", 繹舊業而知新, 蓋思昔未至而今至, 緣舊所見聞而察來, 皆其義也.

'문文을 널리 배우고 예로써 요약한다.'[422]라는 것은 지극히 현저한 것으로부터 지극히 간단한 것에 들어가므로 배치되지 않고 가게 하는 것이다. "옛것을 연구하여 새것을 안다."[423]라는 것과 "선현의 언행을 많이 알아서 그 덕을 쌓는다."[424]라는 것은 옛일을 탐구하여 새것을 아니, 생각이 옛날에 아직 이르지 않았던 것이 지금에 이르고, 옛날에 보고 들은 것을 말미암아 살피는 것이 모두 그 뜻이다.

[5-8-35]

責己者當知天下國家無皆非之理, 故學至於"不尤人", 學之至也.

자기를 꾸짖는 자는 마땅히 세상과 나라에 모두 잘못된 이치가 없음을 알아야 하기 때문에 학문이 "남을 원망하지 않는 데에"[425] 이르니, 배움이 지극하다.

[5-8-36]

聞而不疑則傳言之, 見而不殆則學行之, 中人之德也. 聞斯行, 好學之徒也; 見而識其善而

한다.(我未見好仁者, 惡不仁者. 好仁者, 無以尙之; 惡不仁者, 其爲仁矣, 不使不仁者加乎其身.)"

420 『論語』「衛靈公」"그만인가 보구나.(已矣乎.)"

421 『書經』「說命下」"배움은 뜻을 겸손하게 해야 하니, 힘써서 때에 민첩하게 하면 그 닦임이 올 것이니, 진실하게 믿어 이것을 생각하면 도가 그 몸에 쌓일 것이다.(惟學遜志, 務時敏, 厥修乃來, 允懷于玆, 道積于厥躬.)"라는 내용을 참조한 것이다.

422 『論語』「雍也」, "군자가 文을 널리 배우고, 예로써 요약하면 또한 어긋나지 않을 수 있을 것이다"("君子博學於文, 約之以禮, 亦可以弗畔矣夫!")라는 내용을 참조한 것이다.

423 『論語』「爲政」

424 『周易』「大畜卦 ䷙」"「상전」에서 '하늘이 산 가운데 있는 것이 대축이니, 군자는 이를 본받아 선현의 언행을 많이 알아서 그 덕을 쌓는다.'라고 말했다.(「象」曰 : '天在山中, 大畜, 君子以多識前言往行, 以畜其德.')"라는 내용을 참조한 것이다.

425 『論語』「憲問」

未果於行, 愈於不知者爾. 世"有不知而作者", 蓋鑿也, 妄也, 夫子所不敢也, 故曰"我無是也."

듣고 의심하지 않으면 전하고 말하며, 보고 위태롭지 않으면 배우고 행하는 것은 중인의 덕이다. 들으면 바로 행하는 것은 배움을 좋아하는 무리이고, 보고서 그 선함을 알았어도 행함에 과감하지 못하다면 더욱 알지 못하는 자이다. 세상에 "알지 못하고 하는 것"[426]은 천착하는 것이고 경망한 것이니, 공자가 감히 하지 않은 것이므로 "나는 이러한 것이 없다."[427]라고 했다.

[5-8-37]

'以能問不能, 以多問寡', '私淑艾以敎人', 隱而未見之仁也.

'능하면서도 능하지 못한 이에게 묻고, 많이 알면서도 적게 아는 이에게 물으며'[428], '훌륭한 이를 본받아 스스로를 다스려서 그로써 남을 가르치는 것'[429]은 은밀하면서도 드러나지 않은 인仁이다.

[5-8-38]

爲山平地, 此仲尼所以惜顏回未至, 蓋與互鄕之進也.

산을 만들고 땅을 고르게 하는 것[430], 이것은 공자가 안회[顏淵]의 아직 이르지 않은 경지를 애석해한 것으로 호향 사람의 진취를 허여한 것이다.[431]

[5-8-39]

'學者四失' : 爲人則失多, 好高則失寡, 不察則易, 苦難則止.

'배우는 사람에게는 네 가지 실수가 있다.'[432] 다른 사람에게 보이기 위한 것이라면 많은 것에 실수

426 『論語』 「述而」
427 『論語』 「述而」
428 『論語』 「泰伯」
429 『孟子』 「盡心上」 "군자가 가르치는 방법이 다섯 가지이니, 때에 맞는 비가 변화시키는 것과 같은 것이 있고, 덕을 이루는 것이 있으며, 재능을 통달하게 하는 것이 있고, 물음에 답을 하는 것이 있으며, 훌륭한 이를 마음속으로 본받아 스스로를 다스리는 것이 있다. 이 다섯 가지는 군자가 가르치는 방법이다.(君子之所以敎者五, 有如時雨化之者, 有成德者, 有達財者, 有答問者, 有私淑艾者. 此五者, 君子之所以敎也.)"라는 내용을 참조한 것이다.
430 『論語』 「子罕」 "비유하자면 산을 만드는 데 한 삼태기를 채우지 못해 그쳐도 내가 그치는 것이고, 비유하자면 땅을 고르게 하는데 비록 한 삼태기를 부어서 나아가는 것도 내가 나아가는 것이다.(譬如爲山, 未成一簣, 止, 吾止也; 譬如平地, 雖覆一簣, 進, 吾往也.)"라는 내용을 참조한 것이다.
431 『論語』 「述而」 "호향 사람과는 함께 말하기가 어려웠는데, 아이가 뵙거늘 문인이 의심하였다. 공자가 말하였다. '사람이 몸을 깨끗이 하여 찾아오면 그 깨끗한 것을 허여할 뿐이요 지난날의 잘잘못을 마음에 둘 수는 없는 것이며, 그 찾아옴을 허여할 뿐이요 물러간 뒤에 잘못하는 것을 허여하는 것은 아니니, 어찌 심하게 할 것이 있겠는가!(互鄕難與言, 童子見, 門人惑. 子曰 : '人潔己以進, 與其潔也, 不保其往也; 與其進也, 不與其退也, 唯何甚!')"라는 내용을 참조한 것이다.

가 있고, 높은 것을 좋아하면 좁아지는 실수가 있으며, 살피지 않으면 소홀하고, 괴롭고 어려우면 그 친다.

[5-8-40]

學者捨禮義, 則"飽食終日", 無所'猷爲', 與下民一致, 所事不踰衣食之間·燕游之樂爾.

배우는 사람이 예와 의로움을 버리면 "하루 종일 배불리 먹기만 하고"[433], '꾀하거나 하는 것'[434]이 없으니, 낮은 백성과 같아져서 일삼는 것이 입고 먹는 것과 사사롭게 노는 즐거움에서 넘어서지 못할 뿐이다.

[5-8-41]

以心求道, 正猶以己知人, 終不若彼自立彼, 爲"不思而得"也.

마음으로 도를 구하는 것은 바로 자기로 다른 사람을 아는 것과 같아서 끝내 저들이 각자 저들을 세워서 "생각하지 않고도 얻는"[435] 것만 못하다.

[5-8-42]

考求迹合以免罪戾者, 畏罪之人也, 故曰"考道以爲無失."

성현 자취의 적합함을 찾아 구해서 죄와 허물을 면하려고 하는 자는 죄를 두려워하는 사람이므로 "도를 살핌으로써 잃어버리는 일이 없게 한다."[436]라고 했다.

· ·

432 『禮記』「學記」"배우는 사람은 네 가지 실수가 있으니, 가르치는 자는 반드시 그것을 알아야 한다. 사람이 배울 때에 어느 경우의 실수는 많은 것에서이고, 어느 경우의 실수는 적은 것에서이며, 어느 경우의 실수는 소홀함에서이고, 어느 경우의 실수는 그치는 데서이다. 이 네 가지는 마음이 같지 않은 것이다. 그 마음을 안 후에 그 실수를 구제할 수 있다. 가르치는 것은 잘하는 것을 자라게 하여 그 실수를 구제하는 것이다.(學者有四失, 敎者必知之. 人之學也, 或失則多, 或失則寡, 或失則易, 或失則止. 此四者, 心之莫同也. 知其心, 然後能救其失也. 敎也者, 長善而救其失者也.)"라는 내용을 참조한 것이다.

433 『論語』「陽貨」"하루 종일 배부르게 먹으면서 마음을 쓰는 곳이 없다면 덕을 이루기 어려울 것이다. 장기와 바둑이 있지 않은가? 그것을 하는 것이 아무것도 하지 않는 것보다는 낫다.(飽食終日, 無所用心, 難矣哉. 不有博弈者乎? 爲之猶賢乎已.)"라는 내용을 참조한 것이다.

434 『書經』「洪範」"서민들이 꾀함이 있고 함이 있으며 지킴이 있는 것을 네가 생각하라. 지극함에 합하지 않더라도 허물에 걸리지 않으면 임금은 그것을 받아주어라. 얼굴빛을 편안히 하여 '네가 좋아하는 것이 덕이다.'라고 할 때에 네가 그에게 복을 주면 이 사람이 바로 그 임금의 지극함에 맞게 할 것이다.(凡厥庶民, 有猷有爲有守, 汝則念之. 不協于極, 不罹于咎, 皇則受之. 而康而色曰, '予攸好德', 汝則錫之福, 時人斯其惟皇之極.)"라는 내용을 참조한 것이다.

435 『中庸』 20장

436 『禮記』「表記」"도에는 지극함과 의로움이 있고 살핌이 있다. 도를 지극히 함으로써 왕도정치를 하고, 도를 의롭게 함으로써 패도정치를 하며, 도를 살핌으로써 잃어버리는 일이 없게 한다.(道有至義有考. 至道以王, 義道以霸, 考道以爲無失.)"라는 내용을 참조한 것이다.

[5-8-43]

儒者窮理, 故率性可以謂之道. 浮圖不知窮理而自謂之性, 故其說不可推而行.

유학자는 리理를 궁구하므로 '성性을 따르는 것을 도라고 할 수 있다.'[437] 불교는 리를 궁구하는 것을 알지 못하고 스스로를 성性이라고 말하므로 그 이론은 미루어 행할 만한 것이 못된다.

[5-8-44]

"致曲"不貳, 則德有定體; 體象誠定, 則文節著見; 一曲致文, 則餘善兼照; 明能兼照, 則必將徙義; 誠能徙義, 則德自通變; 能通其變, 則'圓神'無滯. 有不知則有知, 無不知則無知, 是以'鄙夫有問, 仲尼竭兩端而空空.' 『易』'無思無爲, 受命乃如響.' 聖人一言盡天下之道, 雖鄙夫有問, 必竭兩端而告之, 然問者隨才分各足, 未必能兩端之盡也.

"한 끝을 지극히 하여 이루면"[438] 둘이 아니니 덕에 정해진 체體가 있고, 체體와 상象이 진실로 정해지면 무늬[꾸밈]와 마디[규칙]에서 드러나며, 한결같이 곡진하게 아름다움을 이루면 나머지 선도 함께 비추고, 밝음이 함께 비춰지면 반드시 장차 의로움으로 옮겨진다.[439] 진실로 의로움으로 옮겨질 수 있으면 덕이 저절로 변하여 통하게 된다.[440] 그 변화에 통할 수 있으면 '둥글어서 신묘하여'[441] 막히지 않는다. 모르는 것이 있으면 아는 것이 있고, 모르는 것이 없으면 아는 것이 없으니, 이 때문에 '비루한 사람의 물음이 있고, 공자가 두 끝을 다하여 텅 비어 무식한 이에게 가르쳤다.'[442] 『역』은 '생각함이 없고 작위함도 없어서 명命을 받음이 메아리가 울리는 것 같다.'[443] 성인은 한 마디 말로

---

437 『中庸』 1장

438 『中庸』 23장 "그 다음은 한 끝을 지극히 하여 이루니, 한 끝을 지극히 하여 이루면 誠할 수 있고, 성하면 드러나며, 드러나면 뚜렷해지고, 뚜렷해지면 밝아지며, 밝아지면 움직이고, 움직이면 변하며, 변하면 化하니, 오직 세상의 지극한 誠이라야 化할 수 있다.(其次致曲, 曲能有誠, 誠則形, 形則著, 著則明, 明則動, 動則變, 變則化, 唯天下至誠爲能化.)"라는 내용을 참조한 것이다.

439 『論語』「述而」 "덕을 닦지 않는 것과 배움을 강구하지 않는 것과 의로움을 듣고도 옮길 수 없는 것과, 선하지 않음을 고칠 수 없는 것, 이것이 나의 근심이다.(德之不修, 學之不講, 聞義不能徙, 不善不能改, 是吾憂也)"라는 내용을 참조한 것이다.

440 『周易』「繫辭上」 5장 "낳고 낳는 것을 역이라고 하고, 상을 이루는 것을 건이라고 하며, 법을 본받는 것을 곤이라고 하고, 수를 극진히 헤아려 미래를 아는 것을 점이라고 하며, 변하여 통하게 되는 것을 일이라고 하고, 음양의 변화를 헤아릴 수 없는 것을 신이라고 한다.(生生之謂易, 成象之謂乾, 效法之謂坤, 極數知來之謂占, 通變之謂事, 陰陽不測之謂神.)"라는 내용을 참조한 것이다.

441 『周易』「繫辭上」 11장 "이 때문에 시초의 덕은 둥글어서 신묘하고, 괘의 덕은 반듯해서 지혜롭다.(是故蓍之德圓而神, 卦之德方以知.)"라는 내용을 참조한 것이다.

442 『論語』「子罕」 공자가 말했다. '내가 아는 것이 있는가? 아는 것이 없다. 비루한 사람이 나에게 묻되 텅 비어 무식해도 나는 그의 두 끝을 살피면서 다 말해줄 뿐이다.'(子曰 : '吾有知乎哉? 無知也. 有鄙夫問於我, 空空如也, 我叩其兩端而竭焉.')"라는 내용을 참조한 것이다.

443 『周易』「繫辭上」 10장 "역에는 성인의 도가 네 가지 있으니, 말로 하는 자는 그 말을 숭상하고, 행동으로 하는 자는 그 변화를 숭상하며, 그릇을 제작하는 자는 그 象을 숭상하고, 점서로 하는 자는 그 점을 숭상한다.

세상의 도를 다하니, 비록 평범한 사람의 물음이라도 반드시 두 끝을 다해 그에게 알려주지만, 묻는 자는 재능에 따라 각각 만족하고 반드시 두 끝을 다하지는 않는다.

[5-8-45]

教人者, 必‘知至學之難易, 知人之美惡’, 當知誰可先傳此, 誰將後倦此. 若洒掃應對, 乃幼
而遜弟之事, 長後教之, 人必倦弊. 惟聖人於大德有始有卒, 故事無大小, 莫不處極. 今始
學之人, 未必能繼, 妄以大道教之, 是誣也.

사람을 가르치는 자는 반드시 ‘학문에 이르는 면에 어려움과 쉬움이 있음을 알고, 사람의 좋은 면과
나쁜 면을 알아야 하니’[444] 반드시 이것을 누구에게 먼저 전해줄지, 누가 나중에 이것을 게을리 할지
를 알아야 한다. 예컨대 물을 뿌리고 쓸며 응하고 대하는 것과 같은 것은 바로 어려서 공손하게 하
는 일인데, 자란 후에 그것을 가르치면 사람들은 반드시 게을리 하고 훼손할 것이다. 오직 성인만이
큰 덕에 대해 시작이 있고 끝이 있으므로 크고 작음을 논할 것 없이 지극하게 처리하지 않음이 없
다. 지금은 처음 배우는 사람이 아직 꼭 계승할 수 있는 것이 아닌데, 함부로 그에게 큰 도로 가르치
니, 이것은 속이는 것이다.

[5-8-46]

“知至學之難易”, 知德也; “知其美惡”, 知人也. 知其人且知德, 故能教人使入德, 仲尼所以
問同而答異以此.

“학문에 이르는 데에 어려움과 쉬움을 아는 것”[445]은 덕을 아는 것이고, “그 바탕의 아름다움과 나쁨

. . . .

이 때문에 군자는 장차 할 일이 있고, 장차 갈 일이 있을 때에 말로써 묻거든 그 命을 받음이 메아리가
울리는 것 같아서, 멀고 가까움과 어둡고 깊음이 없이 마침내 다가올 일을 알게 된다. 세상의 지극한 정밀함
이 아니면 그 누가 여기에 참여할 수 있겠는가? 셋과 다섯(종횡으로)으로 뒤섞여 변하며, 그 수를 종합하여
그 변화에 통해서 마침내 세상의 아름다움을 이루고, 그 수를 극진히 헤아려 마침내 세상의 象을 정한다.
세상의 지극한 변화가 아니면 그 누가 여기에 참여할 수 있겠는가? 역은 생각함도 없고 작위함도 없어서
고요히 움직이지 않다가 感하여 마침내 세상의 일에 통한다. 세상의 지극한 神이 아니면 그 누가 여기에
참여할 수 있겠는가?(易有聖人之道四焉, 以言者尙其辭, 以動者尙其變, 以制器者尙其象, 以卜筮者尙其占. 是
以君子將有爲也, 將有行也, 問焉而以言, 其受命也如嚮, 无有遠近幽深, 遂知來物. 非天下之至精, 其孰能與於
此? 參伍以變, 錯綜其數, 通其變, 遂成天下之文, 極其數, 遂定天下之象. 非天下之至變, 其孰能與於此? 易无
思也, 无爲也, 寂然不動, 感而遂通天下之故. 非天下之至神, 其孰能與於此?)”라는 내용을 참조한 것이다.
444 『禮記』 「學記」 “군자는 학문에 이르는 면에 어려움과 쉬움이 있음을 알고, 그 좋고 나쁨을 안 후에 넓게
깨우칠 수 있다. 넓게 깨우칠 수 있은 후에 스승이 될 수 있고, 스승이 될 수 있은 후에 우두머리가 될
수 있으며, 우두머리가 될 수 있은 후에 임금이 될 수 있다. 그러므로 스승은 임금이 됨을 배우게 하는
사람이다. 이 때문에 스승을 택하는 데에 삼가지 않을 수 없다.(君子知至學之難易而知其美惡, 然後能博喩.
能博喩然後能爲師, 能爲師然後能爲長, 能爲長然後能爲君. 故師也者所以學爲君也. 是故擇師不可以不愼也.)”
라는 내용을 참조한 것이다.
445 『禮記』 「學記」

을 아는 것"[446]은 사람을 아는 것이다. 그 사람을 알고 또 덕을 알기 때문에 사람으로 하여금 덕에 들어갈 수 있게 하니, 공자가 물음이 같은 데에도 답을 다르게 한 것은 이 때문이다.

[5-8-47]
"蒙以養正", 使蒙者不失其正, 敎人者之功也. 盡其道, 其惟聖人乎!

"어릴 때에 바르게 기른다."[447]라는 것은 어린 자로 하여금 그 바름을 잃지 않게 하는 것이 사람을 가르치는 자의 일[공로]이다. 그 도를 다하는 것은 오직 성인뿐일 것이다!

[5-8-48]
'洪鐘未嘗有聲, 由扣乃有聲'; 聖人未嘗有知, 由問乃有知. "有如時雨之化者", 當其可, 乘其間而施之, 不待彼有求有爲而後敎之也.

'큰 종은 소리를 낸 적이 없으며 두드리는 것으로 말미암아 소리가 나고',[448] 성인은 아는 것이 없었는데 물음으로 말미암아 앎이 있게 된다. "때에 맞는 비가 변화시키는 것과 같은 것이 있으니"[449], 그 할 수 있는 때에 그 틈을 타서 베풀어야지, 저들이 구하고 작위함이 있는 것을 기다린 후에 가르치는 것은 아니다.

[5-8-49]
志常繼則罕譬而喻, 言易入則微而臧.

뜻이 항상 이어지면 비유는 드물어도 듣는 사람이 잘 깨닫고, 말이 쉽게 들어가면 은미해도 가르침이 선해진다.[450]

[5-8-50]
"凡學, 官先事, 士先志." 謂有官者先敎之事, 未官者使正其志焉. 志者, 敎之大倫而言也.

---

446 『禮記』「學記」
447 『周易』「蒙卦 ䷃」 "어릴 때에 바르게 기르는 것이 성인이 되는 공부이다.(蒙以養正, 聖功也.)"라는 내용을 참조한 것이다.
448 『禮記』「學記」 "물음을 잘 기다리는 자는 종을 치는 것과 같아서, 작게 두드리면 작은 소리가 나고 크게 두드리면 큰 소리가 나니, 조용히 기다린 후에야 그 소리를 다할 수 있다. 잘 묻고 대답하지 않은 자는 이와 반대이다. 이것이 다 학문에 나아가는 도이다.(善待問者如撞鐘, 叩之以小者則小鳴, 叩之以大者則大鳴, 待其從容, 然後盡其聲. 不善答問者反此. 此皆進學之道也.)"라는 내용을 참조한 것이다.
449 『孟子』「盡心上」
450 『禮記』「學記」 "노래를 잘하는 자는 사람들에게 그 소리를 잇게 하고, 가르치는 것을 잘하는 자는 사람들에게 그 뜻을 잇게 한다. 그 말은 간략하지만 이치가 도달하고, 은미하지만 가르침이 선하며, 비유를 적게 하지만 듣는 사람이 잘 깨달으니, 뜻을 잇는다고 이를 수 있다.(善歌者使人繼其聲, 善敎者使人繼其志. 其言也, 約而達, 微而臧, 罕譬而喩, 可謂繼志矣.)"라는 내용을 참조한 것이다.

"배우는 데에 관직에 있는 사람은 일 배우기를 먼저 하고, 선비는 뜻을 먼저 한다."[451]라고 한 것은 관직에 있는 사람은 먼저 일을 가르치고, 아직 관직에 있지 않은 사람은 그 뜻을 바르게 한다는 것이다. 뜻이란 큰 인륜을 가르치는 것을 말한다.

[5-8-51]

'道以德'者, 運於物外, 使自化也. 故論人者, 先其意而'遜其志'可也. 蓋志意兩言, 則志公而意私爾.

'덕으로 인도하는'[452] 것은 매[체벌]로 가르치기보다 스스로를 교화하도록 한다. 그러므로 사람을 깨우치는 자는 그 뜻을 우선하고 '그 의지를 따르'[453]이 좋다. 지志와 의意의 두 말에서 지志는 공적인 것이고 의意는 사적인 것일 뿐이다.

[5-8-51-1]

朱子曰 : "志者, 心之所之. 是一直去底. 意, 又是志之經營往來底, 凡營爲·謀·度·皆意也."[454]
주자가 말했다. "지志는 마음이 가는 것이니 줄곧 가는 것이다. 의意는 또한 지志가 경영하고 왕래하는 것이니, 경영하고 도모하며 왕래하는 것은 모두 의意이다."

[5-8-52]

能使不仁者仁, 仁之施厚矣. 故聖人并答仁智以"擧直錯諸枉."

어질지 못한 자로 하여금 어질게 할 수 있는 것이 인仁이 두텁게 베풀어지는 것이다. 그러므로 성인은 "곧은 사람을 들어 쓰고 굽은 사람을 버려둔다."[455]라는 것으로써 인仁과 지智에 대해 답을 하였다.

[5-8-53]

以責人之心責己則盡道, 所謂"君子之道四, 丘未能一焉"者也; 以愛己之心愛人則盡仁, 所

· · · · · · · · · · · · · · · · · · · ·

451 『禮記』「學記」

452 『論語』「爲政」 "법으로 인도하고 형벌로 가지런히 하면 백성들이 죄를 면하기는 하나 부끄러워하지 않고, 덕으로 인도하고 예로 가지런히 하면 부끄러워하기도 하고 또 선해진다.(道之以政, 齊之以刑, 民免而無恥; 道之以德, 齊之以禮, 有恥且格.)"라는 내용을 참조한 것이다.

453 『書經』「說命下」 "배움은 뜻을 겸손하게 해야 하니, 힘써서 때에 민첩하게 하면 그 닦임이 올 것이고, 진실하게 믿어 이것을 생각하면 도가 그 몸에 쌓일 것이다.(惟學遜志, 務時敏, 厥修乃來, 允懷于玆, 道積于厥躬.)"라는 내용을 참조한 것이다.

454 『朱子語類』 권5, 89조목을 축약한 것이다.

455 『論語』「爲政」 "애공이 물었다. '어떻게 하면 백성이 복종합니까?' 공자가 대답하였다. '곧은 사람을 들어쓰고 굽은 사람을 버려두면 백성이 복종하고, 굽은 사람을 들어쓰고 곧은 사람을 버려두면 백성이 복종하지 않습니다.'(哀公問曰 : '何爲則民服?' 孔子對曰 : '擧直錯諸枉, 則民服; 擧枉錯諸直, 則民不服.')"라는 내용을 참조한 것이다.

謂“施諸己而不願, 亦勿施於人”者也. 以衆人望人則易從, 所謂“以人治人改而止”者也. 此君子所以責己·責人·愛人之三術也.

다른 사람을 꾸짖는 마음으로 자기를 꾸짖으면 도를 다하는 것이니, 이른바 “군자의 도가 네 가지인데, 구丘는 하나도 잘하지 못한다.”[456]라는 것이다. 자기를 사랑하는 마음으로 다른 사람을 사랑하면 인仁을 다하는 것이니, 이른바 “자기에게 베풀어서 원하지 않는 것을 또한 다른 사람에게 베풀지 말라.”[457]라는 것이다. 많은 사람들의 기준으로 사람들에게 기대하면 쉽게 따르니 이른바 “사람으로 사람을 다스리다가 고치면 그친다.”[458]라는 것이다. 이것은 군자가 자기를 꾸짖는 것과 다른 사람을 꾸짖는 것과 다른 사람을 사랑하는 세 가지 방법이다.

[5-8-54]
有受教之心, 雖蠻貊可教; 爲道旣異, 雖黨類難相爲謀.

가르침을 받는 마음이 있으면 비록 오랑캐라도 가르칠 수 있고[459], 도가 이미 다르면 같은 부류라도 서로 함께 도모하기가 어렵다.[460]

[5-8-55]
大人所存, 蓋必以天下爲度, 故孟子教人, 雖貨色之欲, 親長之私, 達諸天下而後已.

· · · · · · · · · · · · · · · · · · · ·

456 『中庸』 13장 “군자의 도가 네 가지인데, 아직 丘는 하나도 잘하지 못한다. 자식에게 구하는 것으로 부모섬기기를 아직 잘하지 못하고, 신하에게 구하는 것으로 군주를 섬김을 아직 잘 하지 못하며, 아우에게 구하는 것으로 형을 섬기지 못하며, 친구에게 구하는 것으로 먼저 베풀기를 아직 잘하지 못한다. 평범한 덕을 행하고 평범한 말을 삼가며, 부족한 것이 있으면 감히 힘쓰지 않음이 없고, 넘침이 있으면 감히 다할 수 없어서, 말이 행함을 돌아보고 행함이 말을 돌아볼 것이니, 군자가 어찌 독실하게 하지 않겠는가?(君子之道四, 丘未能一焉: 所求乎子, 以事父未能也; 所求乎臣, 以事君未能也; 所求乎弟, 以事兄未能也; 所求乎朋友, 先施之未能也. 庸德之行, 庸言之謹; 有所不足, 不敢不勉; 有餘, 不敢盡; 言顧行, 行顧言, 君子胡不慥慥爾?)”라는 내용을 참조한 것이다.
457 『中庸』 13장 “忠과 恕는 도에서부터 멀지 않으니, 자기에게 베풀어서 원하지 않는 것을 또한 다른 사람에게 베풀지 말라.(忠恕違道不遠, 施諸己而不願, 亦勿施於人.)”라는 내용을 참조한 것이다.
458 『中庸』 13장 “공자가 말했다. ‘도가 사람에게서 멀지 않으니, 사람이 도를 행하면서 사람을 멀리 한다면 도라고 할 수 없다.’ 『詩經』에서 ‘도끼자루를 벰이여, 도끼자루를 벰이여. 그 법칙이 멀리 있지 않다.’라고 말하니, 도끼자루를 잡고 도끼자루를 베면서도 흘겨보고 오히려 그 법칙이 멀리 있다고 여긴다. 그러므로 군자는 사람으로 사람을 다스리다가 고치면 그친다.(子曰: ‘道不遠人. 人之爲道而遠人, 不可以爲道.’『詩』云, ‘伐柯伐柯, 其則不遠.’ 執柯以伐柯, 睨而視之, 猶以爲遠. 故君子以人治人, 改而止.)”라는 내용을 참조한 것이다.
459 『論語』「衛靈公」 “자장이 행함을 물었다. 공자가 대답했다. ‘말이 충실하고 믿음직스러우며, 행실이 돈독하고 경건하면 비록 오랑캐의 나라라고 하더라도 갈 수 있지만, 말이 충실하고 믿음직스럽지 못하며, 행실이 돈독하고 경건하지 못하면 비록 크고 작은 마을이라도 갈 수 있겠는가?(子張問行. 子曰: ‘言忠信, 行篤敬, 雖蠻貊之邦行矣; 言不忠信, 行不篤敬, 雖州里行乎哉?)”라는 내용을 참조한 것이다.
460 『論語』「衛靈公」 “도가 같지 않으면 서로 도모하지 않는다.(道不同, 不相爲謀.)”라는 내용을 참조한 것이다.

대인大人이 보존한 것은 반드시 세상을 척도로 삼은 것이기 때문에 맹자는 사람을 가르칠 때에 비록 재물과 여색의 욕망, 자기의 부모를 존중하고 자기의 어른을 존경하는[461] 사사로움 등도 그것을 세상에 통하게 하고 나서야 그쳤다.[462]

[5-8-56]

子而孚化之, 衆好者翼飛之, 則吾道行矣.

새 알을 부화시켰으니[463] 많은 좋아하는 자들이 날개로 비호하듯 한다면 나의 도가 행해질 것이다.

---

461 자기의 부모를 존중하고 자기의 어른을 존경하는 : 원문 '親長'은 『孟子』 「離婁上」의 "사람들마다 어버이를 어버이로 모시고 어른을 어른으로 모시기만 한다면, 천하가 태평해질 것이다.[人人親其親長其長, 而天下平.]"의 생략이다.

462 『孟子』 「梁惠王下」 "왕이 재화를 좋아하기를 백성과 함께한다면 왕의 역할을 하는데 어떤 어려움이 있겠습니까? … 왕이 여색을 좋아하기를 백성과 함께한다면 왕의 역할을 하는데 어떤 어려움이 있겠습니까?(王如好貨, 與百姓同之, 於王何有? … 王如好色, 與百姓同之, 於王何有?)"라는 내용과 「梁惠王上」, "나의 노인을 노인으로 여겨 다른 사람의 노인에게 미치고, 나의 어린이를 어린이로 여겨 다른 사람의 어린이에게까지 미친다.(老吾老, 以及人之老; 幼吾幼, 以及人之幼.)"라는 내용을 참조한 것이다.

463 『周易』 「中孚 ䷼」 "「象傳」에서 '중부는 부드러움이 안에 있고, 굳셈이 가운데를 얻었기 때문에 기뻐하고 공손해서 미더우니, 이에 나라를 교화하였다.'라고 말했다.(「象」曰 : '中孚, 柔在內而剛得中, 說而巽, 孚, 乃化邦也.')"라는 내용을 참조한 것이다.

正蒙二 정몽 2

至當篇 第九 제9 지당편

[6-9-1]

至當之謂德, 百順之謂福. 德者福之基, 福者德之致. 無入而非百順. 故君子樂得其道.

지극히 마땅함을 덕이라고 하고, 모두 순조로움을 복이라고 한다.[1] 덕은 복의 기초이고 복은 덕이

....

1 모두 순조로움을 … 한다 : 『禮記』「祭統」에서는 "어진 자의 제사는 반드시 그 福을 받는데, 세상 사람들이 말하는 복이 아니다. 복은 갖춘다는 것이니, 갖춘다는 것은 온갖 일들이 순조롭다는 말이다. 순조롭지 않은 것이 없는 것을 갖춤이라고 하니, 안으로 자기를 다하고 밖으로 도를 따르는 것을 말한다.(賢者之祭也, 必受其福, 非世所謂福也. 福者, 備也, 備者, 百順之名也. 無所不順者謂之備, 言內盡於己而外順於道也.)"라고 하였다. 이에 대해 陳澔(1260~1341)는 『禮記集說』에서 應鏞의 설을 인용하여 "응씨는 말하길, 그 행위를 구하지 않아서 복을 구하는 마음이 없으니, 이른바 (『禮記』「禮器」에서) '제사 지내는 것은 복을 빌기 위해서가 아니다'라는 것이다.(應氏曰, 不求其爲, 無求福之心也, 所謂祭祀不祈也.)"라고 주해하였다. 또 王植은 『正蒙初義』에서 "모든 일이 이치에 맞아 지극히 마땅하여 바뀌지 않는 것, 이것을 일러 덕이 있다고 한다. 모든 일이 순조롭고 하는 일마다 통하지 않음이 없음, 이것을 일러 복이 있음이라고 한다. 덕은 복의 뿌리이고, 복은 덕이 이루는 것이니, 덕을 가지고 복을 이르게 하면 하는 일마다 모두 순조롭지 않음이 없다.(凡事合理, 至當不易, 是謂有德 ; 百事順利, 無徃不通, 是謂有福. 德者福之根基, 福者德之所致, 以德致福, 無徃而非百順矣.)"라고 주해하였다. 한편 순조로움[順]의 해석에 대해서는 이견이 있다. 『性理群书句解』에서는 여기에서처럼 "수백 가지가 모두 어그러지거나 거스르지 않는 것, 이것이 이른바 '복'이다.(百無乖逆, 是所謂福.)"이라고 주해였다. 하지만 이와는 달리 順에 대해 '도리에 따르는 것'으로 보는 견해도 있다. 예를 들어 孔穎達疏에서는 다음과 같이 설명하고 있다. "세상 사람들이 일컫는 복은 오래 살고 상서로우며, 자기 자신에 대하여 천우신조가 있는 것이다. 만약 어진 자가 福을 받으면 자기 몸 밖의 온갖 일들이 도리에 따르게 된다. 그러므로 세상에서 말하는 복이 아니라고 한 것이다. 안으로 그의 마음을 다하고, 밖으로 그 예를 극진히 하여, 안팎이 다 순조로워진다는 것을 일컫는다.(世人謂福, 爲壽考吉祥, 祐助于身. 若賢者受福, 身外萬事皆順于道理, 故云非世所謂福也. 謂內盡其心, 外極其禮, 內外俱順)" 또 王夫之는 『張子正蒙注』에서 "마땅히 이치에는 따르고 일에는 지당하여야 하니, (그렇게 되면) 善과 잘 부합해 순하지 않음이 없게 된다. 일에 거스름이

이룬 것이다. 하는 일마다 모두 순조롭지 않은 것이 없으므로, 군자는 그 도리를 얻는 것을 즐거워한다.[2]

[6-9-2]

循天下之理之謂道. 得天下之理之謂德. 故曰"易簡之善配至德."

천하의 이치를 따르는 것을 도라고 하고, 천하의 이치를 얻는 것을 덕이라고 한다[3]. 그러므로 "쉽고 간명한 선은 지극한 덕과 짝을 이룬다"[4]라고 한 것이다.

[6-9-3]

"大德敦化," 仁智合一, 厚且化也；"小德川流," 淵泉時出之也. 大德不踰閑, 小德出入可也, 大者器, 則小者不器矣.

"큰 덕은 돈후하고 변화한다"[5]라는 것은 인仁과 지智가 하나로 합함이 돈후하고 또 변화한다는 것이고, "작은 덕은 냇물처럼 흐른다"[6]라는 것은 근원에서 수시로 흘러나온다는 것이다[7]. "큰 덕이 한계를 넘지 않으면, 작은 덕은 넘나들어도 괜찮으니,"[8] 큰 것이 이루어지면 작은 것은 얽매이지 않아도 된다.

[6-9-4]

德者, 得也. 凡有性質而可有者也.

"덕은 얻음"[9]이니, 성질과 재질이 있으면 소유할 수 있는 것이다.

· ·

없게 되는 것을 복이라고 한다.(當於理則順, 於事至當, 則善協於一, 無不順矣. 事無所逆之謂福)"라고 주해했고, 야마네 미쓰요시(山根三芳)도 이러한 입장을 따랐다.(山根三芳, 『正蒙』, 明德出版社, 1970, 213쪽)

2 군자는 그 … 즐거워한다：『禮記』「樂記」에서는 "군자는 그 도리를 얻는 것을 즐거워하고 소인은 그 욕심을 채우는 것을 즐거워한다.(君子樂得其道, 小人樂得其欲)"라고 하였다.

3 천하의 이치를 … 한다：『周易』「繫辭上」 제1장에서는 "쉽고 간명하여 천하의 이치를 얻으니, 천하의 이치를 얻으면 그 가운데에서 지위를 이룬다.(易簡, 而天下之理得矣, 天下之理得, 而成位乎其中矣)"라고 하였다.

4 쉽고 간명한 … 이룬다：『周易』「繫辭上」 제6장에서는 "(易占이) 넓고 큰 것은 천지에 짝하고, 변하여 통하는 것은 사계절에 짝하며, 음과 양의 변화는 해와 달에 짝하고, 쉽고 간명한 선은 지극한 덕에 짝한다.(廣大配天地, 變通配四時, 陰陽之義配日月, 易簡之善配至德)"라고 하였다.

5 큰 덕은 돈후하고 변화한다：『中庸』 제30장 참고로 주자는 여기서 "돈화는 그 화육을 돈후하게 한다.(敦化者, 敦厚其化)"라고 주해하여 "큰 덕은 변화를 돈독히 한다"는 의미로 풀이하였다.

6 작은 덕은 냇물처럼 흐른다：『中庸』 제30장

7 근원에서 수시로 … 것이다：『中庸』 제31장에서는 "두루 넓으며 깊은 근원과 같이 고요하고 깊어서 때때로 발현한다.(溥博淵泉, 而時出之)"라고 하였다. 주자는 이 문장에 대해 "溥博은 두루하고 넓음이요, 淵泉은 고요하고 깊고 근본이 있는 것이다. 出은 발현함이다. 다섯 가지의 덕이 안에 충적되어 때때로 밖으로 발현되는 것을 말한다.(溥博, 周徧而廣闊也. 淵泉, 靜深而有本也. 出, 發見也. 言五者之德, 充積於中, 而以時發見於外也.)"라고 주해하였다.

8 큰 덕이 … 괜찮으니：『論語』「子張」 제11장에서는 "자하가 말하였다. 큰 덕이 한계를 넘지 않으면 작은 덕은 넘나들어도 괜찮다.(子夏曰, 大德不踰閑, 小德出入可也.)"라고 하였다.

[6-9-5]

日新之謂盛德. 過而不有, 不凝滯於心, 知之細也.

날마다 새로워지는 것을 성대한 덕이라고 한다.[10] 지나가게 하고 간직하지 않아서, 마음에 얽매이지 않는 것이 지혜의 세밀함이다.[11]

[6-9-6]

浩然無害, 則天地合德; 照無偏繫, 則日月合明; 天地同流, 則四時合序; 酬酢不倚, 則鬼神合吉凶. 天地合德, 日月合明, 然後能無方體. 能無方體, 然後能無我.

까마득하게 넓은데 해침이 없으면[12] 천지와 덕을 합하게 되고, 비춤에 치우침이나 얽매임이 없다면 해와 달과 밝음을 합하게 되고, 천지와 함께 유행하면 사시와 순서를 합하게 되고, 주고받음에 한쪽으로 기울지 않으면 귀신과 길흉을 합한다.[13] 천지와 덕을 합하고 해와 달과 밝음을 합한 후에야 정해진 방향과 형체가 없을 수 있으며,[14] 정해진 방향과 형체가 없을 수 있게 된 후에야 '나'라는 것이 없을 수 있다.

---

9 덕은 얻음: 『禮記』「樂記」에서는 "덕은 얻음이다.(德者, 得也.)"라고 하였다.

10 날마다 새로워지는 … 한다: 『周易』「繫辭上」에서는 "날마다 새로워지는 것을 성대한 덕이라고 한다.(日新之謂盛德)"라고 하였다.

11 지나가게 하고 … 세밀함이다 : 이에 대해 李光地는 『注解正蒙』에서 "그것이 무궁하게 나오므로, 지나가게 하고 가지지 않을 수 있다. 성대한 덕이 아니면 무엇이 그렇게 할 수 있겠는가?(其出無窮, 故能過而不有, 非盛德其孰能之?)"라고 풀이하였다. 그런데 이에 대해 句讀를 달리 하여 읽는 견해도 있다. 왕식은 『正蒙初義』에서 "여러 학자들이 '不凝滯於心'에서 한 구절로 삼으면 비록 의미는 통하지만, '知之細'를 '정밀하게 察之精'으로 여기면 확실하지 않으며, 또한 '日新'의 뜻과 부합되지 않는다. 앞의 大心편에서 '마음으로 둘레를 알고자 하면 그 끝을 궁구할 수 없다.(心知廓之, 莫究其極)'는 것 또한 '心知'를 連用하여 밝힌 설이 합당하다.(… 諸家以'不凝滯於心'爲句, 雖亦可通, 但以'知之細'爲察之精, 未確亦與'日新'之義不合, 前「大心」篇心知廓之, 莫究其極', 亦心知連用發明之說爲允.)"라고 하여, '불응체어심지지세야.(不凝滯於心知之細也.)'로 붙여 읽는 독법을 제시하고 있다. 이러한 입장에 따르면 '자질구레한 생각(心知之細)에 막히어 구애되지 않아야 한다.(不凝滯於心知之細也.)'라고 해석할 수 있는데, 왕부지 역시 이러한 구두법을 따르며 "心知가 감각기관의 치우친 밝음에 기인할 뿐이니(乃心知緣於耳目一曲之明爾.)"라고 주해하였다.

12 까마득하게 넓은데 … 없으면: 『孟子』「公孫丑上」에서는 "그 호연지기는 지극히 크고 지극히 강하니, 곧음으로 잘 기르고 해침이 없으면 天地의 사이에 꽉 차게 된다.(其爲氣也, 至大至剛, 以直養而無害, 則塞于天地之間.)"라고 설명하고 있다.

13 비춤에 치우침이나 … 합한다: 『周易』「乾卦」에서는 "대인은 천지와 덕이 합하고, 해와 달과 밝음이 합하고 사계절과 순서가 합하고 귀신과 길흉이 합한다.(夫大人者, 與天地合其德, 與日月合其明, 與四時合其序, 與鬼神合其吉凶.)"라고 하였다.

14 정해진 방향과 … 있으며: 『周易』「繫辭上」 제4장에서는 "그러므로 신은 정해진 방소가 없고 역은 고정된 체가 없다.(故神无方而易无體)"라고 하였다.

[6-9-7]

禮器則藏諸身, 用無不利. 禮運云者, 語其達也. 禮器云者, 語其成也. 達與成, 體與用之道. 合體與用, 大人之事備矣.

예가 그릇[器]이 되면[15], 몸에 간직하게 되어 쓸 때마다 이롭지 않은 경우가 없다. 예가 운용된다[禮運][16]고 하는 것은 그 펼쳐짐을 말한다. 예가 그릇이 된다는 것[禮器]은 그 이룩됨을 말한 것이다. 펼쳐지고 이룩됨은 체와 용의 도이다. 체와 용이 합쳐지면 대인의 일이 구비된다.

[6-9-8]

禮器不泥於小者, 則無非禮之禮, 非義之義. 蓋大者器, 則出入小者莫非時中也. 子夏謂"大德不踰閑, 小德出入可也", 斯之謂爾.

예의 그릇이 작은 것에 얽매이지 않으면, 예 아닌 예와 의 아닌 의가 없게 된다. 대개 큰 것이 (기량이) 이루어지면 작은 것이 넘나들더라도 또한 시중時中이 아닌 것이 없다. 자하가 "큰 덕이 한계를 넘지 않으면, 작은 덕은 출입이 있어도 괜찮다"라고 한 것은 이것을 두고 이른 것이다.

[6-9-9]

禮器則大矣, 修性而非小成者歟! 運則化矣, 達順而樂亦至焉爾.

예가 그릇이 되면 커지니 본성을 닦아 작게 이룸이 아닐 것이다! (예가) 운용되면 변화되니, 순한 경지에 도달하여[17], 즐거움이 또한 지극할 것이다.

．．．．．．．．．．．．．．．．．．．．．．

15 예가 그릇[器]이 되면 : '禮器'는 『禮記』의 편명(제23)이지만, 여기에서는 단순히 편명으로만 보기는 어렵다. 편명을 빌려서 설명하는 것으로 보아야 한다. 실제로 『禮記』「禮器」 제1장 첫머리에 "예는 몸을 다스리는 그릇이다. 그러므로 크게 갖추는 것이다. 예를 크게 갖추는 것은 성대한 덕이다.(禮, 器, 是故大備, 大備, 盛德也.)"라고 하여 禮器에 대한 설명이 나온다. 이에 대해 鄭玄은 『예기정의』(13경주소본)에서 "예기는 예가 사람으로 하여금 그릇이 되게 한다는 말이니, 마치 쟁기나 보습이 도구인 것과 같다.(禮器, 言禮使人成器, 如耒耜之爲用也.)"라고 주석했고, 공영달 역시 "이 한 절은 예가 사람으로 하여금 그릇이 될 수 있게 한다는 것을 논의한 것이다.(此一節論禮能使人成器)"라고 疏를 달았다. 원대 진호 역시 『禮記集說』에서 "예를 가지고 몸을 다스리는 도구로 삼았으니, 그러므로 능히 크게 갖출 수 있는 것이다.(以禮爲治身之器, 故能大備)"라고 주해하였다.

16 예가 운용된다[禮運] : '禮運' 역시 본래는 『禮記』의 편명이지만, 여기에서는 단순히 편명으로만 보기는 어렵고, 편명을 빌려서 설명하는 것으로 보아야 한다. 왕식은 『正蒙初義』에서 위의 '禮器'와 '禮運'에 대해 다음과 같이 설명하고 있다. "『禮記』 속에 「禮記」와 「禮運」을 가지고 편명을 지었는데, 예를 '그릇'이라고 한 것은 그것이 몸에 간직되어 있기 때문이요, 예를 '운용'이라고 한 것은 사용해서 이롭지 않은 경우가 없기 때문이다. 그것을 '예운'이라고 한 것은 그 덕이 운용되어 펼쳐지지 않은 경우가 없는 것을 말하고, 그것을 '예기'라고 한 것은 그 그릇이 이룩됨을 말한다. 펼쳐지고 이룩됨은 체와 용의 도이다. 이룩되어 체가 되고 펼쳐져서 용이 되니, 체와 용을 합하면 대인의 일이 갖추어진다.(夫禮記中, 有以禮器禮運名篇者, 禮謂之器, 則藏諸身也, 禮謂之運, 則用無不利也. 其謂之禮運者, 語其德之運而無不達也, 其謂之禮器者, 語其器之成也. 達與成乃體與用之道, 成爲體而達爲用也, 合體與用, 大人之事備矣.)"

[6-9-10]

“萬物皆備於我”, 言萬物皆有素於我也 ; “反身而誠”, 謂行無不慊於心, 則樂莫大焉.

“만물이 모두 나에게 갖추어져 있다”[18]는 것은 모든 만물이 본래 나에게 갖추어져 있다는 말[19]이고, “자신을 되돌아보아 참되다”는 것은 행함이 마음에 흡족하지 않은 바가 없다는 말이니, 즐거움이 이보다 더 클 수가 없다.

[6-9-11]

未能如玉, 不足以成德 ; 未能成德, 不足以孚天下. “修己以安人”, 修己而不安人, 不行乎妻子, 況可懷於天下!

옥같이 되지 못하면 덕을 이루기에 부족하고[20], 덕을 이루기에 부족하면 세상 사람들에게 믿음을 주지 못한다. “자기를 닦아서 남을 편안하게 하니,”[21], 자기를 닦아서 남을 편안하게 하지 못하면, 아내와 자식에게도 영향을 미치지 못하는데[22] 하물며 세상에 이르게 할 수가 있겠는가[23]!

• •

17 순한 경지에 도달하여 : ‘순한 경지에 도달[達順]함’은 『禮記』「禮運」제36장의 말이다. “하늘은 그 도를 아끼지 않고 땅은 그 보배를 아끼지 않으며 사람은 그 정을 아끼지 않는다. … 이것은 다른 까닭이 아니다. 선왕이 능히 禮를 닦아서 義에 통달하고 信을 체득하여 順에 통달한 까닭이다. 이것이 大順의 실효이다.(天不愛其道, 地不愛其寶, 人不愛其情. … 則是無故, 先王能修禮以達義, 體信以達順故. 此順之實也.)”에 의한 것이다. 이에 대해 진호는 다음과 같이 주해하였다. “‘예를 닦아서 의에 통달함’은 이 예를 닦아서 가르침으로 삼아 천하의 마땅하지 않은 것이 없는 경지에 도달한 것이다. ‘信을 체득하여 順에 통달함’은 자기 자신을 돌이켜 보아 참되면 천하가 순종하지 않음이 없는 경지에 도달한 것이다.(‘修禮以達義’者, 修此禮以爲教, 而達之天下無不宜也. ‘體信以達順’者, 反身而誠, 而達之天下無不順也.)”

18 만물이 모두 … 있다 : 『孟子』「盡心上」제4장에서는 “만물이 모두 나에게 갖추어져 있으니, 자신을 돌이켜 보아 진실되면 즐거움이 이보다 더 큰 것이 없고, 恕를 힘써서 행하면 仁을 구함이 이보다 가까운 것이 없다.(萬物皆備於我矣, 反身而誠, 樂莫大焉, 強恕而行, 求仁莫近焉.)”라고 하였다.

19 모든 만물이 … 있다는 말 : 이광지는 『注解正蒙』에서 “‘有素’는 본래 갖추어져 있음[素具]를 말한 것이다.(‘有素’, 言素具也.)”라고 하였고, 왕식은 『正蒙初義』에서 “‘素具’라고 하지 않고 ‘有素’라고 한 것은 마땅히 수양공부론의 맥락에서 말한 것일 것이다.(不曰‘素具’, 而曰‘有素’, 宜以工夫.)”라고 하였다.

20 옥같이 되지 … 부족하고 : 『詩經』「陳風·小戎」에서는 “임을 생각하면, 따스하기가 옥과 같네(言念君子, 溫其如玉)”라고 했고, 『禮記』「聘義」에서는 “옛날에 군자가 덕을 옥에 비유하였으니, 온순하고 윤택한 것은 인이다.(夫昔者君子比德於玉焉, 溫潤而澤, 仁也.)”라고 하였다.

21 자기를 닦아서 … 하니 : 『論語』「憲問」에서는 “子路가 군자에 대하여 물으니, 공자께서 ‘敬으로써 몸을 닦는 것이다.’ 하였다. (子路가) ‘이와 같을 뿐입니까?’ 하자, ‘몸을 닦아서 사람을 편안하게 하는 것이다.’ 하고 대답하였다. 다시 ‘이와 같을 뿐입니까?’ 하고 묻자, 다음과 같이 말했다. ‘몸을 닦아서 백성을 편안하게 하는 것이니, 몸을 닦아서 백성을 편안하게 함은 요순(堯舜)께서도 오히려 부족하게 여기셨다’.(子路問君子. 子曰 : ‘修己以敬’, 曰 : ‘如斯而已乎?’ 曰 : ‘修己以安人’. 曰 : ‘如斯而已乎?’ 曰 : ‘修己以安百姓, 修己以安百姓, 堯舜其猶病諸’.)”라고 하였다.

22 아내와 자식에게도 … 못하는데 : 『孟子』「盡心下」에서는 “맹자가 말했다. ‘자신이 道를 행하지 않으면 道가 妻子에게 행해지지 못하고, 사람을 부리기를 道로써 하지 않으면 명령이 妻子에게 행해지지 못한다.’(孟子曰 : ‘身不行道, 不行於妻子, 使人不以道, 不能行於妻子.’)”라고 하였다.

[6-9-12]

“正己而不求於人”, 不願乎外之盛者與!

“자기를 바르게 하여 남에게 구하지 않음”[24]은 외면의 성대함을 원하지 않는 것일 것이다!

[6-9-13]

仁道有本. 近譬諸身, 推以及人, 乃其方也. 必欲博施濟衆, 擴之天下, 施之無窮, 必有聖人之才, 能弘其道.

인仁의 도에는 근본이 있으니, 가까이 자기 자신에게 취하여 비유하고, 그것을 미루어서 다른 사람에게까지 미치는 것이 바로 그 방법이다. 반드시 널리 베풀고 많은 사람을 구제하여 천하까지 확장하여 무궁하게 시행하고자 한다면[25], 반드시 성인의 재능을 가지고 있어야 그 도를 넓힐 수 있는 것이다[26].

[6-9-14]

制行以己, 非所以同乎人.

• •

23　하물며 세상에 … 있겠는가!: 『禮記』「哀公問」에서는 “주군께서 이 세 가지를 행하신다면, 교화가 천하에 미칠 것입니다.(君行此三者, 則愾乎天下矣.)”라고 하였다. 陳澔의 『禮記集說』에 의하면 “愾는 至와 같다.(愾, 猶至也.)”라고 하였다. 이광지의 『注解正蒙』에서도 “愾乎天下”는 「哀公問」에 보이니, 愾는 至와 같다.(愾乎天下, 見「哀公問」, 愾, 猶至也.)”라고 주해하고, 왕식의 『정몽초해』에서도 「哀公問」의 인용과 이에 대한 진호의 주를 언급하며 “진호는 愾가 至와 같다고 주해했으니 이른다는 뜻이다.(陳注 : 愾, 猶至也. 曁也.)”라고 주해하였다.

24　자기를 바르게 … 않음: 『中庸』 제14장에서는 “자기를 바르게 하고 다른 사람에게 구하지 않으면 원망이 없을 것이니, 위로 하늘을 원망하지 않으며 아래로 사람을 허물하지 않을 것이다.(正己而不求於人則無怨, 上不怨天, 下不尤人.)”라고 하였다.

25　仁의 도에는 … 한다면: 『論語』「雍也」 제28장에서는 “子貢이 말하였다. '만일 백성에게 은혜를 널리 베풀어 많은 사람을 구제하면 어떻겠습니까? 仁하다고 할 만합니까? 공자가 말하였다. '어찌 仁을 일삼는 데 그치겠는가? 반드시 聖人일 것이다. 堯舜도 이에 있어서는 오히려 부족하게 여기셨을 것이다. 仁者는 자신이 서고자 함에 남도 서게 하며, 자신이 통달하고자 함에 남도 통달하게 하는 것이다. 가까운 데에서 취해 비유할 수 있으면 仁을 하는 방법이라고 말할 만하다.'(子貢曰 : '如有博施於民而能濟衆, 何如? 可謂仁乎? 子曰 : '何事於仁? 必也聖乎! 堯舜其猶病諸! 夫仁者, 己欲立而立人, 己欲達而達人, 能近取譬, 可謂仁之方也已.')”라고 하였다. 다만 여기에서 '구제함이 많음(濟衆)'에 대해서는 해석에 이견이 있다. 진순은 '구제받는 것이 많음(能所濟者衆)'이라고 주해하며, '여러 사람들이 나의 은택을 입은 것으로부터 말한 것(自衆人之被吾恩澤者而言)'이라고 설명한다. 우리나라 교정청본 언해도 이러한 해석을 따르고 있다. 그러나 참고로, 공영달은 소에서 '임금이 능히 백성들에게 널리 은혜를 베풀 수 있고, 많은 민중들을 환난에서 구제할 수 있다면(人君能廣施恩惠於民, 而能振濟衆民於患難者)'이라고 주해하여 '衆'을 '많은 백성' 혹은 '민중'으로 보았다. 이 경우 '濟衆'은 '민중을 구제함'의 의미이며, 우리나라 율곡 언해본도 이런 입장을 취하였다.

26　그 도를 … 것이다: 『論語』「衛靈公」에서는 “사람이 도를 넓힐 수 있는 것이지, 도가 사람을 넓히는 것은 아니다.(人能弘道, 非道弘人.)”라고 하였다.

행위규범을 자기의 기준으로 제정하는 것은 남과 함께 할 수 있는 방법이 못된다.[27]

[6-9-15]

必物之同者, 己則異矣. 必物之是者, 己則非矣.

남이 (반드시 나와) 같아지기를 요구한다면, 자신이 남다름을 세우려는 것이다. 남이 (반드시) 올바르도록 요구한다면 자신이 그른 것이다.[28]

· · · · · · · · · · · · · · · ·

27 행위규범을 자기의 … 못된다: 『禮記』「表記」에서는 "그러므로 성인이 백성의 행위규범을 제정할 때에는 자기를 기준으로 제정하지 않고, 백성을 권면하거나 부끄럽게 하여 그 말을 행하도록 하는 것이다.(是故聖人之制行也, 不制以己, 使民有所勸勉愧恥, 以行其言.)"라고 하였다. 한편 왕식은 『正蒙初義』에서 "군자는 행위규범을 제정하여 가르침을 설립함에 마땅히 다른 사람의 자질의 높낮이에 따라서 가르쳐주어야지, 자기 자신이 할 수 있는 것을 기준으로 삼아서 다른 사람을 문젯거리로 여겨 자신을 따르도록 해서는 안 된다. 그렇지 않으면 백성들은 장차 그 어려움을 힘겨워하여 나아가는 데 험난하다고 여길 것이니 다른 사람과 함께 하는 방법이 못된다.(君子制行以立教, 當隨人資性高下而教之, 不可概以己之所能者病人而律之也. 不然則民將苦其難而阻於進矣, 非所以同乎人也.)"라고 주해하였다.

28 남이 (반드시 나와) … 것이다: 이 구절의 대의에 대해서는 이광지와 여남의 주석에 근거하여 '스스로를 돌이켜 봄[反己]' 또는 '스스로에게 요구함[責己]'으로 보았다. 이광지는 『注解正蒙』에서 "앞서 자기 자신을 돌이켜 반성하는 자는 반드시 천하국가에 모두 잘못된 이치가 없다는 것을 알게 된다고 말한 것이 바로 이 뜻이다.(前言反己者, 必知天下國家無皆非之理, 即此意也.)"라고 주해했고, 呂柟의 『張子抄釋』에서도 "다만 마땅히 자기 자신에게 요구해야 한다고 풀이한 것이다.(釋只當責己)"라고 설명하였다. 왕부지도 이런 맥락으로 『張子正蒙註』에서 "덕이 성대해지면 만물이 스스로 감화되니, 자기에게 선함이 있다고 해서 다른 사람이 자신과 같아지기를 기필한다면 이는 '다름'을 확립시키려다가 '허물'을 만드는 것이다. 군자는 다른 사람의 불선함을 차마 보지 못하고 안타까워하지만, 오직 스스로에게 엄격히 요구할 뿐이다.(德盛則物自化, 己有善而必人之己若, 則立異而成乎過. 君子不忍人之不善, 唯嚴于責己而已.)"라고 주를 달았다. 한편, 왕식의 『正蒙初義』에서는 조금 다른 방향으로 다음과 같이 풀이하였다. "冉覲祖(1638~1719)의 『正蒙補訓』에서는 다음과 같이 말한다. '반드시 사물의 크게 같은 것을 기준으로 삼아야 비로소 같음이 되니, 오로지 자기만을 기준으로 삼으면 홀로 달라져서 같지 않게 된다. 반드시 사물의 보편적으로 옳은 것을 기준으로 삼아야 비로소 옳음이 되니, 오로지 자기만을 기준으로 삼으면 잘못이 생기고 올바름이 없어진다.' 李文炤(1672-1735)의 『正蒙集解』에서는 「物」은 다른 사람이다. 「같음[同]」은 사람의 마음에서 같은 것이고 이치상 마땅히 행해야 하는 것이나 그러나 다른 사람들이 동일하게 행하는 것을 자기는 다르다고 말하는 것이 아니다. 설사 온 세상 사람들이 모두 악을 행하여도 나는 홀로 선을 행하니, 나의 다름은 바로 이치와 같은 것이니, 어디에 다름이 있겠는가? 그러므로 주자가 말하길 「세속에서 구하지 말고 이치와 같아지기를 구하라」고 하였다.' 생각건대 이 절의 대의는 나와 남의 사사로움과 공공성으로써 같음과 다름과 옳음과 잘못됨의 뜻을 밝힌 것이니, 그로써 세상 사람들이 나와 같은 것을 같다고 여기고, 내가 옳다고 하는 것을 옳다고 여기는 것을 깨우쳐주기 위한 것이다. 위아래 구절을 완미해보면 모두 남과 같은 뜻을 말한 것이니, 마땅히 『正蒙集解』와 『正蒙補訓』이 옳다고 해야 한다.(補訓: '必以物之大同者方爲同, 專以己則獨異而不同矣, 必以物之公是者方爲是, 專以己則有非而無是矣.' 集解: '物, 人也. 同者, 人心之所同然·理之當爲者也, 然非謂人所同爲者, 己即爲異也, 使擧世皆惡, 而我獨爲善, 則我之異, 正所以同乎理, 安在其爲異哉? 故朱子曰, 不求俗而求同理.' 愚按: 此節大意, 即人己之公私以明同異是非之義, 所以醒世之以同己爲同·我是爲是者也, 玩上下節, 皆言同人之意, 當以集解補訓爲是.)"

[6-9-16]

能通天下之志者, 爲能感人心. 聖人同乎人而無我, 故和平天下, 莫盛於感人心.

천하 사람의 뜻에 통할 수 있는 이[29]는 다른 사람의 마음을 감동시킬 수 있다[30]. 성인은 다른 사람과 같아져서 '나'라는 것이 없다. 그러므로 천하를 화평하게 하는 데에는 다른 사람의 마음을 느끼는 것보다 더 훌륭한 것이 없다.

[6-9-17]

道遠人則不仁.

도가 사람을 멀리하면 인仁하지 않은 것이다[31].

[6-9-18]

易簡理得則知幾, 知幾然後經可正. 天下達道五, 其生民之大經乎! 經正, 則道前定, 事豫

---

29 천하 사람의 … 이: 『周易』「同人卦·象傳」에서는 "오직 군자라야 능히 천하 사람의 뜻을 통할 수 있다.(唯君子爲能通天下之志.)"고 하였다.

30 다른 사람의 … 있다: 『周易』「咸卦·象傳」에서는 "천지가 느껴서 만물이 화생하고 성인이 사람의 마음을 느껴서 천하가 화평하나니, 그 느낀 바를 보고 천지 만물의 실정을 볼 수 있다.(天地感而萬物化生, 聖人感人心而天下和平, 觀其所感而天地萬物之情, 可見矣.)"라고 하였다. 왕식은 『正蒙初義』에서 "『正蒙集解』에 '다른 사람과 같아지는 자는 천하 사람의 뜻을 통하게 되니, 남은 있고 나는 없으므로 느끼지 못하는 바가 없다.' …『周易』에 '성인이 사람의 마음을 느껴서 천하가 화평하다'고 했는데, 대저 다른 사람의 마음을 감동시키는 것은 쉽게 말할 수 있는 것이 아니니, 반드시 '천하의 뜻에 통할 수 있어서' 하나로 모으는 자라야, 다른 사람의 마음을 감동시킬 수 있는 것이다. 만약 성인처럼 다른 사람과 똑같이 하여 개인의 사사로운 생각이 없다면 이것은 능히 천하 사람의 뜻을 통할 수 있는 것이니, 다른 사람의 마음을 감동시키는 데 어찌 부족하겠는가? 그러므로 천하를 평화롭게 하여, 이에 화목하고[時雍: 『書經』「堯典」] 바람에 호응하는 듯한[風動: 『書經』「大禹謨」] 교화가 이루어짐은, 뜻을 통하여 다른 사람의 마음을 감동시킬 수 있는 것보다 훌륭한 것이 없다.(集解: '同乎人者, 通天下之志也. 有人而無己, 故無不感'. …『易』言'聖人感人心而天下和平', 夫感人心未易言也, 必能通天下之志而爲一者, 斯能感人心. 若聖人同乎人而無私己之見, 是能通天下之志者, 豈不足以感人心乎? 故和平天下, 而致時雍風動之化, 莫盛於能通志以感人心也.)"고 주해하였다.

31 도가 사람을 … 것이다: 이광지는 『注解正蒙』에서 "仁은 사람이다. 사람을 멀리하면 仁에 위배되는 것이다.(仁者人也. 遠人則違乎仁)"라고 설명하였다. 참고로 비슷한 구절로 『中庸』 제13장에 "공자가 말하였다. 도가 사람에게서 멀지 않으니, 사람이 도를 행하면서 사람에게서 멀리한다면 도라고 할 수 없다.(子曰, 道不遠人, 人之爲道而遠人, 不可以爲道.)"라고 했는데, 서필달은 『正蒙釋』에서 사람[人]을 남으로 보며, 이와 다른 견해를 다음과 같이 제시하고 있다. "'행위규범을 제정'하는 데에 '다른 사람과 같아'지지 않는 것을 드러내어 밝힌 것이다. 이는 사람에게서 멀어져서 어질지 못한 것이다. '人'은 남과 나라고 할 때의 남이며, '멂[遠]'은 같지 않다는 뜻으로, 『中庸』의 뜻과는 다르다.(制行而不同乎人, 此遠人而不仁者也. '人'乃人我之人, '遠'即不同之意, 與『中庸』義異.)" 한편 왕식은 『正蒙初義』에서 "이 구절의 대의는 도가 사람을 멀리할 수 없다는 것을 드러낸 것이다. 본문과 위 절의 대의를 음미해보면 『집석』에서, 이른바 도를 멀다고 여겨서 구하지 않는 것이 어질지 않게 되는 까닭이라고 했는데, 이는 잘못이다.(此節大意見道之不可遠人也. 玩本文及上節大意, 『集釋』所謂'以道爲遠而求, 所以不仁'者, 非矣)"라고 하였다.

立, 不疑其所行. 利用安身之要莫先焉.

쉽고 간단한 이치를 터득하면 조짐을 알 수 있고[32], 조짐을 알고 난 뒤에야 법도가 바르게 될 수 있다. 천하의 보편적 도는 다섯[33]이니 백성들의 큰 법도일 것이다! 법도가 바르면 도가 앞서 정해지고, 일이 미리 서게 되어[34], 그 행할 일을 의심하지 않게 된다.[35] 쓰는 것을 이롭게 하여 몸을 편안하게 하는[36] 요체는 이보다 더 우선할 것이 없다.

[6-9-19]

性天經, 然後仁義行. 故曰"有父子君臣上下, 然後禮義有所錯".

하늘의 법도를 나의 본성으로 삼은 뒤에야 인의가 행해진다[37]. 그러므로 "부모와 자식, 임금과 신하, 윗사람과 아랫사람이 있는 것이니, 그런 뒤에야 예의가 행해질 곳이 있다"[38]고 한 것이다.

· · · · · · · · · ·

32 쉽고 간단한 … 있고: 『周易』 「繫辭上」 제1장에서는 "쉽고 간단하여, 천하의 이치를 터득하니, 천하의 이치를 얻어서 그 가운데에 자리를 이루는 것이다.(易簡, 而天下之理, 得矣. 天下之理得, 而成位乎其中矣.)"라고 했고, 「繫辭下」 제5장에서는 "공자가 말했다. '기미를 아는 것은 神일 것이다.'(子曰: '知幾其神乎!')"라고 하였다.

33 천하의 보편적 … 다섯: 『中庸』 제20장에서 말한 '군신' '부자' '부부' '형제' '붕우의 사귐'의 다섯 가지를 가리킨다. 제20장에서는 "천하에 두루 통하는 도는 다섯이고 그것을 행하는 것은 셋이니, 군신과 부자와 부부와 형제와 벗을 사귀는 다섯 가지는 천하에 두루 통하는 도요, 知와 仁과 勇 세 가지는 천하에 두루 통하는 덕이니, 이것을 행하는 것은 하나이다.(天下之達道五, 所以行之者三. 曰, 君臣也, 父子也, 夫婦也, 昆弟也, 朋友之交也. 五者天下之達道也, 知仁勇三者, 天下之達德也, 所以行之者一也.)"라고 하였다.

34 일이 미리 … 되어: 『中庸』 제20장에서는 "무릇 일은 미리 하면 서고 미리 하지 않으면 폐한다. 말이 앞서 정해지면 차질이 나지 않고, 일이 앞서 정해지면 곤란하지 않고, 행동이 앞서 정해지면 병폐가 없고, 도가 앞서 정해지면 궁하지 않게 된다.(凡事豫則立, 不豫則廢. 言前定則不跲, 事前定則不困, 行前定則不疚, 道前定則不窮.)"라고 하였다.

35 그 행할 … 된다: 『周易』 「坤卦文言」에서는 "그 행하는 바를 의심하지 않는다.(不疑其所行也.)"라고 하였다.

36 쓰는 것을 … 하는: 『周易』 「繫辭下」 제5장에서는 "義를 정밀히 하여 神妙한 경지에 들어감은 씀을 지극히 하기 위해서이고, 씀을 이롭게 하여 몸을 편안히 함은 德을 높이기 위해서이다.(精義入神, 以致用也, 利用安身, 以崇德也.)"라고 하였다.

37 하늘의 법도는 … 행해진다: 『注解正蒙』에서는 "하늘의 법도는 인의의 본성에서 나오므로, 하늘의 법도를 본성으로 삼으면 인의가 행해진다.(天經出於仁義之性, 故能性乎天經, 則仁義行矣.)"라고 주해하였다. 한편 『正蒙初義』에서는 "본성(性)은 살아있는 글자이지만, 성은 본래 갖추어졌다는 의미로 간주할 뿐이다. 보훈에 '堯·舜은 본성대로 하신 것이다.(『孟子』 「盡心上」)'라고 할 때의 본성은 너무 심오한 것 같다. 인의를 用으로 말해야 비로소 예의라는 글자와 부합한다. 이광지가 '하늘의 법도는 인의의 본성에서 나온다'고 주석한 것은 이 절의 뜻이 아니다.(性是活字, 只只是以爲性所固有之意, 補訓作'堯舜性之'之性, 似太深. 仁義以用言, 方與禮義字合. 李注'天經出於仁義之性', 非此節意.)"라고 『注解正蒙』의 견해를 비평하였다.

38 부모와 자식, … 있다: 『周易』 「序卦傳」 제2장에서는 "하늘과 땅이 있은 후에 만물이 있고, 만물이 있은 후에 남자와 여자가 있고, 남자와 여자가 있은 후에 부부가 있고, 부부가 있고 난 연후에 부모 자식이 있고, 부모 자식이 있은 후에 임금과 신하가 있고, 임금과 신하가 있은 후에 상하가 있고, 상하가 있은 후에 예의를 둘 바가 있다.(有天地然後有萬物, 有萬物然後有男女, 有男女然後有夫婦, 有夫婦然後有父子, 有父子然後有君臣, 有君臣然後有上下, 有上下然後禮義有所錯.)"라고 하였다.

[6-9-20]

仁通極其性, 故能致養而靜以安. 義致行其知, 故能盡文而動以變.

인仁은 그 본성을 통달하여 다 구현하는 것이므로, 수양을 다하여 고요함으로써 편안할 수 있다.[39] 의義는 그 아는 것을 행하는 것이므로, 문물제도[文]를 다하여[40] 움직임으로써 변할 수 있다.[41]

[6-9-21]

義, 仁之動也. 流於義者, 於仁或傷. 仁, 體之常也. 過於仁者, 於義或害.

의는 인仁이 움직인 것이다. 의에만 빠진 자는 인을 혹 손상시킬 수 있다. 인은 본체의 일정함이다. 인에만 지나친 자는 의를 혹 해칠 수 있다.

[6-9-22]

"立不易方", 安於仁而已乎!

"서서 방향을 바꾸지 않으니"[42] 인仁에 편안할 뿐이다.

[6-9-23]

安所遇而敦仁, 故其愛有常心. 有常心, 則物被常愛也.

만나는 상황마다 편안하게 받아들이고 인仁을 돈독하게 하기 때문에 그 사랑에는 일정한 마음이 있

. . . .

39 수양을 다하여 … 있다 : 염근조는 『正蒙補訓』에서 "致養'은 『周易』(「說卦傳」)의 '萬物致養'이라는 글을 빌려 온 것이다.('致養', 是借用『易』'萬物致養'字)"라고 하였으며, 『周易』 「說卦傳」에서는 "坤은 땅이니, 만물이 모두 기름을 이룬다.(坤也者, 地也, 萬物皆致養焉.)"라고 하였다. 『大學章句』에 "그칠 데를 안 뒤에 定함이 있으니, 定한 뒤에 고요할 수 있고, 고요한 뒤에 편안할 수 있다.(知止而后有定, 定而后能靜, 靜而后能安)"라고 하였으며, 『周易』 「說卦傳」에 "坤은 땅이니, 만물이 모두 기름을 이루므로 坤에 일을 맡긴다고 한 것이다.(坤也者, 地也, 萬物皆致養焉, 故曰致役乎坤.)"라고 하였다.

40 문물제도[文]를 다하여 : 염근조는 『正蒙補訓』에서 "文은 이치의 찬연함이 사물에서 드러난 것(文以理之燦然 見於事物者)"이라고 하였다. 華希閔은 『正蒙輯釋』에서 "문물제도를 다하여'라고 말한 것은 예이다.(曰'盡文', 則禮也.)"라고 하였다.

41 움직임으로써 변할 … 있다 : 『中庸』 제23장에서는 "誠하면 나타나고, 나타나면 뚜렷해지고, 뚜렷해지면 밝아 지고, 밝아지면 움직이고, 움직이면 변하고, 변하면 化하는 것이다.(誠則形, 形則著, 著則明, 明則動, 動則變, 變則化.)"라고 하였다. 이에 대해 정현은 『注』에서 "動은 사람의 마음을 움직이는 것이다. '變'은 악을 고쳐서 선이 되게 하는 것이다.('動', 動人心也. '變', 改惡爲善也.)"라고 하였고, 주자의 『集注』에서 "動은 성실함이 능히 남을 감동시키는 것이요, 變은 남이 따라 변하는 것이다.(動者, 誠能動物. '變'者, 物從而變.)"라고 하였다.

42 서서 방향을 … 않으니 : 『周易』 「恒卦·象傳」에서는 "우레와 바람이 恒이니, 군자는 (그것을) 본받아서, 서서 방향을 바꾸지 않는다.(雷風恒, 君子以立不易方.)"라고 하였고, 정이천은 『역전』에서 "군자는 우레와 바람이 서로 함께 恒을 이루는 象을 관찰하여 그 德을 오랫동안 지속해서 큰 中으로 오래가는 道에 스스로 서서 그 방향을 바꾸지 않는다.(君子觀雷風相與成恒之象, 以常久其德, 自立於大中常久之道, 不變易其方所也.)"라 고 하였다. 高攀龍은 『正蒙釋』에서 "군자의 恒은 仁에 항상 머무를 뿐이다.(君子之恒, 恒於仁而已.)"라고 하 였다.

다⁴³. 일정한 마음이 있으면 사물은 일정한 사랑을 받게 된다.

[6-9-24]

大海無潤, 因暍者有潤. 至仁無恩, 因不足者有恩. 樂天安土⁴⁴, 所居而安, 不累於物也.

큰 바다는 적셔 주려하지 않지만, 메마르면 그로 인해 적셔주게 된다. 지극한 인仁에는 은혜롭게 하려 하지 않지만 (은혜가) 부족하면 그로 인하여 은혜로움이 있게 된다. 하늘의 이치를 즐기고 처해 있는 곳을 편안히 여기면⁴⁵, 거처하는 곳마다 편안하여 외물에 얽매이지 않는다.⁴⁶

[6-9-25]

愛人, 然後能保其身.助寡則親戚畔之 能保其身, 則不擇地而安.不能有其身, 則資安處以置之 不擇地而安, 蓋所達者大矣. 大達於天, 則成性成身矣.

다른 사람을 사랑하고 난 후에야 자기 몸을 보전할 수 있다. 도와주는 자가 적으면 친척도 그를 배반한다.⁴⁷ 자기 몸을 보전할 수 있게 되면 장소를 가릴 것 없이 편안하다. 자기 몸을 둘 수 없으면 편안한 곳에 의지함으로써 자신을 두게 된다. 장소를 가리지 않고 편안한 것은 통달한 것이 크기 때문이다. 하늘의 이치에 크게 통달하면 본성을 이루고 몸도 완성하게 된다⁴⁸.

[6-9-26]

上達則樂天, 樂天則不怨. 下學則治己, 治己則無尤.

. . . .

43 만나는 상황마다 … 있다: 『周易』「繫辭上」 제4장에서는 "하늘의 이치를 즐기고 천명을 아는 까닭에 근심하지 않고, 처해있는 상황을 편안히 여기어, 어진 것을 돈독히 하는 까닭에 아낄 수 있다.(樂天知命, 故不憂, 安土敦乎仁, 故能愛.)"라고 하였다.

44 安土: 『文淵閣四庫全書』본에는 '知命'으로 되어 있다.

45 하늘의 이치를 … 여기면: [6-9-23]의 주석 『周易』「繫辭上」 제4장 참조

46 외물에 얽매이지 않는다: 왕식은 『正蒙初義』에서 "'物'은 물욕이다.('物', 物欲也.)"라고 하였고, 염근조는 『正蒙補訓』에서 "'외물에 얽매이지 않는다'는 것은 다만 사사로운 마음이 없음을 말한 것이다. 은혜를 베풀려는 마음이 있으면 바로 이것이 사사로움이다.('不累於物', 只言無私心. 有心施恩, 即是私.)"라고 하였다.

47 도와주는 자가 … 배반한다: 『孟子』「公孫丑下」 제10장에서는 "道를 얻은 자는 도와주는 이가 많고, 道를 잃은 자는 도와주는 이가 적다. 도와주는 이가 적음이 지극해지면 친척도 배반하고, 도와주는 이가 많음이 지극해지면 천하가 순종하는 것이다.(得道者多助, 失道者寡助. 寡助之至, 親戚畔之; 多助之至, 天下順之.)"라고 하였다.

48 다른 사람을 … 된다: 『禮記』「哀公問」 제5장에서는 "공자가 계속해서 말했다. '옛날에 정치를 함에 사람을 사랑하는 것을 큰 것으로 삼았습니다. 사람을 사랑할 수 없다면 그 몸을 보전할 수 없으며 그 몸을 보전할 수 없다면 그 국토에 편안히 살 수 없고 천명을 즐길 수 없습니다. 천명을 즐길 수 없다면 그 몸을 이룰 수 없습니다.'(孔子遂言曰, '古之爲政, 愛人爲大. 不能愛人, 不能有其身. 不能安土. 不能安土, 不能樂天. 不能樂天, 不能成其身.')"라고 하였다. 『周易』「繫辭上」 제7장에서는 "천지가 자리 잡으니 『역』이 그 사이에서 행해진다. 본성을 이루고 존재하는 것을 존속하게 하는 것이 도의의 문이다.(天地設位, 而『易』行乎其中矣. 成性存存, 道義之門.)"라고 하였다.

위로 통달하면 하늘의 이치를 즐거워하고, 하늘의 이치를 즐거워하면 원망하지 않는다. 아래로 배우면 자기를 다스리게 되고 자기를 다스리면 탓함이 없게 된다.[49]

[6-9-27]

不知來物, 不足以利用. 不通晝夜, 未足以樂天. 聖人成其德, 不私其身, 故乾乾自强, 所以成之於天爾.

닥쳐오는 것을 알지 못하면 이롭게 쓸 수 없고,[50] 낮과 밤의 도리를 통달하지 못하면[51] 하늘의 이치를 즐거워할 수 없다. 성인은 그 덕을 이루는 데에 자신을 사사롭게 하지 않기 때문에 부지런히 스스로 노력하니[52] 천리天理에 의해 덕을 이루는 것이다.

[6-9-28]

君子於仁聖, 爲不厭, 敎不倦, 然且自謂不能, 蓋所以爲能也. 能不過人, 故與人爭能, 以能病人. 大則天地合德, 自不見其能也.

군자가 인함[仁]과 성스러움[聖]을, 실행하는 데 싫증내지 않고, 가르치는 데 게으르지 않았지만, 또한 스스로는 잘하지 못한다고 하였으니[53], 아마도 이것이 잘하게 된 이유일 것이다. 능력이 다른 사람보다 뛰어나지 못할 때 다른 사람과 능력을 다투게 되며, 능력을 가지고 다른 사람을 힘들게 하는 것이다. 위대하면 천지와 덕을 합하는데도, 스스로는 그 능력을 보지 않는 법이다.

· ·

49 자기를 다스리면 … 된다:『論語』「憲問」제37장에서는 "공자가 말했다. '나를 알아주는 이가 없구나!' 자공이 말하였다. "어찌하여 선생님을 알아주는 이가 없는 것입니까?" 하자, 공자가 말했다. "나는 하늘을 원망하지 않으며 사람을 탓하지 않고, 아래로 인간의 일을 배우면서 위로 天理를 통달하니, 나를 알아주는 것은 하늘이실 것이다."(子曰：莫我知也夫! 子貢曰：何爲其莫知子也? 子曰：不怨天, 不尤人, 下學而上達, 知我者, 其天乎!)"라고 하였다.

50 닥쳐오는 것을 … 없고:『周易』「繫辭上」제10장에서는 "멀고 가깝고 어둡고 깊고 할 것이 없이 닥쳐오는 것[來物]을 다하여 아는 것이다.(无有遠近幽深, 遂知來物.)"라고 했고, 「繫辭下」제5장에서는 "義를 정밀히 하여 神妙한 경지에 들어감은 씀을 지극히 하기 위해서요, 씀을 이롭게 하여 몸을 편안히 함은 德을 높이기 위해서이다.(精義入神, 以致用也, 利用安身, 以崇德也.)"라고 하였다.

51 낮과 밤의 … 못하면:『周易』「繫辭上」제4장에서는 "천지의 변화를 본떠서 지나치지 않고, 만물은 곡진히 이루어서 빠뜨리지 않으니, 낮과 밤의 道를 통하여서 알기 때문에, 神은 일정한 장소가 없고, 易은 고정된 體가 없는 것이다.(範圍天地之化而不過, 曲成萬物而不遺, 通乎晝夜之道而知, 故神无方而易无體.)"라고 하였다.

52 부지런히 스스로 노력하니:『周易』「乾卦・九三」에서는 "군자가 종일토록 부지런히 노력하고(君子終日乾乾)"라고 했고, 「乾卦・象傳」에서는 "하늘의 운행은 건실하다. 군자는 그것을 본받아 스스로 노력하여 쉬지 않는다.(天行健, 君子以自强不息.)"라고 하였다.

53 가르치는 데 … 하였으니:『論語』「述而」제2장에서는 "공자가 말했다. '묵묵히 기억하며 배우고 싫어하지 않으며 사람 가르치기를 게을리 하지 않는 것, 이 중에 어느 것이 나에게 있겠는가?(子曰：'黙而識之, 學而不厭, 誨人不倦, 何有於我哉?)"라고 하였다.

[6-9-29]

君子之道達諸天, 故聖人有所不能. 夫婦之智淆諸物, 故大人有所不與.

군자의 도는 하늘에 통달하는 것이니, 그러므로 성인에게도 하지 못하는 것이 있다. 평범한 부부의 지혜는 사물에 섞여 있는 것이니 그러므로 대인에게도 관여하지 않는 바가 있다[54].

[6-9-30]

匹夫匹婦, 非天之聰明, 不成其爲人. 聖人, 天聰明之盡者爾.

평범한 부부는 하늘의 총명이 아니면 사람됨을 이룰 수 없다. 성인은 하늘의 총명을 다한 자일 뿐이다.[55]

---

54 군자의 도는 … 있다 : 왕식은 『正蒙初義』에서 "이 구절의 대의는 위 문장의 '성인은 스스로 잘할 수 있다고 말하지 않는다'는 구절에 기인하여 『中庸』의 부부의 어리석음에 관한 구절을 인용하여, 성인에게 할 수 없고 관여하지 않는 바가 있다는 것을 드러낸 것이다. 생각건대 그럼으로써 성인이 중시하지 않는 도의 대의를 밝힌 것이다.(此節大意, 因上文言聖人自謂不能, 而引中庸夫婦之愚節, 以見聖人有所不能不與也. 意以明聖人不重道之大意)"라고 설명하며, 이 견해를 이어받아 야마네 미쓰요시(山根三芳)(『正蒙』, 明德出版社, 1970) 역시 이 구절은 『中庸』 제12장의 맥락에 따라 독해해야 하며, '성인에게도 하지 못하는 것이 있다.(聖人有所不能)' 역시 『中庸』에 보인다고 설명한다. 『中庸』 제12장은 다음과 같다. "군자의 도는 넓으면서도 은미하다. 부부의 어리석음으로도 참여하여 알 수 있지만, 그 지극함에 미쳐서는 비록 성인이라도 또한 알지 못하는 바가 있다. 부부의 不肖함으로도 행할 수 있지만 그 지극함에 미쳐서는 비록 성인이라도 또한 행하지 못하는 바가 있다. 천지가 큰데도 사람이 오히려 유감스럽게 여기는 바가 있으니, 그러므로 군자가 큰 것을 말하면 천하가 싣지 못하고 작은 것을 말하면 천하가 깨뜨리지 못한다. 『詩經』에 이르기를, '솔개는 날아서 하늘에 이르는데 물고기는 연못에서 뛴다'라고 하니, 위와 아래에서 나타남을 말한 것이다. 군자의 도는 실마리가 부부로부터 만들어지지만, 그 지극함에 미쳐서는 천지에 나타난다.(君子之道, 費而隱. 夫婦之愚, 可以與知焉, 及其至也, 雖聖人亦有所不知焉. 夫婦之不肖, 可以能行焉, 及其至也, 雖聖人亦有所不能焉. 天地之大也, 人猶有所憾, 故君子語大, 天下莫能載焉, 語小, 天下莫能破焉. 詩云, 鳶飛戾天, 魚躍于淵, 言其上下察也. 君子之道, 造端乎夫婦, 及其至也, 察乎天地)" 그런데 기본적인 맥락은 이곳에서 가져온 것으로 보이지만, 평범한 부부와 대인의 경우에서도 보이듯이 사유의 맥락이 완전히 일치하지는 않는다. 참고로 이광지의 『注解正蒙』에서는 이 구절에 대해 다음과 같이 주석했다. "군자의 도는 천도이니, 천지가 큰데도 사람이 오히려 한스러워함이 있다. 천지도 도를 다할 수 없는데 하물며 사람에게 있어서랴! 이것이 성인이 할 수 없는 점이 있는 까닭이다. 그 도 가운데 말단에 대해서는 (평범한) 부부가 참여하는 바인데, 그러나 크기와 무관하기 때문에 대인은 생략하였다. 이는 또한 성인이 알지 못하고 능하지 못한 일이다.(君子之道, 即天道也. 天地之大也, 人猶有憾. 天地且不能盡道, 況於人乎! 此聖人所以有不能也. 即其道中之末節, 爲夫婦所與者, 然以其無關於大也, 則人人畧之矣. 此亦聖人不知不能之事也.)"

55 평범한 부부는 … 뿐이다 : 왕식의 『正蒙初義』, 『書經』 「太誓上」에서는 "천지는 만물의 부모이고, 사람은 만물의 영장이니, 진실로 총명한 자가 元后가 되고 원후가 백성의 부모가 된다.(惟天地萬物父母, 惟人萬物之靈, 亶聰明作元后, 元后作民父母)"라고 하였다. 염근조는 『正蒙補訓』에서 "이는 위 문장의 부부의 지혜와 성인이 다르다는 것에 기인해서 그 뜻을 미루어 말한 것이다.(此因上文夫婦之智與聖人不同, 而推言其義.)"라고 하였다.

[6-9-31]

大人者, 有容物無去物, 有愛物無徇物, 天之道然. 天以直養萬物. 代天而理物者, 曲成而不害其直, 斯盡道矣.

대인은 사물을 받아들임은 있어도, 사물을 버림은 없으며, 사물을 사랑함은 있어도, 사물에 끌려감은 없다. 하늘의 도가 바로 그러한 것이다. 하늘은 곧음으로써 만물을 기르니, 하늘을 대신하여 만물을 다스리는 자는 낱낱이 이루어주면서도[56] 그 곧음을 해치지 않아야만 도를 다하는 것이다.

[6-9-32]

志大, 則才大事業大. 故曰"可大", 又曰"富有". 志久, 則氣久德性久. 故曰"可久", 又曰"日新".

뜻이 크면 재주도 크고 사업도 크다. 그러므로 "커질 수 있다"라고 말하고 또 "풍부하게 갖고 있다"라고 말하는 것이다. 뜻이 오래 가면[57] 기운도 오래 가고 덕성도 오래 간다. 그러므로 "오래 갈 수 있다"[58]라고 말하고 또 "날마다 새로워진다"라고 말하는 것이다.

[6-9-33]

淸爲異物, 和爲徇物.

맑음[淸]은 남[物]과 달라지게 되고, 화합[和]은 남[物]을 따르게 된다.[59]

[6-9-34]

金和而玉節之, 則不過, 知運而貞一之, 則不流. 道所以可久可大, 以其肯天地而不離也.

---

56 낱낱이 이루어주면서도 : 『周易』「繫辭上」제4장에서는 "만물을 낱낱이 이루어서 빠뜨리지 않으니(曲成萬物而不遺)"라고 하였다.

57 오래 가면 : 『中庸』제26장에서는 "그러므로 지극한 성은 쉼이 없으니, 쉬지 않으면 오래가고 오래가면 징험이 나타나고 … 天地의 道는 넓고 두텁고 높고 밝고 길고 오래가는 것이다.(故至誠無息, 不息則久, 久則徵, … 天地之道, 博也厚也高也明也悠也久也.)"라고 하였다.

58 커질 수 … 있다 : 『周易』「繫辭上」제1장에서는 "친함이 있으면 오래할 수 있고, 공이 있으면 커질 수 있으며, 오래할 수 있는 것은 현인의 덕이요 크게 할 수 있는 것은 현인의 업이다.(有親則可久, 有功則可大, 可久則賢人之德, 可大則賢人之業.)"라고 있고, 『周易』「繫辭上」제5장에 "풍부히 소유함을 대업이라고 하고, 날마다 새로워짐을 성대한 덕이라고 한다.(富有之謂大業, 日新之謂盛德)"라고 하였다.

59 맑음[淸]은 남[物]과 … 된다 : 맑음[淸]과 화합[和]의 인품을 구분하여 평하기 시작한 것은 맹자의 언급에서 보인다. 『孟子』「萬章下」제10장에서는 "伯夷는 성인의 淸한 자요, 伊尹은 성인의 自任한 자요, 柳下惠는 성인의 和한 자요, 공자는 성인의 時中인 자이시다.(孟子曰, 伯夷聖之淸者也, 伊尹聖之任者也, 柳下惠聖之和者也, 孔子聖之時者也.)"라고 하였다. 이광지는 『注解正蒙』에서 "이것은 좁음[隘](백이를 지칭한 말)과 공손하지 않음[不恭](유하혜를 지칭한 말)의 길이니, 군자가 말미암지 않는 것이다.(此隘與不恭之道, 君子所以不由.)"라고 주해했고, 왕부지 역시 같은 맥락에서 『張子正蒙註』에서 "맑음의 지나침이며 온화함의 지나침이다.(淸之過, 和之流也.)"라고 주해하였다.

與天地不相似, 其違道也遠矣.

금[金聲]으로 조화하고 옥[玉聲]으로 마디 지으면 지나치지 않고,[60] 지혜로 운용하고 바른 도리[貞]로 한결같이 하면 휩쓸리지 않는다. 도가 오래갈 수 있고 클 수 있는 까닭은 그것이 하늘과 땅을 닮아서 떨어지지 않기 때문이다. 하늘과 땅과 더불어 서로 같지 않으면 도와의 거리가 멀어지게 된다.[61]

[6-9-35]
久者, 一之純 ; 大者, 兼之富.

'오래가다'란 한결같음이 순수함이고, '크다'란 겸함이 풍부함이다.[62]

[6-9-36]
大則直不絞, 方不劌, 故不習而無不利.

크면, 곧아도 박절迫切하지 않고[63], 반듯하게 모가 나 있어도[方] (남에게) 상처를 주지 않으므로 익

. . . .

60 금[金聲]으로 조화하고 … 않고 :『孟子』「萬章下」제10장에서는 "공자를 集大成이라 하는데, 集大成이란 金으로 소리를 퍼뜨리고, 玉으로 거두는 것이다. 金으로 소리를 퍼뜨린다는 것은 條理를 시작함이고, 玉으로 거둔다는 것은 條理를 끝냄이다. 條理를 시작하는 것은 智의 일이고, 條理를 끝내는 것은 聖의 일이다. 智는 비유하면 공교함이고, 聖은 비유하면 힘이다. 백보의 밖에서 활을 쏘는 것과 같으니, 과녁이 있는 곳에 이름은 너의 힘이거니와 과녁에 맞는 것은 너의 힘이 아니다.(孔子之謂集大成, 集大成也者, 金聲而玉振之也. 金聲也者始條理也, 玉振之也者, 終條理也. 始條理者, 智之事也, 終條理者, 聖之事也. 智譬則巧也, 聖譬則力也, 由射於百步之外也, 其至, 爾力也, 其中, 非爾力也.)"라고 하였다.

61 하늘과 땅과 … 된다 :『周易』「繫辭上」제4장에서는 "천지와 더불어 서로 같으므로 어긋나지 아니하다. 앎은 만물에 두루 하고, 도는 세상을 구제하므로 지나치지 않는다. 널리 행하더라도 휩쓸리지 않고 천리를 즐거워하고 천명을 알기 때문에 근심하지 않는다. 주어진 상황에 편안하며 인을 돈독히 하기 때문에 사랑할 수 있다.(與天地相似, 故不違, 知周乎萬物而道濟天下, 故不過. 旁行而不流, 樂天知命, 故不憂, 安土敦乎仁, 故能愛.)"라고 하였다. 왕식의『正蒙初義』에서는 "『周易』에서 천지와 서로 닮았다고 말하면서 반드시 '지나치지 않다' '휩쓸리지 않는다'고 말했는데, 성인에게서 한번 살펴보면, 성인의 덕은 처음에 금으로 조화하고 끝에 옥으로 조절하는 것과 같으니, 지나쳐 어긋나는 데에 이르지 않는다. 성인은 지혜로 운용하고 바름[正]으로 한결같이 하면, 휩쓸려 잃어버리는 데에 이르지 않는다. 이것이 '오래 갈 수 있고' '클 수 있는' 도이다. 도가 '오래 갈 수 있고' '클 수 있는 것'은 천지를 닮아 천지와 다르지 않기 때문이다. 만일 천지와 서로 닮지 않았다면 도와의 거리가 멀 것이다.(易言與天地相肖, 而必云不過不流, 試觀之於聖人, 聖人之德, 如金以和之於始, 玉以節之於終, 則不至於過差矣. 聖人有知以運之而正以一之, 則不至於流失矣. 此其爲可久可大之道也. 道所以可久可大者, 以其肖天地而與天地不異也. 若與天地不相似, 則其違道也遠矣.)"라고 설명하고 있다.

62 '오래가다'란 한결같음이… 풍부함이다 : 吳訥은『正蒙補註』에서 "이것은 위 문장을 이어서 道가 '오래 갈 수 있고' '클 수 있는' 까닭을 말한 것이다.(此承上, 道所以可久可大而言也.)"라고 했고, 冉覲祖는『正蒙補訓』에서 "무엇을 '오래감'이라고 하는가? '오래감'이란 한결같음이 지극히 순수하니 쉬지 않고 오래가는 것이다. 무엇을 '큼'이라고 하는가? '큼'이란 겸하는 것이 지극히 풍부하니, 통괄하여 큰 것이다. 이것은 성인이 천지를 겸하지 않음을 오로지 말한 것이다.(何謂久? 久者一之至純, 不息而久也. 何謂大? 大者兼之至富, 統括而大也. 此專言聖人不兼天地.)"라고 하였다. 王植의『正蒙初義』에서는『集釋』을 인용하여 "하나로 함'이란 지킴이 올바름이고, '겸함'이란 쌓아둠이 많음이다.'라고 하였다.(『集釋』: 一者守之正, 兼者蓋之多.)"라고 하였다.

히지 않아도 이롭지 않음이 없다.[64]

[6-9-37]
易簡, 然後能知險阻. 易簡理得, 然後一以貫天下之道. 易簡, 故能悅諸心, 知險阻, 故能硏諸慮. 知幾爲能以屈爲伸. "君子無所爭", 彼伸則我屈, 知也. 彼屈, 則我不伸而伸矣, 又何爭!

쉽고 간단한 뒤에야 험하고 막힌 것을 알 수 있다. 쉽고 간단하여 이치가 터득[65]된 뒤에라야 하나로써 천하의 도리를 꿰뚫을 수 있다. 쉽고 간단하기 때문에 마음속에서 즐거워할 수 있고, 험하고 막힌 것을 알기 때문에 여러 사람의 생각을 연구할 수 있다.[66] 기미를 알면 굽히는 것을 편 것으로 삼

---

63 크면, 곧아도 … 않고 : 『論語』「泰伯」에서는 "공손해도 禮가 없으면 수고롭고, 삼가도 禮가 없으면 두렵고, 용맹스러워도 禮가 없으면 혼란하고, 곧아도 禮가 없으면 박절하다.(恭而無禮則勞, 愼而無禮則葸, 勇而無禮則亂, 直而無禮則絞.)"라고 하였고, 주자는 이 구절을 주해하면서 장횡거의 "사람의 도리에 먼저 해야 할 것과 뒤에 해야 할 것을 알면 공손해도 수고롭지 않고, 삼가도 두렵지 않고, 용맹스러워도 난리를 일으키지 않고, 곧아도 박절하지 않아, 백성들이 교화되어 덕이 두터워질 것이다.(人道知所先後, 則恭不勞、愼不葸、勇不亂、直不絞, 民化而德厚矣.)"라는 말을 인용하였다. 『論語』「陽貨」에서도 공자가 자로에게 '육언(六言)'과 '六蔽'를 설명하면서 "仁을 좋아해도 배우기를 좋아하지 않으면 그 폐단은 어리석게 되는 것이고[愚], 지혜[知]를 좋아해도 배우기를 좋아하지 않으면 그 폐단은 방탕하게 되는 것이고[蕩], 믿음[信]을 좋아해도 배우기를 좋아하지 않으면 그 폐단은 해치게 되는 것이고[賊], 정직[直]한 것을 좋아해도 배우기를 좋아하지 않으면 그 폐단은 박절하게 되고[絞], 용맹[勇]을 좋아해도 배우기를 좋아하지 않으면 그 폐단은 난을 일으키게 되는 것이고[亂], 剛한 것을 좋아해도 배우기를 좋아하지 않으면 그 폐단은 경솔하게 되는 것이다[狂].(好仁不好學, 其蔽也愚 ; 好知不好學, 其蔽也蕩 ; 好信不好學, 其蔽也賊 ; 好直不好學, 其蔽也絞 ; 好勇不好學, 其蔽也亂 ; 好剛不好學, 其蔽也狂.)"라고 하는 부분이 있다. 또 주자는 『論語』「泰伯」의 주에서 "교(絞)'는 매우 급하여 너그럽지 못한 것이다.('絞, 急切也.)"라고 주해하였다.

64 모가 나 … 없다 : 『禮記』「聘義」에서는 "모가 나 있으면서도 남에게 상처입히지 않는 것이 의이다.(廉而不劌, 義也.)"라고 하였다. 『周易』「坤卦」 六二효에 "곧고 반듯하고 크다. 익히지 않아도 이롭지 않은 것이 없다.(直方大, 不習无不利.)"라고 하였고 「文言傳」에는 "直은 그 바름이다. 方은 그 義이다. 군자가 敬으로써 안을 곧게 하고 義로써 밖을 방정하게 하여, 敬과 義가 확립되면 德이 외롭지 않으니, '(육이효의) 곧고 바르고 크다. 익히지 않아도 이롭지 않은 것이 없다.'는 그 행하는 바를 의심하지 않는 것이다. (直, 其正也. 方, 其義也. 君子敬以直內, 義以方外, 敬義立而德不孤, 直方大不習无不利, 則不疑其所行也.)"라고 하였다.

65 쉽고 간단하여 이치가 터득 : 『周易』「繫辭上」 제1장에 "쉬우면 알기 쉽고 간단할 때는 따르기가 쉽다. 알기 쉬우면 친근함이 있고 따르기 쉬우면 공로가 있다. 친근함이 있으면 오래 갈 수가 있고 공로가 있으면 커질 수가 있다. 오래 갈 수 있는 것은 어진 사람의 德이요, 커질 수 있는 것은 어진 사람의 사업이다. 쉽고 간단하여 천하의 이치가 얻어진다. 천하의 이치가 얻어지면 자리를 천지 가운데에서 이룬다.(易則易知, 簡則易從, 易知則有親, 易從則有功, 有親則可久, 有功則可大, 可久則賢人之德, 可大則賢人之業. 易簡, 而天下之理得矣, 天下之理得, 而成位乎其中矣.)"라고 하였다.

66 쉽고 간단하기 … 있다 : 『周易』「繫辭下」 제12장에서는 "건은 천하의 지극히 굳건한 것이며, 그 덕행이 언제나 쉬움으로써 험난함을 안다. 곤은 천하의 지극히 유순한 것이며, 덕행이 언제나 간략함으로써 막힘을 안다. 마음에 기뻐할 수 있고, 생각에 정밀히 연구할 수 있어서 세상 사람들의 길흉을 정하며 세상 사람들이 부지런

을 수 있다.[67] "군자에게는 다툴 것이 없으니"[68] 상대가 펴게 되면 내가 굽히는 것이 지혜로움이다. 상대가 굽히면 나는 펴지 않아도 (저절로) 펴질 것이니, 또 무엇을 다투겠는가!

[6-9-38]

無不容, 然後盡屈伸之道. 至虛, 則無所不伸矣. 君子無所爭, 知幾於屈伸之感而已. 精義入神, 交伸於不爭之地, 順莫甚焉, 利莫大焉.

용납하지 못할 것이 없게 된 뒤에라야 굽히고 펴의 도를 다하게 된다. 지극히 허하면 펴지지 못할 것이 없다. '군자에게는 다툴 일이 없으니' 굽히고 펴는 작용의 감응에서 기미를 알 뿐이다. '의리를 정밀히 하여 신묘한 경지에 들어가니',[69] 다투지 않는 곳에서 서로 펴면 순응함이 이보다 더 심함이 없고, 이로움이 이보다 더 큼이 없다.

[6-9-39]

天下何思何慮! 明屈伸之變, 斯盡之矣.

천하 모든 일들에 대해 무엇을 생각하며 무엇을 근심하리오! 굽힘과 폄의 변화를 밝히면,[70] 극진하게 된다.

. . . .

히 힘쓰도록 해준다.(大乾, 天下之至健也, 德行恒易以知險. 夫坤, 天下之至順也, 德行恒簡以知阻. 能說諸心, 能研諸侯之慮, 定天下之吉凶, 成天下之亹亹者.)"라고 하였다. 참고로, 주자는 『本義』에서 '侯之' 두 글자를 衍字로 보았다.

67 기미를 알면 … 있다: 『周易』「繫辭下」제5장에서는 "공자가 말하였다. '기미를 아는 것은 신묘함[神]일 것이다! … 기미란 움직임의 작은 것이니, 길함이 먼저 나타나는 것이다. 군자는 기미를 보고 일어나서 종일을 기다리지 않는다.(子曰 : '知幾其神乎! … 幾者, 動之微, 吉之先見者也. 君子見幾而作, 不俟終日.)"라고 하였고, 「繫辭下」제5장에서는 "해가 가면 달이 오고 달이 가면 해가 와서 해와 달이 서로 밀어서 밝음이 생겨나며, 추위가 가면 더위가 오고 더위가 가면 추위가 오니 추위와 더위가 서로 밀어서 한 해가 완성된다. 가는 것은 굽힘이고 오는 것은 폄이니, 굽힘과 폄이 서로 감동하여 이로움이 생긴다. 자벌레가 굽히는 것은 펴고자 함이고, 용과 뱀이 움츠리는 것은 몸을 보존하기 위함이다.(日往則月來, 月往則日來, 日月相推而明生焉, 寒往則暑來, 暑往則寒來, 寒暑相推而歲成焉. 往者屈也, 來者信也, 屈信相感而利生焉. 尺蠖之屈, 以求信也, 龍蛇之蟄, 以存身也.)"라고 하였다.

68 『論語』「八佾」제7장

69 의리를 정밀히 … 들어가니: 『周易』「繫辭下」제5장에서는 "자벌레가 몸을 굽힘은 폄을 구하기 위해서요, 용과 뱀이 칩거함은 몸을 보존하기 위해서요, 義를 정밀히 하여 神妙한 경지에 들어감은 씀을 지극히 하기 위해서요, 씀을 이롭게 하여 몸을 편안히 함은 德을 높이기 위해서이다.(尺蠖之屈, 以求信也, 龍蛇之蟄, 以存身也. 精義入神, 以致用也, 利用安身, 以崇德也.)"라고 하였다.

70 천하 모든 … 밝히면: 『周易』「繫辭下」제5장에서는 "세상 모든 일들에 대해 무엇을 생각하고 무엇을 근심하리오! 세상 모든 일들이 귀결되는 곳은 같지만 길은 다르며, 이치는 하나이나 생각은 갖가지이다.(天下何思何慮? 天下同歸而殊塗, 一致而百慮.)"라고 하였다.

[6-9-40]

勝兵之勝, 勝在至柔, 明屈伸之神爾.

승리하는 군대의 승리는 그 승리가 지극한 부드러움에 있으니, 굽힘과 폄의 신묘함을 밝히는 것일 뿐이다.[71]

[6-9-41]

敬斯有立, 有立斯有爲.

경敬하면 확립됨이 있고,[72] 확립됨이 있으면 행위함이 있다.

[6-9-42]

敬, 禮之輿也, 不敬, 則禮不行.

경敬은 예를 싣는 수레이니, 경敬하지 않으면 예가 행해지지 않는다[73].

[6-9-43]

恭敬撙節退讓以明禮, 仁之至也, 愛道之極也.

'공경하고 절제하고 사양하여 예를 밝힘'[74]은 인의 지극함이니, 애도愛道의 지극함이다.[75]

· · · · · · · · · · · · · · · · ·

71 승리하는 군대 … 뿐이다 : 화희민은 『正蒙輯釋』에서 "이것은 전쟁의 도리[兵道]에서 굽힘과 폄을 밝힌 것이지 전쟁 자체를 논한 것은 아니다.(此即兵道以明屈伸, 非論兵也.)"라고 하였다. 오눌은 『正蒙補注』에서 "『老子』가 이르길 '부드러운 것이 강한 것을 누를 수 있다'고 했는데, 부드러운 것은 굽힘이고 이기는 것은 폄이다.(『老子』曰 : '柔能制剛', 柔, 屈也, 勝, 伸也.)"라고 풀이하였다.

72 확립됨이 있고 : 余本은 『正蒙集解』에서 "확립됨이 있다는 것은 본체의 측면에서 말한 것이고, 행위함이 있다는 것은 작용의 측면에서 말한 것이다.(有立以體言, 有爲以用言.)"라고 하였다. 『論語』「泰伯」제8장에도 "禮에 서며(立於禮)"라고 하였다.

73 敬하지 않으면 … 않는다 : 『春秋左氏傳』「僖公」11년조에서는 "천자가 소무공과 내사 과를 보내어 진나라 혜후에게 명을 내렸는데, 혜후는 옥신표를 받으면서 예를 갖추지 않았다. 내사 과가 귀국하여 왕에게 다음과 같이 보고하였다. '진혜후는 아마도 후사가 없을 것입니다! 왕이 내린 사명을 받을 때 불손하게 옥신표를 받았으니 스스로 먼저 예를 버린 것입니다. 무슨 후사가 있겠습니까? 예는 나라의 근간이며 敬은 예를 싣는 수레입니다. 敬하지 않으면 예가 행해지지 않고 예가 시행되지 않는다면 위아래가 혼란에 빠지니 어떻게 후대에까지 길게 이어지겠습니까?(天王使召武公·內史過賜晉侯命, 受玉惰. 過歸, 告王曰 : '晉侯其無後乎! 王賜之命, 而惰於受瑞, 先自棄也已, 其何繼之有? 禮, 國之幹也 ; 敬, 禮之輿也. 不敬, 則禮不行 ; 禮不行, 則上下昏, 何以長世?')"라고 하였다.

74 공경하고 절제하고 … 밝힘 : 『禮記』「曲禮上」의 글이다. 撙은 진호의 『集說』에 의하면 "제재하고 억누름이다.(撙, 裁抑也.)"이다.

75 인의 지극함이니 … 지극함이다 : 염근조는 『正蒙補訓』에서 "仁은 사랑을 주로 하니, 仁은 사랑의 도이고, 仁의 지극함은 애도의 지극함이다.(仁主於愛, 仁即是愛之道, 仁之至即爲愛道之極.)"라고 하였고, 왕식은 『正蒙初義』에서 "이 구절의 대의는 「曲禮」를 풀이하여 예의 중요함을 밝힌 것이다. … 장횡거가 관중에서 도를 제창함에 예로써 교육을 확립하였으니, 그 소견이 이같은 것이 마땅하다.(此節大意釋曲禮以明禮之重也. …

[6-9-44]

己不勉明, 則人無從倡, 道無從弘, 教無從成矣.

자신이 힘써 밝히지 않으면, 남이 따를 방법이 없고, 도가 넓어질 방법이 없고, 가르침이 이루어질 방법이 없다.[76]

[6-9-45]

禮, 直斯清, 撓斯昏, 和斯利, 樂斯安.

예는 곧으면 맑고, 굽으면 흐리고, 온화하면 순조롭고, 즐거우면 편안하다.[77]

[6-9-46]

將致用者, 幾不可緩. 思進德者, 徙義必精. 此君子所以立多凶多懼之地, 乾乾德業不少懈 於趨時也.

장차 쓰임을 지극히 하려고 하는 자는 기미를 살피는 것을 늦출 수 없으며 덕을 향상시키려고[78]하는 자는 의로 옮겨감에 반드시 정밀해야 한다.[79] 이것이 군자가 흉한 일이 많고 두려운 일이 많은 곳에서 있더라도, 건실하게 덕업을 닦으며 때에 따르는 노력[80]을 조금도 게을리하지 않는 까닭이다.

[6-9-47]

動靜不失其時, 義之極也. 義極, 則光明著見, 唯其時物, 前定而不疚.

. . . .

張子倡道關中, 以禮立教, 宜其所見如此也.)"라고 하였다.

76 자신이 힘써 … 없다: 『正蒙初義』에서는 "예를 밝히는 것은 仁의 지극함이다. 만일 자신이 힘써서 예를 밝힐 수 없다면 다른 사람이 말미암아서 창도하는 일이 없게 되고, 도가 말미암아서 넓혀지는 일도 없게 되며, 가르침이 말미암아 이루어지는 일도 없게 된다. 그래서 군자는 반드시 공경하고 절제하며 사양하여 예를 밝히는 것이다.(明禮則爲仁之至. 若己不能勉以明禮, 則人無由而倡之, 道無由而弘之, 教無由而成之矣. 所以 君子必恭敬撙節退讓以明禮也.)"라고 하였다.

77 예는 곧으면 … 편안하다: 『禮記』「樂記」에서는 "즐거우면 편안하고, 편안하면 오래간다.(樂則安, 安則久.)"라고 하였다. 오눌의 『正蒙補注』에서는 "直은 예의 본체이고, 和樂은 예의 작용이다.(直者禮之體, 和樂者禮之 用)"라고 했고, 고반룡은 『正蒙釋』에서 "이로우면 행함이 순조롭고, 편안하면 얻음이 견고하다.(利則行之順, 安則得之固.)"라고 하였다.

78 덕을 향상시키려고: 『周易』「乾卦·九三·文言傳」에서는 "군자는 덕에 나아가며 학업을 닦는다.(君子進德脩 業.)"라고 하였다.

79 의로 옮겨감에 … 한다: 『周易』「繫辭下」 제5장에서는 "義를 정밀히 하여 神妙한 경지에 들어감은 씀을 지극히 하기 위해서고, 씀을 이롭게 하여 몸을 편안히 함은 德을 높이기 위해서이다.(精義入神, 以致用也, 利用安身, 以崇德也.)"라고 하였다. 『論語』「顔淵」 제1장에서는 "忠信을 주장하며 義에 옮김이 德을 높이는 것이다. (主忠信, 徙義. 崇德也.)"라고 했고, 「述而」 제3장에도 "義를 듣고 옮겨가지 못함(聞義不能徙)"이라고 하였다.

80 때에 따르는 노력: 왕부지의 『張子正蒙注』에서는 "趨時란, 때에 맞게 행하여 쉬지 않고, 밤이건 낮이건 잠깐 동안이건 모두 기미를 궁구하고 의로 옮겨가는 공이 있다.(趨時者, 與時行而不息, 宵晝瞬息, 皆有研幾徙義之 功也.)"고 하였다.

움직임과 고요함에 제때를 잃지 않는 것이 의義의 지극함이다. 의가 지극하면, 광명이 드러나 나타나니,[81] 당면한 일이라도[82] 미리 정해져서 흠이 없게 된다.[83]

[6-9-48]

有吉凶利害, 然後人謀作, 大業生. 若無施不宜, 則何業之有!

길함과 흉함, 이로움과 해로움이 있고 난 뒤에야 사람의 계획도 만들어지고 큰 업業도 생겨난다.[84] 만약 시행하는 일마다 마땅하지 않음이 없으면, 무슨 업業이 있겠는가!

[6-9-49]

天下何思何慮! 行其所無事斯可矣.

천하에 무엇을 생각하며 무엇을 근심하리오! 억지로 함이 없는 일을 행하면 될 것이다.[85]

[6-9-50]

知崇天也, 形而上也. 通晝夜而知, 其知崇矣.

지혜가 높은 것은 하늘이고, 형이상이다. 낮과 밤의 이치를 통달하여 알면 지혜가 높은 것이다[86].

. . . .

81 움직임과 고요하니 … 나타나니 : 『周易』「艮卦·象傳」에서는 "움직임과 고요함에 있어 그 때를 잃지 않으면 그 도는 빛나고 밝은 것이다.(動靜不失其時, 其道光明.)"라고 하였다.

82 당면한 일이라도 : 『周易』「繫辭下」제9장에서는 "六爻가 서로 섞이는 것은 오직 그 때와 일이다.(六爻相雜, 唯其時物也.)"라고 하였다. 고반룡은 『正蒙釋』에서 "時物'은 기미에 당면한 것이니, 義이다.('時物', 當幾之物, 卽義也.)"라고 하였다.

83 미리 정해져서 … 된다 : 『中庸』제20장에서는 "행동이 앞에서 정해지면 병폐가 없고, 도가 앞에서 정해지면 궁하게 되지 않는다.(行前定, 則不疚, 道前定, 則不窮.)"라고 하였다.

84 길함과 흉함, … 생겨난다 : 『周易』「繫辭上」제11장에서는 "그러므로 역에는 태극이 있으니 태극이 양의[음양]의 작용]를 낳고 양의가 사상을 낳고 사상은 팔괘를 낳는다. 팔괘는 길흉을 정하며, 길흉은 큰 사업을 낳는다.(是故易有太極, 是生兩儀, 兩儀生四象, 四象生八卦, 八卦定吉凶, 吉凶生大業.)"라고 하였다.

85 천하에 무엇을 … 것이다 : 『孟子』「離婁下」제26장에서는 "지혜로움에 미워하는 까닭은 穿鑿하기 때문이니, 만일 지혜로운 자가 우임금이 물을 흘러가게 하듯이 한다면 지혜로움에 미워할 까닭이 없을 것이다. 우왕이 물을 흘러가게 한 것은 그 억지로 함이 없는[無事] 바를 행한 것이니, 만일 지혜로운 자가 또한 無事한 바를 행한다면 지혜가 또한 클 것이다.(所惡於智者, 爲其鑿也, 如智者若禹之行水也, 則無惡於智矣. 禹之行水也, 行其所無事也, 如智者亦行其所無事, 則智亦大矣.)"라고 했고, 이 곳의 주자주에서는 "우임금이 물을 흘러가게 함은 자연의 勢에 따라서 인도하였고, 일찍이 사사로운 지혜로써 穿鑿하여 일삼은 바가 있지 않았다. 이 때문에 물이 그 아래로 흘러 적셔주는[潤下] 성질을 얻어 해가 되지 않은 것이다.(禹之行水, 則因其自然之勢而導之, 未嘗以私智穿鑿而有所事. 是以水得其潤下之性而不爲害也.)"라고 하였다.

86 지혜가 높은 … 것이다 : 『周易』「繫辭上」제7장에서는 "지혜는 높고 예는 낮으니, 높은 것은 하늘을 본받고 낮은 것은 땅을 본받는다. 하늘과 땅이 자리를 잡으니 역이 그 사이에서 행해진다. 본래 이루어진 성품을 보존하고 보존하는 것이 도의 문이다.(知崇禮卑, 崇效天, 卑法地. 天地設位, 而易行乎其中矣. 成性存存, 道義之門.)"라고 했고, 주자의 『본의』에서는 "이치를 궁구하면 지혜가 하늘처럼 높아서 덕이 높아지고, 이치

知及之而不以禮性之, 非己有也. 故知禮成性而道義出, 如天地位而『易』行.

지혜가 미치더라도[87] 예로써 본성에서 우러나오는 것처럼 실행하지 않으면, 자기의 소유가 아닌 것이다. 그러므로, 지혜와 예가 성性을 이루고 도의가 나오니,[88] 예컨대 하늘과 땅이 자리잡히고 나서 『역易』이 행해지는 것과 같다.

[6-9-52]

知德之難言, 知之至也. 『孟子』謂"我於辭命則不能", 又謂"浩然之氣難言", 易謂"不言而信存乎德行", 又以尙辭爲聖人之道, 非知德達乎是哉!

덕을 말로 표현하기에 어려움을 아는 것은 앎의 지극한 것이다.[89] 『맹자』에 "나는 말에는 능하지 못하다"[90]라고 하였고, 또, "호연지기는 말로 하기 어렵다"[91]라고 하였으며, 『역』에서는 "말하지 않아도 믿게 하는 것은 덕행에 있다"[92]라고 하고, 또 말을 숭상함을 성인의 도라고 하였으니[93] 덕을 아는

. . . .

리를 따르면 예가 땅처럼 낮아져서 사업이 넓어진다.(窮理則知崇如天而德崇, 循理則禮卑如地而業廣)"라고 해설하고 있다. 또한『周易』「繫辭上」제4장에 "천지의 변화를 본떠서 지나치지 않고, 만물을 빠짐없이 이루어서 하나도 빠뜨리지 않으며 주야의 도에 통달하여 아니, 그러므로 신은 고정된 방소가 없고 역은 일정한 형체가 없다.(範圍天地之化而不過, 曲成萬物而不遺, 通乎晝夜之道而知, 故神无方而易无體.)"라고 하였다. 이광지의 『注解正蒙』에서는 "형이상이란 무형의 이치에 통할 수 있음을 말한 것이다.(形而上, 謂能通於無形之理)"라고 하였다.

87 지혜가 미치더라도 :『論語』「衛靈公」에서는 "지혜가 거기에 미치더라도 仁으로 그것을 지켜내지 못하면 비록 얻더라도 반드시 잃는다.(知及之, 仁不能守之, 雖得之, 必失之.)"라고 하였다.

88 지혜와 예가 … 나오니 : 이 곳의 '成性'에 대해서 왕식은『正蒙初義』에서 다음과 같은 해설하였다. "'지혜가 미치고', 예로써 그것을 행하면, 행하는 것이 도의가 아닌 것이 없다. 그러므로 '도의가 나온다'고 하는 것이다. 『周易』(「繫辭上」제7장의 '成性存存')에서 '成性'은 그 본연지성을 말한 것이고, '存存'은 그 성의 본연을 보전하는 것이지만, 여기의 '成性'은 곧 '存存'의 의미이다.('知及之', 禮以行之, 則所行無非道義. 故曰'道義出'. 『易』'成性'言其本然之性, '存存'乃全其性之本然, 此'成性'即'存存'意.)"라고 하였다.

89 덕을 말로 … 것이다 : 고반룡은『正蒙釋』에서 "도를 자기 자신에게 진실로 체득하지 못했다면, 언어로 형용하기 어렵다. 천하에서 덕보다 더 말하기 어려운 것이 없으니, 덕을 말로 표현하기 어렵다는 것을 아는 것이 앎의 지극한 것이다.(道非眞得於己, 難以言語形容. 天下莫難言者德也, 知德之難言, 則知之至矣.)"라고 하였다.

90 나는 말에는 … 못하다 :『孟子』「公孫丑上」에는 "나는 말에 있어서는 능하지 못하다.(我於辭命則不能也.)"라는 공자의 말이 언급된다.

91 호연지기는 말로 … 어렵다 :『孟子』「公孫丑上」에서 공손추와 맹자가 대화하는 중에 "(공손추가) '감히 묻겠습니다. 무엇을 호연지기라 합니까?'라 하니 맹자가 말하길 '말하기 어렵다'(敢問何謂浩然之氣? 曰 : 難言也.)고 하였다.

92 말하지 않아도 … 있다 :『周易』「繫辭上」제12장에서는 "神妙하게 하여 밝힘은 사람에 있고 묵묵히 이루며 말하지 않아도 믿게 하는 것은 德行에 있다.(神而明之, 存乎其人, 默而成之, 不言而信, 存乎德行)"라고 하였다.

93 말을 숭상함을 … 하였으니 :『周易』「繫辭上」제10장에서는 "역에는 성인의 도가 네 가지 있다. 역으로써 말하려는 사람은 괘효의 말을 숭상하고, 실행하려는 사람은 괘효의 변함을 숭상하고, 기물을 만들려는 사람은 괘효의 상을 숭상하고, 점을 치려는 사람은 괘효의 점을 숭상한다. (易有聖人之道四焉, 以言者尙其辭, 以動者

자가 아니면 이러한 상태에 도달하겠는가!

[6-9-53]

'闇然', 修於隱也. '的然', 著於外也.

(군자의 도가) '어두운 것[闇然]'은 은밀한 데서 닦는 것이고, (소인의 도가) '밝은 것[的然]'은 밖으로 드러내는 것이다.[94]

作者篇 第十 제10 작자편

[6-10-1]

"作者七人", 伏羲·神農·黃帝·堯·舜·禹·湯, 制法興王之道, 非述於人者也.

"창작한 사람 일곱 사람"은, 복희·신농·황제·요·순·우·탕이니, 법도를 제정하고 왕도를 일으킨 도는 남에게서 이어받은 것이 아니다.[95]

[6-10-2]

以知人爲難, 故不輕去未彰之罪. 以安民爲難, 故不輕變未厭之君. 及舜而去之. 堯君德, 故得以厚吾終 ; 舜臣德, 故不敢不虔其始.

사람을 아는 것을 어렵게 여기므로, 아직 드러나지 않은 죄로써 가벼이 버리지 않고, 백성을 안정시키는 것을 어렵게 여기므로, 아직 미움받지 않는 임금이라 하여 가벼이 바꾸지 않았다. 순임금에 이르러서야 그들을 제거하였다.[96] 요임금은 임금의 덕을 가졌으므로 자신의 끝을 두터이 할 수 있었

尚其變, 以制器者尚其象, 以卜筮者尚其占.)"라고 하였다.

94 어두운 것[闇然] … 것이다 : 『中庸』 제33장에서는 "군자의 도는 어둡지만 날로 빛나고 소인의 도는 밝지만 날로 사그라진다.(君子之道, 闇然而日章 ; 小人之道, 的然而日亡.)"라고 하였다.

95 창작한 사람 … 아니다 : 『正蒙初義』에서는 "이른바 作이란, 이전 세상에 아직 없던 것을 처음으로 만든 것이다. … '述'을 '作과 대비한 것이니, 공자의 '전술하기만 하고 창작하지 않았다'는 말에 근본한 것이다.(所謂作者, 上世未有作而作之者也. … 以述對作, 本孔子'述而不作'語.)"라고 설명하고 있다. 『論語』 「述而」 제1장에서는 "전술하기만 하고 창작하지 않으며, 옛것을 믿고 좋아함을 우리 老彭에게 견주노라(述而不作, 信而好古, 竊比於我老彭.)"라고 했고, 『論語』 「憲問」에서는 "창작한 사람이 일곱이다.(作者, 七人矣.)"라고 하였다. '作과 '述'에 대해서 『禮記』 「樂記」에서는 "창작한 사람을 聖이라 하고 전술한 사람을 明이라고 한다.(作者之謂聖, 述者之謂明.)"라고 하였다.

96 사람을 아는 … 제거하였다 : '사람을 아는 것'과 '백성을 안정시키는 것', 그리고 '제거'한 대상에 대해서는 『書經』 「皐陶謨」에 고요와 우임금의 다음과 같은 문답이 있다. "고요가 말하였다. '아! 훌륭합니다. 사람을 앎에 있으며 백성을 편안히 함에 있습니다.' 우가 말하였다. '아! 너의 말이 옳으나 다 이와 같이 함은 요임금께서도 어렵게 여기셨으니, 사람을 알면 명철하여 훌륭한 사람을 벼슬시키며 백성을 편안히 하면 은혜로워

고, 순임금은 신하의 덕을 가졌으므로 감히 그 시작을 경건히 하지 않을 수 없었던 것이다.

[6-10-3]

稽衆舍己, 堯也. 與人爲善, 舜也. 聞善言則拜, 禹也. 用人惟己, 改過不吝, 湯也. 不聞亦
式, 不諫亦入, 文王也.

여러 사람에게 헤아려 보아 사심을 버린 이는 요이다.[97] 다른 사람이 선을 행하도록 도와준 사람은
순이다[98]. 선한 말을 들으면 절을 한 사람은 우이다.[99] 사람을 등용할 때는 자신과 같이 하며, 잘못
을 고침에 인색하지 않은 이[100]는 탕이다. 듣지 않아도 또한 법도에 맞으시며 간하지 않아도 또한 선

· ·

모든 백성이 그리워할 것이다. 군주가 명철하고 은혜로우면 어찌 환도를 걱정하며 어찌 유묘를 귀양보내며,
어찌 말을 좋게 하고 얼굴빛을 잘하되 크게 간악한 마음을 품은 자를 두려워하겠는가?(皐陶曰, '都, 在知人,
在安民.' 禹曰, '吁, 咸若時, 惟帝其難之, 知人則哲, 能官人, 安民則惠, 黎民懷之, 能哲而惠, 何憂乎驩兜, 何遷
乎有苗, 何畏乎巧言令色孔壬?')"라고 하였다. 또 이 구절에 대한 채침 주에 보면, 驩兜, 三苗, 共工 및 鯀
등 요순 당시의 '四凶'에 관한 이야기가 나오는데, 『書經』「舜典」에 이들을 제거한 이야기가 다음과 같이 보인
다. "공공을 유주에 유배시키고, 환도를 숭산에 추방하고, 삼묘를 삼위로 쫓아내 가두고, 곤을 우산에 가두었
다. 네 사람에게 죄주자 천하 사람이 모두 승복하였다.(流共工于幽洲, 放驩兜于崇山, 竄三苗于三危, 殛鯀于羽
山. 四罪而天下咸服.)"

97 여러 사람에게 … 요이다: 『書經』「大禹謨」에 "아! 너의 말이 옳다. 진실로 이와 같다면 아름다운 말이 숨겨지
는 바가 없으며 들에는 버려진 賢者가 없어서 萬邦이 다 편안할 것이니, 여러 사람에게 헤아려 보아 자기[私心]
를 버리고 남을 따르며 하소연할 곳 없는 자들을 학대하지 않으며 곤궁한 자들을 버리지 않음은 오직 帝堯만이
이에 능하였다.(兪. 允若玆, 嘉言罔攸伏, 野無遺賢, 萬邦咸寧, 稽于衆, 舍己從人, 不虐無告, 不廢困窮, 惟帝時
克.)" 이에 대해 정자는 "자기를 버리고 남을 따르는 것이 가장 어려운 일이다. 자기[己]는 내가 가지고 있는
것이니, 비록 통렬히 버리더라도 오히려 자기를 지킴은 견고하고 남을 따름은 가볍게 할까 두려워해야 한다.
(舍己從人, 最爲難事. 己者, 我之所有, 雖痛舍之, 猶懼守己者固, 而從人者輕也.)"라고 주해하였다.

98 다른 사람이 … 순이다: 『孟子』「公孫丑上」에서는 "위대하신 舜은 이보다도 더 위대함이 있었으니, 善을 남과
함께 하사, 자신을 버리고 남을 따르시며, 남에게서 취하여 善을 행함을 좋아하였다. 밭 갈고 곡식을 심으며
질그릇 굽고 고기 잡을 때로부터 황제가 됨에 이르기까지 남에게서 취한 것 아님이 없으셨다. 남에게서 취하
여 善을 행함은, 이것은 남이 善을 하도록 도와주는 것이다. 그러므로 군자는 남이 善을 하도록 도와주는
것보다 더 훌륭함이 없는 것이다.(大舜有大焉, 善與人同, 舍己從人, 樂取於人, 以爲善. 自耕稼陶漁, 以至爲帝,
無非取於人者, 取諸人以爲善, 是與人爲善者也, 故君子莫大乎與人爲善.)"라고 하였다.

99 선한 말을 … 우이다: 『孟子』「公孫丑上」에서는 "子路는 사람들이 그에게 과실이 있음을 말해주면 기뻐하였
다. 우임금은 선한 말[善言]을 들으면 절하였다.(子路人告之以有過則喜. 禹聞善言則拜.)" 또 『書經』「大禹謨」
와 『書經』「皐陶謨」에 "우가 선한 말에 절하다.(禹拜昌言)"라고 했다. 또 앞의 『孟子』「公孫丑上」외에 「離婁
下」에도 "우임금은 맛있는 술을 싫어하고, 선한 말[善言]을 좋아하였다.(禹惡旨酒而好善言)"라고 하였다.

100 사람을 등용할 … 않은 이: 『書經』「仲虺之誥」에서는 "탕임금께서는 음악과 여색을 가까이 하지 않고 재화
와 이익을 증식하지 않으며, 덕이 많은 자에게는 관직을 성대하게 내리고 공이 많은 자에게는 상을 성대하게
내리며, 사람을 등용할 때는 자신과 같이 하고 허물을 고치되 인색하게 하지 않아 능히 너그럽고 능히 인자
하여 드러내서 백성들에게 믿음을 받으셨습니다.(惟王不邇聲色, 不殖貨利, 德懋懋官, 功懋懋賞, 用人惟己,
改過不吝, 克寬克仁, 彰信兆民.)"라고 하였다. 채침은 『集傳』에서 "남을 등용할 때에는 자신과 같이 하여,

善에 드신 이[101]는 문왕이다.

[6-10-4]

“別生分類”, 『孟子』所謂明庶物察人倫者與!

“별생분류別生分類”[102]는 『맹자』의 이른바 여러 사물의 이치에 밝았으며 인륜을 살핀다는 것[103]일 것이다!

[6-10-5]

象憂喜舜亦憂喜, 所過者化也, 與人爲善也, 隱惡也, 所覺者先也.

상象이 근심하고 기뻐하는 것을 순도 역시 근심하고 기뻐하는 것[104]은 지나간 것을 흘려보낸 것[105]이

남의 훌륭한 점을 (마치 나의 훌륭함처럼) 받아들이지 않음이 없다.(用人惟己, 而人之有善者無不容)”라고 하였다.

101 듣지 않아도 … 드신 이 : 『詩經』「大雅·文王之什·思齊」에서는 “듣지 않아도 또한 법도에 맞으시며 간하지 않아도 또한 선(善)에 드시니라.(不聞亦式, 不諫亦入.)”라고 했고, 주자는 『集傳』에서 “聞은 미리 들음이다. ‘式’은 法이다. … 비록 미리 들은 바가 없는 일이라 할지라도 또한 법도에 합하지 않은 것이 없었으며, 비록 諫諍하는 자가 없더라도 또한 일찍이 善에 들지 않음이 없으셨다. 『毛傳』에서 이른바 ‘性이 天道와 더불어 합한다.’는 것이 이것이다.(‘聞’, 前聞也. ‘式’, 法也. … 雖事之無所前聞者, 而亦無不合於法度; 雖無諫諍之者, 而亦未嘗不入於善. 傳所謂‘性與天合’是也.)”라고 하였다.

102 別生分類 : 『書經』「순전·小序」. 이에 대해 『상서주소』 공영달 소에서는 “‘生’은 姓이니, 성씨의 족속을 구별하여, 부류에 따라 분류하여, 서로 따르도록 하였다.(生姓也, 別其姓族, 分其類, 使相從.)”라고 하였다. 왕식은 『正蒙初義』에서 “내 생각에는 ‘別生分類’를 공씨는 다만 성씨족속만을 가지고 말했지만, 장재의 뜻과는 거리가 먼 것 같다. 오륜의 상도와 변도의 다름 및 사물의 경도와 권도의 쓰임의 차이가 모두 그 생명을 구별하고 그 무리를 나눈 것이다.(愚按‘別生分類’, 孔氏但以姓族言之, 張子之意, 似濶. 凡五倫常變之殊道事物經權之異用, 皆所以別其生分其類也.)”라고 하였다.

103 『孟子』의 이른바 … 것 : 『孟子』「離婁下」에서는 “舜임금은 여러 사물의 이치에 밝으시며 人倫을 살폈으니, 仁義를 따라 행한 것이지 仁義를 행한 것은 아니었다.(舜, 明於庶物, 察於人倫, 由仁義行, 非行仁義也.)”라고 했고, 이에 대해 『朱子集注』에 “‘明’은 그 이치를 앎이 있는 것이다.(‘明’, 則有以識其理也.)”라고 풀이하였다.

104 象이 근심하고 … 것 : 象은 순임금의 이복동생이다. 『孟子』와 『史記』에 보면, 순임금의 부모가 象과 공모하여 순임금을 죽이려고 할 때, 형인 순의 재산과 두 형수를 빼앗으려고까지 하였다고 함. 『孟子』「萬章上」에서는 “萬章이 말하였다. … ‘舜은 象이 장차 자신을 죽이려 한 것을 모르셨습니까?’ (맹자가) 말하였다. ‘어찌 알지 못하셨으리오마는, 象이 근심하면 또한 근심하시고, 象이 기뻐하면 또한 기뻐하신 것이다.’(萬章曰 … 不識, 舜不知象之將殺己與? 曰奚而不知也, 象憂亦憂, 象喜亦喜.)”라고 하였고, 주자는 『集注』에서 “맹자가 ‘舜은 象이 장차 자기를 죽이려고 한 것을 모르신 것은 아니지만, 다만 그가 근심함을 보면 근심하고, 그가 기뻐함을 보면 기뻐하셨으니, 兄弟의 情에 자연히 그만둘 수 없는 바가 있는 것이다.’ 라고 한 것이다.(孟子言, 舜非不知其將殺己, 但見其憂則憂, 見其喜則喜, 兄弟之情, 自有所不能已耳.)”라고 하였다.

105 지나간 … 것 : ‘所過者化也.’는 본래 『孟子』「盡心下」의 “군자가 지나는 곳은 교화가 되며, 마음 둔 곳은 신묘하다. 그러므로 상하가 천지와 더불어 함께 흐르니, 어찌 조금 보탬이 있다고 하겠는가?(夫君子, 所過者化, 所存者神, 上下與天地同流, 豈曰小補之哉?)”라는 말에서 나온 말이다. 그러나 여본은 『正蒙集解』에서

고, 다른 사람이 선을 행하도록 돕는 것이고, 악함을 숨겨주는 것[106]이며, 깨닫기를 먼저 한 것이다.[107]

[6-10-6]

"好問", "好察邇言", "隱惡揚善", "與人爲善", "象憂亦憂, 象喜亦喜", 皆 "行其所無事也", 過化也, 不藏怒也, 不宿怨也.

"묻기를 좋아하고", "평범한 말을 살피기를 좋아하며", "악함을 숨겨주고 착함을 드러내주며",[108] "다른 사람이 선을 행하도록 돕고", "상象이 근심하는 것도 근심하고 상이 기뻐하는 것도 기뻐하는 것"은 모두 "억지로 함이 없는 일을 행하는 것"[109]이고, 지나간 것을 흘려 보낸 것이고, 노여움을 간직

. . . .

"過化'는 일이 지나가면, 변화해서 마음속에 남아 있는 게 없다는 것이며, 노여움을 간직해두지 않으며, 원망을 묵혀두지 않는 것을 말한 것이다.(過化謂, 事過卽化無所留滯·不藏怒·不宿怨也.)"라고 하였고, 화희민도 『正蒙輯釋』에서 "'所過者化'는 그 마음이 텅 비었음을 드러낸 것이다. '다른 사람이 선을 행하도록 돕고' '악함을 숨겨주는 것'은 그 마음이 仁함을 드러낸 것이다. '깨닫기를 먼저한 것이다'는 그 마음이 밝음을 드러낸 것이다. 『孟子』에 나오는 '所過者化'는 성인이 사람들을 교화하는 것을 가리켜서 말한 것이다. 여기서는 성인을 가리키는 것이니, 그 의미가 서로 다르다.('所過者化', 見其心之虛. '與人爲善'而隱惡', 見其心之仁. '所覺者先', 見其心之明. 『孟子』'所過者化', 指聖人化人說. 此卽指聖人, 其義各別.)"라고 지적하였듯이, 『孟子』와는 의미가 다른 것으로 보았다.

106 악함을 … 것:『中庸』제6장에서는 "舜은 크게 지혜로운 분이셨다! 순은 묻기를 좋아하고 평범한 말을 살피기를 좋아하시되 악함을 숨겨주시고 착함을 드러내주시며 양 극단 중에서 中을 백성에게 쓰셨으니, 이것이 순이 되신 이유일 것이다.(舜其大知也與! 舜好問而好察邇言, 隱惡而揚善, 執其兩端, 用其中於民, 其斯以爲舜乎!)"라고 하였다.

107 깨닫기를 … 것이다.『論語』「憲問」에서는 "남이 나를 속일까 逆探미리 짐작하지 않고, 남이 나를 믿어주지 않을까 臆測하지 않는다. 그러나 또한 먼저 깨닫는 자가 어질 것이다!(不逆詐, 不億不信, 抑亦先覺者是賢乎!)"라고 했고, 『孟子章句』「萬章上」제7장에서는 "'하늘이 이 백성을 내심은 먼저 안 사람으로 하여금 늦게 아는 사람을 깨우치며, 선각자로 하여금 뒤늦게 깨닫는 자를 깨우치게 하신 것이다. 나는 하늘이 낸 백성 중에 선각자이니, 내 장차 이 道로써 이 백성들을 깨우쳐야 할 것이다. 내가 이들을 깨우치지 아니하고 그 누가 하겠는가!'(天之生此民也, 使先知覺後知, 使先覺覺後覺也. 予天民之先覺者也, 予將以斯道覺斯民也. 非予覺之而誰也!')"라고 하였으며, 『孟子章句』「萬章下」제1장에 "伊尹은 말하기를 '어느 사람을 섬긴들 군주가 아니며, 어느 사람을 부린들 백성이 아니겠는가?'하여, 세상이 다스려져도 나아가며 혼란해도 나아가서, 말하기를 '하늘이 이 백성을 낸 것은 먼저 안 사람으로 하여금 뒤늦게 아는 사람을 깨우쳐주며, 先覺者로 하여금 뒤늦게 깨닫는 자를 깨우치게 하신 것이다. 나는 하늘이 낸 백성 중에 先覺者이니, 내 장차 이 도(道)로써 이 백성을 깨우치겠다.'하였다.(伊尹曰: '何事非君, 何使非民?' 治亦進, 亂亦進. 曰: '天之生斯民也, 使先知覺後知, 使先覺覺後覺, 予天民之先覺者也, 予將以此道覺此民也.')"라고 하였다.

108 묻기를 좋아하고 … 드러내주며:『中庸』제6장에서는 "舜은 크게 지혜로운 분이셨다! 순은 묻기를 좋아하고 평범한 말을 살피기를 좋아하시되 악함을 숨겨주시고 착함을 드러내주시며 양 극단 중에서 中을 백성에게 쓰셨으니, 이것이 순이 되신 이유일 것이다.(舜其大知也與! 舜好問而好察邇言, 隱惡而揚善, 執其兩端, 用其中於民, 其斯以爲舜乎!)"라고 하였다.

109 억지로 함이 … 것:『孟子』「離婁下」제26장『正蒙』「至當」편[6-9-50]을 참조 장재는 또 『횡거역설』에서 "'억지

해두지 아니하며, 원망을 묵혀 두지 않는 것[110]이다.

[6-10-7]

舜之孝, 湯武之武, 雖順逆不同, 其爲不幸均矣. 明庶物察人倫, 然後能精義致用, 性其仁而行. 湯放桀有慙德而不敢赦, 執中之難也如是. 天下有道而已, 在人在己不見其間也, "立賢無方也"如是.

순임금의 효도[111]와 탕임금과 무왕의 무력 사용은 비록 따른 것[順]과 거스른 것[逆][112]이 다르기는 하지만, 불행하기는 마찬가지이다. 여러 사물의 이치에 밝으시며, 인륜을 살핀 후에야[113] 능히 의를 정밀히 하여 씀을 지극히 할[114] 수 있으며, 그 인仁을 성性으로 삼아 행할 수 있는 것이다. 탕이 걸을 몰아낸 것에는 부끄러운 덕이 있지만[115] 감히 사면치 않았으니, 중中을 잡는[116] 어려움이 이와 같은 것이다. 천하에는 도가 있을 따름이니, 남에게 있든지 자기에게 있든지 거기에 차이가 있는 것으로

로 함이 없는 일을 행하는 것'은 오직 덕을 높이는데 힘쓰는 것이니, 다만 생각을 망녕되게 하고 (의도적인) 생각을 가지면 '억지로 함이 없는 일을 행하는 것'이 아니다. '억지로 함이 없는 일을 행하는 것'은 바로 (『論語』「子罕」에서 말하는) '사사로운 뜻'과 '기필하는 마음'과 '집착하는 마음'과 '이기심'이 이미 없어진 것이다.('行其所无事', 惟務崇德, 但妄意有意, 即非'行其所无事'. '行其所无事', 則是'意'·'必'·'固'·'我'已絶.)"라고 하였다.

110 노여움을 간직해두지 … 것: 『孟子』「萬章下」 제3장에서 순임금과 이복동생 象에 대해 이야기하며, "어진 사람仁人은 아우에 대해서 노여움을 간직해 두지 아니하며, 원망을 묵혀 두지 아니하고, 그를 親愛할 뿐이다.(仁人之於弟也, 不藏怒焉, 不宿怨焉, 親愛之而已矣.)"라고 하였다.

111 순임금의 효도: 순임금과 아버지 고수에 관한 이야기는 『孟子』「萬章上」 제1장~제4장에 자세히 보인다.

112 따른 것順과 거스른 것逆: 염근조는 『正蒙補訓』에서 "자식이 부모를 섬기는 것이 '따른 것順'이고, 탕임금과 무왕이 자기 임금을 내치고 벌한 것이 '거스른 것逆'이다.(子事父爲'順', 湯武放伐其君爲'逆')"라고 하였고, 고반룡은 『正蒙釋』에서 "순임금은 비록 따른 것順이고 탕임금과 무왕은 비록 거스른 것逆이지만, 그러나 한쪽은 瞽瞍를 아버지로 삼았고, 한쪽은 桀·紂를 임금으로 삼고 있었으니, 그 불행하기는 마찬가지이다.(舜雖順, 湯武雖逆, 然一以瞽瞍爲父, 一以桀紂爲君, 其不幸均矣.)"라고 하였다.

113 여러 사물 … 후에야: 『孟子』「離婁下」에서는 "舜임금은 여러 사물의 이치에 밝으시며 人倫에 특히 살피셨으니, 仁義를 따라 행하신 것이요. 仁義를 행하려고 하신 것은 아니었다.(舜, 明於庶物, 察於人倫, 由仁義行, 非行仁義也.)"라고 하였다.

114 씀을 지극히 할: 『周易』「繫辭下」 제5장에서는 "義를 정밀히 하여 神妙한 경지에 들어감은 씀을 지극히 하기 위해서이다.(精義入神, 以致用也.)"라고 하였다.

115 부끄러운 덕이 있지만: 『書經』「仲虺之誥」에서는 "成湯이 桀王을 南巢에 幽閉시키고 부끄러워하는 德마음이 있어 말하기를 '나는 후세에 나를 口實로 삼을까 두려워한다.' 하였다.(成湯放桀于南巢, 惟有慙德. 曰, 予恐來世以台爲口實.)"라고 하였다.

116 中을 잡는: 『書經』「大禹謨」에서는 "인심은 위태롭고 도심은 은미하니, 정밀하게 하고 한결같이 하여야 진실로 그 중도를 잡을 것이다.(人心惟危, 道心惟微, 惟精惟一, 允執厥中.)"라고 하고, 『孟子』「離婁下」 제20장에서는 "탕임금은 中道를 잡으시며, 어진 이를 세우는 데에 일정한 方所가 없이 하였다.(湯執中, 立賢無方)"라고 했으며, 『論語』「堯曰」에서는 "堯임금이 말하였다. '아! 너 舜아, 하늘의 曆數가 너의 몸에 있으니, 진실로 그 中을 잡도록 하라. 四海가 곤궁해지면 天祿이 영원히 끊어질 것이다.'(堯曰, '咨! 爾舜! 天之曆數在爾躬, 允執其中. 四海困窮, 天祿永終.')"라고 하였다.

보지는 않았다. "어진 이를 세우는 데에 일정한 방소方所가 없이 하였다"[117]는 것이 이러한 것이다.

[6-10-8]

"立賢無方", 此湯所以公天下而不疑, 周公所以于其身望道而必吾見也. 疑周公上有"坐以待旦"
四字

"어진 이를 세우는 데에 일정한 방소方所가 없이 하였다"는 것은 탕임금이 천하를 공적인 것으로 여겨 의심치 않은 때문이며, 주공이 그 자신을 굽혀 도를 바라면서 반드시 자신이 그것을 보기를 기필한 때문이다.[118] 의심컨대 '주공周公'앞에 "앉아서 날이 새길 기다린다."[119]는 네 글자가 있었을 것이다.

[6-10-8-1]

黃瑞節曰 : "于, 與迂同. 出文王世子."

황서절黃瑞節[120]이 말하였다. "우于와 우迂는 같다. (『예기』)「문왕세자」에서 나왔다."[121]

· ·

117 어진 이를 … 하였다 : 『孟子』「離婁下」에서는 "탕임금은 中道를 잡으시며, 어진 이를 세우는 데에 일정한 方所가 없이 하였다.(湯執中, 立賢無方)"라고 하였다.

118 주공이 그 … 때문이다 : 『孟子』「離婁下」제20장에서는 "文王은 백성을 보기를 다칠 듯이 여기셨으며, 도(道)를 바라보시고도 보지 못한 듯이 여기셨다.(文王, 視民如傷, 望道而未之見.)"고 했고, 주자집주에서는 "而를 如로 읽어야 한다.(而讀爲如)"고 하였다. 염근조는 『正蒙補訓』에서 "이것은 탕임금과 주공의 일을 말한 것이니, 문왕은 도를 바라보시고도 보지 못한 듯 여겼고, 주공은 뜻을 이어받고 일을 전술하였으니, 그래서 자신에게서 도를 바라면서 반드시 자신이 그것을 보기를 기필한 때문이다.(此言湯與周公之事, 文王望道而未之見, 周公繼志述事, 所以於其身望道而必吾見也.)"라고 했고, 여본은 『正蒙集解』에 "탕임금이 현자를 구한 것과 주공이 도를 구한 것은 그 공변되고 근면한 마음은 한 가지일 뿐이다.(湯之求賢, 周公之求道, 其公勤之心一而已矣)"라고 하였다.

119 앉아서 날이 … 기다린다 : 『書經』「太甲上」에서는 "이윤이 마침내 다음과 같이 말하였다. '선왕께서는 아직 날이 밝기도 전에 크게 덕을 밝히시어 앉아서 아침을 기다리시며, 준걸스런 사람과 훌륭한 선비들을 사방으로 구하여 후인들을 계도하셨으니, 그 명을 무너뜨려 스스로 전복시키지 마소서.(伊尹乃言曰, 先王昧爽丕顯, 坐以待旦, 旁求俊彦, 啓迪後人, 無越厥命以自覆.)"라고 했고, 『孟子』「離婁下」제20장에서는 "주공은 세 왕을 겸하시어 네 가지 일을 시행할 것을 생각하시되, 부합하지 않는 것이 있으면, 우러러 생각하여 밤으로써 날을 이어서, 다행히 터득하시면 그대로 앉아서 날이 새기를 기다리셨다.(周公思兼三王, 以施四事, 其有不合者, 仰而思之, 夜以繼日, 幸而得之, 坐以待旦.)"라고 하였다.

120 黃瑞節 : 자는 觀樂이다. 송·원대 安福사람으로 송대에 泰和州學正을 역임했으나, 원대에는 은거하여 학문에 힘썼다. 주희가 편찬한 『太極解義』·『通書解』·『正蒙解』·『易學啓蒙』·『家禮』·『律呂新書』·『皇極經世』에 주석을 가하여 『朱子成書』라는 책을 지었다.

121 于와 迂는 … 나왔다 : 『禮記』「文王世子」에 "남의 신하가 된 자는 자기 몸을 죽이더라도 임금에게 이익이 있으면 그것을 한다. 하물며 자기 자신을 굽혀서 임금을 선하게 하는 일에 있어서랴! 주공은 넉넉히 그것을 행한다.(爲人臣者殺其身, 有益於君則爲之, 況于其身以善其君乎! 周公優爲之.)"고 했다. 于는 정현·공영달의 주소나 진호의 『禮記集說』에서 모두 迂와 迂曲으로 풀이하였다. 진호의 『禮記集說』에서는 "지금 세자를 들어 백금에게 본받도록 성왕을 가르침은 이것은 그 일을 굽게 한 것이다. 신하가 자신이 죽어 나라를 위한다 해도 오히려 그것을 하는데, 지금 주공이 스스로의 소행을 굽혀서 임금의 선함을 이루는 것은 잘 하는

[6-10-9]

帝臣不蔽, 言桀有罪, 己不敢違天縱赦 ; 旣已克之, 今天天下莫非上帝之臣, 善惡皆不可揜, 惟帝擇而命之, 己不敢不聽.

상제의 신하를 덮어 가려둘 수 없다는 것[122]은, 걸에 죄가 있어서 자기가 감히 하늘을 어겨 가며 용서해줄 수 없지만, 이미 이기고 났으니, 이제는 천하에 상제의 신하가 아닌 자가 없고, 선과 악을 모두 숨길 수가 없으니, 오직 상제만이 선택하여 명할 뿐이지, 자기는 감히 듣지 않을 수 없음을 말하는 것이다.

[6-10-10]

"虞芮質厥成", 訟獄者不之紂而之文王. 文王之生所以縻繫於天下, 由多助於四友之臣爾.

"우虞나라와 예芮나라가 그 화해할 것을 질정하니"[123], 소송을 벌이는 이들이 주紂에게로 가지 않고 문왕에게로 갔다. 문왕의 삶에서 천하에 얽매인 까닭은 네 사람의 친구인 신하[124]에게서 도움을 받

. . . .

것이 마땅하다. … 내가 듣건대 고인의 말에, 남의 신하된 자는 자신을 죽여서 임금에게 이익이 있으면 오히려 그것을 한다는데, 하물며 자신을 굽게 하여 임금을 선하게 하는데 그치겠는가! 이는 대인이 자신을 올바르게 하여 남을 바르게 하는 일이며, 주공은 위대하신 성인이므로 넉넉하게 그것을 행하였다.(今舉世子法於伯禽而敎成王, 是迂曲其事也, 人臣殺身爲國, 猶尙爲之, 今周公不過于曲其身之所行以成君之善, 宜乎優爲之也. … 吾聞古人言, 爲人臣者殺身而有益於君, 猶且爲之, 況止迂其身, 以善其君乎! 此大人正己而物正之事, 周公大聖人也, 故優爲之.)"라고 하였다.

122 덮어 가려둘 … 것 : 『書經』「湯誥」에 "너희가 선함이 있으면 내 감히 가리지 않을 것이요, 죄가 나의 몸에 당하면 감히 스스로 용서하지 않을 것이니, 살펴봄이 상제의 마음에 달려있다. 너희 만방이 죄가 있음은 책임이 나 한 사람에게 있고, 나 한사람이 죄가 있음은 너희 만방 때문이 아니다.(爾有善, 朕弗敢蔽, 罪當朕躬, 弗敢自赦, 惟簡在上帝之心.)"라고 했고, 채침주에 "簡은 閱(簡, 閱也.)이다"라고 하였다. 또 『論語』「堯曰」 제1장에서는 "堯임금이 말하였다. '(탕임금이) 말하였다. '나 小子 履는 검은 희생[玄牡]을 써서 감히 거룩하신 상제께 아룁니다. 죄가 있는 사람을 제가 감히 용서하지 못하오며, 상제의 신하를 제가 감히 가리우지 못하와, 신하를 簡擇함은 상제의 마음에 달려 있습니다. 내 몸에 罪가 있음은 萬方 때문이 아니며, 萬方에 罪가 있음은 그 책임[죄이 내 몸에 있습니다.'(曰, '予小子履敢用玄牡, 敢昭告于皇皇后帝, 有罪不敢赦. 帝臣不蔽, 簡在帝心. 朕躬有罪, 無以萬方, 萬方有罪, 罪在朕躬.')"라고 하였다.

123 虞나라와 芮나라가 … 질정하니 : 『詩經』「大雅·文王之什·緜」에 "虞·芮가 분쟁에 관해 질정하러 오거늘 문왕이 그 흥기할 기세를 동하시니(虞芮質厥成, 文王蹶厥生.)"라고 하였다. 이에 대해 『毛傳』에서는 "우나라와 예나라의 임금이 서로 영토를 다투다가 오랫동안 평화롭지 못하자 서로 말하길 '서백은 어진 사람이니 그에게로 가서 묻는 것이 어떻겠는가?' 라고 하고 서로 주나라에 조회갔다.(虞芮之君, 相與爭田, 久而不平, 乃相謂曰, 西伯仁人也, 盍往質焉, 乃相與朝周)"라고 하였다. 또 주자의 『詩經集傳』에서는 "'虞'芮'는 두 나라의 이름이고, '質'은 바로 잡는다는 것이며, '成'은 평화롭게 한다는 것이다. … '蹶生'은 아직 그 뜻을 상세히 알 수 없다. 혹자는 '蹶'이 움직여 빠르다는 것이며, '生'은 일어난다는 것이라고 하였다. … 말하자면 오랑캐가 이미 복종하고 나서 우나라와 예나라가 그 분쟁하는 것을 마치기 위해 와서 질문하니, 이에 제후들이 주나라로 귀의하는 자가 많아졌고, 문왕은 이로부터 말미암아 그 흥기할 기세를 동하였다.('虞'芮', 二國名, '質', 正, '成', 平也. … '蹶生'未詳其義. 或曰蹶, 動而疾也, '生', 猶起也. … 言昆夷旣服, 而虞芮來質其訟之成, 於是, 諸矦歸周者衆, 而文王由此, 動其興起之勢.)"라고 하였다.

음이 많았기 때문이다.

[6-10-11]

"*以杞包瓜*", 文王事紂之道也. 厚下以防中潰, 盡人謀而聽天命者與!

"박달나무에 오이를 싸는 것"이 문왕이 주를 섬긴 도리였다.[125] 아랫사람을 후하게 대함으로써 가운데가 무너지는 것을 막았으니, 사람의 계책을 다하고서 천명을 따른 이였던가!

[6-10-12]

上天之載, 無聲臭可象, 正惟儀刑文王, 當冥契天德, 而萬邦信悅. 故易曰: "*神而明之, 存乎其人*". 不以聲色爲政, 不革命爲有中國, 嘿順帝則而天下自歸者, 其惟文王乎!

하늘의 일은 묘사할 수 있는 소리도 냄새도 없지만, 바로 문왕을 본받기만 하면 마땅히 하늘의 덕에 가만히 합치하여 온갖 나라가 믿고 기뻐할 것이다.[126] 그러므로 『역』에 이르기를 "신묘神妙하게 하여 밝힘은 사람에 있다"[127]고 하는 것이다. 말소리와 얼굴빛으로 정치하지 않고, 혁명[128]하지도 않고 중

....

124 네 사람의 … 신하: 『正蒙初義』에 『補訓』을 인용하며 "이는 문왕이 네 친구의 도움을 의지했음을 말한 것이다. 『博物志』에 이르길 '閎夭 · 太顚 · 南宮适 · 散宜生이 네 친구이다'라고 하였다.(此言文王賴四友之助也. 『博物志』: 謂閎夭 · 太顚 · 南宮适 · 散宜生爲四友)"라고 한 것을 참고할 수 있다.

125 박달나무에 오이를 … 도리였다: 『周易』「姤卦」에 "구오는 박달나무로써 오이를 쌈이니, 빛나는 것을 머금고 있으면 하늘로부터 떨어지는 것이 있으리라(九五, 以杞包瓜, 含章, 有隕自天.)"라고 하였고, 주자는 『本義』에서 다음과 같이 설명하고 있다. "오이[瓜]는 음의 존재로 아래에 있는 것이며 단 맛이 나며 쉽게 망가진다. 박달나무[杞]는 높고 크고 견실한 나무이다. 五는 양강중정함으로써 위에서 괘를 주장하고, 아래로는 막 생겨나 반드시 망가지는 음을 방어하니, 그 상이 이와 같다.(瓜, 陰物之在下者, 甘美而善潰. 杞, 高大堅實之木也. 五, 以陽剛中正, 主卦於上, 而下防始生必潰之陰, 其象如此.)" 이에 대해 염근조는 『正蒙補訓』에서 "이는 『周易』을 빌려서 문왕을 묘사한 것이다. 문왕이 주왕을 섬긴 것은 역리와 부합됨이 있다. 『周易』에 이르길 '以杞包瓜'라고 한 것은 바로 문왕이 당시 주왕을 섬기던 도이다. '杞'는 나무의 위이고 '瓜'는 아랫니다. '以杞包瓜'는 아래에서 후하게 하여 스스로 무너지는 것을 방비한 것이니, 문왕이 백성을 사랑하여 그들로 하여금 배반하여 난을 일으키지 않도록 한 것 또한 이와 같다. 당시 문왕이 신하의 직분을 수행하여 그를 위해 최선을 다한 것이 이와 같으니, 후에 천명이 스스로 이르게 됨을 따랐으니, 어찌 도모함의 사사로움이 있었겠는가!(此借『易』以形文王也. 文王之事紂, 與『易』理有合焉. 『易』云'以杞包瓜', 乃文王當日事紂之道也. 杞木, 上也; 瓜, 下也. 以杞包瓜, 是厚於下而防其自中潰瀾, 文王愛民而不使之畔亂亦猶是也. 在當日, 文王所以供臣職而盡人謀者如是. 後來天命乃聽其自至, 豈有圖度之私與!)"라고 풀이하였다.

126 하늘의 일은 … 것이다: 『詩經』「大雅 · 文王之什 · 文王」에 "상천의 일은 소리도 없고 냄새도 없거니 문왕을 본받으면 만방이 진작(振作)하여 믿으리라(上天之載, 無聲無臭. 儀刑文王, 萬邦作孚.)"라고 했고, 『中庸』 제33장에도 "상천의 일은 소리도 없고 냄새도 없다.(上天之載, 無聲無臭.)"라고 하였다.

127 神妙하게 하여 … 있다: 『周易』「繫辭上」 제12장에 "신묘하게 하여 밝힘은 사람에 있고 묵묵히 이루며 말하지 않아도 믿음은 덕행德行에 있다.(神而明之, 存乎其人, 默而成之, 不言而信, 存乎德行)"라고 하였다.

128 혁명: 『周易』「革卦」「象傳」에 "천지가 고침에 사시가 이루어지며, 탕과 무가 혁명해서 하늘에 순하고 백성에게 응하니, 혁의 때가 크도다!(天地革而四時成, 湯武革命, 順乎天而應乎人, 革之時大矣哉!)"라고 하였다.

국을 가지게 되었으며, 상제의 법칙을 묵묵히 따름으로써[129] 천하가 스스로 돌아오게 한 이는 오직 문왕 뿐일 것이다!

[6-10-12-1]

黃瑞節曰 : 張子用詩語而以'不革'爲'不革命', 未詳是否.

황서절이 말하였다. 장횡거는 시의 말을 써서 '불혁不革'을 '혁명하지 않음'이라고 여겼는데, 맞는지 그른지 상세하지 않다.

[6-10-13]

可願可欲, 雖聖人之知, 不越盡其才以勉焉而已. 故君子之道四, 雖孔子自謂未能. 博施濟衆, 修己安百姓, 堯舜病諸, 是知人能有願有欲, 不能窮其願欲.

원하고 바랄 만한 것[130]은 비록 성인의 지혜라 하더라고 그 재주를 다하여 힘쓰는 것에 불과할 따름이다. 그러므로 군자의 도리 네 가지는 비록 공자라 해도 스스로 아직 능히 할 수 없다고 말하였으며,[131] 널리 베풀어 구제함이 많고 자기를 닦아 백성을 편안히 하는 것은 요와 순도 하지 못할까 근심했던 것이다.[132] 이로써 남이 원하고 바라는 것을 가질 수는 있다 해도, 그 원하고 바라는 것을 다

---

129 상제의 법칙을 … 따름으로써 : 『詩經』 「大雅·文王之什·皇矣」에 "상제께서 문왕에게 이르시되, 나는 明德의 소리와 색을 대단하게 여기지 않으며, 잘난 체하고 변혁함을 훌륭하게 여기지 않고, 사사로운 지식을 쓰지 아니하여, 상제의 법을 순히 하는 자를 사랑한다 하시다.(帝謂文王, 予懷明德, 不大聲以色, 不長夏以革, 不識不知, 順帝之則.)"라고 하였다.

130 원하고 바랄 … 것 : 『書經』 「大禹謨」에 "공경하여 네가 소유한 지위를 삼가서 백성들이 원할 만한 것을 공경히 닦아라.(欽哉, 愼乃有位, 敬修其可願.)"라고 했고, 『孟子』 「盡心下」에 "바랄만한 것을 선인이라 하고, 善을 자기 몸에 소유함을 信人이라 하고, 充實함을 美人이라 하고, 充實하여 빛남이 있음을 大人이라 하고, 大人이면서 저절로 化함을 聖人이라 하고, 聖스러워 알 수 없는 것을 神人이라 한다.(可欲之謂善, 有諸己之謂信, 充實之謂美, 充實而有光輝之謂大, 大而化之之謂聖, 聖而不可知之之謂神.)"라고 하였다.

131 군자의 도리 … 말하였으며 : 『中庸』 제13장에 "군자의 도가 네 가지인데, 丘는 하나도 잘하지 하지 못한다. 아들에게 구하는 바로 아버지를 섬기지 못하며, 신하에게 구하는 바로 임금을 섬기지 못하며, 아우에게 구하는 바로 형을 섬기지 못하며, 벗에게 구하는 바로 먼저 베풀지 못한다. 평범하고 한결같은 덕을 행하며 평범하고 한결같은 말을 삼가, 행동에 부족한 바가 있으면 감히 힘쓰지 않을 수 없으며 말에 넘치는 바가 있으면 감히 다할 수 없어서, 말이 행동을 돌아보며 행동이 말을 돌아볼 것이니, 군자가 어찌 독실하게 하지 않겠는가!(君子之道四, 丘未能一焉. 所求乎子, 以事父未能也 ; 所求乎臣, 以事君未能也 ; 所求乎弟, 以事兄未能也 ; 所求乎朋友, 先施之未能也. 庸德之行, 庸言之謹, 有所不足, 不敢不勉, 有餘不敢盡 ; 言顧行, 行顧言, 君子胡不慥慥爾!)"라고 하였다. 또한 『論語』 「憲問」 제30장에는 "군자의 道가 세 가지인데, 나는 능한 것이 없다. 仁者는 근심하지 않고, 智者는 의혹하지 않고, 勇者는 두려워하지 않는다.(君子道者三, 我無能焉. 仁者不憂, 知者不惑, 勇者不懼.)"라고도 하였다.

132 널리 베풀어 … 것이다 : 『論語』 「雍也」 제28장에 "자공이 말하였다. '만일 백성에게 은혜를 널리 베풀어 구제함이 많다면 어떻겠습니까? 仁하다고 할 만합니까? 공자가 말하였다. '어찌 仁을 일삼는 데 그치겠는가! 반드시 聖人일 것이다. 堯舜도 이에 있어서는 오히려 부족하게 여기셨을 것이다.'(子貢曰, 如有博施於民而能

실현할 수는 없다는 것을 알 수 있다.

[6-10-14]

周有八士, 記善人之富也.

주나라에 여덟 선비가 있었다[133]는 것은 선한 사람이 많았음을 기록한 것이다.

[6-10-15]

重耳婉而不直, 小白直而不婉.

중이는 유순하였지만 곧지는 못했고, 소백은 곧기는 하였지만 유순하지는 못하였다.[134]

[6-10-16]

魯政之弊, 馭法者非其人而已 ; 齊因管仲, 遂倂壞其法, 故必再變而後至於道.

노나라의 정치의 폐단은 다만 법을 쓰는 자가 그 진정한 담당자가 아니었기 때문이고, 제나라는 관중으로 인하여 마침내 그 법을 아울러 파괴하였으니, 그러므로 반드시 두 번 변하고 난 후에 도에 이르게 되는 것[135]이다.

. . . .

濟衆, 何如? 可謂仁乎? 子曰, 何事於仁, 必也聖乎 ! 堯舜其猶病諸 !)"라고 했고, 또 『論語』「憲問」 제45장에 "몸을 닦아서 백성을 편안하게 하는 것이니, 몸을 닦아서 백성을 편안하게 함은 堯舜께서도 오히려 부족하게 여기셨다!(脩己以安百姓. 脩己以安百姓, 堯舜其猶病諸!)"라고 하였다.

133 주나라에 여덟 … 있었다 : 『論語』「微子」 제11장에 "周나라에 여덟 선비가 있었으니 伯達과 伯适과 仲突과 仲忽과 叔夜와 叔夏와 季隨와 季騧이다.(周有八士, 伯達·伯适·仲突·仲忽·叔夜·叔夏·季隨·季騧.)"라고 하였다.

134 중이는 유순하였지만 … 못하였다 : 『論語』「憲問」 제16장에 "晉文公은 속이고 바르지 않으며, 齊桓公은 바르고 속이지 않았다.(晉文公譎而不正, 齊桓公正而不譎.)"라고 하였다. 주자 주에 의하면, "晉文公의 이름은 重耳이고, 齊桓公의 이름은 小白이다. … 비록 힘으로써 仁을 빌려 마음이 모두 바르지 못하였으나, 桓公은 楚나라를 칠 때에 大義를 내세워 말하였고 속임수를 사용하지 않았으니, 그래도 저것[환공]이 이것[문공]보다 나은 것이 된다. 文公은 衛나라를 쳐서 楚나라를 싸움으로 끌어들이고 陰謀로써 승리를 취하였으니, 그 속임이 매우 심하다.(晉文公, 名重耳. 齊桓公, 名小白. … 雖其以力假仁, 心皆不正, 然桓公伐楚, 仗義執言, 不由詭道, 猶爲彼善於此. 文公則伐衛以致楚, 而陰謀以取勝, 其譎甚矣.)"라고 하였다.

135 두 번 … 것 : 『論語』「雍也」 제22장에 "齊나라가 한 번 변화하면 魯나라에 이르고, 魯나라가 한 번 변화하면 先王의 道에 이를 것이다.(齊一變, 至於魯, 魯一變, 至於道.)"라고 하였다. 이에 대해 주자는 『集注』에서 다음과 같이 정자의 주해를 인용하여 설명하였다. "공자 당시에 齊나라는 강하고 魯나라는 약했으니, 누구인들 齊나라가 魯나라보다 낫다고 생각하지 않았겠는가? 그러나 魯나라는 아직도 周公의 法制가 남아 있었고, 齊나라는 桓公의 霸道로 말미암아 간략함을 따르고 功을 숭상하는 정치를 하여 太公의 遺法이 모두 없어져 버렸다. 그러므로 한 번 변화해야만 魯나라에 이를 수 있고, 魯나라는 폐지되고 실추된 것만 거행하면 될 뿐이니, 한 번 변화하면 先王의 道에 이를 수 있는 것이다.(夫子之時, 齊强魯弱, 孰不以爲齊勝魯也, 然魯猶存周公之法制. 齊由桓公之霸, 爲從簡尙功之治, 太公之遺法變易盡矣, 故一變乃能至魯. 魯則修擧廢隆而已, 一變則至於先王之道也.)"

[6-10-17]

孟子以智之於賢者爲有命, 如晏嬰知矣, 而獨不智於仲尼, 非天命耶!

맹자는 지혜가 현자에게 있어서 명에 달려 있는 경우[有命][136]가 있는 것으로 보았는데, 예를 들면 안영晏嬰이 지혜롭지만 중니仲尼에 대해서는 지혜롭지 못한 것은 천명이 아니겠는가![137]

[6-10-18]

山梲藻梲爲藏龜之室, 祀爰居之義, 同歸於不智宜矣.

기둥머리 두공에 산 모양을 조각하고 들보 위 동자기둥에 수초를 그려 거북을 간직하는 집을 만드는 것[138]이나 원거[139]에게 제사지내는 뜻은 마찬가지로 지혜롭지 못한 것으로 돌려야 마땅하다.

. . . .

136 맹자는 지혜가 … 경우 : 『孟子』「盡心下」 제24장에 "仁이 父子間에 있어서와 義가 君臣間에 있어서와 禮가 賓主間에 있어서와 智가 賢者에 있어서와 聖人이 天道에 있어서는 命이나, 本性이 있다. 그러므로 군자는 命이라 이르지 않는다.(仁之於父子也, 義之於君臣也, 禮之於賓主也, 智之於賢者也, 聖人之於天道也, 命也, 有性焉, 君子不謂命也.)"라고 하였다.

137 안영이 지혜롭지만 … 아니겠는가! : 『論語集註序說』에서는 『史記』「孔子世家」를 인용하여 "공자 나이 35세였는데, 昭公이 齊나라로 달아나 魯나라가 혼란하니, 공자께서는 이에 齊나라로 가시어 高昭子의 家臣이 되어서 景公에 통하였다. 景公이 尼谿의 土地로 공자를 봉해 주고자 하였으나, 안영이 不可하다 하니, 景公이 의혹하였다. 공자는 마침내 齊나라를 떠나 魯나라로 돌아오셨다.(孔子年三十五, 而昭公奔齊, 魯亂. 於是適齊, 爲高昭子家臣, 以通乎景公. 公欲封以尼谿之田, 晏嬰不可, 公惑之. 孔子遂行, 反乎魯)"라고 하였다.

138 기둥머리 두공에 … 것 : 오늘의 『正蒙補注』에서는 "梲은 節과 같다.(梲, 與節同.)"고 주해하였다. 『禮記』「禮器」・「明堂位」・「哀公問」, 그리고 『論語』「公冶長」에도 '山節藻梲'이라고 되어 있다. 『論語』「公冶長」 제18장에는 "공자가 말하였다. '臧文仲이 큰 거북을 보관하되 기둥머리 斗拱에는 山 모양을 조각하고 들보 위 동자기둥에는 水草를 그렸으니, 어찌 지혜롭다 하겠는가?(子曰 : 臧文仲居蔡, 山節藻梲, 何如其知也?)'라고 하였다. 주자의 集注에서는 다음과 같이 설명하고 있다. "臧文仲은 魯나라 大夫 臧孫氏이니 이름은 辰이다. 居는 '보관함[藏]'과 같다. 蔡는 큰 거북이다. 節은 기둥머리의 두공이다. 藻는 水草의 이름이다. 梲은 들보 위 동자기둥이다. 〈이는〉 점을 칠 때 사용하는 거북껍질을 보관해 두는 방을 만들면서 기둥머리 두공에는 山 모양을 조각하고 들보 위 동자기둥에는 水草를 그려놓은 것이다. … 장횡거張子가 말하였다. "節에 山 모양을 조각하고 梲에 水草를 그려 거북껍질을 보관하는 방을 만든 것과 爰居라는 새에게 제사한 의의는 모두 지혜롭지 못함에 귀결됨이 당연하다.(臧文仲, 魯大夫臧孫氏, 名辰. 居, 猶藏也, 蔡, 大龜也, 節, 柱頭斗拱也, 藻, 水草名, 梲, 梁上短柱也, 蓋爲藏龜之室而刻山於節, 畫藻於梲也. … 張子曰, 山節藻梲, 爲藏龜之室, 祀爰居之義, 同歸於不知, 宜矣.)"

139 爰居 : 바닷새의 이름. 『左傳』「文公」 2년조에 "공자가 말하길, '장문중은 어질지 못함이 세 가지 있고, 예의에 대해서 알지 못한 것이 세 가지 있었다. 전금이 어진 사람인데도 그의 지위를 떨어뜨리고, 여섯 관문을 폐지하며, 안집의 여자들에게 자리를 짜게 한 것은, 그의 세 가지 어질지 못한 점이고, 신분에 어울리지 않는 쓸데없는 것을 만들고, 거꾸로 순서를 어기어 제사지냄을 허락했으며, 원거라는 바다새에게 제사를 지낸 것은 그가 예의를 모른 세 가지 점이다.'라고 하였다.(作虛器, 縱逆祀, 祀爰居, 三不知也." 仲尼曰, "臧文仲, 其不仁者三, 不知者三. 下展禽, 廢六關, 妾織蒲, 三不仁也. 作虛器, 縱逆祀, 祀爰居, 三不知也.)"라고 했고, 『論語』「公冶長」 제17장의 주자주에서는 '作虛器'를 앞의 '山梲藻梲' 즉 방안의 기둥에다 산 모양을 조각하고 또 대들보 위에 세운 기둥에 水藻 모양의 그림을 그리는 등의 행위를 가리킨다고 보았다. 『國語』「魯語

[6-10-19]

使民義, 不害不能敎. 愛猶衆人之母, 不害使之義. 禮樂不興, 僑之病與!

(자산은) 백성을 부림에 의로웠으니,[140] 백성을 가르칠 수 없었어도 문제가 되지 않았다. 사랑하기를 뭇사람의 어머니처럼 했으니 그들을 의롭게 하는 데에 문제가 되지 않았다. 예악을 진흥시키지 못한 것이 교[141]의 단점이었을 것이다![142]

[6-10-20]

獻子者忘其勢, 五人者忘人之勢. 不資其勢而利其有, 然後能忘人之勢. 若五人者有獻子之勢, 則反爲獻子之所賤矣.

(친구를 사귐에) 맹헌자孟獻子는 그 세도를 잊었고, 다섯 사람들은 남의 세도를 잊었다. 그 세도에 의지하여 그가 가진 것을 이익으로 삼지 않게 된 후에야 남의 세도를 잊을 수가 있다. 만약 다섯 사람들이 헌자의 세도를 마음에 두었다면 도리어 헌자에게 천대받았을 것이다.[143]

· ·

上」에 "바닷새를 원거라고 한다. 노나라 동문의 밖에 와서 삼일을 머무르자, 장문중이 나라 사람들에게 그것을 제사지내도록 시켰다.(海鳥曰爰居, 止於魯東門之外三日, 臧文仲使國人祭之.)"라고 하였다.

140 백성을 부림에 … 의로웠으니 : 『論語』「公冶長」제15장에 "공자께서 子産을 두고 평하였다. '군자의 道가 네 가지 있었으니, 몸가짐이 공손하며, 윗사람을 섬김이 공경스러우며, 백성을 기름이 은혜로우며, 백성을 부림이 의로웠다.'(子謂子産, '有君子之道四焉, 其行己也恭, 其事上也敬, 其養民也惠, 其使民也義.)"라고 하였다.

141 公孫僑(?~B.C.522) : 춘추시대 정나라 대부이며, 자는 子産이다.

142 백성을 가르칠 … 것이다! : 『禮記』「仲尼燕居」제3장에 "자산은 뭇사람의 어머니와도 같았으니, 능히 그들을 먹여줄 수 있었지만, 가르쳐줄 수는 없었다.(子産猶衆人之母也, 能食之, 不能敎也.)"라고 하였다. 이 문장은 '不害'를 어떻게 이해하는지, 구두법을 어떻게 보는지에 따라서 다양한 해석이 제기된다. 여기에서는 '불해'를 '무방하다' '영향을 끼치지 않다'는 정도의 의미로 보았다. 『注解正蒙』에서는 이에 대해 다음과 같이 소개하였다. "의로우면서도 가르칠 수 있으면 예악의 일에 가깝게 되지만 자산은 잘 할 수 없었다. 오직 은혜롭게 하고 사랑하면서 의로울 수 있었으므로, 공자께서 그렇게 칭찬하신 것이다. 혹자는 '敎愛'에서 구두를 떼었으니, 위의 '不害'는 마땅히 '싫어하지 않는다'는 뜻이 된다고 여겼다.(義而能敎則幾於禮樂之事矣, 而僑未能也. 惟其惠愛而能義, 故夫子稱之. 或以'敎愛'爲句, 則上'不害'當爲不嫌之義.)"

143 맹헌자는 그 … 것이다 : 『孟』「萬章下」제3장에 "萬章이 물었다. '감히 벗에 대해서 묻습니다.' 맹자가 말하였다. '孟獻子는 百乘의 집안이었다. 벗 다섯 명이 있었는데 악정구와 목중이요, 그 세 사람은 내 그 이름을 잊었노라. 獻子가 이 다섯 사람과 벗할 적에 이 다섯 사람들은 獻子의 집안을 의식함이 없었던 자들이니, 이 다섯 사람들이 또한 獻子의 집안을 의식하고 있었다면 獻子는 이들과 더불어 벗하지 않았을 것이다.(萬章問曰 : 敢問友. 孟子曰 : … 孟獻子, 百乘之家也, 有友五人焉 : 樂正裘, 牧仲, 其三人, 則予忘之矣. 獻子之與此五人者友也, 無獻子之家者也. 此五人者, 亦有獻子之家, 則不與之友矣.)"라고 하였고, 주자集注에서는 "孟獻子는 魯나라의 어진 대부인 仲孫蔑이다.(孟獻子, 魯之賢大夫仲孫蔑也.)"라고 하면서 뒤이어 이곳의 장횡거의 말을 인용하고 있다.

顓臾主祀東蒙, 旣魯地, 則是已在邦域之中矣. 雖非魯臣, 乃吾事社稷之臣也.

전유가 동몽의 제사를 주관하였으니, 이미 노나라의 땅이 되었다면, 그것은 이미 나라의 경계 안에 있는 것이다. 비록 노나라의 신하가 아닐지라도 분명 우리 사직을 섬기는 신하이다.[144]

三十篇 第十一 제11 삼십편

[6-11-1]

三十器於禮, 非强立之謂也. 四十精義致用, 時措而不疑. 五十窮理盡性至天之命, 然不可自謂之至, 故曰知. 六十盡人物之性, 聲入心通, 七十與天同德, 不思不勉, 從容中道.

(공자께서) 30세에 예를 그릇으로 하신 것은 억지로 선 것이 아님을 말한 것이다[145] 40세에는 의義를

---

144 전유가 동몽의 … 신하이다:『論語』「季氏」제1장에 "계씨가 전유를 치려 하였는데, 염유와 계로가 공자를 뵙고 말하였다. '계씨가 전유에 전쟁을 벌이려고 합니다'. 공자가 말하였다. '求야! 이것은 너의 잘못이 아니냐? 저 전유는 옛적에 先王께서 東蒙山의 祭主로 삼으셨고, 또한 우리나라 안에 위치하고 있으니, 이는 社稷의 신하이다. 어찌 정벌할 수 있겠는가?'(季氏將伐顓臾. 冉有季路見於孔子曰: '季氏將有事於顓臾.' 孔子曰: '求! 無乃爾是過與? 夫顓臾, 昔者先王以爲東蒙主, 且在邦域之中矣, 是社稷之臣也. 何以伐爲?')"라고 했고, 이에 대한『朱子集注』에 "東蒙은 山 이름이다. 先王이 顓臾를 이 山 아래에 봉하여 그 祭祀를 주관하게 하였는데, 魯나라 땅 7백里 안에 있었다. … 季氏가 또 이것을 취해서 자기에게 보태려고 하였다. 그러므로 공자께서 '저 顓臾는 곧 先王이 봉한 나라이니, 정벌할 수 없으며, 魯나라 안에 있으니 굳이 정벌할 필요가 없으며, 社稷의 신하이니 季氏가 칠 수 있는 처지가 아니다.'라고 말하신 것이다.(東蒙, 山名. 先王封顓臾於此山之下, 使主其祭, 在魯地七百里之中. … 季氏又欲取以自益. 故孔子言顓臾乃先王封國, 則不可伐 ; 在邦域之中, 則不必伐 ; 是社稷之臣, 則非季氏所當伐也.)"라고 하였다.

145 30세에는 예를 … 것이다: 이 구절은 공자께서 나이별로 학문의 단계를 언급한『論語』「爲政」의 문장에 근거하여, 30세에서 70세까지의 역정에 대해 장횡거가 풀이한 것이다. 그 중 첫 문장인 "30세에는 예의 그릇이 이루어졌다"는 말에 대해 冉覲祖는『正蒙補訓』에서 "공자께서 '30살에 자립하였다'고 하셨고, 또 '예에 선다'고 하셨다. 장횡거는 이를 합쳐 말하여 30살의 자립을 '예의 그릇이 이루어졌다'고 여긴 것이다.(孔子云'三十而立', 又云'立於禮'. 張子合言, 以三十之立爲'器於禮'也.)"라고 주해하였다.

禮를 몸을 다스리는 그릇으로 본 사유는『禮記』「禮器」에 보이고, 장횡거에 의해서도 계승된다.『禮記』에서는「禮器」제1장 첫머리에 '禮器'에 대해 설명하면서 "예는 그릇이다. 그러므로 크게 갖추는 것이다. 크게 갖춘다는 것은 성대한 덕이다.(禮, 器. 是故大備, 大備, 盛德也.)"라고 했는데, 鄭玄은 "예기는 예가 사람으로 하여금 그릇이 되게 함을 말한 것이다.(禮器, 言禮使人成器)"라고 주석했고, 陳澔도 "예를 가지고 몸을 다스리는 도구로 삼았으니, 그러므로 크게 갖출 수 있는 것이다.(以禮爲治身之器, 故能大備)"라고 주해하였다. 장횡거는 또한『正蒙』제9장「至當」편에서 다음과 같이 설명하고 있다. "예가 그릇이 되면 몸에 간직하게 되어, 몸에 간직하면 쓰는 것마다 이롭지 않음이 없다.(禮器則藏諸身, 用無不利.)" "예가 그릇이 되면 커지니 본성을 닦게 되어 작게 이룸이 아닌 것일 것이다!(禮器則大矣, 修性而非小成者歟!)" 한편 이광지는『注解正蒙』에서 "예를 그릇으로 하다'는 것은 예가 性과 더불어 이루어진 것이다.('器於禮'者, 禮與性成)"라고 주해했

정밀히 하고 쓰임을 지극히 하며, 때에 맞게 조처하고 의혹하지 않았다.[146] 50세에는 이치를 궁구하고 성性을 다하여 천명에 이르렀지만, 그러나 스스로 '이르렀다'고 말할 수 없으므로, '알았다'고 말한 것이다.[147] 60세에는 사람과 사물의 성性을 다하여, 소리가 들어오자마자 마음에 통하였다.[148] 70

· ·

는데, 이는 『書經』「太甲上」의 "습관이 천성과 더불어 이루어지다.(習與性成)"에서 따온 말로 채침의 주에는 "惡을 익혀서 天性으로 이루어진 것이다.(習惡而性成者也.)"라고 풀이하고 있다. 즉, 예가 마치 천성처럼 자연스럽게 된다는 것인데, 역시 앞의 『正蒙』 제9장 「至當」편에서 "지혜가 미치더라도 예를 性으로 삼지 않으면 자기의 소유가 아닌 것이다. 그러므로 지혜와 예가 性을 이루고 도의가 나오니(知及之而不以禮性之, 非己有也. 故知禮成性而道義出)"라고 한 것과 같은 맥락으로 이해한 것이다.

또한 예를 통해 수양하는 것이 자연스러운 것인가라는 점과 관련하여 '억지로 선 것(强立)'의 해석에 이견이 보인다. 먼저 王植의 『正蒙初義』에서는 『禮記』「學記」의 "9년차에는 같은 부류별로 통찰하여 통달하며, 굳세게 서서 돌아오지 않으니, 이것을 크게 이룸이라고 한다.(九年知類通達, 强立而不反, 謂之大成.)"에서 따온 것이라고 보았지만 여기에서는 이런 이해가 적절치 않다. 왜냐하면 『禮記』의 이 구절에 대해 鄭玄는 "굳세게 선다'는 것은 일에 임해서 의혹됨이 없는 것이다. '되돌리지 않는다'는 것은 스승의 도를 어겨 잃지 않는다는 것이다.('强立', 臨事不惑也. '不反', 不違失師道也.)"라고 했고 주자는 "그침을 알아 定함이 있어 외물이 흔들 수 없는 것이다.(知止有定, 而物不能移也.)"라고 하는 등 대표적인 주석들이 모두 "굳세게 서다"라는 긍정적인 의미로 이해했기 때문이다.

여기에서는 문맥상 "억지로 세우다"라는 부정적인 의미로 이해하였다. 이런 맥락의 주석으로는 熊剛大가 『性理羣書句解』에서 "공자께서 나이 서른에 예에서 완성되어 수립하는 바가 있으셨으니 저절로 그러한 것이지 애써서 수립하게 됨이 아니다.(夫子年三十, 成於禮而有所立, 乃自然而然, 非勉强而有立也.)"라고 했고, 劉璣는 『正蒙會稿』에서 "'非强立'은 예를 가지고 저절로 그러하게 수립한 것이지 손질해서 고친 것이 아니다.(非强立, 謂以禮自然而立, 非矯揉也.)"라고 했으며 高攀龍은 『正蒙釋』에서 "예를 그릇으로 삼는 것은 자연스러운 덕을 완성시키는 것이다. 예를 그릇으로 삼는 것은 억지로 세우는 것이 아니다.(器於禮, 成自然之德. 器於禮, 非矯强之立也.)"라고 풀이하였다.

146 40세에는 의를 … 않았다 : 40세에 관해서는 『論語』「爲政」에 "40세에 事理에 疑惑하지 않았고(四十而不惑)"라는 언급이 있으며 이에 근거하여 '의혹하지 않았다'고 하였다. '義를 정밀히 하고 쓰임을 지극히 함'은 『周易』「繫辭下」 제5장에 "義를 정밀히 하여 神妙한 경지에 들어감은 씀을 지극히 하기 위해서요.(精義入神, 以致用也.)"이라는 구절에 근거한 것이고, '때에 맞게 조처함'은 『中庸』 제25장에 "본성의 덕으로 안과 바깥을 합하는 도이다. 그러므로 때에 맞게 조처하는 것이 마땅한 것이다.(性之德也, 合外內之道也, 故時措之宜也.)"라는 구절에 근거한 것이다.

147 50세에는 이치를 … 것이다 : 50세에 관해서는 『論語』「爲政」에 "오십에 天命을 알았고(五十而知天命)"라고 한 언급이 있는데, 장횡거는 이 곳에서 그 대신 『周易』「說卦傳」 제1장에 "이치를 窮究하고 性을 다하여 命에 이른다.(窮理盡性以至於命.)"라고 한 것을 제시하여 설명하였다. 즉 공자는 실제로 『周易』의 구절처럼 천명에 '이른[至] 경지에 도달하였지만, 겸손하기 때문에 천명을 '알았다[知]라고 말한 것으로 이해하였다.

148 60세에는 사람과 … 통하였다 : 60세에 관해서는 『論語』「爲政」에 "육십에는 귀로 들으면 그대로 이해되었고(六十而耳順)"라고 했고 주자주에 "소리가 들어오면 마음에 깨달아져서 어긋나거나 걸림이 없는 것이니, 앎이 지극하여 생각하지 않아도 깨달아지는 것이다.(聲入心通, 無所違逆, 知之之至, 不思而得也.)"라고 하였다. 또 '사람과 사물의 性을 다함'은 『中庸』 제22장에 "오직 천하의 지극한 성이라야 그 본성을 다할 수 있다. 그 본성을 다할 수 있으면 사람의 본성을 다할 수 있다. 사람의 본성을 다할 수 있으면 사물의 본성을 다할 수 있다. 사물의 본성을 다할 수 있으면 천지의 화육을 도울 수 있다. 천지의 화육을 도울 수 있으면 천지와 더불어 셋이 될 수 있게 된다.(唯天下至誠爲能盡其性. 能盡其性, 則能盡人之性, 能盡人之性, 則能盡物

세에는 하늘과 덕을 같이 하여, 생각하지 않고 힘쓰지 않고도 자연스럽게 도에 들어맞았다.[149]

[6-11-2]

常人之學, 日益而不自知也. 仲尼學行習察異於他人, 故自十五至於七十, 化而知裁, 其德
進之盛者與!

일반인들의 학문은 날마다 늘어나도 스스로 알지 못한다. (그러나) 공자는 배운 것을 행하고 익힌
것을 살피는 것[150]이 다른 사람들보다 달랐기 때문에, 15세부터 70세에 이르기까지 변화하면서도 재
단함[151]을 알았으니, 덕의 성취가 성대한 분이시다![152]

• • • • • • • • • • • • • • • • •

之性. 能盡物之性, 則可以贊天地之化育. 可以贊天地之化育, 則可以與天地參矣.)"라는 구절에 근거한 것이다.

149 70세에는 하늘과 … 들어맞았다 : 70세에 관해서는 『論語』「爲政」에 "칠십에 마음에 하고자 하는 바를 따라
도 法度에 넘지 않았다.(七十而從心所欲, 不踰矩.)"라는 언급이 있다. '생각하지 않고 힘쓰지 않고도 자연스럽
게 도에 들어맞았다'는 것은 『中庸』제19장의 "誠한 것은 하늘의 도요 誠하려고 하는 것은 사람의 도이다.
誠한 자는 힘쓰지 않아도 들어맞으며 생각하지 않아도 얻어서 자연스럽게 도에 맞으니 성인이요, 誠하려고
하는 자는 선을 가려서 굳게 잡는 것이다.(誠者, 天之道也. 誠之者, 人之道也. 誠者, 不勉而中, 不思而得,
從容中道, 聖人也. 誠之者, 擇善而固執之者也.)"에 근거한 것이다.

150 배운 것을 … 것 : 『孟子』「盡心上」에 "행하면서도 밝게 알지 못하며, 익히면서도 살피지 못한다. 그러므로
종신토록 행하면서도 그 道를 모르는 자가 많은 것이다.(行之而不著焉, 習矣而不察焉. 終身由之而不知其道
者衆也.)"라고 하였고, 주자는 『集注』에서 "'著'는 앎이 밝음이고, '察'은 앎이 정밀한 것이다. 지금 행하고
있으면서도 그 마땅히 그래야 하는 것[所當然]을 분명히 알지 못하며, 이미 익히고 있으면서도 그 그러한
까닭[所以然]을 알지 못하니, 이 때문에 종신토록 행하면서도 그 道를 알지 못하는 자가 많음을 말한 것이
다.('著'者, 知之明, '察'者, 識之精. 言方行之而不能明其所當然, 旣習矣而猶不識其所以然, 所以終身由之而不
知其道者多也.)"라고 하였다.

151 변화하면서도 재단함 : 『論語』「公冶長」에 "우리 고향의 젊은이들이 뜻은 크나 일에는 소략하여, 찬란하게
文章을 이루었을 뿐이요. 그것을 재단할 줄을 모르는구나.(吾黨之小子狂簡, 斐然成章, 不知所以裁之.)"라고
하였고, 주자는 『集注』에서 "'재단함[裁]'은 베어서 바르게 하는 것이다.('裁', 割正也.)"라고 주해하였다. 『周
易』「繫辭上」제12장에 "化해가면서도 재단함을 變이라 이른다.(化而裁之, 謂之變)"라고 했고, 이에 대해 주
자는 『본의』에서 "그 자연의 化에 따라서 재단하는 것이 變의 뜻이다.(因其自然之化而裁制之, 變之義也.)"라
고 풀이하였다. 劉儓는 『新刊正蒙解』에서 "'化'는 변화이다. '裁'는 재단하여 만들어내는 것이니, 변화의 뜻이
다. '변화하여 마름질함을 앎'은, 변화하면서 자기가 변화됨을 스스로 안다는 것을 말한 것이다. 일반인들은
행하면서도 밝게 알지 못하며, 익히면서도 살피지 못하니, 그러므로 혹시라도 날마다 늘어나는 바가 있다하
더라도 알지 못한다. 공자는 배운 것을 행하고 익힌 것을 살피는 것이 다른 사람들과 다르니, 그러므로
변화하면서도 재단함을 아는 것이다.('化', 變化也. '裁', 裁成也, 卽變化之義. 化而知裁, 言化而自知其爲化也.
常人行不著, 習不察, 故雖或日有所益而不知. 仲尼學行習察異於他人, 故化而知裁.)"라고 주해하였다.

152 일반인들의 학문은 … 분이시다 : 이 문장의 대의에 대해 吳訥은 『正蒙補注』에서 "이는 앞 장을 이어서
말한 것이다. 아마도 성인의 하나의 이치가 나이에 따라 덕을 이루는 것이, 예컨대 하늘의 한 기운이 때에
따라 정해진 일을 행하는 것과 같다.(此承上章而言. 蓋聖人一理, 隨其年而成其德, 如天之一氣, 隨其時而行
其令也.)"고 설명하고 있다. 또한 張棠・周芳은 『正蒙注』에서 "이는 위 문장을 이어서 성인의 학문이 일반
사람들과 같지 않다는 것을 말한 것이다. 배우면 반드시 행하니, 달고 쓴 것을 몸소 맛보며, 익히면 반드시

[6-11-3]

窮理盡性, 然後至於命; 盡人物之性, 然後耳順與天地參; 無意必固我, 然後範圍天地之化, 從心而不踰矩; 老而安死, 然後不夢周公.

이치를 궁구하고 성性을 다한 뒤에야 명命에 이르게 되고, 사람과 만물의 성性을 다한 뒤에야 귀에 순하여 천지와 더불어 셋이 되며, 사사로운 뜻, 기필함, 무리한 고집, 아집이 없어진[153] 뒤에라야 천지의 조화를 포괄하여 감싸고[154] 마음이 하고자 하는 바를 따라도 법도[矩]를 넘지 않았고, 늙어서 죽음을 편안히 여기게 된 후에야 주공을 꿈에서 만나지 않은 것이다.[155]

· ·

살피니, 신중히 생각하고 조사함이 이르지 않는 바가 없다. 이것이 성인의 학문이 스스로를 알 수 있게 되는 까닭이다. '화'는 변화이고, '재'는 분별이다. 성인의 학문은 나이에 따라서 함께 변화하여 공부(功候)의 수준을 분별할 수 있기 때문에, 그래서 일반인들과 달라서 홀로 덕의 나아감이 성대하다고 칭해지는 것이다.(此承上而言聖學之不同與常人也. 學之而必行則甘苦皆所親嘗, 習之而必察則考驗無所不至. 此聖學之所以能自知也. 化, 變化也; 裁, 分別也. 言聖學與時俱變而能分別其功候之淺深, 故異於常人而獨稱進德之盛也.)"라고 주해하였다.

153 사사로운 뜻 … 없어진 : 『論語』「子罕」에 "공자께서는 네 가지의 마음이 전혀 없으셨으니, 사사로운 뜻[私意]이 없으셨으며, 기필코 해야 한다는 마음이 없으셨으며, 무리하게 고집부리는 마음이 없으셨으며, 자신만을 내세우려는 마음도 없으셨다.(子絶四, 毋意, 毋必, 毋固, 毋我.)"라고 하였다.

154 천지의 조화를 … 감싸고 : 『周易』「繫辭上」 제4장에 "천지의 조화를 포괄하여 지나치지 않다.(範圍天地之化而不過.)"라고 하였다.

155 마음이 하고자 … 것이다 : 『論語』「述而」에 "심하도다. 나의 쇠함이여! 오래되었다. 내 다시는 꿈속에서 주공을 뵙지 못하였다.(甚矣, 吾衰也! 久矣, 吾不復夢見周公.)"라고 하였다. 『朱子語類』 권23에 이 부분에 대해 다음과 같은 언급이 있다. "물었다. '횡거가 이야기한 「법도를 넘지 않는다」는 것은 무엇입니까? 대답하였다. '그가 주공의 꿈을 꾸는 것을 인용한 것이 어떤 것인지 모르겠다. 그것은 별도로 하나의 설을 수립한 것인데, 결국은 이해할 수 없다.'(問 : '橫渠說「不踰矩」如何?' 曰 : '不知它引夢周公如何. 是它自立一說, 竟理會不得.')" 염근조는 『正蒙補訓』에서 "공자는 다만 칠십까지만 이야기하고 그쳤으나, 장재가 늙어서도 죽음에 편안히 여기며, 다시는 꿈에서 주공을 만나지 못한다는 말을 보충하여, 그럼으로써 (공자가) 학문을 스스로 차례매긴 때는 이미 노쇠함이 심한 나이임을 보인 것이다.(孔子只說到七十止, 張子補出老而安於死, 不復夢周公, 以見自序所學之時, 已是衰甚之年也.)"라고 주해하였다. 주자의 말처럼 횡거의 이 말은 일반적인 정주학자의 견해와 조금 다르며, 주공을 꿈에서 만나지 않는 이유나 '從心所慾不踰矩'가 앞 구절에 연속시킬 것인가 뒷 구절 '老而安死'에 연결시킬 것인가에 대해서도 주해자들의 견해가 다르다. 劉璣는 『正蒙會稿』에서 "주공을 꿈에서 만나지 못하는 것은 그 도가 끝내 행해지지 못할 것임을 아는 것이다. 그러나 오직 '마음을 따라도 법도를 넘어서지 않고' '늙어서 죽음을 편안히 여기는'자라야만이 그것을 할 수 있으니, 만일 늙어서도 꿈꾸는 것이 있다면 마음이 법도를 넘어섬이 되는 것이며 늙어서도 죽음을 편안히 여기지 못하는 것이다.(不夢周公, 知其道終不行也. 然惟'從心不踰矩''老而安死'者能之, 若老而有夢, 則心爲踰矩, 老不安死矣.)"라고 주해했고, 余本은 『正蒙集解』에서 "아랫 문장은 단장취의한 것이다. 천하에 뜻을 두지 않아서 죽음에 편안히 여기니, 그러므로 '꿈에서 주공을 만나지 않는 것'이다.(下文是斷章取義. 無志於天下而安於死矣, 故'不夢周公')"라고 주해하였다. 王植은 『正蒙初義』에서 "꿈에 주공을 뵙지 못함을 '법도를 넘어서지 않음'으로 이해한 것은, 장횡거가 ('論語』「述而」의) 나의 쇠함'이라는 말을 공자께서 칠십 세 때 하신 말씀으로 여긴 것이니, 그러므로 여기에서 '법도를 넘어서지 않음'의 실상을 드러내 보인 것이다.(以'不夢周公'爲'不踰矩'之事者, 張子以'吾衰'爲孔子七十時所言, 故即此以見'不踰矩'之實也.)"라고 주해하였다.

[6-11-4]

從心莫如夢. 夢見周公, 志也. 不夢, 欲不踰矩也, 不願乎外也, 順之至也, 老而安死也. 故
曰'吾衰也久矣'.

마음을 따르는 것은 꿈만한 것이 없다. (공자께서) 꿈에 주공을 뵌 것은 의지이다. 꿈꾸지 않은 것은
(이미) 하고자함이 법도[矩]를 넘지 않은 것이고, 바깥의 것을 원하지 않는 것[156]이고, 순順함의 지극
함[157]이니, 늙어서 죽음을 편안히 여기는 것이다. 그러므로 (공자께서) 말씀하시길 '나의 노쇠함이
여, 오래되었다'라고 하셨다.[158]

· · · · · · · · · · · · · · · · · · · ·

156 바깥의 것을 … 것:『中庸』제14장에 "군자는 그 지위에 따라서 행하고 그 바깥의 것을 원하지 않는다.(君子
素其位而行, 不願乎其外.)"라고 하였다.

157 順함의 지극함:『禮記』「禮運」에 "大順이란 산 사람을 부양하고 죽은 사람을 장례지내며 귀신을 섬기는
항상된 이치이다. 그러므로 일의 큰 것이 겹쳐서 쌓이더라도 막히지 않으며, (여러 일들이) 일시에 병행되어
도 잘못되지 않고, 작은 일이 행해져도 실수하지 않으며, 심오해도 통할 수 있고, 빽빽하고 무성해도 틈이
있으며, (두 가지가) 잇달아 있어도 서로 부딪치지 않고, (두 가지가) 동시에 함께 움직여도 서로 해치지
않는다. 이것이 順함의 지극함이다.(大順者, 所以養生送死事鬼神之常也. 故事大積焉而不苑, 並行而不繆, 細
行而不失, 深而通, 茂而有間, 連而不相及也, 動而不相害也. 此順之至也.)"라고 했고,『禮記』「祭統」에 "이런
까닭에 군자가 군주를 섬김에 반드시 몸소 이를 행하니, 윗 사람에게 편안히 여기지 않는 것을 가지고 아랫
사람을 부리지 않고, 아랫사람에게 싫어하는 것을 가지고 윗 사람을 섬기지 않으니, 남에게서 비난하는
것을 자기에게서 행하는 것은 가르치는 도리가 아니다. 이런 까닭에 군자의 가르침은 반드시 그 근본에
말미암으니, 順함의 지극함이다.(是故君子之事君也, 必身行之, 所不安於上則不以使下, 所惡於下則不以事
上, 非諸人, 行諸己, 非教之道也. 是故君子之教也, 必由其本, 順之至也.)"라고 하였다. 한편 염근조는『正蒙
補訓』에서『孟子』「盡心上」의 "命 아닌 것이 없지만, 그 올바른 命을 順하게 받아야 한다.(莫非命也, 順受其
正)"라는 맥락으로 이해해야 한다고 주해하였다.

158 마음을 따르는 … 하셨다:『論語』「述而」에 "심하도다. 나의 쇠함이여! 오래되었다. 내 다시는 꿈속에서
주공을 뵙지 못하였다.(甚矣, 吾衰也! 久矣, 吾不復夢見周公.)"라고 했고, 이에 대해 정자는 "공자가 젊었을
때에는 자나깨나 늘 주공의 道를 행하려는 마음을 두셨는데, 늘그막에 이르러서는 의지가 쇠하여, 시행할
수 없게 되었다. 道를 보존하는 것은 마음이니 마음은 늙음과 젊음의 차이가 없지만, 道를 행하는 것은
몸이니 몸은 늙으면 쇠한다.(孔子盛時, 寤寐常存行周公之道, 及其老也, 則志慮衰而不可以有為矣. 蓋存道者
心, 無老少之異, 而行道者身, 老則衰也.)"라고 주해했고, 주자는 "공자가 젊었을 때에는 주공의 도를 행하려
는 뜻을 두었기 때문에 꿈속에서 혹 주공을 뵈었었는데, 늦게 되어 道를 행할 수 없게 되자 다시 이러한
마음이 없어져 다시는 이런 꿈이 없었다. 그러므로 이로 인하여 자신의 쇠함이 심함을 스스로 탄식하신
것이다.(孔子盛時, 志欲行周公之道, 故夢寐之間, 如或見之, 至其老而不能行也, 則無復是心而亦無復是夢矣.
故因此而自歎其衰之甚也.)"라고 주해하였다. 공자가 꿈에 주공을 뵙지 못하였다는 것에 대해 정주는 육체적
인 노쇠함을 이유로 들었는데 장횡거는 이와 다른 이해를 제시하고 있다. 이에 대해 이광지는『注解正蒙』에
서 "꿈은 생각과 노력으로 미칠 수 있는 것이 아니니, 그러므로 '마음을 따른다'고 한 것이다. 늙어서 죽음을
편안히 여기지 않음은 명에 順하지 않는 것이니, 아직 바깥의 것을 원함을 면하지 못한 것이다. 바깥의
것을 원하는 것은 법도를 넘어서는 것이며, 꿈에 주공을 뵙지 못하는 것은 죽음을 편안히 여기고 명에 順한
것이다. 비록 생각과 노력으로 미치지 못할 것이긴 하지만, 또한 넘으려는 생각도 없었다.(夢者, 思勉所不及,
故曰'從心'. 老而不安死, 是不順命也, 猶未免於願外也. 願外, 是踰矩也; 不夢周公, 是安死順命. 雖思勉所不至
者, 亦無越思也.)"라고 주해했고, 염근조는『正蒙補訓』에서 "'欲不踰矩'의 '欲'字는 '從心所欲'의 '欲'이다. '꿈

[6-11-5]

困而不知變, 民斯爲下矣. 不待困而喻, 賢者之常也. 困之進人也, 爲德辨, 爲感速. 孟子謂人有德慧術知者存乎疢疾以此. 自古困於內無如舜, 困於外無如孔子. 以孔子之聖而下學於困, 則其蒙難正志, 聖德日躋, 必有人所不及知而天獨知之者矣. 故曰"莫知我也夫!", "知我者其天乎!"

곤궁하면서도 변화할 줄 모르면 백성으로서 하등이다.[159] 곤궁해지기를 기다리지 않고서도 깨우치는 것은 현명한 사람의 상리常理이다. 곤궁함이 사람을 진보시켜 덕을 분별하게 되고 감응하는 것이 빨라지게 된다.[160] 맹자가 '사람 중에 덕의 지혜와 방법상의 지혜를 가지고 있는 자는 항상 우환을 가지고 있다'[161]라고 한 것은 이 때문이다. 예로부터 안에서 곤궁함을 당한 이로는 순임금만한 이가 없고, 밖에서 곤궁함을 당한 이로는 공자만한 이가 없다.[162] 공자 같은 성인도 아래로 곤궁에서 배웠으

. . . .

에 주공을 뵌 것은 도를 행하려는 의지이다. 늙어서 도가 행해질 수 없음을 알게 되어, 마침내 다시는 꿈꾸지 않게 되니, (이는) 바로 하고자 하는 바가 법도를 넘지 않는 경지이고, 여기에서 아울러 '바깥의 것을 원하지 않고' '順함의 지극함'을 알 수 있다. '順'은 『孟子』의 '그 올바른 것을 順하게 받아야 한다'고 할 때의 '順'이다. '죽음을 편안히 여기는 것은' '順하게 받아들이니', '나의 쇠함이려고 말한 것'이니 스스로 노쇠함을 알고 편안히 여기는 것이다.('欲不踰矩', '欲'字從'從心所欲'之'欲', '夢見周公'乃行道之本志, 老而知道之不可行, 遂不復夢, 正是所欲不踰矩處, 於此並見得 '不願乎外'而'順之至', '順'即'順受其正'之'順', '安死'即'順受', '曰吾衰'者, 自知其衰而安之也.)"라고 하였다.

159 곤궁하면서도 변화할 … 하등이다 : 『論語』 「季氏」에 "태어나면서 아는 자가 上等이요, 배워서 아는 자가 다음이요, 곤궁해져서 배우는 자가 또 그 다음이니, 곤궁해졌는데도 배우지 않으면 백성으로서 下等이 된다.(生而知之者, 上也, 學而知之者, 次也, 困而學之, 又其次也, 困而不學, 民斯爲下矣.)"라고 하였다. 이에 대한 주자주에 '困은 통하지 못하는 바가 있음을 이른다.(困, 謂有所不通)'라고 했고, 유기는 『正蒙會稿』에서 이 주를 인용하였다. 염근조와 이광지도 이 문장이 『論語』의 구절과 연관이 있다고 보았다. 한편 유대(劉儓)는 『新刊正蒙解』에서 "困은 궁함이니, 행하고도 이루지 못하는 것으로, 『論語』의 '困而不學'의 困과는 다르다. 곤궁함에 처하고서도 변화할 줄 모르는 것이 일반적인 백성이다.(困, 窮也, 行不遂也, 與『論語』'困而不學'不同. 處困窮而不知變者, 凡民也.)"라고 하며 『論語』의 '困'과 구별지어야 한다고 주장하였다.

160 곤궁함이 사람을 … 된다 : '곤궁함(困)'에 대해 『周易』 「繫辭下」 제7장에 "困은 덕의 분별함이다.(困, 德之辨也.)"라고 하였다. 또 이 문장에 대해 주자는 『朱子語類』 권98에서 "횡거가 말하길 '덕의 분별함이 되고 감응력이 빨라지게 된다'고 했는데, 辨은 자세함이고 '感速'은 내가 느껴서 움직이는 것이 빠르다는 것을 말한다.(橫渠言 : '爲德辨, 爲感速.' '辨', 猶子細; '感速', 言我之感發速也.)"라고 풀이하였다. 한편 高攀龍은 『正蒙釋』에서 "'困'은 德의 辨이고, 辨은 밝아짐(明)이다. 사람이 곤궁함에 처했을 때 기민하게 깨달아 두루 이해할 수 있으니 그러므로 덕이 밝아지게 된다. 발분하여 흥기할 수 있으니 그러므로 감응이 빨라진다.(困, 德之辨也, 辨, 明也. 人處困之時, 則能警悟通曉, 故爲德辨, 能奮發興起, 故爲感速.)"라고 주해하였다.

161 사람 중에 … 있다 : 『孟子』 「盡心上」에 "사람 중에 德의 지혜와 방법상의 지혜를 가지고 있는 자는 항상 우환을 가지고 있다.(人之有德慧術知者, 恒存乎疢疾.)"라고 하였다.

162 안에서 곤궁함을 … 없다 : 張棠과 周芳은 『正蒙註』에서 "안은 가정을 말한 것이고, 밖은 천하를 말한 것이다.(內謂家庭, 外謂天下)"라고 주해하였다. 熊剛大의 『性理群书句解』와 吳訥의 『正蒙補注』에 "순임금의 아버지는 완악하고 어머니는 어리석으며 이복동생 象은 오만한 것, 이것이 안에서 곤궁함을 당한 것이다.(舜之父頑, 母嚚, 象傲, 是困於內也.)"라고 주해했고, 왕식의 『正蒙初義』에서는 염근조의 『正蒙補訓』을 인용하여

니[163] 어려움을 만나서 뜻을 바르게 하고,[164] 성스러운 덕이 날마다 진보하였으니,[165] (그 가운데에는) 반드시 사람이 알지 못하나 하늘만이 홀로 아는 것이 있었다. 그러므로 (공자께서) 말씀하시기를 "아무도 나를 알아주는 이가 없구나!" "나를 알아주는 것은 오직 하늘일 뿐일 것이다!"[166]라고 하셨다.

[6-11-6]

"立斯立, 道斯行, 綏斯來, 動斯和", 從欲風動, 神而化也. 仲尼生於周從周禮, 故公旦法壞, 夢寐不忘爲東周之意. 使其繼周而王, 則其損益可知矣.

"세우면 서고, 인도하면 따르고, 편안하게 해주면 따라오고, 고무시키면 화和하니"[167] 바라는 대로 따라 바람결에 움직이는 듯[168] 신묘하게 교화[化]된다.[169] 공자는 주나라에서 태어나서 주나라의 예법

"공자께서 평생동안 때를 만나지 못하신 것이 곤궁함이다.(孔子終身不遇是困)"라고 주해하였다.

163 공자 같은 … 배웠으니 : 冉覲祖는 『正蒙補訓』에서 "'下學於困'은 곤궁한 데에서 아래로부터 배우는 공부를 사용한 것이다. '蒙難'은 곤궁함에 처함을 말하며, '躋'는 올라감이다.('下學於困', 因困而用下學之功. '蒙難', 謂處困也, '躋', 升也.)"라고 주해하였다. 웅강대는 "공자의 위대한 聖으로도 다만 곤궁함에 처했을 때에는 아래로부터 배우는 것만을 알았다. 비록 환난을 만났더라도 더욱 그 마음이 향하는 바를 올바르게 하였다. 難은 去聲이다. 이미 성인이신데도 더욱 그 이치를 극진히 하여, 날마다 그 덕이 진보되었다. 이것은 사람들은 알 수 없지만 하늘은 진실로 알고 있으므로 사람들이 모두 나를 알아주는 사람이 없고, 나를 아는 자는 오직 하늘일 뿐이라고 말한 것이다. 아래에서 공부를 하면 배우는 공부는 자연히 위로 天德에까지 도달하는 것이니, 이것을 어찌 사람들이 알 수 있는 바이겠는가?(以夫子之大聖, 但知下學於處困之時. 雖蒙患難, 益正其心之所向. 難, 去聲. 旣聖而愈極其理, 日進其德. 蓋有人不能知, 而天實知之, 故言人皆莫己之知, 知我者, 惟天而已. 蓋下學工夫, 自然上達天德, 此豈人所能知耶?)"라고 주해하였다.

164 어려움을 만나서 … 하고 : 『周易』 明夷卦 「象傳」에 "밝음이 땅 속으로 들어감이 明夷이니, 안은 문채나고 환하며[文明] 밖은 柔順하여 큰 患難을 무릅썼으니, 文王이 이것을 사용하였다. '어려울 때에 貞함이 이로움'은 그 밝음을 감춘 것이다. 안으로 혼란이 있지만 그 뜻을 바르게 하였으니, 箕子가 이것을 사용하였다.(明入地中, 明夷, 內文明而外柔順, 以蒙大難, 文王以之. '利艱貞', 晦其明也. 內難而能正其志, 箕子以之.)"라고 하였다.

165 성스러운 덕이 … 진보하였으니 : 『詩經』 「商頌·長發」에 "湯임금의 誕降이 늦지 않으시며 聖과 敬이 날마다 진전되었다.(湯降不遲, 聖敬日躋.)"라고 하였다.

166 아무도 나를 … 것이다! : 『論語』 「憲問」에 "공자가 말하였다. '나를 알아주는 이가 없구나!' 자공이 말하였다. '어찌하여 선생님을 알아주는 이가 없는 것입니까' 하자, 공자가 말하였다. '(나는) 하늘을 원망하지 않으며 사람을 탓하지 않고, 아래로부터 배우면서 위로 통달하니, 나를 알아주는 것은 하늘일 것이다.(子曰 : '莫我知也夫!' 子貢曰 : '何爲其莫知子也?' 子曰 : '不怨天, 不尤人. 下學而上達, 知我者其天乎!')"라고 하였다.

167 세우면 서고, … 和하니 : 『論語』 「子張」에 "만일 부자께서 나라를 얻으신다면 이른바 세우면 서고, 인도하면 따르고, 편안하게 해주면 따라오고, 고무시키면 和하여, 그가 살아 계시면 영광스럽게 여기고, 돌아가시면 슬퍼한다는 것이니, 어떻게 따라갈 수 있겠는가.(夫子之得邦家者, 所謂立之斯立, 道之斯行, 綏之斯來, 動之斯和, 其生也榮, 其死也哀, 如之何其可及也?)"라고 하였다.

168 바라는 대로 … 듯 : '風動'은 바람이 무엇을 움직인다는 뜻으로, 백성들이 스스로 따라서 감화됨을 뜻한다. '從欲'은 '風動'과 함께 『書經』에서 쓰인 '바라는 대로 다스려지는' 순임금의 교화를 가리키는 것이다. 『書經』

을 따랐다. 그러므로 주공의 예법이 무너지자 꿈 속에서도 동주東周를 만들려는 뜻을 잊지 않았다.[170] 만약 공자가 주나라를 이어받아 왕이 되었더라면 그 덜고 보탬을 알 수 있을 것이다.[171]

．．．．．．．．．．．．．．．．．．．．

「虞書·大禹謨」에 "帝舜이 말씀하였다. '나로 하여금 바라는대로 다스려져서 四方이 바람결에 움직이듯 하니[風動] 하니, 이는 바로 너의 아름다운 공이다.'(帝曰: '俾予從欲以治, 四方風動, 惟乃之休.')"라고 했고, 이에 대해 채침은 『集傳』에서 "백성들이 법을 범하지 않아서 윗사람이 형벌을 쓰지 않는 것이 舜이 바라는 바이다. 너는 내가 바라는 대로 다스려져서 교화가 사방에 도달할 수 있게 함이 마치 바람이 불 때 한 방향으로 쏠리지 않음이 없는 것과 같으니, 이것은 바로 너의 아름다움이다.(民不犯法而上不用刑者, 舜之所欲也. 汝能使我, 如所願欲以治, 敎化四達, 如風鼓動, 莫不靡然, 是乃汝之美也.)"라고 주를 달고 있다. 한편 '從欲'을 공자의 인격적인 경지를 가리키는 '從心所欲'의 의미로 보는 견해도 있다. 유대는 "從欲風動은 『書經』「우서」에 보인다. 순의 교화와 공자의 덕은 한 가지일 뿐이다.(從欲風動, 見「虞書」. 舜之化, 孔子之德, 一而已矣.)"라고 주해하였고, 이광지는 이 둘을 나누어 『注解正蒙』에서 "하고자 함이 있으면 곧 따르는 것이 신묘함이고, 바람이 있으면 곧 움직이는 것이 화이다.(有欲斯從, 神也; 有風斯動, 化也.)"라고 주해했는데, 왕식이 『正蒙初義』에서 "종욕풍동"은 지나가면 교화되고 그 속에 신묘함을 보존하고 있음을 말한 것이다. 이광지의 주석에서 '하고자 함이 있으면 따르는 것이 신묘함이고 바람이 있으면 움직이는 것이 화'라는 것은 안배한 것이 정확하지 않다.(從欲風動', 言過化而存神在其中, 李注'有欲斯從爲神, 有風斯動爲化', 分配未確)"라고 회의를 표시한다.

169 신묘하게 교화化된다 : 『周易』「繫辭下」제2장에 "神農氏가 별세하자, 黃帝와 堯·舜이 나오시어 그 變을 通하여 백성을 게으르지 않게 하며 신묘하게 교화하여 백성에게 마땅하게 하였다.(神農氏沒, 黃帝堯舜氏作, 通其變, 使民不倦, 神而化之, 使民宜之.)"라고 하였다.

170 東周를 만들려는 … 않았다 : 『論語』「陽貨」에 "나를 부르는 자가 어찌 헛되이 그러겠느냐? 나를 써 주는 자가 있다면, 나는 東周를 만들 것이다.(夫召我者, 而豈徒哉? 如有用我者, 吾其爲東周乎!)"라고 하였다. 염근조는 『正蒙補訓』에서 "『論語』에서 이른바 '세우고' '인도하고' '편안하게 하고' '고무시킨다'는 것은 순임금 당시의 '바라는 대로 따라 (사방이) 바람결에 움직이는 듯'한 것과 같은 것이니 신묘함을 보존하고 지나가는 곳마다 교화되는 것이다. 공자는 주나라에서 태어났기 때문에 주나라의 예를 따랐고, 그러므로 주공의 예법이 노나라에서 무너지자, 몽매 중에도 동주를 만들려는 뜻을 잊지 않았으니, 그래서 王制를 따른 것이다. 공자가 지위를 얻어서 주왕실을 이어 왕노릇을 할 수 있게 되었다면, 덜고 보태는 것에는 반드시 크게 볼만한 것이 있음을 알 수 있을 것이다. '세우고' '인도하고' '편안하게 하고' '고무시키는' 것에 이르러서는 신묘함을 보존하고 지나가는 곳마다 교화되니 무슨 어려움이 있겠는가?(『論語』所云'立'道'綏'動, 同於舜當日之'從欲風動', 乃存神而過化也. 仲尼因生於周, 從周之禮, 故公旦法壞於魯, 仲尼夢寐中不忘爲東周之意, 所以遵王制也. 使其得位繼周而王, 則其所損益必大有可觀可知矣. 以至於立道綏動, 存神過化, 何難哉?)"라고 주해하였다.

171 그 덜고 … 것이다 : 『論語』「爲政」에 "殷나라는 夏나라의 禮를 因襲하였으니, 덜고 보탠 것을 알 수 있으며, 周나라는 殷나라의 禮를 因襲하였으니, 덜고 보탠 것을 알 수 있다. 혹시라도 周나라를 잇는 자가 있다면 비록 百世 뒤라도 알 수 있을 것이다.(殷因於夏禮, 所損益可知也, 周因於殷禮, 所損益可知也, 其或繼周者, 雖百世可知也.)"라고 하였다. 고반룡은 『正蒙釋』에서 "주왕실을 이어서 왕노릇하게 되었다면, 그 덜고 보탬에 마땅히 (『論語』「衛靈公」에서) 안연에게 (하나라의 책력을 행하며, 은나라의 수레를 타며, 주나라의 면류관을 쓰며, 음악은 韶舞를 취한다고) 나라 다스리는 것을 알려준 것과 같은 것이 있었을 것이니, 어찌 다만 주나라를 따르는데 그쳤을 뿐이겠는가?(使繼周而王, 其損益當有如告顏子爲邦者, 豈止從周已哉?)"라고 주해했고, 왕식은 『正蒙初義』에서 "'덜고 보탬을 알 수 있다.(損益可知)'는 것은 비록 주나라의 예를 모조리 다 따르지는 않음을 알 수 있지만 결국은 주나라의 예를 따르는 뜻을 중시했다.(損益可知', 雖見不盡從周, 畢竟

[6-11-7]

滔滔忘反者, 天下莫不然, 如何變易之. "天下有道, 丘不與易". 知天下無道而不隱者, 道不遠人. 且聖人之仁, 不以無道必天下而棄之也.

도도히 흘러가기만 하고 돌아올 줄 모르는 것은, 천하가 모두 그렇지 않은 것이 없으니, 어떻게 그것을 바꾸겠는가? "천하에 도가 있다면 내[丘] 함께 바꾸려 하지 않을 것이다."[172]하였으니, 천하에 도가 없음을 알면서도 은둔하지 않는 것[173]은 도가 사람에게서 멀지 않기 때문이다.[174] 또 성인聖人의 인仁은 도道가 없다고 천하를 단정하여 버리지 않는다.

[6-11-8]

仁者先事後得, 先難後獲. 故君子事事則得食, 不以事事, "雖有粟, 吾得而食諸?" 仲尼少也, 國人不知, 委吏乘田, 得而食之矣. 及德備道尊, 至是邦必聞其政, 雖欲仕貧, 無從以得之, 今"召我者, 而豈徒哉?", 庶幾得以事事矣, 而又絕之, 是誠繫滯如匏瓜不食之物也.

어진 사람은 일을 먼저 하고 얻는 것을 뒤로 하며,[175] 어려운 것을 먼저 하고 얻는 것을 뒤에 한다.[176] 그러므로 군자는 일에 종사하면 녹봉을 받아먹고, 일을 하지 않으면 "비록 곡식이 있다 하더라도 내가 그것을 먹을 수 있겠는가?"[177]하였다. 공자가 젊었을 때에는 나라 사람들이 잘 알지 못하

重從周意)"라고 주해하였다.

172 천하에 도가 … 것이다:『論語』「微子」에 "桀溺이 말하였다. '… 滔滔한 것이 天下가 모두 이러하니, 누구와 더불어 변역시키겠는가?(桀溺曰:… 滔滔者天下皆是也, 而誰以易之?)'라고 한 걸닉의 말에 대한 공자의 대답이다.

173 천하에 도가 … 것:『論語』「泰伯」에는 "천하에 道가 있으면 나타나 벼슬하고, 道가 없으면 숨어야 한다.(天下有道則見, 無道則隱.)"라고 하였다.

174 도가 사람에게서 … 때문이다:『中庸』제13장에 "도가 사람에게서 멀지 않으니, 사람이 도를 행하면서 사람을 멀리한다면 도라고 할 수 없다.(道不遠人, 人之爲道而遠人, 不可以爲道.)"라고 하였다. 염근조는『正蒙補訓』에서 "'천하에 도가 있다면 내[丘]가 함께 바꾸려 하지 않을 것이다.'라는 것은 바로 오직 도가 없어야 바꾸려 한다는 것이다. 그렇게 하는 까닭은 도가 본래 사람에게서 멀지 않아 한 번 바꾸면 곧 도와 부합하기 때문이다. 또 성인은 천하를 어진 마음으로 사랑하니 천하를 바꿀 수 없다고 하여 포기해버리려 하지 않는다.('天下有道, 丘不與易', 正惟無道方易. 所以然者, 蓋以道本不遠於人, 一變易即合道. 且聖人仁愛天下, 不肯謂天下不可易而遂棄之也.)"라고 주해하였다.

175 어진 사람은 … 하며:『論語』「顏淵」에 "樊遲가 공자를 따라서 舞雩의 아래에 놀았는데, 질문하였다. '감히 德을 높이며, 간특함을 닦으며, 의혹을 분별함을 묻겠습니다. 공자가 말하였다. "좋다! 네 질문이여. 일을 먼저하고 얻는 것을 뒤로 함이 德을 높이는 것이 아니겠는가?(樊遲從遊於舞雩之下, 曰:'敢問崇德修慝辨惑'. 子曰:'善哉問. 先事後得, 非崇德與?')"라고 하였다.

176 어려운 것을 … 한다:『論語』「雍也」에 "樊遲가 智에 대하여 묻자, 공자가 말하였다. '사람이 지켜야 할 도리를 힘쓰고 귀신을 공경하되 멀리한다면 智라 말할 수 있다.' 다시 仁에 대하여 묻자, 또 말하였다. '仁者는 어려운 일을 먼저 하고 얻는 것을 뒤에 하니, 이렇게 한다면 仁이라고 말할 수 있다'.(樊遲問知, 子曰:'務民之義, 敬鬼神而遠之, 可謂知矣. 問仁, 曰:'仁者先難而後獲, 可謂仁矣'.)"라고 하였다.

177 그러므로 군자는 … 있겠는가?: '일에 종사함'에 대해서『書經』「商書·說命中」에 "오직 일에 從事하여야

여, 위리委吏[곡식의 출납을 맡은 관리]나 승전乘田[가축의 사육을 맡은 관리]이 되어서 녹봉을 받아먹었다. 덕이 갖추어지고 도가 높아지게 되자 어느 나라에 가든지 반드시 정사政事를 듣게[178] 되었으니, 설사 가난 때문에 벼슬을 하기를 바란다 하더라도[179] 그렇게 될 수 없었다. 이제 "나를 부르는 자가 어찌 공연히 부르겠는가?"[180]라고 했으니, 거의 일에 종사할 수 있게 되었는데도, 다시 거절한다면, 이는 진실로 매달려 묶여 있어서 쓰이지 않는 뒤웅박과 같은 존재이다.[181]

. . . .

바로 대비가 있게 되는 것이니, 대비가 있어야 근심이 없을 것입니다.(惟事事乃其有備, 有備, 無患)"라고 하였다. 또『論語』「顏淵」에 "진실로 만일 임금이 임금노릇을 못하며, 신하가 신하노릇을 못하며, 아버지가 아버지노릇을 못하며, 자식이 자식노릇을 못한다면, 비록 곡식이 있은들 내 그것을 먹을 수 있겠습니까?(信如君不君, 臣不臣, 父不父, 子不子, 雖有粟, 吾得而食諸?)"라고 하였다.

178 어느 나라에 … 듣게:『論語』「學而」에 "공자夫子께서 어느 나라에 가든지 반드시 그 政事를 들으시니, 구하는 것입니까? 아니면 주는 것입니까?(夫子至於是邦也, 必聞其政, 求之與? 抑與之與?)"라고 했고, 주자주에서는 "그러므로 당시의 임금이 공경하고 믿어서 스스로 그 政事를 가지고 찾아와 물었을 뿐이다.(故時君敬信, 自以其政就而問之耳.)"라고 설명하였다.

179 설사 가난 … 하더라도:『孟子』「萬章」에 "벼슬함은 가난 때문이 아니지만, 때로는 가난 때문인 경우가 있으며, 아내를 얻음은 봉양을 위해서가 아니지만, 때로는 봉양을 위한 경우가 있다.(仕非爲貧也, 而有時乎爲貧, 娶妻非爲養也, 而有時乎爲養.)"라고 하였다. 왕부지는『張子正蒙註』에서 "지위와 명망이 이미 높으니, 다시는 낮은 관직을 할 수 없었다.(位望旣尊, 不可復爲卑官)"라고 주해했고, 염근조는『正蒙補訓』에서 "공자가 나이가 젊었을 때에는 사람들이 성인임을 몰라봐서, 위리가 되거나 승전이 되었으니, 가난 때문에 벼슬하여 남의 밥을 얻어먹을 수 있었다. 그 도가 높고 덕이 갖추어짐에 따라 사람들이 모두 성인임을 알게 되자, 어느 나라에 가든지 반드시 그 정사를 듣게 되었으니, 가난 때문에 벼슬하고자 하여도 다시는 그럴 수가 없었다.(仲尼年少, 人不知爲聖人, 爲委吏, 爲乘田, 所以爲貧而仕, 得以食人之食. 及其道尊德備, 人皆知爲聖人, 至是邦必聞其政, 雖欲爲貧而仕, 不可復得.)"라고 설명하였다.

180 나를 부르는 … 부르겠는가?:『論語』「陽貨」에 "公山弗擾가 費邑을 가지고 반란을 일으키고 공자를 부르니, 공자가 가려고 하였다. 자로가 기뻐하지 않으며 말하기를 '가지 않을 뿐, 하필이면 公山氏에게 가시려 하십니까?'라고 하니, 공자가 말하였다. '나를 부르는 자가 어찌 공연히 부르겠는가? 나를 써 주는 자가 있다면, 나는 東周를 만들 것이다!'(公山弗擾以費畔, 召, 子欲往. 子路不說曰 : 末之也已, 何必公山氏之之也? 子曰 : 夫召我者, 而豈徒哉? 如有用我者, 吾其爲東周乎!)"라고 하였다.

181 매달려 묶여 … 존재이다:『論語』「陽貨」에 "佛肸이 공자를 부르니, 공자께서 가려고 하셨다. 자로가 말하였다. '옛날에 제가 선생님夫子께 듣기를, 「직접 그 몸에 착하지 않은 행동을 하는 자에게는 군자가 들어가지 않는다.」고 하셨습니다. 필힐이 지금 中牟邑을 가지고 배반하였는데 선생님夫子께서 가려고 하시니, 어찌해서입니까?' 공자가 말하였다. '그렇다. 그런 말을 한 적이 있거니와, 단단하다고 말하지 않는가, 갈아도 얇아지지 않으니. 희다고 말하지 않는가, 검은 물을 들여도 검어지지 않으니. 내가 어찌 뒤웅박과 같아서 한 곳에 매달려 먹지도 못하는 것일 수 있겠는가?(佛肸召, 子欲往. 子路曰 : '昔者由也聞諸夫子曰 :「親於其身爲不善者, 君子不入也.」佛肸以中牟畔, 子之往也, 如之何!' 子曰 : '然. 有是言也. 不曰堅乎, 磨而不磷 ; 不曰白乎, 涅而不緇.' 吾豈匏瓜也哉, 焉能繫而不食?)"라고 하였다. 이에 대해 염근조는『正蒙補訓』에서 "공산불요와 필힐의 부름이 있게 되자, 공연히 그런 것이 아님을 알고서, 반드시 일에 종사함이 있는데도 또 굳게 버텨 거절하면, 이는 진실로 매달려 묶여 있는 뒤웅박과 같이 먹을 수 없는 존재이다. 어찌 그것이 올바르겠는가? 이 절은 끝 단락을 중시하여 공자가 공산불요와 필힐에게 응하고자 했던 뜻을 드러냈으나 결국은 응하지 않았다. 끝내 (그들을) 섬길 수 없음을 알았으니, (뒤웅박처럼) 먹을 수 있는지의 여부는

[6-11-9]

不待備而勉於禮樂, "先進於禮樂"者也. 備而後至於禮樂, "後進於禮樂"者也. 仲尼以貧賤者必待文備而後進, 則於禮樂終不可得而行矣. 故自謂野人而必爲, 所謂"不願乎其外也".

갖추어지기를 기다리지 않고서도 예악에 힘쓰는 것[182]은 "선배들이 예악에 대하여 한 것"이고, 갖추어진 이후에 예악에 이르게 되는 것은 "후배들이 예악에 대하여 하는 것"이다.[183] 공자가 빈천한 자로서 반드시 문文이 갖추어지기를 기다린 후에야 나아갔다면, 예악을 끝내 행할 수 없었을 것이다. 그러므로 스스로 야인野人이라 이르고 반드시 행하였으니,[184] "그 바깥의 것을 원하지 않는다"[185]는

· ·

따질 것도 없다.(及有公山佛肸之召, 知非徒然, 必有所事事而又堅執以拒絶之, 是誠繫滯如匏瓜不食之物也. 豈其可哉? 此節重末段, 所以發孔子欲應公山佛肸之意, 而究之不應者. 知其終無可事, 固不計食也.)"라고 주해하였다. 그러나 華希閔이 『正蒙輯釋』에서 "말하자면 나를 부르는 것이 헛되이 그러는 것이 아니니, 반드시 나에게 일을 맡김이 있는 것이지만, 그것을 거절하고 부름에 나아가지 않으면 녹봉을 얻어먹을 수 있는 때가 없게 된다. 그러므로 성인은 뒤웅박의 먹을 수 없는 것으로 비유를 삼은 것이다. 이는 주자주와 부합하지 않는다.(言召我者不徒然, 則必任我以事, 拒之而不赴召, 則無得食之時. 故聖人以匏瓜之不食爲喩. 此與朱注不合)"라고 주해했듯이, 전통적인 정주의 이해와는 다르다.

주자의 『論語集註』에서는 먼저 공산불요의 이야기에 대해 다음과 같이 이정의 주를 인용하고 있다. "聖人께서는 천하에 훌륭한 일을 할 수 없는 사람이 없으며, 또한 허물을 고칠 수 없는 사람이 없다고 생각하였기 때문에 찾아가려고 하셨던 것이다. 그러나 끝내 찾아가지 않으신 것은 그가 반드시 고치지 못할 것을 아셨기 때문이다.(聖人, 以天下無不可有爲之人, 亦無不可改過之人, 故欲往. 然而終不往者, 知其必不能改故也.)" 또 필힐의 이야기에는 다음과 같이 張敬夫의 주해를 인용하였다. "자로가 예전에 들었던 것은 군자가 몸을 지키는 떳떳한 법이고, 공자께서 지금 하신 말씀은 성인이 道를 체득하는 큰 權道이다. 그러나 공자께서 公山과 佛肸의 부름에 모두 가려고 하셨던 것은, 천하에 변화시키지 못할 사람이 없고, 하지 못할 일이 없다고 생각하셨기 때문이며, 끝내 가시지 않은 것은 그 사람을 끝내 변화시킬 수 없고, 그 일을 끝내 할 수 없다는 것을 아셨기 때문이다. 하나는 만물을 생성시키는 仁이고, 하나는 남을 알아보는 智慧이다.(子路昔者之所聞, 君子守身之常法, 夫子今日之所言, 聖人體道之大權也. 然夫子於公山佛肸之召, 皆欲往者, 以天下無不可變之人, 無不可爲之事也, 其卒不往者, 知其人之終不可變而事之終不可爲耳. 一則生物之仁, 一則知人之智也.)"

182 갖추어지기를 기다리지 … 것: 웅강대는 『性理群书句解』에서 "예악의 文이 이미 갖추어지기를 반드시 기다리지 않고, 앞서 예악에 힘쓸 수 있는 것(不必候禮樂之文既備, 而先能勉於禮樂)"이라고 주해하였다. 염근조는 『正蒙補訓』에서 "의례의 형식[儀文이 갖추어지기를 기다리지 않고도 스스로 예악에 힘쓰는 것(不待儀文之備而自勉於禮樂者)"이라고 주해하였다.

183 "선배들이 예악에 … 것"이다: 『論語』「先進」에 "선배들이 禮樂에 대하여 한 것을 (지금 사람들이) 촌스러운 사람이라 하고, 후배들이 예악에 대하여 하는 것을 군자라고 한다. (내가) 만일 禮樂을 쓴다면 나는 선배를 따르겠다.(先進於禮樂, 野人也; 後進於禮樂, 君子也. 如用之則吾從先進.)"라고 하였다.

184 공자가 빈천한 … 행하였으니: 염근조는 『正蒙補訓』에서 "스스로 야인이라고 이르고 반드시 행하였다는 것은 文이 갖추어지기를 기다리지 않은 것이다. 이에 의하면 文은 禮와 物을 가리켜 말하고, 읍하여 사양하고 나아가며 돌아오는 거동이 아니다.(自謂野人而必爲, 不待文備也. 據此則文指禮物說, 非揖讓進反之儀.)"라고 주해했고, 웅강대는 『性理群书句解』에서 "공자夫子가 그 때를 얻지 못했고 그 지위를 얻지 못한 것이, 바로 가난하고 비천한 한 사람이니, 만일 반드시 예악의 형식[文이 갖추어지길 기다린 다음에 나아간다면 예와 악에 대해서 끝내 행할 수 있는 날이 없게 된다. 그러므로 공자가 '만일 예악을 쓴다면 나는 선배를

것이다.

[6-11-10]
功業不試, 則人所見者藝而已.

(공자는) 공훈이나 업적을 내는 일[功業]을 해보지 않았으니, 사람들이 보는 것은 재주[藝]였을 뿐이다.[186]

[6-11-11]
鳳至圖出, 文明之祥. 伏羲舜文之瑞不至, 則夫子之文章知其已矣.

봉황새가 날아오고 (황하에서) 그림[하도河圖]이 나오는 것은 모두 문명의 상서로움이다. 복희, 순임금, 문왕의 상서로움[187]이 일어나지 않으니 공자의 문장文章[예악제도]도 그만임을 알게 되었다.[188]

· · · · · · · · · · · · · · · · ·

따르겠다'라고 스스로 말한 것이니, 야인의 대열에 자처하여 반드시 그것을 행하고자 한 것이다.(夫子無其時無其位, 乃一貧一賤之人, 如必待禮樂之文備而後進, 則其於禮與樂, 終無可行之日矣. 故夫子自言'如用之, 則吾從先進', 自處於野人之列而必爲之.)"라고 주해하였다.

185 그 바깥의 … 않는다 : 『中庸』제14장에 "군자는 그 지위에 따라서 행하고 그 바깥의 것을 원하지 않는다.(君子素其位而行, 不願乎其外.)"라고 하였다. 웅강대는 『性理群书句解』에서 앞의 주해에 이어 "이와 같은 것은 모두 바깥에서 구하지 않는 것이니, 반드시 예악의 文이 갖추어지기를 기다린 이후에 나아가는 것은, 반드시 부귀를 기다린 이후에 할 수 있는 것이니, 이는 그 바깥에서 구하는 것이다.(若此者, 皆是不願乎外, 蓋必待禮樂之文備而後進, 則必須富貴而後能, 是願乎其外也.)"라고 주해하였다.

186 (공자는) 공훈이나 … 뿐이다 : 『論語』「子罕」에 "선생께서 말씀하시기를 '내가 세상에 등용되지 못했기 때문에 (여러 가지) 재주를 익혔다.'고 하셨다.(子云 : 吾不試, 故藝.)"라고 주자는 『集注』에서 "'試'는 등용되는 것이다. 세상에 등용되지 못하였기 때문에 여러 가지 재주를 익혀 통달했음을 말한 것이다.('試', 用也. 言由不爲世用, 故得以習於藝而通之.)"라고 하였다. 그러나 華希閔이 『正蒙輯釋』에서 "'不試'의 풀이는 또한 주자주와 다르다.(不試解, 亦異朱注.)"라고 주해했고, 이광지는 『注解正蒙』에서 "'세상에 등용되지 못했기 때문에 재주를 많이 익혔다'라고 하는 요즘의 설명만큼 훌륭하지 못하다.(不如今說'因不見用而多習於藝者'爲善.)"라고 지적하였듯이, 장재의 해석은 주자주와 다르다. 張棠과 周芳의 『正蒙註』에서도 "이 '吾不試故藝'의 설은 말하자면 성인의 재질을 아직 공훈이나 업적을 내는 일[功業]에서 시험해보지 않았으므로 사람들이 재주 많음으로 칭찬한다는 것이다. 또한 주자주와는 조금 다르다.(此'吾不試, 故藝'之說, 言聖人之才未試於功業, 故人以多藝稱之. 亦與朱注微別.)"라고 하였다. 즉 주자는 공자가 등용되지 못했기 때문에 스스로 藝를 익혀서 통했다고 보는 입장이지만, 장재는 공자가 등용되어 功業을 이루어 낼 기회가 없었으므로 다른 사람들이 재주가 많다고 여길 뿐이라는 것이다.

187 복희, 순임금, … 상서로움 : 염근조는 『正蒙補訓』에서 "복희 때에는 하도가 나왔고, 순임금 때에는 봉황이 뜰에서 춤을 추었고, 문왕 때에는 봉황이 기산에서 울었으니, 모두 문명의 상서로움이다.(伏羲時河出圖, 舜時鳳儀於庭, 文王時鳳鳴岐山, 皆文明之瑞也.)"라고 하였다.

188 봉황새가 날아오고 … 되었다 : 『論語』「子罕」에 "공자가 말하였다. '봉황새가 오지 않으며, 황하에서 河圖가 나오지 않으니, 내가 그만이다!(子曰 : 鳳鳥不至, 河不出圖, 吾已矣夫!)"라고 했고, 『周易』「繫辭上」제11장에 "河水에서 圖가 나오고 洛水에서 書가 나오자 성인이 법칙으로 삼았다.(河出圖, 洛出書, 聖人則之)"라고 하였다.

[6-11-12]

魯禮文闕失, 不以仲尼正之, 如有馬者不借人以乘習. 不曰'禮文'而曰'史之闕文'者, 祝史所任, 儀章器數而已. 擧近者而言約也.

노나라에 예문禮文이 빠진 것을 공자에게 바로잡게 하지 않은 것은, 마치 말을 가진 자가 다른 사람의 힘을 빌려 조련시키지 않음과 같다. '예문'이라고 말하지 않고, '사관들이 글을 빼놓고 기록하지 않음'이라고 말한 것은 축사祝史가 맡은 것이 의식절차와 기물제도들[儀章器數][189]일 뿐이라는 것이다. 비근한 것을 들어서 말을 간략하게 한 것이다.[190]

. . . .

189 의식절차와 기물제도들 : 儀章은 의식절차[儀節]를 가리키고, 器數는 옛 예제 중의 제기[禮器] 및 예절등급제도[禮數]를 가리킨다.

190 노나라에 禮文이 … 것이다 : 『論語』「衛靈公」에 "나는 오히려 史官들이 글을 빼놓고 기록하지 않음과, 말을 소유한 자가 남에게 빌려주어 타게 함을 보았었는데, 지금에는 그것도 없어졌구나!(吾猶及史之闕文也, 有馬者借人乘之, 今亡矣夫!)"라고 하였다. 『二程遺書』 권8「二先生語」에는 "말을 가지고 있는 자가 남에게 빌려주어 타게 하는 것은 내 힘이 사관의 闕文을 보충할 수 있다는 것이다. 사관의 직무를 담당하면서 의심나는 것을 빼놓아서 후인들을 기다리는 것은, 이는 말을 가지고 있는 자가 다른 사람에게 빌려주어 타게 하는 것과 같다.(有馬者借人乘之, 吾力猶能補史之闕文. 當史之職而能闕疑以待後人, 是猶有馬者借人乘之也.)"라고 되어 있다. 『論語注疏』에서는 포함의 주를 인용하여 "포함이 말하였다. '옛날의 훌륭한 사관은 글에 의문이 있으면 빼놓고 그것을 아는 사람을 기다렸다. 말을 잘 조련할 수 없으면 남에게 맡겨 익숙하게 탈 수 있도록 훈련시킨다. 공자가 스스로 말하길, 그 사람이 이와 같이 하는 것을 미쳐 보았는데 지금은 없다고 하였다. 이런 것을 말한 것은 (당시의) 풍습에 천착하는 폐단이 많았기 때문이다.'(包曰 : 古之良史, 於書字有疑則闕之, 以待知者. 有馬不能調良, 則借人乘習之. 孔子自謂及見其人如此, 至今無有矣. 言此者以俗多穿鑿.)"라고 하였다. 정여해鄭汝諧의 『論語意原』에서는 장횡거의 이 구절을 인용하면서 "생각건대 包咸이 '말을 잘 조련할 수 없으면 남에게 맡겨 익숙하게 탈 수 있도록 훈련시킨다'라고 주해하여, 이로써 글을 빼놓아서 (그것을) 아는 자를 기다리는 것을 비유한 것이니, 횡거의 설이 여기에 근본하였다.(案包咸注'有馬不能調良, 則借人乘習之,' 以喻闕文以待知者, 橫渠之説蓋本此)"라고 주해하였다. 포함의 견해는 『論語注疏』에서 볼 수 있다. 왕부지도 이러한 맥락에서 "借는 요청한다는 것이다. 말이 아직 익숙하게 길들여지지 않았으면, 마땅히 잘 조련하는 사람에게 잠시 조련해달라고 요청해야 탈 수 있다. 노나라 임금이 예악을 바로잡을 수 없으니, 마땅히 공자에게 잠시 그것을 익숙하게 다스리도록 요청해야한다는 것을 비유한 것이다.(借, 猶請也. 謂馬未馴習, 必假請善御者調習之乃可乘. 喩魯君不能正禮樂, 當假夫子修習之.)"라고 주해하였다. 이외에도 이광지의 『注解正蒙』에는 "말이 있는데 아직 조련하지 않았다면 반드시 다른 사람에게 익숙하게 훈련시켜 주기를 요구하는 것이니, 비유하자면 禮文에 빠지고 잃은 것은 마땅히 다른 사람이 바로잡아 주어야 한다. 공자가 나는 祝史의 빠진 글을 알 수 있다고 한 것은 겸손하고 삼가서 하신 말씀일 것이다.(有馬而未調良, 必求人以閑習之, 喩禮文闕失當以人考正之. 夫子言我猶能知祝史殘闕之文, 蓋謙約之辭也.)"라고 주해했고, 염근조의 『正蒙補訓』에는 "禮文이 빠진 것'을 공자가 바로잡을 수 있으니, 이는 힘이 미칠 수 있는 바인 것이다. '공자가 바로잡지 않았다'는 것은 비유하자면 말이 있는데 다른 사람에게 조련시키도록 하지 않는 것과 같다.(禮文闕失', 仲尼能正, 是猶力所可及也. '不以仲尼正之', 譬如有馬不教人乘習.)"고 주해하였다. 주자는 『論語集註』에서 다음과 같이 말하였다. "楊時가 말하였다. '史官이 글을 빼놓음과 말을 남에게 빌려주는 이 두 가지 일을 공자도 보았는데 지금은 없어졌다고 했으니, 시대가 더욱 야박해짐을 서글퍼한 것이다.' 내 생각건대 이것은 반드시 까닭이 있어서 하신 말씀일 것이니, 비록 하찮은 문제이지만 時變의 큼을 알 수 있는 것이다. 胡安國이 말하였다. '이 章은 의미가 의심스러우니 억지로 해석할 수 없다.'(楊氏曰

[6-11-13]

師摯之始, 樂失其次, 徒洋洋盈耳而已焉. 夫子自衛反魯, 一嘗治之, 其後伶人賤工識樂之
正. 及魯益下衰, 三桓僭妄, 自大師以下, 皆知散之四方, 逾河蹈海以去亂. 聖人俄頃之助,
功化如此, 用我者期月而可, 豈虛語哉?

태사인 지摯가 처음 벼슬하였을 때에는, 음악이 그 절차를 잃어버려서 다만 아름답고 성대하게 귀에
만 가득할 뿐이었다.[191] 공자가 위衛나라에서 노나라로 돌아와 한 번 그것을 다듬자 그 후에는 광대
와 미천한 악공[賤工]조차도 바른 음악을 알게 되었다. 노나라는 더욱 쇠약해져 삼환씨三桓氏(孟孫氏, 叔
孫氏, 季孫氏)가 참람하고 망령된 짓을 행하자 태사太師로부터 이하 (악공들이) 모두 사방으로 흩어져
황하를 건너고 바다를 건너 피난할 줄을 알았다.[192] 성인聖人이 잠깐 도운 것이 그 공효功效가 이와
같았으니, '나를 써준다면 1년만 해도 괜찮을 것이다.'[193]고 한 것이 어찌 빈 말씀이겠는가?

- -

: '史闕文, 馬借人此二事, 孔子猶及見之, 今亡矣夫, 悼時之益偷也.' 愚謂此必有爲而言, 蓋雖細故, 而時變之
大者可知矣. 胡氏曰: '此章義疑, 不可强解.'" 참고로 왕식은『正蒙初義』에서 "옛 설들은 모두 '가까운 것을
들어서 간략하게 말하신 것이다.'로 구두를 끊었으니, '約'은 간략하고 쉽다는 뜻이다. 이광지의 주에는 '가까
운 것을 들어서 말하였다'라고 읽고 '約한 것이다'라고 구두를 끊었으니 '約'은 겸손하고 삼간다는 뜻이다.
이광지의 주가 훌륭하다.(舊說皆以'擧近者而言約也'爲句, 則'約'爲簡易之意. 李注以'擧近者而言'爲讀, '約也'
爲句, 則'約'爲謙約之意. 李注爲優.)"라고 주해하며 구두를 다르게 보았다.

191 태사인 摯가 … 뿐이었다 :『集註』「泰伯」에 "태사인 摯가 처음 벼슬할 때에 연주하던 關雎의 끝장 樂曲이
아직까지도 아름답고 성대하게 귀에 가득하구나!(師摯之始, 關雎之亂, 洋洋乎盈耳哉!)"라고 했고,『集註』「子
罕」에 "공자가 말하였다. '내가 衛나라로부터 魯나라로 돌아온 뒤로 음악이 바르게 되어 雅와 頌이 각기
제자리를 찾게 되었다.'(子曰: 吾自衛反魯然後樂正, 雅頌各得其所.)"라고 하였다. 한편「泰伯」의 주자주에
는 "洋洋은 아름답고 성대한 뜻이다. 공자가 衛나라로부터 魯나라에 돌아와 樂을 바로잡았는데, 이때 마침
악사인 摯가 樂官에 임명된 초기였다. 그러므로 樂의 아름답고 성대함이 이와 같았던 것이다.(洋洋, 美盛意.
孔子自衛反魯而正樂, 適師摯在官之初. 故樂之美盛如此.)"라고 설명하였다. 그런데 이 곳에서 장횡거가 이야
기한 '아름답고 성대하게 귀에 가득함洋洋盈耳'은 주자의 설명과는 맥락이 다르다. 그러므로 이광지도『注
解正蒙』에서 "오직 '아름답고 성대하게 귀에 가득하다'는 부분은 지금의 설과 다르다.(惟'洋洋盈耳', 與今說不
同)"라고 주해하였다.

192 공자가 衛나라에서 … 알았다 : 염근조는『正蒙補訓』에서 "이는『集註』의 '악사인 摯가 처음 벼슬하여 연주
하던 때' '위나라에서 노나라로 돌아오다' '大師 摯는 齊나라로 갔다'라는 세 장을 합하여 말한 것이다. 주자의
주해에 의거하면 태사인 摯가 악관에 임명된 초기가 바로 공자가 노나라에 돌아와 樂을 바로잡았던 때이다.
그 때 음악이 성대하여 귀에 가득할 뿐이었는데, 장횡거는 절차를 잃어서 다만 귀에 가득한 소리가 있을
뿐이라고 생각했으니, 그 주장이 다르다. '위나라에서 노나라로 돌아오다' 이하는 주자가 '제나라로 갔다'라는
장의 주로 채택하여 넣었다.(此合『論語』'師摯之始' '自衛反魯' '太師適齊' 三章而言. 依朱注解, 師摯在官之始,
即夫子反魯正樂之時. 其時樂盛洋洋盈耳, 張子以爲失次而徒有盈耳之聲, 其說異. '自衛反魯'以下, 朱子採入
'適齊'章注.)"라고 하였다.『集註』「微子」에 "大師 摯는 齊나라로 가고, 亞飯 干은 楚나라로 가고, 三飯 繚는
蔡나라로 가고, 四飯 缺은 秦나라로 가고, 鼓方 叔은 河內로 들어가고, 播鼗 武는 漢中으로 들어가고, 少師
陽과 擊磬 襄은 海島로 들어갔다.(大師摯適齊, 亞飯干適楚, 三飯繚適蔡, 四飯缺適秦. 鼓方叔入於河, 播鼗武
入於漢, 少師陽·擊磬襄入於海.)"라고 하였다.

193 나를 써준다면 … 것이다 :『集註』「子路」에 "공자가 말하였다. '만일 나를 등용해 주는 자가 있다면 1년만

[6-11-14]

"與與如也", 君或在朝在廟, 容色不忘向君也. 君召使擯, 趨進翼如,此翼如, 左右在君也 没階, 趨進翼如. 張拱而翔 賓不顧矣, 相君送賓, 賓去則白曰"賓不顧而去矣", 紓君敬也.

"여여함[與與如]"은 임금이 조정에 있을 때나 종묘에 있을 때에, 태도에 임금을 향하는 마음을 잊지 않는 것이다[194] 임금이 불러서 영접관을 시키면 공손히 (임금에게) 달려가 임금을 보좌[翼如]하였고, 이 때의 익여翼如는 임금을 보좌하는 것이다. (임금에게서 물러나) 층계를 다 내려서서는 공손히 (제자리로) 달려가는 것이 마치 날개를 편 듯하였다. 팔을 펴서 새가 날아오르는 듯이 하다. "손님이 뒤돌아보지 않는다"고 하는 것은 임금을 도와서 손님을 전송할 때, 손님이 떠나가고 나면 "손님이 뒤돌아보지 않고 잘 갔습니다"고 아뢰는 것이니, 임금의 공경을 풀게 하는 것이다.[195]

[6-11-15]

上堂如揖, 恭也. 下堂如授, 其容紓也.

당堂에 올라갈 때 읍하듯 하는 것은 공손함이다. 당에서 내려올 때 물건을 주듯이 하는 것은 그 얼굴빛을 푸는 것이다.[196]

· · · · · · · · · · · · · · · ·

하더라도 괜찮을 것이니, 3년이면 이루어짐이 있을 것이다.'(子曰 : 苟有用我者, 朞月而已, 可也, 三年有成.)"라고 하였다.

194 "여여함[與與如]"은 임금이 … 것이다 : 『集註』「鄕黨」에 "임금이 있을 때에는 踧踖하고 與與하게 하였다.(君在, 踧踖如也, 與與如也.)"라고 했고, 이에 대해 주자 주에는 "'임금이 있다.(君在)'는 것은 임금이 朝會를 볼 때이다. '踧踖'은 조심하여 편안치 않은 모양이고, '與與'는 威儀가 알맞은 모양이다. 張子는 '與與는 임금에게 향하는 것을 잊지 않는 것이다.' 하였으니, 이 말도 통한다.(君在, 視朝也. 踧踖, 恭敬不寧之貌, 與與, 威儀中適之貌. 張子曰 : 與與, 不忘向君也, 亦通.)"라고 하였다. 왕부지는 『張子正蒙註』에서 "마음을 임금에게 다 쏟으면 용모와 안색이 한결같다.(心盡乎君, 則容色不貳)"라고 주해하였다.

195 임금이 불러서 … 것이다 : 『集註』「鄕黨」에 "임금이 불러 영접관을 시키면 얼굴빛을 변화하며 발걸음을 조심하였다. 함께 서 있는 (동료의 擯에게) 揖하되 손을 左右로 하였는데, 옷의 앞뒤자락이 가지런하게 하였다. 빨리 나아갈 때는 새가 날개를 편 듯 하였다. 손님이 물러가면, 반드시 復命하기를 '손님이 뒤돌아보지 않고 잘 갔습니다.'라고 하였다.(君召使擯, 色勃如也, 足躩如也. 揖所與立, 左右手, 衣前後襜如也. 趨進, 翼如也. 賓退, 必復命曰, '賓不顧矣'.)"라고 하였다. 또한 '종종 걸음으로 나아감이 새가 날개를 편 듯 하였다.(趨進, 翼如也.)'의 주자주에 "빠르게 종종걸음을 걸으며 나아감에 拱手를 (앞으로) 내민 것이 단정하고 아름다워, 마치 새가 날개를 편 것과 같은 것이다.(疾趨而進, 張拱端好, 如鳥舒翼)"라고 하였다.

196 堂에 올라갈 … 것이다 : 『集註』「鄕黨」에 "命圭를 잡을 적에는 몸을 굽혀 (그 무게를) 이기지 못하는 듯이 하였으며, 위로는 揖하듯 하고 아래로는 물건을 주듯이 하였다.(執圭, 鞠躬如也, 如不勝, 上如揖, 下如授.)"라고 하였다. 이 때 '위로는 揖하듯 하고 아래로는 물건을 주듯이 하는(上如揖, 下如授)'의 '上'下'를 장횡거는 각각 '위로 당에 오를 때' '아래로 당에서 내려올 때'의 의미로 풀이하였다. 그러나 주자는 이 견해를 반박하면서 각각 홀을 붙잡는 위치로 풀이하였다. 『朱子語類』권38 제26조에는 "선배 학자들은 대부분 계단을 올라간다는 의미의 '上'과 계단을 내려간다는 의미의 '下'로 간주하였다. (그러나) 사실은 이미 내려가고 나면 홀을 다시 쓰지 않는다.(前輩多作上階之'上', 下階之'下'. 其實旣下則已不用笏)"라고 설명하였다.

[6-11-16]

冉子請粟, 與原思爲宰, 見聖人之用財也.

염자冉子[염유]가 곡식을 청했을 때와 원사原思가 가신家臣[宰]이 되었을 때의 경우에서 성인이 재물을 쓰는 법을 알 수 있다.[197]

[6-11-17]

聖人於物無畔援, 雖佛肸南子, 苟以是心至, 教之在我爾. 不爲已甚也如是.

성인은 남에 대해 함부로 버리거나 취하는 마음이 없으니,[198] 비록 필힐[199]과 남자[200] 같은 사람이라 할지라도 만일 옳은 마음을 가지고 찾아오면[201] 그들을 가르치는 것은 나 자신에게 있을 뿐이다.

· · · · · · · · · · · · · · · · · · ·

197 冉子가 곡식을 … 있다: 『集註』「雍也」에 "子華가 齊나라에 심부름을 가게 되자, 冉子(염유)가 그의 어머니를 위해 곡식을 줄 것을 요청하였다. 공자는 '釜[6斗 4升 4升]를 주어라.' 하였다. 더 줄 것을 요청하자, 공자는 '庾[16斗]를 주어라.'고 하였다. 염자는 이보다 많은 5秉[16斛]을 주었다. 공자가 말하였다. '赤(子華)이 齊나라에 갈 때에 살찐 말을 타고 가벼운 갖옷을 입었다. 내가 들으니, 「군자는 窮迫한 자를 돌봐주고 富裕한 자를 계속 대주지 않는다.」하였다.' 原思가 (공자의) 家臣[宰]이 되었는데, (공자께서) 곡식 9백을 주자, 사양하였다. 공자가 말하였다. '사양하지 말라! 너의 이웃과 마을에 주려무나!'(子華使於齊, 冉子爲其母請粟. 子曰 : '與之釜.' 請益, 曰 : '與之庾.' 冉子與之粟五秉. 子曰 : '赤之適齊也, 乘肥馬, 衣輕裘. 吾聞之也, 君子周急不繼富.' 原思爲之宰, 與之粟九百, 辭. 子曰 : '毋! 以與爾鄰里鄕黨乎!')라고 하였다.

198 남에 대해 … 없으니: 『詩經』「大雅·文王之什·皇矣」에 "상제께서 文王에게 이르시되, 그렇게 이것을 버리고 저것을 잡지 말며, 그렇게 흠모하고 부러워하지 말라(帝謂文王, 無然畔援, 無然歆羨)"라고 하였다. 이 중 畔援은 주자 주 이전에는 주로 '제 멋대로 날뜀, 跋扈함' 또는 '함부로 대함' 등의 맥락으로 해석되었다. 鄭玄(畔援, 猶跋扈也.)이나, 『漢書叙傳』, 『石門』에서 『韓詩』를 인용한 경우(畔援, 武强也.) 등이 이에 속한다. 그러나 『詩經集傳』의 주자 주에서는 "畔은 離畔함이요, 援은 끌어당김이니, 이것을 버리고 저것을 취함을 말한 것이다.(畔, 離畔也, 援, 攀援也, 言舍此而取彼也.)"라고 했고, 여기에서도 주자 주의 견해를 따랐다. 畔援에 대한 여러 주해에 관해서는 청대 학자인 黃中松의 『詩疑辨證』에서 한 편을 할애하여 상세하게 정리해 놓았다. 고반룡은 『正蒙釋』에서 "성인은 남에 대해 진실로 사람을 거절하여 내버리는 경우도 없고 또한 세상에 아첨하여 붙잡지도 않는다.(聖人於物, 固無離畔以絶人, 亦不攀援以徇世.)"라고 하였다.

199 佛肸: 진나라[晉] 대부인 趙簡子의 中牟(지금의 하남성 학벽시 서쪽 땅[河南省鶴壁市西]) 땅의 邑宰였다. 중모 땅을 거점으로 반란을 일으키고 공자를 초청했지만 결국 공자는 가지 않았다.

200 南子: 춘추시기 衛나라 靈公의 부인. 미모가 출중하며 행실이 좋지 않은 것으로 알려졌다. 『集註』「雍也」에 공자가 南子를 만나자 子路가 이에 대해 기뻐하지 않았다는 다음과 같은 기록이 있다. "공자가 南子를 만나자, 子路가 기뻐하지 않았다. 공자가 맹세하였다. '내 맹세코 잘못된 짓을 하였다면 하늘이 나를 버리시리라! 하늘이 나를 버리시리라!'(子見南子, 子路不說, 夫子矢之曰 : 予所否者, 天厭之! 天厭之!)"

201 옳은 마음을 … 찾아오면: 『孟子』「盡心下」에 맹자를 따르던 자들이 滕나라의 上宮에서 신발을 훔쳤다는 의혹을 받자 "夫子께서 敎科를 설치함은 가는 자를 붙잡지 않고 오는 자를 막지 아니하여, 만일 이 (배우려는) 마음을 가지고 찾아오면 받아줄 뿐입니다.(夫子之設科也, 往者不追, 來者不拒, 苟以是心至, 斯受之而已矣.)"라고 하였다. 주자의 『集注』에는 이 구절에 대해 "만일 道를 향하는 마음을 가지고 오면(苟以向道之心而來)"이라고 하였고 웅강대는 『性理群书句解』에서 "그러나 만일 나를 불러서 접견하고자 하였다면 이는 도를 사모하는 마음을 가지고 온 것이다.(然苟有召見於我, 是以慕道之心來也.)"라고 하였다.

(그러므로 공자가) 너무 심하게 하지 않음이 이와 같다.[202]

[6-11-18]

子欲居九夷, 不遇於中國, 庶遇於九夷, 中國之陋爲可知. 欲居九夷, 言忠信, 行篤敬, 雖蠻貊之邦可行, 何陋之有?

공자가 구이에서 살고자 한 것은,[203] 중국에서는 (때를) 만나지 못하여, 행여 구이 가운데서 때를 만날 수 있기를 바란 것이니, (이것으로써 당시) 중국이 누추했음을 알 수 있다. (공자가) 구이에 가 살고자 한 것은, 말이 충성스럽고 신실하며 행실이 독실하고 공경스러우면, 비록 오랑캐의 나라일지라도 (말이나 뜻이 세상에 받아들여져) 행해질 수 있는 것이니[204], 무슨 누추함이 있겠는가?

[6-11-19]

'栖栖'者, 依依其君而不能忘也. '固', 猶不回也.

'연연해 함[栖栖]'이란 그 임금을 사모하여 잊지 못하는 것이다. '고집불통[固]'은 (한 길로만 가) 돌이키지 않는 것이다.[205]

[6-11-20]

仲尼應問, 雖叩兩端而竭, 然言必因人爲變化. 所貴乎聖人之詞者, 以其知變化也.

공자는 다른 사람이 묻는 말에 응답할 때, 비록 양쪽 끝을 헤아려 다 이야기[206] 해주었지만, 말은 반

---

202 너무 심하게 … 같다 : 『孟子』「離婁下」에 "仲尼는 너무 심한 것을 하지 않았다.(仲尼不爲已甚者)"라고 하였다.

203 공자가 구이에서 … 것은 : 『集註』「子罕」에 "공자가 九夷에 살려고 하니, 어떤 사람이 말하였다. '(그 곳은) 누추하니, 어떻게 하시렵니까? 이에 공자가 대답하였다. '군자가 거주하면 무슨 누추함이 있겠는가?(子欲居九夷. 或曰 : 陋, 如之何! 子曰 : 君子居之, 何陋之有?)"라고 하였다.

204 말이 충성스럽고 … 것이니 : 『集註』「衛靈公」에 "子張이 (때를 얻어 자신의 뜻이) 행해짐에 대해 묻자, 공자가 말하였다. '말이 충성스럽고 신실하며[忠信] 행실이 독실하고 공경스러우면[篤敬], 비록 오랑캐의 나라일지라도 행해질 수 있지만 말이 忠信하지 못하고 행실이 篤敬하지 못하면 (2500家가 사는) 州나 (25家가 사는) 里라 하더라도 행해질 수 있겠는가?(子張問行. 子曰 : '言忠信, 行篤敬, 雖蠻貊之邦行矣 ; 言不忠信, 行不篤敬, 雖州里行乎哉?')"라고 하였다. 주자주에서는 "(앞의 「顔淵篇」에서 子張이) 명예가 드러나 알려짐[達]에 대해 물은 뜻과 같다. 子張의 뜻은 밖에서 행해짐을 얻는 데 있었다. 그러므로 夫子가 자신에게 돌이켜 말했으니, '봉록을 구함[干祿]'과 '영달을 질문함[問達]'에 답한 뜻과 같다.(猶問達之意也. 子張意在得行於外, 故夫子反於身而言之, 猶答干祿問達之意也.)"라고 이 구절의 대의를 설명하였다.

205 연연해 함 … 것이다 : 『集註』「憲問」에 "微生畝가 공자에게 말하였다. '丘는 어찌하여 이리도 연연해하는가? 말재주를 구사하는 것이 아닌가? 공자가 말하였다. "내 감히 말재주를 구사하려는 것이 아니라, 固執不通을 미워하는 것입니다.(微生畝謂孔子曰 : 丘何爲是栖栖者與? 無乃爲佞乎?' 孔子曰 : '非敢爲佞, 疾固也.')"라고 하였다. 왕부지는 『張子正蒙註』에서 "미생묘의 말은 공자가 더디고 더디게 노나라를 떠난 것에 기인하여 한 말일 것이다.(疑微生畝之言, 因孔子遲遲去魯而發.)"라고 하였다. 주자는 『集註集註』에서 "固는 한 가지를 고집하여 변통하지 못하는 것이다.(固, 執一而不通也.)"라고 하였다. 고반룡은 『正蒙釋』에서 "'불회'란 가서 돌아오지 않는 뜻이다.('不回'者, 往而不返之意)"라고 하였다.

드시 사람에 따라서 변화하였다.[207] 성인의 말을 귀하게 여기는 것은 변화를 알기 때문이다.

[6-11-21]

富而可求也, 雖執鞭之士吾亦爲之, 不憚卑以求富, 求之有可致之道也. 然得乃有命, 是求無益於得也.

'부富를 만일 구해서 될 수 있다면, 말채찍을 잡는 자의 일이라도 내 또한 그것을 하겠다.'[208]고 한 것은, 비천한 일을 꺼리지 않고 부富를 구하는 것이니, 구함에 (그것을) 이룰 수 있는 방도[道]가 있는 것이다. 그러나 얻음에 명命이 있으니, 이 구함은 얻음에 유익有益함이 없는 것이다.[209]

· · · · · · · · · · · · · · · · · ·

206 양쪽 끝을 … 이야기: 『論語』「子罕」에 "내가 아는 것이 있는가? 나는 아는 것이 없다. 다만 어떤 鄙陋한 사람이 나에게 (무엇을) 물을때, 그가 아무리 무식하다 하더라도 나는 그 (묻는 내용의) 兩端을 다 말해준다.(吾有知乎哉? 無知也. 有鄙夫問於我, 空空如也, 我叩其兩端而竭焉.)"라고 했고, 주자 주에 "叩는 발동한다는 뜻이다. 兩端은 양쪽 머리[兩頭]라는 말과 같으니, 始와 終, 本과 末, 上과 下, 精과 粗를 다 말해주지 않음이 없음을 말한 것이다.(叩, 發動也. 兩端, 猶言兩頭, 言終始本末上下精粗, 無所不無盡.)"라고 하였다.

207 말은 반드시 … 변화하였다: 오눌은 『正夢補注』에서 "예를 들면 안연과 중궁이 仁에 대해 물은 것에 대답한 것, 자하와 자유가 孝에 대해 물은 것에 대해 대답한 것은, 각각 그 재질의 고하와 그 부족한 바에 따라 말해준 것임을 알 수 있을 것이다.(如答顔淵仲弓之問仁, 子夏子游之問孝, 各因其材之高下與其所失而告之, 蓋可見矣.)"라고 하였다. 『論語』「先進」에 "子路가 (옳은 것을) 들으면 실행하여야 합니까? 하고 묻자, 공자가 '父兄이 계시니, 어찌 들으면 실행할 수 있겠는가? 하고 대답하였다. 冉有가 (옳은 것을) 들으면 곧 실행하여야 합니까? 하고 묻자, 공자가 '들으면 실행하여야 한다.' 고 대답하였다. 公西華가 물었다. '由(子路)가 「들으면 곧 실행하여야 합니까?」 하고 묻자, 선생께서 「父兄이 계시다.」 하셨고, 求[冉有]가 「들으면 실행하여야 합니까?」 하고 묻자, 선생께서 「들으면 실행하여야 한다.」고 대답하시니, 저는 의혹 되어 감히 묻습니다.' 공자가 말하였다. '求는 물러남으로 나아가게 한 것이요, 由는 일반인보다 나음으로 물러가게 한 것이다.'(子路問: '聞斯行諸?' 子曰: '有父兄在, 如之何其聞斯行之?' 冉有問: '聞斯行諸?' 子曰: '聞斯行之.' 公西華曰: '由也聞斯行諸, 子曰, 有父兄在, 求也問聞斯行諸, 子曰, 聞斯行之, 赤也惑, 敢問.' 子曰: '求也退, 故進之, 由也兼人, 故退之.)"

208 富를 만일 … 하겠다: 『論語』「述而」에 "공자가 말하였다. '富를 만일 구해서 될 수 있다면, 말채찍을 잡는 자의 일이라도 내 또한 그것을 하겠다. 그러나 만일 구하여 될 수 없는 것이라면, 내가 좋아하는 바를 따르겠다.'(子曰: 富而可求也, 雖執鞭之士, 吾亦爲之, 如不可求, 從吾所好.)"라고 하였다. 『論語集註』에서 주자는 이에 대해 "가정[假設]하여 말하기를, '富를 만일 구해서 될 수 있다면 내 몸소 천한 일을 해서 구하더라도 사양하지 않겠으나, 이것이 天命에 달려있어 구한다고 될 수 있는 것이 아니라면 義理에 편안히 할뿐이니, 하필이면 한갓 辱만을 취하겠는가?'라고 한 것이다.(設言富若可求, 則雖身爲賤役以求之, 亦所不辭, 然有命焉, 非求之可得也, 則安於義理而已矣, 何必徒取辱哉?)"라고 하였다.

209 구함에 (그것을) … 것이다: 『孟子』「盡心上」에 "구하면 얻고 버리면 잃으니, 이 구함은 얻음에 有益함이 있으니, 자신에게 있는 것을 구하기 때문이다. 구함에 道가 있고, 얻음에 命이 있으니, 이 구함은 얻음에 有益함이 없으니, 밖에 있는 것을 구하기 때문이다.(求則得之, 舍則失之, 是求有益於得也, 求在我者也. 求之有道, 得之有命, 是求無益於得也, 求在外者也.)"라고 하였다. 『孟子集註』에서 주자는 이에 대해 "자신에게 있다는 것은 仁·義·禮·智 등 모든 性에 있는 것을 말한다. 道가 있다는 것은 망령되게 구해서는 안 됨을 말한 것이요, 命이 있다는 것은 반드시 얻을 수는 없는 것이다. 밖에 있다는 것은 富貴와 이로움과 영달[利達]

[6-11-22]

愛人以德, 喻於義者常多, 故罕及於利. 盡性者方能至命, 未達之人, 告之無益, 故不以亟言. 仁大難名, 人未易及, 故言之亦鮮.

(공자는) 사람을 사랑할 때는 덕으로써[210] 하여, 의義에서 깨닫게 하는[211] 것이 항상 많기 때문에, 이익에 대해서 드물게 언급하였다.[212] 성性을 다한 자라야 비로소 명命에 이를 수[213] 있으니, 도달하지 못한 사람에게는 알려주어도 아무런 유익함이 없기 때문에, (명에 대해) 자주 말하지 않았다. 인仁은 커서 이름 붙이기 어려우며, 사람이 도달하기 쉽지 않으므로 인仁에 대해 말하는 일 또한 드물었다.

[6-11-23]

顏子於天下, "有不善未嘗不知, 知之未嘗復行." 故怒於人者, 不使加乎其身 ; 愧於己者,

....

등 모든 外物이 다 이것이다.(在我者, 謂仁義禮智, 凡性之所有者. 有道, 言不可妄求. 有命, 則不可必得. 在外者, 謂富貴利達, 凡外物皆是.)"라고 하였다. 왕식은 『正蒙初義』에서 "'구함에 이룰 수 있는 방도道가 있는 것'은 또한 주자 주에서 이른바 '망령되게 구해서는 안됨'이라고 한 것과는 다르다.('求之有可致之道', 亦與朱注所謂'不可妄求'者異)"라고 하여 '道가 있다'[有道]는 부분에 대한 주자와 횡거의 이해가 다름을 지적하였다.

210 사람을 사랑할 … 덕으로써: 『禮記』「檀弓上」에 曾子易簀의 이야기 가운데 나온다. "증자가 병이 나서 자리에 누웠을 때 … 동자가 말하였다. '(자리의 그림이) 화려하면서 눈부신데, 대부의 자리입니다!' … 증원이 말하였다. '부자의 병이 위급하니, 움직일 수가 없습니다. 나아지면 아침이 되어 삼가 바꾸도록 하겠습니다.' 증자가 말하였다. '네가 나를 사랑하는 것은 저 동자만 못하구나. 군자가 사람을 사랑할 때는 덕으로 하고 소인배가 사람을 사랑할 때는 임시방편[姑息]으로 한다. 내가 무엇을 구하겠는가! 내가 올바름을 얻고서 죽는다면 그걸로 그만이다.' (증자를) 부축하여 자리를 바꾸었으나, 자리로 돌아와 미처 안정되지 못한 채 돌아가셨다.(曾子寢疾病 … 童子曰華而睆, 大夫之簀與! … 曾元曰: 夫子之病革矣, 不可以變, 幸而至於旦, 請敬易之. 曾子曰: '爾之愛我也不如彼. 君子之愛人也以德. 細人之愛人也以姑息. 吾何求哉! 吾得正而斃焉, 斯已矣.' 扶而易之, 反席未安而沒.)"라고 했고, 이에 대해 진호는 『禮記集說』에서 "革은 위급함이다. 變은 움직임이다. 彼[저]는 동자를 말한다. 동자는 예를 알았으니, 증자가 일찍이 대부가 되었던 적이 없는데, 어떻게 대부의 자리[簀]에 누울 수 있겠는가?라고 여긴 것이다. … 이에 반드시 그것을 바꾸고자 하여, 바꾸고서 돌아가셨으니 올바름에서 돌아가셨다고 할 만하다.(革, 急也. 變, 動也. 彼, 謂童子也. 童子知禮, 以爲曾子未嘗爲大夫, 豈可卧大夫之簀? … 於是必欲易之, 易之而没, 可謂斃於正矣.)"라고 주해하였다.

211 義에서 깨닫게 하는: 『論語』「里仁」에 "군자는 義에서 깨닫고, 소인은 利益에서 깨닫는다.(君子喻於義, 小人喻於利.)"라고 했고, 『論語集註』에는 이에 대해 "군자가 義에 있어서는 小人들이 利益에 있어서와 같으니, 오직 깊이 깨닫는다. 이 때문에 독실히 좋아하는 것이다.(君子之於義, 猶小人之於利也, 惟其深喻. 是以篤好.)"라고 정자의 주를 인용하였다. 이광지는 『注解正蒙』에서 "이는 '義에서 깨달음'을 남을 의로써 깨우쳐준다고 한 것이다.(此以'喻於義'爲喻人以義也.)"라고 했고, 오눌은 『正蒙補註』에서 "'의에서 깨닫는 것'은 다른 사람에게 의로써 깨닫게 하여, 그에게 그렇게 하도록 권하는 것이다.('喻於義者', 喻人以義而勸之使然也.)"라고 주해하였다.

212 이익에 대해서 … 언급하였다: 『論語』「子罕」에 "공자는 利와 命과 仁을 드물게 말하였다.(子罕言利與命與仁.)"라고 하였다.

213 性을 다한 … 이를 수: 『周易』「說卦傳」 제1장에 "이치를 窮究하고 性을 다하여 命에 이른다.(窮理盡性以至於命.)"라고 하였다.

不輒貳之於後也. 顏子之徒, 隱而未見, 行而未成. 故曰: "吾聞其語, 而未見其人也."

안자는 세상 속에서 "선하지 못한 것이 있으면 알지 못한 적이 없고, 그것을 알면 다시 행한 적이 없었다."[214] 그러므로 다른 사람에게 성난 것이 자기 자신에게 가해지지 않도록 하고[215] 자신에게 부끄러운 점이 있으면 그 후에 그러한 것을 두 번 거듭하지 않았다.[216] 안자와 같은 사람은 "숨고 나타나지 않았고 행하여 아직 이루어지지 않은"[217] 경우이다. 그러므로 "나는 그러한 말만 들었고 그러한 사람은 보지 못하였노라."[218]라고 하였다.

[6-11-24]

"用則行, 舍則藏, 惟我與爾有是夫!" 顏子龍德而隱, 故 "遯世不見知而不悔", 與聖者同.

(공자가) "등용되면 도를 행하고 버려지면 은둔하는 태도는, 오직 나와 너[안자]만이 이것을 지니고 있을 뿐이다!"[219]라고 했으니, 안자는 '용의 덕'을 가지고 은둔[220]하였으므로 "세상에서 은둔하여 인

----

214 선하지 못한 … 없다: 『周易』「繫辭下」 제5장에 "顏氏의 자식[顏回]은 거의 道에 가까울 것이다. 善하지 못한 것이 있으면 일찍이 알지 못한 적이 없고, 그것을 알면 다시 행한 적이 없었다.(顏氏之子, 其殆庶幾乎! 有不善未嘗不知, 知之未嘗復行.)"라고 하였다.

215 자기 자신에게 … 하고: 『論語』「里仁」에 "나는 仁을 좋아하는 자와 不仁을 미워하는 자를 보지 못하였다. 仁을 좋아하는 자는 그보다 더할 만한 것이 없고, 不仁을 싫어하는 자는 그가 仁을 행할 때에 不仁한 것으로 하여금 그 자신에 가해지지 못하게 하는 것이다.(我未見好仁者, 惡不仁者. 好仁者, 無以尙之 ; 惡不仁者, 其爲仁矣, 不使不仁者加乎其身.)"라고 하였다. 『論語集註』에는 "그 仁을 함에 不仁한 일을 완전히 끊어버려서 조금이라도 자기 몸에 미침이 있지 않게 한다.(其所以爲仁者必能絶去不仁之事, 而不使少有及於其身.)"고 하였다. 즉 다른 사람에게 성난 일을 자기 자신에게 가해져서 영향 받지 않도록 한다는 것이다.

216 그러므로 다른 … 않았다: 『論語』「雍也」에 "顏回라는 자가 학문을 좋아하여 노여움을 남에게 옮기지 않으며 잘못을 두 번 다시 저지르지 않았는데, 불행히도 命이 짧아 죽었습니다.(有顏回者好學, 不遷怒, 不貳過, 不幸短命死矣.)"라고 하였다. 이에 대해 『論語集註』에서 주자는 "甲에게 화낸 것을 乙에게 옮기지 않고, 전에 잘못한 것을 뒤에 다시 하지 않는 것이다. … 정자가 말하였다. '顏子의 화냄은 상대방에 있었고, 자신에게 있지 않았으므로 옮기지 않은 것이다.'(怒於甲者, 不移於乙, 過於前者, 不復於後. … 顏子之怒, 在物不在己, 故不遷.)"라고 하였다.

217 숨고 나타나지 … 않은: 『周易』「乾卦·文言傳」에 "군자는 德을 이룸을 행실로 삼으니, 날마다 볼 수 있는 것이 행실이다. 潛이란 말은 숨어서 아직 나타나지 않으며 행하여도 아직 이루어지지 않은 것이다. 이 때문에 군자가 쓰지 않는 것이다.(君子以成德爲行, 日可見之行也. 潛之爲言也, 隱而未見, 行而未成, 是以君子弗用.)"라고 하였다. 오늘은 『正蒙補注』에서 "'행하여도 아직 이루어지지 않은'것은 (안연이) 일찍 죽었기 때문이다.('行而未成, 以其蚤死也.)"라고 하였다.

218 나는 그러한 … 못하였노라: 『論語』「季氏」에 "숨어살면서 그 뜻을 구하고, 義를 행하며 그 道를 행하는 것을, 나는 그러한 말만 들었고 그러한 사람은 보지 못하였노라.(隱居以求其志, 行義以達其道, 吾聞其語矣, 未見其人也.)"라고 했고, 이에 대해 주자는 『論語集註』에서 "당시에 顏子 같은 분도 또한 이것에 가까웠으나 숨어서 나타나지 아니하였고, 또 불행히 일찍 죽었으므로, 夫子가 이렇게 말한 것이다.(當時若顏子亦庶乎此, 然隱而未見, 又不幸而蚤死, 故夫子云然.)"이라고 주해하였다.

219 『論語』「述而」

220 '용의 덕'을 가지고 은둔: 『周易』「文言傳」에 "'初九에 말하기를 「잠겨 있는 龍은 쓰지 말라」'는 것은 무슨

정을 받지 못하여도 후회하지 않은"[221]점이 성인과 같다.

[6-11-25]

龍德, 聖脩之極也. 顔子之進, 則欲一朝而至焉, 可謂好學也已矣.

'용의 덕'[222]이란 성인의 수양이 지극한 것이다. 안자의 나아감[223]은 어느 (한) 순간 그러한 경지에 도달하고자[224] 하였으니, '배우기를 좋아한다'고 말할 수 있을 것[225]이다.

∙ ∙

말인가? 공자가 말하였다. '용의 덕[龍德]을 가지고 은둔한 자이다. 세상에 따라 변치 않으며 명성을 이루려 하지 않아, 세상에 은둔하되 근심하지 않으며, 남으로부터 인정을 받지 못하여도 고민하지 않는다. 즐거운 세상이면 道를 행하고 걱정스러운 세상이면 떠나가서, 뜻이 확고하여 빼앗을 수 없는 것이 潛龍이다.'(初九曰: 潛龍勿用, 何謂也? 子曰: 龍德而隱者也. 不易乎世, 不成乎名, 遯世无悶, 不見是而无悶. 樂則行之, 憂則違之, 確乎其不可拔, 潛龍也.)라고 하였다.

221 세상에서 은둔하여 … 않은: 『中庸』에 "군자는 중용에 의거하여, 세상에 은둔하여 인정을 받지 못하여도 후회하지 않으니, 오직 聖者라야 이를 할 수 있다.(君子依乎中庸, 遯世不見知而不悔, 唯聖者能之.)"라고 하였다.

222 용의 덕: 염근조는 『正蒙補訓』에서 "용은 변화할 수 있는데, 성인의 수양이 지극한 곳에 이르면, 용과 함께 그 변화를 같이 하므로, '용의 덕'이라고 말했다.(龍能變化, 聖人之修到極至處, 方與龍同其變化, 故爲'龍德'.)"라고 하였다.

223 안자의 나아감: 『論語』「子罕」에 "공자가 顔淵을 두고 평가하였다. '애석하구나! 나는 그가 나아가는 것만을 보았고 멈추는 것을 보지 못하였다.(子謂顔淵曰: 惜乎! 吾見其進也, 未見其止也.)"라고 하였다.

224 어느 (한) … 도달하고자: 『論語』「顔淵」에 "顔淵이 仁을 묻자, 공자가 말하였다. '자기의 私慾을 이겨 禮에 돌아감이 仁을 하는 것이니, 하루 동안이라도 私慾을 이겨 禮에 돌아가면 天下가 仁으로 돌아가는 것이다. 仁을 하는 것은 자기 몸에 달려 있으니, 남에게 달려있는 것이겠는가?' … 제[回]가 비록 不敏하오나 청컨대 이 말씀에 종사하겠습니다.'(顔淵問仁, 子曰: 克己復禮爲仁, 一日克己復禮, 天下歸仁焉, 爲仁由己, 而由人乎哉? … 顔淵曰: 回雖不敏, 請事斯語矣.)"라고 하였다. 또 『論語』「雍也」에 "공자가 말하였다. 顔回는 그 마음이 3개월 동안 仁을 떠나지 않았고, 그 나머지 사람들은 하루나 한 달에 한 번 仁에 이를 뿐이다.(子曰: 回也, 其心三月不違仁, 其餘則日月至焉而已矣.)"라고 하였다.「子罕」에는 "顔淵이 크게 탄식하며 말하였다. '(선생님의 道는) 우러러볼수록 더욱 높고, 뚫을수록 더욱 견고하며, 바라봄에 앞에 있더니 홀연히 뒤에 있도다. … (공부를) 그만두고자 해도 그만둘 수 없어 이미 나의 재주를 다하니, (夫子의 道가) 내 앞에 우뚝 서있는 듯하다. 그리하여 그를 따르고자 하나 어디로부터 시작해야 할지 모르겠다.(顔淵喟然歎曰: 仰之彌高, 鑽之彌堅, 瞻之在前, 忽焉在後. … 欲罷不能, 旣竭吾才, 如有所立卓爾. 雖欲從之, 末由也已.)"라고 했고, 『論語集註』에서 주자는 호안국의 주를 인용하여 "아마도 顔子의 이 탄식은 '이 말씀에 종사하겠다[請事斯語].'고 한 뒤와 '3개월을 仁을 떠나지 않았다[三月不違仁].'한 때에 있었을 것이다!(抑斯歎也, 其在請事斯語之後, 三月不違之時乎!)"라고 하였다. 오눌은 『正蒙補注』에서 「子罕」의 이 문장에 대해 "그만두고자 해도 그만둘 수 없어 이미 나의 재주를 다한다는 것을 보면, 이는 '하루 아침에 그러한 경지에 도달하고자 함'을 가리킨다.(觀其欲罷不能, 旣竭吾才, 是'欲一朝而至'者也.)"라고 하였다.

225 '배우기를 좋아한다' … 것: '배우기를 좋아함[好學]'의 내용에 대해서는 『論語』「學而」에 "공자가 말하였다. '군자는 먹음에 배부름을 구하지 않으며, 거처할 때에 편안함을 구하지 않으며, 일을 민첩히 하고 말을 삼가며, 道가 있는 이에게 찾아가서 質正한다면 학문을 좋아한다고 이를 만하다.'(子曰: 君子, 食無求飽, 居無求安, 敏於事而愼於言, 就有道而正焉, 可謂好學也已.)"와 「子張」에 "자하가 말하였다. '날마다 모르는 것을 알

"回非助我者", 無疑問也. 有疑問, 則吾得以感通其故, 而達夫異同者矣.

"안회는 나를 도와주는 자가 아니다"[226]라는 것은, (안회가 공자의 말에 대해) 의문이 없었기 때문이다. 의문이 있었다면 나[공자]는 그 일을 감통感通[이해]하여[227] 같은 점과 다른 점을[228] 알 수 있었을 것이다.

[6-11-27]

"放鄭聲, 遠佞人", 顔回爲邦, 禮樂法度, 不必教之, 惟損益三代, 蓋所以告之也. 法立而能守, 則德可久, 業可大, 鄭聲佞人, 能使爲邦者喪所以守, 故放遠之.

"정나라 음악을 물리치고 말재주 있는 사람을 멀리하라"[229]고 했으니, 안회가 나라 다스리는 것에 대해서 물었을 때 예악과 법도는 굳이 가르치지 않았고, 오직 삼대(의 제도)를 덜거나 보탤 것만을 알려주었다.[230] 법이 정립되어서 (그것을) 잘 지켜내면 덕이 오래갈 수 있고 사업이 커질 수 있다.[231]

며, 달마다 능한 것을 잊지 않으면 학문을 좋아한다고 이를 만하다.'(子夏曰: 日知其所亡, 月無忘其所能, 可謂好學也已矣.)"라고 하였다. 안회가 '배우기를 좋아한다'는 일에 대해서는 『論語』「雍也」에 나온다.

226 안회는 나를 … 아니다: 『論語』「先進」에 "顔回는 나를 도와주는 자가 아니다. 나의 말에 대해 기뻐하지 않음이 없다.(回也, 非助我者也. 於吾言無所不說.)"라고 했는데, 『朱子語類』 권25 제51조에서는 이에 대해 "(『論語』「八佾」의) '나에게 새로운 생각을 떠오르게 하는 자는 商(子夏)이다'와 (『論語』「先進」의) '안회는 나를 도와주는 자가 아니다'라는 곳을 논하여 다음과 같이 말하였다. '성인이 어찌 반드시 두 사람의 말을 기다린 이후에 계발됨이 있겠는가! 그러나 성인의 마음속에 비록 수많은 도리가 간직되어 있더라도, 만약 아무도 질문하는 사람이 없다면, 마침내 밖으로 발휘되는 경우가 없을 것이다.(因論"起予者商", "回非助我"等處, 云: "聖人豈必待二子之言, 而後有所啓發耶! 然聖人胸中, 雖包藏許多道理, 若無人叩擊, 則終是無發揮於外.")"라고 하였다.

227 그 일을 感通하여: 『周易』「繫辭上」 제10장에 "『易』은 생각이 없고, 인위가 없으며, 고요히 움직이지 않다가 感하여 마침내 천하의 일에 통한다."(『易』无思也, 无爲也, 寂然不動, 感而遂通天下之故.)"라고 하였다.

228 같은 점과 다른 점을: 오눌은 『正蒙補注』에서 "일이 다르고 이치가 같은 것(事異而理同者)"이라고 주해했고, 장당과 주방은 『正蒙註』에서 "다름은 만 가지의 다름이고 같음은 한 가지의 근본이다.(異, 謂萬殊, 同, 謂一本)"라고 주해하였다.

229 정나라 음악을 … 멀리하라: 『論語』「衛靈公」에 顔淵이 나라를 다스리는 것을 묻자, 공자가 말하였다. '夏나라의 책력을 행하며, 殷나라의 수레를 타며, 周나라의 면류관을 쓰며, 음악은 韶舞로 한다. 鄭나라 음악을 물리치며 말재주 있는 사람을 멀리하라. 鄭나라 음악은 음탕하고 말 잘하는 사람은 위태롭다.'(顔淵問爲邦. 子曰: '行夏之時, 乘殷之輅, 服周之冕, 樂則韶舞. 放鄭聲, 遠佞人. 鄭聲淫, 佞人殆.')"라고 하였다.

230 정나라 음악을 … 알려주었다: 염근조는 『正蒙補訓』에서 "예악과 법도는 안자가 평소 밝게 아는 것이니, 반드시 하나하나 가르칠 필요는 없고, 오직 삼대(의 제도)를 덜거나 보탤 것을 그에게 말해주었을 뿐이다.(禮樂法度, 顔子素明, 不必一一教之, 惟告之以損益三代耳.)"라고 하였다.

231 덕이 오래갈 … 있다: 『周易』「繫辭上」 제1장에 "쉬우면 알기 쉽고 간략하면 따르기 쉽다. 알기 쉬우면 친함이 있고 따르기 쉬우면 功이 있다. 친함이 있으면 오래갈 수 있고 功이 있으면 크게 할 수 있다. 오래갈 수 있으면 賢人의 德이고, 크게 할 수 있으면 賢人의 사업[業]이다.(易則易知, 簡則易從. 易知則有親, 易從則有功. 有親則可久, 有功則可大. 可久則賢人之德, 可大則賢人之業.)"라고 하였다. 염근조는 『正蒙補訓』에서

정나라 음악과 말재주 있는 사람은 나라를 맡아 다스리는 사람에게 지켜야 할 것을 잃어버리게[232] 할 수 있으므로 그들을 물리치고 멀리하게 한 것이다.

[6-11-28]

"天下有道則見, 無道則隱", "君子疾没世而名不稱", 蓋"士而懷居不可以爲士", 必也去無道, 就有道. 遇有道而貧且賤, 君子恥之. 擧天下無道, 然後窮居獨善. 不見知而不悔, 『中庸』所謂"惟聖者能之". 仲尼所以獨許顔回"惟我與爾爲有是"也.

"천하에 도道가 있으면 나오고, 도道가 없으면 숨지만",[233] "군자는 종신토록 이름이 일컬어지지 못함을 싫어하니",[234] "선비로서 은거하기를 생각하면 선비라 할 수 없다."[235] (그러나) 반드시 무도無道한 곳을 떠나 도道가 있는 곳으로 나아가야 한다. 도道가 있는 때를 만났는데도 가난하고 천한 것을 군자는 부끄러워한다.[236] 온 천하에 도道가 없게 된 후에야 곤궁하게 살며 자기 한 몸만을 홀로 선하게[237] 하는 것이다. 인정받지 못해도 후회하지 않는 것은, 『중용』에서 이른바 "성인만이 할 수 있는"[238] 것이다. 공자는 그 때문에 다만 안회에게만 "오직 나와 너만이 이러한 점이 있다"[239]고 인정

"'법'은 예악법도이다.('法', 即禮樂法度.)"라고 했고, 웅강대는 『性理群书句解』에서 "올바른 법이 정립되고 나서 또 굳게 지켜 변하지 않도록 할 수 있다면, 덕성이 오래도록 보존될 수 있으며 사업이 널리 커질 수 있다.(正法既立, 又能固守不變, 則德性可久而存, 事可弘而大.)"라고 하였다.

232 지켜야 할 것을 잃어버리게 : 웅강대는 『性理群书句解』에서 "그 마음속에서 지켜야 할 바를 잃어버리다.(喪失其中心之所守)"라고 주해하였다.

233 천하에 道가 … 숨지만 : 『論語』「泰伯」의 문장이다.

234 군자는 종신토록 … 싫어하며 : 『論語』「衛靈公」의 문장이다.

235 선비로서 은거하기를 … 없다 : 『論語』「憲問」의 문장이다. 오눌은 『正蒙補注』에서 "'회거[懷居]'는 은거하기를 생각하는 것이다.(懷居, 思隱居也.)"라고 했고, 화희민은 『正蒙輯釋』에서 "'회거[懷居]'는 『論語』의 뜻과 다르다.('懷居'與『論語』義異)"고 하였다. 참고로 '회거[懷居]'에 대한 장재의 해석은 『論語』에 대한 일반적인 해석과 다른 점이 있다. 예를 들어 邢昺은 『論語注疏』에서 "이 장은 선비가 마땅히 도에 뜻을 두고, 편안히 거처할 것을 구하지 말아야 하니, 그 거처하는 곳에 안주한다면, 선비가 아니라고 말하는 것이다.(此章言士當志於道, 不求安居, 而懷安其居, 則非士也.)"라고 하였고, 주자는 『集注』에서 "'거'는 편안한 곳에 마음을 둠을 말한다.('居', 謂意所便安處也.)"라고 하여, '회거'는 일반적으로 편안함에 안주하다 또는 편히 지낼 것만을 생각하다 정도로 해석한다.

236 道가 있는 … 부끄러워한다 : 『論語』「泰伯」에 "나라에 道가 있을 때에 가난하고 천한 것이 부끄러운 일이며, 나라에 道가 없을 때에 부하고 귀한 것이 부끄러운 일이다.(邦有道, 貧且賤焉, 恥也 ; 邦無道, 富且貴焉, 恥也.)"라고 하였다.

237 온 천하에 … 선하게 : 『孟子』「盡心上」에 "옛 사람들은 뜻을 얻으면 은택이 백성에게 더해지고, 뜻을 얻지 못하면 몸을 수양하여 세상에 드러냈다. 窮하면 자기 한 몸만을 홀로 善하게 하고, 영달하면 온 세상 사람들을 아울러 함께 선하게 하였다.(古之人, 得志, 澤加於民 ; 不得志, 脩身見於世. 窮則獨善其身, 達則兼善天下)"라고 하였다.

238 인정받지 못해도 … 있는 : 『中庸』제11장에 "군자는 中庸에 의거하여, 세상에서 은둔하여 인정을 받지 못해도 후회하지 않으니, 오직 성인만이 이를 할 수 있다.(君子依乎中庸, 遯世不見知而不悔, 唯聖者能之.)"고 하였다.

하였다.

[6-11-29]
仲由樂善, 故車馬衣裘喜與賢者共敝. 顔子樂進, 故願無伐善施勞. 聖人樂天, 故合內外而
成其仁.

자로는 선을 즐거워했으므로, 수레와 말과 가벼운 갖옷을 어진 이들과 함께 해질 때까지 쓰는 것을
기뻐하였다. 안연은 나아감을 즐거워했으므로, 잘하는 것을 자랑하거나 공로를 과시함이 없기를 원
하였다. 성인은 하늘의 이치를 즐거워했으므로, 안팎을 합하여 그 인仁을 이루었다.[240]

[6-11-30]
子路禮樂文章, 未足盡爲政之道. 以其重然諾, 言爲衆信, 故“片言可以折獄.” 如『易』所謂
“利用折獄”, “利用刑人”, 皆非爻卦盛德, 適能是而已焉.

자로의 예악과 문장은 정치하는 도를 아직 충분히 다 하지 못하였다. (그러나) 승낙하는 것을 중요
하게 여겨 말이 여러 사람들의 신뢰를 얻었기 때문에, “반 마디 말로 옥사獄事를 결단할 수 있었다.”[241]

· ·
239 오직 나와 … 있다: 『論語』「述而」에 “공자가 안연에게 말하였다. ‘써주면 행하고 버리면 은둔하는 것을
오직 나와 너만이 이러한 점이 있을 뿐이다!(子謂顔淵曰 : ‘用之則行, 舍之則藏, 唯我與爾有是夫 !’)”라고
하였다.
240 자로는 선을 … 이루었다: 『論語』「公冶長」에 “안연과 季路(子路)가 공자를 모시고 있었다. 공자가 말하였
다. ‘각자 너희들의 뜻을 말해보지 않겠는가?’ 자로가 말하였다. ‘수레와 말과 가벼운 갖옷을 친구와 함께
쓰다가 해지더라도 유감이 없기를 원합니다.’ 안연이 말하였다. ‘잘하는 것을 자랑함이 없으며, 공로를 과시
함이 없기를 원합니다.’ 자로가 말하였다. ‘선생님의 뜻을 듣기를 원합니다.’ 공자가 말하였다. ‘늙은이는
편안하게 해주고, 벗은 미덥게 해주며, 젊은이는 감싸주고자 한다.’(顔淵季路侍. 子曰 : ‘盍各言爾志?’ 子路
曰 : ‘願車馬衣輕裘, 與朋友共, 敝之而無憾.’ 顔淵曰 : ‘願無伐善, 無施勞.’ 子路曰 : ‘願聞子之志.’ 子曰 : ‘老者
安之, 朋友信之, 少者懷之.’)”라고 하였다. 웅강대는 『性理群书句解』에서 “자로는 善人과 교제하기를
즐겼다. … 안연은 道에 나아감을 즐겼다. … 성인은 天과 하나가 되었으니, 즐거워하는 것은 天理이다.(子路樂與善
人交. … 顔淵樂於進道. … 聖人與天爲一, 所樂者天理.)”라고 했고, 고반룡은 『正蒙釋』에서 “선을 즐거워하
므로’, 의로움을 중시하고 이로움을 경시하며, ‘나아감을 즐거워하므로’, 스스로 만족하지 않으며, ‘天을 즐거
워하므로’, 사물에 기인하여 성취한다. 만물을 합하여 하나로 여기기 때문에, ‘안팎을 합하여 그 仁을 이룬다’
고 한 것이다.(‘樂善’, 故重義輕利, ‘樂進’, 故不自滿足, ‘樂天’, 故因物成就. 合萬物爲一己, 故曰‘合內外, 成其
仁’.)”라고 했고, 왕식은 『正蒙初義』에서 “수레와 말과 가벼운 갖옷은 외부에 있는 사물이다. 잘하는 것이나
공로는 내면에 있는 덕이다. 공자가 늙은이를 편안하게 해주고 젊은이를 감싸주는 것은, 밖으로는 그 일을
다하여 모든 것이 공정하지 않음이 없는 것이고, 안으로는 그 참됨을 다하여 잘하는 것과 공로가 두루 미치
지 않음이 없는 것이다. 두 현인의 장점을 합하여 사용하였기 때문에 ‘안팎을 합하여 그 仁을 이룬다’고
한 것이다.(車馬衣裘, 物之在外者也; 善勞, 德之在內者也. 孔子老安少懷, 外盡其事而物無不公, 內盡其誠而
善勞無不徧. 蓋合二賢之所長而用之也, 故曰‘合內外而成其仁’.)”라고 하였다.
241 (그러나) 승낙하는 … 있었다: 『論語』「顔淵」에 “공자가 말하였다. ‘반 마디 말로 獄事를 결단할 수 있는
자는 由일 것이다!’ 자로는 승낙한 것을 묵혀두는 법이 없었다.(子曰 : ‘片言可以折獄者, 其由也與!’ 子路無宿

예컨대 『주역』에서 "옥사를 결단함이 이롭다", "사람에게 형벌을 줌이 이롭다[242]"고 한 것과 같은 것은 모두 효나 괘의 성대한 덕은 아니라, 다만 이것을 할 수 있을 뿐[243]인 것이다.

[6-11-31]

顔淵從師進德於孔子之門, 孟子命世脩業於戰國之際. 此所以潛見之不同.

안연은 공자의 문하에서 스승을 따라 덕에 나아갔고, 맹자는 전국시대에 세상에 이름을 드러내면서[244] 業을 닦았다. 이는 잠겨있음과 나타남[245]이 다른 까닭이다.[246]

[6-11-32]

犁牛之子雖無全純, 然使其色騂且角, 縱不爲太祀所取, 次祀小祀終必取之. 言大者苟立, 人所不棄也.

얼룩소의 새끼가 비록 온전한 순수함은 없더라도 그 색깔이 붉고 또 뿔이 올바르다면, 설사 큰 제사에서는 쓰이지 못하더라도 그 다음 가는 제사나 작은 제사에서는 결국 반드시 그것을 쓰게 된다. 큰

. . . .

諾)"라고 하였다.

242 옥사를 결단함이 … 이롭다: 『周易』豐卦 「象傳」에 "군자가 그것을 본받아 獄事를 결단하고 형벌을 가한다.(君子以折獄致刑.)"고 했고, 賁卦 「象傳」에 "군자가 그것을 본받아 여러 政事를 밝히는데, 獄事를 결단함에 과감히 하지 않는다.(君子以明庶政, 无敢折獄.)"고 했고, 「噬嗑」괘에 "噬嗑은 亨通하니, 獄을 씀이 이롭다.(噬嗑, 亨. 利用獄.)"라고 했고, 「蒙」괘에 "初六은 몽매함을 개발하되 사람에게 형벌을 주는 것을 가지고 몽매한 질곡을 벗겨줌이 이로우니(初六: 發蒙, 利用刑人, 用說桎梏)"라고 했고, 「象傳」에 "사람에게 형벌을 주는 것을 가지고 法을 바로잡는 것이 이롭다.(象曰: 利用刑人, 以正法也.)"라고 하였다.

243 다만 이것을 … 뿐: 장당과 주방은 『正蒙註』에서 "'適能是'는 간신히 이것에 족하다는 것을 말한 것이다.('適能是'者, 言其僅足於此也.)"라고 하였다.

244 세상에 이름을 드러내면서: '命世'는 『史記集解序』 "진실로 세상에 이름을 드러낸 걸출한 인재이다.(信命世之宏才也.)"의 『索隱』에서는 "『孟子』「公孫丑下」에서 '5백 년에 반드시 王者가 나오니, 그 사이에 반드시 세상에 유명한 자가 있다.'라고 했고, … 여기서 命이란 名이니, 현인 가운데 세상에 이름이 있는 것이다.(孟子云'五百年必有王者興, 其間必有名世者'. … 此言命者名也, 言賢人有名於世也.)"라고 설명하였다.

245 잠겨있음과 나타남: 『周易』「乾卦」 초구에 "못에 잠겨 있는 龍이니, 쓰지 말아야 한다.(潛龍勿用)"와 구이효에 "나타난 龍이 밭에 있다.(見龍在田.)"라고 하였다.

246 안연은 공자의 … 까닭이다: 이광지는 『注解正蒙』에서 "안연과 맹자를 '잠겨있음'과 '나타남'으로 말한 것은 『周易』에서 효의 의미와 매우 부합된다. 안연이 숨어서 나타나지 않은 것은, (『論語』「子罕」의) '그의 나아감은 보았을 뿐 그의 그침은 보지 못하였다'는 것이지만, 또 당시에 공자가 있었기 때문이다.(以顔孟語潛'見', 於易爻之義甚合. 顔子所以隱而未見者, '見其進未見其止', 而又時有孔子在焉.)"라고 하였다. 염근조는 『正蒙補訓』에서 "안연이 스승을 따라 덕을 쌓아가며, 드러남이 없는 것이 '잠겨있음'이 된다. 맹자의 세상에 드러난 것[命世]은, 한 시대의 호걸로 스스로에게 명하여, 세상의 도를 짊어지려는 뜻이 있으므로, '나타남'이 된다. 맹자는 비록 뜻을 크게 펴지는 못했지만 당시의 군주들에게 말하여 行으로 드러내고자 하였으니, 바로 業을 닦은 것이다.(顔子從師進德, 無所表著爲'潛'. 孟子命世, 乃以一世之豪傑自命, 有擔荷世道之意, 故爲'見'. 孟子雖未大行, 然言之於當時之君, 欲見之行, 即是修業.)"라고 하였다.

것이 진실로 서면 사람에게 버림받지 않는다는 것을 말한 것이다.[247]

有德篇 第十二　제12 유덕편

[6-12-1]

"有德者必有言", "能爲有"也. "志於仁而無惡", "能爲無"也.

"덕이 있는 사람에게는 반드시 (훌륭한) 말이 있으니", "(훌륭한 말이) 있게 될 수 있다는 것이다."[248]
"인仁에 뜻을 두면 악함이 없으니",[249] "(악함이) 없게 될 수 있다는 것이다."

[6-12-2]

"行脩言道", 則當爲人取, 不務徇物强施以引取乎人. 故往教妄說, 皆取人之弊也.

"행동이 닦여지고 말이 도리에 맞게 되면", 마땅히 다른 사람에게 채택될 것이니, 남의 비위를 맞춰 억지로 베풀어, 남에게 채택되도록 유도하기에 힘쓰지 말아야 한다. 그러므로 가서 가르치거나 함부로(망령되게) 기쁘게 하는 것은 모두 남을 취하는 폐단이다.[250]

· · · · · · · · · · · · · · · ·

247 얼룩소의 새끼가 … 것이다 : 『論語』「雍也」에 "공자가 仲弓을 논평하여 말하였다. '얼룩소의 새끼가 색깔이 붉고 또 뿔이 올바르다면 비록 쓰지 않고자 하더라도 山川의 神이 어찌 그것을 버리겠는가?(子謂仲弓曰 : '犂牛之子騂且角, 雖欲勿用, 山川其舍諸?')'라고 하였다. 이광지는 『注解正蒙』에서 "'그 다음 가는 제사'와 '작은 제사'는 산천에게 지내는 제사를 가리킨다.(次祀'小祀', 指山川也.)"라고 하였다.

248 덕이 있는 … 것이다 : 『論語』「憲問」의 말로, "덕이 있는 사람에게는 반드시 훌륭한 말이 있지만, 훌륭한 말이 있는 사람이 반드시 덕이 있는 것은 아니다. 仁者는 반드시 용기가 있지만, 용기가 있는 사람이 반드시 仁이 있는 것은 아니다.(有德者必有言, 有言者不必有德. 仁者必有勇, 勇者不必有仁.)"라고 하였다. 응강대는 『性理群书句解』에서 "마음속에 간직한 것이 덕이고 밖으로 발한 것이 말이다. 마음속에 가지고 있으면 반드시 밖으로 드러나게 되니, 이것이 '있게 될 수 있다'는 것이다.(蘊諸中爲德, 發於外爲言, 有諸中必形諸外, 是'能爲有'者也.)"라고 하였다.

249 仁에 뜻을 … 없으니 : 『論語』「里仁」에 "진실로 仁에 뜻을 두면 악함이 없다.(苟志於仁矣, 無惡也.)"라고 하였다.

250 행동이 닦여지고 … 폐단이다 : 『禮記』「曲禮上」에 "예라는 것은 친함과 소원함을 정하고, 싫어하는 것과 의심스러운 것을 결정하며, 같은 것과 다른 것을 구별하고, 옳은 것과 그른 것을 밝히는 것이다. 예는 함부로 남을 기쁘게 하지 않으며 말을 많이 하지 않는다. 예는 절도를 넘지 않으며 남을 침범하여 업신여기지 않으며, 친압함을 좋아하지 않는다. 몸을 닦고 말을 실천하는 것을 선행이라고 한다. 행동이 바르게 닦여지고 말이 도리에 맞게 되는 것이 예의 근본이다. 예는 남에게서 채택된다는 말을 들었지, 남을 취한다는 말은 듣지 못하였다. 예는 와서 배운다는 말을 들었지, 가서 가르친다는 말을 듣지 못하였다.(夫禮者, 所以定親疏, 決嫌疑, 別同異, 明是非也. 禮, 不妄說人, 不辭費. 禮, 不踰節, 不侵侮, 不好狎. 修身踐言, 謂之善行. 行脩言道, 禮之質也. 禮聞取於人, 不聞取人, 禮聞來學, 不聞往教.)"라고 하였다. 왕식은 『正蒙初義』에서 "(『禮記』) 「곡례 상」의 '행동이 바르게 닦여지고 말이 도리에 맞게 되는 것이 예의 근본이다'에서 진호의 주에는 '言道

[6-12-3]

"言不必信, 行不必果", 志正深遠, 不務硜硜信其小者.

"말은 믿게 하기를 기필하지 않고, 행실은 반드시 해내려고 기필하지 않음"251은, 뜻이 바르고 심원하여, 옹색하게 실행하는 데252 힘쓰지 않는 것이다.

[6-12-4]

辭取意達則止, 多或反害也.

말은 의미를 전달하는 데서 그치는 것을 취하니253 (말이) 많으면 혹 도리어 해롭다.

[6-12-5]

君子寧言之不顧, 不規規於非義之信. 寧身被困辱, 不徇人以非禮之恭. 寧孤立無助, 不失

──────────

는 말이 도리에 부합된다는 것이다. 「곡례」에 또 말하길 '예는 남에게 채택된다는 말을 들었지, 남을 취한다는 말은 듣지 못하였다. 예는 와서 배운다는 말을 들었지, 가서 가르친다는 말을 듣지 못하였다.'라고 했는데, 주자가 말하길 '남에게 취해지는 것'은 남에게 모범으로 취해지는 것이다. '남을 취하는 것'은 남이 오지 않자 내가 그를 끌어당겨 취하는 것이다. '와서 배우는 것'과 '가서 가르치는 것'이 바로 그 일이다. 「곡례」에 또 '예는 망령되게 남을 기쁘게 하지 않는다'라고 했는데, 진호는 '說'은 음이 '悅'이라고 주해하였다.(禮曲禮 上'行修言道, 禮之質也', 陳注'言道', 言合於道也. 曲禮又云'禮聞取於人, 不聞取人, 禮聞來學, 不聞往教', 朱子曰: 取於人者, 爲人所取法; 取人者, 人不來而我引取之也. '來學''往教'卽其事也. 曲禮又云'禮不妄說人', 陳注'說'音'悅'.)라고 하였다. 이와 관련하여 『朱子語類』 권87 제20조에 비슷한 말이 있고 끝부분에 "내 소견에 의하면, 모두 다만 가르치는 자의 입장에서 말한 것이다. '남에게서 취하는 것'은 남이 와서 나에게 구하는 것으로 나는 그로 인해서 가르치는 것이다. '남을 취하는 것'은 내가 남을 가르치기를 구하는 것이다. 지금 다음과 같이 한 번 바꿔 말하고자 한다. '남에게서 취하는 것'은 바로 (『論語』「學而」의) '벗이 있어 먼 곳에서 옴' (『周易』「蒙卦」의) '어린 아이가 나에게 배우기를 원함'인 것이다. '남을 취하는 것은' (『孟子』「離婁上」의) '남의 스승 되기를 좋아함' (『周易』「蒙卦」의) '내가 어린 아이를 가르치기를 구함'인 것이다.(據某所見, 都只就教者身上說. 取於人者, 是人來求我, 我因而教之; 取人者, 是我求人以教. 今欲下一轉語: 取於人者, 便是'有朋自遠方來', '童蒙求我'; 取人者, 便是'好爲人師', '求童蒙'.)라고 하였다.

251 말은 믿게 … 않음: 『孟子』「離婁上」에 "大人은 말은 믿게 하기를 기필하지 않으며, 행실은 반드시 해내려고 기필하지 않고, 오직 義가 있는 데로 하는 것이다.(大人者, 言不必信, 行不必果, 惟義所在.)"라고 하였다. 또한 『論語』「子路」에는 "자공이 물었다. '어떠하여야 선비라 말할 만합니까?' 공자가 말하였다. '몸가짐에 부끄러워함이 있고, 사방에 사신으로 가서는 군주의 命을 욕되게 하지 않으면 선비라 이를 만하다.' 말하였다. '감히 그 다음을 묻겠습니다.' 말하였다. '宗族들이 孝誠스럽다고 칭찬하고 마을에서 공손하다고 칭찬하는 인물이다.' 말하였다. '감히 그 다음을 묻겠습니다.' 말하였다. '말을 반드시 미덥게 하고 행실을 반드시 해내려고 하는 것은 옹색한 小人일 것이다! 그래도 또한 그 다음이 될 만하다.'(子貢問曰: '何如斯可謂之士矣?' 子曰: '行己有恥, 使於四方, 不辱君命, 可謂士矣.' 曰: '宗族稱孝焉, 鄕黨稱弟焉.' 曰: '敢問其次.' 曰: '言必信, 行必果, 硜硜然小人哉! 抑亦可以爲次矣.')"라고 하였다.

252 실행하는 데: 이광지는 『注解正蒙』에서 "信字는 '伸'字의 뜻으로 해야한다.(信字當爲'伸'字義)"라고 하였다.

253 말은 의미를 … 취하니: 『論語』「衛靈公」에서 "공자가 말하였다. 말은 뜻을 전달할 뿐인 것이다.(子曰: 辭達而已矣.)"라고 하였다.

親於可賤之人. 三者知和而能以禮節之也. 與上有子之言, 文相屬而不相蒙者. 凡論語孟子發明前文, 義各未盡者皆挈之. 他皆放此.

군자는 차라리 (자신의) 말을 돌아보지[254] 않을지언정 의義에 어긋난 약속에 얽매이지 않는다. 차라리 자신이 곤욕을 당할지언정, 예禮가 아닌 공손함으로 남을 따르지 않는다. 차라리 고립되어 도움을 받지 못할지언정, 천하게 여길만한 사람이라도 친함을 잃지 않는다.[255] 이 세 가지는 화和해야 한다는 것을 알아서 화和하고, 예로써 절제한 것[256]이다. (이 세 가지는 『논어』에서) 위의 유자有子의 말과 함께 문장이 서로 연접되어 있지만 내용은 서로 이어지지 않는다.[257] 『논어』나 『맹자』는 앞의 글을 밝힐 때 의미가 각각 미진한 것을 모두 끌어다 놓았다. 다른 것들도 모두 이와 같다.

[6-12-6]
德主天下之善, 善原天下之一. 善同歸治, 故王心一. 言必主德, 故王言大.

덕은 천하의 선을 주로 하고, 선은 천하의 하나[一]에서 근원한다. 선이 똑같이 다스려짐으로 귀결되므로 왕의 마음은 하나[一]이다. 말은 반드시 덕을 주로 하므로 왕의 말은 위대한 것이다.[258]

. . . .

254 말을 돌아보지 : 『中庸』 제13장에 "말은 행실을 돌아보며 행실은 말을 돌아 보아야 한다.(言顧行, 行顧言)"라고 하였다.

255 군자는 차라리 … 않는다 : 『論語』 「學而」에 "有子가 말하였다. '약속이 義에 가까우면 그 약속한 말을 실천할 수 있으며, 공손함이 禮에 가까우면 치욕을 멀리할 수 있으며, 의지할 주인을 정할 때 그 친할 만한 사람을 잃지 않으면 또한 (그를) 宗主로 삼을 수 있다.'(有子曰 : 信近於義, 言可復也; 恭近於禮, 遠恥辱也; 因不失其親, 亦可宗也.)"라고 하였다. 염근조는 『正蒙補訓』에서 "'規規'는 얽매어 있음과 같다. '천하게 여길 만한'은 '종주로 삼을 만한'과 반대이다.('規規', 猶拘拘. '可賤', 與'可宗反.)"라고 했고, 오늘은 『正蒙補注』에서 "'차라리 고립되어 도움을 받지 못할지언정'은 차라리 종주로 삼을 바가 없을지언정이라는 말과 같다.('寧孤立無助', 猶言寧無所宗也.)"라고 하였다.

256 和해야 한다는 … 절제한 것 : 『論語』 「學而」에 "유자가 말하였다. '禮의 用은 和를 귀하게 여기니, 先王의 道는 이것을 아름답게 여겨서, 작은 일과 큰 일에 모두 이것을 따랐다. 행하지 말아야 할 것이 있으니, 和를 알아서 和만 하고, 禮로써 절제하지 않으면, 또한 행할 수 없게 되는 것이다.(有子曰 : 禮之用, 和爲貴, 先王之道斯爲美, 小大由之. 有所不行, 知和而和, 不以禮節之, 亦不可行也.)"라고 하였다.

257 이 세 가지는 … 않는다 : '이 세 가지'는 『論語』 「學而」 13장에 나오는 문장이고 '위의 유자의 말'은 『論語』 「學而」 12장에 나오는 문장[知和而和, 不以禮節之, 亦不可行也.]이다. 유기의 『正蒙會稿』에서 "'相屬'은 서로 연접한 것이다. '相蒙'은 서로 계승한 것이다.('相屬', 相接也. '相蒙', 相承也.)"라고 하였다.

258 덕은 천하의 … 것이다 : 『書經』 「咸有一德」에 "德은 항상불변한 모범[師]이 없어 善을 주장함이 모범[師]이 됩니다. 선은 항상 불변한 주장이 없어 하나에 합할 수 있게 됩니다. 만백성에게 모두 '위대하다. 왕의 말씀이여!'라고 말하게 하시며, 또 '하나로다. 왕의 마음이여!'라고 말하게 하시어, 先王이 하늘에서 받은 祿을 편안히 할 수 있고 만백성의 삶을 길이 이루도록 하소서.(德無常師, 主善爲師. 善無常主, 協于克一. 俾萬姓咸曰 : '大哉! 王言', 又曰 : '一哉! 王心', 克綏先王之祿, 永底烝民之生.)"라고 하였다. 또 왕식은 『正蒙初義』에서 『書經』 「함유일덕」과 함께 「蔡仲之命」의 원문인 "善을 행함이 똑같지 않으나, 똑같이 다스려짐으로 돌아간다.(爲善不同, 同歸於治)"도 전거로 제시하였다. 왕식은 계속해서, "(「咸有一德」의) 채침의 전에는 다음과 같이 말하였다. '덕은 여러 善을 겸하였으니, 선을 주장하지 않으면「근본은 하나이면서 만 가지로 다르게

[6-12-7]

言有教, 動有法. 晝有爲, 宵有得. 息有養, 瞬有存.

말에는 (따라야 할) 가르침이 있고, 행동에는 (따라야 할) 법도가 있다. 낮에는 행함이 있고, 밤에는 얻음이 있다. 숨쉴 동안에도 수양함이 있고, 눈깜박일 순간에도 보존함이 있다.

[6-12-7-1]

朱子曰: "此語極好. 君子終日乾乾, 不可食息間. 亦不必終日讀書. 或靜坐存養亦是. 天地之生物, 以四時運動. 春生夏長, 固是不息 ; 及至秋冬凋落, 亦只藏於其中, 故明年復生. 若使秋冬已絶, 則來春無緣復有生意. 學者常喚令此心不死, 則日有進."[259]

주자가 말하였다. "이 말은 지극히 좋다. 군자는 종일토록 부지런히 노력하여, 밥먹을 때나 숨쉴 때에도 끊어져서는 안 된다. 또한 반드시 종일토록 독서할 필요도 없다. 어떤 때는 정좌하여 보존하고 기르는 것이 또한 옳다. 천지가 만물을 낳는 것은 사계절이 운행하기 때문이다. 봄에 태어나고 여름에 자라는 것은 물론 쉬지 않는 것이지만, 가을과 겨울에 시들어 떨어지는 것에 이르러서도 또한 다만 그 가운데 간직되어 있는 것이니, 그러므로 다음 해에 다시 태어나는 것이다. 만약 가을과 겨울에 끊어져 버린다면, 다가올 봄에는 다시 생의生意를 가지게 될 길이 없게 된다. 배우는 자들이 이 마음이 사라지지 않게 항상 환기한다면, 날마다 진보함이 있게 될 것이다."

[6-12-7-2]

"一息之間亦有養, 一瞬之間亦有存. 如造次必於是, 顚沛必於是之意. 但說得大緊."[260]

· ·

표현되는[一本萬殊] 이치를 얻을 수 없다. 선은 일(一)에 근원하였으니, 일(一)에 합하지 않으면 萬殊一本의 오묘함을 통달할 수 없다. 널리 「하나가 아닌[不一] 선에 구하고, 요약하여 「지극한 하나인[至一] 이치로 모으는 것이니, 이는 聖學에서 條理가 시작되고 끝나는 차례이다.' 덕과 선은 하나이다. 안에서 주로 하는 것은 마음이 하나[一]이고, 입에서 발출되면 말이 선한 것이다. 마음에서는 선이라고 하고, 말에서는 덕이라고 한 것은, 선과 덕을 서로 드러내는 互文일 뿐이다. … 생각건대 '하나[一]라는 것은 만 가지 이치의 하나의 근본[一本]인 것이다. 『書經』에서 '합한대[協]고 한 것은 만 가지 이치를 참작하여 요약된 한 가지로 모으는 것이다. 여기에서 '근원한대[原]고 한 것은 한 이치에 근본함으로써 만 가지 이치가 돌아감을 정한 것이다. 모두 사람이 선을 구하는 것을 가지고 말한 것이다. 말은 다르지만 의미는 한 가지이다.(蔡傳 : '德兼衆善, 不主於善, 則無以得一本萬殊之理. 善原於一, 不協於一, 則無以達萬殊一本之妙. 博而求之於不一之善, 約而會之於至一之理, 此聖學始終條理之序.' '德'善', 一也. 主於內爲心一, 發於口爲言善. 心云善, 言云德者, 互見之文耳. … 竊意一者, 萬理之一本者也. 『書』言'協'者, 參萬理以會一理之約; 此言'原'者, 本一理以定萬理之歸; 皆以人之求善者言. 言異而意一也.)"라고 하였다. 한편 고반룡은 『正蒙釋』에서 "이른바 덕은 선을 주로 하는 것일 뿐이다. 선이 자기 자신에게 획득된 것을 덕이라고 한다. 이른바 선은 하나의 이치에 근원하는 것일 뿐이다. 이치에 따르면 길하므로, 그것을 선이라고 한다. 선을 주로 하므로 '왕의 마음이 하나[一]이고', 덕에서 발하므로 '왕의 말이 위대하다.'(凡所謂德, 不過主於善而已. 蓋善得於己, 則謂之德也. 凡所謂善, 原於一理而已. 蓋順理則吉, 故謂之善也. 主於善, 故'王心一'; 發於德, 故'王言大'.)"라고 하였다.

259 『朱子語類』 권118, 40조에 있는 문장이다. 다만 『朱子語類』에는 '不可食息間'이 '不可食息閑'으로 되어 있고, '若使秋冬已絶'이 '若使至秋冬已絶'로 되어 있다.

(주자가 말하였다.) "한 번 숨쉬는 동안에도 수양함이 있고, 한 번 눈 깜박하는 순간에도 보존함이 있다. 예컨대 (『논어』「이인」의) 창졸간에도 이것을 반드시 행하며, 엎어지고 자빠지는 상황에서도 이것을 반드시 행한다는 뜻과 같다. 다만 말이 너무 축약되었다."

[6-12-8]

君子於民, 導使爲德, 而禁其爲非, 不大望於愚者之道與! 『禮』謂"道民以言, 禁民以行", 斯之謂爾.

군자는 백성에 대해서, 인도하여 덕을 행하게 하고 잘못을 행하는 것을 금지시키니, 어리석은 자에게 지나치게 바라지 않는 도일 것이다! 『예기』에서 "말로써 백성을 인도하고 행동으로써 백성을 금지시킨다"[261]고 한 것은 이것을 두고 한 말일 뿐이다.[262]

[6-12-9]

無徵而言, 取不信, 啓詐妄之道也. 杞宋不足徵吾言則不言. 周足徵則從之. 故無徵不信, 君子不言.

증거가 것이 없는데도 말하여 사람의 불신을 사는 것이 '거짓말로 속이는 짓[詐妄]'을 여는 길이다.[263] 기杞나라와 송宋나라는 내 말을 증명하기에 부족하므로 말하지 않았다.[264] 주나라는 충분히 증명할 수 있으므로 그것을 따랐다. 그러므로 증거가 없어서 믿지 못할 것은 군자가 말하지 않는다.[265]

· · · · · · · · · · · · · · · · · · · ·

260 『朱子語類』 권98, 71조에 "'息有養, 瞬有存.' 言一息之間亦有養, 一瞬之頃亦有存, 如造次顚沛必於是'之意, 但說得太緊."라고 하였다.

261 말로써 백성을 … 금지시킨다: 『禮記』「緇衣」에 "군자는 말로써 사람을 인도하고 행동으로써 사람을 금지시킨다. 그러므로 말에서는 반드시 그 귀결을 생각하며 행동에서는 반드시 그 가려진 것을 헤아리면, 백성은 말을 삼가고 행실을 조심한다.(君子道人以言, 而禁人以行. 故言必慮其所終, 而行必稽其所敝, 則民謹於言, 而愼於行.)"라고 하였다.

262 군자는 백성에 … 뿐이다: 고반룡은 『正蒙釋』에서 "'말로써 백성을 인도하는 것'은 그들에게 덕을 행하게 하는 것이고, '행동으로써 백성을 금지시키는 것'은 그들에게 잘못을 행하지 못하게 하는 것이다. 모두 어리석은 자의 일에 대해 크게 요구하거나 바라지 않는 것이다. '말로써 한다'는 것은 언어로써 알려준다는 것이다. '행동으로써 한다'는 것은 행실로써 금지시킨다는 것이다.('道民以言', 使之爲德; '禁民以行', 使不爲非. 皆不大責望於愚者之事也. '以言', 謂以言語告詔之; '以行', 以行事禁止之也.)"라고 하였다. 화희민은 『正蒙輯釋』에서 "오직 어리석기 때문에 인도하지 않을 수 없고 금지시키지 않을 수 없다. 오직 어리석기 때문에 금지하고 인도하는 외에는 또한 깊이 바랄 것이 없는 것이다.(惟愚故不可不導, 不可不禁. 惟愚故禁導之外, 亦無深望焉.)"라고 하였다.

263 증거가 없는데도 … 길이다:『中庸』 제29장에 "이전 시대의 것은 비록 좋지만 증거가 없으니, 증거가 없으므로 믿지 않고, 믿지 않으므로 백성들이 따르지 않는다.(上焉者, 雖善無徵. 無徵不信, 不信民弗從.)"라고 하였다.

264 杞나라와 宋나라는 … 않았다:『論語』「八佾」에 "공자가 말하였다. '夏나라의 禮를 내가 말할 수 있으나 (그 후예인) 杞나라에서 충분히 증명할 수 없으며, 殷나라의 禮를 내가 말할 수 있으나 (그 후예인) 宋나라에서 충분히 증명할 수 없으니, 문헌이 부족하기 때문이다. (문헌이) 충분하다면 내가 증명할 수 있을 것이다.(子曰 : 夏禮吾能言之, 杞不足徵也; 殷禮吾能言之, 宋不足徵也, 文獻不足故也. 足則吾能徵之矣.)"라고 하였다.

[6-12-10]

“便僻”, 足恭. “善柔”, 令色. “便佞”, 巧言.

“겉모습으로만 잘하는 것”은 지나친 공손이다. “아첨하여 기쁘게 하기를 잘하는 것”은 얼굴빛을 보기 좋게 꾸미는 것이다. “말만 잘 하는 것”은 말을 교묘하게 꾸며서 하는 것이다.[266]

[6-12-11]

“節禮樂”, 不使流離相勝, 能進反以爲文也.

“예와 악을 적절히 조절함[267]”은, (절제를 잃고) 휩쓸려 흘러넘치거나 (화합하지 않고) 소원해지게 되어 서로 지나치지 않도록[268]하고, 나아가고 되돌아와 문文으로 삼을 수 있는 것[269]이다.

· ·

265 증거가 없는데도 … 않는다 : 염근조는 『正蒙補訓』에서 “공자가 하나라와 은나라의 예를 말하지 않은 것을 가지고 군자는 증거가 없으면 말하지 않는다는 것을 드러낸 것이다. 주나라를 따른다는 것은 따라 붙인 말[帶言]이다. ‘증거가 없는데도 말하여[無徵而言] 다른 사람의 불신을 취하는 것이, 바로 거짓말로 속이는 짓을 여는 길이다. 사람들이 믿지 않는데도 자꾸 행하면, 거짓말로 속이는 짓을 스스로 여는 것일 뿐이다. 공자는 기나라와 송나라에서 자신의 말을 증명하기에 부족하니, 다시 말하지 않았고, 주나라의 예는 충분히 증명할 수 있었으므로 주나라를 따랐다. 이로써 본다면, 군자는 증거가 없어 남들이 믿지 않는 것에 대해 기꺼이 말하려고 하지 않는다.(以孔子不言夏殷之禮, 見君子無徵則不言也. 從周是帶言. ‘無徵而言’, 取人之不信, 乃啓詐妄之道也. 人不信而習爲, 詐妄自我啓之耳. 孔子於杞宋不足徵吾言, 則不復言, 周禮足徵則從乎周. 以此觀之, 君子於無徵而人不信者, 不肯言也.)”라고 하였다. 왕식은 『正蒙初義』에서 “거짓말로 속이는 짓을 열대[啓詐妄]’는 증거가 없는데도 말하는 것의 폐단을 말한 것이니, 경솔한 말로써 거짓말로 속이는 짓의 단서를 열게 될까 두려워한 것일 뿐이다.(啓詐妄, 謂無徵而言之流弊, 恐以輕言開詐妄之端耳.)”라고 하였다.

266 겉모습으로만 … 것이다 : 『論語』「季氏」에 “유익한 벗이 세 가지이고, 손해되는 벗이 세 가지이다. 벗이 곧으며, 벗이 성실하며, 벗이 보고 들은 것이 많으면 유익하다. 벗이 외적인 威儀에만 능하며, 벗이 아첨하여 기쁘게 하기를 잘하며, 벗이 말만 잘하면 손해가 된다.(益者三友, 損者三友. 友直, 友諒, 友多聞, 益矣. 友便辟, 友善柔, 友便佞, 損矣.)”라고 하였다. 또 『論語』「公冶長」에는 “말을 교묘하게 하고 얼굴빛을 보기 좋게 꾸미고 공손을 지나치게 함을 옛날 左丘明이 부끄럽게 여겼는데, 내공자 또한 이를 부끄럽게 여긴다.(巧言令色足恭, 左丘明恥之, 丘亦恥之.)”라고 하였다. 염근조는 『正蒙補訓』에서 “이는 ‘巧言’令色’足恭’으로 ‘便辟’善柔’便佞’을 풀이한 것으로, 그 대의가 서로 비슷한 것을 취한 것이다.(此以‘巧言’令色’足恭’解‘便辟’善柔’便佞’, 取其大意相近.)”라고 하였다.

267 예와 악을 … 조절함 : 『論語』「季氏」에 “공자가 말하였다. ‘유익한 좋아함이 세 가지이고, 손해되는 좋아함이 세 가지이다. 예와 악을 (적절히) 조절함을 좋아하며, 다른 사람의 선함을 말하기 좋아하며, 어진 벗이 많음을 좋아하면 유익한 것이고, 교만한 즐김을 좋아하며, 나태하게 노는 것을 좋아하며, 안일한 즐김에 빠짐을 좋아하면 손해되는 것이다.’(孔子曰 : 益者三樂, 損者三樂. 樂節禮樂, 樂道人之善, 樂多賢友, 益矣; 樂驕樂, 樂佚遊, 樂宴樂, 損矣.)”라고 하였다. 염근조는 『正蒙補訓』에서 “공자가 ‘예악을 (적절히) 조절한다[節禮樂]’고 한 것에서 (적절히) 조절하는 것은 그것들이 치우치지 않게 하는 것이니, 악이 이겨서 절제를 잃게 되는 데에 이르지 않고 예가 이겨서 화합하지 않는데 이르지 않게 하는 것이다. 또 예에 능하게 되면 나아가서 위축되지 않게 되니, 威儀가 있어 아름다움[文]이 된다. 악에 능하면 돌아와서 방탕하지 않게 되니, 節奏[리듬]가 있어 아름다움[文]이 된다.(孔子云‘節禮樂’, 節之者, 使其不偏, 不至於樂勝而流, 禮勝而離. 且能於禮則進而不消, 有威儀以爲文; 於樂則反而不放, 有節奏以爲文也.)”고 하였다.

[6-12-11-1]

程子曰 : “禮之與樂只在進反之間, 便得性情之正.”[270]

정자가 말하였다. “예와 악은 다만 나아가고 돌이키는 사이에 있으니, 성정의 올바름을 얻는 것이다.”[271]

[6-12-11-2]

朱子曰 : “「樂記」云, ‘禮主其減. 樂主其盈. 禮減而進, 以進爲文. 樂盈而反, 以反爲文.’ 減, 是退讓撙節收斂底意思. 是禮之體本如此, 然非人之所樂, 故須進步向前著力去做. 故以進爲文. 盈, 是舒暢發越快滿底意思. 是樂之體本如此, 然易至於流蕩, 却須收拾向裏. 故以反爲文.”[272]

주자가 말하였다. “「악기」에 ‘예는 줄어드는 것을 주로 하고 악은 가득 차는 것을 주로 한다. 예는 줄어드는데도 나아가므로 나아감을 문(文)으로 삼는다. 악은 가득 차는데도 돌아오므로 돌아옴을 문(文)으로 삼는다.’고 하였다. 줄어듦[減]은 겸양하고 절제하고 수렴하는 뜻이다. 이는 예의 체는 본래 이와 같지만, 사람들이 즐거워하는 것이 아니므로, 모름지기 나아가 앞을 향해 힘써 가서 해야 하는 것이다. 그러므로 나아감을 문(文)으로 삼는 것이다. 가득참[盈]은 마음이 펴져 상쾌하고 한껏 고양되며 충만하다는 뜻이다. 이는 악의 체가 본래 이와 같지만, 방탕함에 이르기 쉬우므로, 모름지기 수습하

---

268 휩쓸려 흘러넘치거나 … 않도록 : 『禮記』「樂記」에 “악은 같게 만들고, 예는 다르게 만든다. 같으면 서로 친하게 되고, 다르면 서로 공경한다. 악이 이기면 휩쓸려 흘러넘치게 되고, 예가 이기면 떨어진다.(樂者爲同, 禮者爲異. 同則相親, 異則相敬. 樂勝則流, 禮勝則離.)”라고 하였다.

269 나아가고 되돌아와 … 있는 것 : 『禮記』「樂記」에 “악이라는 것은 내면[마음속]에서 움직이는 것이다. 예라는 것은 외면[겉모습]에서 움직이는 것이다. 그러므로 예는 줄임[減殺]을 주로 하고 악은 (가득) 채움을 주로 한다. 예는 줄이는데도[減殺] 앞으로 나아가니, 앞으로 나가는 것을 아름다움[文]으로 삼는다. 악은 가득 차는데도 돌아오니, 돌아오는 것을 아름다움[文]으로 삼는다. 예는 줄이기만 하고 나아가지 않으면 위축되고, 악은 가득차기만 하고 돌이키지 않으면 방탕해진다. 그러므로 예는 나아감이 있고 악은 돌이킴이 있다.(樂也者, 動於內者也. 禮也者, 動於外者也. 故禮主其減, 樂主其盈. 禮減而進, 以進爲文. 樂盈而反, 以反爲文. 禮減而不進則銷, 樂盈而不反則放. 故禮有報而樂有反.)”라고 하였다.

270 『二程遺書』「拾遺」에 “禮樂只在進反之間, 便得性情之正”이라고 하였다.

271 예와 악은 … 것이다 : 葉采의 『近思錄集解』에는 이 곳에 주를 달아 ‘朱子曰’이라고 하고 『朱子語類』 권95, 130조의 “禮는 모든 일을 儉約하는 것과 같으니, 수렴하고 공경하는 것 같은 것이 바로 줄어듦[減]이다. 모름지기 힘을 써서 앞을 향해 가서 해야 하는 것이 바로 나아감[進]이다. 그러므로 나아감[進]을 文으로 삼은 것이다. 樂은 노래하고 읊고 화락한 것 같은 것이 바로 가득참[盈]이다. 모름지기 절제가 있어서 和하면서도 방탕하지 않는 것이 바로 돌아옴[反]이다. (그러므로 돌아옴[反]을 文으로 삼은 것이다.) 예는 줄어드는데 도리어 앞으로 나아가고 악은 가득 차는데 도리어 뒤로 물러나니, 이것이 바로 성과 정의 올바름을 얻는 것이다.(禮, 如凡事儉約, 如收斂恭敬, 便是減; 須當著力向前去做, 便是進, 故以進爲文. 樂, 如歌詠和樂, 便是盈; 須當有箇節制, 和而不流, 便是反,[故以反爲文]. 禮減而却進前去, 樂盈而却反退來, 便是得情性之正.)”를 인용하였다.

272 이 구절은 섭채의 『近思錄集解』에 “樂記云, ‘禮主其減. 樂主其盈. 禮減而進, 以進爲文. 樂盈而反, 以反爲文.’ 朱子曰. 減, 是退讓撙節收斂底意思. … ”로 되어 있다.

여 안으로 향해야 한다. 그러므로 돌아옴을 문文으로 삼는 것이다.

[6-12-12]

"驕樂", 侈靡. "宴樂", 宴安.

"교만함으로 즐김"은 사치함이고, "연향함으로 즐김"은 안주하는 것이다.[273]

[6-12-13]

言形則卜如響, 以是知蔽固之私心, 不能嘿然以達於性與天道.

(점치는 것을) 말로 드러냈을 때 점괘가 메아리처럼 호응하니, 이것으로써 굳게 감춘 사사로운 마음으로는 말없이 성과 천도를 터득하는 경지에 이를 수 없음을 알 수 있다.[274]

[6-12-14]

人道知所先後, 則恭不勞, 愼不蒽, 勇不亂, 直不絞, 民化而歸厚矣.

사람의 도리에서 먼저 할 것과 나중에 할 것을 알면,[275] 공손하면서도 수고롭지 않고, 삼가면서도 두려워하지 않고, 용감하면서도 난폭하지 않으며, 강직하면서도 박절하지 않으니,[276] 백성들이 감화되어 (덕이) 두터운 데로 돌아가게 된다.[277]

. . . .

273 "교만함으로 즐김" … 것이다 : 驕樂과 宴樂은 앞 장[6-12-11]의 『論語』「季氏」의 문장에 계속 연결되었다.

274 말로 드러냈을 … 있다 : 『周易』「繫辭上」 제10장에 "질문하기를 말로써 하면, 그 명령을 받아들이는 것이 메아리와 같이 응한다.(問焉而以言, 其受命也如響)"라고 하였다. 주자의 『本義』에는 "사람이 시초[蓍]로 易에 물어 괘사와 효사를 구하고, 그것으로 말을 하고 일을 처리하면 易이 사람의 명령을 받아 고해주기를 마치 메아리가 목소리에 응하듯이 하여 미래의 吉·凶을 결단해 줌을 말한 것이다. '以言'은 (『周易』「繫辭上」 제10장의) 말을 쓰려는 자는 그 말을 숭상함[以言者尚其辭]'의 '以言'과 뜻이 같다. '命'은 막 占을 치려 하면서 시초[蓍]에 고하는 말이다.(言人以蓍問易, 求其卦爻之辭, 而以之發言處事, 則易受人之命而有以告之, 如嚮之應聲, 以決其未來之吉凶也. '以言', 與'以言者尚其辭'之'以言'義同. 命則將筮而告蓍之語.)"라고 하였다. 고반룡은 『正蒙釋』에서 "'말[言]'은 시초를 세어서 괘를 구하면서 하는 말을 말한다. 점이 사람에게 응하는 것이 마치 메아리가 목소리에 응하는 것과 같으니 마음과 목소리가 서로 감통하기 때문일 것이다. 굳게 감춘 사사로운 마음은 감히 말로 드러나지 못하니, 어찌 말없이 성과 천도를 터득하는 경지에 도달할 수 있겠는가?(言, 謂揲蓍求卦之言. 卜之應人, 如嚮之應聲, 蓋以心聲相感通也. 蔽固之私心, 不敢形於言者也, 豈能默然達於性與天道哉?)"라고 하였다.

275 먼저 할 … 알면 : 『大學』에 "사물에는 근본과 말단이 있고, 일에는 끝과 시작이 있으니, 먼저 하고 나중에 할 것을 알면 道에 가까울 것이다.(物有本末, 事有終始, 知所先後, 則近道矣.)"라고 하였다.

276 공손하면서도 수고롭지 … 않으니 : 『論語』「泰伯」에 "공손하면서 禮가 없으면 수고롭고, 삼가면서 예가 없으면 두려워하고, 용맹스러우면서 예가 없으면 혼란하고, 강직하면서 예가 없으면 박절하다. 군자가 친척에게 후하게 하면 백성들이 仁에서 일어나게 되고, 오래된 친구를 버리지 않으면 백성들이 각박해지지 않는다.(恭而無禮則勞, 愼而無禮則蒽, 勇而無禮則亂, 直而無禮則絞. 君子篤於親, 則民興於仁, 故舊不遺, 則民不偸.)"라고 하였다.

277 백성들이 감화되어 … 된다 : 『論語』「學而」에 "초상에 삼가 예를 다하고 멀리 돌아가신 분을 추모하는데

[6-12-15]

膚受陽也, 其行陰也. 象生法必效, 故君子重夫剛者.

피부에 절실히 와 닿는 것은 양陽이고, 그것이 행해지는 것은 음陰이다.[278] 상象이 생겨나면 법이 반드시 나타나므로,[279] 군자는 저 강剛한 것을 중시한다.[280]

[6-12-16]

歸罪爲尤, 罪己爲悔. "言寡尤"者, 不以言得罪於人也.

죄를 돌리는 것은 '원망함'이고, 스스로 자기에게 죄를 묻는 것은 '후회'이다.[281] "말에 원망이 적

. . . .

예를 다하면 백성의 덕이 두터운 데로 돌아갈 것이다.(愼終追遠, 民德歸厚矣.)"라고 하였다.

278 피부에 절실히 … 음이다:『論語』「顔淵」에 "서서히 스며드는 참소와 피부에 절실히 와닿는 하소연이 행해지지 않는다면 밝다고 이를 만하다.(浸潤之譖, 膚受之愬, 不行焉, 可謂明也已矣.)"라고 하였다.

279 상이 생겨나면 … 나타나므로:『周易』「繫辭上」제5장에 "象을 이룸을 乾이라 하고, 法을 드러냄을 坤이라 한다.(成象之謂乾, 效法之謂坤.)"고 하였다. 주자의『본의』에 의하면 "效는 드러냄(效, 呈也.)"이다. 상과 법에 관해서 주자는『朱子語類』권74, 140조에서 "양에 속하는 것은 다만 象이 있을 뿐이다. 상은 아직 형체를 이루지 못하였다는 뜻이고, 이미 이루어졌다면 곧 음에 속한다. '상을 이룸'은 일월성신이 하늘에 있는 것과 같으니, 또한 실제의 형체도 없고, 다만 이와 같이 매달려 있는 상일 뿐이다. … 법은 한 번 이루어 이미 정해진 것이 있는 것이니, 형상으로 드러날 수 있는 것이다. 법조문과 같으니 또한 이미 이루어진 법이 실제로 있는 것이다.(凡屬陽底, 便是只有箇象而已. 象是方做未成形之意, 已成便屬陰. '成象', 謂如日月星辰在天, 亦無箇實形, 只是箇懸象如此. … 法是有一成已定之物, 可以形狀見者. 如條法, 亦是實有已成之法.)"라고 하였다.

280 피부에 절실히 … 중시한다: 고반룡은『正蒙釋』에서 "일이 아직 행해지지 않으면, 형체가 없어서 양이 되고, 이미 행해지면 자취가 있어서 음이 된다. 강한 사람은 밝기 때문에 피부에 절실히 와 닿는 하소연이 행해지지 않는다.(凡事未行, 則無形而爲陽, 已行則有跡而爲陰. 剛者陽明, 故膚受不行也.)"라고 하였다. 염근조는『正蒙補訓』에서 "이는 장재가 역의 이치를 잘 알아서, '피부에 절실히 와 닿는 하소연(膚受)'이라는 구절에서 양이 상이고 음이 법이라는 이치를 꿰뚫어 본 것이다. 상은 양에 속하고 법은 음에 속한다. 막 하소연하여 그 상이 있는 것은 양이 되고, 하소연이 행해져서 그 형체가 드러나는 것은 음이 된다. 피부에 절실히 와 닿는 것은 행해지기 쉬우니, 양이 움직이면 음이 따르는 것이고, 마치 상이 생겨나면 법이 반드시 그것을 본받는 것과 같다. 군자는 저 강한 것을 중시한다는 것에서, 강한 것은『論語』에서 말한 '밝음'이다. 옛주(오늘의『正蒙補注』)에서 피부에 와 닿는 하소연이 행해지지 않는 것이 양이고, 행해지면 음이라고 했는데, (그렇게 하면) '상이 생겨난다'는 구절이 잘 연결되지 않은 것 같다.(此張子易理爛熟, 於'膚受'節看出陰陽象法之理也. 象屬陽, 法屬陰. 方愬而有其象爲陽, 愬行而呈其形爲陰. 膚受易於行, 陽動而陰隨之, 猶象生而法必效之也. 君子重夫剛者, 剛即『論語』所言'明'也. 舊注謂膚受不行爲陽, 行爲陰, '象生'句似無安頓.)"라고 하였다.

281 죄를 돌리는 … 후회이다: '죄를 돌리는 것(歸罪)'에는 본래 자신의 죄과를 다른 사람에게 돌려 씌움, 또는 스스로 죄를 인정하고 그 죄를 받음이라는 두 가지 상반된 의미가 있다.『正蒙』의 주해에서는 이에 대해 다음과 같이 세 가지로 해석이 나뉜다. 첫째, 자신의 죄를 (남에게) 돌리는 것, 둘째, (남이 자기에게) 죄를 돌리는 것, 셋째, 객관적으로 외부에 드러난 (자신의) 잘못이다. 먼저 유기는『正蒙會稿』에서 "'죄를 돌리는 것(歸罪)'은 남에게 죄를 돌리고 그 허물을 떠맡지 않는 것을 말한다. '자기에게 죄를 돌리는 것(罪己)'은 잘못을 보고 자책할 수 있는 자이다.(歸罪, 謂歸罪於人, 不任其咎. '罪己', 則見過而能自訟者也.)"라고 하였다.

다"[282]는 것은 말로써 다른 사람에게 죄를 얻지 않는다는 것이다.

[6-12-17]

"己所不欲, 勿施於人", 能恕己以仁人也. "在邦無怨, 在家無怨", 己雖不施不欲於人, 然人施於己, 能無怨也.

"자기가 원하지 않는 바를 남에게 베풀지 말라"[283]는 것은 내 마음을 미루어 가서 남에게 인仁을 베푸는 것이다. "나라에 있을 때에도 원망함이 없고 집에 있을 때에도 원망함이 없다"[284]는 것은 내가 원하지 않는 것을 남에게 베풀지 않았는데 남이 나에게 베풀더라도 원망이 없는 것이다.

[6-12-18]

"敬而無失", 與人接而當也. "恭而有禮", 不爲非禮之恭也.

"공경하며 실수가 없다"는 것은 다른 사람과 접하는 데 합당하게 하는 것이다. "공손하며 예가 있다"[285]는 것은 예에 어긋난 공손함을 행하지 않는다는 것이다.

· · · · · · · · · · · · · · · · · · · ·

또한 고반룡은 『正蒙釋』에서 "죄를 돌리는 것[歸罪]은 다른 사람이 죄를 그에게 돌리는 것이다.(歸罪者, 人以罪歸之.)"라 했고, 왕부지도 『張子正蒙註』에서 "남이 자기에게 죄를 돌리는 것은 허물이고, 자기가 그르치고 나서 뒤따라 스스로를 책망하는 것은 뉘우침이다.(人歸罪於己爲尤, 己旣失而追自咎爲悔)"라고 하였다. 한편 장당과 주방의 『正蒙註』와 임낙창의 『정몽합교집석』에서는 이 구절을 『하남정씨외서』제6의 "허물은 죄가 밖으로부터 온 것이다. 뉘우침은 이치가 안으로부터 나온 것이다.(尤, 罪自外也. 悔, 理自內出也.)"라는 구절 및 이에 대한 주자의 설명과 연관시키고 있다. 『朱子語類』권24, 104조에는 "'허물은 밖으로부터 온 것이고, 뉘우침은 안으로부터 나온 것'이라는 것에 대해 어떤 이가 물었다. 대답하였다. '말을 입 밖에 내면 혹시라도 다른 사람에게 해치는 데 이르게 되기도 하므로, 허물이 많은 것이다. 행실에 바르지 못하는 것이 있으면, 자신이 반드시 먼저 알아채게 되므로 뉘우침이 많은 것이다. 그러나 이것도 또한 그 많고 적음을 가지고 말한 것일 뿐이다. 말하는데 허물이 많으면 어찌 스스로 뉘우치지 않겠는가! 행하는데 뉘우침이 많으면 또한 반드시 남을 해치는 데에 이르게 되는 것이다.'(或問尤自外至, 悔自內出'. 曰: '出言或至傷人, 故多尤; 行有不至, 己必先覺, 故多悔. 然此亦以其多少言之耳. 言而多尤, 豈不自悔! 行而多悔, 亦必至於傷人矣.')"라고 하였다.

282 말에 원망이 적다: 『論語』「爲政」에 "많이 듣고서 의심스러운 것을 빼버리고 그 나머지를 삼가서 말하면 원망이 적어진다. 많이 보고서 불안한 것을 빼버리고 그 나머지를 삼가서 행하면 후회하는 일이 적어진다. 말에 원망이 적으며 행실에 후회할 일이 적으면 祿이 그 가운데 있는 것이다.(多聞闕疑, 愼言其餘則寡尤. 多見闕殆, 愼行其餘則寡悔. 言寡尤, 行寡悔, 祿在其中矣.)"라고 하였다.

283 자기가 원하지 … 말라: 『論語』「顏淵」의 문장이다. 또 『論語』「衛靈公」에도 "자공이 말하였다. '한 마디 말로 종신토록 행할 만한 것이 있습니까?' 공자가 말하였다. '아마도 恕일 것이다! 자기가 원하지 않는 것을 남에게 베풀지 말라.'(子貢問曰: '有一言而可以終身行之者乎?' 子曰: '其恕乎! 己所不欲, 勿施於人.')"라고 하였다.

284 나라에 있을 … 없다: 『論語』「顏淵」의 문장이다.

285 공경하며 실수가 … 있다: 『論語』「顏淵」에 "군자가 공경하고 실수가 없으며, 남과 함께 함에 공손하고 예가 있으면 四海의 안이 모두 형제이니, 군자가 어찌 형제가 없음을 걱정하겠는가?(君子敬而無失, 與人恭而有禮, 四海之內, 皆兄弟也, 君子何患乎無兄弟也?)"라고 하였다.

[6-12-19]

聚百順以事君親, 故曰"孝者畜也", 又曰"畜君者好君也".

모든 (도리에) 순응함을 모아서 임금과 어버이를 섬기므로, "효라는 것은 (도리에) 따르는 것[畜]이다"라고 한 것이고, 또 "임금을 (도리에 맞게) 따름은 임금을 사랑한 것이다"라고 말한 것이다.[286]

· ·

286 모든 (도리에) … 것이다 : 앞의 『正蒙』 「至當」 첫머리에 "지극히 마땅함을 덕이라고 하고, 모두 순조로움을 복이라고 한다.(至當之謂德, 百順之謂福.)"라고 하였다. 또한 『禮記』 「祭統」에는 "효라는 것은 '畜'이다. 도리에 따르고 인륜에 거스르지 않는 것을 '畜'이라고 한다. 이런 까닭에 효자가 어버이를 섬길 때 세 가지 도리가 있으니, 살아계실 때에는 봉양하고 돌아가시면 喪을 치르며 喪이 끝나면 제사를 지내는 것이다. 봉양할 때에는 그 순종함을 보며, 상을 치를 때에는 그 애통해 함을 보며, 제사를 지낼 때에는 그 공경하며 때에 맞는지를 보는 것이다. 이 세 가지 도리를 다하는 것이 효자의 행실이다.(孝者, 畜也. 順於道, 不逆於倫, 是之謂畜. 是故, 孝子之事親也, 有三道焉 : 生則養, 沒則喪, 喪畢則祭. 養則觀其順也, 喪則觀其哀也, 祭則觀其敬而時也. 盡此三道者, 孝子之行也.)"라고 하였다. 『孟子』 「梁惠王下」에는 『詩經』에 '임금을 '畜'함이 무슨 잘못이랴.'라고 하였으니, 임금을 '畜'한 것은 임금을 사랑한 것입니다.(其詩曰, 畜君何尤. 畜君者, 好君也.)"라고 하였다.

여기에서 중요한 개념은 '畜'인데, 먼저 『禮記』 「祭統」에 대한 13경주소 『禮記正義』의 정현주에는 "'畜'은 德教에 따르는 것이다.(畜, 謂順於德教.)"라고 하여 '畜'을 '따르다 · 순종하다[順]'는 의미로 보았다. 본문 앞부분에 '따름 · 순종함[順]'이라는 개념이 중시되고 있으므로, 여기에서도 이러한 해석을 따랐다. 한편 13경주소 『孟子注疏』의 조기 주나 손석의 소, 초순의 『孟子正義』에는 다음과 같이 '畜'을 '기쁘게 하다' 또는 '좋아하다'라고 풀이했는데, 역시 이와 같은 맥락에 속한다.

『孟子注疏』의 趙岐 주에서는 "말하자면, 신하가 임금을 기쁘게 하는 것은 임금을 좋아한다고 한 것이다.(言臣說君, 謂之好君.)"라고 했고 孫奭의 『正義』에서는 "또 「樂詩」에서 '畜君何尤'라고 한 것을 인용하여 '휵군자, 호군야(畜君者, 好君也.)'라고 하였다. 임금을 기쁘게하는 것은 임금을 좋아하기 때문인데 어떤 잘못이 있겠는가라는 말이다. 그러므로 또 '휵군자시호군야(畜君者是好君也.)'라고 말한 것이다. 이는 모두 안자가 말한 것이 임금을 기쁘게 하는 것이다. 맹자가 이것을 인용하여 제선왕을 가르쳤으니, 또한 제선왕도 경공처럼 안자의 말을 기뻐하고 깨닫게 되기를 바란 것이다.(… 又引 「樂詩」 曰畜君何尤, 畜君者, 好君也. 言說君所以好君, 何有其過也, 故又曰畜君者是好君也. 凡此皆晏子所言, 是其畜君者也. 孟子引此誨宣王, 亦欲宣王如景公說晏子之言而悟之也.)"라고 했으며, 초순의 『맹자정의』에는 왕념손의 『廣雅疏證』을 인용하여 "사랑하고 기뻐하는 것[愛悅]을 '畜'이라고 하고, 서로 좋아하는 것도 '畜'이라고 하며, 또는 좋아한다고도 한다. 『孟子』 「양혜왕」에 '畜君者, 好君也.'는 본래 위 문장을 이어 군주와 신하가 서로 좋아하는 것을 말한 것이니, 그러므로 조기의 주에 '신하가 임금을 좋아하는 것을 「好君」이라고 한다'고 하였다. '好'와 '畜'은 옛날의 음이 비슷했으니, '畜何尤'는 '好君何尤'이다. 『禮記』 「祭統」에 '효라는 것은 '畜'이다. 도리에 따르고 인륜에 거스르지 않는 것을 '畜'이라고 한다.'라고 했고, 「孔子閒居」 및 「방기」의 주에도 '「畜」은 '효'이다'라고 했고 『석명』에는 '효는 「好」이다.'라고 하였다. … '畜'과 '효'는 음이 비슷하다.(… 媚好謂之畜, 相悅亦謂之畜, 又云之好. 『孟子』 「梁惠王」篇 '畜君者, 好君也.' 本承上君臣相悅而言, 故趙氏注云 '言臣說君謂之好君.' 好畜古聲相近, 畜君何尤卽好君何尤. 「祭統」云 : '孝者, 畜也. 順於道, 不逆於倫, 是之謂畜.' 「孔子閒居」 及 「坊記」注並云 : '畜, 孝也.' 『釋名』云 : '孝, 好也. … 畜孝聲並相近. …)"라고 하였다.

한편 『孟子』 「梁惠王下」에 대해 주자는 "안자가 자기 임금의 욕심을 제지할 수 있었으니(晏子能畜止其君之欲)"라고 하여 '畜'을 '제지하다[止]'는 의미로 보았고, 소철 역시 『孟子解』에서 '제지하다[止]'는 의미로 풀이하였다. 오눌의 『正蒙補注』, 유기의 『正蒙會稿』, 여남의 『張子抄釋』, 서필달의 『正蒙釋』, 왕부지의 『張子正蒙註』,

[6-12-20]

事父母"先意承志." 故能辨志意之異, 然後能教人.

부모를 섬길 때에는 "부모의 의意[생각]에 앞서서 그 지志[지향]를 받들어야 한다." 그러므로 지志와 의意의 다름을 분별할 수 있으니, 그러한 뒤에야 남을 가르칠 수 있다.[287]

[6-12-20-1]

程子曰 : 意與志異. 志是所存處, 意是發動處. 如先意承志, 自不同也.

정자가 말하였다. 의意와 지志는 다르다. 지志는 보존하고 있는 것이고, 의意는 발동하는 것이다. 예컨대 의意에 앞서서 지志를 받드는 것과 같은 경우와는 본래 다른 것이다.

[6-12-21]

藝者, 日爲之分義. 涉而不有, 過而不存, 故曰'游'.

예는 날마다 행하는 과업이다. 거쳐가면서도 가지지는 않고, 지나가면서도 보존해 두지는 않으므로 '(예에서) 노닌다'라고 한 것이다.[288]

[6-12-22]

天下有道, 道隨身出, 天下無道, 身隨道屈.

. . . .

장당과 주방, 화희민 등 『正蒙』의 주석가들은 대부분 '畜'을 '모으다[聚]'는 의미로 풀이하였다.

287 부모를 섬길 … 있다 : 『禮記』「祭義」에 "군자가 말하는 효란, 부모의 意에 앞서서 그 志를 받들어서, 도로써 부모님에게 일깨워 드리는 것이다.(君子之所謂孝者, 先意承志, 諭父母於道.)"라고 하였다. 이광지는 『주해 正蒙』에서 "의지[志]는 공적인 것이고 의향[意]은 사적인 것이다. 그 사사로운 의향[意]이 아직 싹트기 전에 그 의지[志]를 받들면, 부모에게 도를 깨우칠 수 있다는 것이니, 이것을 미루어가면 남을 가르치는 데 어떤 어려움이 있겠는가?(志公而意私, 先其私意之未萌而承其志, 則能喻親於道矣, 推是以教人乎何有?)"라고 했고, 왕식은 『正蒙初義』에서 "이 절의 대의는 의지[志]와 의향[意]의 공적인 것과 사적인 것을 마땅히 분별해야 한다는 것을 드러낸 것이다. (『禮記』「제의」의 성어를 인용하여 '남을 가르친다'는 의미로 확대시켰으며, '남을 가르침'을 위주로 말한 것이다.(此節大意, 見志意公私之宜辨也. 引「祭義」成語以起'教人', 以'教人'爲主)"라고 하였다.

288 예는 날마다 … 것이다 : 『論語』「述而」에 "도에 뜻을 두고 덕을 잡아 지키며 인에 의지하며 예에서 노닌다. (志於道, 據於德, 依於仁, 游於藝.)"라고 하였다. 『荀子』「強國」에 "예악은 닦고, 분의는 밝힌다.(禮樂則修, 分義則明)"라고 했고, 이에 대한 楊倞의 注에 "'分'은 상하에 구분이 있다는 것을 말한 것이고, '義'는 각각 그 마땅함을 얻음을 말한다.(分, 謂上下有分 ; 義, 謂各得其宜.)"라고 하였다. 염근조는 『正蒙補訓』에서 "요즘 사람들이 매일 배우는 것을 '功課'라고 하는데, '分義'도 이와 같은 부류일 것이다. '거쳐감[涉]'은 물을 건너가는 것과 같고 '지나감[過]'은 길을 지나감과 같은데, 모두 '노닐대[游]'는 글자에 비추어서 말을 만든 것이다.(今人每日所學者, 謂之'功課', '分義'或是此類. '涉'如涉水, '過'如過路, 皆照'游'字立言.)"라고 하였다. 이광지는 『注解正蒙』에서 "'거쳐가면서도 가지지는 않고 지나가면서도 보존해 두지 않으니', 마음에 얽매임이 없을 뿐만 아니라, 그 마음을 수양할 수 있는 것이다.('涉而不有, 過而不存', 則不惟無累於心, 而能養其心矣.)"라고 하였다.

천하에 도가 있으면, 도가 내 몸을 따라 나오고, 천하에 도가 없으면 내 몸이 도를 따라 굽혀진다.[289]

[6-12-23]

"安土", 不懷居也. 有爲而重遷, 無爲而輕遷, 皆懷居也.

"주어진 상황에 편안해 하는 것"은 '편히 거처함을 생각하지 않는 것'이다.[290] (마땅히 옮길 만한) 까닭이 있는데도 옮기기를 주저하거나, (마땅히 옮길 만한) 이유가 없는데도 옮기기를 가볍게 하는 것은 모두 머무르는 자리에 연연하는 것이다.[291]

[6-12-24]

"老而不死是爲賊". 幼不率敎, 長無循述, 老不安死, 三者皆賊生之道也.

"늙어서도 죽지도 않으니, 해로운 존재로구나"하였다. 어려서는 가르침을 따르지 않고, 장성해서는 옛 법도를 따라 말하지 않고, 늙어서는 죽음을 편안히 여기지 못하는 것, 이 세 가지는 모두 삶을 해치는 길이다.[292]

. . . .

289 천하에 도가 … 굽혀진다 : 『孟子』「盡心上」에 "천하에 道가 있을 때에는 도로써 몸을 따르고, 천하에 도가 없을 때에는 몸으로써 도를 따르는 것이니, 도를 가지고 남을 따른다는 것은 아직까지 들어보지 못하였다. (天下有道, 以道殉身, 天下無道, 以身殉道, 未聞以道殉乎人者也.)"라고 하였다. 웅강대는 『性理群书句解』에서 "큰 도가 공공연히 시행되는 세상을 만나게 되면, 이 도를 확장시켜나가 천하를 다스리므로, 내 몸이 세상에서 뜻을 행하고 도 역시 행해진다. 큰 도가 사라진 세상을 만나게 되면 세상을 피해 남에게 알려지지 않아도 후회하지 않으므로, 도와 내 몸이 모두 굽혀진다.(當大道爲公之世, 則推此道以制天下, 故身行而道亦行. 當大道湮汨之世, 遯世不見知而不悔, 故道與身而俱屈.)"라고 하였다.

290 주어진 상황에 … 것이다 : 『周易』「繫辭上」제4장에 "주어진 상황에 편안해 하여 仁을 돈독히 하다.(安土, 敦乎仁)"라고 했고 이에 대해 주자는 『본의』에서 "있는 자리마다 모두 편안해 하며 한 순간도 仁하지 않음이 없다.(隨處皆安, 而無一息之不仁.)"라고 풀이하였다. 『論語』「憲問」에 "선비로서 편히 거처함을 생각하면 선비라 할 수 없다.(士而懷居, 不足以爲士矣.)"라고 하였다.

291 까닭이 있는데도 … 것이다 : 이광지는 『注解正蒙』에서 "有爲와 無爲는 까닭이 있음과 까닭이 없음이라는 말과 같다.(有爲無爲, 猶言有故無故也.)"라고 하였다. 화희민은 『正蒙輯釋』에서 "마땅히 옮겨야 하는데 옮기고, 마땅히 옮기지 말아야 하는데 옮기지 않는 것이 모두 '주어진 상황에 편안한 것'이다.(當遷而遷, 不當遷而不遷, 皆'安土'也.)"라고 하였다. 염근조는 『正蒙補訓』에서 "옮기기를 조심스럽게 하는 것은 옛 자리에 연연해 하는 것이고, 옮기기를 가볍게 하는 것은 새로운 자리에 연연해 하는 것이다.(重遷者, 懷舊居; 輕遷者, 懷新居.)"라고 하였다.

292 늙어서도 죽지도 … 길이다 : 『論語』「憲問」에 "原壤이 걸터앉아 (공자를) 기다리니, 공자가 '어려서는 공손하지 못하고, 장성해서는 칭찬할 만한 일이 없고, 늙어서도 죽지도 않는 것 이것이 바로 해만 끼치는 존재[賊]이다.'라고 말하고는, 지팡이로 그의 정강이를 툭툭 쳤다.(原壤夷俟, 子曰 : '幼而不孫弟, 長而無述焉, 老而不死, 是爲賊.' 以杖叩其脛.)"라고 하였다. 염근조는 『正蒙補訓』에서 "이는 원양에게 '늙어서도 죽지도 않는다'라고 질책했던 뜻을 풀이한 것이다. '가르침을 따르지 않는 것'은 부모나 형의 가르침을 따르지 않는 것이고, '삶을 해치는 것'은 삶의 이치를 해치는 것을 말한다.(此釋責原壤'老而不死'之義. '不率敎', 是不率父兄之敎, '賊生', 謂賊害其生理.)"라고 하였다. 유기는 『正蒙會稿』에서 "'무술선(無循述)'은 법도를 따라 말하지 않고 방자한 마음으로 망녕되게 행하는 것을 말한다.('無循述', 謂不循述乎規矩而恣意妄爲也.)"라고 하였고, 고반

"樂驕樂", 則佚欲. "樂宴樂", 則不能徙義.

"교만한 즐김을 좋아하면", 욕망에 빠지게 된다. "연향하는 즐김을 좋아하면" 의로 옮겨갈 수 없다.[293]

[6-12-26]

"不僭不賊", 其"不忮不求"之謂乎!

"어그러지지 않고, 해치지 않음"이란 "해치지 않고 탐내지 않음"을 말한 것일 것이다![294]

[6-12-27]

不穿窬, 義也; 謂非其有而取之曰盜, 亦義也. 惻隱, 仁也; 如天, 亦仁也. 故擴而充之, 不可勝用.

벽을 뚫고 담장을 넘어가서 좀도둑질을 하지 않는 것이 의이고, 자기의 소유가 아닌데도 취하는 것을 도둑이라고 말하는 것도 역시 의이다. 측은히 여기는 것이 인이고 하늘과 같은 것도 역시 인이다.[295] 그러므로, 그것을 넓혀서 가득 채우면, 이루 다 쓰지 못할 것이다.[296]

. . . .

롱도 『正蒙釋』에서 "無循述'은 옛 전범을 따르지 않고 방자한 마음으로 망녕되게 행하는 것이다.('無循述', 不由舊章而恣意妄爲也.)"라고 하였다. 이광지는 『注解正蒙』에서 "늙어서는 죽음을 편안히 여기지 못하는 것'과 '삶을 해치는 길'이라는 것은 아마도 공자가 원양을 질책한 뜻과 부합되지 않는 듯 하다.('老不安死', '賊生之道', 似與夫子責原壤之意未合.)"라고 지적하였다.

293 교만한 즐김을 … 없다: 『論語』「季氏」에 "유익한 것이 세 가지 좋아함이 있고 해로운 것이 세 가지 좋아함이 있다. 禮樂을 절도에 맞게 함을 좋아하고, 남의 훌륭한 점을 말하기를 좋아하고, 현명한 벗이 많은 것을 좋아하면 유익하다. 교만한 즐거움을 좋아하며, 편안히 노는 것을 좋아하며, 연향하는 즐거움을 좋아하면 해롭다.(益者三樂, 損者三樂. 樂節禮樂, 樂道人之善, 樂多賢友, 益矣. 樂驕樂, 樂佚遊, 樂宴樂, 損矣.)"라고 하였다.

294 어그러지지 않고, … 것이다!: 『詩經』「大雅·抑」에 "군주여, 그대 德을 행하기를 선하게 하고 아름답게 할지니, 그대 행동거지를 善하게 하고 삼가 威儀에 허물이 없게 할지어다. 어그러지지 아니하고 해치지 아니하면, 법도가 되지 않음이 드물 것이다.(辟爾爲德, 俾臧俾嘉, 淑愼爾止, 不愆于儀, 不僭不賊, 鮮不爲則.)"라고 했고, 『詩經』「衛風·雄雉」에 "모든 군자들이 德行을 모르실까, 해치지 않고 탐내지 않는다면 어찌 善하지 않으리오!(百爾君子, 不知德行, 不忮不求, 何用不臧!)"라고 하였다. 염근조는 『正蒙補訓』에서 "일에서 어그러지지 않고, 이치에서 해치지 않는 것은 자기의 처신에 속하는 말이다. 남에게 있는 것을 해치지 않고, 자기에게 없는 것을 탐내지 않는 것은 남과 함께 하는 것에 속하는 말이다. 장재는 이 둘을 합해서 말하였다. '어그러지지 않음不僭'은 탐내지 않는다는 말이다. '해치지 않음不賊'은 해치지 않는다는 말이다.(不差於事, 不害於理, 屬處己言; 不以人有而忮, 不以己無而求, 屬與人言. 張子合言之. '不僭', 卽不求之謂; '不賊', 卽不忮之謂.)"라고 하였다.

295 하늘과 같은 … 인이다: 『孔子家語』「五帝德」에 "공자가 말하였다. '요임금[陶唐]은 그 仁이 하늘과 같다.'(孔子曰: '陶唐其仁如天')"라고 하였다.

296 담을 뚫고 … 것이다: 『孟子』「盡心下」에 "사람들은 모두 차마 하지 못하는 마음을 가지고 있으니, 차마

[6-12-28]

自養薄於人, 私也 ; 厚於人, 私也. 稱其才, 隨其等, 無驕吝之弊, 斯得之矣.

자신을 수양할 때 남보다 박하게 대하는 것은 사사로움[私]이며, 남보다 후하게 대하는 것도 사사로움[私]이다. 그 재능에 걸맞게 대하고, 그 수준에 따라 대하며, 교만함이나 인색함의 폐단이 없어야 옳다.[297]

[6-12-29]

罪己則無尤.

자기 자신에게 죄를 돌리면 허물이 없다.

[6-12-30]

困辱非憂, 取困辱爲憂. 榮利非樂, 忘榮利爲樂.

괴로움과 모욕을 당하는 것이 근심이 아니라, 괴로움과 모욕을 붙잡는 것[298]이 근심이 된다. 영예와 이익이 즐거움이 아니라, 영예와 이익을 잊는 것이 즐거움이 된다.[299]

하는 바에까지 이르게 한다면 仁이다. 사람들은 모두 하지 않는 바가 있으니, 하는 바에까지 이르게 하면 義이다. 사람이 남을 해치지 않으려는 마음을 가득 채울 수 있다면 仁을 이루 다 쓰지 못할 것이며, 사람이 벽을 뚫고 담장을 넘어가서 좀도둑질하지 않으려는 마음을 가득 채울 수 있다면 義를 이루 다 쓰지 못할 것이다.(人皆有所不忍, 達之於其所忍, 仁也 ; 人皆有所不爲, 達之於其所爲, 義也. 人能充無欲害人之心, 而仁不可勝用也 ; 人能充無穿踰之心, 而義不可勝用也.)"라고 하였다. 『孟子』「萬章下」에는 "자기의 소유가 아닌 것을 취하는 자를 도둑이라 이르는 것은, (도둑이라는) 범주를 확충시켜 나가서 義를 다한 것까지 이른 것이다.(夫謂非其有而取之者盜也, 充類至義之盡也.)"라고 하였다. 여남은 『張子抄釋』에서 "인의에 모두 큰 것과 작은 것이 있음을 풀이한 것이다.(釋仁義皆有大小.)"라고 하였다.

297 자신을 수양할 … 옳다 : 『論語』「泰伯」에 "만일 주공의 재주와 아름다움이 있더라도, 교만하고 인색하다면, 그 나머지는 볼 것도 없다.(如有周公之才之美, 使驕且吝, 其餘不足觀也已.)"라고 하였다. 왕식은 『正蒙初義』에서 "'才'는 힘이 미치는 바이고, '等'은 분수에 마땅한 바이다.('才', 謂力之所及 ; '等', 謂分之所宜.)"라고 하였다. 화희민은 『正蒙輯釋』에서 "이는 '교만함' '인색함'이라는 두 글자를 빌려서 '자신을 수양함'에까지 통하게 한 것이다. 별도로 또 다른 한 가지 해석이다.(不審其才與等, 而故爲薄厚, 非吝卽驕矣. 此借'驕'吝'兩字而通之於'自養'. 另爲一解.)"라고 하였다.

298 괴로움과 모욕을 붙잡는 것 : 유기는 『正蒙會稿』에서 "'取困辱爲憂'는 어질지 않고 의롭지 않으며, 놀면서 즐기고 나태하고 오만한 것에는 괴로움과 모욕을 취하게 되는 이치가 있다. 그러므로 근심할 만한 것이다.(取困辱爲憂者, 不仁不義, 槃樂怠傲, 有取困辱之道也. 故可憂也.)"라고 하였다.

299 괴로움과 모욕을 … 된다 : 화희민은 『正蒙輯釋』에서 "괴로움과 모욕을 취하면, 비록 괴로움과 모욕에 실제 이르지 않는다 하더라도, 또한 근심할 만한 것이다. 영예와 이익을 잊으면 어지럽고 소란스러운 생각이 없어지니 어떤 즐거움이 그와 같겠는가!(取困辱, 則雖不至困辱, 亦可憂也. 忘榮利, 則無紛擾之念, 何樂如之!)"라고 했고, 왕식은 『正蒙初義』에서 "이 절의 대의는 근심과 즐거움이 나에게 있는 것이지 외부에 있는 것이 아님을 논한 것이다.(此節大意, 論憂樂之在我而不在外也.)"라고 하였다.

“勇者不懼”, 死且不避, 而反不安貧, 則其勇將何施耶? 不足稱也. “仁者愛人”, 彼不仁而疾之深, 其仁不足稱也. 皆迷謬不思之甚, 故仲尼率歸諸亂云.

“용맹한 자는 두려워하지 않아”, 죽음도 피하지 않는데 도리어 가난함을 편안히 여기지 못한다면, 그 용맹을 장차 어디에다 쓸 것인가? (그 용맹은) 칭찬할 만한 것이 못된다. “인仁한 자는 사람을 사랑하는데”, 만일 어떤 사람이 인仁하지 못하다고 하여 그를 지나치게 미워한다면, 그 인仁은 칭찬할 만한 것이 못된다. (이것들은) 모두 미혹되고 잘못되어 생각이 매우 부족한 것이므로, 공자는 이것들을 대체로 ‘난亂’이라는 말로 귀결시켰다.[300]

[6-12-32]

擠人者, 人擠之. 侮人者, 人侮之. “出乎爾者反乎爾”, 理也; 勢不得反, 亦理也.

남을 배척하는 자는 남도 그를 배척한다. 남을 업신여기는 자는 남도 그를 업신여긴다. “네게서 나온 것은 네게로 돌아간다”는 것은 이치이며, (자신에게 돌아오는) 형세를 되돌릴 수 없는 것도 이치이다.[301]

[6-12-33]

克己行法爲賢, 樂己可法爲聖. 聖與賢, 迹相近而心之所至有差焉. “辟世”者, 依乎中庸, 没世不遇而無嫌. “辟地”者, 不懷居以害仁. “辟色”者, 遠恥於將形. 辟言者, 免害於禍辱. 此爲士清濁淹速之殊也. 辟世, 辟地, 雖聖人亦同. 然憂樂於中, 與“賢者”“其次”者爲異. 故曰迹相近而心之所至者不同.

자기를 극복하여 법을 행함은 현자[賢]이고, 자기를 즐기면서 (다른 사람들의) 법이 될 만한 이는 성인[聖]이다. 성과 현은 그 행적은 서로 가깝지만 마음이 도달한 경지에는 차이가 있다. “무도한 시대를 피하는” 자는, 중용에 의거하여, 죽을 때까지 때를 만나지 못하여도 싫어하지 않는다. “어지러운 나라를 피하는” 자는, 마음속으로 편안한 곳에 연연하여서 인仁을 해치지 않는다. “임금의 달라진 모

....

300 용맹한 자는 … 귀결시켰다: 『論語』「子罕」에 “지혜로운 자는 미혹되지 않고, 仁한 자는 근심하지 않고, 용맹한 자는 두려워하지 않는다.(知者不惑, 仁者不憂, 勇者不懼)”라고 했고, 『論語』「泰伯」에 “용맹을 좋아하면서 가난을 싫어하면 어지러워지고, 사람으로서 仁하지 못한 것을 너무 지나치게 미워해도 어지러워진다.(好勇疾貧, 亂也; 人而不仁, 疾之已甚, 亂也.)”라고 하였다. 주자는 『論語集註』에서 앞의 ‘亂’은 본인이 亂을 일으킨 것[作亂]이고, 뒤의 ‘亂’은 상대가 亂을 일으키게 되는 것[致亂]이라고 설명했지만, 여기에서 장재는 본인의 마음속에서 미혹되고 잘못되었다는[迷繆] 자기 마음의 혼란이라는 의미로 본 듯 하다. 이광지는 『注解正蒙』에서 “이는 ‘亂’字에 가난함을 미워하거나 仁하지 못한 자를 미워함을 연결시켜서, 미혹되어 잘못되었다는 뜻을 설명하였다.(此以‘亂’字著疾貧疾不仁者, 說爲迷繆之義.)”라고 하였다.

301 남을 배척하는 … 이치이다: 『孟子』「梁惠王下」에 “증자가 말하였다. ‘경계하고 경계하라! 네게서 나온 것은 네게로 돌아간다.’(曾子曰: ‘戒之戒之! 出乎爾者, 反乎爾也.’)”라고 하였다. 오눌은 『正蒙補注』에서 “배척함[擠]은 물리쳐서 떨어뜨림이다.(擠, 排陷也.)”라고 하였다.

습을 보고 피하는" 자는, 앞으로 일어날 수치스러운 일을 멀리하는 것이다. 임금이 말을 어기면 피하는 자는, 재앙과 치욕에서 해를 면한다. 이것은 선비의 맑음과 탁함, 느림과 빠름의 차이이다. 무도한 세상을 피하고 어지러운 나라를 피하는 것은 비록 성인이라 하더라도 역시 마찬가지이다. 그러나 마음속에서 근심하고 즐거워함은 "현자"나 "그 다음 가는 자"와는 다르다. 그러므로 '그 행적은 서로 비슷하지만 마음이 도달한 경지는 같지 않다'고 하는 것이다.[302]

[6-12-34]

"進賢如不得已, 將使卑踰尊, 疏踰戚"之意, 與「表記」所謂"事君難進而易退則位有序, 易進而難退則亂也", 相表裏.

"현자를 등용할 때에는 부득이 한 것처럼 해야 하니, 장차 지위가 낮은 자에게 높은 이를 넘어서게 하며, 소원한 관계에 있는 자에게 친한 이를 넘어서게 하기 때문이다"[303]는 뜻은, (『예기』)「표기」에서 이른바 "임금을 섬길 때, 나아감을 어렵게 하고 물러남을 쉽게 하면 직위에 질서가 있게 되고 나아감을 쉽게 하고 물러남을 어렵게 하면 어지러워진다."[304]라는 말과 서로 표리가 된다.[305]

[6-12-35]

"弓調而後求勁焉, 馬服而後求良焉", 士必愨而後智能者. 不愨而多能, 譬之豺狼不可近.

"활은 잘 조절한 다음에야 굳셈을 구할 수 있고, 말은 길들인 다음에야 잘 달릴 것을 구할 수 있으며", 선비는 반드시 성실한 다음에야 지혜롭고 유능하게 된다. 성실하지 않으면서 유능함만 많은 것

---

302 자기를 극복하여 … 것이다 : 『論語』「憲問」에 "賢者는 무도한 세상을 피하고, 그 다음 가는 자는 어지러운 나라를 피하고, 그 다음 가는 자는 임금의 달라진 모습을 보고 피하고, 그 다음 가는 자는 임금이 말을 어기면 피한다.(賢者辟世, 其次辟地, 其次辟色, 其次辟言.)"라고 했고, 또 「憲問」에 "선비로서 마음에 편안한 곳에 연연해 하면, 선비라 할 수 없다.(士而懷居, 不足以爲士矣.)"라고 하였다. 왕식은 『正蒙初義』에서 "이 절의 대의는 『論語』에서 '현자는 무도한 세상을 피한다'는 장을 가지고 성인과 현자의 마음과 행적이 완전히 다 같지는 않음을 밝힌 것이다. '자기를 극복하여 법을 행함'이라는 말은 성인과 현자가 도달한 경지에 편안히 행함과 힘써 노력하여 행함의 구분이 있음을 말한 것이다.(此節大意, 即『論語』'賢者避世'章, 以明聖賢心迹之不盡同也. '克己行法'四語, 言聖賢所造有安勉之分.)"라고 했고, 고반룡은 『正蒙釋』에서 "무도한 세상을 피하는 것과 어지러운 나라를 피하는 것은 맑으면서 빠른 것이다. 은미한 모습과 소리를 내는 것에 이르러서야 떠나는 것은 탁하면서 오래 머무는 것이다.(避世避地, 清而速. 至於微色發聲而後去, 濁而淹矣.)"라고 하였다.
303 현자를 등용할 … 때문이다 : 『孟子』「梁惠王下」
304 임금을 섬길 … 어지러워진다 : 『禮記』「表記」
305 현자를 등용할 … 된다 : 고반룡은 『正蒙釋』에서 "나아감을 어렵게 하고 물러남을 쉽게 하면 직위에 체계가 서게 된다'는 본래 '지위가 높은 이를 넘어선다'거나 '친한 이를 넘어선다'에까지 이르는 것은 아니므로 '서로 표리가 된다'라고 한 것이다. 임금이 현자를 등용할 때에는 마땅히 『孟子』의 뜻과 같이 해야하고, 신하가 스스로 처할 때에는 마땅히 「表記」의 말과 같이 해야 한다. 그러면 나아가고 머무는 올바름에 거의 들어맞을 것이다.('難進易退而位有序', 自不至踰尊'踰戚'矣, 故曰'相表裏'. 人君用賢, 當如『孟子』之意; 人臣自處, 當如「表記」之言. 庶幾出處之正.)"라고 하였다.

은, 비유하자면 승냥이나 이리와 같아서 가까이할 수 없다.[306]

[6-12-36]

谷神能象其聲而應之, 非謂能報以律呂之變也. 猶卜筮叩以是言, 則報以是物而已. 『易』所謂"同聲相應"是也. 王弼謂"命呂者律", 語聲之變, 非此之謂也.

골짜기의 신[谷神][307]이 그 소리대로 호응할 수 있는 것은, (이는) 율려律呂의 변화[變]로써 답할 수 있다는 말은 아니다. 점을 칠 때 어떠한 말로 질문하면, (그에 상응하는) 어떠한 것[爻]으로 대답해 주는 것과 같을 따름이다. 『주역』에서 이른바 "같은 소리끼리는 서로 응한다."[308]는 것이 이것이다. 왕필이 "려呂에 명령하는 것이 율律이다"[309]라고 한 것은, 소리의 변화에 대해 말하는 것이지, 이것을 말한 것이 아니다.

[6-12-37]

"行前定而不疚", 光明也. "大人虎變", 夫何疚之有!

"행할 것을 미리 정하여 두면 결함이 없다."[310]는 것은 지혜가 밝아서이다. "대인은 호랑이가 변하듯 하는데"[311] 무슨 결함이 있겠는가!

[6-12-38]

言從作乂, 名正, 其言易知, 人易從. 聖人不患爲政難, 患民難喩.

말이 (이치에) 맞으면 다스려지는 세상이 된다는 것은, 명분이 바르면, 그 말은 알기 쉽고, 사람들이 따르기 쉽다.[312] 성인은 정치하기 어려움을 근심하지 않고, 백성들을 깨우치기 어려움을 근심한다.

• •

306 활은 잘 … 없다: 『荀子』「哀公」에 "그러므로, 활은 잘 조절한 다음에야 강궁을 구할 수 있고, 말은 길들인 다음에야 잘 달릴 것을 구할 수 있으며, 선비는 반드시 성실한 다음에야 지능과 유능함을 구할 수 있다. 선비가 성실하지 않으면서 지능과 유능함만 많은 것은, 비유하자면 승냥이나 이리와 같으니, 가까이할 수 없는 것이다.(故弓調而後求勁焉, 馬服而後求良焉, 士信愨而後求知能焉. 士不信愨而有多知能, 譬之其豺狼也, 不可以身爾也.)"라고 하였다.

307 골짜기의 신[谷神]: 『老子』 제6장에 "골짜기의 신은 죽지 않는다.(谷神不死.)"라고 하였다.

308 같은 소리끼리는 … 응한다: 『周易』「乾卦 聞言」에 "같은 소리는 서로 응하고 같은 기운은 서로 구한다.(同聲相應, 同氣相求)"라고 하였다.

309 呂에 명령하는 … 律이다: 왕필, 『周易略例』「明爻通變」

310 행할 것을 … 없다: 『中庸』 제20장.

311 대인은 호랑이가 … 하는데: 『周易』「革卦·九五」에 "大人이 호랑이가 변하듯 함이니, 점치지 않고도 믿음이 있다.(大人虎變, 未占有孚)"라고 했고, 이에 대해 주자는 『本義』에서 "호랑이는 대인의 象이다. 變은 가죽에 털이 드물어져 털갈이함을 말한다.(虎, 大人之象. 變, 謂希革而毛毨也.)"라고 주해하였다.

312 말이 (이치에) … 쉽다: 『書經』「洪範」에 "첫 번째는 모습이고, 두 번째는 말이고, 세 번째는 봄이고, 네 번째는 들음이고, 다섯 번째는 생각함이다. 모습은 공손하고, 말은 순종하고, 봄은 밝고, 들음은 귀 밝고, 생각함은 슬기롭다. 공손함은 엄숙함을 만들고, 순종함은 다스림을 만들고, 밝음은 지혜를 만들고, 귀밝음은

[6-13-1]

有司, 政之綱紀也. 始爲政者, 未暇論其賢否, 必先正之. 求得賢才而後擧之.

유사는 정치의 기강이 되는 자들이다. 처음 정사를 맡은 자는 유사가 현명한지 아닌지의 여부를 논할 겨를이 없으니, 반드시 먼저 그들을 단속[申飭]해야 한다. (그리고 나서) 어질고 유능한 자를 구하여 얻은 후에 그를 등용해야 한다.[313]

[6-13-2]

爲政不以德, 人不附且勞.

정치를 덕으로써 하지[314] 않으면, 백성들이 따르지 않고 수고롭기만 하다.

[6-13-3]

"子之不欲, 雖賞之不竊." 欲生於不足, 則民盜. 能使無欲, 則民不爲盜. 假設以子不欲之物賞子, 使竊其所不欲, 子必不竊. 故爲政者, 在乎足民, 使無所不足, 不見可欲, 而盜必息矣.

"그대가 욕심내지 않는다면, 비록 상을 준다 하더라도 (백성들은) 도둑질을 하지 않을 것이다"[315]라고 하였다. 욕심은 부족함에서 생기는 것이니, (그렇게 되면) 백성이 도둑질을 하게 된다. 그들에게

....

헤아림을 만들고, 슬기로움은 성스러움을 만든다.(一曰貌, 二曰言, 三曰視, 四曰聽, 五曰思. 貌曰恭, 言曰從, 視曰明, 聽曰聰, 思曰睿. 恭作肅, 從作乂, 明作哲, 聰作謀, 睿作聖.)"라고 하였다. 왕식은 『正蒙初義』에서 "『書經』에서 '순종함'은 이치를 따름을 말하니, 오직 이치에 맞기 때문에 하는 말이 덕스럽고, 질서가 있고 요점이 있게 되니, 이것이 '다스려지는 세상이 된다'는 것이다.(『書』'從', 謂順理, 惟從故發爲德音, 而有倫有要, 是'作乂'也.)"라고 했고, 이광지는 『注解正蒙』에서 "백성들은 비록 깨우치기 어려운 것이지만, 말이 이치에 따르고 명분과 의리가 올바르다면, 사람들이 알기 쉽고 따르기 쉬우니, 다스림의 요체를 얻게 된다.(民雖難喻, 言順於理而名義正, 則人易知易從, 而治之要得矣.)"라고 하였다.

313 유사는 정치의 … 한다: 有司는 어느 한 부서나 직책을 맡아서 담당하는 실무관원이다. 『論語』「子路」에 "仲弓이 季氏의 가신이 되어 정치에 대해 묻자, 공자가 말하였다. '먼저 有司에게 시키고, 작은 잘못은 용서해 주며, 어질고 유능한 이를 등용해야 한다.'(仲弓爲季氏宰, 問政, 子曰: '先有司, 赦小過, 擧賢才.')"라고 하였다. 여본은 『正蒙集解』에서 "현명한지 아닌지 여부를 논하는 것은 어질고 유능한 자를 등용하는 일이니, 먼저 이미 지위에 있던 유사를 마땅히 올바르게 한 후에 어질고 유능한 자를 천거하여 이어서 등용하여야 한다는 것을 말한 것이다.(論賢否, 擧賢才之事也, 言先當正其已在位者之有司, 然後擧賢才而續用之也.)"라고 하였다.

314 정치를 덕으로써 하지: 『論語』「爲政」의 "정치를 덕으로써 하는 것은 비유하면, 북극성이 제자리에 머물러 있으면 여러 별들이 그에게로 향하는 것과 같다.(爲政以德, 譬如北辰居其所, 而衆星共之.)"라고 하였다.

315 그대가 욕심내지 … 것이다: 『論語』「顔淵」에 "季康子가 도둑에 대해 근심하여 공자에게 대책을 묻자, 공자가 대답하였다. '만일 그대가 욕심내지 않는다면 비록 상을 준다하더라도 백성들은 도둑질을 하지 않을 것이다.'(季康子患盜, 問於孔子, 孔子對曰: '苟子之不欲, 雖賞之, 不竊.')"라고 하였다.

욕심내지 않을 수 있도록 해준다면 백성들은 도둑질을 하지 않을 것이다. 만일 그대가 욕심나지 않는 물건을 그대에게 상으로 주면서, 욕심나지 않는 물건을 훔치게 한다면, 그대는 반드시 훔치지 않을 것이다. 그러므로 정치를 한다는 것은 백성을 풍족하게 하는 데 달려 있으니, 백성들에게 부족한 것이 없게 하고, 욕심 부릴 만한 것을 보게 하지 않으면[316] 도둑질은 반드시 없어질 것이다.

[6-13-4]

爲政必身倡之, 且不愛其勞, 又益之以不倦.

정치를 할 때는 반드시 몸소 앞장서야 하고, 수고로움을 아끼지 말아야 하며, 또 거기에 더하여 게을리 하지 말아야 한다.[317]

[6-13-5]

"天子討而不伐, 諸侯伐而不討", 故雖湯武之擧, 不謂之討而謂之伐. 陳恒弑君, 孔子請討之, 此必因周制鄰有弑逆, 諸侯當不請而討. 孟子又謂征者上伐下, 敵國不相征. 然湯十一征, 非賜斧鉞, 則征討之名, 至周始定乎!

"천자는 죄를 성토聲討만 하고 직접 치지 않으며, 제후는 직접 치기만 하고, 성토하지 않는다."[318] 그러므로 비록 탕임금과 무왕의 거사라도 '성토[討]'라고 말하지는 않고, '친다[伐]'라고 말하는 것이다. 진항이 임금을 시해하자, 공자는 이를 토벌할 것을 청했는데[319], 이는 반드시 주나라의 제도에, 이웃 나라에 임금을 시해한 사건이 있으면 제후가 마땅히 (천자에게) 요청하지 않고도 토벌한다는 것에 따른 것이다. 맹자는 또 말하였다. '정征은 천자국이 제후국을 치는 것이니, 대등한 나라끼리는 서로 치지 못하는 것이다.'[320] 그러나 탕임금은 11차례나 정征하여도 부월을 하사받은 일이 없었으니, '치

---

316 욕심 부릴 … 않으면:『老子』제3장에 "얻기 어려운 재화를 귀하게 여기지 않으면 백성들이 도둑질을 하지 않게 하며, 욕심 부릴 만한 것을 드러내지 않으면 백성들의 마음을 어지럽게 하지 않는다.(不貴難得之貨, 使民不爲盜, 不見可欲, 使民心不亂.)"고 하였다.

317 정치를 할 … 한다:『論語』「子路」에 "자로가 정치에 대해 묻자, 공자가 말하였다. '앞장서서 솔선할 것이며, 열심히 해야 한다.' 더 자세히 말해 주시기를 요청하자, '게을리 하지 말아야 한다'라고 말하였다.(子路問政, 子曰: '先之勞之' 請益, 曰: '無倦'.)"라고 하였다.

318 천자는 죄를 … 않는다:『孟子』「告子下」에 "천자가 諸侯國에 가는 것을 巡狩라 하고, 제후가 천자에게 朝會 가는 것을 述職이라 한다. … 그러므로 천자는 죄를 聲討만 하고 征伐하지 않으며, 제후는 정벌하기만 하고, 성토하지 않는다.(天子適諸侯曰巡狩, 諸侯朝於天子曰述職. … 是故天子討而不伐, 諸侯伐而不討.)"라고 하였다. 주자는『孟子集註』에서 "討는 명령을 내려 그 죄를 聲討하고, 方伯과 제후의 우두머리[連帥]로 하여금 제후를 거느리고 치도록 하는 것이다. 伐은 천자의 명령을 받들어 그 죄를 聲討하고 치는 것이다.(討者, 出命以討其罪, 而使方伯連帥, 帥諸侯以伐之也. 伐者, 奉天子之命, 聲其罪而伐之也.)"라고 하였다.

319 진항이 임금을 … 청했는데:『論語』「憲問」에 "陳成子가 (齊나라의) 簡公을 시해하자, 공자가 목욕하고 조회하여 哀公에게 아뢰었다. '陳恒이 그 군주를 시해하였으니, 토벌하소서.'(陳成子弑簡公, 孔子沐浴而朝, 告於哀公曰: '陳恒弑其君, 請討之.')"라고 하였다.

320 征은 천자국이 … 것이다:『孟子』「盡心下」

다[征]'나 '성토하다[討]'라는 명칭은 주나라에 이르러 비로소 정해진 것일 것이다!³²¹

[6-13-6]

"野九一而助", 郊之外助也. "國中什一使自賦", 郊門之內, 通謂之國中, 田不井授, 故使什而自賦其一也.

"지방[野]에는 9분의 1 세법을 하여 조법助法을 쓴다"³²²는 것은 교외郊外는 조법을 시행한다는 것이다. "수도[國中]에서는 10분의 1 세법을 써서 스스로 세금을 바치게 하니"³²³, 교문郊門의 안을 통틀어 국중國中이라 하는데, (국중에서는) 밭을 정전井田으로 만들어주지 않았으므로, 10분의 1을 스스로 납입케 한 것이다.

[6-13-7]

"道千乘之國", 不及禮樂刑政, 而云"節用而愛人, 使民以時". 言能如是, 則法行; 不能如是, 則法不徒行, 禮樂刑政, 亦制數而已爾.

"천승의 나라를 다스림"에 대해 말하면서 예악형정은 언급하지 않고, "씀씀이를 절도 있게 하고 사람들 사랑하며, 백성을 부리기를 때에 맞게 하여야 한다."³²⁴라고 말하였다. 이와 같이 할 수 있으면 법이 행해지고, 이와 같이 하지 못하면 법만 혼자서 행해지지도 아니하니, 예악형정 또한 도수를 제정해놓은 것일 뿐이다.³²⁵

---

321 탕임금은 11차례나 … 것이다! : 『孟子』「滕文公下」에 "탕임금이 첫 번째 정벌[征]을 葛나라로부터 시작하여 11개국을 정벌[征]하였는데 천하에 대적한 이가 없었다.(湯始征, 自葛載, 十一征而無敵於天下.)라고 하였고, 『禮記』「왕제」에 "제후는 천자로부터 활과 화살이 하사받은 다음에라야 정벌[征]을 행하고, 부월을 하사받은 다음에라야 사람을 죽일 수 있다.(諸侯賜弓矢, 然後征, 賜鈇鉞, 然後殺.)"라고 하였다. 이광지는 『注解正蒙』에서 "탕임금이 11차례나 征함'이라는 말은, 반드시 모두 임금을 시해한 자가 아니었거나, 혹은 부월을 하사받아 천자의 명령으로 정벌[征]했을 것이다. 그렇지 않다면, '정벌[征]이나 성토[討]라는 명칭은 주나라에 이르러 비로소 정해진 것'일 것이다.(言'湯十一征', 未必盡是弑逆, 或是賜鈇鉞以王命征之. 不然, 則'征討之名, 至周始定'也.)"라고 하였다.

322 지방[野]에는 9분의 … 쓴다 : 『孟子』「滕文公上」

323 수도[國中]에서는 10분의 … 하니 : 『孟子』「滕文公上」의 문장이다. 주자는 『孟子集註』에서 "'野'는 교외의 都·鄙의 땅이다. '九一而助'는 公田을 만들어 助法을 시행하는 것이다. '國中'은 교문郊門의 안에 있는 鄕·遂의 땅이니, 토지를 井田으로 만들어 주지 않고, 다만 도랑溝洫을 만들어서 10분의 1을 스스로 바치게 하니, 이는 貢法을 쓴 것이다. 周나라의 이른바 徹法이라는 것이 이와 같았다. 이로써 미루어보건대, 당시에는 비단 助法이 시행되지 못했을 뿐만 아니라, 貢法 역시 10분의 1에 그치지 않은 것이다.('野', 郊外都鄙之地也. '九一而助', 爲公田而行助法也. '國中', 郊門之內, 鄕遂之地也, 田不井授, 但爲溝洫, 使什而自賦其一, 蓋用貢法也, 周所謂徹法者蓋如此. 以此推之, 當時非惟助法不行, 其貢亦不止什一矣.)"라고 하였다.

324 씀씀이를 절도 … 한다 : 『論語』「學而」에 "千乘의 나라를 다스릴 때에는, 일을 공경하게 대처하고 미더웁게 하며, 씀씀이를 절도 있게 하고 백성을 사랑하며, 백성을 부리기를 때에 맞게 하여야 한다.(道千乘之國, 敬事而信, 節用而愛人, 使民以時.)"라고 하였다.

325 이와 같이 할 … 뿐이다 : 『周易』「節卦·象傳」에 "못 위에 물이 있음이 節이니, 군자가 본받아서 數와 度를

[6-13-8]

富而不治, 不若貧而治. 大而不察, 不若小而察.

(나라가) 부유하더라도 다스려지지 못하는 것은, 가난하더라도 잘 다스려지는 것보다 못하다. (나라가) 크더라도 세세히 살피지 못하는 것은, 작더라도 세세히 살피는 것보다 못하다.

[6-13-9]

"報者, 天下之利", 率德而致. 善有勸, 不善有沮, 皆天下之利也. 小人私己, 利於不治; 君子公物, 利於治.

"보답은 천하 모두의 이로움"[326]인데, 덕을 따랐을 경우에만 이루어진다. 선한 것을 권면하고, 선하지 않은 것을 막는 것이 모두 천하의 이로움이다.[327] 소인은 자기의 것을 사사로이 여기므로, 다스려지지 못하는 상황을 이롭게 여기고, 군자는 만물을 공명정대하게 대하므로, 다스려짐을 이롭게 여긴다.[328]

大易篇 第十四 제14 대역편

[6-14-1]

『大易』不言有無. 言有無, 諸子之陋也.

『대역大易』에서는 유有와 무無를 말하지 않았으니, 유와 무를 말한 것은 제자諸子의 비루한 식견이다.[329]

. . . .

제정하며 덕행을 의논한다.(澤上有水節, 君子以, 制數度, 議德行.)"라고 하였다. 염근조는 『正蒙補訓』에서 "예악형정은 '법'이다. 제도에는 수량의 많거나 적음이 있으므로 '수'라고 말한 것이다.(禮樂刑政, 卽法. 凡制有數之多寡, 故云'數'.)"라고 하였다.

326 보답은 천하 … 이로움 : 『禮記』「表記」 정현은 『예기주』에 "'報'는 예를 말한다.('報', 謂禮也.)"라고 하였고, 진호의 『禮記集說』에는 應鏞의 주를 인용하여, "응씨가 말하였다. '報'가 '예'가 되니 교제하고 왕래함으로 하는 것이다.(應氏曰: 報之爲禮, 以交際往來.)"라고 하였다. 그러나 염근조는 『正蒙補訓』에서 "장재가 '報'자를 풀이한 것은 진호의 '교제하고 왕래함'의 설이 아니다.(張子解'報'字, 非陳氏'交際往來'之說.)"라고 하였다.

327 덕을 따랐을 … 이로움이다 : 이광지는 『注解正蒙』에서 "'덕을 따랐을 경우에만 이루어진다'는 것은 덕으로 말미암아 스스로 이르게 된다는 말이다. 선한 것은 복을 이르게 하여 권면할 수 있고, 선하지 않은 것은 화를 이르게 하여 막을 수 있다. 이와 같이 한다면 사람들이 모두 악을 버리고 선으로 나아가게 되니, 천하의 이로움이 아니고 무엇이겠는가?('率德而致', 言由德所自致也. 善, 則致福而足以勸; 不善, 則致禍而足以沮. 如此, 則人皆棄惡而趨善, 非天下之利而何?)"라고 하였다.

328 소인은 자기의 … 여긴다 : 이광지는 『注解正蒙』에서 "선악의 보답이 어그러지지 않은 것이 이른바 '다스려짐[治]'이다. 군자가 이로움으로 여기는 것은 공명정대함[公]이고, 소인이 이로움으로 여기는 것은 사사로움[私]이다.(夫善惡之報不爽, 所謂治也. 君子以爲利者, 公也; 小人以爲不利者, 私也.)"라고 하였다.

[6-14-2]

『易』語天地陰陽情僞, 至隱賾而不可惡也. 諸子馳騁說辭, 窮高極幽, 而知德者厭其言. 故言爲非難, 使君子樂取之爲貴.

『역』은 하늘과 땅, 음과 양, 참과 거짓을 말하는데, 지극히 은미하고 복잡하지만 싫어할 수는 없는 것이다.[330] 제자諸子들이 말이 치달리듯 쏟아낸 언설들은, 한없이 높고 지극히 심오하지만, 덕을 아는 자는 그 말을 싫어한다. 그러므로 말하는 것이 어려운 것이 아니라, 군자에게 그 말을 즐겨 취하도록 하는 것이 귀중한 것이다.

[6-14-3]

易一物而三才. 陰陽, 氣也, 而謂之天. 剛柔, 質也, 而謂之地. 仁義, 德也, 而謂之人.

『역』은 한 가지 이치이지만 삼재三才[天·地·人]의 도리가 갖추어져 있다. 음양은 기氣이니, 그것을 하늘이라고 한다. 강유剛柔는 질質이니, 그것을 땅이라고 한다. 인의는 덕이니, 그것을 사람이라고 한다.[331]

[6-14-4]

易爲君子謀, 不爲小人謀. 故撰德於卦, 雖爻有小大, 及繫辭其爻必諭之以君子之義.一本'大'作'又', 無其爻二字

『역』은 군자를 위해 도모하는 것이지, 소인을 위해 도모하는 것이 아니다. 그러므로, 괘에서 덕을 가릴 때[332] 비록 효에 작은 것[陰]과 큰 것[陽]이 있지만, 그 효에 설명[효사]을 달 때에는 반드시 군

---

329 『大易』에서는 有와 … 식견이다 : 여본은 『正蒙集解』에서 "이와 기는 서로 떨어지지 않으므로 '大易은 유와 무를 말하지 않았다. 老子나 장자의 무리들이 유는 무에서 생겨났다고 말했으니, 이는 도를 허무라고 여기는 것으로, 이와 기를 단절시켜서 둘로 여기는 것이다. 어찌 그리도 비루한가! '비루함'이란 그 식견의 비루함을 말한 것이다.(理氣不相離, 故'大易不言有無'. 老莊之類, 乃言有生於無, 則是以道爲虛無, 隔理氣而爲二矣. 何其陋哉! '陋', 曰其見之卑也.)"라고 하였다.

330 『역』은 하늘과 … 것이다 : 『周易』 「繫辭上」 제8장에 "천하의 지극히 잡란함을 말하지만 싫어할 수 없다.(言天下之至賾而不可惡也.)"라고 하였다. 유기는 『正蒙會稿』에서 "역은 『周易』이라는 책이다. 情은 참됨이다. 僞는 참되지 않음이다. 은미함隱은 그윽하고 깊은 것이다. 잡란賾은 뒤섞여 어지러움이다. 『周易』은 천도와 음양과 괘의 변화의 참과 거짓을 논하여 은미함隱과 잡란함賾에까지 이르는데, 그러나 모두 지극한 이치가 깃들어 있으니, 사람들이 싫어할 수 없는 것이다.(易, 卽『易』之書. 情, 實也. 僞, 不實也. 隱, 謂幽深. 賾, 謂雜亂. 『易』謂論天道陰陽卦變情僞至爲隱賾, 然皆至理所寓, 人不可得而惡也.)"라고 하였다.

331 『역』은 한 … 한다 : 웅강대는 『性理群书句解』에서 "『역』은 다만 한 가지 이치이지만 천지인 삼재의 도가 갖추어져 있다. 기는 하늘에서 운행되는 것으로, 음이 있고 양이 있으므로 하늘의 도리라고 한다. 질은 땅에 갖추어져 있는 것으로 강이 있고 유가 있으므로 땅의 도리라고 한다. 덕은 사람의 마음에 갖추어져 있는 것으로 사랑의 이치가 인이고 마땅함의 이치가 의이므로 사람의 도리라고 한다.(易只一理, 而天地人三才之道具. 氣運於天者, 有陰有陽, 故曰天道. 質具於地者, 有剛有柔, 故曰地道. 德具於人心, 愛之理爲仁, 宜之理爲義, 故曰人道.)"라고 하였다.

자의 의리를 가지고 말하였다. 어떤 판본에는 '大'자가 '又'자로 되어 있고, '其爻' 두 글자가 없다.

[6-14-5]

一物而兩體, 其太極之謂與! 陰陽天道, 象之成也. 剛柔地道, 法之效也. 仁義人道, 性之立也. 三才兩之, 莫不有乾坤之道.

하나의 사물이면서도 두 체體인 것은, 태극을 두고 한 말일 것이다! 음양은 하늘의 도이니 상象을 이룬 것이다. 강유는 땅의 도이니 법法을 본받는 것이다. 인의는 사람의 도이니 성性을 확립한 것이다. (天·地·人) 삼재三才를 둘 씩 하니, 건乾과 곤坤의 도가 있지 않음이 없다.

[6-14-6]

陰陽剛柔仁義之本立, 而後知趨時應變. 故"乾坤毀, 則無以見易".

음양과 강유와 인의의 근본이 세워진 후에야 때에 따라 변화[變]에 응함[333]을 알게 된다. 그러므로, "건곤이 무너지면 역을 볼 수 없다."[334]

[6-14-7]

六爻各盡利而動, 所以順陰陽剛柔仁義性命之理也. 故曰"六爻之動, 三極之道也."

육효六爻가 각각 이로움을 다하여서 움직이는 것은[335], 음양·강유·인의 (같은) 성명의 이치[336]를 따르는 것이다. 그러므로 "육효가 움직이는 것은 삼극三極의 도이다"[337] 라고 말하는 것이다.

. . . .

332 괘에서 덕을 가릴 때 : 『周易』「繫辭下」 제9장에 "물건을 뒤섞음과, 덕을 가림과, 옳고 그름을 분별하는 것은, 그 가운데 있는 효가 아니면 갖추지 못할 것이다.(若夫雜物撰德, 辨是與非, 則非其中爻不備.)"라고 하였다.
333 음양과 강유와 … 응함 : 『周易』「繫辭下」 제1장에 "剛·柔는 근본을 세우는 것이다. 變·通은 때에 따르는 것이다.(剛柔者, 立本者也. 變通者, 趨時者也.)"라고 하였다.
334 건곤이 무너지면 … 없다 : 『周易』「繫辭上」 제12장에 "乾·坤이 列을 이룸에 易이 그 가운데 서 있으니, 乾·坤이 무너지면 易을 볼 수 없다.(乾坤成列, 而易立乎其中矣, 乾坤毀則無以見易.)"라고 했고, 『本義』에 "陽은 모두 乾이고 陰은 모두 坤이다. 卦를 그어 자리를 정하면 乾·坤 두 가지가 列을 이루어 易의 體가 확립된다. 乾·坤이 무너진다는 것은 卦畫이 확립되지 못함을 이른다.(凡陽皆乾, 凡陰皆坤. 畫卦定位, 則二者成列而易之體立矣. 乾坤毀, 謂卦畫不立.)"라고 풀이하였다.
335 각각 이로움을 … 것은 : 『周易』「繫辭上」 제12장에 "變通해서 이로움을 다하다.(變而通之以盡利.)"라고 하였다.
336 음양·강유·인의 … 이치 : 염근조는 『正蒙補訓』에서 "성명의 이치는 '음양·강유·인의'를 모두 이어서 말한 것이다.(性命之理, 總承陰陽剛柔仁義言)"라고 하였고 장당과 주방은 『正蒙註』에서 "음양·강유·인의는 성명이 아닌 것이 없으니, 한 번 굽히고 한 번 펼치는 지극한 이치이다.(蓋陰陽剛柔仁義, 莫非性命, 一屈一伸之理)"라고 하였다.
337 육효가 움직이는 … 도이다 : 『周易』「繫辭上」 제2장의 문장. 『本義』에는 "六爻는 初·二는 地가 되고 三·四는 人이 되고 五·上은 天이 된다. 動은 곧 변화이다. 極은 지극함이니, 三極은 天·地·人의 지극한 이치이니, 三才가 각각 하나의 太極을 갖고 있는 것이다.(六爻, 初二爲地, 三四爲人, 五上爲天. 動, 卽變化也. 極, 至也. 三極, 天地人之至理, 三才各一太極也.)"라고 풀이하였다.

[6-14-8]

陽徧體衆陰, 衆陰共事一陽, 理也. 是故二君共一民, 一民事二君, 上與下皆小人之道也; 一君而體二民, 二民而宗一君, 上與下皆君子之道也.

양이 여러 음을 두루 거느리고, 여러 음이 하나의 양을 함께 섬김이 이치[理]이다. 그러므로 두 임금이 하나의 백성을 공유하고, 하나의 백성이 두 임금을 섬기는 것은 위와 아래가 모두 소인의 도인 것이며, 한 임금이 두 백성을 거느리고, 두 백성이 한 임금을 받드는 것은 위와 아래가 모두 군자의 도인 것이다.[338]

[6-14-9]

吉凶, 變化, 悔吝, 剛柔, 『易』之四象與! 悔吝由贏不足而生, 亦兩而已.

길과 흉, 변과 화, 회悔와 린吝, 강과 유는 『역』의 사상四象일 것이다! 회와 린은 넉넉함과 부족함으로부터 생겨나는데, 또한 두 가지로 했을 뿐이다.

[6-14-10]

尚辭, 則言無所苟. 尚變, 則動必精義. 尚象, 則法必致用. 尚占, 則謀必知來. 四者非知神之所爲, 孰能與於此?

말[辭]을 숭상하면 말[言]에 구차스러움이 없게 된다. 변變을 숭상하면 움직일 때 반드시 의義를 정밀히 하게 된다.[339] 상象을 숭상하면 법도[法]가 반드시 쓰임을 다하게 된다. 점占을 숭상하면 도모할 때 반드시 다가올 일을 알게 된다. 이 네 가지는 신神이 하는 바를 아는 이가 아니라면, 누가 여기에 참여할 수 있겠는가?[340]

[6-14-11]

『易』非天下之至精, 則詞不足待天下之問; 非深, 不足通天下之志; 非通變極數, 則文不足

---

338 두 임금이 … 군자의 도인 것이다 : 『周易』「繫辭下」제4장에 "陽卦는 陰이 많고 陰卦는 陽이 많으니, 그 까닭은 어째서인가? 陽卦는 홀수이고 陰卦는 짝수이기 때문이다. 덕행은 어떠한가? 陽은 한 군주에 두 백성이니 군자의 도이고, 陰은 두 군주에 한 백성이니 소인의 도이다.(陽卦多陰, 陰卦多陽, 其故何也? 陽卦奇, 陰卦耦. 其德行何也? 陽一君而二民, 君子之道也, 陰二君而一民, 小人之道也.)"라고 했고, 『本義』에 "震·坎·艮은 陽卦가 되니 모두 한 陽에 두 陰이요, 巽·離·兌는 陰卦가 되니 모두 한 陰에 두 陽이다.(震坎艮爲陽卦, 皆一陽二陰, 巽離兌爲陰卦, 皆一陰二陽.)"라고 풀이하였다.

339 義를 정밀히 … 된다 : 『周易』「繫辭下」제5장에 "義를 정밀히 하여 神妙한 경지에 들어감은 씀을 지극히 하기 위해서이다.(精義入神, 以致用也.)"라고 하였다.

340 말[辭]을 숭상하면 … 있겠는가? : 『周易』「繫辭上」제10장에 "易에 성인의 도가 네 가지 있으니, (『易』을 가지고) 말로 쓰려는 자는 『易』의 말[辭]을 숭상하고, 움직이는[動] 자는 『易』의 變을 숭상하고, 器物을 만드는 자는 『易』의 象을 숭상하고, 卜筮하는 자는 『易』의 占을 숭상한다.(易有聖人之道四焉 : 以言者尚其辭, 以動者尚其變, 以制器者尚其象, 以卜筮者尚其占.)"라고 하였다.

以成物, 象不足以制器, 幾不足以成務. 非周知兼體, 則其神不能通天下之故, 不疾而速, 不行而至.

『역』은 천하의 지극히 정밀함이 아니면, 말[詞]이 천하의 물음에 대응하기에 부족하고, 심오함이 아니면 천하의 뜻[志]에 통하기에 부족하며, 변화[變]에 통하고 수數³⁴¹를 다함이 아니면, 부호[文]³⁴²가 사물[物]을 이루기에 부족하고, 상象이 기器를 제정하기에 부족하며, 기미[幾]가 일[務]을 이루기에 부족하다. 두루 알고 아울러 체득함이 아니면, 그 신묘함이 천하의 일[故]에 통달할 수 없어 '서두르지 않아도 빠르며 가지 않아도 이르게 되는 것'³⁴³을 할 수 없게 된다.

[6-14-12]
示人吉凶, 其道顯矣. 知來藏往, 其德行神矣. 語著龜之用也.
사람에게 길흉을 보여주는 것은 그 도가 드러난 것이다. 다가올 일을 알고 지나간 일을 간직하는 것은 그 덕행의 신묘함이다.³⁴⁴ (이는) 시초점과 거북점의 쓰임을 말한 것이다.

[6-14-13]
顯道者, 危使平, 易使傾, 懼以終始, 其要無咎之道也. 神德行者, 寂然不動, 冥會於萬化之感, 而莫知爲之者也. 受命如響, 故可與酬酢. 曲盡鬼謀, 故可以佑神.
'도를 드러내는 것'³⁴⁵은 위태롭게 여기는 자를 평화롭게 하고, 소홀하게 여기는 자를 기울어지게 하며,³⁴⁶ 처음부터 끝까지 조심하는 것이니, 그 요체는 허물이 없게 하는 도이다. '덕행을 신묘하게 하

. . . .

341 數: 여본은 『正蒙集解』에서 "'數'는 7·8·9·6이다.('數', 七八九六也.)"라고 하였다.

342 부호[文]: 여본은 『正蒙集解』에서 "'文'은 음양노소의 획을 말한다.('文', 謂陰陽老少之畫.)"라고 하였다. 설시를 해서 얻은 노음, 노양, 소음, 소양의 효이다. 『周易』「筮儀」에서 '重(노양)' '拆(소음)' '單(소양)' '交(노음)'로 나와 있다.

343 『역』은 천하의 … 것: 『周易』「繫辭上」 제10장에 "易은 성인이 깊음을 다하고 기미를 살피는 것이니, 심오하기 때문에 天下의 뜻을 통할 수 있으며, 기미에서 알려주기 때문에 천하의 일을 이룰 수 있으며, 神妙하기 때문에 빨리 하지 않아도 신속하며 가지 않아도 이르게 된다.(夫易, 聖人之所以極深而研幾也. 惟深也, 故能通天下之志, 惟幾也, 故能成天下之務, 惟神也, 故不疾而速, 不行而至.)"라고 하였다.

344 사람에게 길흉을 … 신묘함이다: 『周易』「繫辭上」 제9장에 "道를 드러내고 德行을 神妙하게 한다. 이 때문에 함께 응대할 수 있으며 함께 神을 도울 수 있는 것이다.(顯道, 神德行. 是故, 可與酬酢, 可與祐神矣.)"라고 했고, 『본의』에는 "도는 말[辭]로 인하여 드러나고 行은 數로써 神妙해진다.(道因辭顯, 行以數神.)"라고 풀이하였다. 『周易』「繫辭上」 제11장에는 "神으로써 미래를 알고 지혜로써 지나간 일을 간직하니, 그 누가 이에 참여하겠는가?(神以知來, 知以藏往, 其孰能與於此哉?)"라고 하였다.

345 도를 드러내는 것: 『周易』「繫辭上」 제9장에 "道를 드러내고 덕행을 신묘하게 한다. 이 때문에 함께 응대할 수 있으며 함께 神을 도울 수 있는 것이다.(顯道, 神德行, 是故可與酬酢, 可與祐神矣.)"라고 하였다.

346 위태롭게 여기는 … 하며: 『周易』「繫辭下」 제11장에 "위태롭게 여기는 자를 평안하게 하고 소홀하게 여기는 자를 기울어지게 하였으니, 그 道가 매우 커서 온갖 일을 폐하지 않으나 두려워하여 마치고 시작하면 그 요결은 허물이 없게 하는 것이니, 이것을 일러 『易』의 道라 한다.(危者使平, 易者使傾, 其道甚大, 百物不

는 것'은 고요히 움직이지 않으면서, 만 가지 변화의 감응에서 말없이 알지만 무엇이 그렇게 했는지 알 수 없다는 것이다. 명령을 받아 메아리와 같이 대답해 주므로[347] 모든 사람들과 응대할 수 있다. 귀신이 하는 일들을 샅샅이 다 알고 있으므로, 신神을 도울 수 있다.

[6-14-14]

開物於幾先, 故曰知來. 明患而弭其故, 故曰藏往. 極數知來, 前知也. 前知其變, 有道術以通之, 君子所以措於民者遠矣.

조짐에서 일을 열어주므로[348] 다가올 일을 안다고 한다. 근심거리를 분명히 알아 그 원인을 막으므로 지나간 일을 간직한다고 한다. 수數를 지극히 하여 다가올 일을 아는 것은 미리 아는 것[349]이다. 그 변화[變]를 미리 알고, 도[道術]가 있어 그것을 변통하니, 군자가 백성들에게 조치하는 것이 원대하다.

[6-14-15]

潔靜精微, 不累其迹, 知足而不賊, 則於易深矣.

맑고 정미精微하여 그 행적에 누되지 않으며, 만족할 줄을 알아 해치지 않으면, 『역』을 깊이 이해한 것이다.[350]

废, 懼以終始, 其要无咎, 此之謂『易』之道也.)"라고 하였고 주자는 『본의』에서 "위태로워하고 두려워하므로 평안함을 얻고, 태만하고 함부로 하면 반드시 기울어지고 전복되니, 이것이 『역』의 道이다.(危懼故得平安, 慢易則必傾覆, 易之道也.)"라고 하였다.

347 명령을 받아 … 주므로: 『周易』「繫辭上」 제10장에 "군자가 장차 일을 함이 있거나, 장차 행함이 있어 물어서 말하려 하면 그 명령을 받음이 메아리와 같아 遠近과 幽深이 없이 마침내 미래의 일을 아니, 天下의 지극히 精한 자가 아니면 그 누가 이에 참여하겠는가?(君子將有爲也, 將有行也, 問焉而以言, 其受命也如響, 无有遠近幽深, 遂知來物, 非天下之至精, 其孰能與於此?)"라고 하였다.

348 조짐에서 일을 열어주므로: 『禮記』「仲尼閒居」에 "着欲가 장차 이르려고 하면 반드시 먼저 조짐을 보인다. 하늘이 때에 맞는 비를 내리려고 하면 산천이 구름을 내보낸다.(着欲將至, 有開必先, 天降時雨, 山川出雲.)"라고 하였고, 진호는 『集說』에서 "'有開'는 먼저 그 조짐을 열어주고 드러냄이 있음을 반드시 먼저 말해준다는 것이다.('有開', 必先言先有以開發其兆眹者)"라고 하였다. 『周易』「繫辭上」 제11장에 "易은 사물을 열어주고 일을 이루어 천하의 道를 포괄한다.(夫易開物成務, 冒天下之道)"라고 하였고, 주자는 『본의』에서 "開物成務는 사람에게 점을 치게 하여 길함과 흉함을 알아서 사업을 이루게 함을 이른다.('開物成務', 謂使人卜筮, 以知吉凶而成事業.)"라고 하였다.

349 數를 지극히 … 것: 『周易』「繫辭上」 제5장에 "數를 지극히 하여 미래를 앎을 占이라 하고, 變을 통함을 일이라 한다.(極數知來之謂占, 通變之謂事.)"라고 하였다.

350 맑고 정미하여 … 것이다: 『禮記』「經解」에 "(심성이) 맑고 (의리가) 정미한 것은 『易』의 가르침이다. … 『역』의 잘못은 해치는 것이다. … 그 사람됨이 … 맑고 정미하면서도 해치지 않으면 『역』을 깊이 이해한 것이다.(潔靜精微, 易教也. … 易之失賊. … 其爲人也, … 潔靜精微而不賊, 則深於易者也.)"라고 하였다.

[6-14-16]

天下之理得, 元也. 會而通, 亨也. 說諸心, 利也. 一天下之動, 貞也.

천하의 이치가 얻어짐[351]이 원元이다. 모여서 통함[352]이 형亨이다. 마음에서 기뻐함[353]이 이利이다. 천하의 움직임[動]을 하나로 함[354]이 정貞이다.[355]

[6-14-17]

乾之四德, 終始萬物. 迎之隨之, 不見其首尾. 然後推本而言, 當父母萬物.

건의 '네 가지 덕'[원·형·이·정]은 만물을 마치고 시작한다. 맞아들이고 따라가도 그 머리와 꼬리가 보이지 않는다. 그런 뒤에 근본을 미루어 말하면, 마땅히 만물의 부모가 된다.[356]

. . . .

351 천하의 이치가 얻어짐 : 『周易』「繫辭上」제1장에 "쉽고 간략함에 天下의 이치가 얻어진다.(易簡而天下之理得矣)"라고 하였다.

352 모여서 통함 : 『周易』「繫辭上」제8장에 "그 會通함을 觀察하여 典禮를 행한다.(觀其會通, 以行其典禮)"라고 하였다.

353 마음에서 기뻐함 : 『周易』「繫辭下」제12장에 "마음에 기쁘고 생각에 연구하여 천하의 길흉을 정하며, 천하의 힘써야 할 일을 이룬다.(能說諸心, 能研諸慮, 定天下之吉凶, 成天下之亹亹者.)"라고 하였다.

354 천하의 움직임[動]을 하나로 함 : 『周易』「繫辭下」제1장에 "천하의 움직임[動]은 하나의 이치에서 항상되고 바르다.(天下之動, 貞夫一者也.)"라고 했고 『本義』에는 "천하의 움직임[動]이 그 변화[變]는 무궁하나, 이치를 따르면 吉하고 이치를 거스르면 凶하니, 그렇다면 그 바르고 항상함은 또한 한 이치일 뿐이다.(天下之動, 其變无窮, 然順則吉, 逆則凶, 則其所正而常者, 亦一理而已矣.)"라고 풀이하였다.

355 천하의 이치가 … 貞이다 : 이광지는 『注解正蒙』에서 "'천하의 이치가 얻어지면' 저절로 모여서 통하여 마음에서 기뻐하게 되니, '천하의 움직임을 하나로 함'이 있게 된다. 元이 네 덕을 포함할 수 있는 까닭은 그것을 나누어보면, 천하의 善의 우두머리가 되는 것이 仁이며, 그것이 모여 통하는 것을 보는 것이 禮이며, 내 마음을 기쁘게 하는 것이 義이며, '천하의 움직임은 바르고 항상된 것'이 信이다.('天下之理得, 自然會通而說諸心, 有以'一天下之動'矣. 元之所以包四德也, 析之則長天下之善者, 仁也; 觀其會通者, 禮也; 說我心者, 義也; '天下之動, 貞夫一者', 信也.)"라고 하였다. 왕식은 『正蒙初義』에서 "'會而通'은 모여서 관통하는 것이다. … '一'은 하나로 한다는 것으로, 또한 이른바 '바르고 항상된 것'과는 조금 차이가 있다. 아마도 배움의 순서는 처음에는 얻음이 있는 것에서 시작하여 점차 회통하는 것에 이르러, 마음속에 기뻐할 수 있으면 견고해지고, 하나로 합할 수 있으면 이루어진다. 그러므로 이것을 '元亨利貞'을 일관하는 의미로 삼았다.('會而通', 言會合而貫通也. … '一'者, 一之也, 亦與所謂'貞夫一者'微異. 蓋學之序, 始於有得, 而漸至會通, 能悅諸心則固, 克協於一則成. 故以此爲'元亨利貞'始終之義.)"라고 하였다.

356 건의 '네 … 된다 : 『周易』「乾卦」에 "乾은 元하고 亨하고 利하고 貞하다.(乾, 元亨利貞.)"라고 했고, 『老子』제14장에 "그것을 맞아들여도 그 머리가 드러나지 않고 그것을 따라가더라도 그 뒤가 드러나지 않는다.(迎之不見其首, 隨之不見其後)"라고 하였다. 유기는 『正蒙會稿』에서 "원·형·이·정은 '건의 네 가지 덕'이니, 계절로는 봄·여름·가을·겨울이 된다. '만물을 마치고 시작함'은 원은 만물이 태어나고, 후은 만물이 이루어지며, 끝이 아니면 시작이 될 수 없고 시작하지 않으면 끝을 이룰 수 없다는 것을 말한 것이다. 맞아 들여도 그 머리를 볼 수 없고 따라가도 그 꼬리를 볼 수 없음은 이른바 끝없이 순환한다는 것이다. 그러므로 '근본을 미루어 말하면 마땅히 만물의 부모가 된다'는 것이니 마땅히 만물을 낳는 근본이 됨을 말한다.(元亨利貞, '乾之四德'也, 於時則爲春夏秋冬. '終始萬物', 謂元則物生, 亨則物成, 非終則無以爲始, 不始則不能成終也. 迎

[6-14-18]

「彖」明"萬物資始", 故不得不以元配乾. 坤其偶也, 故不得不以元配坤.

「단전彖傳」에서 "만물이 그것을 취하여 시작하는 것"[357]임을 밝혔으므로, 원元을 건乾에 짝지우지 않을 수 없다. 곤坤이 건의 짝이므로, 원元을 곤에 짝지우지 않을 수 없다.[358]

[6-14-19]

仁統天下之善. 禮嘉天下之會. 義公天下之利. 信一天下之動.

인은 천하의 선을 거느린다. 예는 천하의 모임을 아름답게 한다. 의는 천하의 이로움을 공정하게 한다. 신은 천하의 움직임을 하나로 한다.[359]

[6-14-20]

六爻擬議, 各正性命. 故乾德旁通, 不失太和, 而利且貞也. 顏氏求龍德正中而未見其止. 故擇中庸, 得一善則拳拳服膺, 嘆夫子之忽焉前後也.

육효를 헤아리고 의논하여,[360] 각각 성명性命을 바르게 한다.[361] 그러므로 건乾의 덕은 두루 통하며,[362] 태화太和를 잃지 않으며, 이로우면서도 또 정貞한 것이다. 안연顏淵은 용의 덕으로서 정중正中함을 구하여[363] 그 그침을 보지 못하였다.[364] 그러므로 중용을 택하여 한 가지라도 선함을 얻으면 마음속에

之不見其首, 隨之不見其尾, 所謂循環無端也. 故推本而言, 當父母萬物' 謂當爲生物之本也.)"라고 하였다.

357 「象傳」에서 '만물이 … 시작하는 것': 『周易』「乾卦・象傳」에 "크도다! 건원이여. 만물이 그것을 취하여 시작한다.(大哉! 乾元. 萬物資始)"라고 하였다.

358 坤이 건의 … 없다: 『周易』「坤卦・象傳」에 "지극하도다, 坤元이여! 만물이 그것을 취하여 생겨난다.(至哉坤元! 萬物資生)"라고 하였다.

359 인은 천하의 … 한다: 『周易』「乾卦・文言傳」에 "元은 善의 으뜸이다. 亨은 아름다움의 모임이다. 利는 義에 화합이다. 貞은 일의 근간이다. 군자는 仁을 체득하여 충분히 다른 사람의 우두머리가 될 만하며, 모임을 아름답게 하여 충분히 禮에 합할 수 있으며, 만물을 이롭게 하여 충분히 義에 조화될 수 있으며, 바르고[貞] 견고하여 충분히 일의 근간이 될 수 있으니, 군자는 이 네 가지 덕을 행하는 자이다. 그러므로 乾은 元하고 亨하고 利하고 貞하다라고 한 것이다.(元者, 善之長也. 亨者, 嘉之會也. 利者, 義之和也. 貞者, 事之幹也. 君子體仁足以長人, 嘉會足以合禮, 利物足以和義, 貞固足以幹事. 君子行此四德者, 故曰: 乾元亨利貞.)"라고 하였다.

360 육효를 헤아리고 의논하여: 『周易』「繫辭上」 제8장에 "헤아려 본 뒤에야 말하고, 의논한 다음에야 움직이니, 헤아리고 의논하여 그 변화를 이룬다.(擬之而後言, 議之而後動, 擬議以成其變化.)"라고 하였다.

361 性命을 바르게 한다: 『周易』「乾卦・象傳」에 "乾道가 變하고 化함에 각각 性命을 바르게 하니, 太和를 보전하고 합하여[保合] 이에 이롭고 貞하다.(乾道變化, 各正性命. 保合太和, 乃利貞.)"라고 하였다.

362 건의 덕은 … 통하며: 『周易』「乾卦・文言」에 "위대하다, 乾이여! 강하고 굳세며 中正하고 순수함이 精함이고, 六爻로 발휘함은 사물의 실상을 두루 통함이다.(大哉, 乾乎! 剛健中正純粹精也. 六爻發揮, 旁通情也.)"라고 하였다.

363 안연은 용의 … 구하여: 『周易』「乾卦・文言傳」에 "九二에 '나타난 龍이 밭에 있으니 大人을 만나봄이 이롭다'고 한 것은 무슨 말인가? 공자가 말하였다. '大人은 용의 덕으로서 正中한 자이니, 평상시의 말을 미덥게

깊이 새겨 정성스럽게 지켰으며,[365] 공자의 도가 홀연히 앞에 있는 듯 하다가 뒤에 있음을 감탄하였다.[366]

[6-14-21]

乾三四, 位過中重剛, 庸言庸行不足以濟之. 雖大人之盛, 有所不安. 外趨變化, 內正性命, 故其危其疑艱於見德者, 時不得舍也. 九五, 大人化矣, 天德位矣, 成性聖矣. 故旣曰"利見大人", 又曰"聖人作而萬物覩". 亢龍, 以位晝爲言. 若聖人則不失其正, 何亢之有!

건乾의 삼三효와 사四효는 위치가 중中을 지나치고 거듭된 강剛이니,[367] 평상시의 말과 평상시의 행동을[368] 제대로 이루기에 부족하다. 비록 대인大人이 지닌 성대함으로도 편안하지 못한 것이 있다. 밖으로는 변화를 따라 행하고 안으로는 성명性命을 바르게 하므로, 그 위태로움과 그 의심함이 덕을 드러냄을 어렵게 하는 것이, 때에 따라 멈출 수 없는 것이다.[369] 구오九五는 대인이 변화하니, 천덕天德

················

하고 평상시의 행동을 삼가서, 사악함邪을 막고 誠을 보존하며, 세상을 훌륭하게 만들면서도 자신의 공로를 자랑하지 않으며, 德을 널리 펼쳐 교화한다. 『易』에 「나타난 龍이 밭에 있으니 대인을 만나봄이 롭다.」고 하였으니, 이는 군주의 德이다.'(九二曰見龍在田利見大人, 何謂也? 子曰: 龍德而正中者也, 庸言之信, 庸行之謹, 閑邪存其誠, 善世而不伐, 德博而化. 『易』曰見龍在田利見大人, 君也.)"라고 하였다.

364 그 그침을 … 못하였다: 『論語』「子罕」에 "공자가 顏淵을 두고 평하였다. '애석하구나! 나는 그가 나아가는 것만을 보았고 그치는 것을 보지 못하였다.(子謂顏淵曰: 惜乎! 吾見其進也, 未見其止也.)"라고 하였다.

365 중용을 택하여 … 지켰으며: 『中庸』제8장에 "안회의 사람됨이 중용을 택하여 한 가지라도 善을 얻으면 받들어 가슴에 깊이 새겨 정성스럽게 지켜 잃어버리지 않는다.(回之爲人也, 擇乎中庸, 得一善則拳拳服膺而弗失之矣.)"라고 하였다.

366 공자의 도가 … 감탄하였다: 『論語』「子罕」에 "안연이 크게 탄식하며 말하였다. '(선생님의 도는) 우러러볼수록 더욱 높고, 뚫을수록 더욱 견고하며, 바라보니 앞에 있는 듯하더니 홀연히 뒤에 있다.(顏淵喟然歎曰: 仰之彌高, 鑽之彌堅, 瞻之在前, 忽焉在後.)"라고 하였다.

367 위치가 中을 … 剛이니: 『周易』「乾卦」에 "九三 효에 군자가 종일토록 힘쓰고 힘써, 저녁까지도 두려워하면 위태롭지만 허물이 없다.(九三, 君子終日乾乾, 夕惕若厲, 无咎)"라고 했고, 이에 대해 「文言傳」에 "九三효는 거듭된 剛이고 中하지 못하다.(重剛而不中)"라고 하였다. 이에 대해 이천은 『역전』에서 "九三효는 거듭된 剛이니 剛이 왕성한 것이다. 中을 지나쳐 下卦의 위에 머물러서, 위로는 아직 하늘에 이르지 못하였고, 아래로는 이미 밭에서 떠났으니, 위태롭고 두려운 자리이다.(三, 重剛, 剛之盛也. 過中而居下之上, 上未至於天而下已離於田, 危懼之地也.)"라고 하였고, 주자는 『본의』에서 "거듭된 강은 陽爻가 陽位에 있음을 말한다.(重剛, 謂陽爻陽位.)"라고 하였다. 또 『周易』「乾卦」에 "九四효는 뛰어오르거나 연못에 있으면 허물이 없다.(九四, 或躍在淵, 无咎)"라고 하였고 「文言傳」에 "구사효는 거듭된 剛이고 中이 되지 못하여 위로는 하늘에 있지 않고, 아래로는 밭에 있지 않고, 가운데로는 인간에 있지 않다. 그러므로 或이라고 하였으니, 或이란 의심하는 것이므로 허물이 없는 것이다.(九四, 重剛而不中, 上不在天, 下不在田, 中不在人. 故或之, 或之者疑之也, 故无咎.)"라고 하였다.

368 평상시의 말과 … 행동을: 『周易』「乾卦·文言傳」에 "구이효에 말하기를 … 용의 덕으로 正中한 자이니, 평상시의 말을 미더웁게 하고 평상시의 행동을 삼간다.(九二曰 … 庸言之信, 庸行之謹)"라고 하였다.

369 때에 따라 … 것이다: 『周易』「乾卦·文言傳」에 "드러난 龍이 밭에 있다는 것은 때로 멈춤이다.(見龍在田, 時舍也.)"라고 하였다. 여기에서 '時舍'에 대해서는 해석이 엇갈린다. 이천의 『역전』에서는 "때에 따라 멈추

의 자리이고 성性을 완성한 성인이다.[370] 그러므로 이미 "대인을 만나봄이 이롭다"라고 말했고 또 "성인이 나오니 모든 사람이 우러러본다"라고 한 것이다.[371] 지나치게 높이 올라간 용은 (효의) 자리의 획을 가지고 말한 것이다. 성인의 경우에는 그 올바름을 잃지 않는데 어찌 지나치게 높이 올라감이 있겠는가![372]

[6-14-22]

聖人用中之極, 不勉而中. 有大之極, 不爲其大. 大人望之, 所謂"絶塵而奔", "峻極于天", "不可階而升"者也.

성인은 중中의 지극함[極]을 사용하니, 힘쓰지 않아도 들어맞는다. 위대함[大]의 지극함[極]을 가지고 있으면서도 그 위대함[大]을 행하지 않는다. 대인이 그를 바라보면 이른바 "먼지 하나 내지 않을 정도로 달리고"[373] "높음이 하늘에 다하였으며"[374] "사다리로 오르지 못한다"[375]는 것이다.

· · · · · · · · · · · · · · · · · ·

는 것이다.(隨時而止也.)"라고 하였고, 주자의 『本義』에는 "아직 때에 쓰임이 되지 않았음을 말한 것이다.(言未爲時用也.)"라고 하였다. 왕식은 『正蒙初義』에서 "'時不得舍'는 시대가 감추어둘 수 없다는 말과 같다.('時不得舍', 猶言時不得藏.)"라고 하였다. 이광지는 『注解正蒙』에서 "구이효는 中正의 덕을 지니고 있으니 대인이다. 그러나 오히려 때에 따라 멈추게 되니, 예를 들면 안연이 누추한 골목에 거처하면 그 평상시의 말과 평상시의 행동을 닦으면서 만족하는 것이다. 구삼효와 구사효는 剛으로써 거듭된 괘의 위치에 머무르면서 中되지 못하니, 위태롭고 의심하는 자리이다. 성명을 바르게 하고 변화를 따라 행하니, 평상시의 말과 평상시의 행동으로 다 할 수 없는 것이다. 그러므로 힘쓰고 힘써 그 덕을 닦지만, 또 덕을 드러내는데 어려우니, 이것은 대인이 됨은 같지만, 때에 멈추고 멈추지 않는 점은 다르다. 주공과 이윤의 자리가 이것이다.(九二, 有中正之德, 蓋大人也. 然猶爲時舍, 如顏子之居陋巷, 則修其庸言庸行足矣. 三四, 以剛居重卦之位而不中, 危疑之地也. 正性命, 趨變化, 非庸言庸行所能盡. 故乾乾以修其德, 而又艱於見德, 是其爲大人同, 而時之舍不舍不同也. 周公伊尹之位是已.)"라고 하였다.

370 天德의 자리 ⋯ 성인이다 : 『周易』「文言傳」에 "나는 龍이 하늘에 있다는 것은 天德에 자리함이다.(飛龍在天, 乃位乎天德)"라고 하였고 주자의 『本義』에는 "天德은 천자의 자리이다. 오직 이 德이 있어야만 이 자리에 머무를 수 있다. 그러므로 天德이라고 이름한 것이다.(天德卽天位也. 蓋唯有是德, 乃宜居是位. 故以名之.)"라고 하였다. 염근조는 『正蒙補訓』에서 "구오효는 대인이 변화하니, 변화하면 성인이 되므로 '천덕의 자리이고' 성을 완성한 성인이다'라고 한 것이다. 「文言傳」에서 '자리[位]'라는 글자는 본래 임금의 자리를 말한 것인데, 장횡거는 '자리[位]'를 천덕의 지위로 여겼다. 천덕의 자리는 성이 완성되어 저절로 성인인 것이다.(九五大人化矣, 化則聖, 故云'天德位', '成性聖'. 「文言」'位'字本以君位言, 張子以'位'爲到天德地位. 天德位, 則成性自然而聖人矣.)"라고 하였다.

371 그러므로 이미 ⋯ 것이다 : 『周易』「乾卦」에 "구오효는 나는 용이 하늘에 있으니, 大人을 만나봄이 이롭다.(九五, 飛龍在天, 利見大人)"라고 하였고, 또 「文言傳」에 "聖人이 나오니 모든 사람이 우러러본다.(聖人作而萬物覩)"라고 하였다.

372 지나치게 높이 ⋯ 있겠는가! : 『周易』「乾卦」에 "上九효는 지나치게 높이 올라간 용이 뉘우침이 있다.(上九, 亢龍有悔)"라고 하였고 「文言傳」에는 "進退와 存亡의 이치를 알아 올바름을 잃지 않는 자는 오직 성인뿐일 것이다!(知進退存亡而不失其正者, 其惟聖人乎!)"라고 하였다.

373 먼지 하나 ⋯ 달리고 : 『莊子』「田子方」에 "안연이 공자에게 물었다. '선생님께서 걸으시면 저도 또한 걷고, 선생님께서 빠른 걸음으로 걸으시면 저도 또한 빠른 걸음으로 걷고, 선생님께서 달리시면 저도 또한 달립니

[6-14-23]

乾之九五, 曰“飛龍在天, 利見大人”, 乃大人造位天德, 成性躋聖者爾. 若夫受命首出, 則所性不存焉. 故不曰位乎君位, 而曰“位乎天德”. 不曰大人君矣, 而曰“大人造也”.

건乾의 구오효에 “나는 용이 하늘에 있으니, 대인大人을 만나봄이 이롭다”고 했는데, 대인은 천덕天德에 이르러 자리하고[376] 성성性을 완성하여 성인의 경지에 오른 사람일 뿐이다. 만일 명령[命]을 받아 으뜸으로 뛰어나는[377] 경우에는 성性 대로 하는 것이 거기에 있지 않다. 그러므로 임금의 자리에 자리함이라고 말하지 않고 “천덕에 자리함”이라고 말하였다. 대인은 임금이다라고 말하지 않고 “대인의 일이다”라고 말하였다.

[6-14-23-1]

潛室陳氏曰 : “橫渠此說, 不要作得時位大人看, 要作孔子看. 所謂君有君用, 臣有臣用, 聖人有聖人用, 學者有學者用, 此善學易者. 若專指爲堯舜湯武, 則不識易矣.”

잠실진씨潛室陳氏: 陳植가 말하였다. “횡거의 이 말은 당시 지위를 얻은 대인이라고 보아서는 안 되고, 공자로 보아야 한다. 이른바 임금에게는 임금의 쓰임이 있고, 신하에게는 신하의 쓰임이 있으며, 성인에게는 성인의 쓰임이 있고, 학자에게는 학자의 쓰임이 있으니, 이것이 『역』을 잘 배운 자이다. 만일 오로지 요임금·순임금·탕왕·무왕만을 가리킨 것으로 여긴다면 『역』을 이해하지 못하는 것이다.”

[6-14-24]

庸言庸行, 蓋天下經德達道. 大人之德施於是者溥矣, 天下之文明於是者著矣. 然非窮變化

· · · · · · · · · · · ·

다. 선생께서 빨리 달리시며 먼지 하나 내지 않으실 때에는 저는 다만 뒤에 쳐져서 눈만 휘둥그레 뜨고 있을 뿐입니다.(顏淵問於仲尼曰 : 夫子步亦步, 夫子趨亦趨, 夫子馳亦馳, 夫子奔逸絶塵, 而回瞠若乎後矣.)”라고 하였다.

374 높음이 하늘에 다하였으며 : 『中庸』 제27장에 “위대하다, 성인의 道여! 한없이 널리 만물을 發育하여 높음이 하늘에 다하였다.(大哉, 聖人之道! 洋洋乎發育萬物, 峻極于天.)”라고 하였다.

375 사다리로 오르지 못한다 : 『論語』 「子張」에 “선생님을 따르지 못함은 마치 하늘을 사다리로 오르지 못하는 것과 같다.(夫子之不可及也, 猶天之不可階而升也.)”라고 하였다.

376 대인은 天德에 … 자리하고 : 『周易』 「象傳」에 “뛰어오르거나 연못에 있다는 것은 나아감에 허물이 없다는 것이다. 나는 龍이 하늘에 있다는 것은 대인의 일이다.(或躍在淵, 進无咎也. 飛龍在天, 大人造也.)”라고 하였다. 또 『周易』 「文言傳」에 “나는 용이 하늘에 있다는 것은 天德에 자리함이다.(飛龍在天, 乃位乎天德.)”라고 하였으며, 주자는 『本義』에서 “天德은 천자의 자리이니, 오직 이 德이 있어야 마땅히 이 지위에 거할 수 있다.(天德即天位, 蓋惟有是德乃宜居是位.)”라고 하였다. 염근조는 『正蒙補訓』에서 “대인이 천덕의 자리에 이름을 말한다.(謂大人造於位天德)”라고 하였고, 왕식은 『正蒙初義』에서 “'位天德'은 연이어서 읽는다. '造'는 여기에 이른다는 것을 말한 것이다.('位天德'連讀, 造者至於是之謂也.)”라고 하였다.

377 명령[命]을 받아 … 뛰어나는 : 『周易』 「乾卦·象傳」에 “만물에서 으뜸으로 뛰어나니, 만국이 다 편안하다.(首出庶物, 萬國咸寧.)”라고 하였다.

之神, 以時措之宜, 則或陷於非禮之禮, 非義之義. 此顏子所以求龍德正中, 乾乾進德, 思處其極, 未敢以方體之常安吾止也.

평상시의 말과 평상시의 행동은[378] 천하의 변치 않는 덕이고 (모든 것에) 통하는 도이다. 대인이 덕을 베푸는 것[379]이 여기에서 넓어지고, 천하의 문명文明함[380]이 여기에서 드러난다. 그러나 변화의 신神을 다하여 때에 맞게 조처하는 마땅함[381]으로 하지 않으면, 예가 아닌 예, 의가 아닌 의에 빠질 수 있다. 이것은 안자가 용의 덕으로서 정중正中을 구하여, 종일토록 힘쓰고 힘써 덕에 나아가며,[382] 그 지극한 경지에 머무를 것을 생각했지만, 아직 감히 일정한 체[方體]의 항상됨을 가지고 편안히 여겨 스스로 그치지[383] 못한 것이다.[384]

. . . .

378 평상시의 말과 … 행동은: 『周易』「乾卦·文言傳」에 "구이효에 말하기를 … 용의 덕으로 正中한 자이니, 평상시의 말을 미덥게 하고 평상시의 행동을 삼간다.(九二曰 … 庸言之信, 庸行之謹)"라고 하였다.

379 덕을 베푸는 것: 『周易』「乾卦·象傳」에 "나타난 용이 밭에 있다는 것은 덕을 널리 베풂이다.(見龍在田, 德施普也.)"라고 하였다.

380 천하의 文明함: 『周易』「乾卦·文言傳」에 "나타난 용이 밭에 있다는 것은 천하가 文明함이다.(見龍在田, 天下文明.)"라고 하였다.

381 때에 맞게 … 마땅함: 『中庸』 제25장에 "誠은 스스로 자기를 이룰 뿐만 아니라 남을 이루어 주는 것이다. 자기를 이루는 것은 인이고 남을 이루어 주는 것은 지이다. 이는 性의 덕으로 안과 바깥을 합하는 도이다. 그러므로 때에 맞게 조처하는 것이 마땅하다.(誠者, 非自成己而已也, 所以成物也. 成己, 仁也, 成物, 知也, 性之德也, 合內外之道也. 故時措之宜也.)"라고 하였다.

382 종일토록 힘쓰고 … 나아가며: 『周易』「乾卦」에 "구삼효는 군자가 종일토록 힘쓰고 힘쓴다.(九三, 君子終日乾乾.)"라고 하였고 『周易』「乾卦·文言傳」에 "군자는 德을 진전시키고 학업을 닦는다.(君子進德修業.)"라고 하였다.

383 스스로 그치지: 『論語』「子罕」에 "비유하자면 산을 만들 때 마지막 한 삼태기의 흙을 더하지 않아 산을 못 이루고서 멈추는 것도 내가 스스로 멈추는 것이다.(譬如爲山, 未成一簣, 止, 吾止也.)"라고 하였다.

384 평상시의 말과 … 것이다: 왕식은 『正蒙初義』에서 "'方體之常'은 아마도 『論語』「子罕」에서 '그만두고자 해도 그만둘 수 없어 이미 나의 재주를 다하니, 선생님께서는 마치 내 앞에 우뚝 서 있는 듯 하였다. 비록 선생님을 따르고자 하지만 어디에서 시작해야 할지 모르겠다.[欲罷不能, 既竭吾才, 如有所立, 卓爾, 雖欲從之, 末由也已.]'라고 할 때의 '우뚝할' 때[卓爾時]를 말한 것 같다. 높고 견고하여 앞 뒤에 일정한 형체가 없는 것에 상대하여 말한 것일 것이다. 그러나 다만 지키기만 할 뿐 화육하는 것이 아니니, 그러므로 여기에 편안해하여 스스로 그치지 않은 것이다.('方體之常', 似以卓爾時言. 蓋對高堅前後無方體者言也. 然只是守, 非是化, 故不安於是而自止.)"라고 하였다. 고반룡은 『正蒙釋』에서 "'평상시의 말과 평상시의 행동', 이것은 불변의 원칙을 지키는 것이니, 일정한 체[方體]의 항상됨이다. '덕을 널리 베풂'이란, 이 평상시의 말과 평상시의 행동의 덕이 만물에 미치는 것이다. '천하가 文明함'은 이 평상시의 말과 평상시의 행동의 교화가 천하에 덮여진다는 것이다. 그러나 변화의 神을 다하여 때에 맞게 조처하는 마땅함으로써 하지 않으면, 또한 아직 권도에 통달한 성인이 되지는 못한 것이니, 예가 아닌 예, 의가 아닌 의에 빠지지 않으리라는 것을 어찌 알겠는가? 이것이 안자가 힘쓰고 힘써 덕에 나아가면서도 감히 불변의 원칙을 지키는 도리로써 스스로 편안히 여겨 거기에서 멈추지 않은 까닭이다.('庸言庸行', 此守經也, 方體之常也. '德施普'者, 即此庸言庸行之德, 及於庶物也. 天下文明者, 即此庸言庸行之化, 被於天下也. 然非窮變化之神以時措之宜, 亦末爲達權之聖人, 安知不陷於非禮之禮, 非義之義哉? 此顏子所以乾乾進德, 未敢以守經之道自安而止之也.)"라고 하였다.

[6-14-25]

惟君子爲能與時消息, 順性命, 躬天德, 而誠行之也. 精義時措, 故能保合太和, 健利且貞. 孟子所謂始終條理, 集大成於聖智者與! 『易』曰: "大明終始, 六位時成, 時乘六龍以御天, 乾道變化, 各正性命, 保合太和, 乃利貞." 其此之謂乎!

오직 군자만이 때에 따라 자라나고 사라질 수 있고[385], 성명性命을 따를 수 있고, 천덕天德에 몸소 나아가 진실로 행할 수 있다. 의義를 정밀히 하고 때에 맞게 조처하므로, 태화太和를 보전하고 합할 수 있으니[保合], 건健하고 이利하면서 또 정貞하다. 맹자가 이른바 조리條理를 시작하고 마치는 것은 성聖과 지智를 집대성한다는 것일 것이다![386] 『역』에서 "시작과 끝을 크게 밝히면 여섯 효[六位]가 때에 따라 이루어지니, 때에 따라 여섯 용龍을 타고서 하늘을 다스린다. 건도乾道가 변變하고 화化함에 각각 성명性命을 바르게 하니, 태화太和를 보전하고 합해서[保合] 이롭고 정貞하다.[387]"라고 한 것도 이것을 말한 것일 것이다!

[6-14-26]

成性, 則躋聖而位天德. 乾九二正位於內卦之中, 有君德矣, 而非上治也. 九五言上治者, 言乎天之德, 聖人之性. 故捨曰'君'而謂之'天', 見大人德與位之皆造也.

성性을 이루면 성인의 경지에 올라서 천덕天德에 자리잡는다.[388] 건괘 구이효는 내괘의 중中에 정위正位하여, 임금의 덕을 가지고 있지만, '위에서 다스리는 것'은 아니다. 건괘 구오효에서 '위에서 다스림'[389]이라고 한 것은 하늘의 덕과 성인의 성性을 말하는 것이다. 그러므로 '임금'이라고 말하지 않고 '하늘'이라고 말했으니, 대인의 덕과 지위가 모두 이르렀음을 드러내었다.[390]

---

385 때에 따라 … 있고: 『周易』「豊卦」에 "천지의 차고 빔도 때와 함께 자라나고 사라진다.(天地盈虛, 與時消息.)"라고 하였다.

386 條理를 시작하고 … 것이다!: 『孟子』「萬章下」에 "공자는 성인 가운데 時中인 자이시다. 공자를 集大成이라 이르는 것이니, 집대성은 징[金]으로 소리를 퍼뜨리고, 경쇠[玉]로 거두는 것이다. 징으로 소리를 퍼뜨린다는 것은 條理를 시작함이고, 경쇠로 거둔다는 것은 조리를 마침이다. 조리를 시작하는 것은 智의 일이요, 조리를 끝내는 것은 聖의 일이다.(孔子, 聖之時者也. 孔子之謂集大成. 集大成也者, 金聲而玉振之也. 金聲也者, 始條理也. 玉振之也者, 終條理也. 始條理者, 智之事也. 終條理者, 聖之事也.)"라고 하였다.

387 시작과 끝을 … 貞하다: 『周易』「乾卦·象傳」의 말이다.

388 性을 이루면 … 자리잡는다: 왕부지는 『張子正蒙註』에서 "구오효를 말한다.(謂九五.)"고 하였다. 『周易』「乾卦·文言傳」에 "나는 용이 하늘에 있다는 것은 마침내 天德에 자리함이다.(飛龍在天, 乃位乎天德.)"라고 하였다.

389 乾卦 구이효에서 … 다스림: 『周易』「乾卦·文言傳」에 "나타난 龍이 밭에 있으니 대인을 만나봄이 이롭다고 하였으니, 이는 임금의 덕이다. … 나는 용이 하늘에 있다는 것은 위에서 다스림이다.(見龍在田, 利見大人, 君德也. … 飛龍在天, 上治也.)"라고 하였다.

390 대인의 덕과 … 드러내었다: 『周易』「乾卦·象傳」에 "나는 용이 하늘에 있다는 것은 대인의 일이다.(飛龍在天, 大人造也.)"라고 하였다. 呂柟은 『張子抄釋』에서 "임금이 바로 하늘일 뿐임을 풀이하였으니, 하늘을 말함으로써 그 극을 드러내었다.(釋君卽天耳, 言天以見其極也.)"라고 하였다.

[6-14-27]

大而得易簡之理, 當成位乎天地之中, 時舍而不受命, 乾九二有焉. 及夫化而聖矣, 造而位天德矣, 則富貴不足以言之.

커서 쉽고 간단한 이치를 얻고, 마땅히 천지의 가운데에서 지위를 이루며[391], 때에 따라 멈추어서[392] 명命을 받지 않는 것은 건乾의 구이九二효가 이러한 성질을 가지고 있다. 변화하여 성인이 되고, 나아가 천덕天德에 자리 잡는데 이르러서는 부귀는 말할 것이 못된다.

[6-14-28]

"樂則行之, 憂則違之", 主於求吾志而已. 無所求於外, 故善世博化, 龍德而見者也. 若潛而未見, 則爲己而已, 未暇及人者也.

"즐거우면 행하고 근심스러우면 떠난다"[393]는 것은 나의 뜻에서 구하는 것을 주로 한 것일 뿐이다. 외부에서 구하는 바가 없으므로 세상을 선하게 만들고 널리 교화시키니[394], 용의 덕으로 나타난 자이다. 만일 잠겨 있으면서 아직 나타나지 않았다면, 자신을 위해 수양할 뿐이지 아직 다른 사람에게까지 미칠 여유가 없는 자이다.

[6-14-29]

"成德爲行", 德成自信, 則不疑所行, 日見乎外可也.

"군자는 이루어진 덕을 행실로 삼으니", 덕이 이루어진 것을 스스로 믿게 되면, 그 행하는 바를 의심하지 않고[395] 날마다 밖으로 드러나 보여도 될 것이다.[396]

· · · · · · · · · · · · · · · · · · ·

391 쉽고 간단한 … 이루며: 『周易』「繫辭上」제1장에 "쉽고 간단함에 천하의 이치를 얻으니, 천하의 이치를 얻으면 그 가운데에서 지위를 이루게 된다.(易簡而天下之理得矣, 天下之理得而成位乎其中矣.)"라고 하였다.

392 때에 따라 멈추어서: 『周易』「乾卦·文言傳」에 "나타난 용이 밭에 있다는 것은 때로 멈춤이다.(見龍在田, 時舍也.)"라고 하였다. 참고로 時舍에 대해서 주자는 "아직 때에 쓰임이 되지 않았음을 말한 것이다.(言未爲時用也.)"라고 풀이하였고, 이천은 "때에 따라 멈추라는 것이다.(隨時而止也.)"라고 풀이하였다.

393 즐거우면 행하고 … 떠난다: 『周易』「乾卦·文言傳」의 글이다.

394 세상을 선하게 … 교화시키니: 『周易』「乾卦·文言傳」에 "九二에 말하기를 '나타난 용이 밭에 있으니 대인을 만나봄이 이롭다'는 것은 무슨 말인가? 공자가 말하였다. "(대인은) 용의 덕으로서 正中한 자이니, 평상시의 말을 미덥게 하고 평상시의 행동을 삼가며, 간사함을 막고 誠을 보존하며, 세상을 선하게 만들고도 자신의 공로를 자랑하지 않으며, 德을 널리 펼쳐 교화한다.(九二曰: 見龍在田利見大人, 何謂也? 子曰: 龍德而正中者也, 庸言之信, 庸行之謹, 閑邪存其誠, 善世而不伐, 德博而化.)"라고 하였다.

395 그 행하는 … 않고: 『周易』「坤卦·文言傳」에 "곧고 방정하고 위대하니, 익히지 않아도 이롭지 않음이 없다는 것은 그 행하는 바를 의심하지 않는 것이다.(直方大, 不習无不利, 則不疑其所行也.)"라고 하였다.

396 군자는 이루어진 … 것이다: 『周易』「乾卦·文言傳」에 "군자는 이루어진 덕을 행실로 삼으니, 날마다 볼 수 있는 것이 행실이다.(君子以成德爲行, 日可見之行也.)"라고 하였다.

[6-14-30]

乾九三修辭立誠, 非繼日待旦如周公, 不足以終其業. 九四以陽居陰, 故曰"在淵". 能不忘於躍, 乃可免咎. "非爲邪也", 終其義也.

건 구삼효에서, 말을 가려서 하고 성誠을 세우는 것을³⁹⁷ 낮을 이어 새벽을 기다리기를 주공처럼³⁹⁸ 하지 않으면, 그 사업을 마치기에 부족하다. 구사효에서 양으로써 음의 자리에 있으므로 "연못에 있다"³⁹⁹라고 말한 것이다. 뛰어오를 것을 잊지 않을 수 있다면 허물을 면할 수 있다. "간사함이 되지 않음"⁴⁰⁰은 그 의義를 완결함이다.

[6-14-31]

至健而易, 至順而簡, 故其險其阻, "不可階而升", 不可勉而至. 仲尼猶天, 九五"飛龍在天", 其致一也.

(건은) 지극히 굳세면서 쉽고, (곤은) 지극히 순하면서 간략하므로, 그 험함과 그 막힘은⁴⁰¹ "사다리로 오르지 못하며"⁴⁰² 힘써서 이를 수 없다. 공자는 하늘과 같아서, 구오효의 "나는 용이 하늘에 있다"는 것과 그 경지가 같다.

[6-14-32]

"坤至柔而動也剛", 乃積大勢成而然也.

"곤은 지극히 유순하면서도 그 움직임은 강하니",⁴⁰³ 쌓인 것이 커지고 형세가 이루어져서⁴⁰⁴ 그런

---

397 말을 가려서 … 것은 : 『周易』「乾卦·文言傳」에 "말을 가려서 하고 그 誠을 세우는 것이 業에 거하는 것이다.(修辭立其誠, 所以居業也.)"라고 하였다. '修辭'는 이천의 『역전』에는 "말을 가려서 함(擇言)"이라고 하였고, 주자의 『본의』에는 "한 마디 말이라도 성실하지 않음이 없는 것(无一言之不實也.)"이라고 하였다.

398 낮을 이어 … 주공처럼 : 『孟子』「離婁下」에 "周公은 세 왕을 겸하여 네 가지 일을 시행할 것을 생각하였다. 부합하지 않는 것이 있으면, 우러러 생각하여 밤으로써 낮을 이어서, 다행히 터득하게 되면 그대로 앉아 날이 새기를 기다렸다.(周公, 思兼三王, 以施四事. 其有不合者, 仰而思之, 夜以繼日, 幸而得之, 坐以待旦.)"라고 하였다.

399 연못에 있다 : 『周易』「乾卦」에 "구사효에 혹 뛰어오르거나 연못에 있으면 허물이 없다.(九四, 或躍在淵, 无咎)"라고 하였다.

400 간사함이 되지 않음 : 『周易』「乾卦·文言傳」에 "오르고 내림에 일정함이 없으니, 간사함이 되지 않는다.(上下無常, 非爲邪也.)"라고 하였고, 이천은 『역전』에서 "혹 나아가기도 하고 혹 물러나기도 하며, 물러남과 나아감이 마땅함을 따름이 간사하거나 굽은 것이 아니다.(或進或退, 去就從宜, 非爲邪枉.)"라고 하였다.

401 지극히 굳세면서 … 막힘은 : 『周易』「繫辭下」제12장에 "乾은 천하의 지극히 굳셈이니 덕행이 항상 쉬움으로써 험함을 알고, 坤은 천하의 지극히 순함이니 德行이 항상 간략함으로써 막힘을 안다.(夫乾天下之至健, 德行恒易以知險 ; 夫坤天下之至順也, 德行恒簡以知阻.)"라고 하였다.

402 사다리로 오르지 못하며 : 『論語』「子張」에 "선생님을 따르지 못함은 마치 하늘을 사다리로 오르지 못하는 것과 같다.(夫子之不可及也, 猶天之不可階而升也.)"라고 하였다.

403 곤은 지극히 … 강하니, : 『周易』「坤卦·文言傳」의 말이다.

것이다.

[6-14-33]

乾至健無體爲感速, 故易知. 坤至順不煩其施普, 故簡能. 坤先迷不知所從, 故失道. 後能順聽, 則得其常矣.

건은 지극히 굳세며 (고정된) 체體가 없이 감응이 빠르므로, 주관하기 쉬운 것이다. 곤은 지극히 유순하며 번거롭지 않고 베푸는 것이 넓으므로 간략하여 능한 것이다.[405] 곤은 먼저 하면 미혹되어 따라야할 바를 알지 못하게 되므로 도를 잃게 된다. 뒤에 하면 순하게 따를 수 있으니, 그 항상됨을 얻게 된다.[406]

[6-14-34]

造化之功, 發乎動, 畢達乎順, 形諸明, 養諸容載, 遂乎說潤, 勝乎健, 不匱乎勞, 終始乎止.

조화의 공功은 움직임에서 일어나서, 마침내 순함에 이르고, 밝음에서 드러나고, 받아들여 실어줌에서 길러지며, 기뻐하여 윤택함에서 이루어지고, 굳셈에서 이기며, 위로함에 다함이 없고, 그치는 데에서 끝나고 시작한다.[407]

. . . .

404 쌓인 것이 … 이루어져서 : 徐必達은 『正蒙釋』에서 "積大成勢'는 쌓인 것이 이미 커지고, 형세가 이미 이루어졌으므로, (곤의) 체는 비록 유순하지만 (곤의) 용은 강한 것이다.('積大成勢', 所積旣大, 其勢已成, 故能體雖柔用則剛.)"라고 하였다.

405 건은 지극히 … 것이다 : 『周易』「繫辭上」 제1장에 "건은 쉬움으로써 주관하고, 곤은 간략함으로써 능하다.(乾以易知, 坤以簡能)"라고 하였다. 주자는 『本義』에서 "'知'는 '주관하다主'와 같다. … 乾은 굳세면서 動하니, 그 주관하는 것이 만물을 시작하게 하여 어려운 바가 없다. 그러므로 쉬움으로써 큰 시작을 주관함이 되는 것이다. 坤은 유순하면서 靜하니, 그 능한 것이 모두 陽을 따르고 스스로 마음대로 하지 않는다. 그러므로 간략함으로써 만물을 이룸이 되는 것이다.('知'猶'主'也. … 乾健而動, 卽其所知, 便能始物而無所難. 故以爲易而知大始. 坤順而靜, 凡其所能, 皆從乎陽而不自作. 故以爲簡而能成物.)"라고 하였다. 왕식은 『正蒙初義』에서 "이 절은 아마도 '체가 없음'을 '쉬움'에 붙였고, '감응이 빠름'을 '앎'에 붙였으며, '번거롭지 않음'을 '간략함'에 붙였고, '베푸는 것이 넓음'을 '능함'에 붙였을 것이다. '知'자는 어쩌면 '주관하다主'는 글자로 이해하지 않아야 할 것이다.(此簡蓋以'無體'貼'易', '感速'貼'知', '不煩'貼'簡', '施普'貼'能'也. '知'字或不作'主'字解.)"라고 하였다.

406 곤은 먼저 … 된다 : 『周易』「坤卦」에 "먼저 하면 미혹되고 뒤에 하면 얻는다.(先迷後得)"라고 하였고, 「坤卦·象傳」에 "먼저 하면 미혹하여서 도를 잃게 되고, 뒤에 하면 순하여서 항상됨을 얻게 된다.(先迷失道, 後順得常.)"라고 하였다.

407 조화의 功은 … 시작한다 : 『周易』「說卦傳」 제5장에 "上帝가 震(☳)에서 나와서, 巽(☴)에서 가지런히 하고, 離(☲)에서 서로 만나보고, 坤(☷)에서 일을 맡기고, 兌(☱)에서 기뻐하고, 乾(☰)에서 싸우고, 坎(☵)에서 위로하고, 艮(☶)에서 이룬다. … 離는 밝음이다. … 坤은 땅이니, 만물이 모두 여기에서 길러짐을 이룬다. … 兌는 바로 가을이니, 만물이 기뻐하는 바이다. … 艮은 東北의 卦이니, 만물이 마침을 이루는 바이고 시작을 이루는 바이다.(帝出乎震, 齊乎巽, 相見乎離, 致役乎坤, 說言乎兌, 戰乎乾, 勞乎坎, 成言乎艮. … 離也者, 明也. … 坤也者, 地也, 萬物皆致養焉. … 兌, 正秋也, 萬物之所說也. … 艮, 東北之卦也, 萬物之所成終而

[6-14-35]

健·動·陷·止, 剛之象. 順·麗·入·說, 柔之體.

굳셈·움직임·빠짐·그침은 강강(剛)의 상상(象)이고, 순함·걸림·들어감·기뻐함은 유유(柔)의 체체(體)이다.[408]

[6-14-36]

"巽爲木", 萌於下, 滋於上. "爲繩直", 順以達也. "爲工", 巧且順也. "爲白", 所遇而從也. "爲長, 爲高", 木之性也. "爲臭", 風也, 入也. 於人"爲寡髮", "廣顙", 躁人之象也.

"손손(巽)이 나무가 됨"은 아래에서 싹터서 위로 자라난다는 것이다. "먹줄의 곧음이 됨"은 순응하여 이른다는 것이다. "장인이 됨"은 솜씨 있게 순응함이다. "흰 색이 됨"은 만나는 것을 따르는 것이다. "긴 것이 되고 높음이 됨"은 나무의 성질이다. "냄새가 됨"은 바람이며 들어감이다. 사람에 있어서 "머리털이 적음"과 "이마가 넓음"은 조급한 사람의 상이다.[409]

· · · · · · · · · · · · · · · · · · · ·

成始也.)"라고 하였다. 여남은 『장자초석』에서 "이는 또한 팔괘의 순서를 섞어서 말한 것이다.(此亦八卦之序而錯言之.)"라고 하였다. 염근조는 『正蒙補訓』에서 "이는 「說卦傳」인데 그 문장을 조금 변화시켜서 그 의미를 밝힌 것이다. 『易』에서는 '帝'라고 했는데, 여기에서는 '造化之功'이라고 말했으니, 상제가 주재하는 바이다. 『易』에서는 '出乎震'이라고 말했는데, 여기에서는 '發乎動'이라고 말하였다. '動'은 震이다. '發'은 나옴[出]이다. 『易』에서는 '齊乎巽'이라고 말했는데, 여기에서는 '畢達乎順'이라고 말하였다. '順'은 巽이다. '畢達'은 '齊'이다. 『易』에서는 '相見乎離'라고 말했는데, 여기에서는 '形諸明'이라고 말하였다. '形'은 드러나 離의 밝음이 되는 것이다.(見爲離明也.). 『易』에서는 '致役乎坤'이라고 말했는데, 여기에서는 '養諸容載'라고 말했으니, 곤은 받아들여 실어줄 수 있으니, 만물이 모두 여기에서 길러진다. 『易』에서는 '說言乎兌'라고 했는데, 여기에서는 '遂乎悅潤'이라고 하였다. '기뻐하므로[悅]', 이루어진다. 『易』에서는 '戰乎乾'이라고 말했는데, 여기에서는 '勝乎健'이라고 하였다. '健'은 '乾'이니, 싸워서 승리하는 것에 기인하였다. 『易』에서는 '勞乎坎'이라고 말했는데, 여기에서는 '不匱乎勞'라고 했으니, 그 위로함이 다함이 없는 것이다. 『易』에서는 '成言乎艮'이라고 말했는데, 여기에서는 '終始乎止'라고 말하였다. '止'는 艮이다. 시작이 있고 끝이 있으므로 이루어진다.(此即「說卦」而少變其文, 以明其義. 『易』言'帝', 此言'造化之功', 即帝之所主宰也. 『易』言'出乎震', 此言'發乎動'. 動, 震也. 發, 即出也. 『易』言'齊乎巽', 此言'畢達乎順'. '順', 巽也. '畢達', 即齊也. 『易』言'相見乎離', 此言'形諸明'. 形, 見爲離明也. 『易』言'致役乎坤', 此言'養諸容載', 坤能容載, 萬物皆致養焉. 『易』言'說言乎兌', 此言'遂乎悅潤'. 悅, 故遂也. 『易』言'戰乎乾', 此言'勝乎健'. 健, 乾也, 因戰而勝也. 『易』言'勞乎坎', 此言'不匱乎勞', 其勞爲無盡也. 『易』言'成言乎艮', 此言'終始乎止'. '止', 艮也. 有始有終, 故成也.)"라고 하였다.

408 굳셈 … 체(體)이다 : 『周易』「說卦傳」제7장에 "건은 굳센 것이고, 곤은 순한 것이며, 진은 움직이는 것이고, 손은 들어가는 것이며, 감은 빠지는 것이고, 리는 걸리는 것이며, 간은 그치는 것이고, 태는 기뻐하는 것이다.(乾, 健也. 坤, 順也. 震, 動也. 巽, 入也. 坎, 陷也. 離, 麗也. 艮, 止也. 兌, 說也.)"라고 하였고 주자는 『본의』에서 "이것은 팔괘의 性情을 말한 것이다.(此言八卦之性情.)"라고 하였다.

409 巽이 나무가 … 상이다 : 『周易』「說卦傳」제11장에 "巽은 나무가 되고, 바람이 되고, 長女가 되고, 먹줄의 곧음이 되고, 장인(工)이 되고, 흰 색이 되고, 긴 것이 되고, 높음이 되고, 나아감과 물러남이 되고, 과단성 없음이 되고, 냄새가 된다. 사람에 있어서는 머리털이 적음이 되고, 이마가 넓음이 되고, 눈에 흰자위가 많음이 되고, 이익을 가까이 하여 세 배의 이익을 남김이 되며, 궁극에 가서는 조급한 卦가 된다.(巽, 爲木, 爲風, 爲長女, 爲繩直, 爲工, 爲白, 爲長, 爲高, 爲進退, 爲不果, 爲臭 ; 其於人也, 爲寡髮, 爲廣顙, 爲多白眼, 爲近利市三倍, 其究爲躁卦.)"라고 하였다.

[6-14-37]

"坎爲血卦", 周流而勞, 血之象也. "爲赤", 其色也.

"감坎이 혈괘血卦가 되는 것"은 두루 흘러 일하는 것이 피의 상이다. '붉은 색이 되는 것"은 그 색깔이다.[410]

[6-14-38]

"離爲乾卦", 於木"爲科上槁", 附且躁也.

"리離가 건괘가 되고" 나무에서는 "속이 비고 위가 마른 것이 됨"은 붙어 있고 또 마른 것이다.[411]

[6-14-39]

"艮爲小石", 堅難入也. "爲徑路", 通或寡也. 或一本作且字

"간艮은 작은 돌이 됨"은 단단하여 들어가기 어려운 것이다. "작은 길이 됨"은 통하긴 하지만 적다는 것이다.[412] '혹或'은 어떤 판본에는 '차且' 자로 되어 있다.

[6-14-40]

"兌爲附決", 內實則外附必決也. "爲毀折", 物成則上柔者必折也.

"태兌는 붙어 있다가 떨어짐이 됨"은 안으로 충실하면 밖으로 붙어 있어도 반드시 떨어지게 되는 것이다. "부딪쳐서 꺾임이 됨"은 사물이 이루어지게 되면 위쪽의 약한 것은 반드시 꺾인다는 것이다.[413]

....

410 坎이 혈괘가 … 색깔이다: 『周易』「說卦傳」제11장에 "坎은 물이 되고, … 血卦가 되고, 붉은 색이 된다.(坎爲水, … 爲血卦, 爲赤.)"라고 하였다. 염근조는 『正蒙補訓』에서 "사람의 몸에 두루 흐르며 부지런히 일하며 쉬지 않는 것이 피[血]의 상이다.(周流於人之身而勤勞不息, 血之象也.)"라고 하였다.

411 離가 乾卦가 … 것이다: 『周易』「說卦傳」제11장에 "離는 불이 되고 … 乾卦가 되고, … 나무에 있어서는 속이 비고 위가 마른 것이 된다.(離爲火 … 爲乾卦, … 其於木也, 爲科上槁.)"라고 하였다. 염근조는 『正蒙補訓』에서 "'躁'는 마땅히 '燥'로 써야 한다.('躁', 當作'燥')"라고 하였다.

412 艮은 작은 … 것이다: 『周易』「說卦傳」제11장에 "艮은 산이 되고, 작은 길이 되고, 작은 돌이 된다.(艮爲山, 爲徑路, 爲小石.)"라고 하였다. 오눌은 『正蒙補注』에서 "「說卦傳」의 '간이 산이 됨'이라는 한 절을 풀이한 것이다. '通或寡'는 비록 통하긴 하지만 지나다니는 자가 혹 적다는 것이다.(釋「說卦」'艮爲山'節. '通或寡', 雖通而行之者或寡.)"라고 하였다.

413 兌는 붙어 … 것이다: 『周易』「說卦傳」제11장에 "兌는 못이 되고, … 부딪쳐서 꺾임이 되고, 붙어 있다가 떨어짐이 된다.(兌爲澤, … 爲毀折, 爲附決.)"라고 하였고, 공영달은 이에 대해 『注疏』에서 "兌괘는 가을을 주관한다. 가을에 만물이 성숙하는 것을 취하니, 말라비틀어진 나무의 종류는 부딪쳐서 꺾이고, 나무열매와 풀 열매는 붙어 있다가 떨어진다.(兌主秋也, 取秋物成熟, 槁稈之屬則毀折也, 果蓏之屬則附決也.)"라고 하였다. 염근조는 『正蒙補訓』에서 "「說卦傳」의 '兌가 못이 된다'는 구절을 풀이한 것이다. … 만물이 이루어져서 兌를 따르면, 金인 가을이 드러나 보이도록 한다. 만물이 성숙하고 충실한 데에 이르게 되면 가지와 잎사귀가 시들어 떨어지게 되므로, 그 윗 쪽에 있는 약한 것은 반드시 부딪쳐 꺾인다.(釋「說卦」'兌爲澤'節. … 物成從兌, 金秋令看出. 物到成實結果處, 則枝葉凋落, 故其上之柔者, 必毀折也.)"라고 하였다.

[6-14-41]

“坤爲文”, 衆色也. “爲衆”, 容載廣也.

“곤이 문채가 됨”은 여러 가지 색깔이라는 것이다. “무리가 됨”은 받아들여 싣는 것이 넓다는 것이다.[414]

[6-14-42]

“乾爲大赤”, 其正色也. “爲冰”, 健極而寒甚也.

“건乾이 크게 붉은 것이 됨”은 그것이 바른 색깔이라는 것이다. “얼음이 됨”은 굳셈이 지극하여 차가움이 심해진다는 것이다.[415]

[6-14-43]

“震爲萑葦”, “爲蒼筤竹”, “爲旉”, 皆蕃鮮也.

“진震은 갈대가 되고”, “푸른 대나무가 되고”, “초목이 펼쳐짐이 됨”은, 모두 번성하여 고운 것이다.[416]

[6-14-44]

一陷溺而不得出爲坎. 一附麗而不得去爲離.

하나의 기奇가 빠져서 나올 수 없는 것이 감坎이다. 하나의 우偶가 붙어서 떠날 수 없는 것이 이離이다.[417]

. . . .

414 곤이 문채가 … 것이다 : 『周易』「說卦傳」 제11장에 “곤은 땅이 되고, … 문채[文]가 되고, 무리가 된다.(坤爲地, … 爲文, 爲衆.)”라고 하였고, 공영달의 『疏』에는 “‘문채가 됨’은 그 만물의 색이 섞임을 취한 것이다. ‘무리가 됨’은 그 땅이 만물을 실어주는 것이 한 가지가 아님을 취한 것이다.(‘爲文’, 取其萬物之色雜也. ‘爲衆’, 取其地載物非一也.)”라고 하였다.

415 乾이 크게 … 것이다 : 『周易』「說卦傳」 제11장에 “乾은 하늘이 되고, … 추위가 되고, 얼음이 되고, 크게 붉은 것이 된다.(乾爲天, … 爲寒, 爲冰, 爲大赤.)”라고 하였다.

416 震은 갈대가 … 것이다 : 『周易』「說卦傳」 제11장에 “震은 우레가 되고, … 초목이 펼쳐짐이 되고, … 푸른 대나무가 되고, 갈대가 되며, … 궁극에 가서는 굳셈이 되고, 번성하고 고운 것이 된다.(震爲雷 … 爲旉, … 爲蒼筤竹, 爲萑葦, … 其究爲健, 爲蕃鮮.)”라고 하였고, 공영달은 『疏』에서 “‘爲旉’는 봄철에 기운이 지극하여 초목이 모두 펼쳐져서 생겨남을 취한 것이다. ‘爲蒼筤竹’은 대나무가 처음 생겨날 때에 색깔이 푸르니, 그 봄에 생겨나는 아름다움을 취한 것이다. ‘爲萑葦’에서 萑葦는 대나무의 종류이다. … ‘其究爲健’에서 究는 지극함이니 진이 움직임이 지극해지면 굳셈이 된다. ‘爲蕃鮮’에서 鮮은 밝음이니, 봄철에 초목이 번성하게 생육하여 선명한 것을 취한 것이다.(‘爲旉’, 取其春時氣至, 草木皆吐旉布而生也. … ‘爲蒼筤竹’, 竹初生之時色蒼筤, 取其春生之美也. ‘爲萑葦’, 萑葦, 竹之類也. … ‘其究爲健’, 究, 極也, 極於震動則爲健也. ‘爲蕃鮮’, 鮮, 明也, 取其春時草木蕃育而鮮明.)”라고 하였다.

417 하나의 기奇가 … 離이다 : 『周易』「說卦傳」 제7장에 “坎은 빠짐이다. 離는 붙음이다.(坎, 陷也. 離, 麗也.)”라고 하였다. 『周易』「欽卦」의 『朱子本義』에 “坎은 험하고 빠짐이니, 그 상은 물이 된다. 양이 음 속에 빠지니, 바깥은 虛하고 속은 實하다.(坎, 險陷也, 其象爲水. 陽陷陰中, 外虛而中實也.)”라고 하였고, 『周易』「이괘·

[6-14-45]

艮一陽爲主於兩陰之上, 各得其位, 而其勢止也. 易言光明者, 多艮之象, 著則明之義也.

간艮은 하나의 양이 두 음의 위에서 주가 되어, 각각 제자리를 얻어서 그 형세가 멈춰 있는 것이다.[418] 『역』에서 '광명光明'[419]이라고 말한 것은 간艮의 상象이 많은 것이니, 드러나면 밝아진다[420]는 의미이다.

[6-14-46]

蒙無遽亨之理, 由九二循循行時中之亨也.

몽蒙에 갑자기 형통하는 이치가 없는 것은[421] 구이효가 차근차근히 때에 알맞은 형통함을 행하기 때문이다.[422]

[6-14-47]

"不終日貞吉", 言疾正則吉也. 仲尼以六二以陰居陰, 獨無累於四, 故其介如石. 雖體柔順, 以其在中而靜, 何俟終日? 必知幾而正矣.

"하루가 끝나기를 기다리지 않고 떠나니 정貞하여 길吉하다"[423]는 것은 속히 바르게 하면 길하다는

象傳」에는 "離는 붙음이니, 해와 달이 하늘에 붙어 있고 모든 곡식과 초목이 땅에 붙어 있다. 거듭된 밝음으로 올바름에 붙어서 천하를 교화한다.(離, 麗也, 日月麗乎天, 百穀草木, 麗乎土, 重明, 以麗乎正, 乃化成天下.)"라고 하였다.

418 艮은 하나의 … 것이다 : 『周易』「艮卦」의 주자 『본의』에 "간은 그침이다. 하나의 양이 두 음의 위에 그쳐 있으니, 양이 아래로부터 올라가 꼭대기에서 그친 것이다.(艮, 止也. 一陽止於二陰之上, 陽自下升, 極上而止也.)"라고 하였다.

419 光明 : 『周易』「艮卦・象傳」에 "艮은 그침이다. 때가 그쳐야 할 경우에는 그치고 때가 행해야 할 경우에는 행하여, 動과 靜이 그 때를 잃지 않으니 그 道가 光明하다.(艮, 止也. 時止則止, 時行則行, 動靜不失其時, 其道光明.)"라고 하였다. 주자는 『本義』에서 "艮의 體는 독실하므로 또 光明한 뜻이 있다.(艮體篤實, 故又有光明之義.)"라고 하였다.

420 드러나면 밝아진다 : 『中庸』제23장에 "그 다음은 한쪽으로 지극히 함이니, 한쪽으로 지극히 하면 誠할 수 있다. 誠하면 드러나고, 드러나면 뚜렷해지고, 뚜렷해지면 밝아지고, 밝아지면 감동시키고, 감동시키면 變하고, 變하면 化하는 것이다. 오직 천하의 지극한 誠이라야 化할 수 있다.(其次, 致曲, 曲能有誠. 誠則形, 形則著, 著則明, 明則動, 動則變, 變則化. 唯天下至誠, 爲能化.)"라고 하였다.

421 蒙에 갑자기 … 것은 : 『周易』「蒙卦・象傳」에 "'蒙亨'은 형통함으로써 행함이니, 때에 맞게 행함이다.(蒙亨, 以亨行, 時中也.)"라고 하였다.

422 구이효가 차근차근히 … 때문이다 : 『周易』「蒙卦」에서 주자는 『본의』에서 "九二효가 형통할 수 있는 道로 다른 사람의 몽매함을 개발시키고 또 그 때의 알맞음을 얻었다.(九二以可亨之道, 發人之蒙, 而又得其時之中.)"라고 하였다. 『論語』「子罕」에 "선생님께서는 차근차근히 사람을 잘 이끄신다.(夫子循循然善誘人.)"라고 하였다. 염근조는 『正蒙補訓』에서 "『論語』에서 '차근차근히 잘 이끈다'는 말을 빌려서 몽매함을 개발시키는 훌륭함을 드러내었다.(借『論語』'循循善誘', 以見發蒙之善.)"라고 하였다.

423 하루가 끝나기를 … 吉하다 : 『周易』「豫卦」에 "六二효는 절개가 돌과 같아 하루가 끝나기를 기다리지 않고

것이다. 공자는 육이효가 음효로서 음의 자리에 있으면서 유독 사효에 누가 되지 않았으므로, 그 절개가 돌과 같다고 한 것이다. 비록 체體는 유순하나, 그것이 중中에 있으면서 정靜하니, 어찌 하루가 끝나기를 기다리겠는가? 반드시 기미를 알아서 바르게 할 것이다.[424]

[6-14-48]

坎維心亨, 故行有尙. 外雖積險, 苟處之心亨不疑, 則雖難必濟, 而往有功也.

감坎은 오직 마음이 형통하므로, 행하면 칭찬할 만한 것이 있다. 바깥에 비록 험난한 것이 쌓여 있어도, 진실로 마음이 형통하여 의심하지 않는데 처한다면, 비록 어렵더라도 반드시 해결되어, 가서 공이 있게 될 것이다.[425]

[6-14-49]

中孚, 上巽施之, 下悅承之, 其中必有感化而出焉者. 蓋'孚'者, 覆乳之象, 有必生之理.

중부中孚괘는 위에서 공손하게 베풀고, 아래에서 기쁘게 받으니, 그 가운데에 반드시 감화되어 나오는 것이 있다.[426] '부孚'는 부화하는 모습[427]이니, 반드시 낳는 이치가 있다.

. . . .

떠나니 貞하고 吉하다.(六二, 介於石, 不終日貞吉.)"라고 하였다.

424 공자는 육이효가 … 할 것이다 :「豫卦・六二爻」에 대해 주자는『本義』에서 "豫가 비록 즐거움을 주관하나 사람을 빠지게 하기 쉽다. … 괘에 오직 이 六二爻만이 中으로서 正을 얻었으니, 이는 상하가 다 즐거움에 빠졌으나 홀로 中正함으로써 스스로를 지켜서 그 절개가 돌과 같은 것이다. 그 덕이 편안하고 고요하며 굳고 확실하기 때문에 思慮가 밝고 자세하니, 하루가 끝나기를 기다리지 않고 모든 일의 기미를 알 것이다. (豫雖主樂, 然易以溺人, … 卦獨此爻, 中而得正, 是上下皆溺於豫, 而獨能以中正自守, 其介如石也. 其德安靜而堅確, 故其思慮明審, 不俟終日而見凡事之幾微也.)"라고 하였다.『周易』「繫辭下」제5장에도 "군자는 기미를 보고 일어나 떠나가니 하루가 끝나기를 기다리지 않는다.(君子見幾而作, 不俟終日)"라고 하였다.

425 坎은 오직 … 것이다 :『周易』「坎卦」에 "習坎은 참됨이 있어서 오직 마음이 형통하니, 행하면 칭찬할 만한 것이 있다.(習坎, 有孚, 維心亨, 行, 有尙.)"라고 하였다. 이에 대해 이천은『역전』에서 "實한 陽이 가운데(中)에 있으니, 가운데에 참됨[孚信]이 있는 것이 된다. '維心亨'은 오직 그 마음이 정성스럽고 한결같기 때문에 亨通할 수 있는 것이다. '行有尙'은 정성스러움과 한결같음으로 행한다면, 험한 데에서 벗어나 칭찬할 만한 것이 있게 되는 것이니, 功이 있음을 말한 것이다. 행하지 않으면 항상 험한 가운데 있게 된다.(陽實在中, 爲中有孚信. '維心亨', 維其心誠一, 故能亨通. … '行有尙', 謂以誠一而行, 則能出險, 有可嘉尙, 謂有功也. 不行則常在險中矣.)"라고 하였다. 주자는『本義』에서 "이 卦는 위아래가 다 坎이니, 이것은 거듭 험함[重險]이 된다. 가운데가 실함은 참됨[孚信]이 있어 마음이 형통하는 상이 되니, 이러한 방법으로 행하면 반드시 功이 있을 것이다.(此卦上下皆坎, 是爲重險. 中實, 爲有孚心亨之象, 以是而行, 必有功矣.)"라고 하였다.『周易』「감괘・象傳」에 "오직 마음이 형통하다'는 것은 剛이 中에 있기 때문이다. '행하면 칭찬할 만한 것이 있다'는 것은 가면 功이 있는 것이다.('維心亨', 乃以剛中也. '行有尙', 往有功也.)"라고 하였다.

426 中孚괘는 위에서 … 있다 :『周易』「中孚卦・象傳」에 "기뻐하고 공손하니, 참됨[孚信]이 마침내 나라를 감화시킨다.(說而巽, 孚乃化邦也.)"라고 하였고, 이천의『역전』에서 "두 體로 卦의 用을 말하였다. 위가 巽이고 아래가 說인 것은 윗사람이 至誠으로 아랫사람에게 巽順하고 아랫사람이 참됨[孚信]이 있어 윗사람을 기뻐하여 따르니, 이와 같이 하면 참됨[孚信]이 마침내 나라를 감화시킬 수 있다.(以二體, 言卦之用也. 上巽下說,

[6-14-50]

物因雷動. 雷動不妄, 則物亦不妄, 故曰"物與无妄".

만물은 우레로 인하여 움직인다. 우레가 움직일 때 망령되지 않으니, 만물도 또한 망령되지 않게 된다. 그러므로 "만물이 더불어 망령됨이 없다."라고 하였다.[428]

[6-14-51]

靜之動也無休息之期, 故地雷爲卦, 言反又言復. 終則有始, 循環無窮. 人指其化而裁之爾. 深其反也; 幾其復也. 故曰"反復其道", 又曰"出入無疾".

고요함[靜]이 움직임[動]에는 휴식의 때가 없으므로, 땅과 우레[地雷]가 괘가 될 때 '반反[돌이킨다]'이라고 하기도 하고 '복復[회복한다]'이라고 하기도 한다.[429] 끝나면 또 시작함이 있어 끝없이 순환한다. 사람들은 그 화化하는 것을 가리켜 재단할 뿐이다.[430] 깊기 때문에 반反하며, 기미이기 때문에 복復한다.[431]

· ·

爲上至誠以順巽於下, 下有孚以說從其上, 如是, 其孚乃能化於邦國也.)"라고 하였다.

427 孚는 부화하는 모습: 여본은 『正蒙集解』에서 "'부유지상(覆乳之象: 덮어 감싸 알을 까게 함)'은 '孚'字의 의미이다. 『六書正譌』에, '孚는 알을 부화한다는 뜻으로, 「爪」를 따르고 「子」를 따랐다. 새가 알을 깔 때 모두 그 기약한 것과 같이 한다.'('覆乳之象', '孚'字義也. 『六書正譌』曰: '孚, 卵孚也, 從爪從子. 鳥之孚卵, 皆如其期.')"라고 하였다.

428 만물이 더불어 … 하였다: 『周易』「无妄卦·象傳」에 "하늘 아래에 우레가 행하여짐에 만물이 그것과 더불어 망령됨이 없다.(天下雷行, 物與无妄.)"라고 하였고, 주자의 『본의』에는 "하늘 아래에 우레가 행해질 때, 진동하고 발생시켜서 만물이 각각 그 性命을 바르게 하니, 이는 사물마다 그것과 더불어 망령됨이 없는 것이다.(天下雷行, 震動發生, 萬物各正其性命, 是物物而與之以无妄也.)"라고 하였다.

429 고요함이 움직임에는 … 한다: 『周易』「復卦」에 대해 이천은 『역전』에서 "卦의 성질은 하나의 陽이 다섯 陰의 아래에서 생기니, 陰이 지극함에 陽이 회복한 것이다. 일 년 중 10월에 陰의 왕성함이 이미 극에 달하다가, 동지가 되면 하나의 陽이 다시 땅 속에서 생기므로 '복復'이 된 것이다. 陽은 군자의 道이니, 陽이 사라짐이 극에 달하였다가 다시 돌아오는 것[反]은, 군자의 道가 사라짐이 극에 달하였다가 다시 자라나는 것이므로 善으로 돌아오는[反善] 뜻이 된다.(爲卦, 一陽生於五陰之下, 陰極而陽復也. 歲十月, 陰盛既極, 冬至則一陽復生於地中, 故爲'復'也. 陽, 君子之道, 陽消極而復反, 君子之道, 消極而復長也, 故爲反善之義.)"라고 하였다. 『周易』「복괘·象傳」에는 "復은 형통하여 나가고 들어옴에 병이 없어서 벗이 와야 허물이 없다. 그 道를 반복하여 7일 만에 와서 회복하니, 가는 바를 두는 것이 이롭다.(復, 亨, 出入无疾, 朋來, 无咎. 反復其道, 七日來復, 利有攸往.)"라고 하였다. 이광지는 『注解正蒙』에서 "생각건대 '反'은 '復'이라는 의미인데, 장재는 '反'과 '復'을 두 가지 뜻으로 여겼다. '反'은 그 근본으로 돌이켜서 고요함을 말한 것이며, '復'은 生을 회복하여 움직임을 말한 것이다. 고요하므로 깊게 되고, 움직이므로 기미가 있게 된다. 고요하므로 들어가게 되고, 움직이므로 나오게 된다.(按'反', 即'復'義也, 張子以'反'與'復'爲兩義. 反, 言其反本而靜也; 復, 言其復生而動也. 靜故深, 動故幾; 靜爲入, 動爲出.)"라고 하였다.

430 끝나면 또 … 뿐이다: 『周易』「繫辭上」 제12장에 "化하여 마름질하는 것을 變이라고 하고, 미루어 행함을 通이라고 하고, 들어서 천하의 백성에 적용하는 것을 사업이라고 한다. … 化하여 마름질하는 것은 변함에 있다.(化而裁之謂之變, 推而行之謂之通, 擧而措之天下之民謂之事業. … 化而裁之, 存乎變)"라고 하였고, 여본은 『正蒙集解』에서 "'反'은 등지고 떠나는 것이니, 가는 것이며, 고요한 것이며, 마치는 것을 말한다. '復'은 오는 것이고, 움직이는 것이며, 시작하는 것이다. '끝나면 또 시작함이 있다.(終則有始)'는 것 이하는 또 거듭

그러므로 "그 도를 반복反復한다"라고 말하고, 또 "나가고 들어옴에 병이 없다"라고 말한 것이다.

[6-14-52]

"益, 長裕而不設", 益以實也. 妄加以不誠之益, 非益也.

"익괘는 크고 넉넉하면서도 조작을 하지 않으니"[432], 참됨[實]으로서 더하는 것[益]이다. 정성스럽지 못한 더함으로써 망녕되게 덧붙이는 것은 익益이 아니다.

[6-14-53]

"井渫而不食", 强施行, 惻然且不售, 作易者之嘆與!

"우물이 깨끗하지만 먹어주지 않아", 억지로 베풀어 행해도, 슬프고 또 쓰이지 못하니, 『역』을 지은 사람의 탄식인가![433]

[6-14-54]

闔戶, 靜密也. 闢戶, 動達也. 形開而目覿耳聞, 受於陽也.

문을 닫음은 고요하며 빽빽이 빈틈없는 것이다. 문을 엶은 움직이며 통달하는 것이다. 형체가 열려 눈으로 보고 귀로 듣는 것은 양陽에서 받은 것이다.[434]

하여 풀이한 것이니, 反復의 뜻을 말한 것이고, 말하자면 시작과 끝이 순환하여 힘차게 흘러 끝이 없으니, 이것이 천지자연의 化이다. 사람은 그 化를 가리켜 그것을 마름질[裁制]할 뿐이다.('反', 背而去之, 謂往也, 靜也, 終也. '復', 來也, 動也, 始也. '終則有始'以下, 又申解, 所以言反復之意, 言始終循環, 混混流行而無窮, 此天地自然之化也. 人則指其化而裁制之耳.)"라고 하였다.

431 깊기 때문에 … 復한다: 『周易』「繫辭上」 제10장에 "易은 성인이 깊음을 다하고 기미를 살피는 것이니, 오직 심오하기 때문에 天下의 뜻을 통할 수 있으며, 오직 기미이기 때문에 천하의 일을 이룰 수 있으며, 오직 神妙하기 때문에 빨리 하지 않아도 신속하며 가지 않아도 이르게 된다.(夫易, 聖人之所以極深而研幾也. 惟深也, 故能通天下之志, 惟幾也, 故能成天下之務, 惟神也, 故不疾而速, 不行而至.)"라고 하였다.

432 『周易』「繫辭下」 제7장 『二程遺書』 권17에는 "'익괘는 크고 넉넉하면서도 조작하지 않으니(益長裕而不設)' 진실로 이러한 이치가 있어서 나아가 채우고 키우는 것을 말한다. '조작함[設]'은 짓고 만드는 것이니, 짓고 만들면 거짓이 된다.('益長裕而不設', 謂固有此理而就上充長之, '設', 是撰造也, 撰造則爲僞也.)라고 하였다.

433 우물이 깨끗하지만 … 탄식인가!: 『周易』「鼎卦」에 "구삼효는 우물이 깨끗하지만 먹어주지 않아서, 내 마음을 슬프게 하니, 물을 길어서 쓸 수 있다. 왕이 현명하면 함께 그 복을 받을 것이다.(九三, 井渫不食, 爲我心惻, 可用汲. 王明, 並受其福)"라고 하였다. 주자는 『本義』에서 "왕이 현명하면 우물을 길어 남에게 미치게 해서, 베푸는 자와 받는 자가 함께 그 복을 받을 것이다. 九三효는 陽으로서 陽의 자리에 있어 下卦의 위에 있으면서 때에 쓰여짐이 되지 못하였으므로 그 象과 占이 이와 같은 것이다.(王明則汲井以及物而施者受者並受其福也. 九三, 以陽居陽, 在下之上而未爲時用, 故其象占如此.)"라고 하였다.

434 문을 닫음은 … 것이다: 『周易』「繫辭上」 제11장에 "문을 닫음을 坤이라고 하고 문을 엶을 乾이라고 한다.(闔戶, 謂之坤; 闢戶, 謂之乾.)"라고 하였다. 염근조는 『正蒙補訓』에서 "이는 『周易』에서 '문을 닫음'과 '문을 엶'을 해석하여 미루어 사람이 잠자고 깨는 데에까지 미쳐 간 것이다. 이 '문을 닫음'은 고요하면서 빽빽하게 빈틈이 없는 것이고, '문을 엶'은 움직여 통달한 것이다. '密'이란 엄밀하여 샐 틈이 없다는 뜻이고, '達'이란

[6-14-55]

辭各指其所之, 聖人之情也. 指之以趨時盡利, 順性命之理, 臻三極之道也. 能從之, 則不陷於凶悔矣, 所謂"變動以利言"者也. 然爻有攻取愛惡, 本情素動, 因生吉凶悔吝而不可變者, 乃所謂"吉凶以情遷"者也. 能深存「繫辭」所命, 則二者之動見矣. 又有義命當吉當凶當否當亨者, 聖人不使避凶趨吉, 一以貞勝而不顧. 如"大人否亨", "有隕自天", "過涉滅頂凶, 无咎", 損益"龜不克違", 及"其命亂也"之類, 三者情異, 不可不察.

'말[辭]'은 각각 그 나아갈 바를 가리키는 것이니, 성인의 정情이다.[435] 때에 따르고 이로움을 다함[436]으로써 나아갈 것을 가리키니, 성명의 이치를 따르고 삼극三極의 도에 이르는 것이다.[437] 이것을 따를 수 있으면 흉한 일이나 뉘우칠 일에 빠지지 않게 되니, 이른바 "변동變動은 이로움으로써 말한다."[438]라고 한 것이다. 그러나 효爻에는 공격하고 취하고 사랑하고 미워하는 것이 있어서 본정本情

통달하여 막힘이 없다는 뜻이다. '문을 닫음'은 陰이 되고 '문을 엶'은 陽이 되니, 사람의 몸이 열려서 눈으로 보는 바가 있고 귀로 듣는 바가 있는 것은 乾陽의 기운을 받아서 그런 것이다.(此解『易』'闔戶''闢戶'而推及於人之窾寐也. '闔戶', 靜而密, '闢戶', 動而達. '密'者, 嚴密無罅漏之意; '達'者, 通達無壅滯之意. '闔戶'爲陰, '闢戶'爲陽, 人之形開, 而目有所睹, 耳有所聞, 受乾陽之氣而然也.)"라고 하였다. 또 왕식은 『正蒙初義』에서 "천지에 한 기가 유행하면서, 때로는 고요하게 거두어들이는데 마치 문이 닫히는 것과 같으니, 음에 속하며 坤이라고 한다. 때로는 움직여서 드러나는데 마치 문이 열리는 것과 같으니, 양에 속하며 乾이라고 한다. 겨울과 봄, 낮과 밤이 모두 이런 것이다.(天地一氣流行, 時而靜斂, 如戶斯闔, 屬乎陰而謂之坤; 時而動發, 如戶斯闢, 屬乎陽而謂之乾. 冬春晝夜皆是也.)"라고 하였다.

435 말[辭]은 각각 … 情이다: 『周易』「繫辭上」제3장에 "그러므로 卦에는 小와 大가 있으며, 辭에는 험함과 쉬움이 있으니, 辭는 각각 그 나아갈 바를 가리킨 것이다.(是故, 卦有小大, 辭有險易, 辭也者各指其所之)"라고 하였고 『周易』「繫辭下」제1장에는 "성인의 情은 辭에 나타난다.(聖人之情, 見乎辭.)"라고 하였다. 염근조는 『正蒙補訓』에서 "『周易』의 辭는 각각 그 가야할 바를 가리켜주니, 성인의 情이 말미암아 드러난 곳이다.(凡『易』之辭, 各指其所往, 乃聖人之情所由見也.)"라고 하였다.

436 때에 따르고 … 다함: 『周易』「繫辭下」제1장에 "剛과 柔는 근본을 세우는 것이고, 變과 通은 때에 따르는 것이다.(剛柔者, 立本者也; 變通者, 趣時者也.)"라고 하였고, 「繫辭上」제12장에 "성인이 象을 세워서 뜻을 다하며, 卦를 베풀어서 참됨과 거짓됨을 다하며, 辭을 붙여서 그 말을 다하며, 변하고 통해서 이로움을 다하며, 고동시키고 춤추게 해서 신묘함을 다한다.(聖人立象以盡意, 設卦以盡情僞, 繫辭焉以盡其言, 變而通之以盡利, 鼓之舞之以盡神.)"라고 하였다.

437 성명의 이치를 … 것이다: 『周易』「說卦傳」제2장에 "옛날에 성인이 『易』을 지음은 장차 性命의 이치에 順하고자 해서였다.(昔者聖人之作易也, 將以順性命之理)"라고 하였고, 「繫辭上」제2장에 "變과 化는 나아감과 물러감의 象이며, 剛과 柔는 낮과 밤의 象이요, 六爻의 움직임은 三極의 道이다.(變化者, 進退之象也; 剛柔者, 晝夜之象也; 六爻之動, 三極之道也.)"라고 하였다.

438 變動은 … 말한다: 『周易』「繫辭下」제12장에 "變動은 이로움으로써 말하고, 吉凶은 情으로써 옮겨간다. 이런 까닭에 사랑함과 미워함이 서로 공격하여 吉함과 凶함이 생기며, 멀고 가까움이 서로 취하여 悔와 吝이 생기며, 참眞情과 거짓이 서로 감동하여 이로움과 해로움이 생기니, 『易』의 情은 가까우면서도 서로 얻지 못하면 흉하거나 해로움을 끼치며, 뉘우치고 또 인색하다.(變動以利言, 吉凶以情遷. 是故愛惡相攻而吉凶生, 遠近相取而悔吝生, 情僞相感而利害生, 凡易之情, 近而不相得, 則凶或害之, 悔且吝.)"라고 하였다.

[본효의 정상]이 평소 움직여서, 이로 인하여 길吉·흉凶·회悔·린吝을 생기게 하여 변할 수 없는 것이 되니, 이른바 "길흉은 정情으로써 옮겨간다"439는 것이다.440 「계사繫辭」에서 명한 바를 깊이 보존할 수 있으면 이 두 가지의 움직임이 드러난다.441 또 의義와 명命에 마땅히 길한 것, 마땅히 흉한 것, 마땅히 꽉 막힌[否] 것, 마땅히 형통한[亨] 것이 있지만, 성인은 흉함을 피하고 길함을 따르도록 하지 않고, 한결같이 곧음[貞]으로 이겨나가고 뒤돌아보지 않도록 한다.442 예를 들어 "대인은 막혀야 형통하다"443거나, "하늘에서 떨어지는 것이 있다"444거나 "깊은 물을 건너다가 머리 꼭대기까지 빠지게 되어 흉하기는 하나 허물은 없을 것이다"445거나 손損괘와 익益괘에서 "거북점에 어긋남이 없다"446

· ·

439 길흉은 情으로써 옮겨간다 : 『周易』「繫辭下」 제12장

440 그러나 효爻에는 … 것이다 : 장당과 주방은 『正蒙註』에서 "'本情素動'은 그 사랑하고 미워하고 공격하고 취하는 정상情에 기인하여서 현재 움직여지는 효이다.('本情素動'者, 因其愛惡攻取之情, 而爲現在所動之爻也.)라고 하였다. 고반룡은 『正蒙釋』에서 "'本情'은 本爻의 情이니, 가까우면서 서로 얻지 못하면 미워하여 공격하게 된다. 서로 얻으면 사랑하여 취하게 된다. '本情素動'하여 길흉회린이 생겨나니, '이른바 길흉은 情으로써 옮겨간다는 것이다.' 爻의 정상情이 이와 같으니 변할 수 없는 것이다.('本情'者, 本爻之情, 近而不相得, 則惡而攻. 相得則愛而取. '本情素動', 而生吉凶悔吝, '所謂吉凶以情遷者也.' 爻情如是, 不可得而變.)"라고 하였다.

441 「繫辭」에서 명한 … 드러난다 : 염근조는 『正蒙補訓』에서 "성인이 「繫辭」에서 명한 바를 깊이 이해할 수 있다면 '變動' '情動'의 두 가지 움직임을 볼 수 있다. … 「繫辭」에서 명한 바는 위 문장의 '나아갈 바를 가리키는' 말이다.(能深存聖人「繫辭」所命, 則'變動''情動'二者之動可見矣. '繫辭所命', 即上文指所之之辭.)"라고 하였다.

442 곧음[貞]으로 이겨나가고 … 한다 : 『周易』「繫辭下」 제1장에 "吉凶은 곧음으로 이겨나가는 것이다.(吉凶者貞勝者也.)"라고 하였다. 주자는 『本義』에서 "'貞'은 올바름이며 항상함이니, 만물은 올바름을 항상함으로 삼는다. 천하의 일이 吉이 아니면 凶이고, 흉이 아니면 길이니, 항상 서로 이겨 그치지 않는다.(貞, 正也, 常也, 物以其所正爲常者也. 天下之事, 非吉則凶, 非凶則吉, 常相勝而不已也.)"라고 하여 '貞勝'을 '항상 이기는 것'으로 풀이하였다. 또한 『朱子語類』 권76, 10조목과 제11조목에서 제자가 '貞勝'에 관한 장재의 설을 질문했을 때, "(횡거가) 진실로 이긴다고 말한 곳은 훌륭하지만, 도리어 이와 같지는 않을 것 같다. 오직 이천이 '항상함[常]'이라는 글자로 한 것이 매우 훌륭하다.(說眞勝處, 巧矣, 卻恐不如此. 只伊川說作'常'字, 甚佳.)"라고 하여 장재와 자신의 의견이 다름을 지적하고 있다. 장당과 주방은 『正蒙註』에서 "한결같이 곧음[貞]으로 이겨나가고 뒤돌아보지 않도록 한다.(一以貞勝而不顧)'는 것은, 한결같이 올바름을 지켜서 이겨나가고 그 이로움이나 해로움을 돌아보지 않는 것을 말한다.('一以貞勝而不顧'者, 言一於守正以勝之而不顧其利害也.)"라고 하였다.

443 대인은 막혀야 형통하다 : 『周易』「否卦·六二爻」 이천은 『역전』에서 "오직 스스로 否塞함을 지킬 뿐이니, 몸이 비색함은 바로 道가 형통하는 것이다.(唯自守其否而已, 身之否, 乃其道之亨也.)"라고 하였고, 주자는 『본의』에서 "대인일 경우에는 마땅히 비색함을 편안히 지킨 뒤에야 道가 형통할 것이다.(大人則當安守其否而後道亨.)"라고 하였다.

444 하늘에서 … 있다 : 『周易』「姤卦·九五爻」

445 깊은 물을 … 것이다 : 『周易』「大過卦·上六爻」. 주자는 『本義』에서 "지나침이 극한 자리에 처하여 재주가 약해서 건널 수 없으나, 義理에는 '허물이 없음[无咎]'이 되니, 殺身成仁의 일이다. 그러므로 그 象과 占이 이와 같은 것이다.(處過極之地, 才弱不足以濟, 然於義爲无咎矣, 蓋殺身成仁之事. 故其象占如此.)라고 하였다.

446 거북점에 어긋남이 없다 : 『周易』「損卦·六五爻」와 『周易』「益卦·六五爻」

및 "그 명이 어지럽다"[447]라고 하는 부류는 이 세 가지의 정情이 다르니, 자세히 살펴보지 않을 수 없는 것이다.

[6-14-56]

因爻象之旣動, 明吉凶於未形, 故曰"爻象動乎內, 吉凶見乎外".[448]

효상爻象이 이미 움직임으로 인하여 아직 드러나지 않은 길흉을 밝힐 수 있으므로, "효상은 안에서 움직이고 길흉은 밖에서 드러난다"고 하는 것이다.[449]

[6-14-57]

"富有"者, 大無外也. "日新"者, 久無窮也. 顯其聚也. 隱其散也. 顯且隱, 幽明所以存乎象. 聚且散, 推盪所以妙乎神.

'풍부하게 소유함'은 커서 바깥이 없다는 것이다. '날마다 새로워짐'은 오래도록 무궁하다는 것이다.[450] 드러남[顯]이란 (기가) 모이는 것이요, 숨음[隱]이란 (기가) 흩어지는 것이다. 드러나고 숨는 것은 유명幽明이 상象에 보존되는 까닭이고, 모이고 흩어지는 것은 변천해 감이 신神에서 묘하게 되는 까닭이다.[451]

[6-14-58]

"變化進退之象"云者, 進退之動也微, 必驗之於變化之著. 故察進退之理爲難. 察變化之象爲易.

"변화變化는 나아감과 물러남의 상象"이라고 말한 것은 나아감과 물러남의 움직임이 미묘하지만, 반드시 변화하여 드러남에서 그것을 징험하게 된다는 것이다. 그러므로 나아감과 물러남의 이치를 살피는 것은 어렵지만, 변화의 상象을 살피기는 쉬운 것이다.

. . . .

447 그 명이 어지럽다: 『周易』「泰卦·六五爻」

448 『周易』「繫辭下」 제1장.

449 爻象이 이미 … 것이다: 주자는 『본의』에서 "'안'은 著撰[시초를 헤아림]하는 중이라는 말이고, '밖'은 설시한 뒤를 말한다.('內', 謂蓍卦之中; '外', 謂蓍卦之外.)"라 하였다. 화희민은 『正蒙輯釋』에서 "일에는 길흉이 있지만 사람들이 아직 밝게 알지 못한다. 효상에서 살피면 결정할 수 있다. 이것이 효상으로 길흉을 밝힐 수 있는 것이다.(事有吉凶, 人未明也. 審乎爻象而可決矣. 是爻象可以明吉凶也.)"라고 하였다.

450 '풍부하게 … 것이다: 『周易』「繫辭上」 제5장에 "풍부히 소유함을 大業이라 하고, 날로 새로워짐을 盛德이라 한다.(富有之謂大業, 日新之謂盛德.)"라고 하였고, 「繫辭上」 제1장에 "오래할 수 있으면 현인의 덕이고 크게 할 수 있으면 현인의 사업이다.(可久則賢人之德, 可大則賢人之業.)라고 하였다.

451 드러남[顯]이란 … 까닭이다: 화희민은 『正蒙輯釋』에서 "幽明'은 음양의 對待를 가지고 말한 것이고, '推盪'은 음양의 流行을 가지고 말한 것이니, 즉 (『正蒙』「參兩」의) '둘이기 때문에 변화한다.' '하나이기 때문에 신묘하다.'는 뜻이다. 오직 변천해 가므로 모임과 흩어짐이 있고, 幽明의 象이 이것에 기인한다.('幽明', 以陰陽之對待者言; '推盪', 以陰陽之流行者言, 即'兩故化', '一故神'之意. 惟推盪故有聚散, 而幽明之象因之.)"라고 하였다.

[6-14-59]

"憂悔吝者存乎介"[452], 欲觀易象之小疵, 宜存志靜, 知所動之幾微也.

"회悔·린吝을 근심하는 것은 분계처分界處에 있으니", 역상易象의 작은 병폐를 보고자 한다면, 마땅히 뜻[志]을 고요하게 보존하여, 움직일動 경우의 그 조짐의 미세함을 알아야 한다.[453]

[6-14-60]

往之爲義, 有已往, 有方往, 臨文者不可不察.

'간다[往]'는 뜻에는 이미 가버렸다는 뜻도 있고 이제 막 가려 한다는 뜻도 있으니[454], 『주역』글을 읽는 이는 자세히 살피지 않으면 안 된다.

樂器篇 第十五　제15 악기편

[6-15-1]

樂器有相, 周召之治與! 其有雅, 太公之志乎! 雅者, 正也, 直己而行正也. 故訊疾蹈属者, 太公之事耶! 『詩』亦有「雅」, 亦正言而直歌之, 無隱諷譎諫之巧也.

악기樂器에 '상相'이 있음은 주공周公과 소공召公의 다스림인가! 거기에 '아雅'가 있음은 태공太公의 뜻인가![455] '아雅'라는 것은 바르다는 것이니, 자기를 곧게 하여 올바름을 행하는 것이다. 그러므로 빠

∙ ∙ ∙ ∙ ∙ ∙ ∙ ∙ ∙ ∙ ∙ ∙ ∙ ∙

452 『周易』「繫辭上」제3장.

453 마땅히 뜻[志]를 … 한다: 『周易』「繫辭上」제3장에 "吉과 凶은 得·失을 말한 것이고, 悔와 吝은 약간의 병폐가 있다는 말이다. … 悔·吝을 근심하는 것은 분계처에 있다.(吉凶者, 言乎其失得也 ; 悔吝者, 言乎其小疵也. … 憂悔吝者存乎介.)"라고 하였고, 주자는 『本義』에서 "'介'는 辨別의 시초를 말한다. 善과 惡이 이미 움직였으나 아직 나타나지 않은 때이니, 이 때에 근심하면 悔·吝에 이르지 않는다.('介', 謂辨別之端. 蓋善惡已動而未形之時也, 於此憂之, 則不至於悔吝矣.)"라고 하였다. 염근조는 『正蒙補訓』에서 "志靜은 뜻을 고요하게 한다는 말과 같다.(志靜, 猶云靜志也.)"라고 하였고, 화희민은 『正蒙輯釋』에서 "悔吝'은 아직 큰 허물에는 이르지 않았지만 매양 소홀히 하여 알지 못하는 것이다. 오직 천하의 고요한 자만이 그 미세함을 밝혀서 그 조짐을 삼가는 것이다.('悔吝', 未至大咎, 每忽而不知. 惟天下之靜者, 乃有以燭其微而愼其幾焉.)"라고 하였다.

454 '간다[往]'는 뜻에는 … 있으니: 고반룡은 『正蒙釋』에서 "예를 들면 '비괘'와 '태괘'에서의 '간다[往]'는 '이미 가버렸다'는 것이다. 여러 괘의 '갈 배攸往'는 '이제 막 가려 한다'는 것이다.(如'否''泰'之'往', '已往'也. 諸卦之 '攸往', '將往'也.)"라고 하였다.

455 樂器에 '상相'이 … 뜻인가!: 『禮記』「樂記」에 "처음 음악을 연주할 때 북을 울려서 시작하고, 징을 쳐서 마친다. 어지러운 것을 바로잡을 때에는 相으로써 하고, 지나치게 빠른 것을 바로잡을 때에는 雅로써 한다.(始奏以文, 復亂以武, 治亂以相, 訊疾以雅.)"라 하였다. 진호는 『禮記集說』에서 "'相'은 拊鼓이니, 음악에서 어지러운 것을 다스리는 것을 도와 그것이 잘 다스려지도록 하는 것이다. '訊'도 또한 다스림이다. '雅'도 악기이다. 지나쳐서 절도를 잃는 것을 '疾'이라고 하니, 이 '雅'라는 기구를 연주하여 춤추는 자의 지나치게

른 것을 다스리고 땅을 세차게 밟는 것은 태공의 일인가![456] 『시경』에도 「아」가 있는데, (이것) 또한 말을 바르게 하며 바르게 노래하는 것으로, 완곡하게 넌지시 말하는 기교는 없다.

[6-15-2]

「象武」, 武王初有天下, 象文王武功之舞, 歌「維淸」以奏之._{成童學之}「大武」, 武王没, 嗣王象武王之功之舞, 歌「武」以奏之._{冠者舞之}「酌」, 周公没, 嗣王以武功之成由周公, 告其成於宗廟之歌也._{十三舞焉}

「상무象武」는 무왕이 처음 천하를 차지하였을 때, 문왕의 무공武功을 형상화하여 만든 춤이니, 「유청維淸」을 노래하면서 그것을 연주하였다. 성숙한 동자[457]가 그것을 배워서 춤췄다.[458] 「대무大武」는 무왕이 죽고 나서, 계승한 왕이 무왕의 공덕을 형상화하여 만든 춤이니, 「무武」를 노래하면서 그것을 연주하였다.[459] 관을 쓴 성인이 춤을 췄다. 「작酌」[460]은 주공이 죽고 나서, 계승한 왕이 무공武功의 이루어짐

빠름을 다스리는 것이다.('相', 拊鼓也. 所以輔相於樂治亂而使之理. '訊', 亦治也. '雅', 亦樂器也. 過而失節謂之疾, 奏此雅器以治舞者之疾.)"라고 하였다.

456 빠른 것을 … 일인가!: 『禮記』「樂記」에 "(武舞에서) 손발을 힘차게 올리며 땅을 세차게 밟는 것은 태공의 뜻이다. 무무의 마지막 장에 모두 꿇어앉는 것이 주공과 소공의 다스림이다.(發揚蹈厲, 太公之志也. 武亂皆坐, 周召之治也.)"라고 하였다.

457 성숙한 동자: 어느 정도 나이를 먹은 아동. 『春秋穀梁傳』「昭公」19년조의 范寧의 주에는 "成童은 8세 이상이다.(成童, 八歲以上.)라고 했고, 『禮記』「內則」의 鄭玄의 주에는 "'成童'은 15세 이상이다.('成童, 十五以上.)"라고 하였다.

458 象武는 무왕이 … 춤췄다: 『詩經』「周頌·維淸」에는 "「維淸」은 「象舞」를 연주할 때의 음악이다.(「維淸」, 奏「象舞」也.)"라고 하였고, 정현은 『箋』에서 "「象舞」는 군대를 움직일 때 찌르고 공격하는 춤이니, 무왕이 만들었다.(「象舞」, 象用兵時刺伐之舞, 武王制焉)라고 했으며 공영달은 『정의』에서 "「維淸」이라는 시는 「象舞」를 연주할 때의 樂歌이다. 문왕 때에 몽둥이로 때리고 칼로 찌르는 법이 있었는데, 무왕이 음악을 만들고 본떠서 춤을 만들어서, 그 음악을 「象舞」라고 이름하였다. 주공과 성왕의 때에 이르러 종묘에서 그것을 연주하였다.(「維淸」詩者, 奏「象舞」之樂歌也. 謂文王時有擊刺之法, 武王作樂, 象而爲舞, 號其樂曰「象舞」. 至周公成王之時, 用而奏之於廟.)"라고 하였다. 웅강대는 『性理羣書句解』에서 "「象武」는 음악의 이름이다. 이는 무왕이 천하를 얻었던 초기에 문왕의 무공을 모범으로 형상하여 춤으로 드러낸 것이다. 「維淸」이라는 詩를 노래하여 음악을 연주하였고, 성숙한 동자가 거기에서 춤을 췄다.(「象武」樂名. 是武王得天下之始, 象法文王之武功以見於舞. 歌「維淸」之詩以奏樂, 成童舞焉.)"라고 하였다. 임낙창은 『正蒙合校集釋(下)』에서 남송 寧宗慶元3년(1197년) 『國朝二百家名賢文粹』書隱齋에서 판각한 『正蒙書』본에는 '象武'가 '象舞'라고 되어 있으며, '象武'와 '象舞'는 통용될 수 있다고 교감하였다.

459 「大武」는 무왕이 … 연주하였다: 주자는 『詩經集傳』「周頌·武」에서 "周公이 武王의 功을 형상화하여 「大武」라는 음악을 만들었다. 무왕의 다툴 수가 없는 功은 진실로 文王께서 열어 놓은 것이니, 무왕이 뒤를 이어 받아서 殷나라를 이겨 살륙을 저지함으로써 그 功이 정해지게 되었음을 말한 것이다. …「大武」는 주공이 무왕의 武功을 형상화한 춤이니, 이 詩(武)를 노래하여 연주한 것이다.(周公象武王之功, 爲「大武」之樂. 言武王無競之功, 實文王開之, 而武王嗣而受之, 勝殷止殺, 以致定其功也. …「大武」, 周公象武王功之舞, 歌此詩以奏之.)"라고 하였다. 웅강대는 『性理羣書句解』에서 "'大武'는 음악의 이름이다. 이는 무왕이 이미 죽고 나서 성왕이 무왕의 공덕을 본받아 형상하여 춤으로 만든 것인데, 「武」라는 시를 노래하여 음악을 연주하였

이 주공에게서 말미암았기 때문에 종묘에 그 성공을 고한 노래이다.[461]

[6-15-3]

興己之善, 觀人之志, 羣而思無邪, 怨而止禮義, 入可事親, 出可事君. 但言君父, 擧其重者也.

자신의 선함을 일으키며, 다른 사람의 뜻[志]을 살피며, 사람들과 어울려도 생각에 사악함이 없고, 원망하여도 예의에 머무르며, 들어가서는 어버이를 섬길 수 있고 나가서는 임금을 섬길 수 있다.[462] (여기에서) 다만 임금과 어버이만을 말한 것은 그 중요한 것을 제시한 것이다.

[6-15-4]

志至詩至, 有象必可名, 有名斯有體, 故禮亦至焉.

뜻이 이르는 곳에 시도 이르니, 상象이 있으면 반드시 이름을 붙일 수 있고, 이름이 있으면 체體가 있게 되니, 그러므로 예도 또한 이른다.[463]

· · · · · · · · · · · · · · ·

고, 관을 쓴 성인이 춤을 췄다.(「大武」, 樂名. 是武王已死, 成王象法武王之功, 以寓於舞, 歌「武」詩以奏樂, 冠者舞焉.)라고 하였다.

460 『詩經』「周頌·酌」

461 「酌」은 주공이 … 노래이다 : 『詩經』「周頌·酌」「小序」에 "「酌」'은 「大武」가 이루어짐을 고하는 것이다. 선조의 도를 취하여 천하를 기를 수 있음을 말한 것이다.(「酌」, 告成「大武」也. 言能酌先祖之道, 以養天下也.)"라고 하였고, 정현은 『箋』에서 "주공이 6년 동안 섭정하여 예악제도를 만들고 성왕에게 정권을 돌려주고 나서, 종묘에 제사지내면서 그것을 연주하였는데, 비로소 이루어졌음을 고할 뿐이다.(周公居攝六年, 制禮作樂, 歸政成王, 乃後祭於廟而奏之, 其始成, 告之而已.)"라고 하였다. 웅강대는 『性理羣書句解』에서 "「酌」'의 네 편은 주공이 이미 죽고 나서, 성왕은 武功이 이루어짐이 주공에게 근본하였다고 여겨서 이 시를 노래하여 종묘에 공이 이루어짐을 고한 것이다. 13살 된 이들이 춤을 췄다.(「酌」之四篇, 是周公已死, 成王以武功之有成, 本於周公, 乃歌此詩, 以告成功於宗廟也. 十三歲者舞焉.)"라고 하였다. 오눌은 『正蒙補注』에서 "「酌」은 분명히 주공 7년 이후 예악제도를 만들 당시 「大武」에 덧붙인 것일 것이다. 그러므로 「酌」은 '武가 크게 이루어짐을 고하는 것이다.'고 말한 것이며, 그 후로는 분명히 「酌」으로 주공을 제사지냈을 것이다.(「酌」必是周公七年之後, 制禮作樂時, 於「大武」有增添也. 故「酌」言'告武大成也', 其後必是「酌」以祀周公.)"라고 하였다.

462 자신의 선함을 … 있다 : 『論語』「陽貨」에 "詩는 감흥을 불러일으킬 수 있고, 사물을 잘 살필 수 있으며, 사람들과 잘 어울릴 수 있고, 사리에 맞게 원망할 수 있으며, 가까이는 부모를 섬기고, 멀리는 임금을 섬기며, 새와 짐승과 풀과 나무의 이름에 대해서도 많이 알게 된다.(詩, 可以興, 可以觀, 可以群, 可以怨, 邇之事父, 遠之事君, 多識於鳥獸草木之名.)"라고 하였다. 『論語』「爲政」에 "『詩經』 3백 편의 시를 한 마디의 말로 이야기한다면, '생각에 사악함이 없다.'는 말이다.(詩三百, 一言以蔽之曰思無邪)"라고 하였다.

463 뜻이 이르는 … 이른다 : 『禮記』「孔子閒居」에 "감히 묻건대 무엇을 '五至'라고 합니까? 공자가 말하였다. '뜻[志]이 이르는 곳에 詩 역시 거기에 이른다. 시가 이르는 곳에 禮 역시 거기에 이른다. 예가 이르는 곳에 즐거움[樂] 역시 거기에 이른다. 즐거움이 이르는 곳에 애절함[哀] 역시 거기에 이르게 되니, 애절함과 즐거움은 서로를 相生시킨다. 이런 까닭에 눈을 바르고 밝게 해서 보아도 볼 수 없으며, 귀를 기울여 들어도 들을 수가 없다. 志氣가 천지에 가득 찬 것을 '五至'라고 한다.'(敢問何謂五至? 孔子曰: '志之所至, 詩亦至焉. 詩之所至, 禮亦至焉. 禮之所至, 樂亦至焉. 樂之所至, 哀亦至焉. 哀樂相生, 是故正明目而視之, 不可得而見也. 傾

[6-15-5]

幽賛天地之道, 非聖人而能哉! 詩人謂后稷之穡, 有相之道, 賛化育之一端也.

고요히 천지를 돕는 도[464]를 성인이 아니면 할 수 있는 것이겠는가! 시인이 후직의 농사에 돕는 방법이 있다[465]고 했으니 노래하였으니, (천지 만물의) 화육化育을 돕는 하나의 단서이다.

[6-15-6]

禮矯實求稱, 或文或質, 居物後而不可常也. 他人才未美, 故絢飾之以文; 莊姜才甚美, 乃更絢之用質素. 下文"繪事後素", '素謂其材. 字雖同, 而義施各異. 故設色之工, 材黃白者, 必繪以靑赤. 材赤黑, 必絢以粉素.

예는 실정을 바로잡아 적절함을 구하는 것이니, 혹은 꾸미기도[文] 하고 때로는 바탕[質] 그대로 하기도 하여, 사물의 뒤에 있는 것이며 고정되어서는 안 되는 것이다. 다른 사람의 재질[才]은 아직 훌륭하지 못하므로, 꾸밈[文]으로써 아름답게 단장하지만, 장강莊姜[466]의 재질은 대단히 훌륭해서, 다시 아름답게 단장할 때에는 바탕색인 흰 바탕[質素]을 쓴다. 다음 문장의 "그림 그리는 일은 흰 바탕[素]의 뒤에 하는 것이다"에서 '흰 바탕'은 그 자질[材]을 말한다. (두 개의 '素'라는) 글자가 비록 같지만, 뜻은 각각 다르게 적용되었다.[467] 그러므로 색을 칠하는 장인[工]은 재료가 황·백일 경우에는 반드시

耳而聽之, 不可得而聞也. 志氣塞乎天地, 此之謂五至.')"고 하였고, 진호는 『集說』에서 "'至'는 지극히 왕성해서 다시 더할 수가 없는 것이다. … 마음에 있어서는 뜻이 되고 말로 드러내면 시가 되니, 뜻이 왕성해지면 말도 또한 왕성해진다.('至', 則極盛而無以復加. … 在心爲志, 發言爲詩, 志盛則言亦盛.)"고 하였다.

464 고요히 천지를 … 도: 『周易』「說卦傳」제1장에 "옛날 성인이 『易』을 지을 적에 가만히 神明을 도와 蓍草를 내었다.(昔者聖人之作『易』也, 幽賛於神明而生蓍.)"라고 하였다. 유기는 『正蒙會稿』에서 "幽賛은 말없이 돕는다는 말과 같다.('幽賛', 猶言默相也.)"라고 하였다.

465 후직의 농사에 … 있다: 『詩經』「大雅·生民」에 "위대하구나! 후직의 농사는 돕는 방법이 있도다.(誕后稷之穡, 有相之道.)"라고 하였고, 정현은 『箋』에서 "위대하구나! 후직이 농사일을 주관함에 도와주는 방법이 있으니, 마치 신이 돕는 힘과 같다는 것을 말한 것이다.(大矣. 后稷之掌稼穡, 有見助之道, 謂若神助之力也.)"라고 하였고, 주자는 『集傳』에서 "相은 도움이니, 人力의 도움을 다함을 말한 것이다.(相, 助也. 言盡人力之助也.)"라고 하였다.

466 莊姜: 춘추시대 齊나라 공주였고 衛나라 군주 莊公의 부인이 되었다. 『左傳』「隱公」3년조에 "장강은 아름다웠지만 아들이 없어 위나라 사람들이 그녀를 위해 「碩人」이라는 시를 지었다.(莊姜, 美而無子, 衛人所爲賦碩人也.)"라고 하였다. 『毛詩序』와 주자의 『集傳』에도 보인다.

467 예는 실정을 … 적용되었다: 『詩經』「衛風·碩人」에 "예쁘게 웃으니 보조개가 예쁘며 아름다운 눈에 黑白이 선명하도다!(巧笑倩兮, 美目盼兮!)"라고 하였고, 『論語』「八佾」에 "자하가 물었다. 「예쁘게 웃으니 보조개가 예쁘며 아름다운 눈에 黑白이 선명하도다! 흰 바탕으로 채색을 한다.」 하였으니, 무엇을 말한 것입니까? 공자가 말하였다. '그림 그리는 일은 흰 바탕의 뒤에 하는 것이다.'(子夏問曰: '巧笑倩兮, 美目盼兮! 素以爲絢. 何謂也?' 子曰: '繪事後素')"라고 하였다. 장재는 또 『張子語錄』에 "예는 사물에 기인하여 적절함을 취하는 것이니, 혹은 (꾸미기도 하고 바탕 그대로 하기도 하여) 사물의 뒤에 있는 것이지 고정되어서는 안 되는 것이다. 다른 사람의 재질은 아직 훌륭하지 못하므로, 마땅히 꾸밈[文]으로써 아름답게 단장하지만, 莊姜의 재질은 대단히 훌륭해서, 당연히 흰 바탕[素]을 꾸밈으로 삼는다. (다음 문장의 '그림 그리는 일은 흰 바탕의

청·적으로 채색하고, 재료가 적·흑일 경우에는 반드시 흰 분[粉素]으로 장식한다.

[6-15-7]

“陟降庭止”, 上下無常, 非爲邪也, 進德脩業, 欲及時也. “在帝左右”, 所謂欲及時者與!

“뜰에 오르내리는 듯함”[468]은 (위 아래로) 오르고 내림에 일정함이 없는 것이 간사함이 되는 것이 아니며, 덕을 진전시키고 업을 닦는 것은 때를 만나고자 함이다.[469] “제[上帝]의 좌우에 있다”[470]는 것은 이른바 때에 미쳐 행하고자 하는 것일 것이다!

[6-15-7-1]

潛室陳氏曰 : 一陟一降, 初無定所, 此言上下無常, 而常若有所見於庭, 眞有物臨之者, 豈非存誠無邪之驗邪? 在帝左右, 天理無時離吾身, 豈非進脩欲及時邪?

. . . .

뒤에 하는 것이다'에서) 두 개의 '素'자는 용법이 각각 다르지만 의미는 서로 해치지 않는다. '보조개가 예쁘다'는 것은 그 바탕이 아름답다는 것을 말한 것이니, 부인이 타고난 재질[才]이 매우 아름다운 것인데, 만약 또 꾸밈[文]으로써 단장한다면 마땅하지 않은 것이므로, 다시 흰 바탕[素]을 꾸밈으로 삼아야 한다. 예의 쓰임은 반드시 꾸밈[文]으로써 장식할 필요는 없으니, 다만 각각의 사물에서 각기 그 적절함을 취하면 된다.(禮(物)因物取稱, 或文或質, 居物之後而不可常也. 他人之才(善)[美], 故宜飾之以文, 莊姜才甚美, 故宜素以爲絢. [下文繪事後素.] 二素字用不同而義不相害. '倩盼'者, 言其質美也, 婦人生而天才有甚美者, 若又飾之以文末宜, 故復當以素爲絢. 禮之用不必以文爲飾, 但各物上各取其稱.)"라고 하였다.

468 뜰에 오르내리는 듯함:『詩經』「周頌·閔予小子」에 “이 皇祖를 생각하니 뜰에 오르내림을 보는 듯하다.(念玆皇祖, 陟降庭止)"고 하였고, 주자는『集傳』에서 “皇祖는 文王이다. … 문왕을 생각하여 항상 마치 (문왕이) 뜰에 오르내림을 보는 듯하였으니, 이른바 堯임금을 담장에서도 보고, 국에서도 보았다는 것과 같은 것이다. … 顏師古의 註에 또한 '神明이 그 조정에 임한 듯하다.'고 한 것이, 이것이다.(皇祖, 文王也. … 思念文王, 常若見其陟降於庭, 猶所謂見堯於墻, 見堯於羹也. … 顏註亦云: '若神明臨其朝廷', 是也.)"라고 하였다.

469 오르고 내림에 … 함이다:『周易』「乾卦·文言傳」에 “九四효에 말하기를 '혹 뛰어오르거나 연못에 있으면 허물이 없다'는 것은 무슨 말인가? 공자가 말하였다. '오르고 내림에 일정함이 없는 것이 간사함이 되지 않으며, 나아가고 물러감에 항상함이 없는 것이 무리[同類]를 떠남이 아니다. 군자가 덕을 진전시키고 학업을 닦음은 때에 미쳐 행하고자 함이니, 그러므로 허물이 없는 것이다.'(九四曰: '或躍在淵无咎', 何謂也? 子曰 : 上下无常, 非爲邪也, 進退无恒, 非離群也. 君子進德修業, 欲及時也, 故无咎.)"라고 하였다.

470 제[上帝]의 좌우에 있다:『詩經』「大雅·文王」에 “문왕의 오르내리심이 제[上帝]의 좌우에 계시다.(文王陟降, 在帝左右)"라고 하였고, 주자는『集傳』에서 “문왕의 神이 하늘에 있어서, 한 번 오르고 한 번 내림에 上帝의 좌우에 있지 않을 때가 없었다. 이 때문에 자손들이 그 福澤을 입어서 군주가 되어 천하를 소유하게 된 것이다.(蓋以文王之神在天, 一升一降, 無時不在上帝之左右. 是以子孫蒙其福澤, 而君有天下也.)"라고 하였다. 염근조는『正蒙補訓』에서 “뜰에 오르내리는 듯함'은 본래 무왕이 마치 문왕이 뜰에 있는 것을 본 듯함을 말한 것인데, 장재는 도리어『詩經』「大雅」의 '제[上帝]의 좌우에 있다'에서 문왕이 제[上帝]의 조정에서 오르내리는 것을 보는 것과 합하였으니, 이는 곧『周易』의 '(위 아래로) 오르고 내림에 일정함이 없는 것이 간사함이 되는 것이 아니다' '덕을 진전시키고 업을 닦는 것은 때에 미쳐 행하고자 함'의 뜻이다.('陟降庭止', 本言武王若見文王於在庭, 張子却是合「大雅」'在帝左右'看文王升降於帝庭, 即『易』之'上下無常, 非爲邪也', '進德修業, 欲及時也'之意.)"라고 하였다.

잠실진씨潛室陳氏陳楠가 말하였다. 한 차례 올라가고 한 차례 내려가서 애초부터 정해진 곳이 없는 것은 오르고 내림에 일정함이 없지만 항상 뜰에서 (모습을) 보는 것과 같아서 진실로 어떤 것이 임하는 것 같다는 것을 말한 것이니, 어찌 성誠을 보존하고 사악함이 없는 징험이 아니겠는가? "제上帝의 좌우에 있다"는 것은 천리가 어느 때건 내 몸에서 떨어지지 않으니 어찌 덕을 진전시키고 업을 닦아서 때에 미쳐 행하고자 함이 아니겠는가?

[6-15-8]

江沱之媵以類行, 而欲喪朋, 故無怨. 嫡以類行, 而不能喪其朋, 故不以媵備數. 卒能自悔, 得安貞之吉, 乃終有慶, 而"其嘯也歌".

(『시경』의) '강타江沱'[471]의 잉첩媵妾[시집가는 여인이 데리고 가던 시첩侍妾]은 같은 부류[同類]와 함께 행하면서 사사로움[朋]을 잃어버리고자 하였으므로,[472] 원망함이 없었다. 적처嫡妻는 같은 부류[同類]로서 행했지만 사사로움[朋]을 잃어버릴 수 없었으므로 잉첩의 수를 제대로 갖추지 않았던 것이다. 끝내 스스로 뉘우쳐 안정安貞의 길함을 얻어서 마침내 경사가 있게 되었으니 "휘파람 불다가 즐거워 노래 불렀다."[473]

....

471 江沱 : 『詩經』 「召南·江有沱」의 마지막 장에 "강에 갈라진 물줄기가 있거늘 저 여인이 시집갈 적에 나를 방문하지 않았도다. 나를 방문하지 않았으나 휘파람 불다가 즐거워 노래 부르도다.(江有沱, 之子歸, 不我過. 不我過, 其嘯也歌.)"라고 하였고, 주자는 『集傳』에서 "'之子'는 媵妾이 嫡妻를 가리켜 말한 것이다. 부인이 시집가는 것을 '歸'라 한다. … 이때에 汜水 가에 本國에서 나이가 차기를 기다리고 있는데도 적처가 함께 데리고 가지 않은 잉첩이 있었다. 그 후 적처가 后妃의 교화를 입고 스스로 뉘우쳐 그를 맞이하게 되었다. 그러므로 잉첩이 江水에 갈라진 물줄기가 있음을 보고, 興을 일으켰다.('之子', 媵妾指嫡妻而言也. 婦人謂嫁曰'歸'. … 是時汜水之旁, 媵有待年於國, 而嫡不與之偕行者. 其後嫡被后妃夫人之化, 乃悔而迎之. 故媵見江水而起興.)"라고 하였다.

472 같은 부류[同類]와 … 하였으므로 : 『周易』 「坤卦」에 "서쪽과 남쪽은 벗을 얻고 동쪽과 북쪽은 벗을 잃을 것이니, 貞을 편안히 여기면 吉하리라.(西南得朋, 東北喪朋, 安貞吉)"라고 하였고, 「坤卦·象傳」에 "'서쪽과 남쪽은 벗을 얻는다'는 것은 同類와 함께 행함이요, '동쪽과 북쪽은 벗을 잃는다'는 것은 마침내 경사가 있다는 것이다.(西南得朋, 乃與類行. 東北喪朋, 乃終有慶.)"라고 하였다. '벗을 잃음'에 대해 이천은 『역전』에서 "서쪽과 남쪽은 陰의 방위이고, 동쪽과 북쪽은 陽의 방위이다. 陰은 반드시 陽을 따르니, 그 朋類(陰)를 잃어야만 (만물을) 화육하는 공을 이루어서 安貞의 길함이 있을 수 있다.(西南, 陰方, 東北, 陽方. 陰必從陽, 離喪其朋類, 乃能成化育之功而有安貞之吉.)"라고 설명하였다.

473 江沱의 잉첩 … 불렀다 : 이광지는 『注解正蒙』에서 "이는 '벗을 잃음[喪朋]'이란 말을 사사로이 당파짓는 마음이 없음[無私黨]의 의미로 보았다. 신하는 다른 사람들로써 임금을 섬기게 하고, 부인은 첩으로써 남편을 섬기게 하니, 모두 같은 부류[同類]와 함께 행하고 (사사로운) 벗은 잃으니, 사사로운 당여가 없는 것이다.(此以'喪朋'爲無私黨之義. 臣以人事君, 婦人以妾事夫, 皆是與類行而喪朋, 無私黨也.)"라고 하였다. 염근조는 『正蒙補訓』에서 "'江沱의 媵妾'은 마땅히 같은 부류[同類]와 가야 하는데 가지 못했으므로 원망함이 없을 수 없을 것 같다. 적처가 사사로운 마음을 끊어 버리고자 했기 때문에, 원망함이 없을 수 있었다. 적처는 마땅히 같은 부류[同類]와 가서 잉첩으로 숫자를 제대로 갖추어야 하는데, 그 사사로운 마음을 끊지 못했기 때문에 제대로 숫자를 갖출 수 없었다. 그러나 끝내는 스스로 뉘우칠 줄 알아서, 『周易』 「困」의 도리인 '安貞의

[6-15-9]

采枲耳, 議酒食, 女子所以奉賓祭厚君親者足矣. 又思酌使臣之勞, 推及"求賢審官", 王季文王之心, 豈是過歟!

도꼬마리를 뜯고 술과 음식에 대해 의논하는 것은, 여자가 손님을 대접하고 제사를 받들며 임금과 어버이를 잘 모시는 방법으로 충분한 것이다. 또 부리는 신하의 노고를 치하하여 술을 따라줄 것을 생각하고, "현명한 사람을 구하고 관리들을 살펴보는데"[474]까지 나아간다면 왕계王季[문왕의 아버지]와 문왕文王의 마음이 어찌 이것보다 더하겠는가![475]

[6-15-10]

「甘棠」初能使民不忍去, 中能使民不忍傷, 卒能使民知心敬而不瀆之以拜, 非善教寖明, 能取是於民哉!

「감당甘棠」의 첫 장은 백성들에게 (소백召伯이 머물렀던 감당나무를) 차마 없애 버리지 못하게 할 수 있었고, 가운데 장은 백성들에게 차마 상하게 하지 못하게 할 수 있었고, 마지막 장은 백성들에게 마음으로 공경할 줄 알아서 나무를 휘어 굽힘으로써 그것을 모독하지 말도록 할 수 있었으니,[476] 훌륭한 교화가 점차 밝아짐이 아니라면 백성들에게서 이러한 마음을 얻을 수 있겠는가![477]

길함'을 얻고 같은 부류[同類]와 함께 행하여 '마침내 경사가 있게 되니' 그러므로 '휘파람 불다가 즐거워 노래 불렀다'라고 말한 것이다.('江沱之媵, 宜以類行而不得行, 似不能無怨. 因其欲絶去私心, 故能無怨. 嫡宜以類行以媵備數, 因不能絶其私心, 故不能以之備數. 然卒能自悔, 得坤道'安貞之吉', 乃與類行而'終有慶', 故謂之'嘯也歌'.)"라고 하였다.

474 현명한 사람을 … 살펴보는데: 『詩經』「國風·周南·卷耳」에 대해 『詩序』에는 "「卷耳」는 后妃의 마음으로, 또 군자를 보좌할 때, 현명한 사람을 구하고 관리들을 살펴보며, 신하들이 수고롭게 애씀을 알아주는 것이다. 안으로는 현명한 자를 끌어올리는 마음을 가지며, 음험하고 사특하며 사사롭게 고하는 마음은 없으니, (이러한 것들을) 아침저녁으로 생각하여 근심하고 부지런히 함에 이르러야 한다.(「卷耳」, 后妃之志也, 又當輔佐君子, 求賢審官, 知臣下之勤勞. 內有進賢之志, 而無險詖私謁之心, 朝夕思念, 至於憂勤也.)"라고 하였다.

475 王季와 … 더하겠는가!: 염근조는 『正蒙補訓』에서 "왕계와 문왕의 마음이 지나친 것이 아니니, 부모를 잘 섬기고 남편을 잘 보좌하는 후비의 현명함을 깊이 칭찬한 것이다.('王季文王之心'不是過, 深贊后妃之賢, 能事翁相夫.)"라고 하였고, 여남은 『張子抄釋』에서 "이 또한 「시서」의 뜻을 풀이한 것이니, 왕계와 문왕이 그 집안을 잘 교화한 것을 알 수 있다.(釋此亦「序」義, 可知王季文王之化其家也.)"라고 하였다.

476 「甘棠」의 첫 … 있었으니: 『詩經』「召南·甘棠」 제1장에 "무성한 甘棠나무를 자르지 말고 베지 말라. 召伯이 초막으로 삼으셨던 곳이니라.(蔽芾甘棠, 勿翦勿伐, 召伯所茇)"라고 하였다. 또, 제2장에 "자르지 말고 꺾지 말라(勿翦勿敗)"라고 하였고, 마지막 장에는 "자르지 말고 휘어 굽히지 말라(勿翦勿拜)"라고 하였다.

477 훌륭한 교화가 … 있겠는가!: 화희민은 『正蒙輯釋』에서 "이른바 민심을 얻은 자이므로 '훌륭한 교화'라고 한 것이다.(所謂得民心者, 故云'善教'.)"라고 하였고, 고반룡은 『正蒙釋』에서 "훌륭한 교화가 점차 밝아짐이 아니라면, 어떻게 이와 같은 백성의 사랑을 이룩할 수 있겠는가?(非善教漸明, 安能致民之愛如是耶?)"라고 하였다.

[6-15-11]

"振振", 勸使勉也. "歸哉歸哉!" 序其情也.

"미덥고 돈후한"은 권하여 힘쓰게 하는 것이다. "돌아오소서, 돌아오소서"는 그 정을 서술한 것이다.[478]

[6-15-12]

「卷耳」, 念臣下小勞則思小飮之, 大勞則思大飮之. 甚則知其怨苦噓嘆. 婦人能此, 則險詖私謁害政之心知其無也. "綢直如髮", 貧者紛縱無餘, 順其髮而直韜之爾.

「권이卷耳」[479]편의 시는 신하를 생각하는 것으로, 적게 수고하면 적게 마시게 할 것을 생각하고, 크게 수고하면 크게 마시게 할 것을 생각하였다. (이런 노력이) 깊어지면 신하가 원망하고 괴로워하여 탄식함을 알아주게 된다. 부인이 이와 같이 할 수 있으면, 음험하고 사특하며 사사롭게 고하여 정치를 해치는 마음이 없도록 할 줄 안다. "머리카락이 숱이 **빽빽**하고 곧구나."[480]라고 한 것은, 가난한

. . . .

478 미덥고 돈후한 … 그 정을 서술한 것이다 : 『詩經』「召南·殷其靁」에 "미덥고 돈후한 군자는 돌아오소서, 돌아오소서!(振振君子, 歸哉歸哉!)"라고 하였다. 염근조는 『正蒙補訓』에서 "「殷其靁」세 장을 풀이한 것이다. 『詩』에서 '振振'은 미덥고 돈후할 수 있음을 말한 것인데, 장재는 그 미덥고 돈후함을 권면하는 것을 말하였다. 끝에 '돌아오소서'를 중첩하여 말하여, 군자를 생각하는 정을 서술했으니, 그가 돌아오기를 바라는 것이다.(釋「殷其靁」三章. 『詩』'振振', 言其能信厚, 張子則謂勸勉其信厚也. 末疊言'歸哉', 序其思君子之情, 望其歸也.)"라고 하였다.

479 「卷耳」: 『詩經』「國風·周南·卷耳」에 "도꼬마리를 뜯고 뜯되 기운 광주리에도 채우지 못하는구나. 아아! 나는 님을 그리워하여 저 큰길가에 버려두네. 저 높은 산에 오르려 하나 내 말이 지치고 병들었구나. 내 우선 저 황금 술잔에 술을 부어 길이 그리워하지 않으리라. 저 높은 산등성이에 오르려 하나 내 검은 말이 병들어 누렇게 되었구나. 내 우선 저 뿔잔에 술을 부어 길이 서글퍼하지 않으리라. 저 돌산에 오르려 하나 내 말이 병들어 갈 수 없구나. 내 마부도 병들어 있으니 어찌 나로 하여금 한숨짓게 하는가.(采采卷耳, 不盈頃筐. 嗟我懷人, 寘彼周行. 陟彼崔嵬, 我馬虺隤. 我姑酌彼金罍, 維以不永懷. 陟彼高岡, 我馬玄黃. 我姑酌彼兕觥, 維以不永傷. 陟彼砠矣, 我馬瘏矣. 我僕痡矣, 云何吁矣.)"라고 하였다.

480 머리카락이 숱이 … 곧구나 : 『詩經』「小雅·都人士」에 "저 군자의 여자여, 머리카락이 숱이 **빽빽**하고 곧구나(彼君子女, 綢直如髮)"라고 하였다. 이에 대해서는 해석이 분분하다. 『毛傳』에는 "**빽빽**하고 곧은 것이 머리카락과 같다.(密直如髮也.)"라고 하였고, 정현의 『箋』에는 "그 情性이 조용하고 자상하며, 태도와 행실이 바르고 곧은 것이, 마치 머리카락의 뿌리와 끝이 가늘어지지 않아 한결같은 것 같다.(其情性密緻, 操行正直, 如髮之本末無隆殺也.)"라고 하였다. 주자는 『集傳』에서 "'綢直如髮'은 그 뜻이 상세하지 않다. 그러나 4장과 5장으로 미루어 보면 또한 그 머리털의 아름다움을 말한 것일 뿐이다.(綢直如髮, 未詳其義. 然以四章五章推之, 亦言其髮之美耳.)"라고 하였다. 왕식은 『正蒙初義』에서 "『詩』의 뜻은 촘촘하고 **빽빽**하대綢密는 것이다. **빽빽**하고 곧으니, 마치 그 본래의 바탕과 같다는 것이니, 그 머리카락의 아름다움을 말한 것이다. 장재는 '綢'를 머리싸개[縰]로 보았고, '髮'을 상투를 틀음[紒]으로 보았다. 상투를 틀음[紒]은 髻(상투)와 같다. 머리카락을 얽어매어 상투를 틀고, 밖으로 머리싸개로 갈무리하여, 이 밖에는 다른 장식을 할 여유가 없으니, 이는 가난한 것이다. '갈무리함[韜]'은 덮어씌워서 감춘다는 뜻이니, 갈무리하게 되는 도구가 머리싸개이다.(『詩』義綢密也. 密而直, 如其本然之質, 言其髮之善也. 張子則以綢爲縰, 以髮爲紒. 紒, 同髻. 縮髮爲髻, 而外韜以縰, 此外無餘飾, 以是爲貧也. '韜'者, 冒而藏之之義, 所以爲韜者卽縰也.)"라고 하였다.

사람들은 머리를 올려 상투 틀거나 머리싸개로 정리할 여유가 없어서, 머리카락을 그대로 두고 곧게 갈무리할 뿐이라는 것이다.

[6-15-13]

蓼蕭, 裳華, “有譽處兮”, 皆謂君接己溫厚, 則下情得伸, 讒毀不入, 而美名可保也.

(『시경』) 「요소蓼蕭」[481]와 「상화裳華」[482]편의 시에 “명예와 편안함이 있도다”라고 하였으니, 모두 임금이 자기를 온후하게 대하면[483], 아래의 실정이 (위로) 펼쳐질 수 있으니, 비방하는 말들을 받아들이지 않아서 아름다운 명성이 보전될 수 있다.

[6-15-14]

「商頌」“顧予烝嘗, 湯孫之將”, 言祖考來顧以助湯孫也.

(『시경』) 「상송商頌」에서 “내 증烝제사와 상嘗제사를 돌아보실 것이니, 탕임금의 후손을 도우심이니라”[484]라고 하였으니, 조상이 와서 돌아보시고 탕임금의 후손을 도우신다는 말이다.

∙ ∙ ∙ ∙ ∙ ∙ ∙ ∙ ∙ ∙ ∙ ∙ ∙ ∙ ∙ ∙ ∙ ∙ ∙ ∙

481 「蓼蕭」: 『詩經』「小雅·白華之什·蓼蕭」에 “이미 군자를 만나보고 내 마음을 모두 쏟아놓게 되었다. 잔치하여 술을 마시며 웃고 말하니 이 때문에 즐거움과 편안함이 있도다.(既見君子, 我心寫兮. 燕笑語兮, 是以有譽處兮.)”라고 하였고, 주자는 『集傳』에서 “譽는 훌륭한 명성이다. ‘處’는 안락함이다. 소씨가 말하길 “譽는 ‘豫’와 통한다. 『詩經』의 ‘譽’는 모두 즐거워함을 말한다’고 했으니, 또한 통한다. 제후가 천자에게 조회할 때, 천자가 그에게 잔치를 베풀어 주어 慈惠로움을 보였으므로 이 시를 노래한 것이다.(‘譽’, 善聲也. ‘處’, 安樂也. 蘇氏曰: ‘譽’, ‘豫’通, 凡『詩』之‘譽’, 皆言樂也, 亦通. 諸侯朝于天子, 天子與之燕, 以示慈惠, 故歌此詩.)”라고 하였다.

482 「裳華」: 「小雅·北山之什·裳裳者華」에 “내 그대를 만나고는 내 마음을 모두 쏟아놓게 되었다. 내 마음 쏟아놓으니 이 때문에 즐거움과 편안함이 있도다.(我覯之子, 我心寫兮. 我心寫兮, 是以有譽處兮.)”라고 하였고, 주자는 『集傳』에서 “이는 천자가 제후를 찬미한 말이다.(此天子美諸侯之辭.)”라고 하였다.

483 임금이 자기를 … 대하면: 웅강대는 『性理羣書句解』에서 “譽는 명예이다. 이는 임금이 신하를 대접할 때, 예의 뜻으로 온화하고 관후하게 대하면, 아래에 있는 사람들의 실정이 윗사람에게로 도달할 수 있어서 비방하는 것들이 저절로 개입될 수 없다는 것이다. 훌륭한 명성이 보전될 수 있으니, 이것이 ‘명예가 있는 곳이다.(‘譽’, 名也. 此是言人君接待臣下, 禮意溫和而寬厚, 則在下之情可以上達, 而讒謗者無自而入. 善名可保, 此所以‘有譽處’也.)”라고 하였다. 유기는 『正蒙會稿』에서 “장재는 그 뜻을 풀이하여 임금이 ‘자기를 온후하게 대하면’ 임금과 신하 사이에 둘 다 모두 의심함이 없는 것이다. 그러므로 ‘아래의 실정이 펼쳐질 수 있으니’ 간사한 사람들의 비방이 개입될 수 없어서 명예와 화락함이 모두 오랫동안 보전될 수 있는 것이다.(張子釋其義, 以爲人君‘接己溫厚’, 則君臣之間兩無疑猜. 故‘下情得伸’, 奸人之讒毀無由以入, 而聲譽和樂, 皆可保其長久也.)”라고 하였다. 이 구절에서는 특히 ‘己’에 대한 해석이 난해하다. 장당과 주방은 『正蒙註』에서 “생각건대 ‘接己’의 ‘己’자는 마땅히 ‘已’자의 잘못으로 해야 한다.(疑‘接己’‘己’字, 當是‘已’字之誤耳.)”라고 하였고, 왕식은 『正蒙初義』에서 “이 절의 대의는 두 시의 말이 같은 것에 기인하여 합하여 해석한 것이다. 『詩』에서는 본래 천자가 제후를 찬미한 것인데, 여기에서는 제후로부터 말한 것이므로, ‘임금君’이라고 했고 ‘자기己’라고 했으니, 『詩』의 말에 일대일로 대응한 것일 뿐이다.(此節大意, 因二詩詞同而合釋之也. 『詩』本天子美諸侯, 此則自諸侯言之, 故曰‘君’曰‘己’, 乃詩詞之對面耳.)”라고 하여 천자가 제후인 자기를 대하는 것으로 보았다.

484 「商頌」에서 … 도우심이니라: 『詩經』「商頌·那」와 「商頌·烈祖」 주자는 『集傳』에서 “‘將’은 받듦이다. 湯임

[6-15-15]

"鄂不韡韡", 兄弟之見不致文於初, 本諸誠也.

"(아가위 꽃이) 환하게 아름답지 않은가?"[485]라 하였으니, 형제의 만남이 처음부터 꾸밈에 이르지 않고 진실됨[誠]에 근본한다는 것이다.

[6-15-16]

「采苓」之詩, 舍旃則無然, 爲言則求所得, 所譽必有所試, 厚之至也.

「채령采苓」의 시[486]에서 (다른 사람에 대한 말을) 내버려두면 그렇지 않게 여기는 것이고, 말을 하게 하면 얻을 바를 구하는 것이고, 칭찬하는 경우에는 반드시 시험해 보는 것이 있으니[487], 신중히 함이 지극한 것이다.[488]

[6-15-17]

簡, 略也, 無所難也, 甚則不恭焉. 賢者仕祿, 非迫於饑寒, 不恭莫甚焉. "簡兮簡兮", 雖刺時

금은 아마도 나의 烝제사와 嘗제사를 돌아보실 것이라고 말한 것이다! 이는 탕임금의 후손이 받들어 올리는 제사가 그 간절한 뜻을 다하였으니, 아마도 탕임금이 돌아보리라는 것이다.('將', 奉也. 言湯其尙顧我烝嘗哉! 此湯孫之所奉者, 致其丁寧之意, 庶幾其顧之也.)"라고 하였다. 염근조는 『正蒙補訓』에서 "주자는 『集傳』에서 '將'을 '奉'으로 보았으니, 제사를 받는다는 것이다. 장재는 '將'을 '助'로 보았으니, 복을 내림을 말한다.(朱『傳』以'將'爲'奉', 謂奉祭. 張子以'將'爲'助', 謂降福.)"라고 하였다.

485 "(아가위 꽃이) … 않은가?" : 『詩經』「小雅·常棣」에 "아가위 꽃이 환하게 아름답지 않은가? 지금의 사람들은 형제만한 이가 없구나(常棣之華, 鄂不韡韡? 凡今之人, 莫如兄弟.)"라고 하였고 주자는 『集傳』에서 "'鄂'은 환하게 밖으로 드러나는 모양이다. '不'은 '어찌 아니[豈不'와 같다. '韡韡'는 光明한 모양이다.('鄂', 鄂然外見之貌. '不', 猶豈不也. '韡韡', 光明貌.)"라고 하였다.

486 「采苓」의 시 : 『詩經』「唐風·采苓」에 "사람들이 하는 말을 진실로 또한 믿지 말지어다. 내버려두고 내버려두어 또한 옳게 여기지 않는다면, 참소하는 사람의 말이 어찌 먹혀들 수 있으랴!(人之爲言, 苟亦無信, 舍旃舍旃, 苟亦無然, 人之爲言胡得焉!)"라고 하였고 주자는 『集傳』에서 "'旃'은 '之'이다. 이것은 참소하는 말을 들어줌을 풍자한 詩이다. … 사람들이 이러한 말을 하여 그대에게 말해주는 것을 급히 믿어서는 안 된다. 우선 그 말을 내버려두어 선뜻 옳게 여기지 말고, 서서히 살피고 자세히 들어본다면, 말을 지어낸 자가 효력을 얻지 못하여 참소가 그쳐질 것이라고 한 것이다. 旃, 之也. 此刺聽讒言之詩. … 人之爲言以告子者, 未可遽以爲信也. 姑舍置之, 而無遽以爲然, 徐察而審聽之, 則造者無所得而讒止矣.)"라고 하였다.

487 시험해 보는 … 있으니 : 『論語』「衛靈公」에 "공자가 말하였다. '내가 남에 대해서 누구를 훼방하고 누구를 지나치게 칭찬하겠는가. 만일 칭찬하는 바가 있으면 시험해 봄이 있었던 것이다.'(子曰 : '吾之於人也, 誰毁誰譽? 如有所譽者, 其有所試矣.')"라고 하였다.

488 내버려두면 … 것이다 : 이광지는 『注解正蒙』에서 "다른 사람이 나에게 어떤 사람을 버리도록 할 때, 나는 또 그렇지 않다고 여기는 것이다. 혹은 말을 지어 나에게 어떤 사람을 천거하게 할 때, 나는 그에게서 얻을 수 있는 점이 무엇인지 생각한다는 것이다. 이와 같이 하면 비방과 칭찬이 행해질 수 없고, 나에게 있어서 시험해 봄이 되는 것이다.(人使我舍棄是人, 我且勿以爲然. 或爲言使我進人, 我則思其何所得焉. 如此則毁譽不行, 而在我爲有試矣.)"라고 하였다.

君不用, 然爲士者不能無太簡之譏. 故詩人陳其容色之盛, 善御之强, 與夫君子'由房''由敖', 不語其材武者異矣.

'간簡'은 간략함으로, 어려워하는 바가 없음이니, 심하게 되면 공손하지 않게 된다. 현자가 녹祿을 받기 위한 벼슬[489]을 할 때 굶주림과 추위로 인해 압박을 받는 경우가 아니라면, 공손하지 않음이 이보다 더 심함이 없는 것이다. "간략하고 간략하도다"[490]는 비록 당시의 임금이 써 주지 않음을 풍자한 것이지만, 그러나 선비된 자로서 지나치게 간략하다는 나무람이 없을 수 없다. 그러므로 시인이 그 용모의 안색이 왕성함과 씩씩하게 말을 잘 모는 것을 서술하였으니, 저 군자가 '동쪽 방으로부터 부르고' '춤추는 자리로부터 부른다'[491]고 하고 재주와 무예에 대해 말하지 않은 것과는 다르다.

[6-15-18]

"破我斧", "缺我斨", 言四國首亂, 烏能有爲? 徒破缺我斧斨而已. 周公征而安之, 愛人之至也.

"내 도끼를 부수고", "내 도끼를 망가뜨렸으나"[492]라는 것은 네 나라가 처음 난을 일으켰지만, 무엇을 할 수 있겠는가? 헛되이 내 도끼만 망가뜨렸을 뿐이라는 말이다.[493] 주공이 정벌하여 안정시킨

· · · · · · · · · · · · · · · · · ·

489 祿을 … 벼슬: 「萬章下」에 "벼슬함은 가난 때문에 하는 것은 아니지만, 때로는 가난 때문에 하는 경우가 있다.(仕非爲貧也, 而有時乎爲貧.)"라고 하였고, 주자는 『集注』에서 "벼슬함은 본래 道를 행하기 위해서이지만, 또한 집이 가난하고 부모가 늙었거나, 혹은 道가 때와 맞지 않아 다만 녹봉을 위해 하는 경우가 있다.(仕, 本爲行道, 而亦有家貧親老, 或道與時違而但爲祿仕者.)"라고 하였다.

490 간략하고 간략하도다: 『詩經』「邶風·簡兮」의 시. 주자는 『集傳』에서 "현자가 뜻을 얻지 못하여 樂官으로 벼슬하게 되었는데, 세상을 가볍게 여기고 뜻을 방자하게 하는 마음이 있었다. 그러므로 그 말이 이와 같았으니, 스스로 칭찬한 듯하나 실제는 스스로를 비웃은 것이다.(賢者不得志而仕於伶官, 有輕世肆志之心焉. 故其言如此, 若自譽而實自嘲也.)"라고 하였다.

491 동쪽 방으로부터 … 부른다: 『詩經』「王風·君子陽陽」에 "군자가 득의양양하여 왼쪽에는 簧을 잡고 오른쪽으로 나를 부르되 동쪽 방으로부터 하니, 즐겁구나! 군자가 화락하여 왼쪽에는 깃 일산을 잡고 오른쪽으로 나를 부르되 춤추는 자리로부터 하니, 즐겁구나!(君子陽陽, 左執簧, 右招我由房. 其樂只且. 君子陶陶, 左執翿, 右招我由敖. 其樂只且.)"라고 하였다. 『詩序』에서는 「君子陽陽」에 대해 "군자가 난을 만났을 때 서로 불러들여 녹을 위해 벼슬하고, 몸을 보전하며 해를 멀리할 뿐이다.(君子遭亂, 相招爲祿仕, 全身遠害而已.)"라고 하였다.

492 내 도끼를 … 망가뜨렸으나: 『詩經』「豳風·破斧」에 " 이미 내 도끼를 부수고 또 내 도끼를 망가뜨렸으나, 周公이 동쪽으로 정벌하심은 四國을 바로잡으려 해서이니, 우리 백성들을 가엾게 여기심이 또한 심히 크시도다.(既破我斧, 又缺我斨, 周公東征, 四國是皇, 哀我人斯, 亦孔之將.)"라고 하였다.

493 내 도끼를 … 말이다: 염근조는 『正蒙補訓』에서 "『詩傳』에서는 도끼를 부수고 도끼를 망가뜨리는 것을 매우 위로하는 것으로 보았지만, 장재는 네 나라가 쉽게 패망할 수 없어, 헛되이 내 도끼만 망가뜨릴 뿐이라는 것이니, 이는 군사들이 통쾌해 하는 말이라고 보았다.(『詩傳』以破斧缺斨爲甚勞, 張子謂四國無能爲易於敗滅, 徒令我破斧缺斨而已, 是軍士稱快語.)"라고 하였고, 유기는 『正蒙會稿』에서 "장재는 이를 풀이하여, 네 나라가 처음 난을 일으켰지만 무엇을 할 수 있는 것이 있겠는가? 헛되이 내 도끼만 망가뜨렸을 뿐이라고 하였다.(張子釋之, 則以爲四國首亂, 豈能有爲? 徒破缺我斧斨而已.)"라고 하였다.

것은 백성을 사랑함의 지극함이라는 것이다.

[6-15-19]

「伐柯」, 言正當加禮於周公, 取人以身也. 其終見『書』“予小子其新逆”.

「벌가伐柯」[494]는 주공에게 예를 갖출 때 (성왕) 자신이 주공을 맞이하러 가야 올바른 것임을 말한 것이다.[495] 마침내 『서경』에는 “내가 친히 (주공을) 맞이하겠다”[496]고 한 것이 보인다.

[6-15-20]

「九罭」, 言王見周公, 當大其禮命, 則大人可致也.

「구역九罭」[497]의 시는 왕이 주공을 만나볼 때, 마땅히 그 예를 갖추어 초빙하는 책명[禮命]을 크게 해야 하니, 대인을 이르게 할 수 있다는 것이다.[498]

....

494 「伐柯」:『詩經』「豳風·伐柯」에 “도끼자루 베려면 어떻게 하나? 도끼가 아니면 하지 못한다. 아내를 얻으려면 어찌해야 하는가? 매파가 아니면 얻지 못하네. 도끼자루를 벰이여 도끼자루를 벰이여, 그 본보기가 멀리 있지 않도다. 내 이 아가씨를 만나니 籩豆가 질서정연하도다.(伐柯如何? 匪斧不克. 取妻如何? 匪媒不得. 伐柯伐柯, 其則不遠. 我覯之子, 籩豆有踐.)”라고 하였다. 주자는 『集傳』에서 첫 구절에 대하여 “周公이 동쪽에 거처할 때에 동쪽지방 사람들이 이를 말하여, 평일에 주공을 만나고자 하였으나 만나보기가 어려움을 비유한 것이다.(周公居東之時, 東人言此, 以比平日欲見周公之難.)”라고 하였고, 두 번째 구절에 대하여 “동쪽지방 사람들이 이를 말하여, 오늘날 주공을 만나봄이 매우 쉬움을 비유하였으니, 깊이 기뻐한 말이다.(東人言此, 以比今日得見周公之易, 深喜之之詞也.)”라고 하였다.

495 주공에게 예를 … 것이다 : 『中庸』 제20장에 “정치를 하는 것은 사람에게 달려있으니, 사람을 취하는 것은 몸으로써 하고 몸을 닦는 것은 도로써 하고 도를 닦는 것은 仁으로써 해야 한다.(爲政在人, 取人以身, 修身以道, 修道以仁.)”라고 하였고, 주자는 『集注』에서 “‘人’은 현명한 신하를 말하고, ‘身’은 군주의 몸을 가리킨다.(‘人’, 謂賢臣; ‘身’, 指君身.)”고 하였다. 염근조는 『正蒙補訓』에서 “『詩經』「豳風·伐柯」를 풀이한 것이다. ‘사람을 취하는 것을 자신으로써 하는 것’은 『中庸』의 말을 빌려온 것이니, 마땅히 자신이 주공을 맞이해야 한다는 것이다.(釋「豳風·伐柯」. ‘取人以身’, 借『中庸』語, 言當以身迎周公)”라고 하였다. 고반룡은 『正蒙釋』에서 “이는 성왕을 가리켜서 말한 것이다. ‘籩豆가 질서정연하도다’라고 말한 것은 예를 갖춤이다. ‘그 본보기가 멀리 있지 않도다’라고 말한 것은 사람을 취하는 것을 자신으로써 하는 것이다.(此指成王而言. 其曰‘籩豆有踐’者, 加禮也. ‘其則不遠’者, 取人以身也.)”라고 하였다.

496 내가 친히 … 맞이하겠다 :『書經』「金縢」에 “내 친히 주공을 맞이함이 우리 국가의 禮에 또한 마땅할 것이다.(惟朕小子其新逆, 我國家禮, 亦宜之.)”라고 하였다.

497 「九罭」:『詩經』「豳風·九罭」에 “촘촘한 그물 속에 걸린 물고기, 송어와 방어로다. 우리 님을 뵈오니, 袞衣와 繡裳을 입으셨네.(九罭之魚, 鱒魴. 我覯之子, 袞衣繡裳.)”라고 하였고, 주자는 『集傳』에서 “주공이 동쪽 지방에 거처하실 때에 동쪽 지역 사람들이 그를 만나볼 수 있게 되어 기뻐하였다.(此亦周公居東之時, 東人喜得見之.)”라고 하였다.

498 왕이 주공을 … 것이다 : 염근조는 『正蒙補訓』에서 “『詩經』「九罭」을 풀이한 것이다. 촘촘한 그물의 큰 어망이니 큰 물고기를 잡을 수 있다. 왕이 주공에게 예를 갖추어 초빙하는 책명을 더하고, 袞衣와 繡裳을 하사하면, 주공이 돌아오도록 할 수 있다. ‘大人’은 주공을 말한다.(釋『詩』「九罭」. 九罭之大網, 則大魚可得. 王加禮命於周公, 而賜之袞繡, 則可致周公之歸. ‘大人’, 謂周公也.)”라고 하였다.

[6-15-21]

「狼跋」, 美周公不失其聖, 卒能感人心於和平也.

「낭발狼跋」의 시는 주공이 그 성聖을 잃지 않고[499], 마침내 사람들의 마음을 감화시켜 화평하도록[500] 할 수 있었던 것을 찬미한 것이다.

[6-15-22]

「甫田」, "歲取十千", 一成之田九萬畝, 公取十千畝, 九一之法也.

「보전甫田」의 시에서 "해마다 만萬을 세금으로 거두어들이네"[501]라고 했는데, 9만 묘畝에서 1할의 전田이니, 공전公田으로 만 묘를 세금으로 거두어들인 것은, 9분의 1의 법인 것이다.[502]

[6-15-23]

后稷之生, 當在堯舜之中年. 而『詩』云"上帝不寧?", 疑在堯時, 高辛子孫爲二王後, 而詩人稱帝爾.

후직[503]이 살았던 시대는 마땅히 요임금과 순임금의 시대일 것이다. 그런데 『시경』에서 "상제가 편

. . . .

499 「狼跋」의 시는 … 않고: 『詩經』「豳風 · 狼跋」에 "이리가 앞으로 나아가면 턱살이 밟히고 뒤로 물러나면 꼬리가 밟히도다. 公이 큰 아름다움을 사양하시니 붉은 신이 편안하시도다. 이리가 물러나면 꼬리가 밟히고 나아가면 턱살이 밟히도다. 公이 큰 아름다움을 사양하시니 덕스러운 평판德音에 흠이 없으시도다.(狼跋其胡, 載疐其尾. 公孫碩膚, 赤舃几几. 狼疐其尾, 載跋其胡. 公孫碩膚, 德音不瑕.)"라고 하였다. 주자는 『集傳』에서 "정자가 말하였다. '주공이 처신함에 공경하고 공경하여 공손하고 두려워하는 마음을 보존하였으며, 誠을 보존함에 넓고 아득하여 돌아보고 염려하는 뜻이 없었으니, 이 때문에 그 성스러움을 잃지 아니하여 덕스러운 평판에 흠이 없었던 것이다.'(程子曰: '周公之處己也, 夔夔然存恭畏之心, 其存誠也, 蕩蕩然無顧慮之意, 所以不失其聖而德音不瑕也.)"라고 하였다.

500 사람들의 마음을 … 화평하도록: 『周易』「咸卦 · 象傳」에 "聖人이 인심을 감동시키면, 천하가 화평하다.(聖人感人心, 而天下和平.)"라고 하였다.

501 해마다 萬을 … 거두어들이네: 『詩經』「小雅 · 甫田」

502 「甫田」의 시에서 … 것이다: "환한 저 큰 밭에 해마다 萬을 세금으로 거두어들이네(倬彼甫田, 歲取十千.)"라고 하였고, 주자는 『集傳』에서 "'十千'은 一成(方 10리)의 밭을 이르니, 땅이 사방 10리이다. 농지 9만 畝를 만들어 1만 畝를 가지고 公田으로 삼으니, 9분의 1의 稅法이다.('十千', 謂一成之田, 地方十里. 爲田九萬畝, 而以其萬畝爲公田, 蓋九一之法也.)"라고 하였다. 유기는 『正蒙會稿』에서 "9만 묘 중에서 1만 묘를 가지고 公田으로 삼으니, 9등분을 하여 그 중 1을 세금으로 거두어들이는 것이다.(於九萬畝中, 而以其萬畝爲公田, 蓋九分而取其一也.)"라고 하였다.

503 후직: 『詩序』에 "후직은 姜嫄에게서 태어났다. 문왕과 무왕의 공이 후직에게서 시작되었으므로, 추존하여 하늘에 짝하였다.(后稷生於姜嫄. 文武之功, 起於后稷, 故推以配天焉.)"라고 하였다. 주자는 『集傳』에서 "姜嫄은 炎帝의 후손이니, 姜姓이요 有邰氏의 딸이며 이름은 嫄이니, 高辛氏의 世妃가 되었다. … 姜嫄이 나가 교외에서 禖祭(자식을 낳기 위하여 지내는 제사)를 지내다가 거인의 발자국을 보고는 그 엄지발가락을 밟고, … 감동하여 임신함이 있었으니, 이것이 바로 주周나라 사람이 말미암아 태어나게 된 시초였다. 주공이 禮를 만들 때 后稷을 높여 하늘에 짝하게 하였다. 그러므로 이 시(「大雅 · 生民」)를 지어 그 처음 태어날

안하지 않으실까?"[504]라고 한 것은 의심컨대 요임금 당시 고신씨高辛氏[505]의 자손이 두 왕[二王]의 후손[506]인데, 시인이 '상제[帝]'라고 한 것일 뿐이다.

[6-15-24]

唐棣, 枝類棘. 枝隨節屈曲, 則其華一偏一反, 左右相矯, 因得全體均正. 偏, 喻管蔡失道; 反, 喻周公誅殛. 言我豈不思兄弟之愛, 以權宜合義, 主在遠者爾. 「唐棣」本文王之詩, 此一章周公制作, 序己情而加之. 仲尼以不必常存而去之.

산앵두나무[唐棣][507]는 그 가지가 극棘과 비슷하다. 가지가 마디를 따라 구불구불하니, 그 꽃은 한 쪽으로 치우쳤다가[偏] 다시 한 쪽으로 되돌아가며[反] 좌우로 서로 (균형을) 바로잡아, 이로 인하여 전체가 모두 고르게 된다. 치우침[偏]은 관숙과 채숙이 도를 잃어버린 것을 비유한 것이고, 되돌아감[反]은 주공

- -

때의 상서로움을 미루어 근본하여 하늘에서 命을 받음이 진실로 보통 사람과 다름이 있음을 밝힌 것이다.(姜嫄, 炎帝後, 姜姓, 有邰氏女, 名嫄, 爲高辛之世妃. … 姜嫄出祀郊, 見大人迹而履其拇, … 震動有娠, 乃周人所由以生之始也. 周公制禮, 尊后稷以配天. 故作此詩, 以推本其始生之祥, 明其受命於天, 固有以異於常人也.)"라고 하였다.

504 상제가 편안하지 않으실까: 『詩經』「大雅·生民」. 주자는 『集傳』에서 "不寧은 편안함이다.(不寧, 寧也.)"라고 하였다.

505 高辛氏: 중국 전설상의 三皇五帝 중 한 사람인 帝嚳. 성은 姬이고, 이름은 俊이다. 『史記』「五帝本紀」에 "제곡고신씨는 황제의 증손이다. … 제곡은 陳鋒氏의 딸을 맞이하여 放勛(훗날의 요임금)을 낳았고, 娵訾氏의 딸을 맞이하여 摯를 낳았다.(帝嚳高辛者, 黃帝之曾孫也. … 帝嚳娶陳鋒氏女, 生放勛. 娶娵訾氏女, 生摯.)"라고 하였다.

506 두 왕[二王]의 후손: 이에 대해서는 이견이 분분하다. 이광지는 『注解正蒙』에서 "『詩經』 정현의 箋에도 '二王의 후예가 천자의 예를 쓸 수 있게 되었다'고 하였으니 그러므로 교매에서 상제에게 제사지낸 것이다. '二王'은 고양씨와 고신씨이다.(『詩』箋亦言: '二王之後, 得用天子之禮', 故禋祀上帝於郊禖也. '二王', 謂高陽高辛氏也.)"라고 하였고, 염근조는 『正蒙補訓』에서 "장재는 帝를 고신씨의 자손이라고 보았지만, 다만 의심스러운 안건이다. 주나라에서 하나라와 은나라의 후손을 봉해주어 二王의 후예로 삼았다. 요임금 당시에는 고신씨 자손은 반드시 작위가 있었을 것이니 주나라의 이왕의 후예와 같다. 시인이 그가 帝의 후손이 됨에 기인하여 帝라고 한 것이다.(張子以帝爲高辛氏子孫, 只是疑案. 周封夏殷之後, 爲二王後. 在堯時, 則高辛氏子孫必有爵位, 猶周之二王後. 詩人因其爲帝裔, 謂之爲帝.)"라고 하였다. 또 고반룡은 『正蒙釋』에서 "이는 후직이 고신씨의 자손이 됨을 말했으니, 고신씨는 문왕과 무왕 두 왕이 나오게 된 유래이므로 후직을 추존하여 하늘에 짝한 것이고, 이 때문에 고신을 帝라고 일컬은 것이다.(此謂后稷爲高辛氏子孫, 則高辛爲文武二王所自出, 故尊后稷以配天, 因稱高辛爲帝也.)"라고 하였다. 유기는 『正蒙會稿』에서 "다만 '二王後'라고 말한 것은 상세히 알 수 없으니, 어쩌면 하나라와 은나라를 가리켜서 한 말일 것이다.(但曰'二王後'則未詳, 或指夏商而言.)"라고 하였고, 왕식은 『正蒙初義』에서 "장재가 말한 '二王'은 또한 해석하기 어렵다. 우선 이광지의 『注』와 염근조의 『補訓』을 간직해두고 고증을 기다린다.(張子所言'二王'者, 抑又難爲之解也. 姑存李『注』『補訓』, 以俟考焉.)"라고 하였다.

507 산앵두나무[唐棣]: 『論語』「子罕」에 "'산앵두나무 꽃이여! 바람에 펄럭이는구나. 어찌 그대를 그리워하지 않으랴마는 집이 멀기 때문이다.' 공자가 말하였다. '그리워하지 않을지언정 어찌 멂이 있겠는가?'('唐棣之華, 偏其反而. 豈不爾思, 室是遠而.' 子曰: '未之思也, 夫何遠之有?')"라고 하였다.

이 (그들을) 주살한 것을 비유한 것이다.[508] 내가 어찌 형제의 사랑을 그리워하지 않겠는가마는, 일시적인 알맞음[權宜]을 가지고 의에 맞도록 한 것이니, 근본적인 것은 멀리 있을 뿐임[509]을 말한 것이다. 「산앵두나무」는 본래 문왕의 시인데, 이 한 장은 주공이 제작한 것으로 자신의 감정을 서술하여 덧붙인 것이다. 공자는 반드시 보존해야 할 필요가 없다고 생각하여 그것을 제거해 버린 것이다.

[6-15-24-1]

朱子曰：唐棣自是一篇詩，與「常棣」別．且是兩般物．夫子止是取下面兩句，云：'人但不思，思則何遠之有？'不與上文通．漢儒合爲一章，故誤認'偏其反而'爲'反經合道'也．[510]

주자가 말하였다. "산앵두나무[唐棣]는 별도로 한 편의 시이니 「상체常棣」와는 달라서, 또한 두 가지의 것이다. 공자는 다만 아래의 두 구절을 취하여, '사람이 다만 그리워하지 않을 뿐이니, 그리워한다면 어찌 멂이 있겠는가?'라고 하였으니, 위 문장과 통하지 않는다. 한나라 유자들이 합하여 한 장으로 만든 것이니, 그러므로 '바람에 펄럭이는구나'를 '불변의 원칙을 뒤집어 도에 합함反經合道'의 의미로 오인한 것이다."[511]

• • • • • • • • • • • • • • • • • • • •

508 산앵두나무[唐棣] … 것이다 : 염근조는 『正蒙補訓』에서 "이는 逸詩인 '산앵두나무의 꽃[唐棣之華]' 네 구절을 풀이한 것이다. 가시나무[棘]에는 가시가 있고, 산앵두나무에도 가시와 비슷한 것이 있어서, 가지 마디의 구불구불한 것을 따라 꽃이 핀다. '屈'은 펴지지 않은 것이고, '曲'은 곧지 않은 것이다. '偏'은 한 쪽으로 치우친 것이고, '反'은 또 되돌아 똑바른 데로 나아가는 것이니, 왼쪽으로 치우쳤다가 또 오른쪽으로 되돌아가며, 오른쪽으로 치우쳤다가 또 왼쪽으로 되돌아가는 것, 이것이 왼쪽 오른쪽으로 서로 바로잡는 것이니, 이것으로 인하여 전체가 모두 고르게 되고 (어느 한쪽으로) 치우침이 드러나지 않게 된다. 치우침[偏]을 가지고 관숙과 채숙이 도를 잃어버리고 나라에 유언비어를 퍼뜨리면서 무경(武庚 : 은나라의 마지막 왕 주[紂]의 아들)을 도와 반란을 일으킨 것을 비유하고, 되돌아감[反]은 주공이 관숙과 채숙을 주살한 것을 비유한다.(此釋逸詩'唐棣之華'四句. 棘有刺, 唐棣亦有刺相類, 隨枝節之屈曲而開花. '屈'者, 不伸也. '曲'者, 不直也. '偏'者, 偏於一邊, '反'者, 又反而就於正, 如偏於左又反於右, 偏於右又反於左, 是左右相矯, 有左有右, 因得全體均正, 不見其偏. 偏以喩管蔡之失道, 流言於國, 助武庚爲亂, 反以喩周公之誅殛管蔡.)"라고 하였다.

509 근본적인 … 뿐임 : 고반룡은 『正蒙釋』에서 "'主在遠'은 사직을 위해서 길고 멀리 생각함을 말한다.('主在遠', 謂爲社稷長遠慮也.)"라고 하였다.

510 『朱子語類』 권37 問"唐棣之華, 偏其反而". 曰："此自是一篇詩, 與今常棣之詩別. 常, 音裳. 爾雅：'棣, 栘, 似白楊, 江東呼夫栘. 常棣, 棣, 子如櫻桃可食.' 自是兩般物. 此逸詩, 不知當時詩人思箇甚底. 東坡謂'思賢而不得之詩', 看來未必是思賢. 但夫子大槪止是取下面兩句云：'人但不思, 思則何遠之有？' 初不與上面說權處是一段. '唐棣之華'而下, 自是一段. 緣漢儒合上文爲一章, 故誤認'偏其反而'爲'反經合道', 所以錯了.

511 산앵두나무[唐棣]는 … 것이다 : 전통적으로 『論語』「子罕」에서 '산앵두나무[唐棣]' 이야기를 '權道'와 연관지어 보는 해석이 많았다. 왜냐하면 바로 위 문장이 "공자가 말하였다. '함께 배울 수는 있어도 함께 도로 나아갈 수는 없고, 함께 도로 나아갈 수는 있어도 함께 설 수는 없으며, 함께 설 수는 있어도 함께 權道를 행할 수는 없다.'(子曰：'可與共學, 未可與適道, 可與適道, 未可與立, 可與立, 未可與權'.)"라는 구절이었기 때문에, 이 두 부분은 같은 맥락 속에서 이해되었다. 이천도 『二程遺書』「伊川先生語」 제8上에서 '산앵두나무[唐棣]' 이야기 뒤의 구절에 나오는 공자의 말未之思也, 夫何遠之有에 대해 "'權'은 실제로 서로 멀지 않음을 말한 것이다. '權'의 뜻은 저울의 추와 같다. '權'을 잘 쓸 수 있으면 道를 알게 된다. 또한 '權'이 바로 '道'라고 말할 수는 없다. 漢나라 이래로 아무도 '權'字의 뜻을 안 사람이 없었다.(蓋言'權'. 實不相遠耳. '權'之

[6-15-24-2]

黃瑞節曰：張子誤以‘唐棣’爲‘常棣’, 又誤襲漢儒之失. 然以爲仲尼去之, 甚善, 蓋刪詩也.

황서절이 말하였다. “장재는 ‘산앵두나무[唐棣]’를 「상체常棣」로 오인했고, 또 한나라 유자들의 실책을 잘못 계승하였다. 그러나 공자가 그것을 제거한 것으로 여긴 것은 매우 훌륭하니, 아마도 산삭[刪削]된 시일 것이다.”

[6-15-25]

日出而陰升自西, 日迎而會之, 雨之候也. 喩婚姻之得禮者也. 日西矣, 而陰生於東, 喩婚姻之失道者也.

해가 떠오를 때 음이 서쪽으로부터 올라오면, 해가 그것을 맞이하여 만나는 것이 비가 올 징후이다. 이는 혼인이 예에 제대로 맞았음을 비유한 것이다. 해가 서쪽에 있고 음이 동쪽에서 생겨나는 것은 혼인이 올바른 도를 잃었음을 비유한 것이다.[512]

[6-15-26]

鶴鳴而子和, 言出之善者與! 鶴鳴魚潛, 畏聲聞之不臧者與!

학이 울어 새끼가 화답함은, 말이 입밖에 나오는 것이 선한 것일 것이다![513] 학이 울고 물고기가 잠겨 있음[514]은 들리는 소리[聲聞]가 선하지 못할까 두려워하는 것일 것이다!

[6-15-27]

“鴥彼晨風, 鬱彼北林”, 晨風雖摯擊之鳥, 猶時得退而依深林而止也.

“쏜살같이 나는 저 새매[晨風]여! 울창한 북쪽 숲에 앉았구나.”[515]라고 하였는데, 새매는 비록 사납게 공격하는 새이지만, 오히려 때가 되면 물러나서 깊은 숲에 의지하여 머무른다는 것이다.

· ·

爲義, 猶稱錘也. 能用權乃知道. 亦不可言權便是道也. 自漢以下, 更無人識‘權’字.)”라고 하였다. 이에 대해 주자는 『集注』에서 “내가 살펴보건대, 先儒들이 잘못하여 이 章을 아래의 ‘偏其反’이라는 글을 연결시켜서 한 장으로 만들었기 때문에 ‘불변의 원칙을 뒤집어 도에 합한다.’는 말이 있게 되었다.(愚按先儒誤以此章, 連下文‘偏其反’, 而爲一章, 故有‘反經合道’之說.)”라고 하며 두 장으로 분리할 것을 주장하였다.

512 해가 떠오를 … 것이다 : 『詩經』 「鄘風 · 蝃蝀」에 “무지개가 동쪽에 있으니 감히 손가락질 하지 말지어다. … 아침에 서쪽에 무지개가 오르니 아침동안 비가 왔도다.(蝃蝀在東, 莫之敢指. … 朝隮于西, 崇朝其雨.)”라고 하였고, 주자는 『集傳』에서 “이는 음탕함을 비난한 시이다.(此刺淫奔之詩.)”라고 보았다.

513 학이 울어 … 것이다! : 『周易』 「中孚卦」 “九二효는 우는 鶴이 그늘에 있는데 그 새끼가 화답하도다.(九二, 鳴鶴在陰, 其子和之.)”라고 하였고, 『周易』 「繫辭上」 제 8장에 이 효에 대해 “군자가 집에 거하여 말을 입 밖에 내는 것이 善하면 천리의 밖에서도 응하니, 하물며 가까운 자에 있어서랴!(君子居其室, 出其言善, 則千里之外應之, 況其邇者乎!)”라고 해설하였다.

514 학이 울고 … 있음 : 『詩經』 「小雅 · 鶴鳴」에 “학이 깊은 못[九皐]에서 우는데 소리가 들판에 들리네. 물고기가 잠겨 깊은 못 속에 있으나 혹은 물가에도 있다네.(鶴鳴于九皐, 聲聞于野. 魚潛在淵, 或在于渚.)”라고 하였다.

515 쏜살같이 나는 … 앉았구나 : 『詩經』 「秦風 · 晨風」

[6-15-28]

「漸漸之石」, 言"有豕白蹢, 烝涉波矣", 豕之負塗曳泥, 其常性也. 今豕足皆白, 衆與涉波而去, 水患之多爲可知也.

「삼삼지석漸漸之石」의 시에 "발굽 하얀 멧돼지들 우루루 무리지어 물결 헤치며 강 건너가네."[516]라고 하였는데, 돼지가 진흙을 등에 지고 진흙탕에 꼬리를 끄는 것은 변함없는 본래의 성품이다. 그런데 지금 돼지의 발이 모두 희며, 여럿이 물결을 건너가니, 수해로 인한 근심거리가 많음을 알 수 있다.

[6-15-29]

"君子所貴乎道者三", 猶"王天下有三重焉": 言也, 動也, 行也. 耆造德降, 則民誠和, 而鳳可致. 故鳴鳥聞, 所以爲和氣之應也.

"군자가 귀중히 여기는 도道가 세 가지 있다"[517]는 것은, "천하를 다스리는 데에 세 가지 중요한 것이 있다"[518]는 것과 같다. 즉, 말과 움직임과 행함이다. 원로들의 덕이 내리면, 백성들이 진실로 화합하고 봉황이 이를 수 있다. 그러므로 우는 새 소리가 들리는 것이 화기和氣가 감응한 것이 되는 것이다.[519]

---

516 발굽 하얀 … 건너가네: 『詩經』「小雅·漸漸之石」

517 군자가 귀중히 … 있다: 『論語』「泰伯」에 "군자가 귀중히 여기는 道가 세 가지 있으니, 몸을 움직일 때는 사나움과 거만함을 멀리하고, 안색을 바르게 할 때는 誠實함에 가깝게 하며, 말을 할 때는 천박하고 도리에 어긋남을 멀리 해야 한다. 제사 기물을 다루는 일과 같이 소소한 예에 관한 일들은 담당자들에게 맡겨 두면 된다.(君子所貴乎道者三, 動容貌, 斯遠暴慢矣; 正顔色, 斯近信矣; 出辭氣, 斯遠鄙倍矣, 籩豆之事則有司存.)"라고 하였다.

518 천하를 다스리는 … 있다: 『中庸』 제29장에 "천하를 다스리는 데에 세 가지 중요한 것이 있으니, (이것을 잘 행하면) 그 허물이 적을 것이다. … 그러므로 군자는 움직이게 되면 대대로 천하의 道가 되는 것이니, 行함에 대대로 천하의 법도가 되며, 말함에 대대로 천하의 규칙이 된다. 멀리 있으면 우러러봄이 있고, 가까이 있으면 싫어하지 않는다.(王天下有三重焉, 其寡過矣乎. … 是故, 君子動而世爲天下道, 行而世爲天下法, 言而世爲天下則. 遠之則有望 近之則不厭.)"라고 하였다. 한편 주자는 『中庸集注』에서 "세 가지 중요한 것[三重]은 議禮, 制度, 문장 및 서적의 이름을 바르게 고침[考文]을 말한다.(三重, 謂議禮, 制度, 考文.)"라는 여대림의 주를 인용하였고, "그 (군자의) 道는 바로 議禮·制度·考文의 일이다.(其道卽議禮制度考文之事也.)"라고 하였다. 이광지는 『注解正蒙』에서 "세 가지 중요한 것[三重]을 議禮·制度·考文으로 보는 것이 올바름에 가깝다.(以'三重'爲議禮制度考文者, 近是.)"라고 하였다.

519 원로들의 덕이 … 것이다: 『書經』「周書·君奭」에 "물러나서 (성왕의) 미치지 못함을 돕지 아니하여 원로老成들의 德이 내리지 않으면 우리는 우는 봉황새소리도 듣지 못할 것인데 하물며 감동시킬 수 있다고 하겠는가?(收罔勖不及, 耆造德不降, 我則鳴鳥, 不聞, 曰其有能格?)"라고 하였다. 채침은 『集傳』에서 "'耆造德不降'은 召公이 떠나가면 원로들의 德이 백성에게 내려지지 아니하여, 교외에 있는 봉황새의 우는 소리를 장차 다시는 듣지 못할 것이거늘, 하물며 감히 이보다 나아가 (신명이) 감동하여 이르는 일[感格]이 있다고 말하겠는가라고 한 것이다.('耆造德不降', 言召公去, 則耆老成人之德, 不下於民, 在郊之鳳, 將不復得聞其鳴矣, 況敢言進此而有感格乎?)"라고 하였다.

[6-15-30]

九疇次叙: 民資以生, 莫先天材, 故首曰五行. 君天下必先正己, 故次五事. 己正然後邦得而治, 故次八政. 政不時擧必昏, 故次五紀. 五紀明然後時措得中, 故次建皇極. 求大中不可不知權, 故次三德. 權必有疑, 故次稽疑. 可徵然後疑決, 故次庶徵. 福極徵然後可不勞而治, 故九以嚮勸終焉. 五爲數中, 故皇極處之. 權過中而合義者也, 故三德處六.

홍범구주洪範九疇[520]의 순서는 다음과 같다. 백성이 살아가는데 바탕으로 삼는 것은 하늘이 내려준 재료[天材]보다 우선되는 것이 없으니, 그러므로 가장 먼저 오행을 말하였다.[521] 천하에 임금 노릇 할 때에는 반드시 먼저 자기 자신을 올바르게 해야 하므로, 다음으로 오사五事[522]를 말하였다. 자기 자신이 올바르게 된 후에야 나라가 다스려질 수 있으므로 그 다음에 팔정八政[523]을 말하였다. 정치는 제 때에 맞게 등용하지 않으면 반드시 혼미해지게 마련이므로 그 다음으로 오기五紀[524]를 말하였다. 오기五紀가

. . . .

520 洪範九疇: 『書經』「周書·洪範」에 "하늘이 우임금에게 洪範九疇를 내려 주시니, 사람이 지켜야할 불변의 도리[彝倫]가 펼쳐지게 되었다. 첫 번째는 五行이고, 다음 두 번째는 공경함을 五事로써 함이고, 다음 세 번째는 農事에 八政을 씀이고, 다음 네 번째는 (천도와) 합함을 五紀로써 함이고, 다음 다섯 번째는 (왕도를) 세움을 皇極으로써 함이고, 다음 여섯 번째는 (백성을) 다스림을 三德으로써 함이고, 다음 일곱 번째는 밝힘을 稽疑로써 함이고, 다음 여덟 번째는 상고함을 庶徵으로써 함이고, 다음 아홉 번째는 (사람들에게) 권장함을 五福으로써 하고 위엄을 보임을 六極으로써 하는 것이다.(天乃錫禹洪範九疇, 彝倫攸敍. 初一曰五行, 次二曰敬用五事, 次三曰農用八政, 次四曰協用五紀, 次五曰建用皇極, 次六曰乂用三德, 次七曰明用稽疑, 次八曰念用庶徵, 次九曰嚮用五福, 威用六極.)"라고 하였다. 채침은 『集傳』에서 "洪은 큼이고, '範'은 法이고, '疇'는 종류이다. … '洪範九疇'는 천하를 다스리는 큰 법칙으로 그 종류가 아홉 가지가 있으니, 다음 문장의 첫 번째[初一]부터 다음 아홉 번째[次九]까지이다.('洪', 大; '範', 法; '疇', 類; … '洪範九疇', 治天下之大法, 其類有九, 即下文初一至次九者.)"라고 하였다.

521 백성이 살아가는데 … 말하였다: 염근조는 『正蒙補訓』에서 "백성들이 의뢰하여 삼아서 살아가는 것 중에 다섯 가지 재료보다 앞서는 것이 없으므로, 오행을 가장 앞에 두었다.(民所資以生, 莫先於五材, 故首五行.)"라고 하였고, 웅강대는 『性理羣書句解』에서 "洪範9주는 순서는 다음과 같다. 백성들이 의뢰하여 서로 살아가는데, 하늘이 내어준 다섯 가지 재료보다 앞서는 것은 없다. 그러므로 첫 번째가 오행이 된 것이니, 金木水火土이다.(「洪範」九疇之次序: 百姓賴之以相生, 莫始於天生之五材. 故初一爲五行: 金木水火土也.)"라고 하였다.

522 五事: 『書經』「洪範」에는 "두 번째 五事 첫 번째는 모습이고, 두 번째는 말이고, 세 번째는 봄이고, 네 번째는 들음이고, 다섯 번째는 생각함이다. 모습은 공손하고, 말은 순종하고, 봄은 밝고, 들음은 귀 밝고, 생각함은 지혜롭다. 공손함은 엄숙함을 만들고, 순종함은 다스림을 만들고, 밝음은 지혜를 만들고, 귀 밝음은 헤아림을 만들고, 지혜로움은 성스러움을 만든다.(二五事, 一曰貌, 二曰言, 三曰視, 四曰聽, 五曰思. 貌曰恭, 言曰從, 視曰明, 聽曰聰, 思曰睿. 恭作肅, 從作乂, 明作哲, 聰作謀, 睿作聖.)"라고 하였다.

523 八政: 『書經』「洪範」에는 "세 번째 八政은 첫 번째는 식량이고, 두 번째는 재물이고, 세 번째는 祭祀이고, 네 번째는 司空[토목·건축을 관장하는 관직]이고, 다섯 번째는 司徒[교육을 관장하는 관직]이고, 여섯 번째는 司寇[형법을 관장하는 관직]이고, 일곱 번째는 외교관이고, 여덟 번째는 군사이다.(三八政, 一曰食, 二曰貨, 三曰祀, 四曰司空, 五曰司徒, 六曰司寇, 七曰賓, 八曰師.)"라고 하였다.

524 五紀: 『書經』「洪範」에는 "네 번째 五紀는 첫 번째는 해[歲]이고, 두 번째는 달[月]이고, 세 번째는 날[日]이고, 네 번째는 星辰이고, 다섯 번째는 曆數이다.(四五紀, 一曰歲, 二曰月, 三曰日, 四曰星辰, 五曰曆數.)"라고

밝아진 후에야 시기에 맞게 적절히 조처하여 중中을 얻게 되므로, 그 다음으로는 황극皇極[大中]525을 세움을 말하였다. 큰 중中을 구하려면 권權[상황에 따라 적절히 변통함]을 알지 않으면 안 되므로 그 다음에 삼덕三德526을 말하였다. 권權에는 반드시 의문이 생기므로, 그 다음에 계의稽疑[점을 쳐서 의심나는 것을 묻고 고찰함]527를 말하였다. 징험할 수 있게 된 후에야 의심이 풀리게 되므로 그 다음에 서징庶徵[여러 가지 징조]528을 말하였다. 5복福529과 6극極530이 징험된 후에야 힘들이지 않고 다스려질 수 있게 되므로 아홉 번째에 권함[繼勸]으로써 마쳤다. 5는 숫자의 중中이므로, 황극을 다섯 번째의 자리에 두었다. 권權은 중中을 지나치면서도 의義에 합하는 것이므로 삼덕三德을 여섯 번째의 자리에 두었다.

. . . .

하였다.

525 皇極[大中]: 『商書注疏』에서 공안국은 "'皇'은 큼이고, '極'은 中이다. 일을 성사시키려면 마땅히 큰 中의 도를 써야 한다.('皇', 大; '極', 中也. 凡立事當用大中之道.)"라고 하였다. 오늘은 『正蒙補注』에서 "'皇極'이라는 두 글자는 한나라 공안국으로부터 '大中'이라고 뜻풀이하였다. 그러므로 장재가 '큰 中을 구하려면 權을 알지 않으면 안 된다'라고 말한 것이다.('皇極'二字, 自漢孔安國訓爲'大中'. 故張子言'求大中不可不知權',)"라고 하였다. 이광지는 『注解正蒙』에서 "종래로 모두 '큰 중[大中]'이라는 뜻으로 '皇極'이라는 두 글자를 풀이했는데, 오직 주자만이 '皇은 임금이고, 極은 지극하다는 뜻이고 표준의 이름이다.'라고 하였으니, 이래야만 우임금과 箕子의 本意(하늘이 우임금에게 홍범구주를 내려주었고, 기자는 홍범구주를 무왕에게 고해줌)를 얻은 것이 될 것이다.(從來皆以'大中'釋'皇極'二字之義, 惟朱子曰'皇者, 君也; 極者, 至極之義標準之名也', 斯爲得禹箕之本意.)"라고 하였다.

526 三德: 『書經』「洪範」에는 "여섯 번째 三德은 첫 번째는 정직함이고, 두 번째는 剛으로 다스림이고, 세 번째는 柔로 다스림이다. 平康은 正直이고, 彊하여 순하지 않은 자는 剛으로 다스리고, 和하여 순한 자는 柔로 다스리며, 沈潛한 자는 剛으로 다스리고, 高明한 자는 柔로 다스린다.(六三德, 一曰正直, 二曰剛克, 三曰柔克. 平康, 正直; 彊弗友, 剛克; 燮友, 柔克; 沈潛, 剛克; 高明, 柔克.)"라고 하였다.

527 稽疑: 『書經』「洪範」에는 "일곱 번째 稽疑는 점을 칠 사람을 가려 세우고 나서 命하여 점을 치게 한다.(七稽疑, 擇建立卜筮人, 乃命卜筮.)"라고 하였다. 채침은 『集傳』에서 "'稽'는 고찰해 보는 것이니, 의심스러운 일이 있으면 卜筮로 점을 쳐서 고찰해 보는 것이다. 거북점을 '卜'이라 하고, 蓍草占을 '筮'라 한다. 시초점과 거북점은 지극히 공정하고 사사로움이 없으므로 하늘의 밝은 命을 이을 수 있는 것이니, 점을 치는 자 또한 지극히 공정하고 사사로움이 없은 뒤에야 시초와 거북의 뜻을 전달할 수 있는 것이다. 반드시 이러한 사람을 가려서 세운 뒤에야 복서로 점을 치게 하는 것이다.('稽', 考也, 有所疑則卜筮以考之. 龜曰'卜', 蓍曰'筮'. 著龜者, 至公無私, 故能紹天之明, 卜筮者, 亦必至公無私, 而後能傳著龜之意, 必擇是人而建立之, 然後使之卜筮也.)"라고 하였다.

528 庶徵: 『書經』「洪範」에는 "여덟 번째 庶徵은 비가 옴과 볕이 남과 더움과 추움과 바람과 때이니, 다섯 가지가 와서 다 갖춰지는데, 각기 그 절도와 순서에 맞으면 여러 풀들도 번성한다.(八庶徵, 曰雨, 曰暘, 曰燠, 曰寒, 曰風, 曰時, 五者來備, 各以其敍, 庶草蕃.)"라고 하였고, 채침은 『集傳』에서 "'徵'은 징험이다. … 징험하는 방법이 한 가지가 아니므로 庶徵이라 하였다.('徵', 驗也. … 所驗者非一, 故謂之庶徵.)"라고 하였다.

529 5福: 『書經』「洪範」에는 "아홉 번째 五福은 첫 번째는 장수함이고, 두 번째는 부유함이고, 세 번째는 몸과 마음이 편안함이고, 네 번째는 德을 좋아함이고, 다섯 번째는 편안하게 죽음을 이루는 것이다.(九五福, 一曰壽, 二曰富, 三曰康寧, 四曰攸好德, 五曰考終命.)"라고 하였다.

530 6極: 『書經』「洪範」에는 "六極은 첫 번째는 제대로 죽지 못함[凶]과 요절함이고, 두 번째는 질병이요, 세 번째는 우환이요, 네 번째는 가난이요, 다섯 번째는 포악함이요, 여섯 번째는 나약함이다.(六極, 一曰凶短折, 二曰疾, 三曰憂, 四曰貧, 五曰惡, 六曰弱.)"라고 하였다.

[6-15-31]

"親親尊尊", 又曰"親親尊賢", 義雖各施, 然而親均則尊其尊, 尊均則親其親爲可矣. 若親均尊均, 則齒不可以不先. 此施於有親者不疑. 若尊賢之等, 則於親尊之殺, 必有權而後行. 急親賢爲堯舜之道. 然則親之賢者, 先得之於疏之賢者爲必然. 堯明峻德於九族而九族睦, 章峻德於百姓而萬邦協黎民雍, 皐陶亦以惇叙九族, 庶明勵翼, 爲邇可遠之道, 則九族勉敬之人固先明之, 然後遠者可次叙而及. 『大學』謂"克明峻德"爲自明其德, 不若孔氏之註愈.

"친히 해야 할 사람을 친애하고, 높여야 할 사람을 높인다"[531]고 하고 또 "친히 해야 할 사람을 친애하고 현명한 사람을 높인다"[532]라고 말하기도 하니, 의미가 비록 각각 다르게 적용되어 드러나지만, 그러나 그 친한 정도가 같을 경우에는 (먼저) 높여야할 사람을 높이고, 높은 정도가 같으면 그 친히 해야 할 사람을 친애하는 것이 맞다. 만약 친한 정도도 같고 높은 정도도 같다면 나이를 우선하지 않을 수 없다. 이러한 것으로 친히 할 자에게 적용하면 미혹되지 않게 될 것이다. 현명한 사람을 높이는 등급의 경우에는, (친히 해야 할 사람을) 친히 하고 (높여야 할 사람을) 높이는 차등[殺]에 따라 반드시 저울질[權] 해본 뒤에 행해야 하는 것이다. 현명한 이를 친애함을 급하게 여기는 것은 요와 순의 도이다.[533] 그렇다면 친해야 할 사람 중에 현명한 사람을 소원한 사람 중에 현명한 사람보다 먼저 얻는 것은 반드시 그렇게 해야 할 일이다. 요임금이 구족九族에게 큰 덕을 밝혀 구족이 회목하게 되었으며, 백성에게 큰 덕을 밝혀 온 세상이 마음을 합하여 화합하고 백성들이 화목하게 되었다.[534] 고요皐陶[535]도

---

531 친히 해야 … 높인다 : 『禮記』「喪服小記」에 "친히 해야 할 사람을 친애하고, 높여야 할 사람을 높이고, 손윗사람을 손윗사람으로 섬기며, 남녀 간에 구별을 두는 것이 사람의 도에서 크나큰 것이다.(親親, 尊尊, 長長, 男女之有別, 人道之大者也.)"라고 하였다. 공영달은 『疏』에서 "'친히 해야 할 사람을 친애한다'는 것은 부모를 말한 것이다. '높여야 할 사람을 높인다'는 것은 조부, 증조부, 고조부를 말한 것이다. '손윗사람을 손윗사람으로 섬긴다'는 것은 형과 방계친척을 말한 것이다.('親親', 謂父母也. '尊尊', 謂祖及曾祖高祖也. '長長', 謂兄及旁親也.)"라고 하였다. 또 『禮記』「大傳」에도 "친히 해야 할 사람을 친애하고, 높여야 할 사람을 높이고, 손윗사람을 손윗사람으로 섬기며, 남녀 간에 구별을 두는 것, 이것은 백성들과 함께 바꿀 수 없는 것이다.(親親也, 尊尊也, 長長也, 男女有別, 此其不可得與民變革者也.)"라고 하였다. 고반룡은 『正蒙釋』에서, "'친히 해야 할 사람[親]'은 구족을 말한다.('親', 謂九族.)"라고 하였다

532 친히 해야 … 높인다 : 『中庸』 제20장에 "仁은 사람됨이니 친히 해야 할 사람을 친애하는 것이 크고, 義는 마땅함이니 현명한 이를 높임이 큰 것이다. … 천하와 국가를 다스리는 데에는 아홉 가지 불변의 원칙이 있으니, 그것은 자신을 수양함과 현명한 이를 높임과 친히 해야 할 사람[친족]을 친애하는 것이다.(仁者, 人也, 親親爲大, 義者, 宜也, 尊賢爲大. … 凡爲天下國家有九經, 曰 : 修身也, 尊賢也, 親親也.)"라고 하였다.

533 현명한 이를 … 도이다 : 『孟子』「盡心上」에 "堯舜이 仁하여도 사람을 두루 사랑하지 않음은 현명한 이를 친애함을 급하게 여겼기 때문이다.(堯舜之仁不徧愛人, 急親賢也.)"라고 하였다.

534 요임금이 九族에게 … 되었다 : 『書經』「堯典」에 "큰 德을 밝혀 九族을 친하게 하였다. 구九族이 이미 화목해지니, 백성을 두루 밝게 하였다. 백성이 덕을 밝히니 온 세상이 마음을 합하여 화합하였다. 온 백성들이 아! 변하였구나, 이에 화목하게 되었네.(克明俊德, 以親九族. 九族既睦, 平章百姓. 百姓昭明, 協和萬邦. 黎民於變時雍.)"라고 하였고 채침은 『集傳』에서 "'俊'은 큼이다. … '平'은 고르게 함이고, '章'은 밝힌다는 뜻이다. 이는 요임금이 그 덕을 미루어나가서 자신으로부터 집안과 국가와 천하에 이를 수 있었음을 말하였으니,

또한 구족을 차례에 따라 두텁고 화목하게 하며, 여러 현명한 신하들이 힘써 돕는 것을 가까운 데에서 멀리 미루어 나갈 수 있는 도[536]라고 여겼으니, 구족 가운데 힘써 공경하는 사람을 진실로 먼저 밝히고 난 후에야 멀리 있는 사람들에게 차례대로 미쳐갈 수 있는 것이다. 『대학』에서 "큰 덕을 밝힐 수 있다"[537]고 한 것은 그 덕을 스스로 밝히는 것을 말한 것이니, 공안국의 주보다 낫지 못하다.[538]

[6-15-32]

義民, 安分之良民而已. 俊民, 俊德之民也. 官能則準牧無義民. 治昏則"俊民用微".

의민義民[539]은 자기 분수에 편안히 여기는 양민일 뿐이다. 준민俊民은 큰 덕을 지니고 있는 백성이다. 관리가 유능하면, 준準·목牧에 의민이 없게 된다.[540] 정치가 어지러워지면 "준민이 미천해져 은둔하

- - - - - - - - - - - - - - - - - - - -

이른바 放勳(공이 이르름)이라는 것이다.('俊', 大也. … '平', 均, '章', 明也. 此言堯能推其德, 自身而家而國而天下, 所謂'放勳'者也.)"라고 하였다.

535 臯陶 : 舜 임금의 신하로 刑政을 주관했으며, 순임금을 계승한 禹임금을 보좌하면서 큰 치적을 남겼다.

536 구족을 차례에 … 도 : 『書經』「臯陶謨」에 "九族을 차례에 따라 정이 두텁고 화목하게 하며, 여러 현명한 신하들이 힘써 도우면, 가까운 데로부터 먼 데에 미루어 나감이 여기에 달려 있습니다.(惇敍九族, 庶明勵翼, 邇可遠在玆.)"라고 하였고, 林之奇(1112~1276, 남송 복주[福州] 후관[侯官] 사람. 여조겸[呂祖謙]의 스승)는 『尚書全解』에서 "'敍'는 차례이다. 구족을 차례에 따라 돈독하게 하는 것은 '친히 해야 할 이를 친애함'을 말한 것이다. '庶明'은 가까운 신하이다. '勵'는 힘씀이다. '翼'은 도움이다. 가까운 신하가 모두 힘써 나를 돕는 것은 '현명한 이를 높임'을 말한 것이다.('敍', 次也. 惇敍九族, 謂親親也. '庶明', 近臣也. '勵', 勉也. '翼', 輔也. 近臣皆勉勵以翼己, 謂'尊賢'也.)"라고 하였다.

537 큰 덕을 … 있다 : 『대학장구』 전1장. 『大學』 원문에 계속해서 "모두 스스로 밝히는 것이다.(皆自明也.)"라고 하였고, 주자는 이에 대해 "인용한 글이 모두 스스로 자기의 덕을 밝히는 뜻을 말한 것으로 끝맺은 것이다.(結所引書皆言自明己德之意.)"라고 주해했다.

538 공안국의 주보다 … 못하다 : 왕식은 『正蒙初義』에서 "『大學』에서는 큰 덕을 밝히는 것을 요임금이 스스로 그 덕을 밝히는 것이라고 여겼는데 공안국이 『書經』을 주해하면서 '큰 덕을 지닌 사람을 밝게 선양하다'고 한 것보다 낫지 못하다. 그러하니 친히 해야 할 사람을 친애하는 것이 급하지 않을 수 있겠는가?(『大學』以明俊德爲堯之自明其德, 不若孔安國注『尚書』作'明揚大德之人'爲愈矣. 然則親親可不急乎?)"라고 하였다.

539 義民 : 『書經』「周書·多方」에서는 "너희 여러 나라의 의민(爾多方之義民)"이라고 했고 또 「周書·立政」에서는 "이 三宅에 義民이 없게 될 것입니다.(玆乃三宅, 無義民.)"라고 했다. 공영달은 『注疏』에서 "'義民'은 실은 현인이다.(義民', 實賢人也.)"라고 하였고, 채침도 『集傳』에서 "義民'은 현인이다.(義民', 賢者也.)"라고 하였다.

540 관리가 유능하면 … 된다 : 『書經』「周書·立政」에 "왕의 좌우에 있는 신하는 常伯·常任·準人·綴衣와 虎賁입니다. … 당신의 일자리에 있게 하고 당신의 목민관에 있게 하고 당신의 법관에 있게 하여야 임금이 될 수 있습니다.(王左右, 常伯·常任·準人·綴衣·虎賁 … 宅乃事, 宅乃牧, 宅乃準, 玆惟后矣.)"라고 하였고, 채침은 『集傳』에서 "왕의 좌우에 있는 신하로, 백성을 다스리고 기르는 우두머리로 常伯이 있고, 일을 맡은 公卿으로 常任이 있고, 법을 집행하는 담당자로 準人이 있으며, 三事의 밖에 의복과 기물을 관장하는 자는 綴衣이고, 활 쏘고 말 모는 것을 관장하는 자는 虎賁이니, 모두 임용함에 마땅히 조심해야 할 자들이라고 한 것이다. … 蘇氏(소식)가 말하였다. '事는 위에서 말한 常任이고, 牧은 위에서 말한 常伯이고, 準은 위에서 말한 準人이다.'(王左右之臣, 有牧民之長曰常伯, 有任事之公卿曰常任, 有守法之有司曰準人, 三事之外, 掌服器者曰綴衣, 執射御者曰虎賁, 皆任用之所當謹者. … 蘇氏曰 : '事, 則向所謂常任也, 牧, 則向所謂常

게 된다."[541]

[6-15-33]

五言, 樂語歌詠五德之言也.

오언五言[542]은 음악에 쓰이는 말[語]로서, 오덕五德을 노래한 말이다.

[6-15-34]

"卜不習吉", 言卜官將占, 先決問人心, 有疑乃卜. 無疑則否, 朕志無疑, 人謀僉同, 故無所用卜. 鬼神必依, 龜筮必從, 故不必卜筮, 玩習其吉, 以瀆神也.

"점괘는 거듭 길하지 않은 법이다."[543]는 것은 복관卜官이 점을 치려할 때, 먼저 사람의 마음에 물을 것을 결정하여, 의심이 있으면 점을 치고, 의심이 없으면 그만둔다는 것을 말한 것이다. 자기의 뜻에

伯也, 準, 則向所謂準人也.')"라고 하였다. 이에 따르면 牧은 목민관의 우두머리이고, 準은 법을 집행하는 담당자이다. 이광지는 『注解正蒙』에서 "관리가 모두 현명하고 유능하다면 義民도 準·牧의 자리에 있을 수 없는데, 하물며 간사한 사람이겠는가?(官皆賢能, 則義民猶不得在準牧之列, 況憸人乎?)"라고 하였고, 여본은 『正蒙集解』에서 『書經』의 본래 뜻에서 '義民'은 현자라는 말과 같다. 그런데 장재는 '자기 분수에 편안히 여기는 양민일 뿐이다.'라고 여겼으니, 큰 재주나 큰 덕을 지닌 사람이 아니다. 관리가 유능하면 준·목의 자리에 있는 자들은 모두 크게 어진 덕을 지닌 사람들이니, '義民이 없게 된다'.(『書』本旨, '義民', 猶言賢者, 張子以爲'安分之良民而已', 非有大材大德也. 官能則居準牧之位者, 皆大賢之德, '無義民'矣.)"라고 하였다.

541 준민이 미천해져 … 된다: 『書經』「주서·洪範」 공영달은 『疏』에서 "준민들이 이 때문에 비천해지니, 모두 은둔한다.(俊民用此而卑微, 皆隱遁也.)"라고 하였다.

542 五言: 『書經』「익직」에 "내가 六律·八音·五聲을 듣고서, 다스려짐과 다스려지지 않음을 살펴, 五言으로 출납하려 하거든, 네가 들어보아라.(予欲聞六律五聲八音, 在治忽, 以出納五言, 汝聽.)"라고 하였고, 채침은 『集傳』에서 "'在'는 살핌이다. '忽'은 다스림의 반대이다. 聲音의 道는 정사와 통한다. 그러므로 음을 살펴 음악을 알고 음악을 살펴 정사를 알아서 정치의 得失을 알 수 있는 것이다. '五言'은 詩歌를 五聲에 맞춘 것이다.('在', 察也. '忽', 治之反也. 聲音之道, 與政通. 故審音以知樂, 審樂以知政, 而治之得失, 可知也. '五言', 詩歌之協於五聲者也.)"라고 하였다. 왕식은 『正蒙初義』에서 "이 구절의 대의는 『書經』에서 이른바 '오언'을 풀이한 것인데 또한 채침의 『集傳』의 설보다 낫지 못하다.(此節大意, 解『書』所謂五言'者, 亦不如蔡『傳』之說愈.)"라고 하였다.

543 점괘는 거듭 … 법이다: 『書經』「大禹謨」에 "占卜을 관장한 관원은 먼저 뜻을 결정하고 나서 큰 거북에게 명한다. 자기의 뜻이 먼저 결정되었는데, 사람들에게 물어 상의해도 모두 같으며, 귀신이 그것에 따라 순하여, 거북점과 시초점이 화합하여 따랐으니, 점괘는 거듭 길하지 않은 법이다.(官占, 惟先蔽志, 昆命于元龜, 朕志先定, 詢謀僉同, 鬼神其依, 龜筮協從, 卜不習吉.)"라고 하였고, 채침은 『集傳』에서 "'官占'은 占卜을 관장한 관원이다. '蔽'는 결단함이고 '昆'은 뒤이다. … '習'은 거듭함이다. 순임금이 말하였다. '官占의 법은 먼저 자기 뜻이 향하는 바를 결단한 뒤에 거북에게 명령한다. 이제 내 뜻이 먼저 결정되었는데 사람들의 계책이 모두 같고 귀신이 따라 순하여 거북점과 시초점이 이미 화합하여 따랐으니, 또 어찌 다시 일일이 점칠 것이 있겠는가? 하물며 占卜하는 법은 거듭 길함을 기다리지 않는 것이랴!'.('官占', 掌占卜之官也. '蔽', 斷, '昆', 後. … '習', 重也. 帝言: '官占之法, 先斷其志之所向然後, 令之於龜. 今我志旣先定, 而衆謀皆同, 鬼神依順, 而龜筮已協從矣, 又何用更枚卜乎? 況占卜之法, 不待重吉也!')"라고 하였다.

의심이 없고, 사람들이 의논한 것이 모두 같으므로, 점을 칠 필요가 없는 것이다. 귀신이 반드시 (그것에) 의거하고 거북점과 시초점도 반드시 따르므로, 점을 쳐 길함을 장난스레 거듭하여 신을 모독할 필요가 없는 것이다.

[6-15-35]

愆忒未分, 有悔吝之防, 此卜筮之所由作也.

건愆과 특忒이 아직 분명하지 않으니[544], 회悔와 린吝에 대한 방비를 가지는 것이 복서卜筮가 행해지게 되는 까닭이다.

王禘篇 第十六 제16 왕제편

[6-16-1]

"禮不王不禘", 則知諸侯歲闕一祭爲不禘明矣. 至周以祠爲春, 以禴爲夏. 宗廟歲六享, 則二享四祭爲六矣. 諸侯不禘, 其四享歟! 夏商諸侯, 夏特一礿. 「王制」謂"礿則不禘, 禘則不嘗", 假其名以見時祀之數爾. 作『記』者不知文之害意過矣.

"예에 천자가 아니면 체禘 제사를 지내지 못한다"[545]고 했으니, 제후가 한 해에 하나의 제사를 빼는

---

544 愆과 忒이 … 않으니 :『書經』「洪範」에 "일곱 가지는 거북점에는 다섯 가지를 쓰고 시초점에는 두 가지를 쓰니, 잘못됨을 추측하여 아는 것이다.(凡七, 卜五, 占用二, 衍忒.)"라고 하였고, 채침은『集傳』에서 "'衍'은 추측함이고, '忒'은 잘못됨이니, 人事의 잘못됨을 추측하는 것이다.('衍', 推, '忒', 過也, 所以推人事之過差也.)'라고 하였다. 장재는 이 구절을 채침과 다르게 이해한 것으로 보이지만, 정확한 해석에 대해서는 이견이 분분하다. 먼저 염근조는『正蒙補訓』에서 "'衍'자를 '愆자와 같은 것으로 보았다. '衍忒未分'은 일이 잘못된 것을 추측하는 것에 대해 알 수 없다는 것이다. 그 悔·吝에 이르게 될까 두려워서 방비하는 것이므로 점을 쳐서 결단하는 것이다.(以'衍'同'愆'字看. '衍忒未分', 是於事之愆忒不能分曉. 恐其致悔吝而防之, 故決之以卜筮.)"라고 하였고, 이광지는『注解正蒙』에서 "'衍忒未分'은 미연에 그 잘못을 추측한다는 것이다. '悔吝'은 그것을 방비하면 길흉의 큰 것을 알 수 있다는 것과 같다.('衍忒未分', 言推衍其差忒於未然也. '悔吝', 猶防之則吉凶之大者可知.)"라고 하였다. 또 고반룡은 "'衍'은 지나침이고, '忒'은 어긋남이니, 悔·吝이 (이것으로) 말미암아서 일어나게 되는 것이니, 이미 나누어지게 되면 이르지 않게 된다. 주자는 말했다. '衍은 아마도 지나치게 많이 남는다는 뜻일 것이다. 忒은 어긋나고 잘못된 것이다.'(衍, 過也; 忒, 差也, 卽'悔吝'之所由來也, 已分則無及矣. '衍', 疑是過多剩底意思; '忒', 是差錯了.)"(『朱子語類』권79, 105조목)라고 하였고, 왕식은『正蒙初義』에서 "주자 역시 다음과 같은 하나의 설을 가지고 있다. … 약간 장재의 뜻과 같다. 그러나 경문·뜻·어법상에 모두 온당하지 않다. 채침의『集傳』이 옳다.(朱子亦有一說云: … 微與張子意同. 然於經文·意理·句法, 皆有未安. 蔡『傳』爲是.)"라고 하였다.

545 예에 천자가 … 못한다 :『禮記』「喪服小記」「大傳」에는 '禮, 不王不禘, 王者禘其祖之所自出, 以其祖配之.'라고 하였다. '禘' 제사는 하늘에 대한 제사, 종묘대제, 종묘의 시제 등 제왕이 거행하는 큰 제사大祭를 말한다. 구체적인 내용에 대해서는 예로부터 이설이 분분하다.『論語』「팔일」에는 "공자가 말했다. '禘 제사에 강신주

것이 체 제사를 지내지 않는 것이 분명함을 알 수 있다. 주나라에 이르러 사祠 제사를 봄에 지내고 약禴 제사를 여름에 지냈다. 종묘에 한 해에 여섯 번 제사를 지내니, 이향二享과 사제四祭로 여섯 번이 되는 것이다. 제후는 체禘 제사를 지내지 못하니, 아마 사향四享이 될 것이다! 하나라와 상나라의 제후는 여름에 한 번 협祫 제사만 지냈다. (『예기』)「왕제」에 "약禴 제사를 지내면 체 제사를 지내지 않고, 체 제사를 지내면 상嘗 제사를 지내지 않는다"[546]고 한 것은 그 이름을 빌려서 시제[時祀]의 수를 나타냈을 뿐이다. 『예기』를 쓴 자가 글이 뜻을 해치는 허물을 알지 못한 것이다.[547]

· · · · · · · · · · · · · · · · · · · ·

를 따른 뒤로부터는 내가 보고 싶지 않다(子曰 : 禘自既灌而往者, 吾不欲觀之矣.)"라고 하였고, 주자는 『集注』에서 "조백순이 말하였다. '禘 제사는 왕의 큰제사이다. 왕은 이미 시조의 사당을 세우고 나서, 또 시조가 유래해 나온 임금을 추존하여, 시조의 사당에 제사하고, 시조로써 配享한다. ⋯ 魯나라의 체 제사는 禮가 아니었기 때문에 공자가 본래 보고 싶어 하지 않았는데, 이 때에 이르러서는 예를 그르친 가운데 또 예를 그르쳤다. 그러므로 이러한 탄식을 낸 것이다. 謝氏(사량좌)가 말하였다. "공자는 일찍이 다음과 같이 말했다. '⋯ 魯나라의 郊祭와 禘祭는 禮가 아니니, 주공의 예법도 쇠퇴하였다.'(趙伯循曰 : '禘, 王者之大祭也. 王者既立始祖之廟, 又推祖所自出之帝, 祀之於始祖之廟, 而以始祖配之也.' ⋯ 蓋魯祭非禮, 孔子本不欲觀, 至此而失禮之中, 又失禮焉. 故發此歎也. 謝氏曰 : '夫子嘗曰 :「⋯ 魯之郊禘, 非禮也, 周公其衰矣.」')"라고 하였다.

546 주나라에 이르러 ⋯ 않는다 : 『禮記』「王制」에 "천자와 제후의 종묘의 제사는 봄의 제사는 '약'이라고 하고, 여름의 제사는 '체'라고 하며, 가을의 제사는 '상'이라고 하고, 겨울의 제사는 '증'이라고 한다. ⋯ 천자는 약제를 특제로 하고, 체는 협제로 하며, 상제도 협제로 하며, 증제도 협제로 한다.(天子諸侯宗廟之祭, 春曰祠, 夏曰禘, 秋曰嘗, 冬曰烝. ⋯ 天子犆礿, 祫禘, 祫嘗, 祫烝.)"라고 하였고, 정현은 『예기주소』에서 "'犆'은 하나와 같다. '祫'은 합하는 것이다. 천자와 제후의 상이 끝나면, 선군의 신주를 조묘에 합해서 제사지내니, 이것을 '祫'이라고 한다.('犆', 猶一也. '祫', 合也. 天子諸侯之喪畢, 合先君之主於祖廟而祭之, 謂之'祫'.)"라고 하였다. 祫 제사는 천자와 제후가 종묘에서 제사지낼 때, 조상들의 신주를 모아 태조의 묘에 합하여 제사하는 것을 말한다. 삼년상이 끝났을 때 한 차례 거행하고 그 다음해 체 제사 후에 또 한 차례 거행하고, 이후에는 매 5년마다 거행한다.

547 예에 천자가 ⋯ 것이다 : 이광지는 『注解正蒙』에서 "장재의 이 조목은 모두 옛 설을 따른 것으로, '제후가 하나의 제사를 빼는 것'을 '체 제사를 지내지 않는 것'이라고 여겼다. 하나라와 상나라 때의 시제는 봄에는 약, 여름에는 체, 가을에는 상, 겨울에는 증이었고, 아울러서 협을 했으니 5향이다. 주나라 사람들은 체를 대제로 바꾸었으니, 봄에는 사, 여름에는 약, 가을에는 상, 겨울에는 증이었고 아울러서 협과 체를 했으니 6향이다. 하나라와 상나라의 제후는 시제의 체를 폐하였으니, 다만 4제이다. 주나라의 제후는 대제의 체를 폐하였고 또 시제의 하나를 뺐으니, 또한 다만 4제이다.「王制」에서 '諸侯礿·特·禘, 一犆, 一祫'은 의미상 마땅히 '一犆, 一祫'을 한 구로 보아야 한다. 그런데 『注疏』에서는 '禘一'로 구두했고 그 다음에는 '特一祫'이라고 말했으니, 이는 제후가 여름에 한 번의 체를 제사지낼 때, 그 제사는 다만 하나의 협의 예로 행하는 것을 폐할 뿐이라는 말이다. 장재는 이것에 근거하여 제후가 체 제사를 지내지 않는다는 증거로 삼았다. 그러나 (『禮記』)「王制」 앞 문장에 또 '諸侯礿則不禘, 禘則不嘗, 嘗則不烝, 烝則不礿'라고 말했으니, (이는 『禮記』의 작자가) 제후 또한 체 제사를 지냈다는 것에 대해 의심한 것이다. 그러므로 또 이 『禮記』를 쓴 사람이 이 말을 빌려서 시제의 숫자를 나타내려고 한 것이지만, 제후는 마땅히 하나를 뺌으로써 주나라의 제도를 따라야 할 뿐이니, '글이 뜻을 해치게 됨'을 알지 못한 것이라고 여겼다.(張子此條皆仍注疏舊說, 而以 '諸侯闕一祭'爲'不禘'也. 夏商時祭, 春礿夏禘秋嘗冬烝, 并祫爲五享. 周人改禘爲大祭, 則春祠夏礿秋嘗冬烝, 并禘祫爲六享矣. 夏商諸侯廢時祭之禘, 只四祭. 周之諸侯廢大祭之禘, 又闕時祭之一, 亦只四祭也.「王制」云

禘於夏周爲春夏. 嘗於夏商爲秋冬. 作『記』者交擧, 以二氣對互而言爾.

체 제사는 하나라와 주나라 때에는 봄, 여름에 지냈다. 상 제사는 하나라와 상나라 때에는 가을, 겨울에 지냈다.[548] 『예기』를 지은 자가 (체 제사와 상 제사를) 교대로 거론한 것은 (음양) 두 기氣를 서로 상대하여 바꾸어 말한 것일 뿐이다.[549]

[6-16-3]

‘享嘗’云者, ‘享’爲追享朝享, 禘亦其一爾. 嘗以配享, 亦對擧秋冬而言也. 夏商以禘爲時祭, 知追享之必在夏也. 然則夏商天子歲乃五享, 禘列四祭, 并祫而五也. 周改禘爲禴, 則天子享六, 諸侯不禘, 又歲闕一祭, 則亦四而已矣. 「王制」所謂“天子犆礿, 祫禘, 祫嘗, 祫烝”, 旣以禘爲時祭, 則祫可同時而擧.礿以物薄而犆. 嘗從舊 “諸侯礿犆如天子禘一犆一祫”, 言於夏禘之時, 正爲一祭, 特一祫而已. 然則“不王不禘”, 又著見於此矣. 下又云“嘗祫, 烝祫”, 則嘗烝且祫無疑矣. 若周制亦當闕一時之祭, 則當云諸侯祠則不禴, 禴則不嘗.

(『예기』에서) ‘향상享嘗’[550]이라고 할 때의 ‘향享’은 추향追享이나 조향朝享[551]이니, 체 제사도 또한 그

: ‘諸侯礿·特·禘, 一犆, 一祫’, 義應以‘一特, 一祫’爲句. 而注疏以‘禘一’爲讀, 其下云‘特一祫’, 言諸侯於夏祭 一禘之時, 則廢其祭特行一祫之禮而已. 張子據此以爲諸侯不禘之證. 然「王制」前文又云: ‘諸侯礿則不禘, 禘 則不嘗, 嘗則不烝, 烝則不礿’, 則疑於諸侯亦禘者. 故又以爲是作『記』者欲假此以見時祀之數, 而諸侯當闕其一 以通於周制耳, 乃不自知其‘文之害意’也.)라고 하였다.

548 체 제사는 … 지냈다: 『禮記』「王制」의 원문은 위 문장 [6-16-1]의 주석을 참조. 『禮記』「祭統」에도 “제사는 사 계절마다 있다. 봄의 제사를 ‘약’이라고 하고 여름의 제사는 ‘체’라고 하며, 가을의 제사는 ‘상’이라고 하고, 겨울의 제사는 ‘증’이라고 한다. ‘약’과 ‘체’는 양의 뜻이다. ‘상’과 ‘증’은 음의 뜻이다. ‘체’는 양이 왕성한 것이다. ‘상’은 음이 왕성한 것이다.(凡祭有四時. 春祭曰礿, 夏祭曰禘, 秋祭曰嘗, 冬祭曰烝. 礿禘, 陽義也. 嘗烝, 陰義也. 禘者, 陽之盛也. 嘗者, 陰之盛也.)라고 하였다. 한편 『禮記』「郊特牲」에 “그러므로 봄에는 체 제사를 지내고 가을에는 상 제사를 지낸다.(故春禘而秋嘗.)”라고 하였고 「祭義」에도 “봄에는 체 제사를 지내고 가을에는 상 제사를 지낸다.(春禘, 秋嘗.)”라고 하였다.

549 『禮記』를 … 뿐이다: 이광지는 『注解正蒙』에서 “「王制」에서 체는 여름의 제사라고 했는데, 「祭義」과 「郊特牲」에서는 또 ‘봄에 체 제사를 지낸다’는 글이 있다. … ‘교대로 거론함交擧’은 매번 체와 상을 대구로 거론한 것이다.(「王制」禘爲夏祭, 而「祭儀」「郊特牲」又有‘春禘’之文. … 交擧者, 每對擧禘嘗也.)라고 하였고, 오눌은 『正蒙補注』에서 “옛날의 군자는 교사를 말할 때는 체 제사와 상 제사를 대구로 했으니, 또한 그 왕성한 것을 거론한 것일 뿐이다.(古之君子其言郊社, 則以禘嘗對之, 亦擧其盛者耳.)”라고 하였다.

550 享嘗: 『禮記』「祭法」에 “원묘를 조묘라고 하는데, 두 조묘가 있으며, 享嘗(사시의 제사)을 지내야만 그만둔다.(遠廟爲祧, 有二祧, 享嘗乃止.)”라고 하였고, 공영달은 『疏』에서 “‘원묘를 조묘라고 함’에서 ‘원묘’란 문왕과 무왕의 사당을 말한다. 문왕과 무왕은 마땅히 옮겨야 하는 예에 나란히 있으므로 ‘원묘’라고 한 것이다. 특별히 공덕 때문에 (신주가) 머무르게 되는 것을 ‘조묘가 된다’라고 한다. ‘祧’라는 말은 초월한다는 것이니 초연하게 위로 간다는 것을 말한 것이다. ‘두 조묘가 있음’은 문왕과 무왕의 두 사당은 옮기지 않고 영원히 모시므로[不遷] ‘두 조묘가 있다’고 말한 것이다. ‘향상을 지내야만 그만둔다’에서 ‘享嘗’은 사시의 제사이다. 문왕과 무왕은 특별히 머물러 두므로 月祭를 지낼 수 없고 다만 사시 제사를 올릴 뿐이다.(‘遠廟爲祧’者,

하나일 뿐이다. 상嘗을 향享에 짝지은 것은 또한 가을과 겨울을 상대하여 들어 말한 것일 뿐이다. 하나라와 상나라는 체를 시제로 삼았으니, 추향追享이 반드시 여름에 있어야 함을 알 수 있다.[552] 그렇다면 하나라와 상나라 때 천자는 해마다 오향五享을 행하였으니, 체는 사제四祭(사시에 행하던 종묘의 제사)에 배열되고 협袷을 합하여 다섯이 된 것이다. 주나라 때에는 체를 약禴으로 고쳤으니 천자는 여섯 번 향享하고, 제후는 체를 지내지 않고 또 한 해에 한 번의 제사를 뺐으니 또한 네 번일 뿐이다. 『예기』「왕제」에 이른바 "천자는 약제를 특제로 하고, 체는 협제로 하며, 상제도 협제로 하며, 증제도 협제로 한다."[553]는

. . . .

'遠廟', 謂文武廟也. 文武並在應遷之例, 故云'遠廟'也. 特爲功德而留故謂'爲祧'. '祧'之言超也, 言其超然上去也. '有二祧'者, 有文武二廟不遷, 故云'有二祧'焉. '享嘗乃止'者, '享嘗', 四時祭祀. 文武特留, 故不得月祭, 但四時祭而已.)"라고 하였다.

551　追享이나 朝享: 追享은 追饗이라고도 하고 朝享은 朝饗이라고도 한다. 『周禮』「春官·司尊彝」에 "사시의 간새(사시의 正祭 사이의 제사)는 追享과 朝享이다.(凡四時之間祀, 追享朝享)"라고 하였다. 정현은 『주례주소』에서 "'추향은 遷廟하는 신주를 거슬러 올라가 제사지내는 것이니, 기도할 바를 가지고 섬기는 것이다. '조향은 사당에서 조회하여 政令을 받는 것을 말한다.(追享, 謂追祭遷廟之主, 以事有所請禱. 朝享, 謂朝受政於廟.)"라고 하였고, 賈公彦은 이에 대해 『疏』에서 "'조향은 사당에서 조회하여 정령을 받는 것'이란, 천자가 明堂에 매월 초하루 곡삭제를 하는 것이니, 이 때문에 조향인 것이다. '조향'은 祭法에서 월제라고 하였다.(朝享謂朝受政於廟'者, 謂天子告朔於明堂, 因即朝享. '朝享', 即祭法謂之月祭.)"라고 하였다. 王應麟은 『옥해』에서 "정사농(鄭衆, ?~83, 후한의 경학자)이 말했다. '추향과 조향은 禘와 祫을 말한다. 사시의 사이에 있으므로 간사라고 한다.(鄭司農云: '追享朝享, 謂禘祫也. 在四時之間, 故曰間祀.')"라고 하였다.

552　享嘗이라고 할 … 있다: 염근조는 『正蒙補訓』에서 "(『禮記』)「祭法」에 '향상을 지내야만 그만 둔다'라고 할 때 '상'은 가을 제사로 시제의 하나이니, 한 가지를 들어 세 가지의 예로 삼은 것이다. '향'은 아마도 허자인 듯하니, 다만 시제를 드린다는 말일 뿐이다. 장재는 '향'을 체 제사로 여기고 '상'을 거기에 짝 지웠다. … 장재의 뜻에 의하면, 『禮記』에서 이른바 '향상'이라고 할 때의 '향'은 追享이나 朝享의 향이고 체 제사도 또한 '향'의 하나일 뿐이다. '상'을 '향'에 짝 지운 것은 또한 가을과 겨울을 상대하여 들어 말한 것일 뿐이다. 하나라와 상나라는 체 제사를 시제로 삼았으니, 추향이 반드시 여름에 있어야 함을 알 수 있고, 그러므로 '상'을 짝 지워서 말했으니, 가을·겨울에 상대하여 여름을 거론하여 짝지은 것이다.(「祭法」'享嘗乃止', '嘗'者秋祭, 乃時祭之一, 擧一以例三也. '享', 似是虛字, 言但享時祭耳. 張子以享爲禘, 而以嘗配之. … 據張子之意, 蓋謂『禮』所謂'享嘗'云者, '享'爲追享朝享之享, 禘亦'享'之一耳. '嘗'以配'享', 亦是對擧秋冬而言. 夏商以禘爲時祭, 知追'享'之必在夏, 故以'嘗'配言, 對擧秋冬以配夏也.)"라고 하였다. 고반룡은 "'상'은 가을 제사이고, '향'은 마땅히 여름에 있어야 하므로, '상'을 '향'에 짝 지운 것은 또한 봄·여름을 가을·겨울에 상대하여 들어 말한 것이다.(嘗'乃秋祭, '享'當在夏, 故'嘗'以配'享', 亦春夏對擧秋冬而言.)"라고 하였다.

553　"천자는 약제를 … 한다: 『禮記』「王制」. [6-16-1]의 각주 참조. 특제는 따로 단독으로 제사지내는 것이고, 협제는 合祀하는 것이다. 진호는 『集說』에서 石梁王氏(이름이 비批라는 것 외에는 알려진 바가 없다. 조선시대에도 李滉이 奇大升에게 이 사람이 누구인지 질문하였으나 기대승 역시 '모른다未聞'고 답한 기록이 『고봉집』에 보인다.)의 설을 인용하여 다음과 같이 설명하였다. "석량왕씨가 말했다. '약제를 특제로 한다는 것은 봄에는 만물이 아직 온전히 생성되지 못했으므로, 다만 한 번 시제로 할 뿐인 것이니, 이 때에는 협제로 하지 않는다. 여름에는 만물이 조금 완성되었으므로 이 때에는 협제로 할 수 있다. 가을에는 만물이 크게 완성되고, 겨울에는 만물이 다 완성되었으니, 모두 협제로 할 수 있다. 그러므로 체는 협제로 하며, 상제도 협제로 하며, 증제도 협제로 하지만 약제는 특제로 한다고 한 것이다.(石梁王氏曰: '特禴者, 春物全未成, 止一時祭而已, 於此時不祫也. 夏物稍成, 可於此時而祫. 秋物大成, 冬物畢成, 皆可祫. 故曰祫禘祫嘗祫烝而禴

것은 이미 체를 시제로 했으니 협은 동시에 거행할 수 있는 것이다.[554] 약제는 만물이 척박하기 때문에 특제로 하는 것이다. 상제는 옛날을 따른다. "제후는 약제를 특제로 거행하며 천자와 같다. 체제는 한 해는 특제禘祭로 한 해는 협제로 한다"[555]고 한 것은, 여름에 체제 때에 바로 한 번의 제사를 지내는 것은 다만 한 번의 협제일 뿐이라는 것을 말한 것이다. 그렇다면 "천자가 아니면 체 제사를 지내지 못한다"는 것이 여기에서도 분명하게 드러나는 것이다. 아래에 또 "상제와 증제는 모두 협제로 거행한다."고 했으니, 상제와 증제를 또 협제로 한다는 것은 의심할 바가 없다. 주나라의 제도의 경우에 또한 마땅히 한 때의 제사를 빼야하니, 제후가 사제를 지내면 약제는 지내지 않고 약제를 지내면 상제는 지내지 않는다고 말해야 마땅하다.[556]

[6-16-3-1]

黃瑞節曰: 禘祫之說不一. 『禮記』方鄭二家皆非是. 往往因「王制」所說四時祭名有所謂禘, 遂例以大禘釋之. 張子云: '假其名以見時祀之數', 此語最明. 今考以禘爲四時之祭之一, 惟「王制」有此. 蓋禘, 天子大祭也. 祭始祖自出之帝於始祖之廟, 而以始祖配之, 只祭此二位,

. . . .

則特也.')"

554 이미 체를 … 것이다: 염근조는 『正蒙補訓』에서 "장재는 체 제사를 시제로 했으니 협은 동시에 거행할 수 있는 것이고, 체와 협을 나누어서 두 가지로 여긴다면 '협체'가 곧 체의 예법에 협제를 사용하는 것임을 모르는 것이라고 한 것이다. 이 때 협제는 3년마다 지내는 큰 협제가 아니며, 이 때 체제도 5년마다 지내는 큰 체제가 아니다.(張子謂禘爲時祭, 則祫可同時而擧, 分禘祫爲二, 而不知'祫禘'即於禘禮用祫也. 是時祫非三年大祫, 是時禘亦非五年大禘.)"라고 했다. 禘祫에 대해서는 실제로 이설이 많다. 각 경전과 그 해설에 따라 禘와 祫을 분리하여 각각 다른 의미로 보는 견해(『續漢書』)도 있고, 합하여 같은 의미로 보는 견해(『國語』, 『新唐書』)도 있다.

555 제후는 약제를 … 한다: 『禮記』「王制」에 "제후는 약제를 지내면 체제는 거행하지 않고, 체제를 지내면 상제는 거행하지 않고, 상제를 지내면 증제는 거행하지 않고, 증제를 지내면 약제는 거행하지 않는다. 제후는 약제를 특제로 거행하며, 체제는 한해는 특제로 한해는 협제로 하고, 상제와 증제는 모두 협제로 거행한다.(諸侯礿則不禘, 禘則不嘗, 嘗則不烝, 烝則不礿. 諸侯礿犆, 禘一犆一祫, 嘗祫烝祫.)"라고 하였고, 진호는 『集說』에서 "제후는 천자보다 한 등급 낮은 까닭에 '체제는 한해는 특제로 한해는 협제로 할' 뿐이다. 말하자면 여름에 제사지내는 체 제사는 금년에 특제로 했으면 내년에 협제로 하는 것이고, 협제로 한 다음 해에는 또 특제로 하는 것이니, 천자가 매 해 삼시에 모두 특제로 하는 것과는 다르다.(諸侯所以降於天子者, '禘一犆一祫'而已. 言夏祭之禘, 今歲犆, 則來歲祫, 祫之明年又犆, 不如天子每歲三時皆犆也.)"라고 하였다. 그러나 장재는 이러한 전통적인 해석과 견해를 달리하고 있다. 고반룡은 『正蒙釋』에서 "본래 금년에 특제로 했으면 내년에 협제로 하고, 협제로 한 다음 해에 또 특제로 하는 것을 말한 것이다. 그러나 장재는 '천자가 아니면 체 제사를 지내지 못한다'는 구절을 주로 하여 말했으니, 그러므로 '한 번의 제사는 다만 한 번의 협제일 뿐이다'(本謂今歲犆, 則來歲祫, 祫之明年又犆. 張子主'不王不禘'而言, 故謂'一祭, 特一祫而已.')"라고 하였다.

556 주나라의 제도 … 마땅하다: 염근조는 『正蒙補訓』에서 "마지막에 '주나라 제도에 한 때의 제사를 뺌'은 마땅히 '사제를 지내면 약제를 지내지 않고 약제를 지내면 상제를 지내지 않는다'고 말해야 하지, (『禮記』「王制」의 글처럼) '약제를 지내면 체제는 지내지 않고, 체제를 지내면 상제는 지내지 않는다.'고 말해서는 안 된다는 것이다.(末云'周制缺一時之祭', 當云'祠則不禴, 禴則不嘗', 不當云'礿則不禘, 禘則不嘗'也.)"라고 하였다.

其禮極嚴. 祫有二. 有時祫, 有大祫. 時祫者, 祭始祖與親廟, 而不及祧廟也. 大祫者, 三年
而祫, 則合已毀未毀之廟, 而祭于始祖之廟也. 毀廟, 即祧廟也. 方氏分祧毀爲二, 非也. 「
王制」所謂'祫禘', 與大禘之'禘'不同. 張子所云: '假禘之名以見數', 是已. '天子犆礿'者, 春
祭時物不備, 故每廟特祭, 不遷主於祖廟也. '禘祫, 祫嘗, 祫烝'者, 夏秋冬三時之祭, 禮物
可備, 故皆合羣主於祖廟也, 天子之禮也. 諸侯下天子一等, 故春之礿犆, 秋之嘗祫, 冬之烝
祫, 皆與天子同, 惟夏之禘, 則或一犆焉, 或一祫焉也. 張子云: '不王不禘', 又著見於此,
此釋王制說也. ○'犆', 音特. '礿', 禴通.

황서절이 말했다. "체협禘祫에 관한 설은 한 가지가 아니다. 『예기』의 방씨方氏(방각方慤 자는 성부性夫,
송대 동려桐廬사람)와 정씨[鄭玄] 두 학자의 설이 모두 옳지 않다. 이따금 「왕제」에서 말한 사시의 제사의
명칭 가운데 이른바 체禘라는 것을 마침내 대체大禘(천자가 하늘에 지내는 큰 제사)를 예로 들어 해석했다.
장재는 '그 이름을 빌려서 시제[時祀]의 수를 드러낸 것'이라고 했는데, 이 말이 가장 명확하다. 지금
고찰해 보면, 체禘를 사시의 제사 중 하나로 삼는 것은 오직 「왕제」에만 이러한 예가 있다. 체禘는
천자의 큰 제사이다. 시조의 사당에서 시조가 유래해 나온 제帝를 제사지내면서, 시조를 배향하는데,
다만 이 두 분만 제사지내니 그 예가 지극히 엄숙하다. 협祫에는 두 가지가 있다. 시협時祫이 있고
대협大祫이 있다. 시협時祫은 시조와 친묘親廟(제사 대수代數에 의한 조상의 신위를 모신 사당)를 제사지내며,
조묘祧廟(역대 선왕들의 신위를 모신 사당)에는 미치지 않는 것이다. 대협大祫은 3년상이 끝나고 협제를
하니, 이미 훼철하거나 아직 훼철하지 않은 사당을 합하여, 시조의 사당에서 제사지내는 것이다.
훼묘毀廟는 곧 조묘祧廟이다. 방씨는 조묘와 훼묘를 둘로 구분했으나, 잘못이다. 「왕제」에 이른바
'협체祫禘'는 대체의 '체禘'와는 다르다. 장재가 말한 바 '체의 이름을 빌려서 수를 드러냄'이 이것일
뿐이다. '천자는 약제를 특제로 한다'는 것은 봄 제사는 그 때에 나오는 물건이 다 갖추어지지 않으므
로, 매 사당에서 따로 단독으로 제사지내는 것이고 조묘로 신주를 옮기지 않는 것이다. '체는 협제로
하며, 상제도 협제로 하며, 증제도 협제로 한다'는 것은 여름과 가을과 겨울 삼시의 제사는 예물이
다 갖추어질 수 있으므로, 모두 조묘에서 여러 신주를 합하는 것이니, 천자의 예이다. 제후는 천자보
다 한 등급 아래이므로 봄의 약제는 특제로 하고, 가을의 상제는 협제로 하며, 겨울의 증제는 협제로
하니, 모두 천자와 같지만, 오직 여름의 체만은 혹은 한 번 특제로 하거나 혹은 한 번 협제로 하는
것이다. 장재는 '천자가 아니면 체 제사를 지내지 못한다'고 한 것이 또 여기에서 드러난다고 했으니,
이는 「왕제」의 설을 풀이한 것이다." ○'특犆'은 음이 특特이다. '약礿'은 약禴과 통한다.

[6-16-4]

"庶子不祭祖,不止言王考而已 明其宗也".明宗子當祭也 不祭禰,以父爲親之極甚者, 故又發此文 明其
宗也. 庶子不爲長子斬, 不繼祖與禰故也此以服言, 不以祭言, 故又發此條

"서자庶子가 (제주로서) 할아버지를 제사지내지 않는 것은 왕고王考(할아버지를 말할 뿐만이 아니다. 그
종宗[宗子]을 밝히는 것이다."[557] 종자宗子(적장재가 마땅히 제사를 주관해야 한다는 것을 밝힌 것이다. "(제주
로서) 아버지를 제사지내지 않는 것은 아버지를 친속親屬의 가장 가까운 이로 삼으므로, 또 이 글을 밝힌 것

이다. 그 종을 밝히는 것이다."[558] "서자가 장자를 위해 참최斬衰[559]를 입지 않는 것은 할아버지와 아버지를 계승하지 못하기 때문이다."[560] 이는 상복喪服을 가지고 말한 것이지 제사를 가지고 말한 것이 아니므로 또 이 조목을 밝힌 것이다.

[6-16-5]

"庶子不祭殤與無後者", 註: "不祭殤者, 父之庶". 蓋以殤未足語世數, 特以己不祭禰, 故不祭之. "不祭無後者, 祖之庶也", 雖無後, 以其成人備世數, 當祔祖以祭之. 己不祭祖, 故不得而祭之也. "祖庶之殤, 則自祭之"也, 言庶孫則得祭其子之殤者, 以己爲其祖矣, 無所祔之也. "凡所祭殤者唯適子", 此據『禮』天子下祭殤五, 皆適子適孫之類. 故知凡殤非適, 皆不當特祭. 惟當從祖祔食. "無後者, 謂昆弟諸父." 殤與無後者, 如祖廟在小宗之家, 祭之如在大宗見「曾子問」註

557 서자가 할아버지를 … 것이다 : 『禮記』「喪服小記」에 "庶子가 (제주로서) 할아버지를 제사지내지 않는 것은 그 宗을 밝히는 것이다. 서자가 장자를 위해 참최를 입지 않는 것은 할아버지와 아버지를 계승하지 못하기 때문이다. … 서자가 아버지를 제사지내지 않는 것은 그 종을 밝히는 것이다.(庶子不祭祖者, 明其宗也. 庶子不爲長子斬, 不繼祖與禰故也. … 庶子不祭禰者, 明其宗也.)"라고 하였다. 웅강대는 『性理羣書句解』에서 "장남 이외의 아들들이 그 조상에게 제사지내지 않는다는 것은, 제사를 지내지 않는다는 의미가 아니라, 제사를 주관하지 않는다는 말이다. 宗은 長子이다. 장자가 마땅히 제사를 주관해야 한다는 것을 밝힌 것이다.(衆子不祭其祖, 非不祭也, 言不主祭也. 宗, 長子也. 明宗子當祭也.)" 진호는 『集說』에서 "이는 (『禮記』「祭法」에) 適士(上士, 下大夫의 다음 지위로, 일반적으로 大宗에서 대를 잇는 자식이 맡았다.)는 2묘를 세워서 아버지와 할아버지를 제사지낸다는 것에 근거한 것이다. 지금 형과 아우 두 사람이 있는데 한 사람은 적자이고 한 사람은 서자로서, 둘 다 適士가 되었다면, 적자이면서 적사가 된 사람이 진실로 할아버지와 아버지를 제사지내야 한다. 서자는 비록 적사라 하더라도 다만 아버지의 묘를 세울 수 있을 뿐이지 할아버지의 묘를 세워 할아버지에게 제사지낼 수 없으니, (이는) 그 宗이 있는 바가 있음을 밝힌 것이다. 嚴陵方氏(方慤)가 말했다. '(『禮記』「祭法」에)「적사는 2묘」이니, 할아버지의 사당이 있다. (『禮記』「祭法」에)「官師[일반 하급 관리는 1묘」이니, 아버지의 사당이 있을 뿐이다. 여기에서 서자가 할아버지를 제사지내지 않는다는 말은 적사의 집안을 말한 것이다. 아래에서 서자가 아버지를 제사지내지 않는다는 말은 官師의 집안을 말한 것이다.'(此據適士立二廟祭禰及祖. 今兄弟二人, 一適一庶, 而俱爲適士, 其適子之爲適士者, 固祭祖及禰矣. 其庶子雖適士, 止得立禰廟, 不得立祖廟而祭祖者, 明其宗有所在也. 嚴陵方氏曰: 「適士二廟」, 則有祖廟矣. 「官師一廟」, 則有禰廟而已. 此言庶子不祭祖者, 言適士家也. 下言庶子不祭禰者, 言官師之家也.')"라고 하였다.
558 (제주로서) 아버지를 … 것이다 : 『禮記』「喪服小記」
559 斬衰 : 장당과 주방은 『正蒙註』에서 "참은 참최 3년을 말한다.('斬', 謂斬衰三年.)"라고 하였다. 참최는 상례의 五服制度에 따른 상복으로, 거친 베로 만드는데 아랫단을 꿰매지 않은 상복이다. 상복 가운데 가장 중하게 여기며, 상복도 가장 긴 3년간 입는다. 이에 해당하는 친족을 斬衰親이라고 하는데 대표적으로 아버지의 喪이나, 承重한 孫子가 할아버지의 喪에 입는다.
560 서자가 장자를 … 때문이다 : 『禮記』「喪服小記」 진호는 『集說』에서 "자신이 할아버지의 宗을 잇지 못했고, 또 아버지의 宗을 잇지 못했으니, 長子가 나의 정통이 아니기 때문이다.(以己非繼祖之宗又非繼禰之宗, 則長子非正統故也.)"라고 하였다.

"서자庶子는 어려서 요절한 자[殤]와 후손 없이 죽은 자[無後者]를 제사지내지 않는다."561라고 하였고 (정현의) 주에 "어려서 요절한 자를 제사지내지 못하는 것은 아버지의 서자인 경우이다"562라고 했다. 요절한 경우에는 세수世數를 말하기에 부족하고, 다만 자신이 (제주로서) 아버지를 제사지낼 수 없기 때문에 그를 제사지내지 않는 것이다.563 (정현의 주에)"후손 없이 죽은 자를 제사지내지 못하는 것은 할아버지의 서자인 경우이다"564라고 했으니, 비록 죽어서 후손이 없다 하더라도 그가 성인으로 세수를 갖추었으므로, 마땅히 할아버지의 사당에 합사하여 제사를 지낸다. (그러나 서자) 자신이 (제주로서) 할아버지를 제사지낼 수 없으므로 그를 제사지낼 수 없다는 것이다.565 "할아버지의 서자의 요절한 자는 스스로 제사지낸다"566라고 한 것은, 서손庶孫일 경우, 그 자식의 요절한 자를 제사지낼 수 있는 자가 자신을 할아버지로 삼기 때문에 그를 합사合祀할 곳이 없다는 말이다.567 "요절한 자를 제사지내는

561 庶子는 어려서 … 않는다 : 『禮記』「喪服小記」 공영달은 『疏』에서 "'서자'는 아버지의 서자 및 할아버지의 서자를 말한다. '殤'은 성인이 되지 못하고 죽은 자이다. '無後'는 성인으로 결혼하지 못하고 죽거나 이미 결혼했지만 자식이 없이 죽은 자이다.('庶子'者, 謂父庶及祖庶也. '殤'者, 未成人而死者也. '無後', 謂成人未婚, 或已娶無子而死者.)"라고 하였다.

562 어려서 요절한 … 경우이다 : 『禮記』「喪服小記」에 대한 鄭玄의 『注』

563 요절한 경우에는 … 것이다 : 世數는 조상으로부터 자손으로 이어져 내려오는 代의 수를 말한다. 고반룡은 『正蒙釋』에서 "世數는 친족 간에 복을 입는 5대의 수이다.(世數, 親服五世之數)"라고 하였다. 웅강대는 『性理羣書句解』에서 "요절하여 죽은 자는 대대로 전해오는 수를 이야기하기에 부족하다. 자기가 적장자가 아니면 (제주로서) 아버지를 제사지낼 수 없으므로 마땅히 그를 제사지내지 않아야 한다.(蓋以殤死者, 未足與語傳世之數. 己非宗子, 尙不得祭禰, 故不應祭之.)"라고 하였다. 또 왕식은 『正蒙初義』에서 "요절한 자는 이어져 내려오는 세대의 수가 멀리 떨어져 있는 것은 아니지만 제사를 지낼 수 없으니, (이는) 다만 자기가 (제주로서) 아버지를 제사지낼 수 없기 때문에 제사지내지 않는 것이다.(言殤非隔於世數之遠, 而不得祭, 特以己不祭禰而不祭也.)"라고 하였다.

564 후손 없이 … 경우이다 : 『禮記』「喪服小記」에 대한 鄭玄의 『注』

565 비록 죽어서 … 것이다 : 『禮記』「喪服小記」에 "요절한 자와 죽어 후손이 없는 자는 할아버지의 사당을 따라 합하여 제사지낸다.(殤與無後者, 從祖祔食.)"라고 하였고, 공영달은 『疏』에서 "이 두 경우는 마땅히 죽은 자의 할아버지 사당을 따라 합사해야 한다.(此二者, 當從死者之祖而祔食.)"라고 하였다. 웅강대는 『性理羣書句解』에서 "비록 자식이 없더라도, 그가 이미 관례를 한 성인이고, 대대로 전해오는 수가 이미 갖추어졌으니, 마땅히 할아버지의 사당에 合祀하여 그 제사를 지내주어야 하지만, 또한 그 제사를 거론할 수는 없는 것이다.(雖是無子, 以其既冠成人, 已備傳世之數, 當祔之祖以致其祭, 亦不得擧其祭也.)"라고 하였다.

566 할아버지의 서자의 … 제사지낸다 : 『禮記』「喪服小記」에 대한 鄭玄의 『注』이다. 왕부지는 『莊子』「正蒙註」에서 "자신은 할아버지의 서자이고, 아버지에게는 적자이니, 자기의 요절한 적자를 제사지낼 수 있다.(己爲祖庶, 於禰爲適, 則可祭己之適殤.)"라고 하였다. 공영달은 『疏』에서 "자신은 할아버지에게 서자이므로, 자신의 자식은 '할아버지의 서자의 요절한 자殤'가 된다. 자신은 아버지의 적자여서 아버지의 사당에 설 수 있으므로, 자식으로 요절한 자殤를 아버지의 사당에서 스스로 제사지낸다.(己於祖爲庶, 故謂己子爲'祖庶之殤', 已是父適, 得立父廟, 故自祭子殤在於父廟也.)"라고 하였다.

567 庶孫일 경우 … 말이다 : 왕부지는 『莊子』「正蒙註」에서 "서자를 말한 것이니, 할아버지의 서자이다. 자신의 요절한 자殤는, 자신의 嫡長으로 요절한 자殤이니, 자신이 그의 할아버지가 되어 자신이 아버지를 제사지낼 수 있으니, 아버지는 요절한 자殤의 할아버지이다. 合祀할 곳이 없으면 그를 자신의 종묘에 합사해서는

것은 오직 적자일 경우에만 한해서이다"568라고 했는데, 이는 『예』에 천자가 요절한 자를 아래로 제사 지내는 경우는 다섯 가지이니 모두 적자와 적손의 부류라는 서술569에 근거한 것이다. 그러므로 요절한 자는 적자가 아니면 따로 단독으로 제사지내지 말아야 하며, 오직 할아버지의 사당에 합사해야 함을 알 수 있다.570 "후손 없이 죽은 자는 형제의 후손 없이 죽은 자와 백부·숙부의 후손 없이 죽은 자를 이르는 것이다."571 요절한 자와 후손 없이 죽은 자[無後者]는 할아버지의 사당이 소종小宗의 집안에 있는 것과 같이 하며, 제사를 지낼 때에는 대종大宗에 있는 것과 같이 한다.572 『예기』「중자문曾子問」의 주에 보인다.

[6-16-5-1]

黃瑞節曰: "『禮記』「喪服小記」篇, ‘庶子不祭祖者, 明其宗也. 庶子不爲長子斬, 不繼祖與禰 故也. 庶子不祭殤與無後者, 殤與無後者從祖祔食. 庶子不祭禰者, 明其宗也.’ 鄭氏註云, ‘不祭殤者, 父之庶也. 不祭無後者, 祖之庶也. 此二者當從祖祔食而己, 不祭祖, 無所食之 也. 共其牲物, 而宗子主其禮焉. 祖庶之殤則自祭之. 凡所祭殤者惟適子耳. 無後者, 謂昆弟 諸父也. 宗子之諸父無後者, 爲墠祭之’. 「曾子問」篇曰 : ‘凡殤與無後者, 祭於宗子之家’. 鄭

- - - - - - - - - - - - - - - - - - - -

안 된다는 것이다.(言庶子, 祖之庶也. 己之殤, 己之適長殤, 己爲其祖者, 己可祭禰, 則禰爲殤之祖矣. 無所祔, 則不須祔於己之宗廟.)"라고 하였다.

568 요절한 자를 … 한해서이다 : 『禮記』「喪服小記」에 대한 鄭玄의 『注』

569 천자가 요절한 … 서술 : 『禮記』「祭法」에 "왕이 요절한 자[殤]를 아래로 제사지내는 경우는 다섯 가지이니, 적자·적손·적증손·적현손·적래손이다.(王下祭殤五, 適子適孫適曾孫適玄孫適來孫.)"라고 하였고, 진호는 『集說』에서 "높은 지위로써 낮은 지위의 사람을 제사지내므로 ‘아래로 제사지낸다’라고 한 것이다.(以尊祭 卑, 故曰下祭.)"라고 하였다.

570 요절한 자는 … 있다 : 염근조는 『正蒙補訓』에서 "요절한 자[殤]를 제사지내는 것은 오직 적자일 경우에만 한해서이다’는 것은 적자가 요절했을 때 마땅히 따로 단독으로 제사를 지내야 한다는 말이다. 적자가 아니면 따로 단독으로 제사지내지 말아야 하니, 오직 할아버지를 따라 합사해야 한다고 하였고, 그럼으로써 위 문장의 ‘요절한 자[殤]를 제사지내지 않는다’는 의미를 보완하여, 요절한 자[殤]는 별도로 제사지낼 곳이 있음 을 보여준 것이다.(‘凡祭殤者惟適子’, 謂適子爲殤, 當特祭. 非適不當特祭, 惟從祖祔食, 以補上文‘不祭殤’之意, 見殤自有所祭也.)"라고 하였다.

571 후손 없이 … 것이다 : 『禮記』「喪服小記」에 대한 鄭玄의 『注』이다. 공영달은 『疏』에서 "‘형제’는 자신의 형제이다.(‘昆弟’, 謂己之昆弟.)"라고 하였다. 염근조는 『正蒙補訓』에서 "앞에서 말한 후손 없이 죽은 자이니, 형제의 후손 없이 죽은 자와 백부·숙부의 후손 없이 죽은 자를 겸하는 것이 옳다.(則前所云無後者, 兼兄弟伯 叔之無後者爲是.)"라고 하였다.

572 요절한 자와 … 한다 : 염근조는 『正蒙補訓』에서 "위 문장에서 ‘요절한 자와 후손 없이 죽은 자[無後]를 제사 지내지 않는다’고 했는데, 요절한 자는 마땅히 할아버지의 사당에 따라 합사해야 하지만, 후손 없이 죽은 자에 대해서는 말하지 않았다. 끝에 또 ‘할아버지의 사당이 小宗의 집안에 있는 것과 같이 한다’고 보충해서 말했는데, 요절한 자와 후손 없이 죽은 자는 大宗에 있는 것과 같이 제사지내니, 또한 할아버지의 사당에 따라 합사하는 것이다.(上文言‘不祭殤與無後’, 殤當從祖祔食, 不及無後者. 末又補言‘如祖廟在小宗家’, 則祭 殤與無後者如在大宗, 亦從祖祔食.)"라고 하였다.

氏註云 : ‘言祭於宗子之家者，有異居之道也’. ‘凡祖廟在小宗之家，祭之亦然’. ○‘大宗’‘小宗’，說見『家禮』。”

황서절이 말했다. “『예기』「상복소기」에 ‘서자庶子가 (제주로서) 할아버지를 제사지내지 않는 것은 그 종宗을 밝히는 것이다. 서자가 장자를 위해 참최를 입지 못하는 것은 할아버지와 아버지를 계승하지 못하기 때문이다. 서자가 어려서 요절한 자殤와 후손 없이 죽은 자無後者를 제사지내지 않는 것은 요절한 자와 후손 없이 죽은 자를 할아버지를 따라 합사하기 때문이다. 서자가 아버지를 제사지내지 않는 것은 그 종을 밝히는 것이다.’라고 하였다. 정씨鄭氏[정현]은 『주』에서 ‘어려서 요절한 자殤를 제사지내지 못하는 것은 아버지의 서자인 경우이다. 후손 없이 죽은 자를 제사지내지 못하는 것은 할아버지의 서자인 경우이다. 이 두 경우는 마땅히 할아버지의 사당에 따라 합사해야 할 뿐이니, 할아버지를 제사지내지 않으면 그를 제사지낼 곳이 없다. 희생 제물을 함께 하고 종자가 그 예를 주관한다. 할아버지의 서자의 요절한 자殤는 스스로 제사지낸다. 요절한 자殤를 제사지내는 것은 오직 적자일 경우에만 한해서이다. 후손 없이 죽은 자는 형제의 후손 없이 죽은 자와 백부·숙부의 후손 없이 죽은 자를 말한다. 종자宗子의 백부·숙부 중 후손이 없이 죽은 자는 제사터를 만들어 제사지낸다.[573] 『예기』「증자문」에 “요절한 자와 후손 없이 죽은 자는 종자宗子의 집에서 제사지낸다.’라고 하였다. 정현은 『주』에서 ‘종자의 집에서 제사지낸다는 것은 거처를 달리하는 도가 있기 때문이다.[574]’ ‘할아버지의 사당은 소종의 집에 있으면, 제사지내는 것도 또한 그러하다.’라고 하였다. ○‘대종大宗’과 ‘소종小宗’에 관한 설은 『가례家禮』에 보인다.”

[6-16-6]

殷而上七廟，自祖考而下五，并遠廟爲祧者二，無不遷之太祖廟. 至周有百世不毁之祖，則三昭三穆，四爲親廟，二爲文武二世室，并始祖而七. 諸侯無二祧故五. 大夫無不遷之祖，則一昭一穆，與祖考而三. 故以祖考通謂爲大祖. 若祫，則請於其君并高祖干祫之.干祫之，不

---

573 宗子의 백부·숙부 … 제사지낸다 : 공영달은 『疏』에서 “宗子는 백부·숙부를 합해서 제사하니, 백부·숙부는 마땅히 宗子의 증조부의 사당에 있어야 한다. 宗子가 士이면 다만 할아버지의 사당과 아버지의 사당 두 개만을 가질 수 있고, 증조부의 사당은 없으므로, 백부·숙부의 후손 없이 죽은 자는 제사터를 만들어 제사지낸다. 만일 宗子가 대부가 되어 증조부의 사당을 세울 수 있다면, 그들을 증조부의 사당에서 제사지내지, 제사터에서 지내지 않는다. 만일 宗子에게 太祖가 있어 증조부의 사당을 세우지 않는다면 또한 제사터에서 그들을 제사지낸다. 생각건대 『禮記』「祭法」에 ‘제단이 먼저이고 제사터가 나중이다’라고 했는데, 지금 제사터에서 제사지내는 것에 대해 皇侃은 ‘그 후손 없이 죽은 것을 천시하였기 때문에 제사터에서 지낸 것이다’라고 말했다.(宗子合祭諸父, 諸父當於宗子曾祖之廟. 宗子是士, 唯有祖禰二廟, 無曾祖廟, 故諸父無後者爲墠祭之. 若宗子爲大夫得立曾祖廟者, 則祭之於曾祖廟, 不於墠也. 若宗子有太祖者, 不立曾祖廟, 亦祭之於墠. 案「祭法」云‘先壇後墠’, 今祭之墠者, 皇氏云 : ‘以其無後, 賤之, 故於墠也.’)”라고 하였다.
574 거처를 달리하는 … 때문이다. 공영달은 『疏』에서 “예에 大功 이상은 같이 거처하고, 命士 이상은 부자간에 거처를 달리하니 그러므로 ‘거처를 달리하는 도가 있다’고 한 것이다.(禮大功以上同居, 命士以上則父子異宮, 故云‘有異居之道’.)”라고 하였다.

當祫而特祫之也. **孔註王制謂周制, 亦粗及之而不詳爾.**

은殷나라 이상은 일곱 묘廟[575]이니, 시조[祖考][576] 이하로부터 다섯이고, 원묘遠廟인 조祧[577]를 합하여 둘인데, (신주를) 옮기지 않는 태조의 묘廟는 없다. 주나라에 이르러서 백대 동안 훼철하지 않는 묘廟가 있게 되었으니, 삼소三昭와 삼목三穆[578]에서 (그 중) 넷이 친묘親廟이고, 둘은 문왕과 무왕의 이세실二世室이니, (여기에) 시조를 합하여 일곱이 된다.[579] 제후는 두 조祧가 없으므로 다섯이다. 대부는 옮

• • • • • • • • • • • • • • • • • • • •

575 일곱 廟:『禮記』「王制」에 "천자는 사당에 7대의 신주를 모시니, 소에 3위이고 목에 3위이며 태조의 신주를 합하여 7위이다. 제후는 사당에 5대의 신주를 모시니, 소에 2위이고 목에 2위이며 태조의 신주를 합하여 5위이다. 대부는 사당에 3대의 신주를 모시니, 소에 1위이고 목에 1위이며 태조의 신주를 합하여 3위이다. 士는 1廟이고, 서인은 寢에서 제사지낸다.(天子七廟, 三昭三穆, 與太祖之廟而七, 諸侯五廟, 二昭二穆, 與太祖之廟而五. 大夫三廟, 一昭一穆, 與太祖之廟而三. 士一廟, 庶人祭於寢.)"라고 하였다. 또『禮記』「祭法」에 "천하에는 천자王가 있으니, 땅을 나누어 나라를 세우고 도읍을 두고 읍을 세우며, 廟·祧·壇·墠을 만들어 제사지내어, 이렇게 친소와 다소의 수를 만든다. 이런 까닭에 천자는 일곱 묘를 세우고, 하나의 단과 하나의 선이 있으니, 묘라고 하고, 고묘라고 하고, 황고묘라고 하고, 현고묘라고 하고 조고묘라고 하는데 모두 매달 여기에 제사를 지낸다. 遠廟를 祧라고 하는데 두 祧가 있으니, 사시의 제사享嘗를 지내면 그만둔다. 祧가 지나면 壇이라 하고, 단이 지나면 墠이라 한다. 단이나 선에는 기도할 일이 있어야 제사지내고, 기도할 일이 없으면 중지한다. 선이 지나면 귀라고 한다.(天下有王, 分地建國, 置都立邑, 設廟祧壇墠而祭之, 乃爲親疏多少之數. 是故王立七廟, 一壇, 一墠, 曰考廟, 曰王考廟, 曰皇考廟, 曰顯考廟, 曰祖考廟, 皆月祭之. 遠廟爲祧, 有二祧, 享嘗乃止. 去祧爲壇, 去壇爲墠. 壇墠有禱焉祭之, 無禱乃止. 去墠曰鬼.)"라고 하였다.

576 시조[祖考]:『禮記』「祭法」의 '祖考廟'에 대해 공영달은『疏』에서 "조고의 묘라고 한다'는 것은 祖의 시작이다. 이 묘는 왕가의 시작이므로 조고라고 한 것이다. … '조고'는 태조이다.(曰祖考廟'者祖始也. 此廟爲王家之始, 故云祖考也. … '祖考', 太祖也.)"라고 하였고, 진호도『集說』에서 "'조고'는 시조이다. 시조는 백대 동안 신주를 옮기지 않는다.('祖考', 始祖也. 始祖百世不遷.)"라고 하였다. 한편 왕식은『正蒙初義』에서 "'조고'는 「祭法」 진호의 주에서 시조라고 했는데, 이는 고조의 아버지를 말한 것이다.('祖考', 「祭法」陳注謂始祖, 此謂高祖之父也.)라고 이견을 제시했다.

577 遠廟인 祧: 遠廟는 신주를 옮기려는 먼 조상의 廟이다. [6-16-3]의 주에서 공영달은『疏』에서 문왕과 무왕의 廟라고 했지만, 여기에서는 은나라 위를 이야기하므로 해당되지 않는다.

578 三昭와 三穆: 昭와 穆은 종묘에서 神主를 모시는 방위와 차례이다. 始祖를 중앙에 모시고, 부자를 번갈아 좌우로 모시는데, 왼쪽(동쪽) 줄은 昭, 오른쪽(서쪽) 줄은 穆이라고 한다.『周禮』와『禮記』에 의하면 제1세를 중앙에 모시는데 천자는 昭에 2·4·6세, 穆에 3·5·7세를 각각 봉안하여 三昭三穆의 七廟가 되고, 제후는 소에 2·4세, 목에 3·5세를 각각 봉안하여 二昭 二穆의 五廟가 되며, 大夫는 일소일목의 三廟가 된다.

579 주나라에 이르러서 … 된다: 왕식은『正蒙初義』에서 "시조는 백대 동안 옮기지 않고, 고조부와 증조부와 조부와 부친은 (관계가) 친하기 때문에, 이 다섯 廟는 매 달 한 번씩 제사를 지낸다.(始祖百世不遷, 而高曾祖禰以親故, 此五廟皆每月一祭也.)"라고 하였다. 왕부지는『張子正蒙註』에서 백대동안 훼철하지 않는 廟에 대해 "후직을 이른다.(謂后稷.)"라고 하였다. 주자는『朱文公文集』「雜著·禘祫議」권69에서 "『禮記』「明堂位」에 문왕의 世室과 무왕의 世室이 있고, 정현은 '세실이란 훼철하지 않는 것을 이름한다'라고 하였다. 二昭와 二穆은 (고조, 증조, 조부, 부친의) 四親廟이고, 고조부 이상은 친속 관계가 다하게 되니 훼철하여 遞遷하게 되는 것이다. 昭에 있던 신주는 항상 昭로 하고, 穆에 있던 신주는 항상 穆으로 한다.(「明堂位」有文世室武世室. 鄭氏曰 : '世室者, 不毁之名也.' 二昭二穆爲四親廟, 高祖以上親盡, 則毁而遞遷. 昭常爲昭, 穆常爲穆.)"라고 하였다.

기지 않는 조상이 없으므로, 일소—昭 일목—穆에 시조[祖考]를 더하여 셋이다.[580] 그러므로 조고祖考를 태조라고 통칭하는 것이다. 협제를 지낼 경우에는 그 임금에게 청하여 고조와 아울러 간협干祫하는 것이다.[581] 간협干祫한다는 것은 마땅히 협제하지 말아야 하지만 특별히 협제한다는 것이다. 공영달이 (『예기』) 「왕제」을 주해하며 주나라의 제도를 말하고 있지만,[582] 또한 이 부분은 대략 언급하여 상세하지 못할 뿐이다.

[6-16-6-0]

朱子「禘祫議」曰：“「王制」‘天子七廟, 三昭三穆, 與太祖之廟而七’. 諸侯‧大夫‧士降殺以兩. 而「祭法」又有‘適士二廟’, ‘官師一廟’之文. 大抵士無二祖[583], 而皆及其祖考也. 鄭氏曰：‘夏五廟’, ‘商六廟’, ‘周七廟’. 今按「商書」已云「七世之廟」, 鄭說恐非. 顏師古曰：‘父爲昭, 子爲穆, 孫復爲昭’. 昭, 明也. 穆, 美也. 後以晉室諱昭, 故學者改昭爲韶. 其制, 皆在中門外之左, 外爲都宮, 內各有寢廟, 別有門垣. 太祖在北, 左昭右穆, 以次而南. 晉博士孫毓議 天子太祖, 百世不遷, 一昭一穆爲宗, 亦百世不遷. 宗, 亦曰世室, 亦曰祧. 鄭註『周禮』‘守祧’曰：‘宗, 亦曰祧, 亦曰世室.’『周禮』有守祧之官, 鄭氏曰：‘遠廟爲祧, 周爲文武之廟, 遷主藏焉.’ 又曰：‘遷主所藏曰祧. 先公之遷主, 藏于太祖后稷之廟, 先王之遷主, 藏於文武之廟, 羣穆於文, 羣昭於武.’「明堂位」有文世室, 武世室. 鄭氏曰：‘世室者, 不毁之名也.’ 二昭二穆爲四親廟. 高祖以上, 親盡則毁而遞遷. 昭常爲昭, 穆常爲穆. 昭

580 제후는 두 … 셋이다 : 『禮記』「祭法」에 “제후는 다섯 묘를 세우고, 하나의 단과 하나의 선이 있으니, 고묘라고 하고 왕고묘라고 하고 황고묘라고 하는데, 모두 매달 제사를 지낸다. 현고묘와 조고묘는 사시의 제사享嘗를 지내면 그만둔다. 사당을 떠나는 것을 단이라 하고, 단을 떠나는 것을 선이라고 한다. 단과 선에는 기도할 일이 있을 때는 제사지내고, 기도할 일이 없으면 그만둔다. 선을 떠나는 것을 귀라고 한다. 대부는 세 묘를 세우고 두 단이 있으니, 고묘라고 하고 왕고묘라고 하고 황고묘라고 하는데, 사시의 제사享嘗를 지내면 그만둔다. 현고와 조고에게는 묘가 없다. 기도할 때에는 단을 만들고 제사를 지낸다. 단을 떠나면 귀라고 한다.(諸侯立五廟, 一壇, 一墠, 曰考廟, 曰王考廟, 曰皇考廟, 皆月祭之. 顯考廟祖考廟, 享嘗乃止. 去祖爲壇, 去壇爲墠. 墠壇, 有禱焉祭之, 無禱乃止. 去墠爲鬼. 大夫立三廟, 二壇, 曰考廟, 曰王考廟, 曰皇考廟, 享嘗乃止. 顯考祖考無廟, 有禱焉, 爲壇祭之. 去壇爲鬼.)”라고 하였다.

581 협제를 지낼 … 것이다 : 『禮記』「大全」에 “대부와 士는 큰 일이 있으면 그 임금에게 여쭙고 나서야 干祫이 그 고조에까지 미친다.(大夫士有大事省於其君, 干祫及其高祖.)”라고 하였고, 진호는 『集說』에서 “‘큰 일’은 협제를 말한다. 대부는 세 묘이고, 士는 두 묘나 한 묘이니, 감히 사사롭게 스스로 거행할 수 없고, 반드시 임금에게 여쭙고 임금이 분부해야만 행할 수 있는 것이다. 그런데 그 협제는 또한 위로 고조에게까지 미친다. ‘간’은 아래에서 위를 간여한다는 뜻이니, 아랫사람으로서 윗 사람의 예를 행하기 때문에 간협이라고 한 것이다.(‘大事’, 謂祫祭也. 大夫三廟士二廟一廟, 不敢私自擧行, 必省問於君而君賜之, 乃得行焉. 而其祫也, 亦上及於高祖. ‘干’者, 自下干上之義, 以卑者而行尊者之禮, 故謂之干祫.)”라고 하였다.

582 공영달이 (『禮記』) … 있지만 : 『禮記』「王制」의 ‘天子七廟三昭三穆與大祖之廟而七’ 이하에 정현은 『注』에서 “이것은 주나라의 제도이다.(此周制.)”라고 하였고, 공영달은 『疏』에서 주나라 제도의 구체적인 내용에 대해 설명하고 있다.

583 二祖 : 『性理大全』「正蒙」 권6이나 『張子全書』는 ‘二祖’로 되어 있지만, 『性理大全』「治道」 권66, 『朱文公文集』, 『晦庵集』, 『朱子禮纂』, 『御纂朱子全書』에는 ‘太祖’로 되어 있는 것에 근거하여 ‘太祖’로 고쳐 보았다.

之二廟親盡, 則毀而遷其主于昭之宗, 曾祖遷于昭之二. 新入廟者祔于昭之三, 而高祖及祖在穆如故. 穆廟親盡放此. 新死者如當爲昭, 則祔於昭之近廟; 而自近廟遷其祖於昭之次廟, 而於主祭者爲曾祖; 自次廟遷其高祖于昭之世室, 蓋於主祭者爲五世而親盡故也. 其穆之兩廟如故不動, 其次廟於主祭者爲高祖, 其近廟於主祭者爲祖也. 主祭者没, 則祔于穆之近廟, 而遞遷其上放此. 凡毀廟遷主, 改塗易檐, 示有所變, 非盡毀也. 見『穀梁傳』及註. **諸侯則無二宗, 大夫又無二廟, 其遷毀之次則與天子同.** 但毀廟之主,[584] 藏於太祖, 『儀禮』所謂'以其班祔', 「檀弓」所謂'祔于祖父'者也. 「曲禮」云: '君子抱孫不抱子.' 此言孫可以爲王父尸, 子不可以爲父尸. 鄭氏云: '以孫與祖, 昭穆同也.' 周制自后稷爲太祖, 不窋爲昭, 鞠爲穆. 以下十二世至大王復爲穆, 十三世至王季復爲昭, 十四世至文王又爲穆, 十五世至武王又爲昭. 故『書』稱文王爲'穆考', 『詩』稱武王爲'昭考', 而『左氏傳』曰: '太伯虞仲, 太王之昭也; 虢仲虢叔, 王季之穆也.' 又曰: '管蔡魯衛, 文之昭也; 邘晉應韓, 武之穆也.' 蓋其次序一定, 百世不易. 雖文王在右, 武王在左, 嫌於倒置, 而諸廟別有門垣, 足以各全其尊, 初不以左右爲尊卑也. **三代之制, 其詳雖不得聞, 然其大略不過如此.**"[585]

주자는 「체협의禘祫議」에서 "(『예기』)「왕제」에 '천자는 사당에 7대의 신주를 모시니, 소에 3위이고 목에 3위이며 태조의 신주를 합하여 7위이다.'라고 하였는데, 제후와 대부와 사士로 가면서 두 대代씩 내렸다. 그리고 「제법」에 또 '적사適士는 2대의 신주를 모신다', '관사官師는 1대의 신주를 모신다'라는 글이 있다. 사士는 태조太祖가 없으니, 모두 그 조고祖考에까지 미친다. 정현은 '하나라는 다섯 묘廟' '상나라는 여섯 묘廟' '주나라는 일곱 묘廟'라고 했다. 지금 (『서경』)「상서」에서 이미 '일곱 대의 묘廟'라고 한 것을 생각해볼 때, 정현의 설은 아마도 틀렸을 것이다. 안사고는 '아버지가 소昭이면, 자식은 목穆이고, 손자는 다시 소昭이다'라고 했다. 소昭는 밝음이다. 목穆은 아름다움이다. 뒤에 진晉나라 왕실에서 '소昭'를 피휘하였으므로[586] 학자들이 소昭를 소韶로 고쳤다. 그 제도는 모두 중문中門 밖의 왼쪽에 있으니, 바깥에는 도궁都宮을 만들고, 안쪽에는 각각 침묘寢廟[종묘나 산릉의 재각齋閣]이 있으며, 별도로 문과 담장을 만들어 둔다. 태조는 북쪽에 있으며, 왼쪽은 소昭이고 오른쪽은 목穆으로 차례 지워 남쪽에 둔다. 진晉나라 박사 손육孫毓이 논의하였다. 천자의 태조는 백대 동안 옮기지 않으며, 한 소昭와 한 목穆을 종宗으로 삼아, 또한 백대 동안 옮기지 않는다. 종宗은 또한 세실世室이라고도 하고 조천祧이라고도 한다. 정현은 『주례』「주」에서 '수조守祧[선왕의 사당을 관리하는 관직]'을 주해하면서 '종宗을 또한 조천祧이라고도 하고, 또 세실世室이라고도 한다.'라고 하였다. 『주례』에 조천祧를 관장하는 관직이 있는데, 정현은 '원묘遠廟가 조천祧인데, 주나라에서는 문왕과 무왕의 묘廟이니, 천주遷主[제사 드릴 친속이 끝나 사당에서 옮겨간 신주를 여기에 보관해둔다.'라고 하였다. 또 '옮겨진 신주가 보관되어 있는 곳을 조천祧라고 한다. 선공先公의 옮겨간 신주는 태조 후직后稷의 묘廟에 보관되고, 선왕의 옮겨간 신주는 문왕과 무왕의 묘廟에 보관되며, 여러 목穆들은 문왕 쪽에 두고 여러 소昭들은 무왕 쪽에 둔다.'라고 하였다. (『예기』)「명당위」에 문왕의 세실世室이 있고, 무왕의 세실世室이 있는데, 정현은 '세실世室이란 훼철하지 않는 것을 이름한다'라고 하였다. 이소二昭와 이목二穆은 (고조·증조·조부·부친의) 사친묘四親廟이고, 고조

584 但毀廟之主: '但'은 『晦庵集』『朱文公文集』에는 '傳'으로 되어 있다.
585 『朱文公文集』「雜著·禘祫議」권69
586 '昭'를 피휘하였으므로: 西晉 초대 황제 武帝 司馬炎의 아버지 司馬昭에 의해 '昭' 글자를 사용하지 않은 일을 말한다. 사마소는 廟號가 太祖, 시호가 文皇帝로 추증되었다.

부 이상은 친속이 다하게 되니 훼철하여 체천遞遷하게 되는 것이다. 소昭에 있던 신주는 항상 소昭로 하고, 목穆에 있던 신주는 항상 목穆으로 한다. 소昭의 두 번째 묘廟는 친속이 다하게 되면, 훼철하여 그 신주를 소昭의 종宗에게로 옮기고, 증조부를 소昭의 두 번째로 옮긴다. 새로 묘廟에 들어온 신주는 소昭의 세 번째에 합사하며, 고조부와 조부는 목穆에 예전처럼 있다. 목穆의 묘廟도 친속이 다하면 이런 방식을 따른다. 새로 죽은 자가 만일 마땅히 소昭가 되어야 한다면, 소昭의 근묘近廟에 합사한다. 그리고 근묘로부터 소昭의 다음 묘廟로 그 할아버지를 옮기니, 제사를 주관하는 자에게 증조부가 된다. 다음 묘廟로부터 소昭의 세실世室로 그 고조부를 옮기니, (이는) 제사를 주관하는 자에게 5대조가 되어 친속이 다하였기 때문이다. 그 목의 두 묘는 이전대로 옮기지 않는다. 그 다음 묘는 제사를 주장하는 사람에게 고조가 되고, 근묘는 제사를 주장하는 사람에게 조부가 된다. 제사를 주재하는 자가 죽게 되면 목穆의 근묘에 합사하고, 그 위로 체천遞遷하는 것도 이런 방식을 따른다. 묘廟를 훼철하고 신주를 옮기게 되면 도로와 처마를 고쳐서 변화가 있었음을 보여주니 모조리 다 훼철하는 것은 아니다. (이러한 것들은) 『곡량전』 및 그 주해에 보인다. 제후는 이종二宗이 없고, 대부는 또 이묘二廟가 없으나, 그 옮기고 훼철하는 순서는 천자와 같다. 다만 "훼철한 묘의 신주는 태조의 사당에 보관해둔다. 『의례』에서 이른바 '(방계친척 가운데 후사가 없는 자는) 그 (소목昭穆의) 차례를 따라 합사한다.'는 것이고, (『예기』) 「단궁」에서 이른바 '할아버지의 사당에 합사하는 것이다'는 것이다. (『예기』) 「곡례」에 '군자는 손자는 안지만, 아들은 안지 않는다'고 하였다. 이 말은 손자는 할아버지의 시동尸童이 될 수 있지만, 자식은 아버지의 시동이 될 수 없다는 것이다. 정현은 '손자와 할아버지는 소목昭穆이 같기 때문이다'라고 하였다. 주나라 제도에서 후직을 태조로 삼은 이래로, (후직의 아들인) 불줄不窋은 소昭가 되었고 (후직의 손자인) 국鞠은 목穆이 되었다. 이하로 12세에 태왕太王에 이르러 다시 목穆이 되었고, 13세에 왕계王季에 이르러 다시 소昭가 되었으며, 14세에 문왕에 이르러 또 목穆이 되었고, 15세에 무왕에 이르러 또 소昭가 되었다. 그러므로 『서경』에서 문왕을 '목고穆考'라고 일컬었으며, 『시경』에서 무왕을 '소고昭考'라고 일컬었으며, 『좌씨전』에는 '태백과 우중은 태왕의 소昭이다'라고 하였다. 또 '관·채·노·위는 문왕의 소昭이고, 우·진·응·한은 무왕의 목穆이다'라고 하였다. 그 순서가 일정하여 백대 동안이라도 변하지 않는다. 비록 문왕이 오른쪽에 있고 무왕이 왼쪽에 있어 거꾸로 뒤바뀐 것인지 의심이 들더라도, 여러 묘廟에는 별도로 문과 담장이 있어, 각각 그 존귀함을 온전히 하기에 충분하니, 애초부터 왼쪽과 오른쪽을 존귀함과 비천함으로 간주하지 않은 것이다. 삼대의 제도는 그 상세한 내용은 듣지 못했지만 그러나 그 제도의 대략은 이와 같음을 넘지 못할 것이다.

[6-16-7]

"鋪筵設同几", 疑左右几. 一云交鬼神異於人, 故夫婦而同几. 求之或於室, 或於祊也.

"(제사 때) 대자리를 펴고 안석案席 하나를 마련해 놓는다"[587]고 했으니, 안석을 좌우 양쪽으로 놓는

---

587 대자리를 펴고 … 놓는다 : 『禮記』「祭統」공영달은 『疏』에서 "사람이 태어날 때에는 형체가 다르므로 부부라도 案席을 달리 쓰지만, 죽을 때는 魂氣가 이곳에 같은 곳으로 돌아가므로 부부가 案席을 공유하는 것이다.(人生時形體異, 故夫婦別几, 死則魂氣同歸於此, 故夫婦共几.)"라고 하였고, 진호는 『集說』에서 "'筵'은 자리이다. '几'는 기대어서 편안함을 삼는 것이다. '詔'는 고하는 것이고, '祝'은 비는 것이니, 방안에서 빌고 시동에게 고하는 것이다. '祊에 나감'은 다음날 사당문 밖 옆으로 나가 繹祭를 지내는 것이다.('筵', 席也. '几', 所憑以爲安者. … '詔', 告也, '祝', 祝也, 謂祝以事告尸於室中也. '出于祊'者, 謂明日繹祭出在廟門外之旁也.)"라고 하였다.

것은 의심스럽다. 한편 귀신과 접하는 것은 사람과 다르기 때문에 부부로서 안석 하나를 공유한다라고 말하기도 한다. 제사는 실내에서 지내기도 하고 혹은 팽祊[사당문 밖]에서 지내기도 한다.

[6-16-7-1]

黃瑞節曰 : "『禮記』「祭統」篇曰 : '鋪筵設同几, 爲依神也. 詔祝於室, 而出于祊, 此交神明之道也.' 鄭氏『註』云 : '同之爲言詷也. 祭者以其妃配, 亦不特几也. 詔祝, 告事於尸也. 出於祊, 謂索祭也.' ○『張子語錄』: '鋪筵設同几, 只設一位, 以其精神合也.' ○祊, 伯更反. 詷, 作貢反."

황서절이 말했다. "『예기』「제통」에 '대자리를 펴고 안석案席 하나를 마련해 놓는 것은 신이 의지하게 하려는 것이다. 방 안에서 고하고서 (다음날) 사당문 밖에 나가(역제繹祭를 지내)는 것은 신명을 접하는 길이다.'라고 하였다. 정현은 『주』에서 '동同이란 말은 동詷[공동으로 함]이다. 제사는 그 배우자를 짝으로 하니, 또한 안석案席을 하나로 하지 않는다. 조축詔祝은 시동에게 일을 고하는 것이다. 출어팽出於祊은 색제索祭[신을 찾는 제사]를 말한다.'라고 하였다. ○『장자어록張子語錄』에 '대자리를 펴고 안석案席 하나를 마련해 놓는다[鋪筵設同几]는 것은 다만 한 개 자리만을 마련하여 그 정신과 합하는 것이다'고 하였다. ○ 팽祊은 백伯과 갱更의 반절이다. 동詷은 작作과 공貢의 반절이다."

[6-16-8]

祭社稷五祀百神者, 以百神之功, 報天之德爾. 故以天事鬼神, 事之至也, 理之盡也.

사직社稷과 오사五祀와 백신百神[588]에게 제사지내는 것은 여러 신의 공덕으로 하늘의 덕에 보답하는 것일 뿐이다. 그러므로 하늘로 귀신을 섬기는 것은 일[事]의 지극함이고, 이치의 극진함이다.

[6-16-9]

"天子因生以賜姓", "諸侯以字爲諡", 蓋以尊統上, 卑統下之義.

"천자는 (제후에게) 출생을 따라서 성姓을 하사한다" "제후는 자字를 가지고 시호를 삼는다"[589]했으니, 존귀한 지위로써 윗사람[제후]을 다스리고 비천한 지위로써 아랫사람을 다스린다는 뜻이다.

[6-16-10]

"天子因生以賜姓", 難以命於下之人, 亦尊統上之道也.

588 社稷과 五祀와 百神 : 『禮記』「王制」에 "천자는 천지에 제사지내고, 제후는 사직에 제사지내며, 대부는 오사에 제사지낸다.(天子祭天地, 諸侯祭社稷, 大夫祭五祀.)"라고 하였고, 정현은 『注』에서 "五祀는 (집 안팎의 신인) 지겟문·부엌·집의 한 가운데 방·문·길의 신이다.('五祀', 戶·竈·中霤·門·行也.)"라고 하였다. 王應麟은 「月令」에 봄에는 戶에 제사지내고 여름에는 竈에 제사지내고 계추에는 中霤에 제사지내고 가을에는 門에 제사지내고 겨울에는 行에 제사지낸다.(「月令」春祀戶, 夏祀竈, 中央祀中霤, 秋祀門, 冬祀行.)"라고 하였다.

589 제후는 字를 … 삼는다 : 『左傳』「隱公八年」

"천자는 출생에 따라서 성姓을 하사하고" 아랫사람에게 명하기는 어려우니, 또한 존귀한 지위로 윗사람을 다스리는 도이다.

[6-16-10-1]

朱子曰 : "'姓', 是大總腦處. '氏', 是後來次第分別處. 如魯本姬姓, 其後有孟氏·季氏, 同爲姬姓, 而氏有不同. '諸侯以字爲諡', 切恐'諡'本'氏'字, 傳寫之訛. 先儒承訛解將去, 義理不通. 如舜生潙汭, 武王遂賜胡公滿爲潙姓. 即因生賜姓. 如鄭之國氏, 本子國之後. 駟氏本子駟之後, 即'以字爲氏, 因以爲族'. 杜預黜'諸侯以字'爲句. 亦是强解."[590]

주자가 말했다. "'성姓'은 크게 총괄한 것이다. '씨氏'는 그 다음에 순서대로 나누어진 것이다. 예를 들면 노魯나라는 본래 희성姬姓이었는데 그 후에 맹씨孟氏와 계씨季氏가 있게 되었으니 모두 같은 희성이지만 씨氏에는 다름이 있는 것이다. '제후는 자字로써 시호를 삼는다'는 것은 아마도 '시諡'는 본래 '씨氏'자였을 것이니, 잘못 베껴져 전해졌을 것이다. 선유先儒들이 잘못된 것을 이어받아 그대로 풀이해낸 것이니 의리가 통하지 않는다. 예를 들어 순임금은 규예潙汭·嬀汭에서 살았는데, 무왕이 마침내 진호공만[591]에게 규성을 내렸으니, 출생을 따라 성을 내린 것이다. 예를 들어 정나라의 씨氏는 본래 자국子國의 후예이고, 사씨駟氏는 본래 자사子駟의 후예이니, '자字를 가지고 씨氏를 삼고, 그것에 따라서 족명[族]도 만든다'는 것이다. 두예가 '제후는 자字를 지지고諸侯以字'로 구두로 끊은 것은 또한 억지로 풀이한 것이다.[592]"

- -

590 『朱子語類』「雜類」권138, 38조목과 39조목을 편집했다. 원문은 다음과 같다. 沈莊仲問: "姓·氏如何分別?" 曰: "姓是大總腦處, 氏是後來次第分別處. 如魯本姬姓, 其後有孟氏季氏, 同爲姬姓, 而氏有不同. 某嘗言: '天子因生以賜姓, 諸侯以字爲諡, 因以爲族.' 竊恐'諡'本'氏'字, 先儒隨他錯處解將去, 義理不通. 且如舜生於嬀汭, 武王遂賜陳胡公滿爲嬀姓, 卽因生賜姓. 如鄭之國氏, 本子國之後, 駟氏本子駟之後. 如此之類, 所謂'以字爲氏, 因以爲族'. / 姓與氏之分: 姓是本原所生, 氏是子孫下各分. 如商姓子, 其後有宋, 宋又有華氏魚氏孔氏之類. 周自黃帝以來姓姬, 其後魯衛毛聃晉鄭之屬, 各自以國爲氏, 而其國之子孫又皆以字爲氏. 如魯國子展之後爲展氏, 展禽是也. 如三家孟仲季爲氏, 或因所居爲氏, 如東門氏之類. 左氏曰: "天子因生以賜姓, 諸侯以字爲諡, 因以爲族." 天子自因生以賜姓, 爲推其所自出而賜之姓. 如舜居嬀汭, 及武王卽位, 封舜之後於陳, 因賜姓爲嬀, 此所謂"因地以賜姓"也. "諸侯以字爲諡", 只是"氏"字傳寫之訛, 遂以"氏"字爲"諡", 無義理; 只是"以字爲氏", 如上文展氏孟氏之類也. 杜預點"諸侯以字"四字爲句斷, 而"爲諡因以爲族"爲一句, 此亦是强解. 看來只是錯了"諡"字. 至孫, 方以王父之字爲氏, 上兩世爲承公之姓也.

591 진호공만: 陳胡公이라고도 하고, 胡公滿이라고도 한다. 西周 때 陳나라를 개국한 군주. 성은 嬀씨고, 이름은 滿이다. 武王이 商나라를 멸망시키고는 舜임금의 후손을 찾았는데, 嬀滿을 얻어 맏딸 大姬와 혼인을 시키고는 陳에 봉했다. 봉해진 땅의 지명에 기인해서 陳氏가 되었다. 시호는 胡公이다. 사마천의 『史記』권36에는 "진호공만은 순임금의 후손이다. 옛날에 순임금이 서인이었을 때에 요임금은 두 딸을 그에게 시집보내어 규예에서 살게 했는데, 그 후에 이로 인하여 성씨[氏姓]로 삼게 되었다.(陳胡公滿者, 虞帝舜之後也. 昔舜爲庶人時, 堯妻之二女, 居於嬀汭, 其後因爲氏姓.)"라고 하였다.

592 두예가 제후는 … 것이다: '諸侯以字爲諡'를 한 句로 하지 않고 '諸侯以字, 爲諡'으로 단절하면 안 된다는 것이다. '諸侯以字'는 '제후는 할아버지의 자로 氏를 삼는다'는 뜻이다.

[6-16-11]

據「玉藻」, 疑天子聽朔於明堂, 諸侯則於大廟, 就藏朔之處, 告祖而行.

(『예기』)「옥조」593에 의거해 보면, 아마도 천자가 명당에서 그 달의 정무를 들었고[聽朔], 제후의 경우에 태묘에서 했는데, 정삭正朔[책력]을 보관해 둔 곳에 나아가서 조상에게 아뢰고 사용하는 것이다.594

[6-16-12]

"受命祖廟, 作龜禰宮," 次序之宜.

"할아버지의 사당에서 명을 받고, 아버지의 사당에서 거북점을 친다"는 것은 순서의 마땅함이다.595

[6-16-13]

公之士, 及大夫之衆臣, 爲"衆臣". 公之卿大夫, 卿大夫之室老, 及家邑之士, 爲"貴臣". 上言 "公士", 所以別士於公者也. 下言"室老士", 所以別士於家者也. "衆臣不以杖即位", 疑義與 庶子同.

공公의 사士와 대부大夫의 여러 신하들을 "중신衆臣"이라고 한다. 공의 경대부, 경대부의 실노室老 및 가읍家邑의 사士를 "귀신貴臣"이라고 한다. 위에서 "공公의 사士"를 언급한 것은 공公에서 사士를 구별하기 위한 것이다. 아래에서 "실노室老와 사士"를 언급한 것은 가家에서 사士를 구별하기 위한 것이

---

593 『禮記』「玉藻」: 『禮記』「玉藻」에 "천자는 … 남문 밖에서 그 달의 정무를 듣는다.(天子 … 聽朔於南門之外.)" "제후는 … 皮弁을 쓰고 태묘에서 그 달의 정무를 듣는다.(諸侯 … 皮弁以聽朔於太廟.)"라고 하였다. 진호는 『集說』에서 "정삭을 듣는 것[聽朔]'은 매월 초하루에 일을 듣는 것이다. '남문'은 국문이다. 천자가 남문에서 정삭을 듣는 것[聽朔]은 하늘에게서 (명을) 받았음을 보여주는 것이고, 제후가 태묘에서 정삭을 듣는 것[聽朔]은 조상에게서 (명을) 받았음을 보여주는 것이니 그 기원을 추구하는 것이다.(陳注'聽朔'者, 聽月朔之事也. '南門', 國門也. 天子聽朔於南門, 示受之於天, 諸侯聽朔於太廟, 示受之於祖, 原其所自也.)"라고 하였다.

594 아마도 천자가 … 것이다 : 明堂은 천자가 큰 제사[大祭]나 의식을 거행하고, 제후의 조회를 받으며, 政令을 반포하는 政展 '정삭을 듣는 것[聽朔]'은 임금이나 제후가 음력 초하루에 그달의 政事를 듣던 일이며, '정삭을 본다[視朔]'라고도 한다. 염근조는 『正蒙補訓』에서 "(『禮記』)「玉藻」의 '남문'을 풀이하였으니 본래는 국문을 말하는데, 장재는 그것이 明堂이라고 의심하였다. 명당은 國의 陽이다. (주자는)『論語集註』에서 다음과 같이 말했다. '천자가 항상 섣달에, 다음해 12개월의 달력[月朔]을 제후들에게 반포하면, 제후들은 이것을 받아서 조상의 사당에 보관하였다가 매월 초하룻날이 되면 양 한 마리를 가지고 사당에 告由하고 청하여 사용하는 것이다.'(解「玉藻」'南門', 本謂國門, 張子疑其爲明堂. 明堂, 在國之陽也. 『論語注』: '天子常以季冬, 頒來歲十二月之朔於諸侯, 諸侯受而藏之祖廟, 月朔則以特羊告廟, 請而行之.')"라고 하였다.

595 할아버지의 사당에서 … 마땅함이다 : 『禮記』「郊特牲」에 "郊祀의 날짜를 점칠 때에는, 할아버지의 사당[祖廟]에서 명령을 받고, 아버지의 사당[禰宮]에서 거북으로 한다. 이것은 할아버지를 높이고 아버지를 친애하는 의리이다.(卜郊, 受命于祖廟, 作龜于禰宮, 尊祖親考之義也.)"라고 하였고, 진호는 『集說』에서 "할아버지의 사당에 고하고 일을 행하는 것은 마치 할아버지에게 명령을 받는 것과 같으니, 이는 할아버지를 높이는 의리이다. '作'은 쓰는 것과 같다. 거북을 써서 점을 치는데 아버지의 사당에서 하는 것은, 이는 아버지를 친애하는 의리이다. (告於祖廟而行事, 則如受命於祖, 此尊祖之義. '作', 猶用也. 用龜以卜而於禰宮, 此親考之 義.)"라고 하였다.

다. "중신은 지팡이를 가지고 자리에 나아가지 못한다.[596]"는 것은 아마도 의미가 서자와 같기 때문일 것이다.[597]

[6-16-14]

"適士", 疑諸侯薦於天子之士, 及王朝爵命之通名. 蓋三命方受位天子之朝. 一命再命, 受職受服者, 疑官長自辟除, 未有位於王朝, 故謂之官師而已.

"적사適士"는 아마도 제후가 천자에게 추천한 사士와 왕의 조정에서 벼슬 명命 : 계급을 받은 이를 통틀어 말하는 이름일 것이다. 삼명三命이라야 천자의 조정에서 자리를 받게 되는 것이다.[598] 일명一命과 재명再命에 직책을 받고 제복을 받은 자는 아마도 관장官長이 스스로 발탁한 것[599]이어서, 아직 왕의 조정에서 자리를 갖지는 못한 것이므로 '관사官師'라고 할 뿐이다.

[6-16-15]

"小事則專達", 蓋得自達於其君, 不俟聞於長者, 『禮』所謂'達官'者也. 所謂'達官之長'者, 謂自達之長也. 所謂'官師'者, 次其長者也. 然則達官之長, 必三命而上者. 官師, 則中士而再命者. 庶士, 則一命爲可知.

"작은 일은 독자적으로 전달한다"[600]는 것은, 임금에게 스스로 전달할 수 있고 우두머리에게 지시받

. . . .

596 公의 士와 … 못한다 : 『儀禮』「喪服」에 "公의 士와 大夫의 衆臣은 자신의 임금을 위해서 베로 된 띠를 매고 繩屨(미투리)를 신는다.(公士大夫之衆臣, 爲其君布帶繩屨.)"라고 하였고, "子夏傳"에 '공·경·대부·실노·사는 貴臣이며, 그 나머지는 衆臣이다. 君은 땅을 소유한 자를 말한다. 衆臣은 지팡이를 가지고 자리에 나아갈 수 없다.(「子夏傳」曰 : 公卿大夫室老士貴臣, 其餘皆衆臣也. 君, 謂有地者也. 衆臣杖不以即位.)"라고 하였다. 정현은 『注』에서 "'室老'는 가신의 우두머리('室老', 家相也.)"라고 하였다.

597 의미가 서자와 … 것이다 : 『禮記』「喪服小記」 "庶子는 지팡이를 가지고 자리에 나아가지 못한다.(庶子不以杖即位.)"라고 하였다.

598 三命이라야 천자의 … 것이다 : 『周禮』「春官·大宗伯」에 "九儀의 명으로써 제후국들의 위계를 바로잡는다. 一命은 직책을 받고, 再命은 제복을 받고, 三命은 작위를 받는다.(以九儀之命, 正邦國之位. 一命受職, 再命受服, 三命受位.)"라고 하였고, 정현은 『注』에서 "각각의 命에 따라 의식을 다르게 하여야 귀천의 위치가 바르게 된다. … 처음 命을 받아서 正吏가 된다. … 鄭司農은 '직책을 받음은 직무를 다스리는 것이다'라고 하였다. 정사농은 '제복을 받음은 제사 의복을 받는 것이니 上士이다.'라고 하였다. … 정사농은 '하대부의 직위를 받는다'라고 하였다. 내(정현) 생각에 이는 열국의 卿이니, 왕에게서 처음 작위를 얻어 왕의 신하가 되는 것이다. 왕의 상사는 역시 삼명이다.(每命異儀, 貴賤之位乃正. … 始見命爲正吏. … 鄭司農云 : '受職治職事.' 鄭司農云 : '受服, 受祭衣服爲上士' … 鄭司農云 : '受下大夫之位'. 玄謂此列國之卿, 始有列位於王, 爲王之臣也. 王之上士亦三命.)"라고 하였다.

599 官長이 스스로 … 것 : 염근조는 『正蒙補訓』에서 "'辟'은 초야에 있는 사람을 禮를 갖추어 불러서 벼슬을 시키는 것[徵辟]이다. '除'는 옛 사람을 제거하고 새로운 사람을 쓰는 것인데, 지금은 다만 가려 뽑아 씀의 뜻으로 썼다.(辟, 徵辟也. '除', 除舊用新, 今只作選用意.)"라고 하였고, 왕부지는 『張子正蒙註』에서 "'관장'은 육관의 우두머리이니, 제후가 스스로 명령하는 경우도 또한 이와 같다.('官長', 六官之長, 諸侯自命者亦如之.)"라고 하였다.

기를 기다릴 필요가 없다는 것이니, 『예』에서 이른바 '달관達官'이라는 것이다. 이른바 '달관達官의 장長'이란 스스로 전달할 수 있는 장長이다. 이른바 관사官師란 그 장長의 다음 가는 자이다. 그렇다면 달관達官의 장長은 반드시 삼명三命 이상인 자이다. 관사官師는 중사中士로서 재명再命인 자이다. 서사庶士는 일명一命인 자임을 알 수 있다.

[6-16-15-1]

黃瑞節曰 : "周禮六官之屬, 皆曰大事則從其長, 小事則專達."

황서절이 말했다. "주례의 육관의 부류는 모두 큰 일은 그 우두머리를 따르고, 작은 일은 독자적으로 전달한다고 한다."

[6-16-16]

"賜官", 使臣其屬也.若卿大夫以室老士爲貴臣, 未賜官, 則不得臣其士也.

"관직을 내려주는 것"은 그 무리를 신하로 삼도록 하는 것이다. 경대부와 실노室老와 사士로 '귀신貴臣'으로 인 경우에, 아직 관직을 내리지 않았다면, 그 사士를 신하로 삼을 수 없다.

[6-16-17]

"祖廟未毁, 教於公宮", 則知諸侯於有服族人, 亦引而親之如家人焉.

"조묘祖廟를 아직 훼철하지 않았으면 공궁公宮에서 가르친다"고 했으니, 제후는 복상 중에 있는 족친에 대해서도 또한 끌어당겨 가족처럼 친애함을 알 수 있다.[601]

[6-16-18]

"下而飮"者, 不勝者自下堂而受飮也. "其爭也", 爭爲謙讓而已.

"내려와서 (벌주를) 마시는 것"은 이기지 못한 자가 스스로 당을 내려와서 (벌주를) 받아 마신다는 것이다. "이러한 다툼은" 다툼이 겸양으로 할 뿐이라는 것이다.[602]

· · · · · · · · · · · · · · · · · ·

600 작은 일은 … 전달한다 : 『周禮』「天官冢宰 · 小宰」

601 祖廟를 아직 … 있다 : 『禮記』「昏義」에 "옛날에 부인이 시집가기 석 달 전부터, 그 祖廟가 훼철되지 않았으면 공궁에서 가르쳤으며, 그 祖廟가 이미 훼철되었으면 종실에서 가르쳤다.(古者婦人先嫁三月, 祖廟未毁, 教於公宮. 祖廟既毁, 教於宗室.)"라고 하였다. 여본은 『正蒙集解』에서 "조묘가 아직 훼철되지 않음'은 … 그 조묘를 아직 체천하거나 훼철하지 않은 것이다.('祖廟未毁', …, 其祖廟猶未遷毁也.)"라고 하였고, 진호는 『集說』에서 "祖廟가 아직 훼철되지 않은 것'은, 말하자면 이 여자는 아직도 이 祖에 대해 복상 중에 있는데, 군주에 대해 (관계가) 친하게 되므로, 여자 스승에게 그녀를 공궁에서 가르치게 하는 것이다. '公宮'은 祖廟이다. '이미 훼철되었음'은 복상을 입음이 없다는 것이니, 군주에 대해 (관계가) 소원해지므로, 종자의 집에서 가르치는 것이다.(祖廟未毁者, 言此女猶於此祖有服也, 則於君爲親, 故使女師教之于公宮. '公宮', 祖廟也. '既毁'謂無服也, 則於君爲疏, 故教之於宗子之家.)"라고 하였다.

602 내려와서 (벌주를) … 것이다 : 『論語』「八佾」에 "상대방에게 揖하고 사양하며 활 쏘는 자리에 올라갔다가, 내려와서는 (벌주를) 마시게 하니, 이러한 다툼이 군자다운 다툼이다.(揖讓而升, 下而飮, 其爭也君子!)"라고

[6-16-19]

君子之射, 以中爲勝, 不必以貫革爲勝. 侯以布, 鵠以革, 其不貫革而墜於地者, 中鵠爲可知矣. 此爲力不同科之一也.

군자의 활쏘기는 명중시키는 것을 이기는 것으로 여기지, 반드시 가죽을 관통시키는 것을 이기는 것으로 여기지 않는다. 과녁판[侯]은 베를 써서 만들고 정곡[鵠]은 가죽을 쓰니, (이는) 가죽을 관통시키지 못하고 땅으로 떨어진 것도 정곡을 맞추었음을 알 수 있게 되는 것이다. 이는 "힘이 동등하지 않기 때문"인 것의 한 가지 예이다.[603]

[6-16-20]

"知死而不知生, 傷而不弔." 畏壓溺可傷尤甚, 故特致哀死者, 不弔生者以異之. 且"如何不淑"之詞, 無所施焉.

"죽은 이를 알고 산 사람을 알지 못하면, 슬퍼할 뿐 조문하지 않는다."[604] 겁먹어 죽고, 깔려서 죽고, 물에 빠져 죽는 경우[605]는 더욱 심하게 슬퍼할 만하므로, 특히 죽은 이에게 애통한 마음을 다하고, 산 사람을 조문하지 않는 것으로 그것을 구별한다. 또 "어찌 이런 불행한 일이 있는가?"[606]와 같은 말은 할 것이 없다.

하였다.

603 군자의 활쏘기는 … 예이다: 『論語』「八佾」에 "활쏘기를 할 때 과녁의 가죽을 꿰뚫는 데 주력하지 않는 것은 힘이 다 다르기 때문이니, 이것이 옛날의 도이다.(射不主皮, 爲力不同科, 古之道也.)"라고 하였고, 주자는 『集注』에서 "과녁판[侯]을 베로 만들고 그 가운데에 가죽을 붙여서 표적으로 삼은 것이니, 이른바 '정곡鵠: 과녁의 정중앙'이라는 것이다. '科'는 등급이다. 옛날에는 활쏘기로써 德行을 관찰하여 다만 적중시키는 것에만 주력하고 가죽을 뚫는 것에는 주력하지 않았으니, 이는 사람의 힘에 强弱이 있어 동등하지 않기 때문이다.(布侯而棲革於其中以爲的, 所謂鵠也. '科', 等也. 古者射以觀德, 但主於中, 而不主於貫革, 蓋以人之力有强弱不同等也.)"라고 하였다.

604 죽은 이를 … 않는다: 『禮記』「曲禮上」에 "산 사람을 아는 자는 조문하고, 죽은 이를 아는 자는 슬퍼한다. 산 사람을 알고 죽은 이를 알지 못하면, 조문할 뿐 슬퍼하지 않는다. 죽은 이를 알고 산 사람을 알지 못하면, 슬퍼할 뿐 조문하지 않는다.(知生者弔, 知死者傷. 知生而不知死, 弔而不傷. 知死而不知生, 傷而不弔.)"라고 하였다.

605 겁먹어 죽고 … 경우: 『禮記』「檀弓上」에 "죽었으나 조문하지 않는 경우가 셋이 있는데, 외사, 압사, 익사이다.(死而不弔者三, 畏厭溺.)"라고 하였고, 진호는 『集說』에서 "방씨가 말했다. '전쟁터에 나아가 용기가 없는 것은 불효인데, 두려워하여 죽는 자가 있을 것이다! 군자는 위태로운 담장 아래 서 있지 않는 법인데, 깔려서 죽는 자가 있을 것이다! 효자는 (물을 건널 때) 배를 타지 수영을 하지 않는데, 물에 빠져 죽는 자가 있을 것이다! 이 세 가지 경우는 모두 올바른 명[正命]이 아니므로, 선왕이 예를 만들 때 조문하지 않는 경우에 두었다.(方氏曰: '戰陳無勇, 非孝也, 其有畏而死者乎! 君子不立巖牆之下, 其有厭而死者乎! 孝子舟而不游, 其有溺而死者乎! 三者皆非正命, 故先王制禮在所不弔.)"라고 하였다.

606 어찌 이런 … 있는가: 『禮記』「雜記上」

[6-16-21]

"博依", 善依永而歌樂之也. "雜服", 雜習於制數服近之文也. 春秋大要天子之事也, 故曰 "知我者其惟春秋乎! 罪我者其惟春秋乎!"

"널리 비유하는 것[博依]"은 길게 읊는 것을 잘하고 노래하며 즐기는 것이다. "규정된 각색 복식제도[雜服]"는 제도의 수와 복상의 가까운 정도 등의 제도를 다양하게 익히는 것이다. 『춘추』의 큰 요점은 천자의 일이므로 "나를 아는 자는 오직 『춘추』뿐일 것이다! 나를 죄줄 사람도 오직 『춘추』뿐일 것이다!⁶⁰⁷"라고 하였다.

[6-16-22]

"苗而不秀者", 與下"不足畏也", 爲一說.

"싹은 났어도 꽃을 피우지 못하는 것"은 아래 문장인 "두려워할 만한 것이 못된다."와 같은 말이다.⁶⁰⁸

乾稱篇 第十七 取「西銘」首句爲篇名. 今自爲一書不復載 제17 건칭편 「서명」의 앞 구절을 따서 편명으로 삼았다. 지금 별도로 한 책이 되었으니, 다시 싣지 않겠다.

[6-17-1]

凡可狀, 皆有也; 凡有, 皆象也; 凡象, 皆氣也. 氣之性, 本虛而神, 則神與性, 乃氣所固有. 此鬼神所以"體物而不可遺"也. 至誠, 天性也; 不息, 天命也. 人能至誠, 則性盡而神可窮矣. 不息, 則命行而化可知矣. 學未至知化, 非眞得也.舍氣有象否? 非象有意否?

형용할 수 있는 것은 모두 유有이고, 모든 유有는 모두 상象이며, 모든 상은 모두 기氣이다. 기의 성性은 본래 텅 비고 신령한 것이니, 즉 신神과 성性은 바로 기가 본래 가지고 있는 것이다. 이것이 귀신이 "사물의 본체가 되어 빠뜨릴 수가 없는" 까닭이다.⁶⁰⁹ 지극한 성誠은 천성天性이고, 쉬지 않음[不息]은 천명이다.⁶¹⁰ 사람이 성誠을 지극하게 할 수 있으면 성性을 다하게 되고, 신神을 궁구할 수 있게 된다. 쉬지 않고 하면[不息] 천명이 행해져서 화化를 알 수 있게 된다. 학문이 아직 화化를 아는 데에

---

607 나를 아는 … 것이다: 『孟子』「滕文公下」
608 싹은 났어도 … 말이다: 『論語』「子罕」에 "싹은 났어도 꽃을 피우지 못하는 것이 있구나! 꽃은 피어도 열매를 맺지 못하는 것이 있구나!(苗而不秀者有矣夫, 秀而不實者有矣夫!)"라고 하였다. 또 바로 다음 문장에서 "후배들이란 두려워할만한 것이니, 그들이 미래에 지금의 우리만 못하리란 것을 어찌 장담하겠는가? (후배가) 사십 오십이 되어서도 이름이 알려지지 않는다면, 그는 또한 두려워할 만한 것이 못된다.(後生可畏, 焉知來者之不如今也? 四十五十而無聞焉, 斯亦不足畏也已.)"라고 하였다.
609 이것이 귀신이 … 까닭이다: 『中庸』 제16장.
610 지극한 誠은 … 천명이다: 『中庸』 제26장에 "그러므로 지극한 誠은 쉼이 없으니, 쉬지 않으면 오래가고 오래가면 징험이 나타난다.(故至誠無息, 不息則久, 久則徵.)"라고 하였다.

까지 이르지 못했다면, 진실로 터득한 것이 아니다. 기氣를 버리면 상象이 있는 것인가? 상象이 아니면 뜻[意]이 있는 것인가?

[6-17-2]

有無虛實通爲一物者, 性也; 不能爲一, 非盡性也. 飮食男女, 皆性也, 是烏可滅? 然則有無皆性也, 是豈無對! 莊老浮屠爲此說久矣, 果暢眞理乎!

유有와 무無, 허虛와 실實을 통틀어 (모두) 하나의 사물로 할 수 있는 것은 성性이고, 하나로 할 수 없으면 성을 다한 것이 아니다. 마시고 먹는 것이나 남자와 여자에 관한 것이 모두 성이니, 이것을 어찌 없앨 수 있겠는가? 또 그렇다면, 유有와 무無도 모두 성인데 이것들에 어찌 상대[對]가 없겠는가! 장자·노자·석가가 이러한 설을 만든 지 이미 오래되었지만 과연 참된 이치에 통하였는가!

[6-17-3]

天包載萬物於內, 所感所性, 乾坤陰陽二端而已. 無內外之合, 無耳目之引取, 與人物蔂然異矣. 人能盡性知天, 不爲蔂然起見則幾矣.

하늘은 만물을 안에 끌어안고 실어주는데, 감응되는 것과 성性으로 되는 것[611]은 건곤과 음양의 두 가지 단서[612]일 뿐이다. (하늘에게는) 안과 밖이 합할 것이 없고, 귀와 눈이 끌어당겨 취하는 것이 없으니, 사람과 사물이 자잘한 것과는 다르다.[613] 사람이 성性을 다하고 하늘[天]을 알아서 자잘하게 편견을 만들어내지 않는다면, 도道에 가깝게 될 것이다.

[6-17-4]

有無一, 內外合,庸聖同 此人心之所自來也. 若聖人, 則不專以聞見爲心, 故能不專以聞見爲用. 無所不感者, 虛也; 感, 即合也, 咸也. 以萬物本一, 故一能合異; 以其能合異, 故謂之

· ·

611 감응되는 것과 … 것: 고반룡은 『正蒙釋』에서 "'감응되는 것'은 기이고 변화이다. '성으로 되는 것'은 이치이고, 신이다.('所感', 氣也, 化也; '所性', 理也, 神也.)"라고 하였다. 왕식은 『正蒙初義』에서 "'감응되는 것'은 그 쓰임[用]을 말한 것이고, '성으로 되는 것'은 그 體를 말한 것이다.('所感', 言其用; '所性', 言其體.)"라고 하였다.

612 두 가지 단서: 염근조는 『正蒙補訓』에서 "'두 가지 단서'는 그 나누어짐을 말한 것이 아니고, 그것이 순환하여 틈이 없다는 뜻을 말한 것이다.('二端', 非言其分, 言其循環無間之意.)"라고 하였다.

613 (하늘에게는) … 다르다: 염근조는 『正蒙補訓』에서 "안과 밖, 귀와 눈은 사람과 사물에 비추어서 이야기한 것이니, 이 때문에 안이 있고 밖이 있게 되어 합함을 이야기한 것이다. 하늘에서 어느 것이 바깥이고, 어느 것이 안이겠는가? 귀와 눈이 있으면 듣고 보는 것에 의해 끌어당겨 취하게 되는 것이 있지만, 하늘은 귀도 없고 눈도 없으니 듣는 것도 없고 보는 것도 없는데, 무슨 끌어당겨 취하는 것이 있겠는가? 사람과 사물은 곧 자기가 있으니, 사물의 안과 밖, 귀와 눈의 끌어당겨 취하는 것 등은 자잘하여 그 작은 것을 말한 것이다.(內外耳目, 照人物說, 爲是有內有外方, 言合. 天, 孰爲外, 孰爲內? 有耳目方爲聞見所引取, 天無耳目則無聞見, 有何引取? 人物便有已, 物之內外, 耳目之引取, 蔂然言其小也.)"라고 하였다.

感; 若非有異, 則無合. 天性, 乾坤陰陽也, 二端故有感, 本一故能合. 天地生萬物, 所受雖不同, 皆無須臾之不感, 故謂性即天道也.

유와 무가 하나이고 안과 밖이 합하는 것,범인과 성인이 같다. 이는 사람의 마음이 나오게 되는 곳이다. 성인의 경우에는, 오로지 듣고 보는 것만을 가지고 마음으로 삼지 않기 때문에, 오로지 듣고 보는 것만을 용用으로 삼지 않게 되는 것이다. 감응하지 않음이 없는 것은 허虛이고, 감응하면 곧 합쳐지니 함咸괘[614]이다. 만물은 하나[一]에 근본하기 때문에, 하나는 다름[異]을 합할 수 있고, 그것[一]이 다름을 합할 수 있기 때문에, 감응[感]이라 이르는 것이며, 만약 다름이 있지 않으면 합함도 없는 것이다. 하늘의 성性은 건곤이고 음양이다. 두 가지 단서이기 때문에 감응이 있고, 하나[一]에 근본하기 때문에 합할 수가 있다. 천지가 만물을 낳아서, 만물이 받은 것이 비록 다르지만, 모두 잠시라도 감응[感]하지 않을 때가 없기 때문에, 이른바 성은 곧 천도라는 것이다.

[6-17-5]

感者性之神, 性者感之體.在天在人, 其究一也 惟屈伸動靜終始之能一也, 故所以妙萬物而謂之神. 通萬物而謂之道, 體萬物而謂之性.

감응[感]은 성性의 신神이고, 성性은 감응[感]의 체體이다. 하늘에 있던지 사람에게 있던지 결국은 한 가지이다. 오직 굽히고 펴고 움직이고 고요하고 끝나고 시작하는 것이 하나[一]로 될 수 있기 때문에, 그래서 만물을 묘하게 해주는[615] 것을 신神이라고 하고, 만물을 통하게 하는 것을 도라고 하고, 만물의 본체가 되는 것을 성性이라고 한다.

[6-17-6]

至虛之實, 實而不固; 至靜之動, 動而不窮. 實而不固, 則一而散. 動而不窮, 則往且來.

지극히 허虛한 가운데 실實한 것은 실해도 고착되지 않는다. 지극히 고요한 기운데 움직이는 것은 움직이면서도 다할 때가 없다. 실해도 고착되지 않으면 하나이면서도 흩어지고, 움직이면서도 다하지 않으면 가면서 또 오게 되는 것이다.

[6-17-7]

性通極於無, 氣其一物爾. 命禀同於性, 遇乃適然焉. 人一己百, 人十己千, 然有不至, 猶難語性, 可以言氣. 行同報異, 猶難語命, 可以言遇.

성性은 무無에 지극히 통하는 것[616]이니, 기氣는 그 한 가지 사물일 뿐이다. 명命은 성性에서 함께 품

....

614 咸卦 : 『周易』「咸卦 · 象傳」에 "'함'은 感이다.('咸', 感也.)"라고 하였고, 「象傳」에 "군자가 이를 본받아서 마음을 비워 남의 의견을 받아들인다.(君子以虛受人.)"라고 하였다.

615 만물을 묘하게 해주는 : 『周易』「說卦傳」 제6장에 "神이란 만물을 신묘하게 함을 말한다.(神也者, 妙萬物而爲言者也.)"라고 하였다.

616 지극히 통하는 것 : 고반룡은 『正蒙釋』에서 "'通極'은 극도에 달함과 같음을 말한다.(謂'通極', 猶究極.)"라고

부 받는 것이니, 만나는 것마다 곧바로 적절하게 된다. 다른 사람은 한 번에 하면 자기는 백 번을 하고, 다른 사람은 열 번에 하면 자기는 천 번을 하지만[617], 그래도 이르지 못하는 것이 있으니, 성性이라고 말하기는 어렵고 기氣라고 말할 수는 있다. 행한 것은 같으나 보응報應의 결과가 다르면, 아직 명命이라고 말하기는 어렵고 우연한 마주침이라고 말할 수는 있다.

[6-17-8]

浮屠明鬼, 謂有識之死, 受生循環, 遂厭苦求免, 可謂知鬼乎? 以人生爲妄, 可謂知人乎? 天人一物, 輒生取舍, 可謂知天乎? 孔孟所謂天, 彼所謂道, 惑者指"游魂爲變"爲輪廻, 未之思也. 大學當先知天德. 知天德, 則知聖人, 知鬼神. 今浮屠極論要歸, 必謂死生轉流, 非得道不免, 謂之悟道可乎?悟則有義有命, 均死生, 一天人. 惟知晝夜, 通陰陽, 體之不二. 自其說熾傳中國, 儒者未容窺聖學門墻, 已爲引取, 淪胥其間, 指爲大道. 其俗達之天下, 致善惡, 知愚, 男女臧獲, 人人著信. 使英才間氣, 生則溺耳目恬習之事, 長則師世儒宗尙之言, 遂冥然被驅, 因謂聖人可不脩而至, 大道可不學而知. 故未識聖人心, 已謂不必求其迹; 未見君子志, 已謂不必事其文. 此人倫所以不察, 庶物所以不明, 治所以忽, 德所以亂, 異言滿耳, 上無禮以防其僞, 下無學以稽其弊. 自古詖淫邪遁之詞, 翕然並興, 一出於佛氏之門者, 千五百年. 自非獨立不懼, 精一自信, 有大過人之才, 何以正立其間, 與之較是非, 計得失?

불교에서는 귀鬼를 밝히면서, 의식을 가진 존재가 죽고서 다시 생生을 받아 순환한다고 하여, 마침내 고통을 싫어하여 그것을 면하기를 추구하는데, 귀鬼를 안다고 말할 수 있겠는가? 또 사람의 삶을 허망함으로 여기는데, 사람을 안다고 이를 수 있겠는가? 또 하늘과 사람은 하나의 존재인데 번번이 치취할 것과 버릴 것을 만들어 내니, 하늘을 안다고 이를 수 있겠는가?[618] 공자와 맹자가 이른바 '하늘'은 저들[불교]의 이른바 '도道'인데, 미혹된 자들이 '혼이 떠돌아다녀 변이 되는 것游魂爲變'[619]을 가리켜 윤회輪廻라고 하니, 생각하지 못한 것이다. 크게 배우려면 마땅히 먼저 하늘의 덕을 알아야 하니, 하늘의 덕을 알면 성인도 알게 되고, 귀신도 알게 된다. 불교는 돌아가야 함을 극단적으로 논의[620]했으니, 반드시 말하기를 죽음과 삶이 변화하여 흘러가므로 도를 얻지 못하면 이 윤회를 면할 수 없다고 했는

하였다.

617 다른 한 … 하지만:『中庸』제20장에 "남이 한 번에 잘하거든 나는 백 번을 하며, 남이 열 번에 잘하거든 나는 천 번을 한다.(人一能之, 己百之; 人十能之, 己千之.)"라고 하였다.

618 하늘과 사람은 … 있겠는가?: 웅강대는『性理羣書句解』에서 "하늘과 사람은 동일하게 하나의 이치인데, 지금 인간의 일을 버려서 천성을 추구하니, 이는 하늘의 이치가 있음을 알지 못하는 것이다.(天與人同一理, 今乃棄人事以求天性, 是不知有天之理.)"라고 하였다.

619 혼이 떠돌아다녀 … 것(游魂爲變):『周易』「繫辭上」제4장.

620 돌아가야 함을 … 논의: 왕식은『正蒙初義』에서 "그 돌아가야 함을 극론한 것이다.(謂極論其要歸也.)"라고 하였다. 웅강대는『性理羣書句解』에서 "지금 석가가 극단적으로 담론한 것은 도체가 돌아가야 하는 곳이다.(今佛氏極談是道體要歸宿之地.)"라고 하였다.

데, 이것을 도를 깨달았다고 이를 수 있겠는가? 깨닫게 되면 의義가 있고, 명命이 있어서, 죽음과 삶을 동등하게 간주하며, 하늘과 사람을 동일시하게 된다. 오직 낮과 밤의 이치를 알고 음과 양의 이치를 환하게 통달하여, 둘이 아님을 체득하게 된다. 그 학설이 중국에 불길처럼 전파되기 시작했을 때, 유학자들은 아직 성인의 학문[聖學]의 문과 담을 넘어 (내용을) 엿보지도 못하였고, 이미 끌려 들어가 거기에 빠져 버리고는 그것을 큰 도라고 지칭하게 되었다. 불교의 풍속이 천하에 퍼지니, 선한 사람과 악한 사람, 지혜로운 사람과 어리석은 사람, 남자와 여자, 노비를 막론하고 사람마다 모두 믿음을 분명하게 드러냈다. 뛰어난 재주와 기운을 가진 자라 할지라도 태어날 때부터 귀와 눈이 익숙한 일에 빠져들게[621] 되고, 자라나서는 세속의 선비가 존숭하는 말을 스승으로 삼게 되어 마침내 어두컴컴하게 내몰려지게 되고, 이에 따라 성인은 수양하지 않아도 이를 수 있고 큰 도는 배우지 않아도 알 수 있다고 주장한다. 그러므로 아직 성인의 마음을 알지도 못하면서 이미 그 자취를 구할 필요가 없다고 말하고, 아직 군자의 뜻을 보지도 못했으면서 이미 그 글을 배울 필요가 없다고 말한다. 이는 인륜이 제대로 살펴지지 않게 되는 까닭이고, 만물이 밝아지지 않게 되는 까닭이며, 정치가 소홀해지는 까닭이고, 덕이 혼란해지는 까닭이다. 이단의 말이 귀에 가득 차는데도, 윗사람은 예를 가지고 그들의 거짓을 막지 않고, 아랫사람은 학문을 가지고 그 폐단을 살펴보지 않았다. 예로부터 편벽되고, 방탕하고, 부정하고, 도피하는 말[622]이 한꺼번에 아울러 일어나, 한결같이 석가의 문하에서 나온지 1500년이 되었다. 스스로가 홀로 서서 두려워하지 않고, 순수하여 한결같이 스스로를 믿어서, 다른 사람보다 훨씬 뛰어난 인재가 아니라면, 어떻게 그 사이에 올바르게 서서 그들과 함께 시비를 견주고 득실을 따질 수 있겠는가?

[6-17-9]

釋氏語實際, 乃知道者所謂誠也, 天德也. 其語到實際, 則以人生爲幻妄, 有爲爲疣贅, 以世界爲蔭濁, 遂厭而不有, 遣而弗存. 就使得之, 乃誠而惡明者也. 儒者則因明致誠, 因誠致明, 故天人合一, 致學而可以成聖, 得天而未始遺人. 『易』所謂不遺, 不流, 不過者也. 彼語雖似是, 觀其發本要歸, 與吾儒二本殊歸矣. 道一而已, 此是則彼非, 此非則彼是, 固不當同日而語. 其言流遁失守, 窮大則淫, 推行則詖, 致曲則邪, 求之一卷之中, 此弊數數有之. 大率知晝夜陰陽, 則能知性命, 能知性命, 則能知聖人, 知鬼神. 彼欲直語太虛, 不以晝夜陰陽累其心, 則是未始見易. 未始見易, 則雖欲免陰陽晝夜之累, 末由也已. 易且不見, 又烏能更語眞際! 捨眞際而談鬼神, 妄也. 所謂實際, 彼徒能語之而已, 未始心解也.

불교에서 '실제'라고 말하는 것은 바로 도를 아는 사람이 말하는 성誠이고 하늘의 덕[天德]이다. 그 말이

• • • • • • • • • • • • • • • • • • • •

621 귀와 눈이 … 빠져들게: 웅강대는 『性理羣書句解』에서 "생이 있고 난 이래로 눈과 귀에 익숙한 말에 빠져든다.(自有生以來, 則淪溺於耳目習熟之言.)"라고 하였고, 염근조는 『正蒙補訓』에서 "'恬習'은 익숙한 바에 편안히 여기는 것이다.('恬習', 安於所習也.)"라고 하였다.

622 편벽되고, 방탕하고, … 말: 『孟子』「公孫丑上」에 "편벽된 말에 그 가린 바를 알며, 방탕한 말에 빠져 있는 바를 알며, 부정한 말에 괴리된 바를 알며, 도피하는 말에 (논리가) 궁함을 알 수 있다.(詖辭知其所蔽, 淫辭知其所陷, 邪辭知其所離, 遁辭知其所窮.)"라고 하였다.

실제라는 것에 이르면, 바로 인생을 허깨비와 허망함으로 여기고, 유위有爲를 불필요한 군더더기라고 생각하고 이 세상을 어둡고 혼탁한 것으로 여기니, 마침내 싫어하여 소유하려 하지 않고 내버려 보존하려 하지 않는다. 비록 그것을 얻게 되었다 하더라도 성誠하기는 하나 명明을 싫어하는 것이다. (그러나) 유학자는 명明에 기인하여 성誠에 이르게 되고, 성誠에 기인하여 명明에 이르게 되는 것이니, 그러므로 하늘과 사람이 합하여 하나가 되는 것이고, 학문을 통하여 성인을 이룰 수 있으며, 하늘을 얻더라도 애초부터 사람을 버린 적이 없는 것이다. 『주역』에서 이른바 '빠뜨리지 않고' '휩쓸리지 않으며' '지나치지 않는다'[623]라고 한 것이다. 저들[불교]의 말은 비록 옳은 것처럼 보이지만 그 근본과 돌아가는 곳을 보면 우리 유학과는 근본을 둘로 하여 귀결처가 다르다. 도道는 하나일 뿐이니, 이쪽이 맞으면 저쪽이 틀리고, 이쪽이 틀리면 저쪽이 맞으니, 진실로 함께 논할 수는 없는 것이다. 그 말이 도피하는 데로 흘러 지킬 것을 잃으며, 큰 것을 궁구하면 방탕해지고, 행위를 미루어 가면 편벽되고, 낱낱이 살펴보면 사악해진다. (불교의) 한 권의 책속에서도 이런 것을 찾아보면 이러한 폐단이 여러 군데 있다. 대체로 낮과 밤, 음과 양의 이치를 알면 성명性命을 알 수 있고, 성명性命을 알 수 있으면 성인을 알 수 있으며 귀신을 알 수 있다. 저들은 곧바로 태허만을 말하고자 하는데, 낮과 밤, 음과 양으로 그 마음에 번거로움을 끼치지 않으려 하니, 이는 애초부터 『역』을 보지 못한 것이다. 『역』을 보지 못했으니 비록 음과 양, 낮과 밤의 번거로움을 면하고자 해도 그럴 방법이 없다. 『역』도 또한 보지 못했는데, 어찌 다시 진제眞際[우주 본체]를 이야기할 수 있겠는가! 진제를 버려두고 귀신을 이야기하는 것은 망녕된 것이다. 이른바 실제實際라는 것을 저들은 다만 말을 할 뿐이지, 아직 마음으로 이해한 적이 없는 것이다.

[6-17-10]

『易』謂"原始反終, 故知死生之說"者, 謂原始而知生, 則求其終而知死必矣. 此夫子所以直季路之問而不隱也.

『역』에서 "시작을 추구하여 귀결을 돌이켜 연구하므로 죽음과 삶의 이론을 안다"[624]라고 한 것은 시작을 추구하여 태어나는 것을 알게 되면, 그 귀결을 구하여 죽음을 알게 되는 것이 필연적이라는 것이다. 이는 공자가 계로季路[자로]의 질문에 감추는 것 없이 곧바로 대답한 까닭이다.[625]

- -

623 빠뜨리지 않고 … 않는다 : 『周易』 「繫辭上」 제4장에 "천지의 조화를 포괄하여 지나치지 않으며, 만물을 낱낱이 다 이루어 빠뜨리지 않으며, 낮과 밤의 도리를 겸하여 안다. 그러므로 神은 일정한 방소가 없고 易은 일정한 體가 없는 것이다.(範圍天地之化而不過, 曲成萬物而不遺, 通乎晝夜之道而知, 故神无方而易无體)"라고 하였다.

624 시작을 추구하여 … 안다 : 『周易』 「繫辭上」 제4장.

625 공자가 季路 … 까닭이다 : 『論語』 「先秦」에 子路가 공자에게 귀신에 대해서 묻자, "사람도 제대로 섬기지 못하는데 어떻게 귀신을 섬기겠는가?(未能事人, 焉能事鬼?)"라고 대답하였고, 바로 이어서 죽음에 대해서 묻자, "삶에 대해서도 제대로 알지 못하는데 어떻게 죽음에 대해서 알 수 있겠는가?(未知生, 焉知死?)"라고 하였다.

[6-17-11]

體不偏滯, 乃可謂無方無體. 偏滯於晝夜陰陽者, 物也. 若道, 則兼體而無累也. 以其兼體, 故曰"一陰一陽", 又曰"陰陽不測", 又曰"一闔一闢", 又曰"通乎晝夜". 語其推行, 故曰道; 語其不測, 故曰神; 語其生生, 故曰易. 其實一物, 指事異名爾. 大率天之爲德, 虛而善應. 其應, 非思慮聰明可求, 故謂之神. 老氏況諸谷以此.

체體는 한쪽으로 치우쳐 머무르지 않으니, 방향도 없고 몸체도 없다고 할 수 있다. 낮과 밤, 음과 양에 치우쳐 머무는 것은 물物이다. 도의 경우에는 체體를 겸하여626 누됨이 없다. 체體를 겸하기 때문에 "한 번 음陰하고 한 번 양陽한다"627고 하고 또 "음陰하고 양陽하여 헤아릴 수 없다"628고 하고 또 "한 번 닫고 한 번 연다"629고 하고 또 "낮과 밤을 겸한다"630고 하는 것이다. 미루어 운행됨을 말하므로 '도道'라고 하고, 헤아릴 수 없음을 말하므로 '신神'이라고 하고, 낳고 낳음을 말하므로 '역易'이라고 한다. (그런데) 사실은 하나의 것인데, 일을 가리켜서 이름을 달리 붙인 것일 뿐이다. 대개 하늘의 덕은 텅 비어 있어 잘 감응하는 것이다. 그 감응함은 생각이나 총명으로 구할 수 있는 것이 아니므로, 신神이라고 한다. 노자가 이것을 골짜기에 비유한 것631은 이 때문이다.

[6-17-12]

太虛者, 氣之體. 氣有陰陽, 屈伸相感之無窮, 故神之應也無窮; 其散無數, 故神之應也無數. 雖無窮, 其實湛然; 雖無數, 其實一而已. 陰陽之氣, 散則萬殊, 人莫知其一也; 合則混然, 人不見其殊也. 形聚爲物, 形潰反原. 反原者, 其游魂爲變與! 所謂變者, 對聚散存亡爲文, 非如螢雀之化, 指前後身而爲說也.

태허太虛는 기氣의 체體이다. 기氣에는 음과 양이 있는데, 굽힘과 폄이 서로 감感하는 것이 무궁하므로, 신神이 응應하는 것이 무궁하다. 그 흩어짐이 무수하므로, 신神이 응應하는 것이 무수하다. 비록 무궁하지만 사실은 담연湛然하고, 비록 무수하지만 사실은 하나일 뿐이다.632 음양의 기氣가 흩어지면 만 갈래로 갈라지게 되는데 사람들은 아무도 그것이 하나임을 알지 못하고, 합쳐지면 혼연하게 섞여 있게 되는데 사람들은 아무도 그것이 다름을 알지 못한다. 형체가 모이면 시물이 되고 형체가 무너지면

---

626 도의 경우에는 … 겸하여: 염근조는 『正蒙補訓』에서 "物은 한쪽으로 치우쳐 머무르는 것이고, 道는 體를 겸해서 말한다.(物則偏滯, 道則兼體言.)"라고 하였다.

627 한 번 … 陽한다: 『周易』「繫辭上」 제5장.

628 陰하고 陽하여 … 없다: 『周易』「繫辭上」 제5장.

629 한 번 … 연다: 『周易』「繫辭上」 제11장.

630 낮과 밤을 겸한다: 『周易』「繫辭上」 제4장.

631 老子가 이것을 … 것: 고반룡은 『正蒙釋』에서 "'應'이란 굽히고 펴고 서로 감응하는 것이 무궁함이다. '況'은 비유하는 것이다. 노자의 이른바 '골짜기의 신은 죽지 않는다'는 것은 하늘이 텅 비어서 응하는 것을 비유한 것이다.('應'者, 屈伸相感之無窮. '況', 譬也. 老子所謂'谷神不死', 況天之虛而應也.)"라고 하였다.

632 太虛는 氣의 … 뿐이다: 염근조는 『正蒙補訓』에서 "무궁함과 무수함은 모두 '湛一'로 귀결되니, 이른바 태허가 그것의 체가 된다는 것이다.(無窮無數, 總歸湛一', 即所謂太虛爲之體也.)."라고 하였다.

원상태로 돌아간다. 원 상태로 되돌아가는 것은 바로 '혼이 떠돌아다녀 변이 되는 것游魂爲變633일 것이다! 이른바 변變이란 모이고 흩어지며 생존함과 멸망함에 대해서 글로 표현한 것이지, 개똥벌레나 참새의 변화와 같이 전신前身과 후신後身을 가리켜634 이야기를 하는 것이 아니다.

[6-17-13]

益物必誠, 如天之生物, 日進日息. 自益必誠, "如川之方至", 日增日得. 施之妄, 學之不勤, 欲自益且益人, 難矣哉!『易』曰: "益, 長裕而不設", 信夫!

남을 이롭게 할 때에는 반드시 성誠하게 하여야 하니, 마치 하늘이 만물을 낳는 것처럼 하여 날마다 나아가게 하고 날마다 불어나게 하는 것이다. 스스로를 이롭게 할 때에는 반드시 성誠하게 하여야 하니, "마치 냇물이 막 이르는 것과 같아서"635 날마다 더하고 날마다 얻게 되는 것이다. 보시[布施]를 망령되게 하고, (스스로) 학문을 부지런히 하지 않으면, 스스로를 이롭게 하거나 남을 이롭게 하려해도 어려울 것이다!『역』에 "익益은 크고 넉넉하면서도 조작하지 않는다"636라고 했으니, 진실하구나!

[6-17-14]

將脩己, 必先厚重以自持. 厚重知學, 德乃進而不固矣. 忠信進德, 惟尚友而急賢. 欲勝己者親, 無如改過之不吝.

자기를 수양하고자 하면 반드시 먼저 후중厚重함을 스스로 지녀야 한다. 후중하면서 배울 줄을 알면,637 덕이 진보되어 고루해지지 않게 될 것이다. 충성과 신의로 덕에 나아갈 때, 오직 벗을 존숭하고 현명한 이를 급히 가까이해야 한다. 자신보다 나은 사람과 친하고자하면, (자신의) 잘못을 고치는 데 인색하지 않는 것만 한 것이 없다.638

---

633 혼이 떠돌아다녀 … 것(游魂爲變):『周易』「繫辭上」제4장

634 개똥벌레나 참새의 … 가리켜:『禮記』「月令」에 "유월에는 썩은 풀이 변하여 반딧불이 된다. 9월에 참새가 큰물에 들어가 조개로 변한다.(季夏之月, 腐草爲螢. 季秋之月, 爵入大水爲蛤.)"라고 하였다.

635 마치 냇물이 … 같아서:『詩經』「小雅·天保」

636 益은 크고 … 않는다:『周易』「繫辭下」제7장

637 厚重하면서 배울 … 알면: 유기는『正蒙會稿』에서 "'후중하고 배울 줄 아는 것'은 '덕성을 높이고 학문을 말미암는 것이다'('厚重知學', '尊德性而道問學')"라고 하였고, 오눌은『正蒙補注』에서 "그러나 헛되이 중후하기만 하고 배울 줄을 모르면 덕은 또한 고루해지고 나아갈 수 없다.(然徒重厚而不知學, 則德亦固滯而不進矣.)"라고 하였다.

638 자기를 수양하고자 … 없다:『論語』「學而」에 "군자가 厚重하지 않으면 위엄이 없으니, 학문도 견고하지 못하다. 충성과 신의를 중시하고, 자기보다 못한 자를 벗으로 사귀지 말며, 잘못이 있으면 고치기를 꺼리지 말아야 한다.(君子不重則不威, 學則不固, 主忠信, 無友不如己者, 過則勿憚改.)"라고 했고, 주자는『集注』에서 "'重'은 두텁고 신중함厚重이요, '威'는 위엄이요, '固'는 견고함이다. 외모에 가벼운 자는 반드시 내면에 견고하지 못하다. 그러므로 외면이 厚重하지 못하면 위엄이 없어서 배우는 것도 또한 견고하지 못한 것이다.(重, 厚重, '威', 威嚴, '固', 堅固也. 輕乎外者, 必不能堅乎內, 故不厚重, 則無威嚴, 而所學亦不堅固也.)"라고 하였다.

[6-17-15]

戲言, 出於思也; 戲動, 作於謀也. 發乎聲, 見乎四支, 謂非己心, 不明也; 欲人無己疑, 不能也. 過言, 非心也; 過動, 非誠也. 失於聲, 繆迷其四體, 謂己當然, 自誣也; 欲他人己從, 誣人也. 或者以出於心者歸咎爲己戲, 失於思者自誣爲己誠. 不知戒其出汝者, 歸咎其不出汝者, 長傲且遂非, 不知孰甚焉!

장난스런 말[戲言]은 생각에서 나오고, 장난스런 행동[戲動]은 계획에서 만들어진 것이다. 말에서 드러나고, 팔다리에서 나타나는데도 자기의 마음이 아니라고 말하는 것은 밝지 못한 것이며, 남들이 자기를 의심하지 않기를 바라는 것은 불가능한 일이다. 지나친 말[過言]은 (참된) 마음에서 나온 것이 아니고, 지나친 행동[過動]은 성誠에서 나온 것이 아니다. 말에서 잘못하고 자기의 팔다리로 잘못 행동하고서 자신에게 당연한 것이라고 말하는 것은 스스로를 속이는 것이며, 다른 사람이 자신을 따르게 하려는 것은 다른 사람을 속이는 것이다. 어떤 사람은 마음에서 나온 것들을 자신의 장난이라고 허물을 돌리거나, 생각에서 잘못한 것을 자신의 성誠이라고 스스로를 속이기도 한다. 그것이 너에게서 나오는 것임을 경계할 줄 모르고, 너에게서 나오지 않은 것에 허물을 돌려, 오만함을 키우고 또 잘못을 이루니, 무엇이 이보다 더 심할 것인지 알 수 없다!

[6-17-15-1]

「程子答張子書」云 : "所論大槩有苦心極力之象, 而無寬裕溫柔之氣. 非明睿所照, 而考索至此. 故意屢偏而言多窒. 小出入時有之. 明所照者, 如目所視, 纖微盡識之矣. 考索至者, 如揣料於物, 見彷彿爾. 能無差乎! 更望完養思慮, 涵泳義理, 他日自當條暢."[639] 又曰 : "子厚謹嚴, 纔謹嚴, 便有迫切意象, 無寬舒之意."

「정자가 장재에게 답한 편지」에 말했다. "논의한 바의 대략에 고심하여 힘을 쓰신 모습은 있지만 너그럽고 온유한 기상은 없습니다. 밝은 지혜가 비치는 것이 아니면서 깊이 생각하고 모색하여 여기에 이른 것입니다. 그러므로 뜻이 자주 치우치고 말씀이 자주 막히고 조금 들락날락거린 때가 있습니다. 밝은 지혜가 비치는 것은 마치 눈으로 보는 것과 같이 섬세하게 다 아는 것입니다. 깊이 생각하고 모색하여 이른 것은 마치 사물에 대해 헤아리는 것과 같아서 거의 비슷할 뿐입니다. 차이가 없을 수 있겠습니까! 다시 사려를 완전하게 기르시고 의리를 함양하셔서 뒷날 마땅히 막힘없이 통하게 되기를 바랍니다." 또 말했다. "자후子厚[장재]께서는 근엄하시니, 근엄하기만 하면 곧 절박한 마음이 생기게 되고 너그러운 뜻은 없게 됩니다."

[6-17-15-2]

朱子曰 : "此章卽「東銘」. 正如今法書所謂'故失'兩字. 因作圖子與「西銘」對看."

주자가 말했다. "이 장은 「동명東銘」이다. 바로 지금의 서법에서 이른바 '고의적 과실'[故失]이라는

639 『二程全書』「伊川先生文四·答橫渠先生書」 권63

두 글자와 같다. 따라서 그림으로 만들어 「서명」과 마주보게 하였다."

[6-17-15-3]

伊川云 : "非明睿所照, 而考索至此. 蓋橫渠却是一向苦思求將向前去. 却欠涵泳以待其義理自形見處."

이천伊川이 말했다. "밝은 지혜가 비치는 것이 아니고 깊이 생각하고 모색하여 여기에 이른 것이다. 아마도 횡거는 한결같이 고심해서 앞으로 나아가길 구했을 것이다. 또한 여유롭게 그 의리가 스스로 드러나는 곳을 기다리는 점이 부족하다."

[6-17-15-4]

「答江仲謀論正蒙書」曰 : "道之極致, 物我固爲一矣. 然豈獨物我之間驗之? 蓋天地鬼神, 幽明隱顯, 本末精粗, 無不通貫而爲一也. 「正蒙」之旨不外是. 然聖賢言之, 亦已多矣. 「正蒙」之作, 復何爲乎? 恐須反覆研究其說, 求其所以一者而合之. 於其所謂一者, 必銖銖而較之, 至於鈞而必合. 寸寸而度之, 至於丈而不差, 然後爲得也."

「답강중모론정몽서答江仲謀論正蒙書」에 말했다. "도의 극치는 만물과 내가 진실로 하나인 것이다. 그러나 어찌 유독 만물과 나 사이에서만 그것을 증험하겠는가? 천지와 귀신, 유명幽明과 은현隱顯, 본말本末과 정추精粗가 모두 꿰뚫어 하나가 되지 않음이 없는 것이다. 「정몽」의 뜻은 이 밖에 있지 않다. 그러나 성현이 말한 것이 또한 이미 많다. 그러니 「정몽」의 저작에 다시 무엇을 하겠는가? 아마도 그 설을 반복하고 연구하여, 하나가 되는 것을 구하여 합해야 할 것이다. 그 이른바 하나라는 것에 반드시 아주 작은 양인 1수銖1냥의 24분의 1마다 그것을 견주어보고, 1균鈞30근 정도에 이르러 반드시 합해야 한다. 그리고는 매 촌寸마다 그것을 헤아려보고 1장丈에 이르러 차이가 없게 된 후에야 터득하게 될 것이다."

[6-17-15-5]

黃瑞節曰 : "張子有『文集』諸『經說』『語錄』, 皆其門人記錄之書. 朱子取以入『近思錄』, 凡八十條. 惟「正蒙」乃其手所撰著云."

황서절이 말했다. "장재에게는 『문집文集』, 여러 『경설經說』, 『어록語錄』이 있는데, 모두 그 문인들이 기록한 글이다. 주자가 취하여 『근사록近思錄』으로 편입시켰으니, 80조목이다. 오직 「정몽」만이 그의 손으로 저술한 것이다."

[6-17-15-6]

又按東萊呂氏云 : "「知言」勝「正蒙」." 朱子曰 : "「正蒙」規模大, 「知言」小. 知言蓋五峯胡氏所撰云".

또 생각건대 동래여씨東萊呂氏여조겸가 말했다. "「지언知言」이 「정몽」보다 낫다." 주자가 말했다. "「정몽」은 규모가 크고 「지언」은 작다. 「지언」은 호오봉胡五峯이 지은 것이라고 한다."

皇極經世書一 황극경세서 1

皇極經世書一
황극경세서 1

[7-0-1]

邵伯溫曰: "皇極經世書凡十二卷. 其一之二, 則總元會運世之數, 易所謂天地之數也. 三之四, 以會經運, 列世數與歲甲子, 下紀帝堯至于五代歷年表, 以見天下離合治亂之迹, 以天時而驗人事者也. 五之六, 以運經世, 列世數與歲甲子, 下紀自帝堯至于五代傳所載興廢治亂得失邪正之迹, 以人事而驗天時者也. 自七之十, 則以陰陽剛柔之數窮律呂聲音之數, 以律呂聲音之數窮動植飛走之數, 易所謂萬物之數也. 其十一之十二, 則論皇極經世之所以爲書, 窮日月星辰飛走動植之數, 以盡天地萬物之理. 述皇帝王霸之事, 以明大中至正之道. 陰陽之消長古今之治亂, 較然可見矣. 故書謂之皇極經世, 篇謂之觀物焉."

소백온이 말했다. "『황극경세서』[1]는 모두 12권이다. 1권과 2권은 원회운세元會運世의 수를 총괄했으니, 『역』에서 말하는 천지의 수[2]이다. 3권과 4권은 회에서 운을 거쳐 세수世數와 갑자를 나열하고 그 아래 요순에서 오대五代에 이르는 연대표를 기록해서, 천하가 분열되고 통합되며 질서를 이루고 혼란했던 흔적을 드러내어, 천시天時를 통해 인간사를 증험하였다. 5권과 6권은 운에서 세를 거쳐 세수와 갑자를 나열하고 그 아래 요순에서 오대의 역사책에 실린 흥하고 망하는 일과 다스려지고 혼란해지는 일들과 얻고 잃는 것들과 올바르고 사악한 것들의 행적을 기록하여 인간사로 천시를 증험하였다. 7권에서 10권은 음양陰陽·강유剛柔의 수로 율려성음律呂聲音의 수를 궁리하였고, 율려성음의 수로 동물·식물·나는 것·달리는 것動植飛走의 수를 궁리했으니, 『역』에서 말하는 만물의

---

1 왕식의 설명에 따른다면 皇極이라는 말은 「洪範」의 "황극을 세워 쓴다.(建用皇極)"는 말에 기원한다. 황극이란 군주의 기준君極으로 궁극적인 표준이란 말이다. 經世란 元·會·運·世를 말하는데 원·회·운은 모두 世가 누적되어 이루어진 것이다. 소백온은 "至大를 皇이라 하고 至中을 極이라 하고 至正을 經이라 하고 至變을 世라고 한다."고 했다.

2 『周易』「繫辭上」9장: "천수는 25이고 지수는 30이며 천지의 수는 55이다.(天數二十有五, 地數三十, 凡天地之數五十有五.)"

수[3]이다. 11권에서 12권은 황극경세를 쓰게 된 까닭을 논하였으니, 일日·월月·성星·신辰과 나는 것[飛]·달리는 것[走]·동물[動]·식물[植]의 수를 궁리하여 천지만물의 이치를 다하였다. 황·제·왕·패皇帝王覇의 일을 서술하여 지극히 위대한 중정中正의 도를 밝혔다. 음양이 늘어나고 줄어드는 것과 옛날과 지금의 다스림과 혼란을 분명하게 볼 수 있다. 그래서 책이름을 '황극경세'라고 하고 편명을 '관물'觀物이라 하였다."[4]

[7-0-2]

西山蔡氏曰: "皇極經世之書, 康節先生以爲先天之學, 其道一本於伏羲卦圖. 但其用字立文, 自爲一家, 引經引義, 別爲一說. 故學者多所疑惑. 要當且以康節之書反覆涵泳, 使倫類精熟, 脉絡通貫, 然後有得. 若其宗要, 則明道先生, 所謂加一倍法也. 是故由用而之體, 則自一而二, 自二而四, 自四而八, 自八而十六, 自十六而三十二, 自三十二而六十四. 卽體而之用, 則自六十四而三十二, 自三十二而十六, 自十六而八, 自八而四, 自四而二, 自二而一, 一者, 太極也, 所謂一動一靜之間者也. 盖嘗謂體天地之撰者[5], 至於易而止矣, 不可以有加矣. 楊氏之太玄八十一首, 關氏之洞極二十七象, 司馬氏之潛虛五十五行, 皆不知

---

3 『周易』「繫辭上」9장: "두 편의 책수는 11,520으로 만물의 수에 해당한다.(二篇之策, 萬有一千五百二十, 當萬物之數也.)"

4 章潢『圖書編』: "邵子의『皇極經世』衍易圖說에 太陽·太陰·少陽·少陰은 하늘의 四象으로 動에 속하고, 少剛·少柔·太剛·太柔는 땅의 사상으로 靜에 속한다. 그 다음에 日·月·星·辰과 水·火·土·石의 類도 모두 이를 인하여 넷으로 나누어 배정하였다. 대개 하늘의 사상은 氣가 되는데 用은 寒·署·晝·夜가 되며, 땅의 사상은 質이 되는데 용은 雨·風·露·雷가 된다. 氣는 동하기 때문에 능히 변하고 質은 정하기 때문에 능히 化한다. 한·서·주·야가 변하면 性·情·形·體가 되며, 우·풍·노·뇌가 화하면 飛·走·草·木이 되니 이는 다 하늘과 땅이 만들어 낸 물건이다. 하늘의 변함으로 말미암아 感하는 것은 耳·目·口·鼻가 되고, 땅의 화함으로 말미암아 應하는 것은 色·聲·香·味가 되니, 이는 만물을 생하게 하는 用이다. 기로써 말하면 元·會·運·世는 하늘에 속하고, 歲·月·日·辰은 땅에 속하며, 治化로써 말하면 三皇·五帝·三王·五伯(오패)는 하늘에 속하고, 『易』·『書』·『詩』·『春秋』는 땅에 속한다. 이것이 모두 하늘과 땅의 사상을 인하여 나누어져서 서로서로 交易함에, 천하의 변화하는 것을 모두 미루어 알 수 있다."(오주 이규경의 『五洲衍文長箋散稿』에서 재인용)

5 『周易』「繫辭下」6장: "공자가 말했다. '건곤은 역의 문이다! 건은 양의 물건이고 곤은 음의 물건이니 음양의 덕이 합해서 강하고 부드러운 것에 체질이 있다. 건곤으로써 하늘과 땅의 일을 본받으며 신명의 덕에 통한다. 그 이름을 일컬음이 잡다하지만 넘치지 않으며, 그 종류를 살펴보면 쇠락한 세상의 뜻이구나!' 역은 간 것을 밝히고 오는 것을 살피며, 은미한 것을 드러내고 그윽한 것을 밝히며, 명분을 마땅하게 하며, 물건을 분별하며, 말을 바르게 하며, 말을 판단하니 곧 갖추어져 있다. 그 이름을 일컬음은 작으나 그 종류를 취한 것은 크고, 그 뜻은 멀며, 그 말체의 말[辭]은 文理가 있으며, 그 견해의 말[言]은 곡진하면서도 적중하며, 그 일이 베풀었지만 이치는 감추어져 있으니 의심스러운 것으로 인해서 백성의 행함을 구제하여 잃음과 얻음의 응보를 밝힌다.(子曰, '乾坤, 其易之門邪? 乾, 陽物也, 坤, 陰物也. 陰陽合德而剛柔有體, 以體天地之撰, 以通神明之德. 其稱名也, 雜而不越, 於稽其類, 其衰世之意邪?' 夫易, 彰往而察來, 而微顯闡幽. 開而當名辨物, 正言斷辭則備矣. 其稱名也小, 其取類也大, 其旨遠, 其辭文, 其言曲而中, 其事肆而隱. 因貳以濟民行, 以明失得之報.)"

而作者也. 天奇地耦之畫, 陽九陰六之數, 四千九十有六之變, 萬有一千五百二十之策, 有以加乎此哉! 康節之學, 雖作用不同而其實則伏羲所畫之卦也. 故其書以日月星辰水火土石, 盡天地之體用. 以暑寒晝夜雨風露雷, 盡天地之變化. 以性情形體走飛草木, 盡萬物之感應. 以元會運世歲月日辰, 盡天地之終始. 以皇帝王霸易書詩春秋, 盡聖賢之事業. 自秦漢以來, 一人而已耳."

서산 채씨蔡元定[6]가 말했다. "황극경세라는 책은 강절 선생이 선천의 학문으로 삼은 것으로 그 도는 일관되게 복희의 8괘도에 근본하고 있다. 다만 글을 쓸 때는 저절로 일가一家를 이루었고, 경전을 인용하고 의미를 인용하는 것은 별도로 하나의 학설이 되었다. 그래서 학자들에게 의혹이 많았다. 마땅히 강절 선생 책을 반복해서 읽고 푹 빠져 음미하며 순서와 종류를 익숙하게 익혀 맥락을 관통한 뒤에야 깨닫는 바가 있을 것이다. 그 중요한 요지는 명도 선생이 '가일배법'加一倍法[7]이라고 말한 바 있다. 그래서 용用에서 체體로 가면 1에서 2로, 2에서 4로, 4에서 8로, 8에서 16으로, 16에서 32로, 32에서 64가 되며, 체에서 용으로 가면 64에서 32로, 32에서 16으로, 16에서 8로, 8에서 4로, 4에서 2로, 2에서 1이 된다. 1은 태극으로 '한번 움직이고 한번 고요하는 사이'[8]에 있다고 한 것이다. 일찍이 천지의 찬撰[9]을 골자로 한 것이 『주역』에 이르러 그치니 여기에 더 덧붙일 것이 없었다. 양웅[10]의

----

6 蔡元定(1135~1198) 자는 季通이고, 세칭 西山先生이라 하였다. 송대 建陽(현 복건성 건양)사람으로 주희를 경모하여 스승으로 받들었으나, 주희가 도리어 제자가 아닌 친구로 대우하였다. 그의 학문은 신유학뿐 아니라 천문·지리·樂律·歷數·兵陣 등에 뛰어났다. 특히 象數學에 조예가 깊어 주희의 『易學啓蒙』 저술에 참여한 것으로 알려진다. 말년에 주희와 함께 慶元黨禁의 표적이 되어 귀양을 가서 생을 마쳤다. 저서는 『律呂新書』·『八陣圖說』·『洪範解』 등이 있다.

7 『二程外書』 권12 "堯夫易數甚精. 自來推長歷者, 至久必差, 惟堯夫不然, 指一二近事, 當面可驗. 明道云, '待要傳與某兄弟, 某兄弟那得工夫? 要學, 須是二十年功夫.' 明道聞說甚熟, 一日因監試無事, 以其說推算之, 皆合, 出謂堯夫曰, '堯夫之數, 只是加一倍法, 以此知太玄都不濟事.' 堯夫驚撫其背, 曰' 大哥你怎聰明.' 伊川謂堯夫, '知易數爲知天? 知易理爲知天?' 堯夫云, '須還知易理爲知天.' 因說今年雷起甚處. 伊川云, '堯夫怎知某便知?' 又問甚處起, 伊川云, '起處起.' 堯夫愕然. 他日, 伊川問明道曰, '加倍之數如何?' 曰, '都忘之矣.' 因歎其心無偏繫如此."

8 소강절의 이 '한번 움직이고 한번 고요하는 사이(一動一靜之間)'의 의미는 상당히 독특한 견해라고 한다. 태극의 자리에 놓여 있기 때문이다. '一動一靜之間'을 태극과 동일하게 보는 견해가 가장 일반적이다. 주백곤의 견해가 그러하다. 그러나 두 가지 표현의 차이를 강조하는 견해도 있다. 우선 일동일정지간을 태극이라고 표현한 것은 소강절의 견해가 아니라 門人들의 견해라고 본다. 태극이라는 용어는 문인들의 기록이라고 알려진 「觀物外篇」에만 등장하기 때문이다.

9 『周易』 『繫辭下』 6장 : "공자가 말했다. '건곤은 역의 문이다! 건은 양의 물건이고 곤은 음의 물건이니 음양의 덕이 합해서 강하고 부드러운 것에 체질이 있다. 건곤으로써 하늘과 땅의 일을 본받으며 신명의 덕에 통한다. 그 이름을 일컬음이 잡다하지만 넘치지 않으며, 그 종류를 살펴보면 쇠락한 세상의 뜻이구나!' 역은 간 것을 밝히고 오는 것을 살피며, 은미한 것을 드러내고 그윽한 것을 밝히며, 명분을 마땅하게 하며, 물건을 분별하며, 말을 바르게 하며, 말을 판단하니 곧 갖추어져 있다. 그 이름을 일컬음은 작으나 그 종류를 취한 것은 크고, 그 뜻은 멀며, 그 문체의 말[辭]은 文理가 있으며, 그 견해의 말[言]은 곡진하면서도 적중하며, 그 일이 베풀었지만 이치는 감추어져 있으니 의심스러운 것으로 인해서 백성의 행함을 구제하여 잃음과 얻음의 응보

『태현太玄』[11] 81괘, 관씨[12]의 『통극洞極』[13] 27상象, 사마광[14]의 『잠허潛虛』[15] 55행은 모두 알지도 못하고 지은 것이다. 하늘의 홀수 획과 땅의 짝수 획, 양수 9와 음수 6, 4,096가지 변화, 11,520의 책수策數에 어찌 더 덧붙일 것이 있겠는가! 강절의 학문은 작용은 다르지만 실제 복희가 그린 괘이다. 그래서

를 밝힌다.(子曰, '乾坤, 其易之門邪? 乾, 陽物也, 坤, 陰物也. 陰陽合德而剛柔有體, 以體天地之撰, 以通神明之德. 其稱名也, 雜而不越, 於稽其類, 其衰世之意邪? 夫易, 彰往而察來, 而微顯闡幽. 開而當名辨物, 正言斷辭則備矣. 其稱名也小, 其取類也大, 其旨遠, 其辭文, 其言曲而中, 其事肆而隱. 因貳以濟民行, 以明失得之報.)"

10 揚雄(B.C.53~18) : 자는 子雲이다. 서한시대 城都(현 사천성 성도)사람으로 成帝때 給事黃門郎이 되고 王莽때는 校書天祿閣으로 대부의 반열에 올랐다. 초기에는 형식상 司馬相如를 모방하여 『甘泉』・『河東』・『羽獵』・『長楊』四賦를 지었으나, 후기에는 『易』을 본떠서 『太玄』을 짓고 『論語』를 본떠서 『法言』을 지었다. 사람의 본성에 대해서는 '性善惡混說'을 주장하였다.

11 『太玄經』 : 중국 漢나라의 사상가 揚雄(B.C.53~A.D.18)의 저서로서 10권으로 이루어져 있다. 『周易』에 비견될 수 있는 문헌으로 우주만물의 근원을 논하고, 陰陽二元論 대신 始・中・終의 三元으로 우주만물을 설명하고 여기에 曆法을 가미하여 설명하고 있다. 이는 『周易』을 모방하여 만든 책이다. 역의 2진법이 아니라 3진법을 사용한다. 1玄, 3方, 9州, 81家, 729贊으로 나뉜다. 3(1・2・3)贊이 4차례 조합하여 81首(역의 64괘에 해당함)를 구성하고, 또한 9(1・1, 1・2, 1・3, 2・1, 2・2, 2・3, 3・1, 3・2, 3・3)贊을 두어 각 찬에 辭(역의 효사에 해당함)를 썼다. 북송 사마광의 『태현경집주』가 유명하다.

12 關郎 : 北魏 解州 사람으로 關羽의 후예이다. 關子明이라고도 한다. 지방에 은거하여 관직을 구하지 않았다. 孝文帝 太和 말에 王虬가 그를 왕실에 두었다. 그와 『周易』을 논하였는데 기이한 재주를 가지고 있어 황제에게 추천했다. 왕이 불러 『老子』와 『易經』을 물어보니 관랑은 왕도를 논하면서 慈儉을 근본으로 하여 刑政禮樂으로 꾸며 다스리라고 했다. 효문제가 왕두가 사람을 볼 줄 안다 여겼다. 여러 차례 불러 물었지만 황제가 죽어 관직에는 오르지 못했다.(『고금도서집성』氏族典 권172)

13 洞極 : 洞極元經 혹은 洞極眞經이라고 하는데 관랑의 저작이다.

14 司馬光(1019~1086) : 자는 君實이고, 호는 迂夫와 만년의 迂叟이며, 시호는 文正이다. 세칭 司馬太師・溫國公・涑水先生이라 한다. 송대 夏縣 涑水鄕(현 산서성 夏縣)사람으로 翰林侍讀・權御史中丞・門下侍郞 등을 역임하였다. 왕안석의 신법에 반대하여 퇴출되었다가 재상으로 복직하여 신법을 폐지하였다. 저서는 『문집』과 『資治通鑑』・『稽古錄』・『易說』・『潛虛』 등이 있다. 중국 북송시대 정치가・사학자이다.

15 『잠허』 : 사마광의 저서로서 양웅의 『태현』을 모방하여 만든 책이다. 義理・圖式・術數 3부분으로 구성되어 있다. 의리 부분은 五行水・火・木・金・土을 기초로 陰陽・域卦・筮占의 기본 사상을 흡수, 천지만물의 생성과 우주질서의 변화를 담고 있다. 『太玄』에서 의리 문제를 많이 설명했으나, 영향을 확대하기 어렵다고 생각하여 하나의 독특한 도식과 술수를 만들었다. 도식과 술수는 항상 결합되어 나타날 뿐 아니라 도와 수로 칭할 수 있다. 도는 氣・體・性・名・行・命의 6도로 나누며, 그 중 行圖는 變圖, 解圖를 포함한다. 氣圖의 핵심은 만물이 모두 허를 조상으로 하고, 기에서 생긴다는 것을 그림으로 풀이하는 데 있다. 수의 연원에서 설명하면, 1・2・3・4・5를 서로 더하면 15가 되니 生數이다. 6・7・8・9・10을 서로 더하면 40이 되니 곧 成數이다. 생수와 성수를 더하면 55가 되니, 이는 「易傳」에서 말하는 天地의 수이다. 사마광은 어떤 체계가 55의 서열에 부합하는지를 설명하는 것을 합리적이라 생각했다. 5행을 근본으로 하여 5의 제곱인 25로써 『태현』의 9의 제곱인 81을 변경했다. 1~5(15)는 生數, 25(5×5)는 天數, 6~10(40)은 成數, 55(생수+성수)는 천지의 수, 천수 25×3才=75는 命數, 命數 75에서 虛5인 70을 筮數로 하였다. 역은 64괘, (태)현은 81首, (잠)허는 55名이라고 하며, 역은 6효, 현은 9贊, 허는 7變이라 한다. 역의 괘는 內外가 있고, 현의 首는 4位가 있으며, 허의 體는 10等이 있다.

그 책은 일・월・성・신日月星辰과 수・화・토・석水火土石으로 천지의 체體와 용用을 다했고, 더위・
추위・낮・밤暑寒晝夜과 비・바람・이슬・우레雨風露雷로 천지의 변變과 화化를 다했으며, 성・정・
형・체性情形體와 달리는 것・나는 것・풀・나무走飛草木로 만물의 감感과 응應을 다했고, 원・회・
운・세元會運世와 세・월・일・진歲月日辰으로 천지의 처음과 끝을 다했으며 황・제・왕・패皇帝王伯
와 역・서・시・춘추易書詩春秋로 성현들의 사업을 다했으니, 진한秦漢이래로 오직 한 사람일 뿐이다."

[7-0-2-1]

嵩山晁氏曰: "邵雍堯夫, 隱居博學, 尤精於易, 能前知來物. 撰皇極經世書, 以元經會, 以
運經世, 起於堯即位之元年甲辰, 終於周顯德五年己未. 編年紀興亡治亂以符其學. 世稱康
節之易, 先天之嗣也. 有觀物內外篇. 內篇解, 則其子伯溫所著也."

숭산 조씨晁以道[16]가 말했다. "소옹 효부는 은거하여 박학하고, 『주역』에 아주 정밀해서 미래의 일을
미리 알았다. 『황극경세서』를 편찬하여 원에서 회를 거쳐 운에서 세를 거쳐 요 임금이 즉위한 원년
인 갑진년甲辰年[17]을 시작으로 주나라 현덕顯德 5년 기미년己未年[18]에 끝마쳤다. 흥망치란을 편년체로
기록하여 그 학문을 증명했다. 세상에서는 강절의 역을 선천의 계승이라고 칭한다. 관물 내편과
외편이 있다. 내편의 주해는 그 아들 소백온이 저술하였다."

[7-0-2-2]

趙氏震曰: "皇極經世書, 元會運世六卷, 凡三十四篇, 如易之上經. 聲音律呂四卷, 凡十六
篇, 如易之下經. 觀物十二篇之文, 所以暢二數之義, 如易之有繫辭焉. 夫道不囿於數而數
實該乎道. 昔之負才氣者, 雖使十年不仕而事於數, 康節殆未之許. 吁, 是豈易言也哉!"

조씨趙震가 말했다. "『황극경세서』 원회운세 6권은 모두 34편으로 『주역』의 상경과 같다. 성음율려
4권은 모두 16편으로 『주역』의 하경과 같다. 관물 12편의 문장은 2수數의 뜻을 펼쳤으니 『주역』에
「계사전」이 있는 것과 같다. 도는 수에 국한되지는 않지만 수는 실로 도를 갖추고 있었다. 옛날에
재주를 가진 사람이 벼슬하지 않고 설령 10년 동안 수를 연구하더라도 강절은 인정하지 않았다.[19]
아, 이것을 어찌 쉽게 말할 수 있겠는가!"

16 晁說之(조열지): 송나라 濟州 사람으로 자가 以道이며, 伯以이고 자호가 景迂이다. 晁端彦(조단언)의 아들이
다. 신종 원풍 5년 진사가 되었다. 문장이 유려하여 소식의 추천을 받았다. 철종 원부 3년 知無極縣이 되어
상소를 올려 왕안석을 배척하였다. 고종이 즉위하자 徽獻閣待制兼侍讀을 제수받았지만 병으로 부임하지 못
하였다. 만년에는 불교를 믿었다. 시와 산수화에 능하였고 六經에 통달하였는데 易에 더욱더 뛰어났다. 저서
로는 『儒言』, 『晁氏客語』가 있다.

17 요임금이 즉위한 갑진년은 기원전 2,357년에 해당한다.

18 주나라後周가 顯德으로 開元한 후 5년을 말한다. 기원후 959년에 해당한다.

19 『宋元學案』「百源學案」권9 부록: "先生與商州趙守有舊. 時章惇作商州令. 一日, 守請先生與惇會, 惇縱橫議
論, 不知敬先生也. 因語及洛中牡丹之盛, 守因謂惇曰, '先生, 洛人也, 知花甚詳.' 先生因言洛人以見根撥而知花
之高下者爲上, 見枝葉而知者次之, 見蓓蕾而知者下也. 惇默然. 後從先生遊, 欲傳數學, 先生謂須十年不仕乃可,
蓋不之許也."

按本書六十二篇, 並門弟子所記, 外篇上下, 通六十有四篇. 其首三十四篇, 則以元會運世相經, 橫列甲子, 繫歲紀事, 以驗夫天時人事之得失. 其次十六篇, 則以聲音律呂更唱迭和, 爲圖三千八百四十, 以窮夫萬物之數. 其後內外十四篇之文, 則皆所以敷暢前二數之義也. 然前之二數, 邵伯溫氏嘗著一元消長等圖以括其要約, 後西山蔡氏因其圖而推衍之著爲經世指要一書, 足以盡了五十篇之義, 而晦庵朱子謂其於康節之書, 推究縝密矣. 故今不復具載康節全書, 但取蔡氏指要諸圖, 增以諸家釋例, 纂爲二卷, 列於內外十四篇之首, 庶幾觀者, 即圖以明其數. 因文以求其理, 則由約可以該博. 復以漁樵問答及無名公傳附於後者, 因其文意與是書有相發明故也.

생각하건대 본서 62편은 문하 제자가 기록한 것으로 외편 상하까지 모두 64편이다. 그 첫 번째 34편은 원회운세로 서로 경유하였고 갑자甲子를 가로로 나열하여 그 해 기사紀事를 붙여 천시와 인간사의 득실을 증험하였다. 그 다음 16편은 성음율려로 재차 번갈아 조화시켜 3,840개의 도표를 만들어 만물의 수를 다 드러내었다. 그 다음 내외 14편의 문장은 모두 이전의 두 가지 수數의 뜻을 부여하였다. 그러나 이전의 두 가지 수는 소백온씨가 일원소장一元消長 등의 도표를 저술하여 그 뜻을 요약하였는데, 후에 서산 채씨는 그 도표를 근거하여 추리하고 부연하여 『경세지요』[20]라는 책을 저술하였으니, 50편의 뜻을 다하기에 충분했다. 회암 주자는 "강절의 책을 정밀하고 꼼꼼하게 추리하고 연구했다."라고 평했다. 그래서 지금 강절의 전체 책을 다시 갖추어 싣지 않는다. 그러나 채씨의 『경세지요』의 여러 도표를 취하여 여러 사람의 해석을 덧붙여 2권으로 편찬하여, 내외 14편에 배열한 서두 부분에 나열했다. 볼 만한 것은 도표에 즉하여서 그 수를 밝혔다. 글자를 통하여 그 이치를 구했으니 간략한 것에서 복잡한 것을 갖추었다.[21] 「어초문답」과 「무명공전」을 그 뒤에 부가했던 것은 그 문장의 의미가 이 책과 서로 뜻을 밝혀주기 때문이다.

纂圖指要上　찬도지요상[22]

[7-1-0]

西山蔡氏曰："龍馬負圖, 伏羲因之以畫八卦, 重之爲六十四卦. 初未有文字, 但陽奇陰耦

20　『皇極經世指要』: 채원정의 저작으로『皇極經世書』의 節本이다. 그림과 도표를 사용하여 소강절의 선천학을 설명하고 있다.

21　이상의 내용에서도 알 수 있듯이『性理大全』에 수록된『皇極經世書』는 주로 채원정의『經世指要』를 바탕으로 이루어졌음을 알 수 있다. 아래의「纂圖指要」가 채원정의『經世指要』에 나온 도표를 가지고 구성한 것이기 때문이다.

22　「纂圖指要」: 채원정의『皇極經世指要』를 편집한 것으로『性理大全』에서 그림들과 도표들을 구성한 것이다.

卦畫次序而已. 今世所傳伏羲八卦圖以圓函方者是也. 康節曰: '上古聖人皆有易, 但作用不同. 今之易, 文王之易也, 故謂之周易.' 若然, 則所謂三易者, 皆本於伏羲之圖, 而取象繫辭以定吉凶者名不同耳. 連山首艮, 歸藏首坤, 周易首乾. 連山歸藏雖不傳, 意其作用必與周易大異. 然作用雖異, 其爲道則同一太極也. 皇極經世之書, 命數定象, 自爲一家. 古所未有. 學者所未見. 然亦皆出於伏羲卦畫奇耦之序. 其爲道亦同一太極也. 今以伏羲卦圖列之於前, 而以皇極經世疏之於後, 則大略可見矣."

서산 채씨가 말했다. "용마가 그림을 지고 나와 복희가 그것을 보고서 8괘를 그렸고 중첩하여 64괘를 만들었다. 애초에 문자가 없었지만 양을 홀━로 삼고, 음을 짝━━으로 삼아 괘를 순서에 따라 그렸을 뿐이다. 지금 세상에 전하는 복희 8괘도는 원으로 네모를 포함하고 있는 것이 이것이다. 강절이 말했다. '상고 시대 성인은 모두 역이 있었다. 그러나 작용이 같지 않았다. 지금의 역은 문왕의 역이다. 그래서 주역이라고 한다.' 그렇다면 3역[23]이라는 것은 모두 복희의 그림을 근본으로 하여 상을 취하고 말을 붙여 길흉을 정한 것으로 이름이 다를 뿐이다. 연산역은 간괘를 첫머리에 두고, 귀장역은 곤괘를 첫머리에 두고, 주역은 건괘를 첫머리에 둔다. 연산역과 귀장역은 전해지지 않지만, 생각하건 대 그 작용은 분명 주역과 크게 다를 것이다. 그러나 작용이 다르더라도 그 도는 동일하게 태극이다. 『황극경세』라는 책은 수數를 결정하고 상象을 정하여 저절로 일가一家를 이루었다. 옛날에 있지 아니 했고 배우는 자가 본 적이 없는 것이다. 그러나 또한 모두 복희가 괘를 그린 홀과 짝의 순서에서 나왔으니 그 도는 또한 같은 태극이다. 지금 복희의 괘도를 앞에 배열하고, 『황극경세서』를 뒤에 주석하였으니 대략을 볼 수 있다."

· · · · · · · · · · · · · · · · · · · ·
23 3역: 연산역, 귀장역, 주역을 말한다.

伏羲始畫八卦圖 복희시획팔괘도 : 복희가 처음으로 그린 팔괘 그림

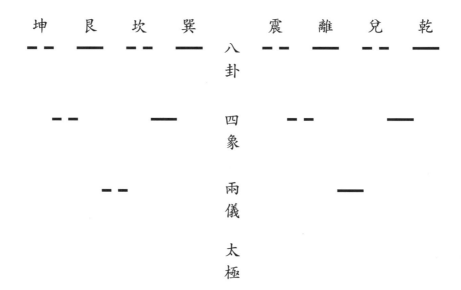

[7-1-1]

西山蔡氏曰：“大傳曰, ‘易有太極, 是生兩儀, 兩儀生四象, 四象生八卦, 八卦定吉凶, 吉凶生大業.’ 其法自一而二, 自二而四, 自四而八, 實則太極判而爲陰陽, 陰陽之中又有陰陽, 出於自然, 不待智營而力索也. 其敍首乾而尾坤者, 以陰陽先後爲數也.”

서산 채씨가 말했다. “「역대전」에서 말하기를 ‘역에는 태극이 있으니 이것이 양의를 낳고 양의가 사상을 낳고 사상이 팔괘를 낳고 팔괘가 길흉을 정하니 길흉이 큰 사업을 낳는다.’[24] 그 법은 1에서 2가 되고, 2에서 4가 되고, 4에서 8이 되지만 실은 태극이 갈라져 음양이 되고 음양 속에 또 음양이 있는 것이니, 자연自然에서 나오는 것이지 지혜로 도모하고 억지로 찾은 것은 아니다. 그 순서가 건괘를 첫머리로 하고 곤괘를 끝으로 하는 것은 음양 선후로 수를 삼았기 때문이다.”

. . . .

24 『周易』「繫辭上」：“是故易有太極, 是生兩儀, 兩儀生四象, 四象生八卦, 八卦定吉凶, 吉凶生大業.”

八卦正位圖 팔괘정위도[25]

[7-1-2]

邵伯溫曰 : "先君云, '天地定位, 乾與坤對也, 山澤通氣, 艮與兌對也, 雷風相薄, 震與巽對也, 水火不相射, 離與坎對也.' 此伏羲之易也. 乾之初交於坤之初得震. 故爲長男. 坤之初交於乾之初得巽. 故爲長女. 乾之二交於坤之二得坎. 故爲中男. 坤之二交於乾之二得離. 故爲中女. 乾之上交於坤之上得艮. 爲少男. 坤之上交於乾之上得兌. 爲少女. 乾坤大父母也. 故能生八卦. 復姤小父母也. 故能生六十四卦. 復之初九交於姤之初六得一陽, 姤之初六交於復之初九得一陰. 復之二交於姤之二得二陽, 姤之二交於復之二得二陰. 復之三交於姤之三得四陽, 姤之三交於復之三得四陰. 復之四交於姤之四得八陽, 姤之四交於復之四得八陰. 復之五交於姤之五得十六陽, 姤之五交於復之五得十六陰. 復之上交於姤之上得三十二陽, 姤之上交於復之上得三十二陰. 陰陽男女皆得順行, 此所以生六十四卦也."

소백온이 말했다. "선친께서 말씀하셨다. '하늘과 땅이 위치를 정하니 건괘와 곤괘가 마주하고, 산과 못의 기운이 통하니 간괘와 태괘가 마주하고, 우레와 바람이 서로 부딪치니 진괘와 손괘가 마주하고, 물과 불이 서로 싫어하지 않으니 이괘와 감괘가 마주한다.' 이것이 복희의 역이다. 건괘 초효와 곤괘 초효가 교제하여 진震☳괘를 이룬다. 그래서 장남長男이 된다. 곤의 초효와 건의 초효가 교제하여

· ·

25 왕식본에는 이 부분이 누락되어 있다.

손손巽☴괘를 이룬다. 그래서 장녀長女가 된다. 건의 2효와 곤의 2효가 교제하여 감坎☵괘를 이룬다. 그래서 중남中男이 된다. 곤의 2효와 건의 2효가 교제하여 이離☲괘를 이룬다. 그래서 중녀中女가 된다. 건의 상효와 곤의 상효가 교제하여 간艮☶괘를 이룬다. 그래서 소남少男이 된다. 곤의 상효와 건의 상효가 교제하여 태兌☱괘를 이룬다. 그래서 소녀少女가 된다. 건괘와 곤괘는 위대한 아버지와 어머니이다. 그래서 8괘를 낳을 수 있다. 복復괘와 구姤괘는 작은 아버지와 작은 어머니이다. 그래서 64괘를 낳을 수 있다. 복괘의 초구初九가 구괘의 초육初六과 교제하여 일양一陽을 얻고 구괘의 초육初六이 복괘의 초구初九와 교제하여 일음一陰을 얻는다. 복괘의 육이六二가 구괘의 구이九二와 교제하여 이양二陽을 얻고 구괘의 구이九二가 복괘의 육이六二와 교제하여 이음二陰을 얻는다. 복괘 육삼六三이 구괘 구삼九三과 교제하여 사양四陽을 얻고, 구괘 구삼九三이 복괘 육삼六三과 교제하여 사음四陰을 얻는다. 복괘 육사六四가 구괘 구사九四와 교제하여 팔양八陽을 얻고, 구괘 구사九四가 복괘 육사六四와 교제하여 팔음八陰을 얻는다. 복괘 육오六五가 구괘 구오九五와 교제하여 십육양十六陽을 얻고, 구괘 구오가 복괘 육오와 교제하여 십육음十六陰을 얻는다. 복괘 상육上六이 구괘 상구上九와 교제하여 삼십이양三十二陽을 얻고, 구괘 상구가 복괘 상육과 교제하여 삼십이음三十二陰을 낳는다. 음양남녀는 모두 이치에 순행順行한다. 이것이 64괘를 낳는 까닭이다.”

[7-1-3]

西山蔡氏曰: “大傳曰, ‘天地定位, 山澤通氣, 雷風相薄, 水火不相射, 八卦相錯, 數往者順, 知來者逆. 是故易逆數也.’ 其法自子中至午中爲陽. 初四爻皆陽, 中前二爻皆陰, 後二爻皆陽, 上一爻爲陰, 二爻爲陽, 三爻爲陰, 四爻爲陽. 自午中至子中爲陰, 初四爻皆陰, 中前二爻爲陽, 後二爻爲陰, 上一爻爲陽, 二爻爲陰, 三爻爲陽, 四爻爲陰, 在陽中上二爻則先陰而後陽, 陽生於陰也, 在陰中上二爻則先陽而後陰, 陰生於陽也, 其敍始震終坤者, 以陰陽消息爲數也.”

서산 채씨가 말했다. 「역대전」에서 말하기를 ‘하늘과 땅이 위치를 정하고 산과 못의 기운이 통하며, 우레와 바람이 서로 부딪치며 물과 불이 서로 싫어하지 않아 8괘가 서로 섞이니, 과거를 헤아리는 것은 순順이고 미래의 일을 아는 것은 역逆이다. 그래서 역은 역수逆數다.’[26] 그 법칙은 자중子中에서 오중午中까지 양이 된다. 초효 네 개효는 모두 양이고 가운데 앞의 두 효는 모두 음이고 나중의 두 효는 모두 양이다. 상효 첫번째효는 음이고 2효는 양이고 3효는 음이고 4효는 양이다. 오중午中에서 자중子中까지 음이 되는데 초효 네 개효는 모두 음이고 가운데 앞의 두 효는 양이 되고 나중의 두 효는 음이 된다. 상효 첫번째효는 양이고 두번째효는 음이고 세번째효는 양이고 네 번째효는 음이다.

---

26 『周易』「說卦傳」: “하늘과 땅이 위치를 정하니 산과 연못이 기운을 통하고 우레와 바람이 서로 부딪히며, 물과 불이 서로 쏘지 않아서 팔괘가 서로 섞인다. 가는 것을 세는 것은 순하고 오는 것을 앎은 거스리는 것이니, 그래서 역은 거스러서 세는 것이다.(天地定位, 山澤通氣, 雷風相薄, 水火不相射, 八卦相錯. 數往者順, 知來者逆, 是故易逆數也.)”

양에서 중간과 위 두 효는 먼저 음이 된 뒤에 양이 되므로 양이 음에서 생겨난다. 음에서 중간과 위 두 효는 먼저 양이 된 뒤에 음이 되므로 음이 양에서 생겨난다. 그 순서는 진괘에서 시작하여 곤괘에서 끝나는 것은 음양이 자라나고 줄어드는 것을 법칙으로 삼기 때문이다."

八卦重爲六十四卦圖 팔괘중위육십사괘도 : 팔괘가 중첩하여 육십사괘가 된 그림

[7-1-4]
　西山蔡氏曰 : "八卦重而爲六十四卦, 一卦之上各有八卦也, 實則自八而十六, 自十六而三

十二, 自三十二而六十四也. 大傳曰, '因而重之, 爻在其中矣者', 是也. 此陰陽流行之數,
前三十二卦爲陽, 後三十二卦爲陰, 古往今來者也."

서산 채씨가 말했다. "8괘를 중첩하면 64괘가 되는 것은 한 괘 위에 각각 8괘가 있는 것이지만 실은 8에서 16으로, 16에서 32로, 32에서 64로 된 것이다. 「역대전」에서 '8괘를 따라 중첩하니 효가 그 속에 있다'[27]라고 한 것이 이것이다. 이것은 음양이 유행하는 수로 앞의 32괘는 양이고 뒤의 32괘는 음인데, 과거와 현재가 왕래하는 것이다."[28][29]

・・・・・・・・・・・・・・・・・・・・・・

27 『周易』「繫辭下」: "八卦成列, 象在其中矣, 因而重之, 爻在其中矣, 剛柔相推, 變在其中矣, 繫辭焉而命之, 動在其中矣."

28 주자는 정이천과 소강절이 64괘의 형성에 대해서 다른 견해를 갖고 있다고 하면서 정이천이 성인의 뜻을 깨닫지 못한 점이라고 말하고 있다. 『朱子語類』에서 정이천은 역을 해석하여 말하기를 '성인이 처음 8괘를 그으니 삼재의 도가 갖추어졌다. 8괘를 따라서 중첩하여 64괘를 만들어 세상의 변화를 모두 다 드러내었다. 그래서 6획괘가 이루어졌다.'고 했다. 어떤 사람이 의심하여 '이 말은 성인이 8괘를 처음 그으니 매 괘가 3획이 되었고, 성인이 8괘를 중첩하여 6획괘를 만들었다는 것이니 소강절이 하나에서 둘이 되는 법으로 해서 64까지 이르러 6획괘가 되었다는 것과는 그 말이 다릅니다.'라고 하니, 대답하기를 '정이천의 뜻은 다만 3획 위에 또 3획괘를 중첩하여 6획괘를 만든다는 것으로 8괘 위에 8괘를 중첩하여 64괘를 이루었다는 뜻으로 소강절의 말과는 분명 다르다. 소강절의 이 뜻을 정이천이 말하지 않은 것이고, 정이천 또한 묻지 않았기 때문에 각자 소견대로 말한 것일 뿐이다. 그러나 정이천은 8괘를 처음 그었다는 것만을 말했지 성인이 8괘를 그었을 때 먼저 어떤 괘를 그렸는지를 알지 못했으니 이것이 깨닫지 못한 점이다.(語類, 程子解易云, 聖人始畫八卦, 三才之道備矣. 因而重之, 以盡天下之變, 故六畫而成卦. 或疑此說, 却是聖人始畫八卦, 每畫便是三畫, 聖人因而重之, 爲六畫, 似與邵子, 一分爲二, 而至六十四爲六畫, 其說不同. 曰, 程子之意, 只云三畫上叠成六畫, 八卦上叠成六十四耳. 與邵子說誠異. 盖康節此意, 不曾說與程子, 程子亦不曾問之, 故一向只隨他所見去. 但程子說聖人始畫八卦, 不知聖人畫八卦時, 先畫甚卦, 此處便曉不得.)"

29 王植『皇極經世書解』: "생각하건대, 이것은 횡도를 말한다. 복희 8괘도 최상의 한 층에서 8괘의 위에 16개의 한 층이 있고 또 32개의 한 층이 있으니, 하나의 소성괘를 이루려면 한 두 획이 남고 6획괘를 이루려면 한 두 획이 모자라서 괘의 이름이 없는 것이다. 그러나 복희 8괘는 모두 건1·태2·리3·진4·손5·감6·간7·곤8로 차례를 삼으니, 8괘가 나뉘어 16이 된 것은 왼쪽의 여덟 자리가 아래 한 획이 다 양인 것과 오른 쪽 여덟 자리가 모두 음인 것을 제외하면 그 위 3획은 모두 건1·태2·리3·진4·손5·감6·간7·곤8로 차례를 이루어 배열되어 있다. 16이 나뉘어 32가 된 것도 아래 두 획의 태양·소음·소양·태음의 여덟을 제외하면, 그 위의 3획도 건1·태2·리3·진4·손5·감6·간7·곤8로 차례를 이루어 배열된다. 또 64괘가 이루어져 8*8로 나누어지는 데에 아래 3획의 본괘가 되는 각각 여덟 자리를 제외하며, 그 위에 있는 3획도 건1·태2·리3·진4·손5·감6·간7·곤8로 차례를 삼으니, 뒤에 64괘원도의 돌아가면서 서로 순서가 되는 차례와, 방도의 가로 세로로 서로 순서가 되는 차례가 다 그렇지 않은 것이 없다. 하나하나 세밀하게 음미하면 법상(法象)이 자연스럽게 이루어진 신묘함을 볼 수 있다.(愚按此所謂橫圖也. 即伏羲八卦圖最上一層, 而八卦之上, 有十六一層, 三十二一層, 以成一卦, 則剩餘, 成兩卦, 則未足. 故不以卦名. 然伏羲八卦, 總以乾一兌二離三震四巽五坎六艮七坤八爲序, 其八分爲十六者, 除左邊八位下一畫皆陽, 右邊八位下一畫皆陰, 其上三畫, 皆乾兌離震巽坎艮坤, 以次而列, 十六分爲三十二者, 除下兩畫太陽少陰少陽太陰各八, 其上三畫亦以乾兌離震巽坎艮坤, 以次而列, 至六十四卦旣成, 以八八分之, 除下三畫爲本卦各八位, 其上三畫亦以乾兌離震巽坎艮坤爲序後, 大圓圖, 周圍相次之序, 方圓縱橫相次之序, 無不皆然. 逐一細玩, 乃見法象自然之妙.)" 왕식은 이 그림을 橫圖라고 말하고서 건·태·리·진·손·감·간·곤의 순서가 기본을 이루고 있다고 말한다.

六十四卦方圓圖　육십사괘방원도

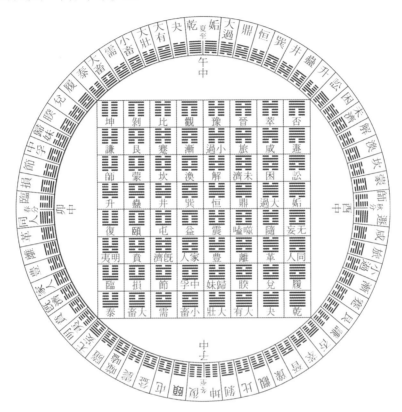

[7-1-5]

邵伯溫曰：“先君曰. ‘上世聖人皆有易, 作用不同, 其道一也. 今之易經, 文王之易也. 故謂之曰周易.’ 伏羲之易無文字語言, 獨有卦畫次序而已, 孔子於繫辭實述之矣. 圓者爲天, 方者爲地, 天地之理皆在是也.”

소백온이 말했다. “선천께서 말했다. ‘상고 시대 성인에게는 모두 역이 있었는데 작용은 달랐지만 도는 동일했다. 지금의 『역경』은 문왕의 역이다. 그래서 『주역』이라고 부른다.’ 복희의 역은 문자와 문장이 없이 오직 괘획과 순서만 있을 뿐이었는데 공자가 문장을 붙여 실제 내용을 서술하였다. 둥근 것은 하늘이고 네모난 것은 땅이 되어, 천지의 이치가 모두 여기에 있다.”

[7-1-6]

西山蔡氏曰：“六十四卦圓布者, 乾盡午中, 坤盡子中, 離盡卯中, 坎盡酉中. 陽生於子中, 極於午中, 陰生於午中, 極於子中. 其陽在南, 其陰在北. 方布者, 乾始於西北, 坤盡於東南,其陽在北, 其陰在南, 此二者, 陰陽對待之數. 圓於外者爲陽, 方於中者爲陰. 圓者動而爲天, 方者靜而爲地者也."

서산 채씨가 말했다. "64괘 방원도에서 둥근 배열은 건괘가 오중午中에서 극에 달하고 곤괘는 자중子中에서 극에 달하며 이괘는 묘중卯中에서 극에 달하고 감괘는 유중酉中에서 극에 달한다.[30] 양은 자중에서 생겨 오중에서 극에 이르고 음은 오중에서 생겨 자중에서 극에 이른다.[31] 양은 남쪽에 있고 음은 북쪽에 있다. 네모난 배열은 건괘가 서북쪽에서 시작하여 곤괘가 동남쪽에서 마치며 양은 북쪽에 있고 음은 남쪽에 있다. 이 두 가지는 음양 대대對待의 수이다. 원은 밖에 있어 양이 되고 네모는 안에 있어 음이 된다. 원은 움직여서 하늘이 되고 네모는 정지해서 땅이 된다."[32][33]

· · · · · · · · · · · · · · · ·

30 복희 64괘 방원도를 보면 북쪽의 건괘 위쪽이 午時에, 서쪽의 동인괘가 卯時에, 동쪽의 사괘가 酉時에, 남쪽의 곤괘가 子時에 해당한다.

31 「觀物外篇上」 2장 : "양이 음 가운데 있을 때 양이 역행하고, 음이 양 가운데 있을 때 음은 역행하며, 양이 양 가운데 있고 음이 음 가운데 있으면 모두 순행하니, 이것이 참되고 지극한 이치이다. 그림을 보면 알 수 있다.(陽在陰中, 陽逆行, 陰在陽中, 陰逆行, 陽在陽中, 陰在陰中, 則皆順行, 此眞至之理, 按圖, 可見之矣.) 陽在陰中陽逆行.)"

32 『皇極經世書』「觀物外篇上」 20장 : "天地定位의 구절은 복희의 8괘를 밝혔고 '8괘가 서로 섞인다.'는 것은 서로 교대로 섞여서 64괘를 이룬다는 것을 밝혔다. '지나간 것을 세는 것은 따르는 것이다.'라는 것은 하늘의 운행을 따라서 운행하는 것과 같으니, 左旋하는 것이다. 모두 이미 생겨난 괘이므로 '지나간 것을 헤아린다.'고 말했다. '올 것을 아는 것은 거스르는 것이다.'라는 것은 하늘의 운행을 거슬러서 운행하는 것과 같으니, 右行하는 것이다. 모두 아직 생겨나지 않은 괘이므로 '올 것을 안다.'고 말했다. 『易』의 數는 거스르는 것으로부터 이루어진다. 이 구절은 「先天圖」의 의미를 직접 해석한 것이니, 사계절을 거슬러 안다는 것을 말하는 것과 같다.(此一節明伏羲八卦也. '八卦相錯'者, 明交相錯而成六十四也. '數往者順,' 若順天而行, 是左旋也. 皆已生之卦也, 故云, '數往'也. '知來者逆,' 若逆天而行, 是右行也. 皆未生之卦也, 故云, '知來'也. 夫易之數, 由逆而成矣. 此一節直解圖意, 若逆知四時之謂也.)" 『皇極經世書』「觀物外篇上」 2장 : "선천의 학문은 心法이다. 그래서 그림이 다 가운데로부터 일어나니 모든 변화와 모든 일이 마음에서 나온다.(先天之學, 心法也, 故圖皆從中起, 萬化萬事, 生於心也.)"

33 王植 『皇極經世書解』: "생각하기를 주자가 『易學啓蒙』과 『本義』를 지어 취하여 쓴 각각의 그림이 다 소강절에게서 나온 것이니, 선천의 학문이다. 그 8괘도와 64괘도로 나눈 두 그림은 지금의 횡도이고, 8괘 방위도는 지금의 작은 원도이며, 64괘방위도는 지금의 큰 원도이다. 또 그 가운데에 방도가 있으니 글은 없으나 뜻이 넓고 크며 정미하여 온축된 내용이 무궁해서 당시의 정자도 그 뜻을 보지 못했고 양구산은 보았어도 믿지 못했지만, 주자와 채원정에 이르러 밝혀 글로 내었으니 소강절의 학문이 세상에 드러나게 되었다. 주자의 『易學啓蒙』에 기록한 邵子(소강절)의 말과 후세 선비들이 그림의 뜻을 설명한 것에 의해서, 그림의 뒤에 붙여놓았고 「外篇」의 주석의 말을 참조하게 했으니, 각 그림과 괘가 서로 밝히고, 음양의 順逆과 대대유행이 부류별로 모이고 서로 뿌리가 되는 미묘함에 대해서 그 큰 요점을 얻을 수 있을 것이다.(按朱子作易啓蒙及本義, 所取各圖, 皆出於邵子所謂先天之學也, 其八卦及重爲六十四卦, 分爲二圖, 則今之橫圖, 八卦方位, 則今之小圓圖, 六十四卦方位, 則今之大圓圖, 而大圓圖中, 又有方圓圖, 雖無文, 而廣大精微, 包蘊無窮, 當時, 雖程子亦未之見, 龜山見而未之信, 至朱子蔡氏, 乃闡發表章而邵子之學, 始大顯於世. 今依朱子啓蒙所錄邵子之語, 與後儒所以闡發各圖之義, 附於圖後, 並參以外篇註語, 而各圖各卦, 互相發明, 陰陽順逆, 對待流行, 類聚互根之妙, 可得其大要矣.)"

陽九陰六用數圖 양구음육용수도

[7-2]

老陽用九數.

老陰用六數.

노양은 수 9를 쓴다.

노음은 수 6을 쓴다.

[7-2-1]

四因九得三十有六, 是爲老陽之數.

四因六得二十有四, 是爲老陰之數.

六因三十有六得二百一十有六, 是爲乾卦之數.

六因二十有四得一百四十有四, 是爲坤卦之數.

以二百一十有六合一百四十有四, 得三百六十爲一朞之數.

　　月日時同.

4에 9를 곱하여[34] 36을 얻으니, 이것이 노양의 수이다.[35]

4에 6을 곱하여 24를 얻으니, 이것이 노음의 수이다.

6에 36을 곱하여 216을 얻으니, 이것이 건괘의 수이다.[36]

6에 24를 곱하여 144를 얻으니, 이것이 곤괘의 수이다.[37]

216을 144와 합하여 360을 얻으니, 1년의 수이다.

　　한 달과 하루와 시간의 경우도 동일하다.

---

34 곱하여 : 因과 乘은 모두 곱셈을 의미한다. 그러나 "여러 자리(두세 자리 이상) 수를 곱하는 것을 승이라고
하며, 한자리 수를 곱하는 것을 인이나 損이라고 한다."라고 하여 인과 승을 구분하고 있다. 그러나 "인하고
승하는 것은 처음부터 차이가 없다. 옛 사람들이 上乘이라는 두 자를 내세워서 곱수와 곱하임수를 통용하였
다. 먼저, 늘어나게 하는 것을 인이라고 부르면서 승하고(1로 9를 곱하는 것을 인이라고 부르며, 입으로 읊는
것도 인이라고 한다.), 다음으로, 줄어들게 하는 것도 역시 승한다(10에서 손1하면, 9가 되니, 10은 곧 1이다.)
고 한다. 이와 같으니, 인하고 손하는 것은 곧 승하는 것의 다른 이름일 뿐이다."라고 하여 인과 승을 구분하지
않고 있다. 『楊輝算法』(교우사) 20-21쪽 참조. 이후로 소강절은 인과 승을 모두 사용하고 있는데 상황에 따라
서 괄호로 표시하였다.

35 王植『皇極經世書解』: "4를 곱한 것은 四象의 숫자이기 때문이다." 「繫辭傳」 주석 참조. 4는 4계절.

36 王植『皇極經世書解』: "6을 곱한 것은 여섯 효가 각각 이 수를 얻었기 때문이다. 그래서 216은 건괘 한
괘의 책수를 말한다."

37 144는 곤괘 한 괘의 책수가 된다.

[7-2-2]

陽爻一百九十二, 以三十二因二百一十有六, 得六千九百一十有二之數.

陰爻一百九十二, 以三十二因一百四十有四, 得四千六百有八之數. (六十四卦中三百八十四爻,

陰陽各居其半, 故用三十二因之.)

以六千九百一十有二合四千六百有八, 得萬有一千五百二十, 是爲萬物之數.

양효는 192개니 32로 216을 곱하여 6,912의 수를 얻는다.[38]

음효는 192개니 32로 144를 곱하여 4,608의 수를 얻는다.(64괘 가운데 384효에는 음과 양이 각각 그 반씩
차지한다. 그래서 32를 곱한다.)[39]

6,912로 4,608을 합하면 11,520을 얻으니, 이것이 만물의 수이다.

[7-3]

少陽數七.

少陰數八.

소양의 수는 7이다.

소음의 수는 8이다.

[7-3-1]

四因七得二十有八, 是爲少陽之數.

四因八得三十有二, 是爲少陰之數.

六因二十有八, 得一百六十有八, 是爲乾卦之數.

六因三十有二, 得一百九十有二, 是爲坤卦之數.

以一百六十有八合一百九十有二, 亦得三百六十, 是爲一朞之數.

4에 7을 곱하여 28을 얻으니, 이것이 소양의 수이다.

4에 8을 곱하여 32를 얻으니, 이것이 소음의 수이다.

6에 28을 곱하여 168을 얻으니, 이것이 건괘의 수이다.

6에 32를 곱하여 192를 얻으니, 이것이 곤괘의 수이다.

168에 192를 합하면 또한 360을 얻으니, 이것이 1년의 수이다.

• • • • • • • • • • • • • • • • • •

38　192는 64괘의 384효에서 음과 양의 반을 의미한다. 192에 노양의 수 36을 곱하면 6,912가 나온다. 32란 64괘
　　가운데 양괘에 해당하는 괘의 수로 6,912는 32개의 양괘의 책수를 합한 것이다. 32괘란 양효를 모두 모아
　　놓은 것으로 실제적으로는 모두 양효인 괘는 건괘뿐이 없다.

39　192에 노음의 수 24를 곱하면 4,608이 나온다. 32란 64괘 가운데 음괘에 해당하는 괘의 수로 4,608은 32개의
　　음괘의 책수를 합한 것이다.

[7-3-2]

陽爻一百九十二, 以三十二因一百六十有八, 得五千三百七十有六之數.

陰爻一百九十二, 以三十二因一百九十有二, 得六千一百四十有四之數.

以五千三百七十有六合六千一百四十有四, 亦得萬有一千五百二十, 是爲萬物之數. 聖人所以不書者, 以周易用九六而不用七八也.

양효는 192개니, 32로 168을 곱하면 5,376의 수를 얻는다.

음효는 192개니, 32로 192를 곱하면 6,144의 수를 얻는다.

5,376을 6,144와 합하면 11,520을 또한 얻으니, 이것이 만물의 수이다. 성인이 이 내용을 기록하지 않은 것[40]은 『주역』이 9와 6을 쓰고 7과 8을 쓰지 않기 때문이다.

[7-3-2-1]

朱子曰 : "二篇之策當萬物之數者, 不是萬物盡於此數. 只是取象自一而萬, 以萬數來當萬物之數耳."[41]

주자가 말했다. "두 편의 책수가 만물의 수에 해당한다는 것[42]은 만물이 이 수에 다 포함되는 것은 아니다. 단지 1로부터 10,000에 이르는 상을 취하여, 10,000이라는 수로 만물의 수를 해당시켰을 뿐이다."

---

40 『周易』「繫辭傳」의 내용

41 『朱子語類』 권75, 31조목

42 두 편의 책수란 건괘의 책수와 곤괘의 책수를 말한다. 『周易』「繫辭上」 9장 : "하늘은 하나, 땅은 둘, 하늘은 셋, 땅은 넷, 하늘은 다섯, 땅은 여섯, 하늘을 일곱, 땅은 여덟, 하늘은 구, 땅은 열. 하늘의 수는 다섯이고 땅의 수가 다섯이니, 다섯 자리가 서로 얻으며 각각 합이 있어 하늘의 수가 25이고 땅의 수가 30이다. 모든 하늘과 땅의 수는 55이니, 이것이 변화를 이루고 귀신을 행하게 한다. 대연의 수가 50이고 그 쓰임은 49이다. 나누어 둘로 해서 양의를 형상하고, 하나를 걸어서 삼재를 형상하고, 네 개씩 세어서 사시를 형상하고 나머지를 손가락에 끼워서 윤달을 형상하니, 다섯 해에 두 번 윤달을 두기 때문에 두 번 낀 다음에 건다. 건의 책수가 216이고, 곤의 책수가 144이다. 모두 360이니 1년의 날에 해당한다. 두 편의 책수가 11,520이니 만물의 수에 해당한다. 그래서 네 번 경영해서 역을 이루고, 18번 변해서 괘를 이루니, 8괘가 작게 이루어져, 이끌어 거듭 펴며 종류끼리 접촉해서 자라나가면 천하의 능한 일이 다할 것이다. 도를 드러내고 덕행을 신묘하게 하기 때문에, 더불어 수작할 수 있으며 신을 도울 수 있다. 공자가 말했다. '변화의 도를 아는 사람은 그 신이 하는 바를 안다.'(天一, 地二, 天三, 地四, 天五, 地六, 天七, 地八, 天九, 地十. 天數五, 地數五, 五位相得而各有合. 天數二十有五, 地數三十. 凡天地之數五十有五, 此所以成變化而行鬼神也. 大衍之數五十, 其用四十有九, 分而爲二以象兩, 掛一以象三, 揲之以四以象四時, 歸奇於扐以象閏, 五歲再閏, 故再扐而後掛. 乾之策, 二百一十有六, 坤之策, 百四十有四. 凡三百有六十, 當期之日. 二篇之策, 萬有一千五百二十, 當萬物之數也. 是故四營而成易, 十有八變而成卦, 八卦而小成, 引而伸之, 觸類而長之, 天下之能事畢矣. 顯道神德行, 是故可與酬酢, 可與祐神矣. 子曰, '知變化之道者, 其知神所爲乎')

皇極經世書二 황극경세서 2

皇極經世書二
황극경세서 2

纂圖指要下 찬도지요하

經世衍易圖 경세연역도[1] [2]

太柔	太剛	少柔	少剛	少陰	少陽	太陰	太陽
▬ ▬	▬▬▬	▬ ▬	▬▬▬	▬ ▬	▬▬▬	▬ ▬	▬▬▬

柔　　　剛　　　陰　　　陽

靜　　　　　　　　　　動

一動一靜之間

. . . .

1 이 그림은 소강절의 관물내편 1장 3-4절에 묘사되어 있다.

2 조선조 학자 申欽은 경세연역도에 대해서 다음과 같이 평가하고 있다. "소부자(邵雍)는 日·月·星·辰으로 하늘의 4象을 삼고, 石·土·水·火로 땅의 4상을 삼았으며, 방위와 차서를 先天八卦圖에 준하여 뽑아내었는데, 그 수를 보면 1元으로부터 시작해서 만물에 이르기까지 끝까지 추구해 들어가지 않은 것이 없었다. 다만 그것을 집어내어 도형으로 만들지 않기 때문에 그것이 先天圖를 기준으로 했다는 것을 후세 사람들이 모르고 있을 뿐이다.(『象村集』55권, 「先天窺管」)"

[8-1-1]

西山蔡氏曰: "一動一靜之間者, 易之所謂太極也. 動靜者, 易所謂兩儀也. 陰陽剛柔者, 易所謂四象也. 太陽・太陰・少陽・少陰・少剛・少柔・太剛・太柔者, 易所謂八卦也."

서산 채씨가 말했다. "한번 움직이고 한번 고요하는 사이[3]가 『역』에서 말하는 태극이다. 움직임과 고요함은 『역』에서 말하는 양의兩儀이다. 음양・강유는 『역』에서 말하는 4상四象이다. 태양・태음・소양・소음・소강・소유・태강・태유는 『역』에서 말하는 8괘이다."[4]

經世天地四象圖 경세천지사상도

---

3 소강절의 이 '한번 움직이고 한번 고요하는 사이'(一動一靜之間)'의 의미는 상당히 독특한 견해라고 한다. 태극의 자리에 놓여 있기 때문이다. '일동일정지간'을 태극과 동일하게 보는 견해가 가장 일반적이다. 주백곤의 견해가 그러하다. 그러나 두 가지 표현의 차이를 강조하는 견해도 있다. 우선 일동일정지간을 태극이라고 표현한 것은 소강절의 견해가 아니라 門人들의 견해라고 본다. 태극이라는 용어는 문인들의 기록이라고 알려진 「觀物外篇」에만 등장하기 때문이다. 그러나 이런 견해는 타당하지 않다고 보고서 두 표현 사이의 차이를 강조하는 견해도 있다. '일동일정지간'을 加一倍法과 관련지어 '자신의 존재를 위해 타의 존재에 의존하는' '상관적 사유'를 드러낸 것으로 해석하기도 한다. 이창일, 『소강절의 철학』(심산, 2007), p180-188 참조

4 소강절 『皇極經世書』「觀物外篇」2장: "태극이 나뉘어져 양의가 서고, 양이 위로 올라가 음과 교제하고, 음이 아래로 내려가 양과 교제하여 4상이 생긴다. 양이 음과 교제하고 음이 양과 교제하여 하늘의 4상을 낳고, 강이 유와 교제하고 유가 강과 교제하여 땅의 4상을 낳아서 서로 교착한 후에 만물이 생겨난다. 그래서 하나가 나뉘어 둘이 되고 둘이 나뉘어 넷이 되고, 넷이 나뉘어 여덟이 되고, 여덟이 나뉘어 열여섯이 되고, 열여섯이 나뉘어 서른 둘이 되고, 서른 둘이 나뉘어 예순 넷이 되니, 뿌리에 줄기가 있고 줄기에 가지가 있는 것 같아서, 커질수록 적어지고 가늘수록 많아진다.(太極旣分, 兩儀立矣, 陽上交於陰, 陰下交於陽而四象生矣, 陽交於陰, 陰交於陽而生天之四象, 剛交於柔, 柔交於剛而生地之四象, 八卦相錯而後萬物生焉. 故一分爲二, 二分爲四, 四分爲八, 八分爲十六, 十六分爲三十二, 三十二分爲六十四, 猶根之有幹, 幹之有枝, 愈大則愈少, 愈細則愈繁.)"

태양太陽	태음太陰	소양少陽	소음少陰	소강少剛	소유少柔	태강太剛	태유太柔
일日	월月	성星	신辰	석石	토土	화火	수水
서暑	한寒	주晝	야夜	뢰雷	로露	풍風	우雨
성性	정情	형形	체體	목木	초草	비飛	주走
목目	이耳	비鼻	구口	색色	성聲	기氣	미味
원元	회會	운運	세世	세歲	월月	일日	신辰
황皇	제帝	왕王	패伯	역易	서書	시詩	춘추春秋

[8-1-2]

西山蔡氏曰 : "動者爲天, 天有陰陽陽者動之始, 陰者動之極. 陰陽之中又各有陰陽. 故有太陽太陰少陽少陰. 太陽爲日, 太陰爲月, 少陽爲星, 少陰爲辰, 是爲天之四象. 日爲暑, 月爲寒, 星爲晝, 辰爲夜, 四者天之所變也. 暑變物之性, 寒變物之情, 晝變物之形, 夜變物之體, 萬物之所以感於天之變也. 靜者爲地, 地有柔剛.柔者靜之始, 剛者靜之極. 剛柔之中又有剛柔, 故有太剛太柔少剛少柔. 太柔爲水, 太剛爲火, 少柔爲土, 少剛爲石, 是爲地之四象. 水爲雨, 火爲風, 土爲露, 石爲雷, 四者地之所以化也. 雨化物之走, 風化物之飛, 露化物之草, 雷化物之木, 萬物之所以應於地之化也.

서산 채씨가 말했다. "움직이는 것은 하늘[天]이고 하늘에는 음양이 있다. 양은 움직임의 시초이고, 음은 움직임의 극단이다. 음양 속에 또 각각 음양이 있기 때문에 태양·태음·소양·소음이 있다. 태양이 일日[해]이 되고, 태음이 월月[달]이 되고, 소양이 성星[보이는 별]이 되고, 소음이 신辰[배경 공간, 보이지 않는 별]이 되니, 이것이 하늘의 4상四象이다. 일은 서暑[더위]가 되고 월은 한寒[추위]이 되며 성은 주晝[낮]가 되고 신은 야夜[밤]가 되니 4가지는 하늘이 변變한 것이다. 더위는 만물의 성性을 변하게 하고 추위는 만물의 정情을 변하게 하며 낮은 만물의 형形을 변하게 하고 밤은 만물의 체體를 변하게 하니 만물이 하늘의 변에 감感하는 것이다. 고요함은 땅[地]이다. 땅에는 강유가 있다. 유는 고요함의 시초이고 강은 고요함의 극단이다. 강유 속에 또 각각 강유가 있기 때문에 태강·태유·소강·소유가 있다. 태유는 수水[물]가 되고 태강은 화火[불]가 되고 소유는 토土[흙]가 되고 소강은 석石[돌]이 되니 이것이 땅의 4상이다. 물은 우雨[비]가 되고 불은 풍風[바람]이 되고 흙은 로露[이슬]가 되고 돌은 뢰雷[우레]가 되니 4가지는 땅이 화化한 것이다. 비는 만물 가운데 주走[달리는 것]를 화하게 하고, 바람은 만물 가운데 비飛[나는 것]를 화하게 하며, 이슬은 만물 가운데 초草[풀]를 화하게 하고, 우레는 만물 가운데 목木[나무]을 화하게 하니 그래서 만물이 땅의 화化에 응應하는 것이다.

暑變走飛草木之性, 寒變走飛草木之情, 晝變走飛草木之形, 夜變走飛草木之體. 雨化性情形體之走, 風化性情形體之飛, 露化性情形體之草, 雷化性情形體之木, 天地變化參伍錯綜而生萬物也. 萬物之感於天之變, 性者善目, 情者善耳, 形者善鼻, 體者善口. 萬物應於地之化, 飛者善色, 走者善聲, 木者善氣, 草者善味. 蓋其所感應有不同, 故其所善亦有異. 至於人, 則得天地之全, 暑寒晝夜無不變, 雨風露雷無不化, 性情形體無不感, 走飛草木無不應, 目善萬物之色, 耳善萬物之聲, 鼻善萬物之氣, 口善萬物之味. 蓋天地萬物皆陰陽剛柔之分, 人則兼備乎陰陽剛柔, 故靈於萬物而能與天地參也.

더위는 달리는 것·나는 것·풀·나무의 성性을 변하게 하고, 추위는 달리는 것·나는 것·풀·나무의 정情을 변하게 하며 낮은 달리는 것·나는 것·풀·나무의 형形을 변하게 하고 밤은 달리는 것·나는 것·풀·나무의 체體를 변하게 한다. 비는 성·정·형·체性情形體의 달리는 것을 화하게 하고, 바람은 성·정·형·체의 나는 것을 화하게 하며, 이슬은 성·정·형·체의 풀을 화하게 하고, 우레는 성·정·형·체의 나무를 화하게 하니, 하늘과 땅의 변과 화가 서로 뒤섞여5 만물을 낳는다. 만물이 하늘의 변하는 것에 감하면, 성性은 눈을 좋게 하고 정情은 귀를 좋게 하고 형形은 코를 좋게 하고 체體는 입을 좋게 한다. 만물이 땅의 화함에 응하면 나는 것은 색色[색깔]을 좋게 하고, 달리는 것은 성聲[소리]을 좋게 하고, 나무는 기氣[기운]를 좋게 하고, 풀은 미味[맛]를 좋게 한다. 그 감하고 응하는 것에 차이가 있기 때문에 잘하는 것에도 역시 차이가 있다. 사람의 경우에는 천지의 온전함을 얻어서 더위·추위·낮·밤에 변하지 않음이 없고 비·바람·이슬·우레에 화하지 않음이 없으며, 성·정·형·체에 감하지 않음이 없고 달리는 것·나는 것·풀·나무에 응하지 않음이 없으니, 눈은 만물의 색깔을 가장 잘 보고 귀는 만물의 소리를 가장 잘 들으며 코는 만물의 냄새를 가장 잘 맡으며 입은 만물의 맛을 가장 잘 느낀다. 천지 만물은 모두 음양·강유가 나누어진 것인데 인간은 그 가운데 음양·강유를 모두 겸하여 갖추고 있기 때문에 만물 가운데 가장 신령하여 천지와 함께 셋이 될 수 있다.6

人而能與天地參, 故天地之變有元會運世, 而人事之變亦有皇帝王伯. 元會運世有春夏秋冬爲生長收藏, 皇帝王伯有易書詩春秋爲道德功力. 是故元會運世春夏秋冬生長收藏, 各相因而爲十六. 皇帝王伯易書詩春秋道德功力, 亦各相因而爲十六. 十六者, 四象相因之數也. 凡天地之變化, 萬物之感應, 古今之因革損益, 皆不出乎十六. 十六而天地之道畢矣. 故物之巨細, 人之聖愚, 亦以一十百千四者, 相因而爲十六. 千千之物爲細物, 千千之民爲

---

5 『周易』「繫辭上」10장: "셋과 다섯으로 변하여 그 수를 섞고 모아서, 그 변함을 통해 하늘과 땅의 무늬를 이루며, 그 수를 다해서 천하의 상을 정하니, 천하의 지극한 변화가 아니면 그 누가 여기에 참여할 수 있겠는가!(參伍以變, 錯綜其數, 通其變, 遂成天地之文, 極其數, 遂定天下之象, 非天下之至變, 其孰能與於此.)" 주자는 3과 5로 세어 변하고 섞어서 세는 것으로 풀어서 시초를 세어 괘를 구하는 것으로 풀고 있지만 천지가 변화하고 섞여서 만물을 낳는 모습을 형용한 것이다.

6 『中庸』 22장에서 "唯天下至誠, 爲能盡其性, 能盡其性, 則能盡人之性, 能盡人之性, 則能盡物之性, 能盡物之性, 則可以贊天地之化育, 可以贊天地之化育, 則可以與天地參矣."의 마지막 구절에 대해서 주자는 "천지와 더불어 삼이 된다는 말은 천지와 함께 병립하여 셋이 됨을 말한다.(與天地參, 謂與天地並立爲三也.)"고 주석을 달고 있다.

至愚. 一一之物爲巨物. 一一之民爲聖人. 蓋人者, 萬物之最靈, 聖人者, 又人倫之至也.

사람이 천지에 참여할 수 있으므로 천지의 변화에는 원·회·운·세元會運世가 있고 인간사의 변화에도 또한 황·제·왕·패皇帝王伯가 있다. 원·회·운·세에는 춘·하·추·동이 있어 생生[탄생]·장長[성장]·수收[거둠]·장藏[저장]하게 되고, 황·제·왕·패에는 역易·서書·시詩·춘추春秋가 있어 도道·덕德·공로功·힘力이 된다. 그래서 원·회·운·세와 춘·하·추·동과 생·장·수·장은 각각 서로 곱해서 16이 되고, 황·제·왕·패와 역·서·시·춘추와 도·덕·공로·힘도 역시 각각 곱해서 16이 된다. 16은 4상을 서로 곱한 수이다. 천지의 변과 화 그리고 만물의 감과 응, 그리고 과거와 현재의 인因[계승]·혁革[변혁], 손損[덜어냄]·익益[보탬]7은 모두 16에서 벗어나지 않는다. 16으로 천지의 도는 끝마친다. 그래서 사물의 크고 작음과 사람 중 성인과 어리석은 사람은 역시 일·십·백·천 4가지를 서로 곱하면 16이 된다. 천에 천인 사물8이 소소한 사물이 되고 천에 천인 백성이 매우 어리석은 사람이 된다. 일에 일인 사물이 큰 사물이 되고 일에 일인 백성이 성인이 된다. 사람이란 만물 가운데 가장 영명하고 성인은 인륜 가운데 또 가장 지극하다.

自天地觀萬物, 則萬物爲萬物, 自太極觀天地, 則天地亦物也. 人而盡太極之道, 則能範圍天地, 曲成萬物, 而造化在我矣. 故其說曰, 一動一靜, 天地之至妙歟. 一動一靜之間, 天地人之至妙歟. 一動一靜之間者, 非動非靜而主乎動靜, 所謂太極也. 又曰, 思慮未起, 鬼神莫知, 不由乎我, 更由乎誰. 所謂範圍天地, 曲成萬物造化在我者也. 蓋超乎形器, 非數之能及矣. 雖然是亦數也. 伊川先生曰, 數學至康節方及理. 康節之數, 先生未之學, 至其本原, 則亦不出乎先生之說矣."

천지에서 만물을 보면 만물은 만물이 되고 태극에서 천지를 보면 천지 역시 사물이다. 사람이 태극의 도를 다하면 천지를 범위範圍9할 수 있고 만물을 곡진하게 이루니 조화를 이루는 것은 나에게 있다.

---

7 『論語』「爲政」: "子張問十世可知也. 子曰, "殷因於夏禮, 所損益, 可知也, 周因於殷禮, 所損益, 可知也. 其或繼周者, 雖百世, 可知也."

8 천에 천인 사물은 백 만 가지의 사물을 말한다. 수많은 사물들은 보통의 사물이고 그 가운데 하나 빼어난 사물이 있다는 논리이다. 소강절 『皇極經世書』「觀物內篇」 2장: "그렇다면 사람도 사물이고 성인도 사람이다. 一物에 불과한 물이 있고 十物 가운데 빼어난 사물이 있고 百物 가운데 빼어난 사물이 있고 千物 가운데 빼어난 사물이 있고 萬物 가운데 빼어난 사물이 있고 億物 가운데 빼어난 사물이 있고 兆物 가운데 빼어난 사물이 있다. 하나의 一物로 태어나서 1조 가지 사물 가운데 사물에 해당하는 것이 어찌 사람이 아니겠는가? 一人에 불과한 사람이 있고 十人 가운데 빼어난 사람이 있고 百人 가운데 빼어난 사람이 있고 千人 가운데 빼어난 사람이 있고 萬人 가운데 빼어난 사람이 있고 億人 가운데 빼어난 사람이 있고 兆人 가운데 빼어난 사람이 있다. 하나의 一人으로 태어나서 兆人 가운데 빼어난 사람에 해당하는 것이 어찌 성인이 아니겠는가?"(然則人亦物也, 聖亦人也. 有一物之物, 有十物之物, 有百物之物, 有千物之物, 有萬物之物, 有億物之物, 有兆物之物. 生一一之物當兆物之物者, 豈非人乎? 有一人之人, 有十人之人, 有百人之人, 有千人之人, 有萬人之人, 有億人之人, 有兆人之人. 生一一之人當兆人之人者, 豈非聖乎?)

9 「繫辭上」 4장: "천지의 조화를 범위하여 지나치지 않게 하고 만물을 곡진히 이루어 빠뜨림이 없게 하며

그래서 소강절이 '한번 움직이고 한번 고요한 것이 천지의 자극한 오묘함이로구나! 한번 움직이고 한번 고요한 사이가 천지인의 지극한 묘함이구나.'10라고 했던 것이다. 한번 움직이고 한번 고요한 사이는 움직임도 아니고 고요함도 아니라 동정을 주관하는 것으로 태극이라고 하는 것이다. 또 말하기를 '사려가 일어나지 않으면 귀신이 알지 못하고 나로 말미암지 않으면 다시 누구에게서 말미암겠는가.'11라고 했다. 이 말은 '천지를 범위하고 만물을 곡진하게 이루되 조화를 이루는 것은 나에게 있다.'라는 말이다. 형기形器를 초월하는 것은 수가 미칠 수 있는 바가 아니다. 하지만 그렇다고 하여도 그것 역시 수이다. 이천 선생이 '수에 관한 학문이 강절에 이르러서야 비로소 이치理를 언급했다.'12라고 하였으니 강절의 수를 이천 선생이 배우지는 못했지만 그 본원에 이르러서는 또한 선생의 말에서 벗어나지 않는다.”

經世天地始終之數圖 경세천지시종지수도

1·1	乾	1	元之元, 日之日, 乾之乾
1·2	夬	12(*30)	元之會, 日之月, 乾之兌
1·3	大有	360(*12)	元之運, 日之星, 乾之離
1·4	大壯	4,320(*30)	元之世, 日之辰, 乾之震
1·5	小畜	129,600(*12)	元之歲, 日之石, 乾之巽
1·6	需	1,555,200(*30)	元之月, 日之土, 乾之坎
1·7	大畜	46,656,000(*12)	元之日, 日之火, 乾之艮
1·8	泰	559,872,000	元之辰, 日之水, 乾之坤

밤낮의 도리를 통하여 안다. 그래서 신은 일정한 장소가 없고 역은 일정한 체가 없다.(範圍天地之化而不過, 曲成萬物而不遺, 通乎晝夜之道而知, 故神无方而易无體.)” 주자는 範圍를 이렇게 설명한다. “範이란 금을 주조할 때 모형이 있는 것과 같고 圍란 틀을 말한다. 천지의 변화는 무궁하지만 성인이 이를 범위하여 중도에서 지나치지 않도록 한다. 이것이 마름질하여 이룬다는 말이다.(範, 如鑄金之有模範, 圍, 匡郭也. 天地之化无窮, 而聖人爲之範圍, 不使過於中道, 所謂裁成者也.)”

10 「觀物內篇」5장 : “한 번 움직이고 한 번 고요한 것은 천지의 지극한 신묘함일 것이다! 한 번 움직이고 한 번 고요함의 사이는 하늘과 땅과 사람의 지극한 신묘함이고 지극한 신묘함일 것이다! 그래서 공자가 三才의 도를 다 실현할 수 있는 까닭을 아는 사람은 공자의 행동에는 행적을 남긴 바가 없기 때문이라고 말한다.(夫一動一靜者, 天地至妙者歟! 夫一動一靜之間者, 天地人之至妙至妙者歟! 是故知仲尼之所以能盡三才之道者, 謂其行無轍跡也.)”

11 『皇極經世書』「觀物篇」

12 『河南程氏遺書』권18 : “邵堯夫, 數法出於李挺之, 至堯夫, 推數方及理.”

2・1	履	12(*12)	會之元，月之日，兌之乾
2・2	兌	144(*30)	會之會，月之月，兌之兌
2・3	睽	4,320(*12)	會之運，月之星，兌之離
2・4	歸妹	51,840(*30)	會之世，月之辰，兌之震
2・5	中孚	1,555,200(*12)	會之歲，月之石，兌之巽
2・6	節	18,662,400(*30)	會之月，月之土，兌之坎
2・7	損	559,872,000(*12)	會之日，月之火，兌之艮
2・8	臨	6,718,464,000	會之辰，月之水，兌之坤

3・1	同人	360	運之元，星之日，離之乾
3・2	革	4,320	運之會，星之月，離之兌
3・3	離	129,600	運之運，星之星，離之離
3・4	豐	1,555,200	運之世，星之辰，離之震
3・5	家人	46,656,000	運之歲，星之石，離之巽
3・6	既濟	559,872,000	運之月，星之土，離之坎
3・7	賁	16,796,160,000	運之日，星之火，離之艮
3・8	明夷	201,553,920,000	運之辰，星之水，離之坤

4・1	無妄	4,320	世之元，辰之日，震之乾
4・2	隨	51,840	世之會，辰之月，震之兌
4・3	噬嗑	1,555,200	世之運，辰之星，震之離
4・4	震	18,662,400	世之世，辰之辰，震之震
4・5	益	559,872,000	世之歲，辰之石，震之巽
4・6	屯	6,718,464,000	世之月，辰之土，震之坎
4・7	頤	201,553,920,000	世之日，辰之火，震之艮
4・8	復	2,418,647,040,000	世之辰，辰之水，震之坤

5・1	姤	129,600	歲之元，石之日，巽之乾
5・2	大過	1,555,200	歲之會，石之月，巽之兌
5・3	鼎	46,656,000	歲之運，石之星，巽之離
5・4	恒	559,872,000	歲之世，石之辰，巽之震
5・5	巽	16,796,160,000	歲之歲，石之石，巽之巽
5・6	井	201,553,920,000	歲之月，石之土，巽之坎
5・7	蠱	6,046,617,600,000	歲之日，石之火，巽之艮
5・8	升	72,559,411,200,000	歲之辰，石之水，巽之坤

6·1	訟	1,555,200	月之元, 土之日, 坎之乾
6·2	困	18,662,400	月之會, 土之月, 坎之兌
6·3	未濟	559,872,000	月之運, 土之星, 坎之離
6·4	解	6,718,464,000	月之世, 土之辰, 坎之震
6·5	渙	201,553,920,000	月之歲, 土之石, 坎之巽
6·6	坎	2,418,647,040,000	月之月, 土之土, 坎之坎
6·7	蒙	72,559,411,200,000	月之日, 土之火, 坎之艮
6·8	師	870,712,934,400,000	月之辰, 土之水, 坎之坤

7·1	遯	46,656,000	日之元, 火之日, 艮之乾
7·2	咸	559,872,000	日之會, 火之月, 艮之兌
7·3	旅	16,796,160,000	日之運, 火之星, 艮之離
7·4	小過	201,553,920,000	日之世, 火之辰, 艮之震
7·5	漸	6,046,617,600,000	日之歲, 火之石, 艮之巽
7·6	蹇	72,559,411,200,000	日之月, 火之土, 艮之坎
7·7	艮	217,678,233,600,000	日之日, 火之火, 艮之艮
7·8	謙	2,613,138,803,200,000	日之辰, 火之水, 艮之坤

8·1	否	559,872,000	辰之元, 水之日, 坤之乾
8·2	萃	6,718,464,000	辰之會, 水之月, 坤之兌
8·3	晉	201,553,920,000	辰之運, 水之星, 坤之離
8·4	豫	2,418,647,040,000	辰之世, 水之辰, 坤之震
8·5	觀	72,559,411,200,000	辰之歲, 水之石, 坤之巽
8·6	比	870,712,934,400,000	辰之月, 水之土, 坤之坎
8·7	剝	2,612,138,803,200,000	辰之日, 水之火, 坤之艮
8·8	坤	31,345,665,638,400,000	辰之辰, 水之水, 坤之坤

[8-1-3]

邵伯溫曰：“陽一陰二. 故陽之生陰, 二而六之爲十二. 陰之生陽, 三而十之爲三十.”

소백온이 말했다. “양은 1이고 음은 2이다. 그래서 양이 음을 낳는데 2를 6번 곱하여 12가 되고 음은 양을 낳는데 3을 10번 곱하여 30이 된다.”

又曰. “以日經日爲元之元, 其數一, 日之數一故也. 以日經月爲元之會, 其數十二, 月之數十二故也. 以日經星爲元之運, 其數三百六十, 星之數三百六十故也. 以日經辰爲元之世,其數四千三百二十, 辰之數四千三百二十故也."

또 말했다. "일日로 일日을 경유하면 원元의 원이 되어 그 수가 1이니 일日의 수가 1이기 때문이다. 일로 월月을 경유하면 원의 회會가 되어 그 수가 12이니 월의 수가 12이기 때문이다. 일로 성星을 경유하면 원의 운運이 되어 그 수가 360이니 성의 수가 360이기 때문이다. 일로 신辰을 경유하면 원의 세世가 되어 그 수가 4,320이니 신의 수가 4,320이기 때문이다."

[8-1-4]

西山蔡氏曰 : "天地之數窮于八八, 故元會運世歲月日辰之數極于六十四也. 陽數以三十起者, 一月有三十日, 一世有三十年也. 陰數以十二起者, 一日有十二辰, 一歲有十二月也. 天地之數至于八八而遂窮乎? 曰, '窮則變, 變則生, 蓋生生而不窮者也.' 元會運世即歲月日辰, 日月星辰即水火土石, 猶形影聲響也. 故經世擧元會運世而不及歲月日辰, 擧日月星辰而不及水火土石也."

서산 채씨가 말했다. "천지의 수는 8·8에서 궁극에 이르니 그래서 원·회·운·세元會運世와 세·월·일·진歲月日辰의 수는 64에서 극한에 이른다. 양의 수를 30으로 일으키는 것은 한 달에 30일이 있고 한 세대에 30년이 있기 때문이다. 음의 수를 12로 일으키는 것은 하루에 12시간辰이 있고 한 해에 12개월이 있기 때문이다. 천지의 수가 8·8에 이르러 마침내 끝나는가? 나는 '궁극에 이르면 변하고 변하면 낳게 되니 낳고 낳아 끝이 없는 것이다.'라고 답하겠다. 원·회·운·세는 곧 세·월·일·진이고 일·월·성·신은 곧 수·화·토·석으로 형체에 그림자가 있고 소리에 메아리가 있는 것과 같다. 그래서 『황극경세』에서 원·회·운·세는 거론했지만 세·월·일·진은 언급하지 않았고 일·월·성·신은 거론했지만 수·화·토·석은 언급하지 않았다."[13]

[8-1-4-1]

黃氏瑞節曰 : 經世天地始終之數, 以十二三十反覆乘之也. 元之元一, 元之會十二, 是以十二乘一也. 元之運三百六十, 是以三十乘十二也. 元之世四千三百二十, 是以十二乘三百六十也. 會之元以下放此. 經世之元會運世歲月日辰, 即易之乾兌離震巽坎艮坤也. 元之元, 即乾之乾. 元之會, 即乾之兌. 元之運, 即乾之離. 元之世, 即乾之震, 元之歲, 即乾之巽. 元之月, 即乾之坎. 元之日, 即乾之艮. 元之辰, 即乾之坤. 會之元以下放此.

황씨[黃瑞節][14]가 말했다. "『황극경세』에서 천지의 처음과 끝의 수는 12와 30을 반복해서 곱한 것이다.

---

13 元會運世와 歲月日辰은 우주의 시간과 인간의 시간 구분하는 단위이다. 元 안에 원·회·운·세와 세·월·일·진이 있고 會 안에 원·회·운·세와 세·월·일·진이 있으며, 運 안에 원·회·운·세와 세·월·일·진이 있고 世 안에 원·회·운·세와 세·월·일·진이 있다. 도표를 보면 나타나듯이 원·회·운·세와 세·월·일·진 8가지가 서로 착종하여 8*8=64개의 경우 수가 나온다. 결국 64개는 우주의 시간을 분절한 것이다. 1로부터 시작하여 음의 수 12와 양의 수 30을 번갈아 곱하면 점차로 누적되어 31,345,665,638,400,000에 이르러 극한에 이른다. 그러나 이것이 끝이 아니고 다시 생성된다.

원의 원은 1이고 원의 회는 12이니 이것은 12를 1에 곱한 것이다. 원의 운은 360이니 이것은 30을 12로 곱한 것이다. 원의 세는 4,320이니 이것은 12를 360에 곱한 것이다. 회의 원 이하도 이와 같다. 『황극경세』의 원·회·운·세와 세·월·일·진은 곧 『역』의 건·태·리·진·손·감·간·곤이다. 원의 원은 건의 건이다. 원의 회는 건의 태이다. 원의 운은 건의 리이다. 원의 세世는 건의 진이다. 원의 세歲는 건의 손이다. 원의 월은 건의 감이다. 원의 일은 건의 간이다. 원의 진은 건의 곤이다. 회의 원 이하도 이와 같다."[15] [16]

‧‧‧‧‧‧‧‧‧‧‧‧‧‧‧‧‧‧‧‧‧‧‧‧‧

14 黃瑞節 : 자는 觀樂이다. 송·원대 安福사람으로 송대에 泰和州學을 역임했으나, 원대에서는 은거하여 학문에 힘썼다. 주희가 편찬한 『太極解義』·『通書解』·『正蒙解』·『易學啓蒙』·『家禮』·『律呂新書』·『皇極經世』에 주석을 가하여 『朱子成書』라는 책을 지었다.

15 황서절이 말했듯이 음의 수 12와 양의 수 30을 번갈아 곱하면서 누적한 것이 천지의 처음과 끝의 수이다. 『皇極經世』에서는 원·회·운·세만 말했지 세·월·일·진은 말하지 않았다고 했는데 원·회·운·세의 부분만 표시해 보면 다음과 같다.

元의 元 1	元의 會 1×12	元의 運 12×30	元의 世 360×12
1	12	360	4,320
會의 元 12	會의 會 12×12	會의 運 144×30	會의 世 4,320×12
12	144	4,320	51,840
運의 元 360	運의 會 360×12	運의 運 4,320×30	運의 世 129,600×12
360	4,320	129,600	1,555,200
世의 元 4,320	世의 會 4,320×12	世의 運 51,840×30	世의 世 1,555,200×12
4,320	51,840	1,555,200	18,662,400

16 결국 「經世天地始終之數圖」는 천지의 음양이 늘어나고 줄어드는 과정을 수로 표시한 것이다. 이 과정은 처음과 끝이 있는 것이 아니라 끊임없이 낳고 낳아 끝이 없어서 극한에 이르면 다시 늘어나고 또 극한에 이르면 다시 줄어드는 순환의 과정을 되풀이 한다. 이는 앞에서 「經世天地四象圖」에 나온 복희 8괘도가 순환하는 것과 동일한 것이다. 그래서 왕식은 다음과 같이 정리한다. "앞의 「經世天地四象圖」에서 일월성신은 위로부터 왼쪽으로 선회하고 수화석토는 아래로부터 오른쪽으로 돌아, 복희 8괘의 지나간 것을 셈하고 올 것을 예측하는 順算과 逆算과는 다르다. 이것은 원회운세와 세월일신 가운데에서 각각 원회운세와 세월일신이 있어서 차례로 順하게 내려가고, 일월성신과 수화토석이 또 거슬러 오고 순하게 가서 각각 그 변화를 다 드러내는 것이니, 모두 自然의 수로서 지극한 변화이면서도 지극히 정돈된 것이다. 이와 같지 않으면 順만 있고 逆이 없고 가는 것만 있고 오는 것은 없어서 음양이 자라나고 줄어들어 서로 뿌리가 되는 신묘함을 만들 수가 없다."(按前天地四象圖, 日月星辰, 自上而左旋, 水火石土, 自下而右轉, 與伏羲八卦數往知來之順逆, 固已不同. 此則以元會運世歲月日辰之中, 各有元會運世歲月日辰, 遞而順下, 而日月星辰水火土石, 又逆來順往, 各盡其變. 是皆自然之數, 極變化, 亦極齊整. 不如是, 則有順無逆, 有往無來, 非造陰陽消息互根之妙矣.)

經世六十四卦數圖 경세육십사괘수도 卽先天圖 즉 선천도

[8-1-5]

邵伯溫曰: "乾之數一, 兌之數二, 離之數三, 震之數四, 巽之數五, 坎之數六, 艮之數七, 坤之數八, 交相重而爲六十四焉. 乾兌離震, 在天爲陽, 在地爲剛, 在天則居東南, 在地則居西北. 巽坎艮坤, 在天爲陰, 在地爲柔, 在天則居西北, 在地則居東南. 陰陽相錯, 天文也. 剛柔相交, 地理也."

소백온이 말했다. "건의 수 1, 태의 수 2, 리의 수 3, 진의 수 4, 손의 수 5, 감의 수 6, 간의 수 7, 곤의 수 8이 교류하고 서로 겹쳐서 64괘가 된다.[17] 건·태·리·진은 하늘에서는 양이 되고 땅에서는 강함이 되며 하늘에서는 동남쪽에 자리하고 땅에서는 서북쪽에 자리한다. 손·감·간·곤은 하늘에서는 음이 되고 땅에서는 부드러움이 되고 하늘에서는 서북쪽에 자리하고 땅에서는 동남쪽에 자리한다.[18] 음양이 서로 뒤섞인 것이 천문天文이고 강함과 부드러움이 서로 교류한 것이 지리地理이다."

· ·

17 3획괘인 소성괘가 겹쳐서 6획괘인 대성괘를 이루는 것을 一貞八悔라고 말한다. 1부터 8까지는 건괘로부터 곤괘를 상징하는데 이는 모두 3획괘이다. 이 3획괘가 겹쳐서 64괘가 된다. 「六十四卦之數圖」에 나온 숫자들은 바로 이점을 상징한다.

[8-1-6]

西山蔡氏曰: "八卦之數, 乾一·兌二·離三·震四·巽五·坎六·艮七·坤八, 先天之序也. 一一爲乾以至八八爲坤, 參伍錯綜[19], 無不備也. 圓者爲天, 方者爲地, 一二三四爲陽, 五六七八爲陰, 卽先天圖也. 一一起于南, 八八終于北者, 以少爲息多爲消也."

서산채씨가 말했다. "8괘의 수는 건 1, 태 2, 리 3, 진 4, 손 5, 감 6, 간 7, 곤 8로서 복희 선천 8괘도의 순서이다. 1·1이 건이 되는 것에서부터 8·8이 곤이 되는 것까지 삼오착종이 갖추어지지 않는 것이 없다. 원이 하늘이 되고 네모가 땅이 되며 1·2·3·4는 양이 되고 5·6·7·8이 음이 되는 것이 바로 선천도이다. 1·1이 남쪽에서 일어나고 8·8이 북쪽에서 마치는 것은 적은 것은 늘어나고 많은 것은 줄어드는 것이다."

經世 一元消長之數圖 경세일원소장지수도 朞數 기수

元		會	運	世				
日	甲	月 子1	星 30	辰 360	年 10,800	復 ䷗		
		月 丑2	星 60	辰 720	年 21,600	臨 ䷒		
		月 寅3	星 90	辰 1,080	年 32,400	泰 ䷊	開物 星之己 76	
		月 卯4	星 120	辰 1,440	年 43,200	大壯 ䷡		
		月 辰5	星 150	辰 1,800	年 54,000	夬 ䷪		
		月 巳6	星 180	辰 2,160	年 64,800	乾 ䷀	唐堯始星之癸 180 辰 2,157	

• • • • • • • • • • • • •

18 여기서 하늘이란 64괘 방위도에서 바깥의 圓圖를 말하고 땅이란 안쪽의 方圖를 말한다.

19 「繫辭傳下」10장: "參伍以變, 錯綜其數, 通其變, 遂成天地之文, 極其數, 遂定天下之象, 非天下之至變, 其孰能與於此." 주자, 『周易本義』, "참이란 3으로 세는 것이고 오란 오로 세는 것이다. 3으로 세어 변화했고 또 5로 세어 변하여 한번 먼저하고 한번 뒤에 하여 번갈아 서로 상고해서 많고 적음의 실제를 살피는 것이다. 착이란 교류하여 함께 하는 것으로 한 번 왼쪽으로 하고 한 번 오른쪽으로 하는 것을 말한다. 종이란 총괄하여 세는 것으로 한번 낮추고 한번 높임을 말한다. 이것은 또한 모두 시초를 세어 괘를 구하는 일을 말한다.(參者, 三數之也, 伍者, 五數之也. 旣參以變, 又伍以變, 一先一後, 更相考覈, 以審其多寡之實也. 錯者, 交而互之, 一左一右之謂也. 綜者, 總而挈之, 一低一昻之謂也. 此亦皆謂揲蓍求卦之事.)"라고 설명하고 있다.

元	會	運	世			
	月午7	星210	辰2,520	年75,600	姤 ䷫	夏殷周秦兩漢兩晉十六國南北朝隨唐五代宋
	月未8	星240	辰2,880	年86,400	遯 ䷠	
	月申9	星270	辰3,240	年97,200	否 ䷋	
	月酉10	星300	辰3,600	年108,000	觀 ䷓	
	月戌11	星330	辰3,960	年118,800	剝 ䷖	閉物 星之戌 315
	月亥12	星360	辰4,320	年129,600	坤 ䷁	

[8-1-7]

邵伯溫曰：“日爲元, 元之數一. 月爲會, 會之數十二. 星爲運, 運之數三百六十. 辰爲世, 世之數四千三百二十. 則是一元統十二會, 三百六十運, 四千三百二十世. 一世三十年, 則一十二萬九千六百年. 一十二萬九千六百年, 是爲一元之數. 一元在大化之中, 猶一年也. 自元之元至辰之元, 自元之辰至辰之辰, 而後數窮矣. 窮則變, 變則生, 蓋生生而不窮也. 經世但著一元之數, 舉一隅而已. 引而伸之, 則窮天地之數可知矣. 日甲, 日之數一歲一周. 月子至亥, 月之數十二歲十二周也. 星三百六十, 隨天而轉, 日一周, 歲三百六十周也.

소백온이 말했다. “일日은 원이고 원의 수는 1이다. 월月은 회이고 회의 수는 12이다. 성星은 운이고 운의 수는 360이다. 신辰은 세이고 세의 수는 4,320이다. 그러니 이 1원이 12회, 360운, 4,320세를 통괄한다. 1세가 30년이니 (4,320세가) 129,600년이다. 129,600년이 1원의 수가 된다. 1원은 우주적 조화 과정 중에서는 1년과 같다. 원의 원元之元에서부터 신의 원辰之元에 이르고 원의 진元之辰에서 신의 진辰之辰에 이른 뒤에 수가 궁극에 이른다. 궁극에 이르면 변하고, 변하면 다시 생겨나니, 생겨나고 생겨나서 끝이 없다. 『황극경세』는 1원의 수만을 드러내어 한 모퉁이만 보였을 뿐이다. 이것에서 미루어 넓혀 나간다면 천지의 수를 다하는 월을 알 수가 있다.[20] 일갑日甲은 일의 수 1이니 1년에 한 번 돈다. 자월子月부터 해월亥月까지는 월의 수 12이니 1년에 12번 돈다. 성의 수는 360이니 하늘을 따라 돌되, 하루에 한 번 돌아서 1년에 360번 돈다.

. . . .

20 원회운세와 연월일시의 숫자를 다음과 같이 도표화할 수 있다.

一日十二辰, 積一歲之辰, 則歲四千三百二十辰也. 自子至巳作息, 自午至亥作消. 作息則陽進而陰退, 作消則陰進而陽退. 開物於月之寅, 星之巳七十有六. 閉物於月之戌, 星之戌三百一十有五. 月至巳之終, 當辰之二千一百六十爲陽極, 陰陽之餘空各六. 月至亥之終, 當辰之四千三百二十爲陰極, 陰陽之餘空各六. 凡二十有四, 以當易六十四卦三百八十四爻之數焉. 除四正卦凡六, 四六二十四, 三百八十有四去其二十有四, 則所存者三百六十也. 四正卦, 謂乾坤坎離居四方之正位, 反復不變, 故謂之四正. 經世一元之運數, 擧成數焉, 消息盈虛之法在其間矣, 所以藏諸用也. 唐堯起於月之巳, 星之癸一百八十, 辰之二千一百五十七. 推而上之, 堯得天地之中數也. 故孔子贊堯曰, '唯天爲大, 唯堯則之, 蕩蕩乎民無得名焉, 巍巍乎其有成功, 煥乎其有文章.' 揚雄亦謂, '法始乎伏羲而成乎堯.' 蓋自極治之盛, 莫過乎堯. 先乎此者有所未至. 後乎此者有所不及. 考之曆數, 稽之天時, 質之人事, 若合符節. 嗚呼盛哉."

1일은 12시진時辰인데 1년 동안 시진을 누적하면 1년은 4,320시진이다. 자子[밤 11시~01시] 시진에서 사巳 시진까지는 불어나고 오午[낮 11시~01시] 시진에서 해亥 시진까지는 줄어든다. 불어날 때에는 양이 나아가고 음이 물러나며, 줄어들 때에는 음이 나아가고 양이 물러난다. 월의 인月之寅[1월]에 만물이 열리는데 성의 기[星之己] 76이다. 월의 술月之戌에 만물이 닫히는 데 성의 무[星之戌] 315이다. 월이 기己의 끝에 이르면 진의 2,160에 해당하고 양이 극한에 이르러 음양의 나머지 각 6이 비게 된다. 월이 해의 끝에 이르면 진의 4,320에 해당하고 음이 극한에 이르러 음양의 나머지 각 6이 비게 된다. 24는 『역』의 64괘 384효의 수에서 4개의 정괘 6효를 제외한 것에 해당하니 4・6은 24이다. 384에서 24를 빼면 나머지는 360이다. 4개의 정괘는 건・곤・감・리가 사방의 정위에 위치하는

	1元	1會	1運	1世
회	12회			
운	360운	30운		
세	4,320세	360세	12세	
년	129,600년	10,800년	360년	30년
월	1,555,200월	129,600월	4,320월	360월
일	46,656,000일	388,080일	129,600일	10,800일
시진	559,872,000시진	46,656,000시진	1,555,200시진	129,600시진

	1年	1月	1日	1時
년	1			
월	12월			
일	360일	30일		
시진	4,320시진	360시진	12시진	
분	129,600분	10,800분	360분	30분

것을 말하는데 뒤집거나 돌려도 변하지 않기 때문에 4개의 정괘라고 말한다. 경세經世 1원의 운수運數가 성수成數대강의 수, 우수리가 없는 일정 단위의 쉬를 거론했으나 불어남과 줄어듦·가득 참과 빔消息盈虛의 법칙이 그 사이에 있으니, 모든 작용 속에 감춰진 것이다.[21] 요임금은 월의 사月之巳와 성의 계星之癸 180에서 일어났는데 진의 2,157이다. 추론하여 올라가면 요임금은 천지의 중수中數를 얻었다. 그래서 공자가 요임금을 찬양하며 말하기를 '오로지 하늘이 위대하시니 오직 요임금만이 그것을 본받았구나. 그 공이 넓고 넓어 백성들은 형용하지 못하는구나. 우뚝하게 이룬 공적이 잇고 찬란하게 빛나는 문장제도가 있도다.'[22]라고 했다. 양웅 역시 말하기를 '법은 복희에게서 시작하였지만 요임금에서 이루어졌다.'[23]고 했다. 종래로 지극히 성대한 다스림은 요임금보다 더 뛰어난 자가 없었기 때문이다. 이보다 앞선 사람도 이에 미친 적이 없었고 이보다 후대 사람도 여기에 미치지는 못할 것이다. 역수曆數[24]에서 살펴보고 천시天時에서 계고하고 인간사에 질정하더라도 마치 부절符節을 맞춘 듯하다. 아! 성대하구나."

[8-1-8]
西山蔡氏曰: "一元之數, 即一歲之數也. 一元有十二會, 三百六十運, 四千三百二十世, 猶一歲十二月, 三百六十日, 四千三百二十辰也. 前六會爲息, 後六會爲消, 即一歲之自子至巳爲息, 自午至亥爲消. 開物於星之七十六, 猶歲之驚蟄也, 閉物於三百一十五, 猶歲之立冬也. 一元有十二萬九千六百歲, 一會有十二萬九千六百月, 一運有十二萬九千六百日, 一世有十二萬九千六百辰, 皆自然之數, 非有所牽合也.

서산 채씨가 말했다. "일원의 수는 즉 1년의 수이다. 1원에는 12회가 있고 360운이 있으며 4,320세가 있으니 1년에 12월이 있고 360일이 있으며 4,320 시진이 있는 것과 같다. (1원에서) 앞의 6회가 불어나고 뒤의 6회가 줄어드니 곧 1년에서 자월子月동짓달부터 사월巳月까지 불어나고 오월午月부터 해월亥月[25]까지 줄어드는 것과 같다. 성의 76에 만물이 열리니 한 해의 경칩과 같고 315에 만물이 닫히니 한 해의 입동과 같다. 1원에는 129,600년이 있고 1회에는 129,600개월이 있으며 1운에는 129,600일이 있고 1세에는 129,600시진이 있으니 모두 자연스러운 쉬自然之數이지 억지로 끌어다 맞춘 것이 아니다.

或曰, '氣盈於三百六十六, 朔虛於三百五十四, 今經世之數, 槩以三百六十爲率, 何也.' 曰, '所以藏諸用也, 消息盈虛之法在其間矣.' '唐堯始於星之癸一百八十, 辰之二千一百五十七, 何也.' 曰, '以今日天地之運, 日月五星之行, 推而上之, 因以得之也.' 嗟夫! 皇極一元之

21 「繫辭上」: "顯諸仁, 藏諸用, 鼓萬物而不與聖人同憂."
22 『論語』「泰伯」 19: "子曰, 大哉, 堯之爲君也, 巍巍乎唯天爲大, 唯堯則之, 蕩蕩乎民無能名焉. 巍巍乎其有成功也. 煥乎其有文章."
23 『法言』 권3 「問道」
24 역법과 같다. 제왕이 하늘을 대신하여 다스리는 숫자를 말한다.
25 子月은 11월, 巳月은 4월, 午月은 5월 亥月은 10월에 해당한다.

運, 始於日甲月子星甲辰子者, 豈特曆數之用而已哉? 一陽初動, 萬物未生, 是聖人所以見天地之心, 又以範圍天地曲成萬物者也. 非元氣之會, 聰明過人者, 其孰與此?"

어떤 사람이 물었다. '366에서 기영氣盈이 되고 354에서 삭허朔虛가 되는데[26] 지금 『황극경세』의 수는

26 1. 氣盈: 氣는 24節氣이고, 盈은 많다는 뜻으로, 이는 24절기에 의한 날의 수효가 360보다 많은 것을 말한다. 이는 "기영은 24절기로 계산하여 360 이외의 많은 것이다.(『書蔡氏傳旁通』卷1上)

2. 朔虛: 朔은 12個月이고, 虛는 적다는 뜻으로, 이는 12개월에 의한 날의 수효가 360보다 적은 것을 말한다. 이는 "삭허는 12개월로 계산하여 360 이내의 적은 것이다.(『書蔡氏傳旁通』卷1上)

3. 전체적으로 설명하면 다음과 같다. 천체는 지극히 둥근데 주위는 365 1/4도이다. 땅을 둘러 왼쪽으로 선회하는데 항상 하루에 한 바퀴를 돌고 1도를 지나친다. 태양은 하늘에 붙어있는데 조금 늦기 때문에 태양의 운행이 하루에 또한 땅을 둘러 한 번 돌지만 하늘에 있어 1도를 못 미친다. 365 235/940일을 쌓아서 하늘과 만나니, 이것이 한 해에 태양이 운행하는 수이다. 달은 하늘에 걸려 있는데 더욱 느려서 하루에 항상 13 7/19도가 하늘에 미치지 못한다. 29 499/940일이 쌓여서 태양과 만나니, 12번 만나면 온전한 날 348일을 얻고 그 여분의 쌓인 것이 또한 5988/940일(499/940×12번)이다. 5988/940일을 日法의 940분모처럼 정리하면 1일을 6번 얻고 다하지 않은 나머지가 348이어서(6 348/940일) 통틀어 계산하면 얻는 날은 354 348/940일로 1년에 달이 운행하는 수이다. 1년에는 12달이 있고 1달에는 30일이 있으니, 360은 1년의 常數이다. 그러므로 해와 하늘이 만날 적에 5 235/940일이 더 많은 것은 氣盈이 되고, 달과 해가 만날 적에 5 592/940일이 적은 것은 朔虛가 되는데 기영과 삭허가 합해져서 閏率이 그것에서 생긴다. 그러므로 1년의 윤률은 10 827/940일이 되니, 3년에 1번 윤달을 두면 32 601/940일(10 827/940×3년)이 되고, 5년에 2번 윤달을 두면 54 375/940일(10 827/940×5년)이 되며, 19년에 7번 윤달을 두면 기영·삭허와 7閏의 분수가 같아지게 되는데[氣朔分齊] 이것이 1章이다. 그러므로 3년 동안 윤달을 두지 않으면 봄의 1달이 여름으로 들어가서 계절이 점차 정해지지 않고, 子月(동짓달) 1달이 丑月(동지 다음달)로 들어가서 해가 점차 이루어지지 않게 된다. 이것을 누적시킴이 오래되어 세 번 윤달을 그르치는 데에 이르면 봄이 모두 여름으로 들어가서 계절이 전혀 정해지지 않고 12번 윤달을 그르치면 子年이 모두 丑年으로 들어가서 해가 전혀 이루어지지 못한다. 그 명칭과 실상이 어긋나고 추위와 더위가 뒤바뀌어서 農業·蠶業 등의 많은 일이 모두 계절을 그르치게 된다. 그러므로 반드시 이 나머지 날로 그 사이에 윤달을 둔 이후에야 4계절이 어그러지지 않고 1년의 공적이 이루어질 수 있으니, 이것으로 진실로 백관을 다스려서 여러 공적이 다 넓어지게 된다.(『書經集傳』「虞書·堯典)

4. 沈虞蔡은 『書經集傳』「虞書·堯典」의 "帝曰咨汝羲曁和, 朞, 三百有六旬有六日, 以閏月定四時成歲, 允釐百工, 庶績咸熙."이라는 구절에서 기영과 삭허에 대해 이렇게 설명한다. "천체는 지극히 둥그니, 주위가 365도와 4분의 1도이다. 천체는 땅을 왼쪽으로 한 바퀴 돌되 항상 하루에 한 바퀴를 돌고 1도를 지나치게 되니, 해는 하늘에 걸려 있는데 이보다 다소 늦다. 그러므로 해의 운행은 하루에 또한 땅을 한 바퀴 돌되 하늘에 있어 1도를 미치지 못하게 된다. 365일과 940분의 235일을 쌓아 하늘과 만나니, 이는 1년 동안 해가 운행하는 수이다. 달은 하늘에 걸려 있는데 더욱 느려서 하루에 항상 하늘보다 13도 19분의 7도를 미치지 못한다. 29일고 940분의 499일을 쌓아 해가 만나니 열두 번 만나면 온전한 날을 얻은 것이 348일이요 여분을 모은 것이 940분의 5988이니, 날짜의 법에 940과 같이 하여 1일을 여섯 번 얻으면 나누어지지 않고 남는 수가 348이니, 얻은 날을 통틀어 계산하면 354일과 940분의 348일이 되니, 이는 1년 동안 달이 운행하는 수이다. 해는 12개월이 있고 달에는 30일이 있으니, 360은 1년의 떳떳한 수이다. 그러므로 해가 하늘과 만날 적에는 5일과 940분의 235일이 더 많은데 이것을 氣盈이라 하고 달이 해와 만날 때에는 5일과 940분의 592일이 적은데 이것을 朔虛라 하니, 기영과 삭허를 합쳐서 윤달이 생긴다.(天體至圓, 周圍

개괄적으로 360을 기준으로 삼는 것은 무슨 까닭입니까?'

대답하였다. '작용 속에 감추어둔 것이니 불어남과 줄어듦·가득 참과 빔의 법칙이 그 가운데에 있기 때문이다.'

물었다. '요임금이 성의 계[星之癸] 180, 신辰의 2,157에서 시작한 것은 어째서입니까?'

대답하였다. '오늘날 천지의 운행과 해·달·오성의 운행으로 추산하여 이것을 통하여 이해했기 때문이다.'

아! 황극 1원의 운행이 일갑日甲·월자月子·성갑星甲·신자辰子에서부터 시작했으니 어찌 역수曆數의 운용일 뿐이겠는가? 하나의 양이 처음 움직이나 만물이 생겨나지 않았을 때, 성인이 여기서 천지의 마음을 보고 또 천지를 범위範圍하고 만물을 곡진하게 이루게 되는 것이다. 원기元氣가 모여서 다른 사람보다 총명함이 더 뛰어난 사람이 아니라면 누가 이것에 참여하겠는가?"

又曰: "元會運世之數, 大而不可見, 分釐絲毫之數, 小而不可察. 所可得而數者, 即日月星辰而知之也. 一世有三十歲, 一月有三十日, 故歲與日之數三十. 一歲有十二月, 一日有十二辰, 故月與辰之數十二. 自歲月日辰之數推而上之, 得元會運世之數, 推而下之, 得分釐絲毫之數. 三十與十二反覆相乘爲三百六十, 故元會運世歲月日辰八者之數皆三百六十. 以三百六十乘三百六十, 爲十二萬九千六百, 故元有十二萬九千六百歲, 會有十二萬九千六百月, 運有十二萬九千六百日, 世有十二萬九千六百辰, 歲有十二萬九千六百分, 月有十二萬九千六百釐, 日有十二萬九千六百毫, 辰有十二萬九千六百絲. 皆天地自然, 非假智營力索, 而天地之運, 日月之行, 氣朔之盈虛, 五星之伏見, 朒朓屈伸, 交食淺深之數莫不由此. 由漢以來, 以曆數名家者惟太初大衍耳. 惟太初以四千六百一十七歲爲元, 以八十一爲分, 大衍之曆乃以一百六十三億七千四百五十九萬五千二百爲元, 三千四十爲分, 皆附會牽合. 以此求天地之數, 安得無差!"

또 말하였다. "원·회·운·세의 수는 너무 커서 볼 수 없고 분·리·사·호分釐絲毫[시간의 미세 단위는] 너무 작아서 살필 수가 없다. 그러나 수를 셀 수 있는 것은 일·월·성·신에 근거하여 알 수 있다. 1세는 30년이고 1달은 30일이므로 년과 일의 수는 30이다. 1년은 12개월이고 하루는 12시진이므로 달과 시진의 수는 12이다. 세·월·일·진의 수로부터 추론하여 올라가면 원·회·운·세의 수를

三百六十五度四分度之一, 繞地左旋, 常一日一周而過一度, 日麗天而少遲, 故日行一日亦繞地一周, 而在天爲不及一度. 積三百六十五日九百四十分日之二百三十五而與天會, 是一歲日行之數也. 月麗天而尤遲, 一日常不及天十三度十九分度之七, 積二十九日九百四十分日之四百九十九而與日會, 十二會, 得全日三百四十八, 餘分之積, 又五千九百八十八, 如日法九百四十, 而一得六, 不盡, 三百四十八, 通計得日, 三百五十四九百四十分日之三百四十八, 是一歲月行之數也. 歲有十二月, 月有三十日, 三百六十者, 一歲之常數也. 故日與天會而多五日九百四十分日之二百三十五者, 爲氣盈, 月與日會而少五日九百四十分日之五百九十二者, 爲朔虛, 合氣盈朔虛而閏生焉.)"

얻고 추론하여 내려가면 분·리·사·호의 수를 얻는다. 30과 12를 거듭해서 곱하면 360이니 원·회·운·세와 세·월·일·진 8개의 수도 모두 360이다. 360으로 360을 곱하면 129,600이 되니, 원에는 129,600세가 있고 회에는 129,600월이 있고 운에는 129,600일이 있고 세에는 129,600진이 있으며 세에는 129,600분이 있고 월에는 129,600리가 있고 일에는 129,600호가 있고 진에는 129,600사가 있다.[27] 모두 천지가 저절로 그러한 것이지 지력을 빌려서 경영하고 찾을 수 있는 것이 아니니 천지의 운행, 해와 달의 운행, 기영氣盈과 삭허朔虛, 오성의 숨고 드러남, 그믐과 초하루의 생겨남과 없어짐, 월식과 일식의 깊고 얕음의 수가 이것으로부터 비롯되지 않는 것이 없다. 한나라 이래로 역수曆數로 이름난 학파는 오직 태초력太初曆[28]과 대연력大衍曆[29]일 뿐이다. 그러나 태초력은 4,617년을 1원으로 삼고 81로 1분으로 삼았으며 대연력은 16,374,595,200을 1원으로 삼고 3,400을 1분으로 삼았으니 모두 억지로 갖다 붙인 것이다. 이것으로 천지의 수를 구하였으니 어떻게 잘못이 없을 수 있겠는가!'

[8-1-8-1]
　　　朱子曰 : "經世書以十二辟卦管十二會, 繃定時節, 却就中推吉凶消長. 堯時正是乾卦九五."[30]

· · · · · · · · · · · · · · · · · · · ·

27　서산 채씨는 공통적으로 129,600을 말하고 있는데 다음과 같이 표시할 수 있다.

	1원(元)	1회(會)	1운(運)	1세(世)
회	12회			
운	360운	30운		
세	4,320세	360세	12세	
년	**129,600년**	10,800년	360년	30년
월	1,555,200월	**129,600월**	4,320월	360월
일	46,656,000일	388,080일	**129,600일**	10,800일
시진	559,872,000시진	46,656,000시진	1,555,200시진	**129,600시진**

년	1년(歲)	1월(月)	1일(日)	1시진(辰)
월	12월			
일	360일	30일		
시진	4,320시진	360시진	12시진	
분	**129,600분**	10,800분	360분	30분
리	1,555,200리	**129,600리**	4,320리	360리
호	46,656,000호	388,080호	**129,600호**	10,800호
사	559,872,000사	46,656,000사	1,555,200사	**129,600사**

28　太初曆 : 기원전 104년 漢 武帝 때 제정되어 사용된 중국의 曆法이다.
29　大衍曆 : 중국 당나라의 역법으로서, 一行이 현종의 명으로 만들어 729년부터 33년 동안 사용하였다. 『周易』의 '大衍數'에 근거를 두었으며, 천체관측에 충실하다.
30　『朱子語類』 권100 「邵子之書」 : "易是卜筮之書, 皇極經世, 是推步之書. 經世以十二辟卦管十二會, 繃定時節, 却就中推吉凶消長. 堯時正是乾卦九五. 其書與易自不相干."

주자가 말하였다. "『황극경세서』는 12벽괘[31]로 12회會를 주관해서 시절을 단위로 묶고 그 가운데에서 길흉과 불어나고 줄어드는 것을 추측하였다. 요임금 때는 바로 건괘의 구오효에 해당한다."

[8-1-8-2]

"論十二卦, 則陽始於子而終於巳, 陰始於午而終於亥. 論四時之氣, 則陽始於寅而終於未, 陰始於申而終於丑. 此二說者雖若小差, 而所爭不過二位. 蓋子位一陽雖生而未出乎地, 至寅位泰卦, 則三陽之生方出地上, 而溫厚之氣從此始焉. 巳位乾卦六陽雖極而溫厚之氣未終. 故午位一陰雖生而未害於陽, 必至未位遯卦而後溫厚之氣始盡也. 其午位陰巳生, 而嚴凝之氣及申方始. 亥位六陰雖極, 而嚴凝之氣至丑方盡. 義亦放此. 蓋地中之氣難見而地上之氣易識. 故周人以建子爲正, 雖得天統, 而孔子之論爲邦, 乃以夏時爲正. 蓋取其陰陽始終之著明也. 按圖以推其說可見."[32]

(주자가 말하였다.) "12벽괘를 논하면 양은 자子에서 시작하여 사巳에서 끝나고 음은 오午에서 시작하여 해亥에서 끝난다. 사계절의 기운을 논하면 양은 인寅에서 시작하여 미未에서 끝나고 음은 신申에서 시작하여 축丑에서 끝난다. 이 두 가지 이론은 조금 차이는 있지만 쟁점이 되는 것은 두 자리에 불과하다. 자의 자리(복괘)는 하나의 양이 생겨났지만 아직 땅에서 나오지 않은 것이고 인의 자리인 태괘에 이르면 세 개의 양이 생겨나 땅위로 나와서 온후한 기운이 이것으로부터 시작된다. 사의 자리인 건괘는 여섯 개의 양이 극한에 이르렀지만 온후한 기운이 끝나지 않았다. 그러므로 오의 자리(구괘)에서 하나의 음이 생겨났지만 양을 해치지 못하고 반드시 미의 자리인 돈괘에 이른 뒤에 온후한 기운이 비로소 다하게 된다. 그 오의 자리에서 음이 생겨났지만 굳게 수축하는 기운은 신의 자리에 이르러서야 비로소 시작한다. 해의 자리(곤괘)는 여섯 개의 음이 극한에 이르렀지만 굳게 수축하는 기운은 축의 자리에 이르러서야 비로소 다하게 된다. 의미는 또한 이와 같다. 땅 속의 기운은 보기 어렵지만 땅위의 기운은 알기 쉽다. 그래서 주나라 사람이 자월을 세워 정월을 삼아서 천통天統을 얻었지만 공자가 나라의 정치를 논할 때에는[33] 하시夏時(인월)로 정월을 삼았다. 이는 음양

· · · · · · · · · · · · · · · · · · · ·

31 12벽괘 :

復(䷗)	臨(䷒)	泰(䷊)	大壯(䷡)	夬(䷪)	乾(䷀)	姤(䷫)	遯(䷠)	否(䷋)	觀(䷓)	剝(䷖)	坤(䷁)
子월	丑월	寅월	卯월	辰월	巳월	午월	未월	申월	酉월	戌월	亥월

32 『晦庵集』「答袁機仲別幅」

33 『論語』「衛靈公」: "안연이 나라를 다스리는 것을 물었다. 공자가 말했다. '하나라 책력을 행하며, 은나라의 수레를 타며, 주나라의 면류관을 쓰며, 음악은 소무를 할 것이요, 정나라 음악을 추방하며 말재주 있는 사람을 멀리 해야 하니, 정나라 음악은 음탕하고 말 잘하는 사람은 위태롭다.'(顏淵問爲邦. 子曰, '行夏之時, 乘殷之輅, 服周之冕, 樂則韶舞. 放鄭聲, 遠佞人, 鄭聲淫, 佞人殆.')" 하나라 책력을 쓴다는 것에 대해서 주자는 다음과 같이 설명하고 있다. "하나라 책력이란 북두칠석 자루가 날이 처음 어두울 때 寅方을 가리키는 달로써 歲首정월을 삼은 것이다. 하늘은 子會에서 열렸고, 땅은 丑會에서 열렸고, 사람과 만물은 寅會에서 생겨났다. 그러므로 북두칠성 자루가 이 세 방위를 가리키는 달을 모두 정월로 삼을 수 있어서 三代가 쓴 것이다. 하나라에서는 寅月을 사용하였으니 人正이 되고, 은나라에서는 丑月을 사용하였으니 地正이 되고, 주나라에서는 子月로

의 시작과 끝이 뚜렷하게 드러난 것을 취한 것이다. 그림을 살펴서 그 이론을 미루어 보면 알 수 있다."

[8-1-8-3]

"邵子皇極經世書, 以元統十二會爲一元. 一萬八百年爲一會. 初間一萬八百年而天始開. 又一萬八百年而地始成. 又一萬八百年而人始生. 邵子於寅上方始註一開物字. 蓋初間未有物, 只是氣塞. 及天開些子後, 便有一塊查滓在其中, 漸漸凝結而成地. 初則溶軟, 後漸堅實. 今山形自高而下, 便如水漾沙之勢. 以此知必是先有天方有地, 有天地交感, 方始生出物來."[34] (주자가 말하였다.) "소강절의『황극경세서』는 원으로 12회를 통괄하여 1원으로 삼았다. 10,800년이 1회가 된다. 처음 10,800년 사이에 하늘이 처음 열린다. 또 10,800년 사이에 땅이 처음 이루어진다. 또 10,800년 사이에 사람이 처음 생겨난다. 소강절은 그래서 세 번째 인寅에 처음으로 '만물이 열린다.'라는 글자로 주석을 달았다. 처음 사물이 생겨나기 전에는 단지 기가 꽉 차있었다. 하늘이 조금 열린 뒤에야 그 사이에 한 덩어리의 찌꺼기가 있게 되어 점차 엉겨 붙어 땅을 이루었다. 처음에는 부드럽게 녹다가 나중에 점차로 견고하게 굳어졌다. 지금 산의 형세가 높은 데서 아래로 내려오는 것은 파도 치는 형세와 같다. 여기에서 분명히 먼저 하늘이 있은 뒤에 땅이 있었고 하늘과 땅이 교감한 뒤에 비로소 처음으로 만물이 나왔다는 것을 알 수 있다."

[8-1-8-4]

問 : "天開於子, 地闢於丑, 人生於寅, 其說是如何?"

曰 : "此是邵子皇極經世中說, 今不可知, 他只是以數推得如此. 他說寅上生物, 是到其上方有人物也. 有一元, 十二會, 三十運, 十二世, 十二萬九千六百年爲一元. 歲月日時, 元會運世, 皆自十二而三十, 自三十而十二. 至堯時, 會在巳午之間, 今漸及未矣. 至戌上說閉物, 到那裏則不復有人物矣."

問 : "不知人物消磨盡時天地壞也不壞."

曰 : "也須一場鶻突. 既有形氣, 如何得不壞. 但一箇壞了便有一箇生得來."[35]

· ·

삼았으니 天正이 된다. 그러나 계절로써 농사일을 하니 그렇다면 세월의 정월은 응당 人正으로 기준점을 삼아야 할 것이다.(夏時, 謂以斗柄初昏建寅之月爲歲首也. 天開於子, 地闢於丑, 人生於寅, 故斗柄建此三辰之月, 皆可以爲歲首. 而三代迭用之, 夏以寅爲人正, 商以丑爲地正, 周以子爲天正也. 然時以作事, 則歲月自當以人爲紀.)"

34 『朱子語類』 권45, 26조목 : "至之問 : 康節說'天開於子, 地闢於丑, 人生於寅.' 是否? 曰, 模樣也是如此. 經世書以元統會, 十二會爲一元, 一萬八百年爲一會, 初間一萬八百年而天始開, 又一萬八百年而地始成, 又一萬八百年而人始生. 初間未有物, 只是氣塞. 及天開些子後, 便有一塊查滓在其中, 初則溶軟, 後漸堅實. 今山形自高而下, 便似渗出來模樣." 마지막 구절은『朱子語類』 권45, 28조목에 있다 : 楊尹叔問 : "天開於子, 地闢於丑, 人生於寅, 如何?" 曰 : "康節說, 一元統十二會, 前面虛卻子丑兩位, 至寅位始紀人物, 云人是寅年寅月寅時生. 以意推之, 必是先有天, 方有地, 有天地交感, 方始生出人物來."

물었다. "하늘이 자子에서 열리고 땅은 축丑에서 열리고 사람은 인寅에서 생겨난다고 했는데 그 말이 무슨 뜻입니까?"

(주자가) 대답하였다. "이것은 소강절이 『황극경세서』에서 말한 것으로 지금은 알 수가 없지만 그는 수로 이와 같이 추론했을 뿐이다. 그가 인에서 만물이 생겨난다고 말한 것은 거기에서 비로소 사람과 만물이 생겨난다는 말이다. 1원과 12회와 30운과 12세가 있는데 129,600년을 1원으로 삼는다. 세·월·일·진과 원·회·운·세가 모두 12에서 30이 되고 30에서 12가 된다. 요임금 때에 이르러 회會에서 사巳와 오午 사이에 있는데 그 뒤로 점차 미未에 이르게 된다. 술戌에 이르러 만물이 닫힌다고 말했는데 여기에 이르면 다시 사람과 만물이 없어진다."

물었다. "사람과 만물이 다 소멸된 뒤에 천지가 무너지는지 않는지 모르겠습니다."

(주자가) 대답하였다. "분명 혼돈스러운 상태일 것이다. 이미 형기形氣가 있으니 어떻게 무너지지 않겠는가. 그러나 하나가 무너지면 다른 하나가 생겨날 것이다."

[8-1-8-5]

黃氏(瑞節)曰 : "一元消長圖, 蓋以本書約之也. 今詳本書, 日甲一位爲一元, 該十二萬九千六百年, 此一元總數也. 其所以得一元之數者, 由十二會積之也. 月子一位爲一會, 該一萬八百年, 至月亥十二位爲十二會, 該十二萬九千六百年, 屬上日甲統之也. 其所以得十二會之數者, 由三十運積之也. 星甲一位爲一運, 該三百六十年, 至三十位爲三十運, 該一萬八百年, 屬上月子統之, 過此屬月丑統之. 其所以得三十運之數者, 由十二世積之也. 辰子一位爲一世, 該三十年, 至辰亥十二位爲十二世, 該三百六十年, 屬上星甲統之, 過此屬星乙統之.

황씨黃瑞節이 말했다. 「일원소장도」는 이 책으로 요약한 것이다. 지금 이 책을 자세하게 보면 첫 번째 자리 '일갑'日甲이 1원이고 129,600년을 포괄하니 이것이 1원의 총수이다. 1원의 수를 얻은 것은 12회를 거쳐서 누적되었기 때문이다. '월자'月子 한 자리가 1회이고 10,800년을 포괄하고, 12번째 자리 '월해'月亥에 이르러 12회가 되어 129,600년을 포괄하니 위의 '일갑'이 통괄하는 것에 속한다. 12회의 수를 얻은 것은 30운을 거쳐서 누적되었기 때문이다. '성갑'星甲 첫 번째 자리가 1운이 되어 360년에 해당하고, 30번째 자리에 이르러 30운이 되어 10,800년을 포괄하니 위의 '월자'가 통괄하는 것에 속하고 여기를 지나면 '월축'이 통괄하는 것에 속한다. 30운의 수를 얻은 것은 12세를 거쳐서 누적되었기 때문이다. '신자'辰子 첫 번째 자리가 1세가 되어 30년을 포괄하고, '신해' 12번째 자리에 이르러 12세가 되어 360년을 포괄하니 위의 '성갑'이 통괄하는 것에 속한다. 여기를 지나면 '성을'이 통괄하는 것에 속한다.

蓋由世積而爲運, 運積而爲會, 會積而爲元, 即由時積而爲日, 日積而爲月, 月積而爲歲也.

35 『朱子語類』 권45, 28조목

邵伯溫所謂一元之數在天地之間猶一年，是已．然邵子此數何從而知其始，何從而知其終耶．善乎西山先生之言曰，以今日天地之運日月五星之行推而上之，因以得之也．故曰堯得天地之中數．斯言何謂也．蓋堯之時在日甲月巳星癸辰申，當十二萬九千六百年之半，以上爲六萬四千八百年之已往，以下爲六萬四千八百年之方來，是以謂中數也．堯而後，可遞而推矣．"

세가 누적되어 운이 되고 운이 누적되어 회가 되고 회가 누적되어 원이 되니 시時가 누적되어 일이 되고 일이 누적되어 월이 되고 월이 누적되어 세歲가 된다. 소백온이 말한 '일원의 수는 천지 사이에서 1년과 같다.'라고 한 것이 이것이다. 그러나 소강절의 이 수는 어디에서 그 시작을 알 수 있고 어디에서 그 끝을 알 수 있겠는가? '오늘날 천지의 운행과 해·달·오성의 운행으로 추산하여 거슬러 올라가 이것으로 인하여 알게 된 것이다.'[36]라는 서산 채원정의 말이 훌륭하다. 그래서 '요임금이 천지의 중수中數를 얻었다.'[37]고 말했던 것이다. 그러나 이 말은 무엇을 말하는가. 요임금의 때는 일갑日甲·월사月巳·성계星癸·신신辰申에 있었기 때문에 129,600년의 절반에 해당하니 그 이전의 64,800년은 이미 지나간 것이 되고 그 이후의 64,800년은 앞으로 올 것이니 중수라고 말한 것이다. 요임금 뒤는 차례대로 추산할 수가 있다."

[8-1-8-6]

元氏：明善曰："禹即位後八年得甲子，初入午會．前至元[38]元年甲子，初入午會第十一運．從天開甲子至泰定甲子得六萬八千八百二十一年．"

원씨元明善[39]가 말하였다. "우임금이 즉위[40]한 뒤 8년에 갑자년이 왔고, 처음으로 오회午會에 들어갔다. 이전 원의 원년 갑자에 이르러 오회 11번째 운에 처음으로 들어갔다. 천개天開 갑자[41]에서 태정泰定[42] 갑자까지 68,821년이 된다."

[8-1-8-7]

臨川吳氏曰："一元凡十二萬九千六百歲，分爲十二會，一會計一萬八百歲．天地之運至戌會

---

36 앞의 5-2의 단락에 나온 말이다.
37 앞의 5-1의 소백온의 말에 나온다.
38 至元은 원나라 세조의 연호이다. 1264-1294년이다. 1264년이 갑자년이다.
39 元明善(1269~1322)：원나라 사람으로 자는 復初이고 淸河(지금 하북성에 속한다.)사람이다. 약관의 나이로 吳땅에서 노닐면서 문장에 능하다는 명성을 날렸다. 仁宗 때에 翰林待制로 발탁되었다. 延祐 연간에는 翰林學士가 되었다. 향년 54세에 죽었다. 淸河郡公으로 追封되었고 시호는 文敏이다.
40 기원전 2224년 丁巳年에 우임금이 등극했다. 그로부터 8년이 기원전 2217년으로 갑자의 시작이며 오회의 시작이다.
41 갑자년 갑자월 갑자일이 되는 것을 말한다.
42 원나라 연호 1276-1328년이다. 동지날이 갑자년 갑자일이 된다. 1324년 태정 갑자년이다. 여기서 68,821년이 천개 갑자년이다.

之中爲閉物, 兩間人物俱無矣. 如是又五千四百年而戌會終. 自亥會始五千四百年當亥會之中, 而地之重濁凝結者悉皆融散, 與輕淸之天混合爲一, 故曰渾混. 淸濁之混逐漸轉甚, 又五千四百年而亥會終, 昏暗極矣, 是天地之一終也. 貞下起元, 又肇一初, 爲子會之始, 仍是混沌. 是謂太始, 言一元之始也 ; 是謂太一, 言淸濁之氣混合爲一而未分也.

임천 오씨[吳澄][43]가 말하였다. "일원은 129,600년이고 나누어 12회가 되는데 1회는 10,800년이다. 천지의 운행은 '술회'戌會 중간에 이르러 만물이 닫히게 되고 천지 사이에 사람과 만물은 모두 없어진다. 이와 같이 해서 또 5,400년이 지나 '술회'가 끝난다. '해회'亥會에서 시작하여 5,400년이 되어 '해회' 중간이 되면 땅에서 무겁고 탁하고 엉겨 붙은 것은 모두 분해되어 흩어져서 가볍고 맑은 하늘과 혼합하여 하나가 되니 혼돈이라고 한다. 맑은 것과 탁한 것의 섞임이 점점 더 심해지고 또 5,400년이 지나 '해회'가 끝나면 어둠이 극한에 이르니 이것이 천지가 한번 끝마치는 것이다. 정貞 다음에 원이 일어나 또 하나의 시초가 시작되면, '자회'子會가 시작하지만 여전히 혼돈이다. 이를 태시太始라고 하는 것은 1원의 시작을 말하고 태일太一이라고 하는 것은 맑은 기와 탁한 기가 섞이고 합하여 하나가 되어 나누어지지 않은 것이다.

自此逐漸開明, 又五千四百年當子會之中, 輕淸之氣騰上有日有月有星有辰, 日月星辰四者成象而共爲天. 又五千四百年當子會之終, 故曰天開於子. 濁氣雖摶在中間, 然未凝結堅實, 故未有地. 又五千四百年當丑會之中, 重濁之氣凝結者, 始堅實而成土石, 濕潤之氣爲水, 流而不凝. 燥烈之氣爲火, 顯而不隱. 水火土石四者成形而共爲地, 故曰地闢於丑. 又五千四百年而丑會終. 又自寅會之始五千四百年當寅會之中, 兩間人物始生, 故曰人生於寅也."

여기에서부터 점차 열려서 밝아지고 또 5,400년이 지나 '자회'의 중간이 되면 가볍고 맑은 기는 위로 올라가 일·월·성·신이 있게 되고 일·월·성·신 4가지가 상象을 이루어 함께 하늘이 된다. 또 5,400년이 지나 '자회'의 끝이 되기 때문에 소강절이 '하늘이 자에서 열린다.'라고 하였다. 탁한 기는 중간에 뭉쳐 있지만 아직 굳고 단단하게 엉겨 붙지 않았기 때문에 땅이 생겨나지 못했다. 또 5,400년이 지나 '축회'丑會의 중간이 되면 엉겨 붙은 무겁고 탁한 기는 비로소 굳고 단단해져서 흙과 돌이 되고 습하고 윤기 있는 기는 물이 되어 흘러서 엉겨 붙지 않는다. 건조하고 뜨거운 기는 불이 되어 드러나서 숨지 않는다. 물과 불과 흙과 돌 4가지가 형形을 이루어 모두 땅이 되니 소강절이 '축에서 땅이 열린다.'라고 하였다. 또 5,400년이 지나 '축회'가 끝난다. 또 '인회'寅會의 시작에서 5,400년이 지나 '인회'의 중간이 되면 천지 사이에 인간과 사물이 비로소 생겨나니 소강절이 '인에서 사람이 생겨난다.'라고 하였다."

• •

43 吳澄 : 자는 幼淸이고 호는 草廬이며 시호는 文正이다. 撫州 崇仁(지금의 강서성 숭인현) 사람이다. 15세 때부터 과거를 단념하고 유학에만 전념하였다. 38세 이후에는 원나라로부터 江西儒學副提擧와 國子司業, 翰林學士와 國史院編修 및 太中大夫 등의 관직을 역임했다. 그러나 관직보다는 理學에 마음을 쏟아서 '經學之師'라고 불렸다. 특히 역학에 밝았다. 唐代 이래로 왕필 의리역학이 유행하면서 상수학이 방치되는 상황에서 『易纂言』을 지어 상수학을 다시 제창하였다.

經世四象體用之數圖 경세사상체용지수도 萬物之數 만물지수

日日聲平闢 일일성日日聲 평성과 벽음[平闢]			水水音開淸 수수음水水音 개음과 청성[開淸]		
多良千刀妻 宮心●●●			古黑安夫卜東 乃走思■■■		
日日聲七下唱地之用音一百五十二 是謂平聲闢音 平聲闢音一千六十四 일일성日日聲 7이 아래로 땅의 용음用音 152를 부르니[唱] 이것을 평성平聲 벽음闢音이라 한다. 평성 벽음은 1,064개이다.			水水音九上和天之用聲一百一十二 是謂開音淸聲 開音淸聲一千八 수수음水水音 9가 위로 하늘의 용성用聲 112에 화답하니[和] 이것을 개음開音 청성淸聲이라 한다. 개음 청성은 1,008개이다.		
日月聲平之一闢 일일성 평성의 첫 번째 벽음			水水音開之一淸 수수음 개음의 첫 번째 청성		
開音淸和律 개음 청성이 화답하는 율律	一之一 1의 1	一音古字和 一聲至十聲 1음 '고古'자가 1성부터 10성까지 화답함	平聲闢唱呂 평성 벽음이 부르는 여呂	一之一 1의 1	一音至十二音 一聲多字唱 1음부터 12음까지 1성의 '다多'자가 부름
	一之二 1의 2	二音黑字和 一聲至十聲 2음 '흑黑'자가 1성부터 10성까지 화답함		一之二 1의 2	一音至十二音 二聲良字唱 1음부터 12음까지 2성의 '량良'자가 부름
	一之三 1의 3	三音安字和 一聲至十聲 3음 '안安'자가 1성부터 10성까지 화답함		一之三 1의 3	一音至十二音 三聲千字唱 1음부터 12음까지 3성의 '천千'자가 부름
	一之四 1의 4	四音夫字和 一聲至十聲 4음 '부夫'자가 1성부터 10성까지 화답함		一之四 1의 4	一音至十二音 四聲刀字唱 1음부터 12음까지 4성의 '도刀'자가 부름
	一之五 1의 5	五音卜字和 一聲至十聲 5음 '복卜'자가 1성부터 10성까지 화답함		一之五 1의 5	一音至十二音 五聲妻字唱 1음부터 12음까지 5성의 '처妻'자가 부름
	一之六 1의 6	六音東字和 一聲至十聲 6음 '동東'자가 1성부터 10성까지 화답함		一之六 1의 6	一音至十二音 六聲宮字唱 1음부터 12음까지 6성의 '궁宮'자가 부름
	一之七 1의 7	七音乃字和 一聲至十聲 7음 '내乃'자가 1성부터 10성까지 화답함		一之七 1의 7	一音至十二音 七聲心字唱 1음부터 12음까지 7성의 '심心'자가 부름
	一之八 1의 8	八音走字和 一聲至十聲 8음 '주走'자가 1성부터 10성까지 화답함		一之八 1의 8	一音至十二音 1음부터 12음까지
	一之九 1의 9	九音思字和 一聲至十聲 9음 '사思'자가 1성부터 10성까지 화답함		一之九 1의 9	一音至十二音 1음부터 12음까지
	一之十 1의 10	一聲至十聲 1성부터 10성까지		一之十 1의 10	一音至十二音 1음부터 12음까지
	一之十一 1의 11	一聲至十聲 1성부터 10성까지			
	一之十二 1의 12	一聲至十聲 1성부터 10성까지			

日月聲平翕 일월성日月聲 평성과 흡음[平翕]			水火音開濁 수화음水火音 개음과 탁성[開濁]		
禾光元毛衰 龍○●●●			□黃□父步兌 內自寺■■■		
日月聲七下唱地之用音一百五十二 是謂平聲翕音 平聲翕音一千六十四 일월성日月聲 7이 아래로 땅의 용음用音 152를 부르니[唱] 이것을 평성平聲 흡음翕音이라 한다. 평성 흡음은 1,064개이다.			水火音九上和天之用聲一百一十二 是謂開音濁聲 開音濁聲一千八 수화음水火音 9가 위로 하늘의 용성用聲 112에 화답하니和 이것을 개음開音 탁성濁聲이라 한다. 개음 탁성은 1,008개이다.		
日月聲平之二翕 일월성 평성의 두 번째 흡음			水火音開之二濁 수화음 개음의 두 번째 탁성		
開音濁和律 개음 탁성이 화답하는 율律	二之一 2의 1	一音□字和 一聲至十聲 1음 '□'자가 1성부터 10성까지 화답함	平聲翕唱呂 평성 흡음이 부르는 여呂	二之一 2의 1	一音至十二音 一聲禾字唱 1음부터 12음까지 1성의 '화禾'자가 부름
	二之二 2의 2	二音黃字和 2음 '황黃'자가 화답함		二之二 2의 2	二聲光字唱 2성의 '광光'자가 부름
	二之三 2의 3	三音□字和 3음 '□'자가 화답함		二之三 2의 3	三聲元字唱 3성의 '원元'자가 부름
	二之四 2의 4	四音父字和 4음 '부父'자가 화답함		二之四 2의 4	四聲毛字唱 4성의 '모毛'자가 부름
	二之五 2의 5	五音步字和 5음 '보步'자가 화답함		二之五 2의 5	五聲衰字唱 5성의 '쇠衰'자가 부름
	二之六 2의 6	立音兌字和 6음 '태兌'자가 화답함		二之六 2의 6	六聲龍字唱 6성의 '용龍'자가 부름
	二之七 2의 7	七音內字和 7음 '내內'자가 화답함		二之七 2의 7	七聲○字唱 7성의 '○'자가 부름
	二之八 2의 8	八音自字和 8음 '자自'자가 화답함		二之八 2의 8	
	二之九 2의 9	九音寺字和 9음 '사寺'자가 화답함		二之九 2의 9	
	二之十 2의 10			二之十 2의 10	
	二之十一 2의 11				
	二之十二 2의 12				

<table>
<tr><td colspan="3" align="center">日星聲平闢
일성성日星聲 평성과 벽음(平闢)</td><td colspan="3" align="center">水土音開淸
수토음水土音 개음과 청성(開淸)</td></tr>
<tr><td colspan="3" align="center">開丁臣牛○
魚男●●●</td><td colspan="3" align="center">坤五母武普土
老草□■■■</td></tr>
<tr><td colspan="3">日星聲七下唱地之用音一百五十二 是謂平聲闢音
平聲闢音一千六十四
일성성日星聲 7이 아래로 땅의 용음用音 152를 부르니[唱] 이것을 평성平聲 벽음闢音이라 한다. 평성 벽음은 1,064개이다.</td><td colspan="3">水土音九上和天之用聲一百一十二 是謂開音淸聲
開音淸聲一千八
수토음水土音 9가 위로 하늘의 용성用聲 112에 화답하니[和] 이것을 개음開音 청성淸聲이라 한다. 개음 청성은 1,008개이다.</td></tr>
<tr><td colspan="3" align="center">日星聲平之三闢
일성성 평성의 세 번째 벽음</td><td colspan="3" align="center">水土音開之三淸
수토음 개음의 세 번째 청성</td></tr>
<tr><td>開音淸和律
개음 청성이 화답하는 율律</td><td>三之一
3의 1</td><td>一音坤字和 一聲至十聲
1음 '곤坤'자가 1성부터 10성까지 화답함</td><td>平聲闢唱呂
평성 벽음이 부르는 여呂</td><td>三之一
3의 1</td><td>一音至十二音 一聲開字唱
1음부터 12음까지 1성의 '개開'자가 부름</td></tr>
<tr><td></td><td>三之二
3의 2</td><td>二音五字和
2음 '오五'자가 화답함</td><td></td><td>三之二
3의 2</td><td>二聲丁字唱
2성의 '정丁'자가 부름</td></tr>
<tr><td></td><td>三之三
3의 3</td><td>三音母字和
3음 '모母'자가 화답함</td><td></td><td>三之三
3의 3</td><td>三聲臣字唱
3성의 '신臣'자가 부름</td></tr>
<tr><td></td><td>三之四
3의 4</td><td>四音武字和
4음 '무武'자가 화답함</td><td></td><td>三之四
3의 4</td><td>四聲牛字唱
4성의 '우牛'자가 부름</td></tr>
<tr><td></td><td>三之五
3의 5</td><td>五音普字和
5음 '보普'자가 화답함</td><td></td><td>三之五
3의 5</td><td>五聲○字唱
5성의 '○'자가 부름</td></tr>
<tr><td></td><td>三之六
3의 6</td><td>六音土字和
6음 '토土'자가 화답함</td><td></td><td>三之六
3의 6</td><td>六聲魚字唱
6성의 '어魚'자가 부름</td></tr>
<tr><td></td><td>三之七
3의 7</td><td>七音老字和
7음 '노老'자가 화답함</td><td></td><td>三之七
3의 7</td><td>七聲男字唱
7성의 '남男'자가 부름</td></tr>
<tr><td></td><td>三之八
3의 8</td><td>八音草字和
8음 '초草'자가 화답함</td><td></td><td>三之八
3의 8</td><td></td></tr>
<tr><td></td><td>三之九
3의 9</td><td>九音□字和
9음 '□'자가 화답함</td><td></td><td>三之九
3의 9</td><td></td></tr>
<tr><td></td><td>三之十
3의 10</td><td></td><td></td><td>三之十
3의 10</td><td></td></tr>
<tr><td></td><td>三之十一
3의 11</td><td></td><td></td><td></td><td></td></tr>
<tr><td></td><td>三之十二
3의 12</td><td></td><td></td><td></td><td></td></tr>
</table>

日辰聲平翕 일신성日辰聲 평성과 흡음[平翕]			水石音開濁 수석음水石音 개음과 탁성[開濁]		
回兄君○龜 烏○●●●			□吾目文旁同 鹿曹□■■■		
日辰聲七下唱地之用音一百五十二 是謂平聲翕音 平聲翕音一千六十四 일신성日辰聲 7이 아래로 땅의 용음用音 152를 부르니[唱] 이것을 평성平聲 흡음翕音이라 한다. 평성 흡음은 1,064개이다.			水石音九上和天之用聲一百一十二 是謂開音濁聲 開音濁聲一千八 수석음水石音 9가 위로 하늘의 용성用聲 112에 화답하니[和] 이것을 개음開音 탁성濁聲이라 한다. 개음 탁성은 1,008개이다.		
日辰聲平之四翕 일신성 평성의 네 번째 흡음			水石音開之四濁 수석음 개음의 네 번째 탁성		
開音濁和律 개음 탁성이 화답하는 율律	四之一 4의 1	一音□字和 一音至十聲 1음 '□'자가 1성부터 10성까지 화답함	平聲翕唱呂 평성 흡음이 부르는 여呂	四之一 4의 1	一音至十二音 一聲回字唱 1음부터 12음까지 1성의 '회回'자가 부름
	四之二 4의 2	二音吾字和 2음 '오吾'자가 화답함		四之二 4의 2	二聲兄字唱 2성의 '형兄'자가 부름
	四之三 4의 3	三音目字和 3음 '목目'자가 화답함		四之三 4의 3	三聲君字唱 3성의 '군君'자가 부름
	四之四 4의 4	四音文字和 4음 '문文'자가 화답함		四之四 4의 4	四聲○字唱 4성의 '○'자가 부름
	四之五 4의 5	五音旁字和 5음 '방旁'자가 화답함		四之五 4의 5	五聲龜字唱 5성의 '구龜'자가 부름
	四之六 4의 6	六音同字和 6음 '동同'자가 화답함		四之六 4의 6	六聲烏字唱 6성의 '오烏'자가 부름
	四之七 4의 7	七音鹿字和 7음 '록鹿'자가 화답함		四之七 4의 7	七聲○字唱 7성의 '○'자가 부름
	四之八 4의 8	八音曹字和 8음 '조曹'자가 화답함		四之八 4의 8	
	四之九 4의 9	九音口字和 9음 '□'자가 화답함		四之九 4의 9	
	四之十 4의 10			四之十 4의 10	
	四之十一 4의 11				
	四之十二 4의 12				

月日聲上關 월일성月日聲 상성과 벽음[上關]			水火音發淸 화수음火水音 발음과 청성[發淸]		
可兩典早子 孔審●●●			甲花亞法百丹 妳哉三山莊卓		
月日聲七下唱地之用音一五五十二 是謂上聲關音 上聲關音一千六十四 월일성月日聲 7이 아래로 땅의 용음用音 152를 부르니[唱] 이것을 상성上聲 벽음關音이라 한다. 상성 흡음은 1,064개이다.			火水音十二上和天之用聲一百一十二 是謂發音淸聲 發音淸聲一千三百四十四 화수음火水音 12가 위로 하늘의 용성用聲 112에 화답하니[和] 이것을 발음發音 청성淸聲이라 한다. 발음 청성은 1,344개이다.		
月日聲上之一關 월일성 상성의 첫 번째 벽음			火水音發之一淸 화수음 발음의 첫 번째 청성		
發音淸和律 발음 청성이 화답하는 율律	一之一 1의 1	一音甲字和 一聲至十聲 1음 '갑甲'자가 1성부터 10성까지 화답함	上聲關唱呂 상성 벽음이 부르는 여呂	一之一 1의 1	一音至十二音 一聲可字唱 1음부터 12음까지 1성의 '가可'자 부름
	一之二 1의 2	二音花字和 2음 '화花'자가 화답함		一之二 1의 2	二聲兩字唱 2성의 '양兩'자 부름
	一之三 1의 3	三音亞字和 3음 '아亞'자가 화답함		一之三 1의 3	三聲典字唱 3성의 '전典'자 부름
	一之四 1의 4	四音法字和 4음 '법法'자가 화답함		一之四 1의 4	四聲早字唱 4성의 '조早'자 부름
	一之五 1의 5	五音百字和 5음 '백百'자가 화답함		一之五 1의 5	五聲子字唱 5성의 '자子'자 부름
	一之六 1의 6	六音丹字和 6음 '단丹'자가 화답함		一之六 1의 6	六聲孔字唱 6성의 '공孔'자 부름
	一之七 1의 7	七音妳字和 7음 '니妳'자가 화답함		一之七 1의 7	七聲審字唱 7성의 '심審'자 부름
	一之八 1의 8	八音哉字和 8음 '재哉'자가 화답함		一之八 1의 8	
	一之九 1의 9	九音三字和 9음 '삼三'자가 화답함		一之九 1의 9	
	一之十 1의 10	十音山字和 10음 '산山'자가 화답함		一之十 1의 10	
	一之十一 1의 11	十一音莊字和 11음 '장莊'자가 화답함			
	一之十二 1의 12	十二音卓字和 12음 '탁卓'자가 화답함			

月月聲上翕 월월성月月聲 상성과 흡음[上翕]			火火音發濁 화화음火火音 발음과 탁성[發濁]		
火廣犬寶○ 甫○●●●			□華爻凡白大 南在□土午宅		
月月聲七下唱地之用音一百五十二 是謂上聲翕音 上聲翕音一千六十四 월월성月月聲 7이 아래로 땅의 용음用音 152를 부르니[唱] 이것을 상성上聲 흡음翕音이라 한다. 상성 흡음은 1,064개이다.			火火音十二上和天之用聲一百一十二 是謂發音濁聲 發音濁聲一千三百四十四 화화음火火音 12가 위로 하늘의 용성用聲 112에 화답하니[和] 이것을 발음發音 탁성濁聲이라 한다. 발음 탁성은 1,344개이다.		
月月聲上之二翕 월월성 상성의 두 번째 흡음			火火音發之二濁 화화음 발음의 두 번째 탁성		
發音濁和律 발음 탁성이 화답하는 율律	二之一 2의 1	一音口字和 一聲至十聲 1음 '□'자가 1성부터 10성까지 화답함	上聲翕唱呂 상성 흡음이 부르는 여呂	二之一 2의 1	一音至十二音 一聲火字唱 1음부터 12음까지 1성의 '화火'자가 부름
	二之二 2의 2	二音華字和 2음 '화華'자가 화답함		二之二 2의 2	二聲廣字唱 2성의 '광廣'자가 부름
	二之三 2의 3	三音爻字和 3음 '효爻'자가 화답함		二之三 2의 3	三聲犬字唱 3성의 '견犬'자가 부름
	二之四 2의 4	四音凡字和 4음 '범凡'자가 화답함		二之四 2의 4	四聲寶字唱 4성의 '보寶'자가 부름
	二之五 2의 5	五音白字和 5음 '백白'자가 화답함		二之五 2의 5	五聲○字唱 5성의 '○'자가 부름
	二之六 2의 6	六音大字和 6음 '대犬'자가 화답함		二之六 2의 6	六聲甫字唱 6성의 '용甫'자가 부름
	二之七 2의 7	七音南字和 7음 '남南'자가 화답함		二之七 2의 7	七聲○字唱 7성의 '○'자가 부름
	二之八 2의 8	八音在字和 8음 '재在'자가 화답함		二之八 2의 8	
	二之九 2의 9	九音口字和 9음 '□'자가 화답함		二之九 2의 9	
	二之十 2의 10	十音土字和 10음 '사土'자가 화답함		二之十 2의 10	
	二之十一 2의 11	十一音午字和 11음 '사午'자가 화답함			
	二之十二 2의 12	十二音宅字和 12음 '택宅'자가 화답함			

月星聲上關 월성성月星聲 상성과 벽음[上關]			火土音發清 화토음火土音 발음과 청성[發清]		
宰井引斗○ 鼠坎●●●			巧瓦馬晚扑貪 冷采□□叉折		
月星聲七下唱地之用音一百五十二 是謂上聲關音 上聲關音一千六十四 월성성月星聲 7이 아래로 땅의 용음用音 152를 부르니[唱] 이것을 상성上聲 벽음關音이라 한다. 상성 벽음은 1,064개이다.			火土音十二上和天之用聲一百一十二 是謂發音清聲 發音清聲一千三百四十四 화토음火土音 12가 위로 하늘의 용성用聲 112에 화답하니[和] 이것을 발음發音 청성清聲이라 한다. 발음 청성은 1,344개이다.		
月星聲上之三關 월성성 상성의 세 번째 벽음			火土音發之三清 화토음 발음의 세 번째 청성		
發音清和律 발음 청성이 화답하는 율律	三之一 3의 1	一音巧字和 1음 '교巧'자가 1성부터 10성까지 화답함	上聲關唱呂 상성 벽음이 부르는 여呂	三之一 3의 1	一音至十二音 一聲宰字唱 1음부터 12음까지 1성의 '재宰'자가 부름
	三之二 3의 2	二音瓦字和 2음 '와瓦'자가 화답함		三之二 3의 2	二聲井字唱 2성의 '정井'자가 부름
	三之三 3의 3	三音馬字和 3음 '마馬'자가 화답함		三之三 3의 3	三聲引字唱 3성의 '인引'자가 부름
	三之四 3의 4	四音晚字和 4음 '만晚'자가 화답함		三之四 3의 4	四聲斗字唱 4성의 '두斗'자가 부름
	三之五 3의 5	五音扑字和 5음 '복扑'자가 화답함		三之五 3의 5	五聲○字唱 5성의 '○'자가 부름
	三之六 3의 6	六音貪字和 6음 '탐貪'자가 화답함		三之六 3의 6	六聲鼠字唱 6성의 '서鼠'자가 부름
	三之七 3의 7	七音冷字和 7음 '냉冷'자가 화답함		三之七 3의 7	七聲坎字唱 7성의 '감坎'자가 부름
	三之八 3의 8	八音采字和 8음 '변采'자가 화답함		三之八 3의 8	
	三之九 3의 9	九音口字和 9음 '□'자가 화답함		三之九 3의 9	
	三之十 3의 10	十音口字和 10음 '□'자가 화답함		三之十 3의 10	
	三之十一 3의 11	十一音叉字和 11음 '차叉'자가 화답함			
	三之十二 3의 12	十二音拆字和 12음 '탁拆'자가 화답함			

月辰聲上翕 월신성月辰聲 상성과 흡음[上翕]			火石音發濁 화석음火石音 발음과 탁성[發濁]		
每永允○水 虎○●●●			□牙兒萬排覃 犖才□□崇茶		
月辰聲七下唱地之用音一百五十二 是謂上聲翕音 上聲翕音一千六十四 월신성月辰聲 7이 아래로 땅의 용음用音 152를 부르니[唱] 이것을 상성上聲 흡음翕音이라 한다. 상성 흡음은 1,064개이다.			火石音十二上和天之用聲一百一十二 是謂發音濁聲 發音濁聲一千三百四十四 화석음火石音 12가 위로 하늘의 용성用聲 112에 화답하니[和] 이것을 발음發音 탁성濁聲이라 한다. 발음 탁성은 1,344개이다.		
月辰聲上之四翕 월신성 상성의 네 번째 흡음			火石音發之四濁 화석음 발음의 네 번째 탁성		
發音濁和律 발음 탁성이 화답하는 율律	四之一 4의 1	一音口字和 一聲至十聲 1음 '□'자가 1성부터 10성까지 화답함	上聲翕唱呂 상성 흡음이 부르는 여呂	四之一 4의 1	一音至十二音 一聲每字唱 1음부터 12음까지 1성의 '매每'자가 부름
	四之二 4의 2	二音牙字和 2음 '아牙'자가 화답함		四之二 4의 2	二聲永字唱 2성의 '영永'자가 부름
	四之三 4의 3	三音兒字和 3음 '모兒'자가 화답함		四之三 4의 3	三聲允字唱 3성의 '윤允'자가 부름
	四之四 4의 4	四音萬字和 4음 '만萬'자가 화답함		四之四 4의 4	四聲○字唱 4성의 '○'자가 부름
	四之五 4의 5	五音排字和 5음 '배排'자가 화답함		四之五 4의 5	五聲水字唱 5성의 '수水'자가 부름
	四之六 4의 6	六音覃字和 6음 '담覃'자가 화답함		四之六 4의 6	六聲虎字唱 6성의 '호虎'자가 부름
	四之七 4의 7	七音犖字和 7음 '락犖'자가 화답함		四之七 4의 7	七聲○字唱 7성의 '○'자가 부름
	四之八 4의 8	八音才字和 8음 '재才'자가 화답함		四之八 4의 8	
	四之九 4의 9	九音□字和 9음 '□'자가 화답함		四之九 4의 9	
	四之十 4의 10	十音□字和 10음 '□'자가 화답함		四之十 4의 10	
	四之十一 4의 11	十一音崇字和 11음 '숭崇'자가 화답함			
	四之十二 4의 12	十二音茶字和 12음 '다茶'자가 화답함			

星日聲去闢 성일성星日聲 거성과 벽음[去闢]			土水音收清 토수음土水音 수음과 청성[收淸]		
个向旦孝四 衆禁●●●			九香乙□丙帝 女足星手震中		
星日聲七下唱地之用音一百五十二 是謂去聲闢音 去聲闢音一千六十四 성일성星日聲 7이 아래로 땅의 용음用音 152를 부르니[唱] 이것을 거성去聲 벽음闢音이라 한다. 거성 벽음은 1,064개이다.			土水音十二上和天之用聲一百一十二 是謂收音清聲 收音清聲一千三百四十四 토수음土水音 12가 위로 하늘의 용성用聲 112에 화답하니和 이것을 수음收音 청성清聲이라 한다. 수음 청성은 1,344개이다.		
星日聲去之一闢 성일성 거성의 첫 번째 벽음			土水音收之一清 토수음 수음의 첫 번째 청성		
收音清和律 수음 청성이 화답하는 율律	一之一 1의 1	一音九字和 一聲至十聲 1음 '구九'자가 1성부터 10성까지 화답함	去聲闢唱呂 거성 벽음이 부르는 여呂	一之一 1의 1	一音至十二音 一聲个字唱 1음부터 12음까지 1성의 '개个'자가 부름
	一之二 1의 2	二音香字和 2음 '향香'자가 화답함		一之二 1의 2	二聲向字唱 2성의 '향向'자가 부름
	一之三 1의 3	三音乙字和 3음 '을乙'자가 화답함		一之三 1의 3	三聲旦字唱 3성의 '단旦'자가 부름
	一之四 1의 4	四音□字和 4음 '□'자가 화답함		一之四 1의 4	四聲孝字唱 4성의 '효孝'자가 부름
	一之五 1의 5	五音丙字和 5음 '병丙'자가 화답함		一之五 1의 5	五聲四字唱 5성의 '사四'자가 부름
	一之六 1의 6	六音帝字和 6음 '제帝'자가 화답함		一之六 1의 6	六聲衆字唱 6성의 '중衆'자가 부름
	一之七 1의 7	七音女字和 7음 '여女'자가 화답함		一之七 1의 7	七聲禁字唱 7성의 '금禁'자가 부름
	一之八 1의 8	八音足字和 8음 '족足'자가 화답함		一之八 1의 8	
	一之九 1의 9	九音星字和 9음 '성星'자가 화답함		一之九 1의 9	
	一之十 1의 10	十音手字和 10음 '수手'자가 화답함		一之十 1의 10	
	一之十一 1의 11	十一音震字和 11음 '진震'자가 화답함			
	一之十二 1의 12	十二音中字和 12음 '중中'자가 화답함			

星月聲去翕 성월성星月聲 거성과 흡음[去翕]			土火音收濁 토화음土火音 수음과 탁성[收濁]		
化況半報帥 用○●●●			近雄王□茻第 年匠象石□直		
星月聲七下唱地之用音一百五十二 是謂去聲翕音 去聲翕音一千六十四 성월성星月聲 7이 아래로 땅의 용음用音 152를 부르니[唱] 이것을 거성去聲 흡음翕音이라 한다. 거성 흡음은 1,064개이다.			土火音十二上和天之用聲一百一十二 是謂收音濁聲 收音濁聲一千三百四十四 토화음土火音 12가 위로 하늘의 용성用聲 112에 화답하니[和] 이것을 수음收音 탁성濁聲이라 한다. 수음 탁성은 1,344개이다.		
星月聲去之二翕 월월성 거성의 두 번째 흡음			土火音收之二濁 토화음 수음의 두 번째 탁성		
收音濁和律 수음 탁성이 화답하는 율律	二之一 2의 1	一音近字和 一聲至十聲 1음 '근近'자가 1성부터 10성까지 화답함	去聲翕唱呂 거성 흡음이 부르는 여呂	二之一 2의 1	一音至十二音 一聲化唱 1음부터 12음까지 1성의 '화化'자가 부름
	二之二 2의 2	二音雄字和 2음 '웅雄'자가 화답함		二之二 2의 2	二聲況字唱 2성의 '황況'자가 부름
	二之三 2의 3	三音王字和 3음 '왕王'자가 화답함		二之三 2의 3	三聲半字唱 3성의 '반半'자가 부름
	二之四 2의 4	四音□字和 4음 '□'자가 화답함		二之四 2의 4	四聲報字唱 4성의 '보報'자가 부름
	二之五 2의 5	五音茻字和 5음 '비茻'자가 화답함		二之五 2의 5	五聲帥字唱 5성의 '수帥'자가 부름
	二之六 2의 6	六音第字和 6음 '제第'자가 화답함		二之六 2의 6	六聲用字唱 6성의 '용用'자가 부름
	二之七 2의 7	七音年字和 7음 '년年'자가 화답함		二之七 2의 7	七聲○字唱 7성의 '○'자가 부름
	二之八 2의 8	八音匠字和 8음 '장匠'자가 화답함		二之八 2의 8	
	二之九 2의 9	九音象字和 9음 '상象'자가 화답함		二之九 2의 9	
	二之十 2의 10	十音石字和 10음 '석石'자가 화답함		二之十 2의 10	
	二之十一 2의 11	十一音□字和 11음 '□'자가 화답함			
	二之十二 2의 12	十二音直字和 12음 '직直'자가 화답함			

星星聲去闢 성성성星星聲 거성과 벽음(去闢)			土土音收清 토토음土土音 수음과 청성收清		
愛亘艮奏○ 去欠●●●			丘仰美□品天 呂七□耳赤丑		
星星聲七下唱地之用音一百五十二 是謂去聲闢音 去聲闢音一千六十四 성성성月月聲 7이 아래로 땅의 용음用音 152를 부르니[唱] 이것을 거성去聲 벽음闢音이라 한다. 거성 벽음은 1,064개이다.			土土音十二上和天之用聲一百一十二 是謂收音清聲 收音清聲一千三百四十四 토토음土土音 12가 위로 하늘의 용성用聲 112에 화답하니和 이것을 수음收音 청성清聲이라 한다. 수음 청성은 1,344개이다.		
星星聲去之三闢 성성성 거성의 세 번째 벽음			土土音收之三清 토토음 수음의 세 번째 청성		
收音清和律 수음 청성이 화답하는 율律	三之一 3의 1	一音丘字和 1음 '구丘'자가 1성부터 10성까지 화답함	去聲闢唱呂 거성 벽음이 부르는 여呂	三之一 3의 1	一音至十二音 一聲愛字唱 1음부터 12음까지 1성의 '애愛'자가 부름
	三之二 3의 2	二音仰字和 2음 '앙仰'자가 화답함		三之二 3의 2	二聲亘字唱 2성의 '긍亘'자가 부름
	三之三 3의 3	三音美字和 3음 '미美'자가 화답함		三之三 3의 3	三聲艮字唱 3성의 '간艮'자가 부름
	三之四 3의 4	四音□字和 4음 '□'자가 화답함		三之四 3의 4	四聲奏字唱 4성의 '주奏'자가 부름
	三之五 3의 5	五音品字和 5음 '품品'자가 화답함		三之五 3의 5	五聲○字唱 5성의 '○'자가 부름
	三之六 3의 6	六音天字和 6음 '천天'자가 화답함		三之六 3의 6	六聲去字唱 6성의 '거去'자가 부름
	三之七 3의 7	七音呂字和 7음 '여呂'자가 화답함		三之七 3의 7	七聲欠字唱 7성의 '흠欠'자가 부름
	三之八 3의 8	八音七字和 8음 '칠七'자가 화답함		三之八 3의 8	
	三之九 3의 9	九音□字和 9음 '□'자가 화답함		三之九 3의 9	
	三之十 3의 10	十音耳字和 10음 '이耳'자가 화답함		三之十 3의 10	
	三之十一 3의 11	十一音赤字和 11음 '적赤'자가 화답함			
	三之十二 3의 12	十二音丑字和 12음 '축丑'자가 화답함			

星辰聲去翕 성신성星辰聲 거성과 흡음[去翕]	土石音收濁 토석음土石音 수음과 탁성[收濁]
退螢巽〇貴 兎〇●●●	乾月眉□平田 離全□二辰呈
星辰聲七下唱地之用音一百五十二 是謂去聲翕音 去聲翕音一千六十四 성신성月辰聲 7이 아래로 땅의 용음用音 152를 부르니[唱] 이것을 거성去聲 흡음翕音이라 한다. 거성 흡음은 1,064개이다.	土石音十二上和天之用聲一百一十二 是謂收音濁聲 收音濁聲一千三百四十四 토석음土石音 12가 위로 하늘의 용성用聲 112에 화답하니[和] 이것을 수음收音 탁성濁聲이라 한다. 수음 탁성은 1,344개이다.
星辰聲去之四翕 성신성 거성의 네 번째 흡음	土石音收之四濁 토석음 수음의 네 번째 탁성

收音濁和律 수음 탁성이 화답하는 율律	四之一 4의 1	一聲乾字和 一聲至十聲 1음 '건乾'자가 1성부터 10성까지 화답함	去聲翕唱呂 거성 흡음이 부르는 여呂	四之一 4의 1	一音至十二音 一聲退字唱 1음부터 12음까지 1성의 '퇴退'자가 부름
	四之二 4의 2	二音月字和 2음 '월月'자가 화답함		四之二 4의 2	二聲螢字唱 2성의 '영螢'자가 부름
	四之三 4의 3	三音眉字和 3음 '미眉'자가 화답함		四之三 4의 3	三聲巽字唱 3성의 '손巽'자가 부름
	四之四 4의 4	四音□字和 4음 '□'자가 화답함		四之四 4의 4	四聲〇字唱 4성의 '〇'자가 부름
	四之五 4의 5	五音平字和 5음 '평平'자가 화답함		四之五 4의 5	五聲貴字唱 5성의 '귀貴'자가 부름
	四之六 4의 6	六音田字和 6음 '전田'자가 화답함		四之六 4의 6	六聲兎字唱 6성의 '토兎'자가 부름
	四之七 4의 7	七音離字和 7음 '이離'자가 화답함		四之七 4의 7	七聲〇字唱 7성의 '〇'자가 부름
	四之八 4의 8	八音全字和 8음 '전全'자가 화답함		四之八 4의 8	
	四之九 4의 9	九音□字和 9음 '□'자가 화답함		四之九 4의 9	
	四之十 4의 10	十音二字和 10음 '이二'자가 화답함		四之十 4의 10	
	四之十一 4의 11	十一音辰字和 11음 '신辰'자가 화답함			
	四之十二 4의 12	十二音呈字和 12음 '정呈'자가 화답함			

辰日聲入闢 신일성辰日聲 입성과 벽음[入闢]			石水音閉清 석수음石水音 폐음과 청성[閉清]		
舌〇〇岳日 〇〇●●●			癸血一飛必■ ■■■■■■		
辰日聲七下唱地之用音一百五十二 是謂入聲闢音 入聲闢音一千六十四 신일성辰日聲 7이 아래로 땅의 용음用音 152를 부르니[唱] 이것을 입성入聲 벽음闢音이라 한다. 입성 벽음은 1,064개이다.			石水音五上和天之用聲一百一十二 是謂閉音清聲 閉音清聲五百六十 석수음石水音 5가 위로 하늘의 용성用聲 112에 화답하니[和] 이것을 폐음閉音 청성清聲이라 한다. 폐음 청성은 560개이다.		
辰日聲入之一闢 신일성 입성의 첫 번째 벽음			石水音閉之一清 석수음 폐음의 첫 번째 청성		
閉音清和律 폐음 청성이 화답하는 율律	一之一 1의 1	一音癸字和 一聲至十聲 1음 '계癸'자가 1성부터 10성까지 화답함	入聲闢唱呂 입성 벽음이 부르는 여呂	一之一 1의 1	一音至十二音 一聲舌字唱 1음부터 12음까지 1성의 '설舌'자가 부름
	一之二 1의 2	二音血字和 2음 '혈血'자가 화답함		一之二 1의 2	二聲〇字唱 2성의 '〇'자가 부름
	一之三 1의 3	三音一字和 3음 '일一'자가 화답함		一之三 1의 3	三聲〇字唱 3성의 '〇'자가 부름
	一之四 1의 4	四音飛字和 4음 '비飛'자가 화답함		一之四 1의 4	四聲岳字唱 4성의 '악岳'자가 부름
	一之五 1의 5	五音必字和 5음 '필必'자가 화답함		一之五 1의 5	五聲日字唱 5성의 '일日'자가 부름
	一之六 1의 6			一之六 1의 6	六聲〇字唱 6성의 '〇'자가 부름
	一之七 1의 7			一之七 1의 7	七聲〇字唱 7성의 '〇'자가 부름
	一之八 1의 8			一之八 1의 8	
	一之九 1의 9			一之九 1의 9	
	一之十 1의 10			一之十 1의 10	
	一之十一 1의 11				
	一之十二 1의 12				

辰月聲入翕
신월성辰月聲 입성과 흡음入翕

八○○霍骨
○十●●●

辰月聲七下唱地之用音一百五十二 是謂入聲翕音
入聲翕音一千六十四

신월성辰月聲 7이 아래로 땅의 용음用音 152를 부르니[唱] 이것을 입성入聲 흡음翕音이라 한다. 입성 흡음은 1,064개이다.

辰月聲入之二翕
신월성 입성의 두 번째 흡음

閉音濁和律 폐음 탁성이 화답하는 율律	二之一 2의 1	一音揆字和 一聲至十聲 1음 '규揆'자가 1성부터 10성까지 화답함
	二之二 2의 2	二音賢字和 2음 '현賢'자가 화답함
	二之三 2의 3	三音寅字和 3음 '인寅'자가 화답함
	二之四 2의 4	四音吠字和 4음 '폐吠'자가 화답함
	二之五 2의 5	五音鼻字和 5음 '비鼻'자가 화답함
	二之六 2의 6	
	二之七 2의 7	
	二之八 2의 8	
	二之九 2의 9	
	二之十 2의 10	
	二之十一 2의 11	
	二之十二 2의 12	

石火音閉濁
석화음石火音 폐음과 탁성[閉濁]

揆賢寅吠鼻■
■■■■■■

石火音五上和天之用聲一百一十二 是謂閉音濁聲
閉音濁聲五百六十

석화음石火音 5가 위로 하늘의 용성用聲 112에 화답하니[和] 이것을 폐음閉音 탁성濁聲이라 한다. 폐음 탁성은 560개이다.

石火音閉之二濁
석화음 폐음의 두 번째 탁성

入聲翕唱呂 입성 흡음이 부르는 여呂	二之一 2의 1	一音至十二音 一聲八字唱 1음부터 12음까지 1성의 '팔八'자가 부름
	二之二 2의 2	二聲○字唱 2성의 '○'자가 부름
	二之三 2의 3	三聲○字唱 3성의 '○'자가 부름
	二之四 2의 4	四聲霍字唱 4성의 '곽霍'자가 부름
	二之五 2의 5	五聲骨字唱 5성의 '골骨'자가 부름
	二之六 2의 6	六聲○字唱 6성의 '○'자가 부름
	二之七 2의 7	七聲十字唱 7성의 '십十'자가 부름
	二之八 2의 8	
	二之九 2의 9	
	二之十 2의 10	

辰星聲入闢 신성성辰星聲 입성과 벽음[入闢]	石土音閉清 석토음石土音 폐음과 청성[閉淸]
○○○六德 ○○●●●	弃□米尾匹■ ■■■■■■
辰星聲七下唱地之用音一百五十二 是謂入聲闢音 入聲闢音一千六十四 신성성辰星聲 7이 아래로 땅의 용음用音 152를 부르니[唱] 이것을 입성入聲 벽음闢音이라 한다. 입성 벽음은 1,064개이다.	石土音五上和天之用聲一百一十二 是謂閉音清聲 閉音清聲五百六十 석토음石土音 5가 위로 하늘의 용성用聲 112에 화답하니[和] 이것을 폐음閉音 청성清聲이라 한다. 폐음 청성은 560개이다.
辰星聲入之三闢 신성성 입성의 세 번째 벽음	石土音閉之三清 석토음 폐음의 세 번째 청성

閉音清和律 폐음 청성이 화답하는 율律	三之一 3의 1	一音弃字和 一聲至十聲 1음 '기弃'자가 1성부터 10성까지 화답함	入聲闢唱呂 입성 벽음이 부르는 여呂	三之一 3의 1	一音至十二音 一聲○字唱 1음부터 12음까지 1성의 '○'자가 부름
	三之二 3의 2	二音□字和 2음 '□'자가 화답함		三之二 3의 2	二聲○字唱 2성의 '○'자가 부름
	三之三 3의 3	三音米字和 3음 '미米'자가 화답함		三之三 3의 3	三聲○字唱 3성의 '○'자가 부름
	三之四 3의 4	四音尾字和 4음 '미尾'자가 화답함		三之四 3의 4	四聲六字唱 4성의 '육六'자가 부름
	三之五 3의 5	五音匹字和 5음 '필匹'자가 화답함		三之五 3의 5	五聲德字唱 5성의 '덕德'자가 부름
	三之六 3의 6			三之六 3의 6	六聲○字唱 6성의 '○'자가 부름
	三之七 3의 7			三之七 3의 7	七聲○字唱 7성의 '○'자가 부름
	三之八 3의 8			三之八 3의 8	
	三之九 3의 9			三之九 3의 9	
	三之十 3의 10			三之十 3의 10	
	三之十一 3의 11				
	三之十二 3의 12				

辰辰聲入翕 신신성辰辰聲 입성과 흡음[入翕]			石石音閉濁 석석음石石音 폐음과 탁성[閉濁]		
○○○玉北 ○妾●●●			蚪堯民未瓶■ ■■■■■■		
辰辰聲七下唱地之用音一百五十二　是謂入聲翕音 入聲翕音一千六十四 신신성辰辰聲 7이 아래로 땅의 용음用音 152를 부르니[唱] 이것을 입성入聲 흡음翕音이라 한다. 입성 흡음은 1,064개이다.			石石音五上和天之用聲一百一十二　是謂閉音濁聲 閉音濁聲五百六十 석석음石石音 5가 위로 하늘의 용성用聲 112에 화답하니[和] 이것을 폐음閉音 탁성濁聲이라 한다. 폐음 탁성은 560개이다.		
辰辰聲入之四翕 신신성 입성의 네 번째 흡음			石石音閉之四濁 석석음 폐음의 네 번째 탁성		
閉音濁和律 폐음 탁성이 화답하는 율律	四之一 4의 1	一音蚪字和　一聲至十聲 1음 '두蚪'자가 1성부터 10성까지 화답함	入聲翕唱呂 입성 흡음이 부르는 여呂	四之一 4의 1	一音至十二音　一聲○字唱 1음부터 12음까지 1성의 '○'자가 부름
	四之二 4의 2	二音堯字和 2음 '요堯'자가 화답함		四之二 4의 2	二聲○字唱 2성의 '○'자가 부름
	四之三 4의 3	三音民字和 3음 '민民'자가 화답함		四之三 4의 3	三聲○字唱 3성의 '○'자가 부름
	四之四 4의 4	四音未字和 4음 '미未'자가 화답함		四之四 4의 4	四聲玉字唱 4성의 '옥玉'자가 부름
	四之五 4의 5	五音瓶字和 5음 '병瓶'자가 화답함		四之五 4의 5	五聲北字唱 5성의 '북北'자가 부름
	四之六 4의 6			四之六 4의 6	六聲○字唱 6성의 '○'자가 부름
	四之七 4의 7			四之七 4의 7	七聲妾字唱 7성의 '첩妾'자가 부름
	四之八 4의 8			四之八 4의 8	
	四之九 4의 9			四之九 4의 9	
	四之十 4의 10			四之十 4의 10	
	四之十一 4의 11				
	四之十二 4의 12				

聲音唱和 성음창화

正聲		正音	
	平上去入 日月星辰		開發收閉 水火土石
一聲	多可个舌 禾火化八 開宰愛○ 回每退○	音一	古甲九癸 □□近揆 坤巧丘弃 □□乾虯
二聲	良兩向○ 光廣況○ 丁井亘○ 兄永瑩○	音二	黑花香血 黃華雄賢 五瓦仰□ 吾牙月堯
三聲	千典旦○ 元犬半○ 臣引艮○ 君允巽○	音三	安亞乙一 □爻王寅 母馬美米 目皃眉民
四聲	刀早孝岳 毛寶報霍 牛斗奏六 ○○○玉	音四	夫法□飛 父凡□吠 武晚□尾 文萬□未
五聲	妻子四日 衰○帥骨 ○○○德 龜水貴北	音五	卜百丙必 步白葡鼻 普扑品匹 旁排平瓶
六聲	宮孔衆○ 龍甬用○ 魚鼠去○ 烏虎兎○	音六	東丹帝■ 兑大弟■ 土貪天■ 同覃田■
七聲	心審禁○ ○○○十 男坎欠○ ○○○妾	音七	乃妳女■ 內南年■ 老冷呂■ 鹿犖離■
八聲	●●●● ●●●● ●●●● ●●●●	音八	走哉足■ 自在匠■ 草采七■ 曹才全■

正聲		正音	
九聲	●●●● ●●●● ●●●● ●●●●	音九	思 三 星 ■ 寺 □ 象 ■ □ □ □ ■ □ □ □ ■
十聲	●●●● ●●●● ●●● ●●●	音十	■ 山 手 ■ ■ 士 石 ■ ■ 思 耳 ■ ■ □ 二 ■
		音十一	■ 莊 震 ■ ■ 乍 □ ■ ■ 叉 赤 ■ ■ 崇 辰 ■
		音十二	■ 卓 中 ■ ■ 宅 直 ■ ■ 拆 丑 ■ ■ 茶 呈 ■

邵伯溫曰：“太陽之數十，少陽之數十，太剛之數十，少剛之數十，太陽少陽太剛少剛之數凡四十．太陰之數十二，少陰之數十二，太柔之數十二，少柔之數十二，太陰少陰太柔少柔之數凡四十有八．以四因四十得一百六十，以四因四十八得一百九十二，以一百六十因一百九十二得三萬七百二十，是謂動植之全數．

소백온이 말했다. “태양의 수는 10, 소양의 수는 10, 태강의 수는 10, 소강의 수는 10으로 태양·소양·태강·소강의 수는 모두 40이다. 태음의 수는 12, 소음의 수는 12, 태유의 수는 12, 소유의 수는 12로 태음·소음·태유·소유의 수는 모두 48이다. 4로 40을 곱하면[因] 160이 되고 4로 48을 곱하면 192가 되고 160으로 192를 곱하면 30,720이 되니 이것을 동물과 식물[動植]의 전수全數라고 한다.

一百六十內去太陰少陰太柔少柔之體數四十八，得一百一十二，一百九十二內去太陽少陽太剛少剛之體數四十，得一百五十二，是謂動植之用數．以一百一十二唱一百五十二，得一萬七千二十四，以一萬七千二十四唱得一萬七千二十四，得二萬八千九百八十一萬六千五百七十六，是謂動植之通數．

160 안에서 태음·소음·태유·소유의 체수體數 48을 빼면 112가 되고, 192 안에서 태양·소양·태강·소강의 체수 40를 빼면 152가 되니, 이것을 동물과 식물의 용수用數라고 한다. 112로 152를 부르면[唱] 17,024가 되고 (152로 112를 화답하면 또한 17,024를 얻어서) 17,024로 17,024를 부르면 289,816,576을 얻으니 이것을 동물과 식물의 통수通數라고 한다.[44]

物有聲色氣味，可考而見，唯聲爲甚．有一物則有一聲，有聲則有音，有律則有呂，故窮聲音律呂以窮萬物之數，數亦以四爲本，本乎四象故也．自四象而爲八卦，自八卦而爲六十四，天地萬物之數備于其間矣．此與前元會運世其法同，日日聲，即元之元日之日也．日月聲，即元之會日之月也．日星聲，則元之運日之星也．日辰聲，則元之世日之辰也．自餘皆可以類推之也．”

사물에는 소리·색깔·냄새·맛聲色氣味[45]이 있어서 살펴 볼 수 있지만 오직 소리가 가장 분명하다.

· ·

44 소백온이 말한 내용을 아래의 도표로 요약할 수 있다.

태양·소양·태강·소강의 體數(10*4=40)	태음·소음·태유·소유의 體數(12*4=48)
40*4=160	48*4=192
160-48=112(用數)	192-40=152(用數)
160*192=30,720(全數)	
112唱152=17,024	152和112=17,024
17,024唱17,024=289,816,576(通數)	

하나의 사물에는 하나의 소리가 있고 소리가 있으면 음音이 있고 율律이 있으면 여呂가 있으니 성·음·율·려를 연구하여 만물의 수數를 궁리한다. 수도 4를 근본으로 삼는데 이는 4상四象에 근본하기 때문이다. 4상에서 8괘가 되고 8괘에서 64괘가 되어 천지 만물의 수가 그 사이에 모두 갖추어졌다. 이것은 앞에 나온 원·회·운·세元會運世와 그 방법이 동일하니, 일일성日日聲이 곧 원의 원元之元이요, 일의 일日之日이다. 일월성日月聲은 곧 원의 회元之會요, 일의 월日之月이다. 일성성日星聲은 원의 운元之運이요, 일의 성日之星이다. 일신성日辰聲은 원의 세元之世요, 일의 신日之辰이다. 나머지는 모두 유추할 수가 있다."[46]

[8-1-10]

西山蔡氏曰 : "凡太陽太剛少陽少剛之體數皆十, 康節曰, "陽數一, 衍之爲十." 又日月星辰四象相因而爲十六, 以十因十六爲一百六十. 凡太陰太柔少陰少柔之體數, 皆十二, 康節曰, "陰數二, 衍之爲十二." 又水火土石四象相因亦爲十六, 以十二因十六爲一百九十二. 爲日月星辰水火土石之體. 以一百六十因一百九十二, 得三萬七百二十爲動 ; 以一百九十二因一百六十亦得三萬七百二十爲植. 是謂動植之全數. 於一百六十中去太陰少陰太柔少柔之體數四十八, 得一百一十二爲日月星辰之用數. 於一百九十二中去太陽少陽太剛少剛之體數

....

45 『皇極經世書』「觀物篇」 52 : "사람이 만물보다 신령할 수 있는 것은 눈으로 만물의 色을 볼 수 있고 귀로 만물의 聲을 들을 수 있고 코로 만물의 氣를 맡을 수 있고 입으로 만물의 味를 느낄 수 있기 때문이다. 성·색·기·미는 만물의 體이고 눈·귀·코·입은 만물의 用이다.(人之所以能靈於萬物者, 謂其目能收萬物之色, 耳能收萬物之聲, 鼻能收萬物之氣, 口能收萬物之味. 聲色氣味者,萬物之體也 ; 目耳鼻口者, 萬人之用也.)"

46 이상의 내용을 도표화하면 이렇다.

日日聲	元之元	水水音	歲之歲
日月聲	元之會	水火音	歲之月
日星聲	元之運	水土音	歲之日
日辰聲	元之世	水石音	歲之辰
月日聲	會之元	火水音	月之歲
月月聲	會之會	火火音	月之月
月星聲	會之運	火土音	月之日
月辰聲	會之世	火石音	月之辰
星日聲	運之元	土水音	日之歲
星月聲	運之會	土火音	日之月
星星聲	運之運	土土音	日之日
星辰聲	運之世	土石音	日之辰
辰日聲	世之元	石水音	辰之歲
辰月聲	世之會	石火音	辰之月
辰星聲	世之運	石土音	辰之日
辰辰聲	世之世	石石音	辰之辰

四十, 得一百五十二爲水火土石之用數. 以一百一十二因一百五十二, 得一萬七千二十四爲動物之用數. 一百五十二因一百一十二, 亦得一萬七千二十四爲植物之用數. 又以一萬七千二十四乘一萬七千二十四, 得二萬八千九百八十一萬六千五百七十六爲動植通數.

서산 채씨[蔡元定]가 말하였다. "태양·태강·소양·소강의 체수는 모두 10이다. 강절이 말하였다. "양의 수는 1이니 넓히면 10이 된다." 또한 일·월·성·신日月星辰의 4상四象을 서로 곱하여 16이 되고, 10으로 16을 곱하면 160이 된다. 태음·태유·소음·소유의 체수는 모두 12이다. 강절이 말하였다. "음의 수는 2이니 넓히면 12가 된다." 또한 수·화·토·석水火土石의 4상을 서로 곱하면 또한 16이 되고 12로 16을 곱하면 192가 된다. 이것이 일·월·성·신과 수·화·토·석의 체體가 된다. 160으로 192를 곱하면 30,720이 되어 동물의 수가 되고 192로 160을 곱하면 또한 30,720이 되어 식물의 수가 된다. 이것이 동물과 식물의 전수全數이다. 160 가운데에서 태음·소음·태유·소유의 체수 48을 빼면 112가 되어 일·월·성·신의 용수用數가 된다. 192 가운데에서 태양·소양·태강·소강의 체수 40을 빼면 152를 얻으니 수·화·토·석의 용수가 된다. 112로 152를 곱하면 17,024가 되니 동물의 용수이다. 152로 112를 곱하면 역시 17,024가 되니 식물의 용수이다. 또 17,024로 17,024를 곱하면 289,816,576이 되어 동물과 식물의 통수通數이다.[47]

凡日月星辰, 暑寒晝夜, 性情形體, 耳目口鼻, 元會運世, 皇帝王伯之數皆百六十, 水火土石, 雨風露雷, 走飛草木, 色聲氣味, 歲月日辰, 易書詩春秋之數皆一百九十二, 其去體得用, 宛轉相因, 同一法也. 物有色聲氣味, 唯聲爲盛, 且可以書別, 故以正聲之平上去入, 正音之開發收閉, 列而爲圖, 以見聲音之全數. 其○有其聲而無其字者也. 其□有其音而無其字者也. 但以上下聲音調之, 則自可通. 其●即所去之四十八, 其■即所去之四十也. 陽數用十, 陰數用十二者, 即易之陽數用九陰數用六也."

---

47 채원정이 말한 내용을 아래의 도표로 요약할 수 있다.

體數 (태양·태강·소양·소강)	用數 (태양·태강·소양·소강)	體數 (태음·소음·태유·소유)	用數 (태음·소음·태유·소유)
10*16=160	160-48=112	12*16=192	192-40=152
일·월·성·신 체수 160 서·한·주·야 성·정·형·체 이·목·구·비 원·회·운·세 황·제·왕·패	일·월·성·신 용수 112 서·한·주·야 성·정·형·체 이·목·구·비 원·회·운·세 황·제·왕·패	수·화·토·석 체수 192 우·풍·로·뢰 주·비·초·목 색·성·기·미 세·월·일·진 역·서·시·춘추	수·화·토·석 용수 152 우·풍·로·뢰 주·비·초·목 색·성·기·미 세·월·일·진 역·서·시·춘추
동물 체수 160因192=30,720	동물 용수 112因152=17,024	식물 체수 192因160=30,720	식물 용수 152因112=17,024
동식물 通數 17,024乘17,024 = 289,816,576			

일・월・성・신 日月星辰과 한・서・주・야寒暑晝夜와 성・정・형・체性情形體와 이・목・구・비耳目口鼻와 원・회・운・세元會運世와 황・제・왕・패皇帝王伯의 수는 모두 160이고, 수・화・토・석水火土石과 우・풍・로・뢰雨風露雷와 주・비・초・목走飛草木과 색・성・기・미色聲氣味와 세・월・일・진歲月日辰과 역・서・시・춘추易書詩春秋의 수는 모두 192인데, 거기서 체수를 빼고 용수를 얻어 돌아가면서 서로 곱하는因 것은 그 방법이 동일하다. 만물에는 성・색・기・미가 있는데 오직 성聲이 가장 뚜렷하고 또 글로 구별할 수 있기 때문에 정성正聲인 평성・상성・거성・입성과 정음正音의 개음開音・발음發音・수음收音・폐음閉音을 나열하여 도표를 만들어 성聲과 음音의 전수를 드러냈다. 거기서 ○표 한 것은 성聲은 있지만 글자는 없는 것이고, □표 한 것은 음은 있지만 글자가 없는 것이다. 다만 위 아래에 있는 성과 음으로 저절로 조율하면 통할 수 있다. ●표 한 것은 빼낸 수 48개이고, ■표한 것은 빼낸 수 40개이다. 양의 수는 10을 쓰고 음의 수는 12를 쓰는 것은 『주역』에서 양의 수는 9를 쓰고 음의 수는 6을 쓰는 것에 해당한다."

[8-1-11]

鐘氏過曰 : 右圖, 天之體數四十, 地之體數四十八. 天數以日月星辰相因爲一百六十, 地數以水火土石相因爲一百九十二. 於天數內去地之體數四十八, 得一百一十二, 是謂天之用聲 ; 於地數內去天之體數四十, 得一百五十二, 是謂地之用音. 凡日月星辰四象爲聲, 水火土石四象爲音 ; 聲有淸濁, 音有闢翕. 遇奇數, 則聲爲淸, 音爲闢, 遇偶數, 則聲爲濁, 音爲翕 ; 聲皆爲律, 音皆爲呂, 以律唱呂, 以呂和律.

종과鍾過[48]가 말하였다. "위의 도표에서 천天의 체수가 40이고 지地의 체수가 48이다. 천수天數는 일・월・성・신으로 서로 곱하여因 160이 되고 지수地數는 수・화・토・석으로 서로 곱하여 192가 된다. 천수 안에서 지의 체수 48을 빼면 112가 되니 이것이 천의 용성用聲이라고 하고, 지수 안에서 천의 체수 40을 빼면 152가 되니 이것이 지의 용음用音이라고 한다. 일・월・성・신의 4상이 성聲이 되고 수・화・토・석의 4상이 음音이 된다. 성聲은 청성淸聲과 탁성濁聲이 있고 음에는 벽음闢音과 흡음翕音이 있다. 기수奇數를 만나면 성은 청성이 되고 음은 벽음이 되고, 우수偶數를 만나면 성은 탁성이 되고 음은 흡음이 된다. 성은 모두 율律이 되고 음은 모두 여呂가 된다. 율로 여를 부르고 여로 율에 화답한다.[49]

天之用聲別以平上去入者一百一十二, 皆以開發收閉之音和之 ; 地之用音別以開發收閉者一百五十二, 皆以平上去入之聲唱之. 據圖觀之, 直看則第一字爲日聲水音, 第二字爲月聲火音, 第三字爲星聲土音, 第四字爲辰聲石音. 橫看則第一行爲日聲水音, 第二行爲月聲

....

48 鍾過 : 송나라 사람이다. 자는 改之이고 호는 梅心으로 廬陵(지금의 강서성 길안) 사람이다. 寶祐 3년에 解試에 합격했다. 지금은 詞 한편이 남아 있다.

49 종과가 말한 내용을 아래의 도표로 요약할 수 있다.

火音, 第三行爲星聲土音, 第四行爲辰聲石音.

천의 용성用聲이 평성·상성·거성·입성으로 구별되는 것은 112가지인데, 모두 개음·발음·수음·폐음으로 이 112가지 천의 용성에 화답하고, 지의 용음用音이 개음·발음·수음·폐음으로 구별되는 것은 152가지인데, 모두 평성·상성·거성·입성으로 이 152가지 지의 용성을 부른다. 도표에 근거하여 본다면 세로로 보면 첫 번째 글자가 일성日聲 수음水音이 되고, 두 번째 글자가 월성月聲 화음火音이 되며, 세 번째 글자가 성성星聲 토음土音이 되고, 네 번째 글자는 신성辰聲 석음石音이 된다. 가로로 보면 첫 번째 행이 일성日聲 수음水音이 되고, 두 번째 행이 월성月聲 화음火音이 되며, 세 번째 행이 성성星聲 토음土音이 되고, 네 번째 행이 신성辰聲 석음石音이 된다."

[8-1-11-1]

鍾氏過曰：“伊川丈人云, ‘音非有異同, 人有異同, 人非有異同, 方有異同, 謂風土殊而呼吸異故也. 東方之音在齒舌, 南方之音在脣舌, 西方之音在喁舌, 北方之音在喉舌. 便于喉者不利于脣, 便于齒者不利于喁. 由是訛正牽乎僻論, 是非出乎曲說, 繁然殽亂于天下矣. 不有正聲正音, 烏能正之哉！’噫！聲音之生也久矣, 其必待人而後正者耶, 人能正而復有待者耶！知其說者, 從天地之道而不爲私焉, 始可與言聲音者矣.

종씨[鍾過]가 말하였다. "이천 장인伊川丈人[소강절]이 말하였다. ‘음에 차이가 있는 것이 아니라 사람에게 차이가 있고 사람에게 차이가 있는 것이 아니라 지역에 차이가 있으니 그래서 풍토가 다르고 호흡이 다르기 때문이라고 한다. 동방의 음은 치설齒舌에 있고 남방의 음은 순설脣舌에 있으며 서방의 음은 악설喁舌에 있고 북방의 음은 후설喉舌에 있다. 후설이 매끄러우면 순설이 매끄럽지 못하고, 치설이 매끄러우면 악설이 매끄럽지 못하다. 이 때문에 그릇됨과 올바름이 치우친 논의에 이끌리고, 옳고 그름이 그릇된 학설에서 나와 천하를 번잡스럽게 혼란시킨다. 정성正聲과 정음正音이 있지 않은데 어떻게 바로잡을 수 있겠는가！'[50] 아! 성음聲音이 생겨난 지 오래되었는데 성음을 잘 아는 사람을 기다린 후에 바로잡을 수 있는 것인가, 아니면 사람이 바로 잡을 수 있더라도 다시 풍토의 차이에 의지해야만 하는가！그 학설을 잘 알고 있는 사람이 천지의 도를 따라서 사사롭지 않아야 비로소 성음을 함께 말할 수 있다.

· ·

聲(성)		音(음)	
天(천) 體數 40		地(지) 體數 48	
일·월·성·신 160		수·화·토·석 192	
160-48=112 ; 用聲		192-40=152 ; 用音	
淸聲(청성) 濁聲(탁성) 奇數(기수) 偶數(우수)		闢音(개음) 翕音(흡음) 奇數(기수) 偶數(우수)	
律(율)		呂(여)	
평·상·거·입		개·발·수·폐	

50 張行成 『易通變』 권17

天有陰陽, 地有剛柔, 律有闢翕, 呂有唱和. 一陰一陽交而日月星辰備焉, 一柔一剛交而金木水火備焉, 一闢一翕交而平上去入備焉, 一唱一和交而開發收閉備焉. 日月星辰備而萬情生焉, 金木水火備而萬形成焉, 平上去入備而萬聲生焉, 開發收閉備而萬音生焉. 律隨天而變, 呂隨地而化, 闢隨陽而出, 翕隨陰而入, 唱隨剛而上, 和隨柔而下, 然後律呂隨音, 宮徵角羽之道各得其正矣.

천天에는 음과 양이 있고 지地에는 강과 유가 있으며 율律에는 벽음闢音과 흡음翕音이 있고 여呂에는 창唱[부름]과 화和[화답함]이 있다. 하나의 음과 하나의 양이 교류하여 일·월·성·신이 갖추어지고, 하나의 유柔와 하나의 강剛이 교류하여 금·목·수·화金木水火가 갖추어지며, 하나의 벽음과 하나의 흡음이 교류하여 평성·상성·거성·입성이 갖추어지고, 한번 부름과 한번 화답함이 교류하여 개음開音·발음發音·수음收音·폐음閉音이 갖추어진다. 일·월·성·신이 갖추어져서 온갖 실정이 생겨나고, 금·목·수·화가 갖추어져서 온갖 형태가 이루어지며, 평성·상성·거성·입성이 갖추어져서 온갖 성聲이 생겨나고, 개음·발음·수음·폐음이 갖추어져서 온갖 음音이 생겨난다. 율律은 천天을 따라 변變하고, 여呂는 지地를 따라 화化하며, 벽음은 양을 따라 나오고, 흡음은 음을 따라 들어가며, 부름은 강을 따라 위로 올라가며, 화답함은 유를 따라 아래로 내려가니, 그런 연후에 율려律呂가 음을 따르고 궁·치·각·우宮徵角羽의 도가 각각 그 올바름을 얻는다.

陽生日, 陰生月, 剛生星, 柔生辰, 剛生金, 柔生土, 陽生火, 陰生水, 日月星辰金土火水而天地正焉. 是知律呂聲音之道可以行天地矣. 日生目, 月生耳, 星生鼻, 辰生口, 金生氣, 土生味, 火生色, 水生聲, 目耳鼻口氣味色聲正而人道正焉. 是知律呂聲音之道可以行人事矣.

양이 일日을 낳고, 음이 월月을 낳고, 강이 성星을 낳고, 유가 신辰을 낳으며, 강이 금金을 낳고, 유가 토土를 낳고, 양이 화火를 낳고, 음이 수水를 낳으니, 일·월·성·신과 금·토·화·수가 생겨나서 천지가 올바르게 된다. 이에 율려성음의 도가 천지에 행해질 수 있는지 안다. 일이 눈目을 낳고 월이 귀[耳]를 낳고 성이 코[鼻]를 낳고 신이 입[口]를 낳으며, 금이 냄새[氣]를 낳고 토가 맛[味]을 낳고 화가 색깔[色]을 낳고 수가 소리[聲]을 낳으니 눈·귀·코·입과 냄새·맛·색깔·소리가 바르게 되면서 사람의 도리가 바르게 된다. 이에 율려성음의 도가 인간사의 일에 행해질 수 있다는 것을 안다.

目之體數十, 耳之體數十二, 鼻之體數十, 口之體數十二, 氣之體數十, 味之體數十二, 色之體數十, 聲之體數十二. 進目鼻氣色之體數, 退耳口味聲之體數, 是爲正律之用. 進耳口味聲之體數, 退目鼻氣色之體數, 是爲正呂之用數. 以正律之用數協正呂之用數, 是謂正音之用數. 以正呂之用數和正律之用數, 是謂正聲之用數. 正律之用數一百一十二, 正呂之用數一百五十二, 正聲之用數萬有七千二十四, 正音之用數萬有七千二十四. 律感呂而聲生焉. 呂感律而音生焉. 律呂與天地同和 ; 聲音與律呂同順. 是故古之聖王, 見天地萬物之情暢, 然後作樂以崇之. 命工以和之以詩言志, 以歌永言, 以聲依永, 以律和聲. 此所謂八音克諧而百獸率舞, 人神以和而鳳凰來儀. 則是學也, 豈直言釋音文義而已哉!"

눈의 체수體數는 10, 귀의 체수는 12, 코의 체수는 10, 입의 체수는 12이고, 냄새의 체수는 10, 맛의 체수는 12, 색깔의 체수는 10, 소리의 체수는 12이다. 눈·코·냄새·색깔의 체수를 진進하고, 귀·입·맛·소리의 체수를 퇴退하는 것이 정률正律의 용수用數가 된다. 귀·입·맛·소리의 체수를 진하고 눈·코·냄새·색깔의 체수를 퇴하는 것이 정려正呂의 용수가 된다. 정률의 용수로 정려의 용수를 도와주니 이것을 정음正音의 용수라고 말한다. 정려의 용수로 정률의 용수를 조화하니 이것을 정성正聲의 용수라고 말한다. 정률의 용수는 112이고 정려의 용수는 152이며 정성의 용수는 17,024이고 정음의 용수는 17,024이다. 율은 려를 느껴서 성聲을 낳고, 려는 율을 느껴서 음音을 낳는다. 율려는 천지와 함께 조화하고, 성음은 율려와 함께 순順한다. 그래서 옛 성왕聖王은 천지 만물의 실정이 펼쳐지는 것을 본 뒤에 음악을 만들어 존중했다. 악공에게 명하여 그에 화답하게 하니 시로 뜻을 말하고 노래로 그 말을 길게 부르며 장단長短을 따라 불러 12율로 소리를 조화시킨다. 이것이 '여덟 가지 음이 조화로울 수 있어서 온갖 짐승이 이를 따라 춤추게 하고,[51] 사람과 귀신이 조화하여 봉황이 와서 춤을 춘다.'[52]라는 말이다. 그러니 이러한 학문이라는 것이 어찌 석음釋音(뜻과 소리)과 문의文義를 말할 뿐이겠는가!"

[8-1-11-2]

祝氏泌曰 : "宮商角徵羽分太少爲十聲, 管以十干. 六律六呂合爲十二音, 管以十二支. 攝之以聲音之字母二百六十四. 聲分平上去入, 音分開發收閉, 鋪布悉備, 爲圖三千八百四十. 圖各十六聲十六音, 總三萬四千四十八音聲. 蓋取天聲有字無字與無聲字一百六十位, 地音有字無字與無音字一百九十二位, 衍忒而成之.

축경祝泌[53]이 말하였다. "궁·상·각·치·우宮商角徵羽는 태·소太少(큰 것과 작은 것)로 나뉘어 10성聲이 되어 십간十干으로 이를 주관한다. 육율六律과 육려六呂가 합하여 12음音이 되어 십이지十二支로 이를 주관한다. 이 모두는 성음聲音의 자모字母 264개[54]로 통섭攝한다. 성聲은 평성·상성·거성·입성으

---

51 『尙書』「舜典」 24장 : "순임금께서 말씀하셨다. '기야, 너에게 음악을 관장하는 직책을 명하노니 젊은 사람을 가르치는 데에 곧으면서 온화하고 관대하면서 견고하며 굳건하면서 괴롭히지 않고 간략하면서 거만하지 않아야 한다. 시는 뜻을 말로 표현한 것이고 노래는 말로 읊어내는 것이고 소리는 높낮이의 운율에 의거한 것이고 음률은 소리를 조화시켜야 한다. 여덟 가지 음이 조화로워 서로 침범하지 않을 수 있다면 귀신과 인간이 서로 화해로울 수 있다.' 기가 답하였다. '아! 저는 석경을 치고 석경을 두드려서 온갖 짐승들이 춤추게 하고자 합니다.'(帝曰虁, 命汝典樂, 敎冑子, 直而溫, 寬而栗, 剛而無虐, 簡而無傲, 詩言志, 歌永言, 聲依永, 律和聲, 八音克諧, 無相奪倫, 神人以和. 虁曰, 於予擊石拊石, 百獸率舞.)"

52 『尙書』「益稷」 : "簫韶(순임금의 음악 이름)를 연주하여 아홉 번을 마치니 봉황이 와서 춤을 춘다.(簫韶九成, 鳳凰來儀.)"

53 祝泌 : 祝泌이다. 송나라 饒州 德興 사람이다. 자는 子泌이다. 度宗 咸淳 10년에 진사를 지냈다. 饒州路三司提幹을 제수받았다. 나이가 들어 휴직을 청하니 임금이 쓴 「觀物樓」 편액을 내려 주었다. 그래서 자칭 '觀物老人'이라고 한다. 송나라가 망하자 원 세조가 불렀으나 응하지 않았다. 『皇極經世書鈴』이 있다.(『宋史翼』 권35, 『宋元學案』 권78)

54 성의 자모 112개와 음의 자모 152개를 더하면 264개이다.

로 나뉘고 음音은 개음·발음·수음·폐음으로 나뉘어 펼쳐지고 모두 갖추어지면 도표의 3,840가지[55]가 된다. 도표에는 각각 16성과 16음이 있어서 총 34,048개[56]의 음성音聲이 있다. 대개 천성天聲에는 자字가 있는 것과 자가 없는 것 그리고 성聲과 자가 없는 것 160자리位를 취하고, 지음地音에는 자字가 있는 것과 자가 없는 것 그리고 음과 자가 없는 것 192자리位를 취했으니 어긋난 것을 부연해서 이루었다.

聲之位去不用之四十八, 止百十二, 所以括唐韻之內外八轉而分平上去入也. 音之位去不用之四十, 止百五十二, 所以括切字母唇舌牙齒喉而分開發收閉也. 謂之無聲, 百六十位中有位而調不出者, 謂之無音, 百九十二位中有位而切不出者. 以聲音統攝萬物之變, 及於無聲無音則備矣. 其間有聲有音, 雖無字, 皆洪纖高下遂其生育者也. 若有聲而無音有音而無聲, 則天地不相唱和, 獨陽不生, 獨陰不成, 圖有其位, 實無其物也. 聲音字母二百六十四相交而互變, 始于一萬七千二十四, 極於二萬八千九百八十一萬六千五百七十六, 以取掛一之二百五十六卦, 以觀天地萬物之進退盈虛消長也.

성의 자리에서 쓰지 않는 48개를 빼면 112개에 그치니 『당운唐韻』[57]에서 내외로 8번 전환한 것을[58] 포괄하여 평성·상성·거성·입성으로 분류한 것이다. 음의 자리에서 쓰지 않는 40개를 빼면 152개에 그치니 반절反切의 자모字母 순순唇·설舌·아牙·치齒·후喉를 포괄하여 개음·발음·수음·폐음으로 분류한 것이다. 무성無聲이라고 말한 것은 160자리 가운데 자리(位)는 있으나 성조(調)가 안 되는 것(나오지 않는 소리)을 말하며, 무음無音이라고 말한 것은 192자리 가운데 자리는 있으나 반절(切)이 안 되는 것(나오지 않는 소리)을 말한다. 성과 음으로 만물의 변화를 통섭하고 무성無聲과 무음無音에까지 미치면 모두 갖추어진다. 그 사이의 성聲이 있고 음音이 있는 것은 자字가 없더라도 크건 작건 높건 낮건 모두 그 생육生育을 이루는 것이다. 만약 성은 있으나 음이 없고 음은 있으나 성이 없다면 천지가 서로 부르고 화답하지 못하니, 양만 홀로 낳지 못하고 음만 홀로 이루지 못하므로 도표에서는 자리(位)가 있으나 실제로는 사물이 없는 것이다. 성음聲音의 자모字母 264개가 서로 교류하고 변하면 17,024에서 시작하여 289,816,576에서 극한에 이른다. 이는 1의 256괘卦를 취하고[59] 걸어서 천지만물의 진퇴進退·영허盈虛·소장消長을 관찰하는 것이다."[60]

---

55 12음에 1,920개가 있고 10성에 1,920개가 있으니 둘을 합하면 3,840이다. (12*10=120이고 120과 16을 곱하면 1,920이며 둘을 합하면 3,840이다.)
56 16성에 17,024개가 있고 16음에 17,024가 있으니 둘을 합하면 34,048이다.
57 唐韻: 당나라의 孫愐이 지은 책이다. 한자를 韻에 의하여 배열하고 反切에 의하여 음을 표시한 것으로, 隋나라의 陸法言의 『切韻』을 增訂한 책의 하나이다. 후일 北宋의 徐鉉에 의하여 『說文解字』 大徐本의 반절에 쓰였으나, 현재 完本은 남아 있지 않다.
58 『七音略』 참조
59 『周易』은 64괘인데 소강절은 4를 강조하여 256개라고 했다.
60 祝泌 『觀物篇解』 권4

[8-1-11-3]

上官氏萬里曰：“自胡僧了義以三十六字爲翻切母, 奪造化之巧. 司馬公指掌圖爲四聲等字, 蒙古韻以一聲該四聲, 皆不出了義區域, 蓋但欲爲翻切用而未及於物理也. 惟皇極用聲音之法, 超越前古, 以聲起數, 以數合卦, 而萬物可得而推矣. 詳見祝氏鈴, 而祝氏又或與康節有異同處.”

상관만리上官萬里[61]가 말했다. "호승胡僧의 요의[62]가 36자字를 반절모反切母로 삼아 조화의 교묘함을 얻었다. 사마광의 『절운지장도切韻指掌圖』[63]는 사성四聲 등의 글자를 만들고 몽고蒙古 운韻이 1성聲으로 사성을 포괄한 것은 모두 호승 요의의 범위를 벗어나지 못했으니 이는 단지 반절을 사용하려고만 해서 물리物理에 미치지 못했기 때문이다. 그러나 『황극경세서』에서 성음聲音의 방법을 사용한 것은 과거를 초월하여 성聲으로 수數를 일으키고 수로서 괘卦에 합치하게 되어 만물을 추측할 수가 있게 되었다. 축씨의 『황극경세서검皇極經世書鈴』[64]을 자세히 보면 축씨는 또 간혹 소강절과 차이점이 있다."

• •

61 上官萬里 : 楊萬里(1127~1206)를 말한다. 양만리는 송 吉水 출신이다. 이름은 萬里, 자는 廷秀, 시호는 文節이다. 학자로서 誠齋先生이라고 불린다. 紹興 때 진사가 되었다. 零陵丞이 되었다. 때마침 永州에서 귀양살이하는 張浚에게 정심성의의 학을 공부했다. 양만리는 그의 가르침에 감복하여 책 읽는 방을 성재라고 불렀다. 효종 때 국자감박사가 되었고, 寶文閣待制에서 벼슬을 사양하고 물러났다. 開禧 2년 寶謨閣 학사에 나아갔다. 韓胄의 專僭에 분개하다 병이 나서 죽었다. 光宗이 성재라는 두 글자를 써서 내렸다. 시문에 뛰어났다. 저서에 『誠齋易傳』, 『唐言』, 『誠齋集』, 『千慮策』, 『誠齋詩話』가 있다.

62 了義(1265~1334) : 원나라 때의 승려이다. 湖州(浙江) 德淸 사람이다. 속세의 성은 楊이고 호는 斷崖이다. 17세에 天目山에서 高峰을 배알하고 시중들었고 이름은 從一이다. 元統 2년 입적했으니 世壽 70이다. 시호는 '佛慧圓明正覺普度大師'이다.(『五燈會元續略』 권6)

63 『切韻指掌圖』: 宋代의 等韻書이다. 모두 2권이며 명나라 邵光祖가 補正한 『檢例』 1권이 첨부되어 있다. 권두에 사마광의 자서가 있어 줄곧 저자가 북송의 사마광(1019~1086)이라고 여겨져 왔으나 이 序文은 위조되었음이 밝혀졌다. 1930년대에 남송시대의 판각본이 발견되면서 宋代年間의 저작임이 밝혀졌다. 이 책의 저자는 현재까지 정확히 밝혀지지 않고 있으나, 이 책이 처음 간행될 당시 董南一이 1203年(嘉泰 癸亥年)에 쓴 서문이 권두에 있던 것으로 보아 남송 사람의 저작임이 확실하다. 『切韻指掌圖』는 모두 20개의 韻圖로 이루어졌는데 앞선 시기의 운도와 달리 「韻攝」의 명칭이 없으며 '獨', '開', '合'의 세 종류로 이 20개의 운도를 구분한다. 모든 운도는 橫으로 우선 四聲에 의해 구분되고 또 四等에 의해 다시 구분된다. 縱으로는 『四聲等子』와 같이 36字母에 의해 20개의 韻圖를 나누었다. 그러나 『切韻指掌圖』는 다른 운도와 구별되는 몇 가지 특징을 가지고 있는데 첫째, 36자모를 23행에 배열하던 『韻鏡』과 『四聲等子』와는 달리 36자모를 36행에 배열하여 한 자모가 한 행이 되도록 하는 방식을 취하고 있다. 그러나 한 聲調가 四等을 포함하는 『韻鏡』의 방식을 따랐으며 하나의 등이 사성을 포함하는 『四聲等子』와는 다른 방식을 취하고 있다. 둘째, 『切韻指掌圖』는 開合이 대립되지 않는 운, 즉 通攝, 效攝, 遇攝, 流攝, 咸攝, 深攝 등 6攝의 韻을 獨韻이라 칭하고 이들 운을 먼저 배치하였다. 그래서 『切韻指掌圖』의 韻圖 배치 순서는 『四聲等子』와 매우 다르다. 셋째, 『切韻指掌圖』의 韻部合倂은 대체로 『四聲等子』와 비슷하나 韻母의 변화에 있어서는 『四聲等子』보다 더 근대 官話音에 가깝다. 이 책의 저자는 당시의 실제 語音을 韻圖에 반영하고 『切韻』은 韻書의 反切에 새로운 분석을 하고자 하였는데 이는 『切韻指掌圖』가 『韻鏡』, 『七音略』 같은 이전 시기의 운도와 體例가 크게 다른 점으로 미루어 알 수 있다. 『切韻指掌圖』는 송대의 실제 語音을 연구하는 중요한 자료이다.(서울대, 규장각 해제 참조)

[8-1-11-4]

彭氏長庚曰：“鄭夾漈云，‘四聲爲經，七音爲緯. 江左之儒爲韻書，知縱有四聲而不知衡有七音. 縱成經；衡成緯. 經緯不交，所以失立韻之源.’ 今考經世書，聲爲律，音爲呂；律爲唱，呂爲和，一經一緯一縱一衡而聲音之全數具矣. 聲有十，音有十二者，如甲至癸十子至亥十二也. 於聲之用數中去音之體數四十八，於音之用數中去聲之體數四十者，如天數無十地數無一也. 以聲配音而切韻生焉，翕闢清濁辨焉，三萬四千四十八音聲在其中矣. 天下之聲既具，而天下之色若臭若味皆在其中矣. 此所以爲萬物之數也.”

팽씨[彭長庚]가 말했다. “정협제鄭夾漈[鄭樵][65]가 말했다. ‘사성四聲은 경經이 되고 칠음七音은 위緯가 된다. 강좌江左[66]의 선비들이 운서韻書를 만들면서 세로로 사성이 있는 것은 알지만 가로로 칠음이 있는 것은 몰랐다. 세로는 경經을 이루고 가로는 위緯를 이룬다. 경과 위가 서로 교차하지 않았기 때문에 운韻을 세우는 근원을 잃었다.’[67] 지금 『황극경세서』를 살펴보면 성聲은 율律이 되고 음音은 여呂가 되며, 율律은 창唱[부름]이 되고 여呂는 화和[화답함]가 되니 한 번 경經이 되어 한 번 위緯가 되며 한 번 세로가 되어 한 번 가로가 되어 성음聲音의 전수全數가 갖추어진다. 성은 10이 있고 음은 12가 있는 것은 갑甲에서 계癸까지가 10이고 자子에서 해亥까지가 12인 것과 같다. 성의 용수用數 중에서 음의 체수體數 48을 빼는 것과 음의 용수用數 중에서 성의 체수體數 40을 빼는 것은 천수天數에서 10이 없고 지수地數에서 1이 없는 것과 같다. 성으로 음과 짝하면 절운切韻이 생겨나고, 흡음과 벽음 그리고 청성淸聲과 탁성濁聲이 나누어지니 34,048 음音과 성聲이 그 속에 있다. 천하의 성聲이 갖추어졌기 때문에 천하의 색깔과 냄새와 맛이 모두 그 속에 있다. 이것이 만물의 수數가 되는 까닭이다.”

[8-1-11-5]

黃氏瑞節曰. “邵子之書，伯溫畧發其微，至祝氏而其說詳，其用異，蔡氏盖由博而之約也. 右四象體用圖，取本書䋹括爲凡例. 今以本書詳之. 日月星辰四象爲聲，日月星辰又自相加，水火土石四象爲音，水火土石又自相加，亦如八卦相加爲六十四也. 其爲圖凡三十二，平上

---

64 祝泄 즉 祝泌의 저작이다.

65 鄭樵(1104~1162)：『通志』를 저술한 역사가이다. 『通志』는 중국 상고시대부터 당대(618~907)까지 역대 제도의 변천을 다룬 책이다. 이 책에서는 문자학(六書)·음성학(七音)·씨족의 발달까지 다루었는데, 이전에는 이 분야에서 그와 같이 체계적으로 다루어진 적이 없었다. 그의 방법론과 서술 양식은 후일 많은 역사가들의 모범이 되었다. 그는 일생동안 과거에 응시하지 않았고 각고의 노력으로 30년 동안 연구하였으며 형인 鄭厚와 더불어 필생을 다하여 학문을 연구했다.

66 江左：동진 및 남조를 말함. 중국 六朝時代에 중국 동부 해안 곧 揚子江 하류에 위치한 江蘇와 남동부 동해 연안 곧 양자강 하류의 남부에 있는 浙江에서 文學이 성하였는데, 이 문학을 江左文學이라 한다. 대표적인 학자로는 謝靈運·沈約·陶淵明 등이 있다.

67 『通志』 권36 「七音序」：“四聲爲經，七音爲緯. 江左之儒，知縱有平上去入爲四聲，而不知衡有宮商角徵羽半徵半商爲七音. 縱成經，衡成緯，經緯不交，所以失立韻之源.”

去入各聲爲四圖, 共一十六圖 ; 開發收閉各音爲四圖, 共一十六圖. 聲之數, 每圖一千六十四, 十六圖共一萬七千二十四. 音之數, 間有出入, 十六圖亦一萬七千二十四. 蓋平上去入開發收閉, 分布細推以得之也.

황씨(黃瑞節)가 말했다. "소자(邵康節)의 책을 소백온이 대략 그 은미한 것을 밝혔고, 축씨(祝泌)에 이르러 그 말이 상세하지만 그 쓰임은 다르고, 채씨(蔡元定)는 대체적으로 넓은 것에서부터 간략한 것으로 나아갔다. 위의 사상체용도四象體用圖는 본서를 취하여 바로잡아 범례를 삼았다. 지금 본서로 상세하게 한다. 일·월·성·신의 사상이 성聲이 되어 일·월·성·신끼리 각각 더하며, 수·화·토·석의 사상은 음音이 되어 수·화·토·석끼리 각각 더하니 역시 8괘가 서로 더하여 64괘가 되는 것과 같다. 그 도표는 모두 32개이니 평성·상성·거성·입성의 각 성이 4개의 도표이고 모두 16개의 도표이며 개음·발음·수음·폐음의 각 음이 4개의 도표가 되어 모두 16개의 도표이다. 성의 수는 매 도표마다 1,064로 16개의 도표에 모두 17,024개이다. 음의 수는 그 사이에 차이가 있지만 16개의 도표에 역시 17,024이다. 평성·상성·거성·입성과 개음·발음·수음·폐음을 나누어 펼쳐 세밀하게 추론하여 얻은 것이다.

蔡氏取十聲爲十圖, 取十二音爲十二圖, 如第一聲圖多字平聲, 而可个舌上去入三聲隨之矣 ; 第一音圖古字開音, 而甲九癸發收閉三音隨之矣. 至於一萬七千二十四之數, 但以一百十二因一百五十二, 以一百五十二因一百十二而得之亦合, 此其所以爲自然之妙也. 若夫以聲起數, 以數合卦, 則具祝氏鈴, 而邵子未言蔡氏未用云."

채씨는 10성을 취하여 10개의 도표로 만들고, 12음을 취하여 12도표를 만들었는데, 예를 들어 첫 번째 성의 도표에서 '다多'자는 평성이고, '가可·개个·설舌'이 상성·거성·입성의 3성으로 그 뒤를 따르며, 첫 번째 음의 도표에서 '고古'는 개음이고, '갑甲·구九·계癸'의 발음·수음·폐음의 3음으로 그 뒤를 따른다. 17,024의 수에 이르면 112로 152를 곱하고, 152로 112를 곱하여 얻으면 또한 합치하니, 이것이 자연自然의 오묘함이 되는 까닭이다. 그런데 성聲으로 수를 일으키고 수로 괘에 합치시키는 것은 모두 축씨의 『황극경세서검皇極經世書鈴』에 갖추어져 있지만 소자가 말하지 않았고 채씨도 채용하지 않았다."

[8-1-12]

邵伯溫系述曰 : "至大之謂皇, 至中之謂極, 至正之謂經, 至變之謂世, 大中至正, 應變無方之謂道. 以道明道, 道非可明, 以物明道, 道斯見矣. 物者, 道之形體也, 生於道而道之所成也. 道變而爲物, 物化而爲道. 由是知道亦物也, 物亦道也, 孰知其辨哉! 故善觀道者, 必以物, 善觀物者, 必以道. 謂得道而忘物則可矣, 必欲遠物而求道, 不亦妄乎!

소백온이 아버지의 뜻을 정리하면서 말하였다. "지대至大(지극히 위대한 것)를 황皇이라 하고, 지중至中(지극한 중도)을 극極이라 하며, 지정至正(지극히 바른 것)을 경經이라 하고, 지변至變(지극한 변화)을 세世라 하니, 대중지정大中至正(위대한 중도이면서 지극히 바른 것)하여 응변무방應變無方(상황에 응하여 변화해서 장소가 없는 것)한 것을 도道라고 한다. 도로써 도를 밝히면 도를 밝힐 수 있는 것이 아니고, 사물(物)로써 도를 밝히면 도가 드러난다. 사물은 도가 드러난 형체이니 도에서 생겨나고 도가 이룬 것이다. 도가 변하여 사물이 되고 사물이 변화하여 도가 된다. 이로부터 도 역시 사물이고 사물 역시 도임을 알 수 있으니 누가 그것이 분별된다는 것을 알겠는가! 그러므로 도를 잘 관찰하는 사람은 반드시 사물을 통하여 보고 사물을 잘 관찰하는 사람은 반드시 도를 통해서 본다. 도를 얻고서 사물을 잊는다고 하는 것은 괜찮지만 반드시 사물을 멀리하고 도를 구하려 하면 또한 망령되지 않겠는가!

有物之大莫若天地. 然則天地安從生? 道生天地, 而太極者道之全體也. 太極生兩儀, 兩儀形之判也. 兩儀生四象, 四象生而後天地之道備焉. 立天之道曰陰與陽, 立地之道曰柔與剛. 陰陽變於上而日月星辰生焉, 剛柔化於下而水火土石成焉. 日月星辰成象於天, 水火土石成體於地. 象動於上而萬時生焉, 體交於下而萬物成焉. 時有消長盈虛, 物有動植飛走. 消長盈虛者, 時之變也, 動植飛走者, 物之類也. 時以變起, 物以類應, 時之與物, 有數存焉. 數者何也. 道之運也, 理之會也, 陰陽之度也, 萬物之紀也, 定於幽而驗於明, 藏於微而顯於著, 所以成變化而行鬼神者也.

물物이 크다 해도 천지天地보다 큰 것은 없다. 그렇다면 천지는 어디에서부터 생겨났는가? 도는 천지를 낳고 태극太極은 도의 전체全體(온전한 모양)이다. 태극이 양의兩儀를 낳으니 양의는 형체가 갈라진 것이다. 양의가 4상四象을 낳으니 사상이 생겨난 뒤에 천지의 도가 갖추어졌다. 하늘의 도는 음陰과 양陽이고, 땅의 도는 유柔와 강剛이다. 음양은 위에서 변하여 일 · 월 · 성 · 신日月星辰을 낳고 강유는 아래에서 변화하여 수 · 화 · 토 · 석水火土石을 이룬다. 일 · 월 · 성 · 신은 하늘에서 상象을 이루고 수 · 화 · 토 · 석은 땅에서 체體를 이룬다. 상象은 위에서 움직여 모든 때가 생겨나고, 체體는 아래에서 교류하여 온갖 사물이 이루어진다. 때에는 소 · 장 · 영 · 허消長盈虛(줄어듦과 늘어남, 가득참과 빔)가 있고 물에는 동 · 식 · 비 · 주動植飛走(동물과 식물, 날짐승과 들짐승)가 있다. 소 · 장 · 영 · 허는 때의 변함이고, 동 · 식 · 비 · 주는 만물의 종류이다. 때는 변變으로써 일어나고 만물은 종류별로 응하니, 때와 만물에는 수數가 있게 된다. 이 수數란 무엇인가? 도道의 운행(運)이고, 리理의 집합(會)이고, 음양陰陽의 도수(度)이며, 만물의 기준(紀)이다. 이 수는 그윽한 곳에서 정해지지만 밝은 곳에서 징험되고 은미한 곳에 숨어 있지만 드러난 곳에서 나타나 변화를 이루고 귀신(鬼神)조화)을 행한다.

道生一, 一爲太極, 一生二, 二爲兩儀, 二生四, 四爲四象, 四生八, 八爲八卦, 八卦生六十四, 六十四具而後天地萬物之道備矣. 天地萬物莫不以一爲本. 原於一而衍之以爲萬, 窮天下之數而復歸於一. 一者何也. 天地之心也, 造化之源也. 日爲元, 元者氣之始也, 其數一. 月爲會, 會者數之交也, 其數十二. 星爲運, 運者時之行也, 其數三百六十. 辰爲世, 世者變之終也, 其數四千三百二十. 觀一歲之數, 則一元之數觀矣. 以大運而觀一元, 則一元一歲之大者也 ; 以一元而觀一歲, 則一歲一元之小者也. 一元統十二會, 三百六十運, 四千三百二十世, 歲月日時各有數焉. 一歲統十二月, 三百六十日, 四千三百二十時, 刻分毫釐絲忽眇沒亦有數焉. 皆統於元而宗於一, 終始往來而不窮. 在天則爲消長盈虛, 在人則爲治亂興廢, 皆不能逃乎數也.

도가 하나一를 낳으니 하나가 태극이 되고, 하나가 둘을 낳으니 둘이 양의가 되고, 둘이 넷을 낳으니 넷은 4상四象이 되고, 넷이 여덟을 낳으니 8괘가 되고, 8괘가 64개를 낳으니 이 64가 갖춰진 뒤에 천지만물의 도가 구비된다. 천지만물은 하나一를 근본으로 삼지 않은 것이 없다. 하나에 근원하지만 펼쳐져서 무한한 수가 되고 세상의 수數를 다 헤아리면 다시 하나로 돌아간다. 하나一란 무엇인가. 천지의 마음이고 조화의 근원이다. 일日은 원元이 되니 원이란 기氣의 시작으로 그 수數는 1一이다. 월月은 회會가 되니 회란 수가 교류하는 것으로 그 수는 12이다. 성星은 운運이 되니 운運이란 시時가 행하는 것으로 그 수는 360이다. 신辰은 세世가 되니 세란 변화의 끝으로 그 수數는 4,320이다. 1년年의 수를 보면 1원元의 수를 알게 된다. 대운大運으로 1원을 보면 1원은 1세歲1년의 큰 것이다. 1원으로 1세를 보면 1세란 1원의 작은 것이다. 1원은 12회, 360운, 4,320세를 거느리니 세·월·일·시歲月日時에 각각 수가 있다. 1세는 12개월, 360일, 4,320시간을 거느리며 각·분·호·리·사·홀·묘·몰刻分毫釐絲忽眇沒[68] 역시 수가 있다. 모두 원元에서 거느리고 1一에서 종宗(근원)이 되니 끝없이 가고 또 와서 무궁하다. 하늘에서 소·장·영·허가 되고 사람에게서 치·란·흥·폐治亂興廢가 되니 모두 수에서 벗어날 수가 없다.

太陽爲日, 太陰爲月, 少陽爲星, 少陰爲辰. 太剛爲火, 太柔爲水, 少剛爲石, 少柔爲土. 陽之數十, 陰之數十二, 剛之數十, 柔之數十二. 太陽少陽太剛少剛之本數凡四十, 太陰少陰太柔少柔之本數凡四十有八. 四而因之得一百有六十, 是謂太陽少陽太剛少剛之體數, 得一百九十有二, 是謂太陰少陰太柔少柔之體數. 以陰陽剛柔之體數互相進退, 是謂太陽少陽太剛少剛太陰少陰太柔少柔之用數. 太陽少陽太剛少剛之用數一百一十二, 太陰少陰太柔少柔之用數一百五十二. 以陰陽剛柔之用數更唱迭和, 各得萬有七千二十四, 是謂日月星辰水火土石變化之數. 日月星辰之變數, 水火土石之化數, 是謂動植之數. 以日月星辰水火土石變化之數再相唱和, 得二萬八千九百八十一萬六千五百七十六, 是謂動植之通數.

태양太陽은 일日이 되고 태음太陰은 월月이 되며, 소양少陽은 성星이 되고 소음少陰은 신辰이 된다. 태강太剛은 화火가 되고 태유太柔는 수水가 되며, 소강少剛은 석石이 되고 소유少柔는 토土가 된다. 양의 수는 10이고 음의 수는 12이다. 강의 수는 10이고 유의 수는 12이다. 태양·소양·태강·소강의 본수本數는 모두 40이고, 태음·소음·태유·소유의 본수本數는 모두 48이다. 4를 곱하면 160이 되는데 이것을 태양·소양·태강·소강의 체수體數라고 말하고, 192가 되어 태음·소음·태유·소유의 체수體數라고 말한다. 이 음양·강유의 체수로 서로 나아감과 물러남進退을 하는데 이것을 태양·소양·태강·소강·태음·소음·태유·소유의 용수用數라고 말한다. 태양·소양·태강·소강의 용수用數는 112이고 태음·소음·태유·소유의 용수用數는 152이다. 음양·강유의 용수用數로 서로 번갈아 부르고 화답하여 각각 17,024가 되는데, 이것을 일·월·성·신日月星辰의 변수變數와 수·화·토·석水火土石의 화수化數라고 말한다. 일·월·성·신의 변수變數와 수·화·토·석水火土石의 화수化數는 동물과 식물의 수이다. 일·월·성·신日月星辰의 변수變數와 수·화·토·석水火土石의 화수化數가 다시 한 번 부르고 화답하여 289,816,576이 되는데 이것을 동물과 식물의 통수通數라고 한다.

本數者, 數之始也, 體數者, 數之成也, 用數者, 數之變也. 致用則體數退矣, 體數退則本數藏矣. 體退而本藏, 則變化見矣. 故謂之變化之數. 變化者, 生生不窮之謂也. 萬物者, 動植之謂也. 故謂之動植之數. 萬物之數滋而生焉, 故謂之動植之通數. 有數則有物, 數盡則物窮矣. 有物則有數, 物窮則數盡矣. 然數無終盡, 數盡則復. 物無終窮, 物窮則變. 變故能通, 復故能久.

본수本數는 수가 시작되는 것이고 체수體數는 수가 이루어진 것이며 용수用數는 수가 변하는 것이다. 용用(작용)에 이르면 이 체수體數가 물러나고 체수體數가 물러나면 본수本數가 숨는다. 체수가 물러나고 본수가 숨으면 변變과 화化가 드러난다. 그러므로 변수變數와 화수化數라고 한다. 변·화變化는 낳고 낳음이 끝이 없는 것을 말한다. 만물이란 동물과 식물을 말한다. 그래서 동물과 식물의 수라고 한다. 만물의 수는 불어나서 생겨난다. 그래서 동물과 식물의 통수通數라 한다. 수數가 있으면 물物이 있고 수가 다하면 물도 다한다. 물이 있으면 수가 있고 물이 다하면 수도 다한다. 그러나 수는 끝이 나서 다함이 없으니 수가 다하면 회복된다. 사물은 끝이 나서 다하는 것이 없으니 사물이 다하면 변한다. 변하기 때문에 통할 수 있고 회복되기 때문에 오래 지속할 수 있다.

日月星辰, 變乎暑寒晝夜者也. 水火土石, 化乎雨風露雷者也. 暑寒晝夜, 天之變而唱乎地者也. 雨風露雷, 地之化而和乎天者也. 一唱一和而後物生焉. 暑寒晝夜, 變乎性情形體者也. 雨風露雷, 化乎走飛草木者也. 性情形體, 本乎天而感乎地者也. 走飛草木, 本乎地而應乎天者也. 一感一應而後物成焉. 一唱一和一感一應者, 天地之道, 萬物之情也. 天地之道, 萬物之情, 其唯誠之謂乎!

일·월·성·신은 더위·추위·낮·밤暑寒晝夜을 변變하게 하고, 수·화·토·석은 비·바람·이슬·우레[雨風露雷]를 화化하게 한다. 더위·추위·낮·밤은 하늘이 변變하여 땅을 부르는 것이다. 비·바람·이슬·우레는 땅이 화化하여 하늘에 화답하는 것이다. 이 한 번 변唱:선창하고 한번 화和(화답)한 연후에야 만물이 생겨난다. 더위·추위·낮·밤은 성·정·형·체性情形體를 변하게 하고, 비·바람·이슬·우레는 달리는 것·나는 것·풀·나무走飛草木를 화하게 한다. 성·정·형·체는 하늘에 뿌리를 두고 땅에 감感(감발)한 것이며, 달리는 것·나는 것·풀·나무는 땅에 뿌리를 두고 하늘에 응應(호응)한 것이다. 한 번 감感하고 한번 응應한 후에 만물이 이루어진다. 한번 창唱하면 한번 화和하고 한번 감感하고 한번 응應하는 것이 천지의 도道이며 만물의 정情(실정)이다. 천지의 도와 만물의 정은 오로지 그 성誠이라고 할 것이다!

凡在天地之間, 蠻夷華夏皆人也. 動植飛走皆物也. 人各有品, 物各有類. 品類之間, 有理有數存焉. 推之於天地而後萬物之理昭焉, 賾之於陰陽而後萬物之數覩焉. 天氣下降, 地氣上騰, 陽唱於前, 陰和於後, 然後物生焉. 天地有至美, 陰陽有至精, 物之得者, 或粹或駁, 或淳或漓. 故萬物之類, 或巨或細, 或惡或良, 或正或邪, 或柔或剛. 咸其自取之耳.

무릇 천지 사이에 있는 야만인이나 중화 민족이나 모두 사람이다. 동·식·주·비動植走飛는 모두 만물이다. 사람은 각각 품品(품등)이 있고 만물은 각각 류類(종류)가 있다. 성품과 종류 사이에는 이理가 있고 수數가 있다. 천지에서 헤아린 뒤에야 만물의 리理를 밝히고, 음양에서 찾은 뒤에야 만물의 수를 볼 수 있다. 천기天氣(하늘의 기운)는 아래로 내려가고 지기地氣(땅의 기운)는 위로 올라 양이 앞에서 부르고 음이 뒤에서 화답한 연후에야 만물이 생겨난다. 천지에는 지극히 아름다운 것이 있고 음양에는 지극히 정밀한 것이 있어서 만물이 얻는 것에는 어떤 것은 순수하고 어떤 것은 잡박하며 어떤 것은 두텁고 어떤 것은 얇다. 그러므로 만물의 종류에는 어떤 것은 크고 어떤 것은 작으며, 어떤 것은 사악하고 어떤 것은 양순하며, 어떤 것은 바르고 어떤 것은 바르지 못하며, 어떤 것은 부드럽고 어떤 것은 강하다. 이는 모두 스스로 취한 것이다.

至于聲色形氣, 各以其類而得焉. 可考而知, 聲音爲甚. 聲者陽也, 而生於天 ; 音者陰也而出乎地. 知聲音之數而後萬物之數覩矣. 知聲音之理而後萬物之理得矣. 人之有類, 亦由物之有類也. 人類之數, 亦由物類之數也. 備天地兼萬物而合德于太極者, 其唯人乎. 日用而不知者, 百姓也 ; 反身而誠之者, 君子也 ; 因性而由之者, 聖人也. 故聖人以天地爲一體, 萬物爲一身, 善救而不棄, 曲成而不遺, 以成能其中焉.

성·색·형·기聲色形氣에 이르러서는 각각 그 종류에 따라 얻는다. 모두 고찰하여 알 수 있지만 성음聲音에서 가장 잘 알 수 있다. 성聲은 양陽이고 천天(하늘)에서 생겨나고 음音은 음陰이고 지地(땅)에서 생겨난다. 이 성음의 수數를 안 뒤에야 만물의 수를 본다. 성과 음의 리理(이치)를 안 뒤에 만물의 이치를 안다. 사람에게 종류가 있는 것도 만물에 종류가 있는 것과 같다. 사람 유형의 수 역시 사물 종류의 수가 있는 것과 같다. 천지와 만물을 겸비하여 그 덕德이 태극太極에 합하는 것은 오직 사람일 것이다! 매일 사용해도 알지 못하는 사람은 백성이고 자신을 돌아보고 성誠에 이르려 하는 사람은 군자君子이며 성性에 따라서 그대로 행하는 사람은 성인聖人이다. 그러므로 성인은 천지天地와 일체가 되고 만물과 한 몸이 되니 잘 구제하고 포기하지 않으며 곡진하게 이루어 빠뜨리지 않아 모두 중中을 이룰 수 있도록 한다.[69]

<hr />

69 成能의 의미는 『周易』 「繫辭下」에 "天地設位, 聖人成能, 人謀鬼謀, 百姓與能."라는 말이 있는데 이 말의 맥락으로 해석할 수 있다.

生物之道, 天類屬陽, 地類屬陰. 陽爲動, 陰爲植. 陽之陽爲飛, 陰之陰爲走. 動而飛者親
上, 走而植者親下. 天有至粹, 地有至精, 人類得之則爲明哲, 飛類得之則爲鸞鳳, 走類得
之則爲麒麟, 介類得之則爲龜龍, 草類得之則爲芝蘭, 木類得之則爲松栢, 石類得之則爲金
玉, 萬物莫不以其類而有得者焉. 天有至戾, 地有至幽, 人類得之則爲妖孽, 飛類得之則爲
梟鴆, 走類得之則爲虎狼, 介類得之則爲虺蝎, 草類得之則爲至毒, 木類得之則爲不材, 石
類得之則爲礌礫, 萬物亦莫不以其類而有得者焉.

만물을 낳는 도는 천류天類(하늘에 속한 종류)가 양에 속하고 지류地類(땅에 속한 종류)가 음에 속한다. 양은
동動(움직이는 것)이 되고 음은 식植(직립해 있는 것)이 된다. 양 가운데의 양은 나는 것이 되고 음 가운데의
음은 달리는 것이 된다. 동動하고 나는 것은 하늘과 친하고, 달리고 식植하는 것은 땅과 친하다.
하늘에는 지극한 순수함이 있고 땅에는 지극한 정밀함이 있는데 사람이 이것을 받으면 명철明哲해지
고 나는 종류가 그것을 얻으면 봉황鳳凰(봉이 숫컷, 황이 암컷)이 되며, 달리는 종류가 그것을 얻으면
기린麒麟(기는 숫컷, 린은 암컷)이 되고, 개류介類(갑각류)가 그것을 얻으면 귀룡龜龍(거북과 용)이 되며, 초류
草類가 그것을 얻으면 지란芝蘭(지초와 난초)이 되고, 목류木類가 그것을 얻으면 송백松栢(소나무와 잣나무)
이 되며, 석류石類가 그것을 얻으면 금옥金玉이 되니, 만물이 그 종류에 따라 얻지 않은 것이 없다.
하늘에는 지극한 어그러짐이 있고 땅에는 지극한 어두움이 있는데 사람이 그것을 얻으면 요얼妖孽(요
사한 놈)이 되고 나는 종류가 그것을 얻으면 효짐梟鴆(올빼미와 짐새)가 되며, 달리는 종류가 그것을 얻으
면 호랑虎狼(범과 이리)이 되고, 개류가 그것을 얻으면 훼척虺蝎(살모사)이 되며, 초류가 그것을 얻으면
지극한 독이 되고, 목류가 그것을 얻으며 재료로 쓰이지 못하는 것이 되며, 석류가 그것을 얻으면
자갈 같은 것이 되니, 만물 역시 그 종류에 따라 얻지 않은 것이 없다.

天地絪縕, 萬物化醇, 言致一也. 感應之不一, 則氣不粹, 氣不粹, 則生物不美. 是故致治之
世, 則賢人衆多, 龜龍游於沼, 鳳鳥翔於庭, 天降甘露, 地出醴泉, 百穀用成, 庶草蕃廡, 順
氣之應也. 衰亂之世則反此, 逆氣之應也. 逆順之應, 由人心之感焉, 故古之聖人自昭明德,
協和萬邦, 災害不生, 禍亂不作, 日月星辰不忒其序, 風雨晦暘不失其常, 山川鬼神以寧,
鳥獸魚鼈咸若. 天人之際, 安可忽哉! 大哉! 時之與事乎. 聖人所以極深而硏幾也.

천지가 인온絪縕함에 만물이 화순化醇하는 것[70]을 하나를 이루었다고 말한다. 감하고 응하는 것이
일치하지 못하면(하나를 이루지 못하면) 기가 순수하지 못하게 되고, 기가 순수하지 못하면 사물을
낳는 것이 아름답지 못하게 된다. 그러므로 그 치세治世에는 현인賢人이 많고 귀룡龜龍이 연못에 헤엄
치며 봉황이 뜰에서 날고 하늘에서 감로甘露(감미로운 이슬)가 내리며[71] 땅에서 예천醴泉이 솟아나고[72]

- -

70 絪縕과 化醇 : 인온은 음양이 서로 섞여 화합하는 모습이고 화순은 만물이 변화하여 精醇하게 되는 것을
말한다. 『周易』「繫辭下」5장에는 絪縕이 絪縕으로 되어 있으나 의미는 동일하다. "天地絪縕, 萬物化醇, 男女
構精, 萬物化生."
71 『老子』32장

온갖 곡식이 풍년이 들고[73] 뭇 풀들이 우거지니[74] 순기順氣가 응應한 것이다. 난세亂世에는 이와 반대이니 역기逆氣가 응한 것이다. 이 역逆과 순順의 응함은 사람 마음의 감感에서 비롯되기 때문에 옛 성인은 스스로 밝은 덕을 밝혀서 모든 나라를 화합하게 하여 재해가 일어나지 않고 재앙이 일어나지 않았으며, 일·월·성·신이 그 순서를 어기지 않고 바람·비·흐린 날씨·맑은 날씨가 그 일정한 법칙을 잃지 않았으며, 산천의 귀신이 편안해지고 날짐승·들짐승·물고기·자라 등이 모두 순해졌다. 그러니 하늘과 사람의 관계를 어찌 소홀히 여길 수 있겠는가! 크도다! 천시天時가 인사人事와 관계 맺음이여. 그래서 성인이 깊은 이치를 극진히 하고 기미를 연구했던 것이다.[75]

時者天也, 事者人也. 時動而事起, 天運而人從, 猶形行而影會, 聲發而響應歟. 時行而不留, 天運而不停, 違之則害, 逆之則凶. 故聖人與天並行而不逆, 與時俱逝而不違, 是以自天祐之, 吉無不利. 時不能違天, 物不能違時, 聖人不能違物. 時不能違天, 故天運而必變. 物不能違時, 故時變而必化. 聖人不能違物, 故物化而必順. 聖人唯不能違物, 故天亦不能違聖人. 是以先天而天弗違, 後天而奉天時. 天之時, 由人之事乎, 人之事, 由天之時乎. 故天有是時, 則人有是事, 人有是事, 則天有是時, 興事而應時者, 其惟人乎. 有其時而無其人, 則時不足以應. 有其人而無其時, 則事不足以興, 有其人而無其時, 則有之矣, 有其時而無其人, 蓋未之有也. 故消息盈虛者, 天之時也, 治亂興廢者, 人之事也. 有消長盈虛而後有春夏秋冬, 有治亂興廢而後有皇帝王伯.

시時라는 것은 천天이고 사事는 인人이다. 시時가 동動하면 사事가 일어나고 천天이 운행하면 사람이 그것을 쫓는 것은 형체가 가면 그림자가 생겨나고 소리를 지르면 메아리가 반응하는 것과 같을 것이다. 시는 흘러가되 머무르지 않으며 천은 운행하되 멈추지 않으니, 이를 어기면 해롭고 거스르면 흉하다. 그래서 성인은 천天과 함께 행하여 거스르지 않고 시時와 함께 가서 어기지 않으니, 하늘이 도와주어 길하고 이롭지 않은 적이 없다. 시時는 천天을 어길 수가 없고 만물은 시를 어길 수가 없고 성인은 만물을 어길 수가 없다. 시時가 천을 어길 수 없기 때문에 천이 운행하면 반드시 변한다. 사물이 시를 어길 수 없기 때문에 시가 변하면 반드시 화化한다. 성인이 만물을 어길 수 없기 때문에 사물이 화하면 반드시 순응한다. 성인이 오직 사물을 어길 수 없기 때문에 천 또한 성인을 어길 수 없다. 그래서 천보다 앞서 하더라도 천을 어기지 않으며, 천보다 뒤에 하여도 천시天時를 받든다.[76]

- - - - - - - - - - - - - - - - - - - -

72 『禮記』「禮運」: "故天降膏露, 地出醴泉."

73 『尙書』「周書·洪範」36장: "임금의 살핌은 오직 歲이고 卿士의 살핌은 오직 月이고 師尹은 오직 日이다. 세·월·일에 때가 어긋남이 없으면 백곡이 이루어지고 훌륭한 백성이 빛나며 집안이 평안하리라.(曰王省, 惟歲, 卿士, 惟月, 師尹, 惟日. 歲月日, 時無易, 百穀用成, 乂用明, 俊民, 用章, 家用平康.)"

74 『尙書』「周書·洪範」32장: "여덟번째 징후는 비와 맑은 날씨와 더위와 추위 등 때이니 다섯 가지를 모두 갖추어 각각 그 순서대로 따른다면 풀도 번성하리라.(八庶徵, 曰雨, 曰暘, 曰燠, 曰寒, 曰風, 曰時, 五者, 來備, 各以其叙, 庶草蕃廡.)"

75 『周易』「繫辭上」10장: "夫易, 聖人之所以極深而研幾也. 唯深也, 故能通天下之志, 唯幾也, 故能成天下之務."

천의 시가 사람의 일에서 말미암을 것이고 사람의 일이 천의 시에서 말미암을 것이다. 그래서 천에 이 때時가 있으면 사람에게는 이 일이 있고 사람에게 이 일이 있으면 하늘에는 이 때가 있으니 일을 일으키고 때에 호응하는 것은 오직 사람뿐이다. 그 때는 있으나 그 사람이 없으면 그 때가 호응할 수 없고, 그 사람은 있으나 그 때가 없으면 그 일이 흥할 수가 없으며, 그 사람이 있는데 그 때가 없는 경우는 있지만 그 때가 있는데 그 사람이 없는 경우는 있지 않다. 그러므로 소·식·영·허消息盈虛는 천의 시時이고, 치·란·흥·폐治亂興廢는 사람의 일이다. 소·장·영·허가 있은 뒤 춘·하·추·동春夏秋冬이 있으며 치·란·흥·폐가 있는 후에 황·제·왕·패皇帝王伯가 있다.

唐虞者, 其中天而興乎, 堯舜者, 其應運而生乎, 何天時人事之相驗歟! 先之者則未之或至, 後之者則無以尙之, 其猶夏之將至, 日之向中乎. 故聖人刪書, 斷自唐虞, 時之盛也. 修經始於周平, 道之衰也. 故聖人懼之, 以二百四四十二年之事, 繫之以萬世之法. 法者何也, 君臣父子夫婦人道之大倫也. 性之者聖人也 ; 誠之者君子也, 違之者小人也, 亡之者禽獸也. 興之則爲治, 廢之則爲亂, 用之則爲中國, 舍之則爲夷狄. 五伯去王也遠矣, 不猶愈於狄乎. 當世之諸侯去伯也遠矣, 鄰於狄也不亦近乎. 微聖人之生, 春秋之作, 則天下後世之人其被髮左衽矣. 春秋有天道焉, 有地道焉, 有人道焉, 王者擧而用之, 則帝王之功豈難致哉.

당·우唐虞는 천이 중中에 있어서 흥하였고, 요·순堯舜은 운행에 호응하여 태어나 생하였으니, 천시天時와 인사人事가 서로 얼마나 징험된 것이 아니겠는가! 성인이 천시에 앞서 행한 것은 혹 천시에 합치되지 못하는 경우도 있지만 천시보다 뒤에 행한 것은 더 보탤 것이 없으니 그것은 여름이 오려면 태양이 중앙을 향해가는 것과 같다.[77] 그러므로 성인이 『서경』을 정리하는 데 당·우에서부터 시작했으니 시時가 왕성했기 때문이다. 『춘추』 경전을 편찬하는 데 주周나라 평왕平王에서부터 시작했으니 도가 쇠퇴하였기 때문이다. 그러므로 성인이 근심하여 242년(춘추시대의 기간을 말한다.)의 일을 만세萬世의 법法으로 덧붙여 엮었다. 법法이란 무엇인가? 군신君臣·부자夫子·부부夫婦라는 인도人道의 큰 윤리이다. 그것을 성性대로 한 사람이 성인聖人이고 그것을 성誠하려고 하는 사람이 군자君子이다. 이를 어기는 자는 소인小人이고 잃은 자는 금수禽獸이다. 일으키면 치세가 되고 폐지하면 난세가 되며, 쓰면 중국中國(문화민족)이 되고 버리면 오랑캐가 된다. 오패五霸는 왕도王道 정치와 멀어졌으나 오랑캐보다 더 낫지 않은가. 그 시대의 제후諸侯가 패도覇道 정치에서 멀어져서 이적과 비슷하게 행동하니 이적에 가깝지 않겠는가. 만약 성인의 탄생과 『춘추春秋』의 저작이 없었다면 천하와 후세 사람이 모두 야만의 풍속을 가졌을 것이다. 『춘추』에는 천도天道가 있고 지도地道가 있고 인도人道가 있으니 왕 노릇하는 자가 귀담아 들어서 시행하면 제왕帝王의 공덕을 어찌 이루기 어렵겠는가.

· ·

76 『周易』「乾卦·文言傳」: "先天而天弗違, 後天而奉天時. 天且弗違, 而況於人乎? 況於鬼神乎?" 이에 대한 주자의 주석은 이렇다. "先天不違, 謂意之所爲, 黙與道契, 後天奉天, 謂知理如是, 奉而行之."

77 『周易函書約存』「周易函書別集」: "水之將至, 其氣必寒, 火之將至, 其氣必熱, 冬之將至, 必先有秋, 夏之將至, 必先有春. 此皆幾之動于微而顯, 然可據者也, 聖人立卦揲蓍之法, 皆不踰四象, 以萬物之理攝于陰陽少陰少陽, 即太陽太陽之幾也

皇極經世書三 황극경세서 3

皇極經世書三
황극경세서 3 邵伯溫解 소백온해

觀物內篇之一 관물내편 1[1]

[9-1-1]

物之大者無若天地, 然而亦有所盡也.[1]

만물 가운데 천지보다 더 큰 것은 없지만 천지도 다함이 있다.[1]

[9-1-1-0]

乾, 陽物也, 坤, 陰物也. 乾坤謂之物, 則天地亦物也. 天地有物之大者耳. 旣謂之物, 則亦有所盡也. 然有所謂悠久無疆者, 固未嘗盡也.

건은 양陽에 속하는 사물이고 곤은 음陰에 속하는 사물이다. 건곤을 사물이라고 했으니 천지도 사물이다. 천지는 사물 가운데에 가장 큰 것일 뿐이다.[2] 사물이라고 했으니 또한 다함이 있다. 그러나 '유구하여 끝이 없다.'[3]고 말하는 경우도 있으니 정말로 다한 적이 없다.[4]

---

1 「觀物·內篇」은 소강절이 직접 쓴 글이라고 평가된다. 내편이란 이름은 원래 없었지만 후대 사람들이 「외편」과 구별하기 위해서 붙인 이름이다. 黃畿는 이렇게 평가하고 있다. "『皇極經世』에 관물 내편이 있는 것은 『易』에 「繫辭傳」이 있는 것과 같다. 모두 12편으로 전체 책의 큰 뜻을 통괄해서 논했으니 정밀하게 연구하고 생각을 극진하게 하여 곡진하고 두루두루 통하게 되면 『易』에서 밝히지 못한 바를 확대할 수 있다.(皇極觀物之有內篇, 猶易之有繫辭也. 凡十有二篇統論一書之大旨, 硏精極思, 曲暢旁通, 擴大易所未發.)"

2 다른 판본에는 "天地有物之大者耳"의 有자가 乃자로 되어 있다.

3 『中庸』 36장: "博厚, 所以載物也；高明, 所以覆物也；悠久, 所以成物也. 博厚配地, 高明配天, 悠久無疆."

4 王植은 '다한다'는 盡자를 『中庸』 36장의 "천지의 도는 한 마디로 다할 수 있으니 그 사물됨이 둘이 아니라 (誠하여서) 사물을 낳는 것을 예측할 수가 없다.(天地之道, 可一言而盡也：其爲物不貳, 則其生物不測.)"는 말에서 '한 마디로 다할 수 없다'는 의미로 해석한다. 그래서 소백온이 "정말로 다한 적이 없다"라고 해석한 것을 잘못되었다고 비판하고 있다. 천지가 다함이 있다고 해놓고 다시 다함이 있는 것은 아니라고 말하고

[9-1-2]

天之大, 陰陽盡之矣, 地之大, 剛柔盡之矣.

천天의 큼은 음과 양이 다 포괄하고 지地의 큼은 강과 유가 다 포괄한다.[5]

[9-1-2-0]

'立天之道曰陰與陽, 立地之道曰柔與剛.' 天地之道, 不過陰陽剛柔而已.

'천의 도를 세워 음과 양이라 하고 지의 도를 세워 유와 강이라고 한다.'[6]라고 했으니 천지의 도는 음·양과 강·유일뿐이다.

[9-1-3]

陰陽盡而四時成焉, 剛柔盡而四維成焉. 夫四時四維者, 天地至大之謂也.

음·양이 다하여 사시四時가 이루어지고 강·유가 다하여 사유四維[7]가 이루어진다. 사시와 사유는 천지가 지극히 큼을 말한다.[8]

· · · · · · · · · · · · · · · · · · ·

있기 때문이다. 王植 『皇極經世書解』: "소백온이 사물이라 하여 또 다함이 있다고 한 말한 것은 다른 조목의 말로 「外篇」9조목에 '消長이 있으니 어찌 끝나고 시작이 없겠는가.'라고 하는 것이 이것이다. 그러니 이 전체 편의 뜻과 합치하지 않는다. 또한 책의 첫머리에 '천지도 소진하여 다할 때가 있다.'고 하고 그 아래 다른 뜻이다. 소강절의 말은 이렇게 논리가 없지 않을 것이다.(邵伯子謂旣謂之物, 亦有所盡, 乃別條之說, 如外篇之九, 旣有消長, 豈無終始是也. 與此通篇之意, 不合. 且一書之首先言天地亦有盡時, 其下却別是一義. 邵子語, 不應無倫序至此.)" 그러나 소백온은 '悠久無疆'이라는 말을 하고서 다함이 있는 것은 아니라고 했기 때문에 여기서의 다함이란 성인의 경우에 해당한다고 풀기도 한다. 즉 천지는 시작과 종말의 다함이 있지만 천지를 다루는 성인의 노력이 '유구무강'하여 다함이 있는 것은 아니라는 의미로 해석하기도 한다.(閻修篆 『皇極經世書今說』 華夏出版社 참조)

5 王植, 『皇極經世書解』: "天行이 강건하기 때문에 사시로 말했고 地勢가 두텁기 때문에 사유로 말했다. 선천원도에서 乾은 오(午中)에서 다하고 坤은 子中에서 다하며, 離는 卯中에서 다하고 坎은 酉中에서 다한다. 선천방도에서 건은 서북쪽에서 시작하고 泰는 동북쪽에서 교류하고 곤은 동남쪽에서 다하고 否는 서남쪽에서 극에 이른다.(天行健, 故以四時言, 地勢坤, 故以四維言. 先天圓圖, 乾盡午中, 坤盡子中, 離盡卯中, 坎盡酉中. 方圖, 乾始於西北, 泰交於東北, 坤盡於東南, 否極於西南.)" 위의 글은 황기의 말을 인용한 것인데, 이와 같이 황기는 先天圓圖와 先天方圖로 설명하여 음양과 강유가 다한다(盡)는 뜻을 푼다.

6 『周易』「說卦傳」: "昔者聖人之作易也, 將以順性命之理. 是以立天之道曰陰與陽, 立地之道曰柔與剛, 立人之道曰仁與義."

7 四維: 四方을 의미하다. 왕식은 『詩經』「小雅」의 "사방을 얽어 유지하며, 천자를 보필한다.(四方是維, 天子是毗.)"는 말을 인용하여 維를 연결한다는 의미로 푼다.

8 왕식은 음양강유가 4의 수라는 점을 지적하고 주자의 말을 인용하여 소강절이 4를 중시했다는 점을 강조한다. 주자는 이렇게 말했다. "강절은 4로 수를 일으켜서 겹겹으로 미루어 가니 『易』이 나온 이후로 이렇게 가지런하게 분류하여 모든 것을 포괄하게 만든 사람은 없었다. 생각건대 그는 한 가지 사물을 보면 4개로 나누었다.(康節, 以四起數, 疊疊推去, 自易以後, 無人做得一物如此整齊包括得盡. 想他每見一物便成四片了.)"

[9-1-3-0]

陰陽消長而爲寒暑, 一寒一暑而四時成焉. 剛柔交錯而有夷險, 一夷一險而四維成焉. 四時者, 天之道, 四維者, 地之理也. 萬物由是而生, 由是而成也. 萬物由是而生, 由是而成也. 斯所以爲大者也.

음·양이 줄어들고 자라서 추위와 더위가 되니 한 번 추워지고 한 번 더워져서 사시가 이루어진다. 강·유가 교류하고 섞여서 평이함과 험난함이 있으니 한번 평이해지고 한번 험난하여 사유四維가 이루어진다. 사시란 천天의 도이고 사유란 지地의 이치이다. 만물은 이것으로부터 생겨나고 이것으로부터 이루어진다. 만물이 이것으로부터 생겨나고 이것으로부터 이루어지면 이것이 큰 것이 되는 이유이다.

[9-1-4]

凡言大者, 無得而過之也. 亦未始以大爲自得, 故能成其大. 豈不謂至偉至偉者歟!

크다고 말한 것은 이것을 능가할 수가 없다는 것이다. 그러나 또한 처음부터 크다는 것으로 스스로 자만한 적이 없기 때문에 그 큼을 이룰 수 있다.[9] 어찌 지극히 위대하고 지극히 위대한 것이라고 말하지 않을 수 있겠는가!

[9-1-4-0]

'大哉, 乾元! 萬物資始. 至哉, 坤元! 萬物資生.' 物之資始資生, 可謂大矣. 然不自以爲大, 故能成其大也.

'크도다, 건원乾元이여! 만물이 이것을 취하여 시작한다. 지극하다, 곤원坤元이여! 만물이 이것을 취하여 생겨난다.'[10] 만물이 취하여 시작하고 생겨나게 하니 크다고 말할 수 있다. 그러나 스스로 크다고 생각하지 않기 때문에 그 큼을 이룰 수 있다.

[9-1-5]

天, 生于動者也, 地, 生于靜者也. 一動一靜交而天地之道盡之矣. 動之始則陽生焉, 動之極則陰生焉. 一陰一陽交而天之用盡之矣. 靜之始則柔生焉, 靜之極則剛生焉. 一剛一柔交而地之用盡之矣.

하늘은 움직임[動]에서 나오는 것이고 땅은 고요함[靜]에서 나오는 것이다. 한번 움직임과 한번 고요함이 교차하면서 천지의 모든 도가 다한다. 움직임이 시작하면 양이 생겨나고 움직임이 극한에 이르

---

9 黃奧洲는 『皇極經世書』(臺灣中華書局印行), "하늘은 땅에 의지하니 하늘이 건을 이루어 때때로 근심하여 자만兀하지 않고 땅은 하늘에 붙어 있어 땅이 곤을 이루어 편안하고 올바라서 허물이 없다.(天依於地, 天之所以成乾而時惕無兀, 地附乎天, 地之所以成坤而安貞無咎也.)"
10 『周易』「乾卦·彖傳」과 「坤卦·彖傳」에 나온 말이다.

면 음이 생겨난다. 한번 음으로 바뀌고 한번 양으로 바뀌는 것이 교차하면서 천天의 모든 작용[用]이 다한다. 고요함이 시작하면 유柔가 생겨나고 고요함이 극한에 이르면 강剛이 생겨난다. 한번 강하게 되고 한번 유하게 되는 것이 교차하면서 지地의 모든 작용이 다한다.

[9-1-5-0]

天圓, 故主動, 地方, 故主靜. ‘動之始則陽生’, 本乎動者也. 天雖主動, ‘動之極則陰生’, 有時而靜矣. ‘靜之始則柔生’, 本乎靜者也. 地主乎靜, ‘靜之極則剛生’, 有時而動矣. 此所謂‘一動一靜交而天地之道盡之矣’. 蓋言其體, 則天動而地靜. 言其用, 則天有陰陽, 陰靜而陽動也, 地有剛柔, 柔靜而剛動也. 是天地皆有動靜也. 此所謂‘一陰一陽交而天之用盡之矣；一剛一柔交而地之用盡之矣.’

천天은 둥글기 때문에 움직임을 주로 하고 지地는 네모나기 때문에 고요함을 주로 한다. ‘움직임이 시작되면 양이 생겨난다’는 것은 움직임에 근원하는 것이다. 천은 움직임을 주로 하지만 ‘움직임이 극한에서 음이 생겨난다’는 것은 때에 따라 고요해지는 것이다. ‘고요함이 시작되면 유柔가 생겨난다’는 것은 고요함에 근원하는 것이다. 지地는 고요함을 주로 하지만 ‘고요함이 극한에 이르면 강剛이 생겨난다’는 것은 때에 따라 움직이는 것이다. 이것이 ‘한번 움직임과 한번 고요함이 교차하여 천지의 도가 다한다’고 하는 것이다. 그 체體로 말하면 천은 움직이고 지는 고요하다. 그 용用으로 말하면 천에는 음양이 있어 음은 고요하고 양은 움직이고, 지에는 강유가 있어 유는 고요하고 강은 움직인다. 이것은 천과 지에 모두 움직임과 고요함이 있는 것이다. 이것이 ‘한번 음하고 한번 양하는 것이 교차하여 천의 작용이 다하고 한번 강하고 한번 음하는 것이 교류하여 지의 작용이 다한다는 것이다.

[9-1-6]

動之大者, 謂之太陽, 動之小者, 謂之少陽. 靜之大者, 謂之太陰, 靜之小者, 謂之少陰.

움직임의 큰 것은 태양이라고 하고 움직임의 작은 것은 소양이라고 한다. 고요함의 큰 것은 태음이라고 하고 고요함의 작은 것은 소음이라고 한다.

[9-1-6-0]

統言之則曰陰陽剛柔. 陰陽剛柔又有小大, 則爲太陽少陽太陰少陰太剛少剛太柔少柔也.

전체적으로 말하면 음양·강유이다. 음양·강유에 또 크고 작은 것이 있으니 태양·소양·태음·소음·태강·소강·태유·소유가 된다.

[9-1-7]

太陽爲日,

태양은 일日이다.

[9-1-7-0]

日者至陽之精也, 故太陽爲日. 在地則爲火. 先天圖以乾爲日, 乾之位在正南.

일日은 지극한 양의 정수精髓이므로 태양이 일이다. 땅에서는 화火이다. 선천도先天圖에서는 건乾괘가 일이고 건괘의 위치는 정남正南에 있다.

[9-1-8]

太陰爲月,

태음은 월月이다.

[9-1-8-0]

月者至陰之精, 得日氣而有光, 故太陰爲月, 在地則爲水. 先天圖以兌爲月, 兌之位在東南.

월月은 지극한 음의 정수이지만 일日의 기氣를 얻어 빛나므로 태음이 월이 되고, 땅에서는 수水가 된다. 선천도에서는 태兌괘가 월이고 태괘의 위치는 동남東南에 있다.

[9-1-9]

少陽爲星,

소양은 성星이다.

[9-1-9-0]

星者日之餘, 有光而見, 故少陽爲星, 在地則爲石. 先天圖以離爲星, 離之位在正東.

성星은 일日의 잔여로서 자체의 빛이 있어 드러나므로 소양이 성이 되고, 땅에서는 석石이 된다. 선천도에서는 이離괘가 성이고 이괘의 위치는 정동正東에 있다.

[9-1-10]

少陰爲辰. 日月星辰交而天之體盡之矣.

소음은 신辰이다. 일·월·성·신이 교류하여 천天(하늘)의 체體(몸체)가 다 갖춰진다.

[9-1-10-0]

辰者天之土, 不見而屬陰, 故少陰爲辰, 在地則爲土. 先天圖以震爲辰, 震之位在東北.

신은 천의 토土로 드러나지 않고 음에 속하므로 소음이 신이 되고, 땅에서는 토土가 된다. 선천도에서는 진震괘가 신이고 진괘의 위치는 동북東北에 있다.

[9-1-11]

太柔爲水,

태유는 수水이다.

[9-1-11-0]

水者天下至柔之物也, 其性潤下, 故太柔爲水, 在天則爲月. 先天圖以坤爲水, 坤之位在正北.
수水는 세상에서 지극히 부드러운 것으로 그 성질이 촉촉하고 아래로 내려가므로[11] 태유가 물이 되고, 하늘에서는 월月이 된다. 선천도에서는 곤坤괘가 수이고 곤괘의 위치는 정북正北에 있다.

[9-1-12]

太剛爲火,
태강은 화火이다.

[9-1-12-0]

火者天下至剛之物也, 其性炎烈, 故太剛爲火, 在天則爲日. 先天圖以艮爲火, 艮之位在西北.
화火는 세상에서 지극히 강한 것으로 그 성질이 건조하고 맹렬하므로 태강이 화가 되고, 하늘에서는 일日이 된다. 선천도에서는 간艮괘가 화이고 간괘의 방위는 서북西北에 있다.

[9-1-13]

少柔爲土,
소유는 토土이다.

[9-1-13-0]

土之爲物亦柔也, 其性軟緩, 故少柔爲土. 在天則爲辰. 先天圖以坎爲土, 坎之位在正西.
토土라는 것 역시 부드러운 것이다. 그 성질이 말랑말랑하고 늘어지므로 소유가 토가 되고, 하늘에서는 신辰이 된다. 선천도에서는 감坎괘가 토에 해당하고 감괘의 위치는 정서正西에 있다.

[9-1-14]

少剛爲石.
소강은 석石에 해당한다.

[9-1-14-0]

石亦剛物也, 其性堅, 故少剛爲石, 在天則爲星. 先天圖以巽爲石, 巽之位在西南. 此圖, 繫

---

11 『書經』「洪範」: "一五行一曰水, 二曰火, 三曰木, 四曰金, 五曰土. 水曰潤下, 火曰炎上, 木曰曲直, 金曰從革, 土爰稼穡."

辭所謂天地定位, 山澤通氣, 雷風相薄, 水火不相射, 是也. 此所謂伏羲八卦也.

석石 역시 강한 것이다. 그 성질이 견고하므로 소강은 석이 되고, 하늘에서는 성星이 된다. 선천도에서는 손巽괘가 석이고 손괘의 방위는 서남西南에 있다.[12] 이 그림[13]은 「계사전」에서 "하늘과 땅이 자리를 정하고 산과 연못이 기를 통하며 우레와 바람이 서로 부딪히고 물과 불이 서로 해치지 않는다."라고 한 것이 이것이다. 이것이 이른바 복희의 8괘이다.

或曰: 皇極經世, 舍金木水火土而用水火土石, 何也.

曰: 日月星辰, 天之四象也, 水火土石, 地之四體也. 金木水火土者, 五行也. 四象四體, 先天也, 五行, 後天也. 先天, 後天之所自出也; 水火土石, 五行之所自出也. 水火土石, 本體也; 金木水火土, 致用也. 以其致用, 故謂之五行, 行乎天地之間者也. 水火土石, 蓋五行在其間矣. 金出於石, 而木生於土, 有石而後有金, 有土然後有木. 金者從革而後成, 木者植物之一類也. 是豈舍五行而不用哉, 五行在其間者, 此之謂也. 皇極經世, 用水火土石, 以其本體. 洪範, 用金木水火土, 以其致用也. 皆有所主, 其歸則一.

어떤 사람이 물었다. "『황극경세』에서 금·목·수·화·토金木水火土 오행을 버리고 수·화·토·석을 사용한 것은 무슨 이유입니까?"

대답했다. "일·월·성·신은 천天의 4상四象이고 수·화·토·석은 지地의 4체體이다. 금·목·수·화·토는 5행五行이다. 4상과 4체는 선천先天이고 오행은 후천後天이다. 선천은 후천이 유래해 나오는 것이고 수·화·토·석은 오행이 유래해 나오는 곳이다. 수·화·토·석은 본체本體이고 금·목·수·화

· ·

12 이상의 내용은 앞에서 나온 『纂圖指要』의 經世天地四象圖의 근거가 된다. 간단히 도표화하면 다음과 같다.

兌(☱) 東南		乾(☰) 南		巽(☴) 西南	
太陰 月		太陽 日		少剛 石	
離(☲) 東				坎(☵) 西	
少陽 星				少柔 土	
震(☳) 東北		坤(☷) 北		艮(☶) 西北	
少陰 辰		太柔 水		太剛 火	

	선천도	천(天)	지(地)	방위
태양	건	일(日)	화(火)	정남
태음	태	월(月)	수(水)	동남
소양	리	성(星)	석(石)	정동
소음	진	신(辰)	토(土)	동북
소강	손	석(石)	성(星)	서남
소유	감	토(土)	신(辰)	정서
태강	간	화(火)	일(日)	서북
태유	곤	수(水)	월(月)	정북

13 이 그림이란 『纂圖指要』의 경세천지사상도를 말한다.

· 토는 그것이 '이루어진 작용致用'이다. 작용을 이루기 때문에 5행이라고 하니 하늘과 땅 사이에서 운행한다. 수·화·토·석은 오행이 그 사이에서 있는 것이다. 금金은 석石으로부터 나오고 목木은 토土로부터 생겨난다. 석이 있고 난 후에 금이 있고 토가 있고 난 후에 목이 있다. 금은 따르고 바꾼從革[14] 후에 이루어지고 목은 식물植物의 한 종류이니 어찌 오행을 버리고 쓰지 않는 것이겠는가! 오행이 그 사이에 있다는 것은 바로 이것을 말한다. 『황극경세』는 수·화·토·석을 사용하여 그 본래 체體로 했고 「홍범洪範」은 금·목·수·화·토를 사용하여 그 작용用을 이룬 것이니 모두 각각 위주로 삼은 바가 있지만 그 귀결점은 하나이다.

或曰 : 先天圖八卦次序與所爲之物與周易不同, 何也?
曰 : 先天圖八卦次序始於乾而終於坤, 此先天也, 伏羲八卦也. 周易自帝出乎震至成言乎艮, 此文王八卦也. 非獨八卦如此, 六十四卦亦不同也. 伏羲易無文字, 獨有卦圖陰陽消長而已. 孔子繫辭亦嘗言之矣. 聖人立法不同, 其道則相爲先後終始而未嘗不同也. 此皆有至理, 在乎信道者詳考焉.

어떤 사람이 물었다. "선천도의 8괘의 순서와 그것이 해당되는 사물의 순서와 『주역』의 순서가 다른 것은 무슨 이유입니까."
대답했다. "선천도 8괘의 순서는 건괘에서 시작하여 곤괘로 끝나니 이것이 선천으로 복희의 8괘이다. 『주역』은 '제帝가 진震으로부터 나온다.'에서부터 '간艮에서 이룬다.'[15]고 하는 데에 이르니, 이것이 문왕 8괘이다.[16] 8괘만 이러한 것이 아니라 64괘 역시 다르다. 복희 역은 문자가 없고 오직 괘와 그림에서 음양이 줄어들고 늘어날 뿐이다. 공자가 설명을 덧붙인 것 또한 그것을 말했다. 성인이 법法을 세운 것은 다르지만 그 도道는 서로 선후先後와 종시終始를 이루니 다른 적이 없었다. 여기에는 모두 지극한 이치가 있으니 도를 믿는 자가 상세하게 고찰하는 데에 달려있다.

[9-1-15]
水火土石交而地之體盡之矣.
수화토석이 교차하면서 지地의 체體가 다 갖추어진다.

---

14 從革 : 종혁은 금의 성질을 의미한다. 종은 두드려서 만드는 데로 따르는 것이고 혁은 모양을 바꾸는 것이다. 『尙書』「洪範」에 "木曰曲直, 金曰從革."이라고 했다. 孔安國의 傳(孔傳)에 "金可以改更."이라고 하였고 孔穎達의 疏에 "金可以從人改更, 言其可爲人用之意也."라고 하였는데 의미는 다르다.
15 『周易』「說卦傳」5장 : "상제가 震에서 나와 巽에서 깨끗이 하고 離에서 서로 만나보고 坤에서 일을 맡기고 兌에서 기뻐하고 乾에서 싸우고 坎에 위로하고 艮에서 이룬다.(帝出乎震, 齊乎巽, 相見乎離, 致役乎坤, 說言乎兌, 戰乎乾, 勞乎坎, 成言乎艮.)"
16 복희역은 '건태리진손감간곤'의 순서이고 문왕역은 '진손리곤태건감간'의 순서이다.

混成一體謂之太極. 太極既判, 初有儀形, 謂之兩儀. 兩儀又判而爲陰陽剛柔, 謂之四象.
四象, 又判而爲太陽少陽太陰少陰太剛少剛太柔少柔而成八卦. 太陽少陽太陰少陰, 成象
於天而爲日月星辰, 太剛少剛太柔少柔, 成形於地而爲水火土石, 八者具備, 然後天地之體
備矣. 天地之體備而後, 變化生成萬物也. 所謂八者, 亦本乎四而已.

在天成象, 日也, 在地成形, 火也, 陽燧取於日而得火, 火與日本乎一體也. 在天成象, 月也,
在地成形, 水也, 方諸取於月而得水, 水與月本乎一體也. 在天成象, 星也, 在地成形, 石也,
星隕而爲石, 石與星本乎一體也. 在天成象, 辰也, 在地成形, 土也, 自日月星之外, 高而蒼
蒼者, 皆辰也, 自水火石之外, 廣而厚者, 皆土也, 辰與土, 本乎一體也.

天地之間, 猶形影聲響之相應, 象見乎上, 體必應乎下, 皆自然之理也. 蓋日月星辰, 猶人
之有耳目口鼻, 水火土石, 猶人之有血氣骨肉, 故謂之天地之體. 陰陽剛柔, 則猶人之精神,
所以主耳目口鼻血氣骨肉者也, 故謂之天地之用.

혼돈스럽게 이루어진 일체一體[17]를 태극이라고 한다. 태극이 나뉜 뒤에 처음으로 모양儀形천지를 말함
이 있었으니 양의兩儀라고 한다. 양의가 또 나뉘어져 음양·강유가 되니 4상四象이라고 한다. 4상이
또 나뉘어 태양·소양·태음·소음·태강·소강·태유·소유가 되어 8괘가 된다. 태양·소양·태음·소
음이 하늘에서 상象을 이루어 일·월·성·신日月星辰이 되고 태강·소강·태유·소유가 땅에서 형形을
이루어 수·화·토·석水火土石이 되니 이 8가지가 구비된 후에 천지의 체體가 갖추어진다. 천지의 체
가 갖추어진 후에 변變하고 화化하여 만물을 생성한다. 8가지라는 것은 또한 4에 근본할 뿐이다.
하늘에서 상象을 이루는 것은 일日(해)이고 땅에서 형形을 이루는 것은 화火(불)인데 양수陽燧[18]가 해에
서 빛을 취하여 불을 얻으니 불과 해는 동일한 체一體에 근본한다. 하늘에서 상을 이루는 것은 월月
(달)이고 땅에서 형을 이루는 것은 수水(물)인데 방제方諸[19]가 달에서 취하여 물을 얻으니 물과 달은
동일한 체에 근본한다. 하늘에서 상을 이루는 것은 성星(별)이고 땅에서 형을 이루는 것은 석石(돌)인데
별이 떨어져 돌이 되니 별과 돌은 동일한 체에 근본한다. 하늘에서 상을 이루는 것은 신辰(별 이외의
영역)이고 땅에서 형을 이루는 것은 토土(흙)인데 하늘에서 일·월·성 이외에 높고 푸른 것이 모두
신辰이고 땅에서 수·화·석 이외에 넓고 두터운 것은 모두 흙이니 신과 토는 동일한 체에 근본한다.
천지 사이는 형체와 그림자, 소리와 메아리가 서로 호응하는 것과 같아서 위에서 상象이 드러나면

. . . .

17 混成 : 혼연일체 되어 저절로 생성되는 것을 말한다. 『老子』25장에는 "有物混成, 先天地生."라고 했는데 王弼
　　은 "혼돈스럽게 섞여 알 수 없지만 만물은 그것을 통해서 이루어진다. 그래서 혼성이라고 했다.(混然不可得而
　　知, 而萬物由之以成, 故曰混成也.)"라고 주석하고 있다.

18 陽燧 : 고대에서 빛을 가지고 불을 피우는 銅鏡을 말한다. 凹 모양이다. 『周禮』「秋官·司烜氏」에 "司烜氏,
　　掌以夫遂取明火於日, 以鑑."이라고 해다. 이에 漢나라 鄭玄은 "夫遂, 陽遂也."라고 주석을 했고 또 賈公彦이
　　"以其日者, 太陽之精, 取火於日, 故名陽遂."라고 소를 달고 있다.

19 方諸 : 고대에서 달 아래에서 이슬을 받아 물을 얻는 기구이다. 『淮南子』「覽冥訓」에 "大陽燧取火於日, 方諸取
　　露於月."이라고 했다.

아래에서 체體가 반드시 호응하니 모두 자연의 이치이다. 일·월·성·신은 사람에 이·목·구·비耳目口鼻가 있는 것과 같고 수·화·토·석은 사람에게 혈·기·골·육血氣骨肉이 있는 것과 같기 때문에 천지의 체體라 한다. 음양·강유는 사람의 정精·신神과 같아서 이·목·구·비와 혈·기·골·육을 주도하기 때문에 하늘과 땅의 작용(用)이라고 한다.[20]

夫太極者, 在天地之先而不爲先, 在天地之後而不爲後, 終天地而未嘗終, 始天地而未嘗始, 與天地萬物圓融和會而未嘗有先後始終者也. 有太極, 則兩儀四象八卦以至於天地萬物固已備矣. 非謂今日有太極而明日方有兩儀, 後日乃有四象八卦也. 雖謂之曰太極生兩儀, 兩儀生四象, 四象生八卦, 其實一時具足. 如有形則有影, 有一則有二有三, 以至於無窮皆然. 是故知太極者, 有物之先本已混成, 有物之後未嘗虧損, 自古及今, 無時不存, 無時不在. 萬物無所不稟則謂之曰命. 萬物無所不本則謂之曰性. 萬物無所不主則謂之曰天. 萬物無所不生則謂之曰心. 其實一也. 古之聖人窮理盡性以至于命, 盡心知性以知天, 存心養性以事天, 皆本乎此也.

태극은 천지의 앞에 있으면서도 앞서 있는 것이 아니고, 천지의 뒤에 있으면서도 뒤에 있는 것이 아니며, 천지가 끝나더라도 태극은 끝난 적이 없었고, 천지가 시작하더라도 태극은 시작해 본 적이 없으니, 천지 만물과 함께 두루 융합되어 조화를 이루어서 선후와 시종이 있어본 적이 없다. 태극이 있으면 양의·4상·8괘와 천지 만물에 이르기까지 모두 갖추어져 있는 것이지, 오늘 태극이 있고 내일이 되어 비로소 양의가 있고 또 그 다음날이 되어서 4상과 8괘가 있다는 말이 아니다. 태극이 양의를 낳고 양의가 4상을 낳고 4상이 8괘를 낳는다고 말했지만, 실제로 동시에 다 갖추어진다. 마치 형체가 있으면 그림자가 있고 1이 있으면 2가 있고 3이 있어서 무궁한 수에 이르기까지 모두 그러한 것과 같다. 그래서 태극이란 것은 사물이 있기 전에 본래 혼돈스럽게 하나의 전체로 이루어졌고 사물이 생겨난 후에도 어그러지거나 감소한 적이 없어서 옛날부터 지금까지 보존되지 않았던 적이 없고 존재하지 않았던 적이 없었다는 점을 알 것이다. 만물이 그 어느 것도 품부받지 않음이 없으니 명命이라고 하고, 만물이 그 어느 것도 근본하지 않음이 없으니 성性이라고 하고, 만물이 그 어느 것도 주인으로 삼지 않음이 없으니 천天이라고 하고, 만물이 그 어느 것도 생겨나지 않음이 없으니 심心이라고 하지만, 실제로는 하나이다. 옛날 성인이 이치를 궁구하고 본성을 다하여 명에 이르고[21]

....

20 이상의 내용을 도표화시키면 다음과 같다.

음·양	강·유
태양·소양·태음·소음	태강·소강·태유·소유
天 ; 象	地 ; 形
일·월·성·신	수·화·토·석
이·목·구·비	혈·기·골·육
천지의 몸체[體], 사람의 몸체	
사람의 神	사람의 精

마음을 다하고 본성을 알아서 하늘을 알고 마음을 보존하고 본성을 길러서 하늘을 섬긴다[22]고 했으니 모두 이것에 근본한 것이다.

[9-1-16]
日爲暑,

일日(해)은 더위[暑]가 되고

[9-1-16-0]
太陽爲日, 暑亦至陽之氣也.

태양이 일日이 되니 더위는 또한 지극한 양기陽氣이다.

[9-1-17]
月爲寒,

월月(달)은 추위[寒]가 되고

[9-1-17-0]
太陰爲月, 寒亦至陰之氣也.

태음이 월月이 되니 추위는 또한 지극한 음기陰氣이다.

[9-1-18]
星爲晝,

성星(별)은 낮[晝]이 되고

[9-1-18-0]
少陽爲星, 晝亦屬陽,

소양이 성星이 되니 낮 또한 양에 속한다.

[9-1-19]
辰爲夜,

- -

21 『周易』「說卦傳」: "昔者聖人之作易也, 幽贊於神明而生蓍, 參天兩地而倚數, 觀變於陰陽而立卦, 發揮於剛柔而生爻, 和順於道德而理於義, 窮理盡性以至於命."
22 『孟子』「盡心下」: "盡其心者, 知其性也. 知其性, 則知天矣. 存其心, 養其性, 所以事天也. 夭壽不貳, 修身以俟之, 所以立命也."

신辰(별 이외의 영역)은 밤[夜]이 되니

[9-1-19-0]

少陰爲辰, 夜亦屬陰,

소음은 신辰이 되니 밤 또한 음에 속한다.

[9-1-20]

暑寒晝夜交而天之變盡之矣.

더위·추위·낮·밤이 교체하면서 천天의 변變이 모두 다한다.

[9-1-20-0]

日月星辰交而後有暑寒晝夜之變, 有暑寒晝夜之變而後歲成焉.

일·월·성·신이 교체한 후에 더위·추위·낮·밤의 변함이 있고 더위·추위·낮·밤의 변함이 있은
후에 1년[歲]이 이루어진다.

[9-1-21]

水爲雨,

수水(물)는 비[雨]가 되고

[9-1-21-0]

雨者水氣之所化,

비는 수기水氣가 화化한 것이다.

[9-1-22]

火爲風,

화火(불)는 바람[風]이 되고

[9-1-22-0]

風者火氣之所化,

바람은 화기火氣가 화化한 것이다.

[9-1-23]

土爲露,

토土(흙)는 이슬[露]이 되고

[9-1-23-0]

露者土氣之所化.

이슬은 토기土氣가 화化한 것이다.

[9-1-24]

石爲雷,

석石은 우레[雷]가 되니

[9-1-24-0]

雷者, 石氣之所化. 然四者又交相化焉, 故雨有水雨, 有火雨, 有土雨, 有石雨. 水雨則爲霧霈之雨, 火雨則爲苦暴之雨, 土雨則爲霢霂之雨, 石雨則爲雹凍之雨. 所感之氣如此, 皆可以類推也.

우레는 석기石氣가 화화한 것이다. 그러나 4가지는 또 교체하여 서로 화化하기 때문에 비雨 속에 수우水雨가 있고 화우火雨가 있고 토우土雨가 있고 석우石雨가 있다. 수우는 장대비[霧霈]가 되고 화우는 폭우[苦暴]가 되고 토우는 가랑비[霢霂]가 되고 석우는 우박[雹凍]이 된다. 감感한 기가 이와 같으니 모두 유추할 수 있다.

[9-1-25]

雨風露雷交而地之化盡之矣.

비·바람·이슬·우레가 서로 교체하면서 지地의 화化가 모두 다한다.[23]

. . . .

23 천지의 변화 혹은 만물의 변화가 이루어지게 되는 과정을 설명하고 있다. 먼저 천지의 기본적인 작용은 동정이다. 그러나 하늘에도 동정이 있고 땅에도 동정이 있다. 하늘의 작용은 음양의 작용으로 이를 통해서 태양·소양·태음·소음이 분리되고, 땅의 작용은 강유의 작용으로 이를 통해서 태유·소유·태강·소유가 분리되어 나온다. 하늘의 체가 일월성신이고 땅의 체가 수화토석이지만 이것이 교류하고 변화하여 한서주야와 우풍로뢰가 이루어진다. 이 하늘의 變은 땅을 感시키고 땅은 그에 應하여 化하게 되는 것이다. 그래서 천지의 변화와 만물의 변화가 이루어지게 된다. 이상 소강절의 말을 간단하게 도표화하면 다음과 같다.

천(天) - 동(動)	지(地) - 정(靜)
一動一靜 - 天地之道 - 盡	
一陰一陽 - 天之用 - 盡	一柔一剛 - 地之用 - 盡
태양·소양·태음·소음 - 動靜之大少	태유·소유·태강·소강 - 動靜之大少
日月星辰交 - 天之體 - 盡	水火土石交 - 地之體 - 盡
寒暑晝夜交 - 天之變 - 盡	雨風露雷交 - 地之化 - 盡
變 - 感	化 - 應

[9-1-25-0]

水火土石交而後有雨風露雷之化. 有雨風露雷之化而後物生焉.

수·화·토·석이 교체한 후에 비·바람·이슬·우레의 화化가 있고 비·바람·이슬·우레의 화가 있은 후에 사물이 생겨난다.[24]

[9-1-26]

暑變物之性,

더위[暑]는 만물의 성질[性]을 변變하게 하고,

[9-1-26-0]

物之性屬陽, 故爲暑之所變.

만물의 성질[性]은 양에 속한다. 그러므로 더위에 의해서 변한다.

[9-1-27]

寒變物之情,

추위[寒]는 만물의 실정[情]을 변하게 하고,

[9-1-27-0]

物之情屬陰, 故爲寒之所變.

만물의 실정[情]은 음에 속한다. 그러므로 추위에 의해서 변한다.

[9-1-28]

晝變物之形,

낮은 사물의 형체[形]를 변하게 하고,

• • • • • • • • • • • • • • • • • • • •

24 지금까지의 내용을 요약하면 도표와 같다.

천(天)의 변(變)	태양	일(日)	서(暑)	지양지기(至陽之氣)	세(歲)가 이루어짐
	태음	월(月)	한(寒)	지음지기(至陰之氣)	
	소양	성(星)	주(晝)	양에 속함	
	소음	신(辰)	야(夜)	음에 속함	
지(地)의 화(化)	태유	수(水)	우(雨)	수기(水氣)의 화(化)	사물이 생겨남
	태강	화(火)	풍(風)	화기(火氣)의 화	
	소유	토(土)	로(露)	토기(土氣)의 화	
	소강	석(石)	뢰(雷)	석기(石氣)의 화	

[9-1-28-0]

形可見, 故屬陽, 爲晝之所變.

형체[形]는 볼 수 있으므로 양에 속하고 낮에 의해서 변한다.

[9-1-29]

夜變物之體.

밤[夜]은 사물의 체질[體]를 변하게 한다.

[9-1-29-0]

體有質, 故屬陰, 爲夜之所變

체질[體]은 질質이 있으므로 음에 속하고 밤에 의해서 변한다.

[9-1-30]

性情形體交而動植之感盡之矣.

性情形體交而後有動植之感. 感者唱也, 陽唱乎陰也.

성질·실정·형체·체질[25]이 교체하여 동물과 식물의 감발시킴[感]을 다한다.[26]

성질·실정·형체·체질이 교류한 후에 동물과 식물의 감발시킴이 있다. 감발시킴이란 부르는 것[唱]으로 양이 음을 부른다.

[9-1-31]

雨化物之走,

비[雨]는 사물의 달리는 것[走]을 화化하게 하고,

[9-1-31-0]

雨潤下, 故走之類感雨而化.

비는 촉촉하고 아래로 내려간다. 그러므로 달리는 것의 부류가 비를 감지하여 화化한다.

. . . .

25 「漁樵問對」: "뜻으로 얻을 수 있는 것이 사물의 성이고, 말로 전달할 수 있는 것이 사물의 정이며, 象으로 구할 수 있는 것이 사물의 형이고, 수로 취할 수 있는 것이 사물의 체이다.(可以意得者 物之性也, 可以言傳者, 物之情也, 可以象求者, 物之形也, 可以數取者, 物之體也.)"

26 『皇極經世書』外篇 10장: "形이 있으면 體가 있고 性이 있으면 情이 있다.(有形則有體, 有性則有情)" 이에 소백온은 "형이 있으면 체가 있다는 것은 체가 형에서 분석될 수 있을 뿐이라는 것이고 성이 있으면 정이 있다는 것은 정이 성에서 나뉠 뿐이라는 것이다.(有形則有體, 體者析乎形而已. 有性則有情, 情者分乎性而已.)"라고 했다. 형·체와 성·정은 하나의 두 측면일 뿐으로서 나누어질 수 있는 것이 아니다.

[9-1-32]

風化物之飛,

바람[風]은 사물의 나는 것[飛]을 화하게 하고,

[9-1-32-0]

風飄揚, 故飛之類感風而化.

풍風은 휘돌아 위로 올라간다. 그러므로 나는 것의 부류가 바람을 감지하여 화한다.

[9-1-33]

露化物之草,

이슬[露]은 사물의 풀[草]을 화하게 한다.

[9-1-33-0]

露濡潤, 故草之類感露而化.

이슬[露]은 물기가 적셔 있다. 그러므로 풀의 부류가 이슬을 감지하여 화한다.

[9-1-34]

雷化物之木,

우레[雷]는 사물의 나무[木]을 화하게 한다.

[9-1-34-0]

雷奮迅而出, 故木之類感雷而化. 然飛走草木又更相交錯而化. 如木之類亦有木之木, 有木之草, 木之飛, 木之走. 其他皆可以類推也.

우레[雷]는 빠르게 분출되어 나온다. 그러므로 나무의 부류가 우레를 감지하여 화한다. 그러나 나는 것·달리는 것·풀·나무는 또 다시 서로 교류하고 섞여서 화化한다. 예를 들면 나무[木]의 부류에는 또 나무의 나무가 있고 나무의 풀이 있고 나무의 나는 것이 있고 나무의 달리는 것이 있다. 그 밖의 것들도 다 유추할 수 있다.

[9-1-35]

走飛草木交而動植之應盡之矣.

달리는 것·나는 것·풀·나무[走飛草木]가 교체하여 동물과 식물의 호응[應]이 모두 다한다.

[9-1-35-0]

走飛草木交而後有動植之應. 應者和也, 陰和乎陽也. 性情形體, 本乎天者也. 飛走草木,本乎地者也. 本乎天者有感焉, 本乎地者有應焉. 一感一應, 天地之道萬物之理也.

달리는 것·나는 것·풀·나무가 교체한 후에 동물과 식물의 호응[應]이 있다. 호응이란 화답[和]하는 것으로 음이 양에 화답한다. 성질·실정·형체·체질은 천天에 근본한다. 달리는 것·나는 것·풀·나무는 지地에 근본한다. 천에 근본하는 것은 감발시킴[感]이 있고 지에 근본하는 것은 호응함[應]이 있다. 한번 감발시키고 한번 호응하는 것이 천지의 도이며 만물의 리理이다.[27][28]

[9-1-36]

走, 感暑而變者性之走也, 感寒而變者情之走也, 感晝而變者形之走也, 感夜而變者體之走也.

飛, 感暑而變者性之飛也, 感寒而變者情之飛也, 感晝而變者形之飛也, 感夜而變者體之飛也.

草, 感暑而變者性之草也, 感寒而變者情之草也, 感晝而變者形之草也, 感夜而變者體之草也,

木, 感暑而變者性之木也, 感寒而變者情之木也, 感晝而變者形之木也, 感夜而變者體之木也.

달리는 것에서 더위를 감지하여 변한 것은 성질 가운데 달리는 성질이고, 추위를 감지하여 변한 것은

---

27 이상의 내용을 도표화하면 다음과 같다. 하늘의 요소인 음양이 태양·소양·태음·소음으로 나뉘고 그것이 변하여 일월성신이 되고 또 그것이 서한주야로 변하여 천의 변이 이루어진다. 이 서한주야가 각각 사물의 성정형체를 변화시킨다. 땅의 요소인 강유가 태유·소유·태강·소강으로 나뉘고 그것이 화하여 수화토석이 되고 또 그것이 우풍로뢰로 되어 지의 화가 이루어진다. 이 우풍로뢰가 각각 사물의 주비초목을 화한다. 그러나 이 천의 변과 지의 화가 서로 교류하여 천지의 變化가 이루어지고 만물의 변화가 일어난다. 천의 요소는 지의 요소를 感하고 땅의 요소는 그에 應하는데, 양이 먼저 唱하고 음이 이에 和하는 것이다. 이를 도표화하면 다음과 같다.

天의 變	暑	性을 變	屬陽	성·정·형·체가 교류[交]하여 動植의 느낌[感]이 다함. 感은 唱[부름] 양이 음을 부른다.
	寒	情을 變	屬陰	
	晝	形을 變	屬陽(可見)	
	夜	體를 變	屬陰(有質)	
地의 化	雨	走를 化	潤下(感雨)	주·비·초·목이 교류[交]하여 動植의 반응[應]이 다함. 應은 和[화답] 음이 양에 화답한다.
	風	飛를 化	飄揚(感風)	
	露	草를 化	濡潤(感露)	
	雷	木을 化	奮迅而出(感雷)	

28 王植, 『皇極經世書解』: "'일이 서에 해당한다.'는 말 이하의 대의는 일·월·성·신이 교류한 후에 서·한·주·야가 있고 수·화·토·석이 교류한 후에 우·풍·로·뢰가 있다는 것이다. 그러나 모두 음양강유의 4상에서 벗어나지 않는다. 만물이 이 氣를 품수받아 생겨나서 성·정·형·체의 구분이 있고 비로소 사물의 종류에 주·비·초·목이 있는 것이다.(日爲暑以下大意, 不過謂日月星辰交而後有暑寒晝夜, 水火土石交而後有雨風露雷. 然皆不外於陰陽剛柔之四象. 萬物稟此氣而生, 遂有性情形體之分, 而物之類有走飛草木.)"

실정 가운데 달리는 실정이고, 낮을 감지하여 변한 것은 형체 가운데 달리는 형체이고, 밤을 감지하여 변한 것은 체질 가운데 달리는 체질이다.

나는 것에서 더위를 감지하여 변한 것은 성질 가운데 나는 성질이고, 추위를 감지하여 변한 것은 실정 가운데 나는 실정이고, 낮을 감지하여 변한 것은 형체 가운데 나는 형체이고, 밤을 감지하여 변한 것은 체질 가운데 나는 체질이다.

풀에서 더위를 감지하여 변한 것은 성질 가운데 풀의 성질이고, 추위를 감지하여 변한 것은 실정 가운데 풀의 실정이고, 낮을 감지하여 변한 것은 형체 가운데 풀의 형체이고, 밤을 감지하여 변한 것은 체질 가운데 풀의 체질이다.

나무에서 더위를 감지하여 변한 것은 성질 가운데 나무의 성질이고, 추위를 감지하여 변한 것은 실정 가운데 나무의 실정이고, 낮을 감지하여 변한 것은 형체 가운데 나무의 형체이고, 밤을 감지하여 변한 것은 체질 가운데 나무의 체질이다.

性, 應雨而化者走之性也, 應風而化者飛之性也, 應露而化者草之性也, 應雷而化者木之性也.

情, 應雨而化者走之情也, 應風而化者飛之情也, 應露而化者草之情也, 應雷而化者木之情也,

形, 應雨而化者走之形也, 應風而化者飛之形也, 應露而化者草之形也, 應雷而化者木之形也.

體, 應雨而化者走之體也, 應風而化者飛之體也, 應露而化者草之體也, 應雷而化者木之體也.

성질에서 비에 호응하여 화한 것이 달리는 성질이고, 바람에 호응하여 화한 것이 나는 성질이고, 이슬에 호응하여 화한 것이 풀의 성질이고, 우레에 호응하여 화한 것이 나무의 성질이다.

실정에서 비에 호응하여 화한 것이 달리는 실정이고, 바람에 호응하여 화한 것이 나는 실정이고, 이슬에 호응하여 화한 것이 풀의 실정이고, 우레에 호응하여 화한 것이 나무의 실정이다.

형체에서 비에 호응하여 화한 것이 달리는 형체이고, 바람에 호응하여 화한 것이 나는 형체이고, 이슬에 호응하여 화한 것이 풀의 형체이고, 우레에 호응하여 화한 것이 나무의 형체이다.

체질에서 비에 호응하여 화한 것이 달리는 체질이고, 바람에 호응하여 화한 것이 나는 체질이며, 이슬에 호응하여 화한 것이 풀의 체질이고, 우레에 호응하여 화한 것이 나무의 체질이다.[29]

. . . .

29 서한주야는 하늘의 요소이고 우풍로뢰는 땅의 요소이다. 하늘의 요소인 서한주야가 만물인 주비초목을 감발시키면 그것을 감지하여 주비초목의 성정형체가 변하게 된다. 즉 주비초목이 서한주야를 감지하여 그 성정형체를 변하게 한다. 이것을 感之變이라고 할 수 있다. 동시에 땅의 요소인 우풍로뢰가 만물인 주비초목에 영향을 미치면 주비초목은 우풍로뢰에 호응하여 그 성정형체를 化하게 한다. 결국 만물은 이 하늘의 요소와 땅의 요소에 영향을 받고 감발시킴[感]과 호응함[應]에 의하여 변화한다고 말할 수 있다. 만물은 하늘과 땅에

[9-1-36-0]

天地之生物所以萬殊而不同者, 以感應之交錯也. 感應之交錯, 所以謂之變化也. 易曰, '方以類聚, 物以羣分', 此之謂也.

천지가 만물을 낳는 데에 갖가지로 달라 같지 않은 것은 감발함과 호응함이 서로 섞이기 때문이다. 감발함과 호응함이 서로 섞이기 때문에 변과 화라고 한다. 『주역』에서 "일의 방향은 유형에 따라 모이고, 사물은 무리에 따라 나누어진다."[30]고 했는데 이를 말한다.

[9-1-37]

性之走善色, 情之走善聲, 形之走善氣, 體之走善味. 性之飛善色, 情之飛善聲, 形之飛善氣, 體之飛善味. 性之草善色, 情之草善聲, 形之草善氣, 體之草善味. 性之木善色, 情之木善聲, 形之木善氣, 體之木善味.

달리는 성질은 색깔이 좋고 달리는 실정은 소리가 좋고 달리는 형체는 냄새가 좋고 달리는 체질은 맛이 좋다.

나는 성질은 색깔이 좋고 나는 실정은 소리가 좋고 나는 형체는 냄새가 좋고 나는 체는 맛이 좋다.

풀의 성질은 색깔이 좋고 풀의 실정은 소리가 좋고 풀의 형체는 냄새가 좋고 풀의 체질은 맛이 좋다.

나무의 성질은 색깔이 좋고 나무의 실정은 소리가 좋고 나무의 형체는 냄새가 좋고 나무의 체질은 맛이 좋다.[31]

· ·

의해서 생겨나기도 하지만 두 가지 요소의 영향을 받으면서 感應하고 그 감응에 따라서 만물은 변화한다는 것이다. 이상의 내용을 도표화하면 이렇다.

天					地				
暑	寒	晝	夜	感之變	應之化	雨	風	露	雷
性之走	情之走	形之走	體之走	走	性	走之性	飛之性	草之性	木之性
性之飛	情之飛	形之飛	體之飛	飛	情	走之情	飛之情	草之情	木之情
性之草	情之草	形之草	體之草	草	形	走之形	飛之形	草之形	木之形
性之木	情之木	形之木	體之木	木	體	走之體	飛之體	草之體	木之體

30 『周易』「繫辭上」: "方以類聚, 物以羣分." 方에 대해 주자는 "방은 사정이 향하는 바를 말한다. 사물의 선악은 각각 종류로 구분된다.(方, 謂事情所向, 言事物善惡, 各以類分.)"라고 했다.

31 性이 色에 관련되고, 情이 聲과 관련되며, 形이 氣와 관련되고 體가 味와 관련된다. 도표화 하면 다음과 가다. 즉 성정형체의 주비초목을 가지고 그것이 가진 색성기미의 좋은 것을 말하고 있다. 성정형체가 뛰어나면 색성기미가 뛰어난다는 의미이다. 도표화하면 다음과 같다.

善色	善聲	善氣	善味
性之走	情之走	形之走	體之走
性之飛	情之飛	形之飛	體之飛
性之草	情之草	形之草	體之草
性之木	情之木	形之木	體之木

走之性善耳, 飛之性善目, 草之性善口, 木之性善鼻. 走之情善耳, 飛之情善目, 草之情善口, 木之情善鼻. 走之形善耳, 飛之形善目, 草之形善口, 木之形善鼻. 走之體善耳, 飛之體善目, 草之體善口, 木之體善鼻.

달리는 성질은 귀가 좋고 나는 성질은 눈이 좋고 풀의 성질은 입이 좋고 나무의 성질은 코가 좋다. 달리는 실정은 귀가 좋고 나는 실정은 눈이 좋고 풀의 실정은 입이 좋고 나무의 실정은 코가 좋다. 달리는 형체는 귀가 좋고 나는 형체는 눈이 좋고 풀의 형체는 입이 좋고 나무의 형체는 코가 좋다. 달리는 체질은 귀가 좋고 나는 체질은 눈이 좋고 풀의 체질은 입이 좋고 나무의 체질은 코가 좋다.[32][33]

[9-1-37-0]

物有聲色氣味, 人有耳目口鼻. 此又言人物之有所合也. 天地之生物, 皆以其類而有所合焉.

만물은 소리·색깔·냄새·맛聲色氣味]이 있고 사람은 귀·눈·입·코耳目口鼻]가 있다. 이것은 또 사람과 만물이 부합符合하는 바가 있음을 말한 것이다. 천지가 사물을 낳는 때는 모두 그 종류에 따라 부합하는 바가 있다.

[9-1-38]

夫人也者, 暑寒晝夜無不變, 雨風露雷無不化, 性情形體無不感, 飛走草木無不應. 所以目善萬物之色, 耳善萬物之聲, 鼻善萬物之氣, 口善萬物之味, 靈于萬物不亦宜乎.

사람은 더위·추위·낮·밤에 의해 변變하지 않음이 없고 비·바람·이슬·우레에 의해 화化하지 않음이 없으며 성질·실정·형체·체질에 감지하지 않음이 없고 달리는 것·나는 것·풀·나무에 호응하지 않음이 없다. 그래서 눈은 만물의 색깔을 잘 보고 귀는 만물의 소리를 잘 듣고 코는 만물의 냄새를

---

32 주비초목의 성정형체를 가지고 이목구비의 뛰어남을 말하고 있다. 走의 요소가 耳와 관련되고 飛의 요소가 目과 관련되며, 草의 요소가 口와 관련되고 木의 요소가 鼻와 관련된다.

善耳	善目	善口	善鼻
走之性	飛之性	草之性	木之性
走之情	飛之情	草之情	木之情
走之形	飛之形	草之形	木之形
走之體	飛之體	草之體	木之體

33 이상의 내용을 전체적으로 도표화하면 다음과 같다.

天				地			
日	月	星	辰	水	火	土	石
暑	寒	晝	夜	雨	風	露	雷
性	情	形	體	走	飛	草	木
走飛草木	走飛草木	走飛草木	走飛草木	性情形體	性情形體	性情形體	性情形體
色	聲	氣	味	耳	目	口	鼻
乾	兌	離	震	坤	艮	坎	巽

잘 느끼고 입은 만물의 맛을 잘 느끼니 만물에서 가장 영특한 것이 마땅하지 않은가!³⁴

[9-1-38-0]

暑寒晝夜無所不變, 雨風露雷無所不化, 性情形體無所不感, 飛走草木無所不應, 然後能生而爲人. 故唯人爲能目善萬物之色, 耳善萬物之聲, 鼻善萬物之氣, 口善萬物之味. 不獨耳目口鼻能善萬物之聲色氣味, 而心之官又能善萬物之理, 此所以靈于萬物也. 蓋天地巨物也, 分而爲萬物. 萬物各得天地之一端, 能備天地兼萬物者, 人之謂也. 故能與天地並立而爲三才. 孟子曰, "萬物皆備於我," "唯聖人然後能踐形." 能踐形則能反身而誠之, 求諸己而天下之理得矣. 衆人則日用而不知, 役於萬物而喪其良貴. 雖謂之人, 曾何異於物哉.

더위 · 추위 · 낮 · 밤에 의해 변變하지 않음이 없고, 비 · 바람 · 이슬 · 우레에 의해 화化하지 않음이 없으며 성질 · 실정 · 형체 · 체질에 의해 감지하지 않음이 없고 달리는 것 · 나는 것 · 풀 · 나무에 호응하지 않음이 없는 연후에야 생겨나서 사람이 될 수 있다. 그래서 오직 사람만이 눈으로 만물의 색깔을 잘 보고 귀로 만물의 소리를 잘 듣고 코로 만물의 냄새를 잘 느끼고 입으로 만물의 맛을 잘 느낄 수 있다. 단지 귀 · 눈 · 입 · 코로 만물의 소리 · 색깔 · 냄새 · 맛을 잘 느낄 뿐만이 아니라 마음이라는 기관은 또 만물의 리理를 잘 알 수 있으니, 이것이 만물 가운데에서 가장 영특한 이유이다. 천지는 거대한 사물이지만 나뉘어서 만물이 되었다. 만물은 각각 천지의 일부분을 얻었지만 천지를 갖추고 만물을 아우를 수 있는 것을 사람이라고 한다. 그러므로 천지와 나란하게 반열을 이루어 삼재三才가 될 수 있다. 맹자가 "만물의 이치가 모두 나에게 갖추어져 있다."³⁵고 했고 "오직 성인이 된 후에야 형색形色대로 실천할 수 있다."³⁶고 했으니 형색대로 실천할 수 있다면 스스로 몸을 돌이켜 성誠해지며 자신에게서 구하여 천하의 이치를 얻을 수 있다. 일반 사람들은 매일 사용하면서 알지 못하고 만물에 얽매여서 고귀한 양심을 잃게 되니 사람이라고 하지만 만물과 무엇이 다르겠는가!³⁷, ³⁸

---

34 王植의 『皇極經世書解』에서 黃畿는 다음과 같이 1장의 내용을 정리한다. "사람이 동식물과 다른 이유는 천지의 온전한 작용을 얻었기 때문이다. 그래서 서 · 한 · 주 · 야는 하늘의 작용으로 사람은 이러한 氣의 變함을 이어받지 않음이 없어서 성 · 정 · 형 · 체가 있어 그것을 느낀다. 우 · 풍 · 로 · 뢰는 땅의 작용으로 사람은 이러한 質의 化함을 받지 않음이 없어서 주 · 비 · 초 · 목을 본떠 그것에 응한다. 사람이 변화하고 감응하는 것이 만물과 다르기 때문에 보고 듣고 냄새 맡고 맛보는 것을 만물에 두루두루 할 수 있다.(人之所以異於動植之物者, 以得天地之全用也. 故暑寒晝夜, 天之用也, 而人無不承是氣之變, 所以皆有性情形體以感之. 雨風露雷, 地之用也, 而人無不受是質之化, 所以皆象飛走草木以應之. 由其變化感應之異於物, 是以視聽嗅嘗之偏乎物.) … 이 · 목 · 구 · 비가 머리에 있는 것은 하늘에 일 · 월 · 성 · 신이 있는 것과 같고 성 · 색 · 취 · 미가 몸에 있는 것은 땅에 수 · 화 · 토 · 석이 있는 것과 같으니 兩儀 · 四象과 權道의 변화가 나에게 있어서 성인의 사업을 이루기 어렵지 않다.(蓋耳目口鼻全於首, 猶天之日月星辰也, 聲色臭味全於身, 猶地之水火土石也, 兩儀四象權變在我, 聖人事業, 不難致矣.)"

35 『孟子』「盡心上」 4장: 孟子曰, "萬物皆備於我矣. 反身而誠, 樂莫大焉."

36 『孟子』「盡心上」 38장: 孟子曰, "形色, 天性也, 惟聖人, 然後可以踐形."

37 사람이 다른 만물보다 뛰어난 이유를 설명하고 있다. 사람은 만물처럼 천지의 변화에 의해서 생겨났지만

觀物內篇之二 관물내편 2

[9-2-1]

人之所以能靈于萬物者, 謂其目能收萬物之色, 耳能收萬物之聲, 鼻能收萬物之氣, 口能收萬物之味. 聲色氣味者, 萬物之體也, 目耳鼻口者, 萬人之用也.

사람이 만물 가운데에서 가장 영험할 수 있는 것은 그의 눈이 만물의 색깔을 거둘 수 있고 귀가 만물의 소리를 거둘 수 있고 코가 만물의 냄새를 거둘 수 있고 입이 만물의 맛을 거둘 수 있다는 것을 말한다. 소리·색깔·냄새·맛은 만물의 체體이고 눈·귀·코·입은 모든 사람의 용用이다.[39]

[9-2-1-0]

人有耳目口鼻, 物有聲色氣味. 人之耳目口鼻能收物之聲色氣味者, 蓋以人之與物本乎天地之一氣, 同乎天地之一體也. 是故聖人盡己之性能盡人之性, 盡人之性能盡物之性. 己之與人, 人之與物, 本乎一道故也.

사람은 귀·눈·입·코가 있고 사물은 소리·색깔·냄새·맛이 있다. 사람의 이·목·구·비가 사물의 성·색·기·미를 거둘 수 있는 것은 사람과 사물이 천지의 일기一氣(하나의 기)에 근본하고 천지의 일체一體(하나의 몸체)와 동일하기 때문이다. 그래서 성인은 자신의 본성을 다 실현하면 타인의 본성을 다 실현할 수가 있고 타인의 본성을 다 실현하면 만물의 본성을 다 실현할 수가 있다.[40] 자신과

그 가운데 가장 뛰어나다는 말이다. 주돈이도 『太極圖』에서 유사하게 생각하고 있다. "만물이 생겨나고 생겨나서 변화가 무궁하다. 그러나 오직 인간만이 그 빼어난 것을 얻어 가장 신령하다.(萬物生生而變化無窮焉. 唯人也, 得其秀而最靈.)"

38 王植, 『皇極經世書解』: "이것은 이장의 끝에서 사람으로 모두 귀결시켜 전체 편의 의미를 끝맺은 것이다. 「外篇」1장에서 '일·월·성·신이 함께 하늘이 되고 수·화·토·석이 함께 땅이 되며, 이·목·구·비가 함께 머리가 되고 髓血骨肉이 함께 몸이 된다.'고 했고, 소백온이 말하기를 '변·화와 감·응이 이루어진 후에야 생겨나 사람이 될 수 있으니 천지가 사람을 낳는 것으로 말했다.'고 했으며, 황기는 말하기를 '사람이 변·화하고 감·응하는 것이 만물과 다르기 때문에 보고 듣고 냄새 맡고 맛보는 것을 만물에 두루두루 할 수 있다.'고 했는데 다만 이·목·구·비의 잘하는 이유만을 말하였고 두 가지를 나누어 말하지 않았으니 황씨의 학설이 더 뛰어나다.(此於篇末總歸於人, 以結通篇之意. 外篇之一云, 日月星辰共爲天, 水火土石共爲地, 耳目鼻口共爲首, 髓血骨肉共爲身. 邵伯子謂, 變化感應然後, 能生而爲人, 以天地之生人言, 黃氏謂, 變化感應異於物, 是以視聽嗅嘗徧乎物, 祇言目耳鼻口所以能善之故, 不分兩層, 黃氏爲優.)"

39 王植, 『皇極經世書解』: "성인을 말하려고 먼저 사람과 사물을 말했다. 사물 가운데 성·색·기·미가 있는 것은 모두 형체形가 있는 것이다. 그래서 體라고 했고 사람이 눈으로 보고 귀로 듣고 코로 냄새 맡고 입으로 맛보는 것은 氣로써 하는 것이다. 그래서 用이라 했다.(欲言聖人, 先言人且先言物, 物之有色有聲有氣有味者, 皆有形者也, 故謂之體, 人之目視耳聞鼻嗅口嘗者, 皆以氣者也, 故謂之用.)"

40 『中庸』22장 : "惟天下至誠, 爲能盡其性, 能盡其性, 則能盡人之性, 能盡人之性, 則能盡物之性, 能盡物之性, 則可以贊天地之化育, 可以贊天地之化育, 則可以與天地參矣."

타인, 타인과 만물은 하나의 도에 근본하고 있기 때문이다.

[9-2-2]

體無定用, 惟變是用, 用無定體, 惟化是體. 體用交而人物之道于是乎備矣.

체體는 고정된 용用이 없으니 오직 변變을 용으로 삼고(변이 용이고) 용用은 고정된 체體가 없고 화化를 체體로 삼는다.(화가 체이다.) 체와 용이 교류하여 사람과 사물의 도가 여기에서 갖추어진다.[41]

[9-2-2-0]

體本無體, 故惟化是體, 用本無用, 故惟變是用, 體用變化, 天地之至妙者也. 自非聖人孰能與於此.

체體는 본래 체가 없기 때문에 오직 화化하는 것이 체이고, 용用에는 본래 용이 없기 때문에 오직 변變하는 것이 용이니, 체와 용의 변과 화는 천지의 지극히 오묘한 것이다. 본래 성인이 아니라면 누가 여기에 참여할 수 있겠는가.[42]

[9-2-3]

然則人亦物也, 聖亦人也. 有一物之物, 有十物之物, 有百物之物, 有千物之物, 有萬物之物, 有億物之物, 有兆物之物, 生一一之物當兆物之物者, 豈非人乎?

有一人之人, 有十人之人, 有百人之人, 有千人之人, 有萬人之人, 有億人之人, 有兆人之人, 生一一之人當兆人之人者, 豈非聖乎?

是知人也者, 物之至者也, 聖也者, 人之至者也, 物之至者, 始得謂之物之物也, 人之至者, 始得謂之人之人也. 夫物之物者, 至物之謂也, 人之人者, 至人之謂也. 以一至物而當一至人, 則非聖而何! 人謂之不聖, 則吾不信也.

그렇다면 사람도 사물이고 성인도 사람이다. 일물一物에 불과한 물이 있고, 십물十物 가운데 빼어난

- -

41 張行成, 『皇極經世書索隱』: "양은 작용을 주로 하기 때문에 천의 서한주야의 변이 사물의 성정형체가 되고, 음은 형체를 주도하기 때문에 지의 우풍로뢰의 화가 사물의 주비초목이 된다.(陽主用, 故天之暑寒晝夜之變爲物之性情形體, 陰主體, 故地之雨風露雷之化爲物之走飛草木.)

42 王植, 『皇極經世書解』: "「外篇」에서 말하기를 '氣는 변하고 形體는 化한다.'고 했으니 사물에서는 感에 따라 오지만 오직 사람이 쓰는 바이기 때문에 정해진 형체가 없는 것이고 사람에게서는 사물에 따라서 응하여 오직 사물의 적절함이기 때문에 정해진 쓰임이 없다. 사람과 사물이 왕래하여 기와 형체가 서로 숨쉬기 때문에 '체와 용이 교류하여 사람과 사물의 도가 갖추어진다.'고 했다. 여기서는 사람과 사물의 변화와 감응의 이치와 성인과 일반 사람이 같음을 논한 것이다. 그런데 소백온이 '성인이 아니라면 여기에 참여할 수 없다.'고 했으니 그 의미는 아닌 것 같다.(外篇云, 氣變而形化, 在物者, 隨感而來, 惟人所用, 故無定體, 在人者, 因物而應, 惟物之宜, 故無定用. 人物往來, 形氣相息, 故曰體用交而人物之道備. 此汎論人物變應之理, 聖人與衆人所同然. 邵伯子謂非聖人不能與於此, 似非其義.)" 왕식은 또 소백온이 성인만을 강조하는 논법을 비판한다.

사물이 있고, 백물百物 가운데 빼어난 사물이 있고, 천물千物 가운데 빼어난 사물이 있고, 만물萬物 가운데 빼어난 사물이 있고, 억물億物 가운데 빼어난 사물이 있고, 조물兆物 가운데 빼어난 사물이 있다. 하나의 일물一物로 태어나서 1조 가지 사물 가운데 빼어난 사물에 해당하는 것이 어찌 사람이 아니겠는가. 일인一人에 불과한 사람이 있고, 십인十人 가운데 빼어난 사람이 있고, 백인百人 가운데 빼어난 사람이 있고, 천인千人 가운데 빼어난 사람이 있고, 만인萬人 가운데 빼어난 사람이 있고, 억인億人 가운데 빼어난 사람이 있고, 조인兆人 가운데 빼어난 사람이 있다. 하나의 일인一人으로 태어나서 조인兆人 가운데 빼어난 사람에 해당하는 것이 어찌 성인이 아니겠는가.

이로써 사람은 사물 가운데 지극히 영특한 것이고 성인이란 사람 가운데 가장 영특한 자임을 알 수 있으니, 사물 가운데 지극히 영특한 것을 비로소 사물 가운데 빼어난 사물이라고 말하고, 사람 가운데 가장 영특한 자를 비로소 사람 가운데 빼어난 사람이라고 말할 수 있다. 사물 가운데 사물은 지극히 영특한 사물을 말하고, 사람 가운데 사람은 지극히 영특한 사람을 말한다. 하나의 지극히 영특한 사물로서 하나의 지극히 영특한 사람에 해당하니 성인이 아니고 무엇이겠는가! 성인이 아니라고 말한다면 나는 믿지 않을 것이다.

[9-2-3-0]

物有巨細, 人有賢愚, 有一物之物, 有十物之物, 有百物之物, 有千物之物, 有萬物之物, 有億物之物, 有兆物之物, 物之巨細如此, 生一一之物能當兆物者, 人之謂也. 言人能兼兆物也. 有一人之人, 有十人之人, 有百人之人, 有千人之人, 有萬人之人, 有億人之人, 有兆人之人, 人之賢愚如此, 生一一之人能當兆人者, 聖人之謂也. 言聖人能兼兆人也. 聖人非徒能兼兆人, 又能兼兆物. 能兼兆物兆人, 又能兼天地者, 聖人之謂也.

만물에는 크고 작은 것이 있고 사람에게는 현명하고 어리석은 자가 있으니, 한 가지 사물의 사물이 있고, 열 가지 사물 가운데 빼어난 사물이 있고, 백 가지 사물 가운데 빼어난 사물이 있고, 천 가지 사물 가운데 빼어난 사물이 있고, 만 가지 사물 가운데 빼어난 사물이 있고, 1억 가지 사물 가운데 빼어난 사물이 있고, 1조 가지 사물 가운데 빼어난 사물이 있어서 만물 가운데 크고 작음이 이와 같다. 이렇게 하나의 일물一物을 낳아서 1조 가지 사물을 감당할 수 있는 것은 사람을 말한다. 이는 사람이 1조의 사물을 겸할 수 있다는 말이다. 한 사람의 사람이 있고, 열 사람 가운데 빼어난 사람이 있고, 백 사람 가운데 빼어난 사람이 있고, 천 사람 가운데 빼어난 사람이 있고, 만 사람 가운데 빼어난 사람이 있고, 1억 사람 가운데 빼어난 사람이 있고, 1조 사람 가운데 빼어난 사람이 있어서 사람 가운데 현명하고 어리석음이 이와 같다. 이렇게 하나의 일인一人을 낳아서 1조 사람을 감당하는 사람은 성인을 말한다. 이는 성인이 1조의 사람을 겸할 수 있다는 말이다. 성인은 1조의 사람을 겸할 수 있을 뿐만 아니라 또 1조의 사물을 겸할 수 있다. 1조의 사물과 1조의 사람을 겸할 수 있고 또 천지를 겸할 수 있는 자는 성인을 말한다.

兼兆物則謂之至物, 兼兆人則謂之至人, 至物者, 物之物也, 至人者, 人之人也. 以一至物當一至人, 則謂之聖人. 麒麟之於走獸, 鳳凰之於飛鳥, 物之至者也. 聖人之於人, 人之至者也. 天下之物, 或相倍蓰, 或相千萬, 物之不齊, 物之情也. 物之不齊如此, 唯聖人能盡之者, 以能兼兆物兼兆人又能兼天地故也.

1조의 사물을 겸하므로 지극한 사물을 말하고 1조의 사람을 겸하므로 지극한 사람을 말한다. 지극한 사물이 사물 가운데 사물이고, 지극한 사람이 사람 가운데 사람이다. 하나의 지극한 사물로서 하나의 지극한 사람을 감당하니 성인을 말한다. 기린은 들짐승 가운데 지극한 짐승이고, 봉황은 날짐승 가운데 지극한 짐승이고, 성인은 사람들 가운데 지극한 사람이다. 세상의 사물은 어떤 것은 서로 배로 차이가 나고 혹은 다섯 배가 차이가 나며, 어떤 것은 서로 천 배의 차이가 나고 혹은 만 배의 차이가 나니, 사물이 가지런하지 않은 것이 바로 만물의 실정이다.[43] 만물이 고르지 않은 것이 이와 같지만 오직 성인만이 가지런하지 않은 만물을 모두 다 실현시킬 수 있는 것은 1조의 사물과 1조의 사람을 겸할 수 있고 또 천지를 겸할 수 있기 때문이다.

[9-2-4]
何哉? 謂其能以一心觀萬心, 一身觀萬身, 一物觀萬物, 一世觀萬世者焉.

무슨 말인가? 한 사람의 마음으로써 만 사람의 마음을 볼 수 있고 한 사람 몸으로써 만 사람의 몸을 볼 수 있으며 한 가지 사물로써 만 가지 사물을 볼 수 있고 한 세대로써 만 세대를 볼 수 있는 자를 말한다.

[9-2-4-0]
天下人之心, 一人之心是也, 故能以一心觀萬心. 天下人之身, 一人之身是也, 故能以一身觀萬身. 萬物之理, 一物之理是也, 故能以一物觀萬物. 萬世之事, 一世之事是也, 故能以一世觀萬世. 聖人能兼天地人物又能兼古今, 故能如此.

세상 사람들의 마음이 한 사람의 마음과 같으므로 한 사람의 마음으로써 만 사람의 마음을 볼 수 있다. 세상 사람들의 몸이 한 사람의 몸과 같으므로 한 사람의 몸으로써 만 사람의 몸을 볼 수 있다. 만물의 리理는 한 사람의 리理와 같으므로 한 가지 사물로써 만 가지 사물을 볼 수 있다. 만 세대의 일들은 한 세대의 일들과 같으므로 한 세대로써 만 세대의 일들을 볼 수 있다. 성인은 천지와 사람과 사물을 겸할 수 있고 또 고금古今을 겸할 수 있으므로 이렇게 할 수 있다.

・・・・・・・・・・・・・・・・・・・・・・・

43 『孟子』「滕文公上」: "사물이 고르지 않는 것이 만물의 실정이니, 값의 차이가 혹 서로 배가 되고 다섯 배가 되며, 혹은 서로 열 배가 되고 백 배가 되며, 혹은 서로 천 배가 되고 만 배가 되거늘, 그대가 이것을 나란히 하여 똑같이 하려하니, 이는 천하를 어지럽게 하는 것이다. 큰 신과 작은 신이 값이 같다면 사람들이 어찌 큰 신을 만들겠는가. 허자의 도를 따른다면 서로 이끌고서 거짓을 할 것이니, 어떻게 국가를 다스릴 수 있겠는가.(夫物之不齊, 物之情也, 或相倍蓰, 或相什百, 或相千萬. 子比而同之, 是亂天下也. 巨屨小屨同賈, 人豈爲之哉? 從許子之道, 相率而爲僞者也, 惡能治國家?)"

[9-2-5]

又謂其能以心代天意, 口代天言, 手代天工, 身代天事者焉.

또 마음으로 천의天意(하늘의 뜻)를 대신할 수 있고 입으로 천언天言(하늘의 말)을 대신할 수 있고 손으로 천공天工(하늘의 기술)을 대신할 수 있고 몸으로 천사天事(하늘의 일)를 대신할 수 있는 자를 말한다.

[9-2-5-0]

聖人心合天意, 言行皆與天合, 故能以心代天意, 口代天言, 手代天工, 身代天事. 天地以無心爲心, 天何所容心哉! 故唯能無心而後能代天意. 天何言哉! 四時行焉, 百物生焉, 天何言哉! 故唯能無言而後能代天言. 雲行雨施, 品物流形, 天何爲哉! 故唯能無爲而後能代天工天事焉.

성인의 마음은 천의天意와 부합하고 언행은 모두 천天과 부합하므로 마음으로 천의를 대신할 수 있고 입으로 천언을 대신할 수 있고 손으로 천공을 대신할 수 있고 몸으로 천사를 대신할 수 있다. 천지는 무심無心(의도가 개입되지 않은 마음)을 마음으로 삼으니 하늘이 어찌 마음을 담아두겠는가! 그래서 오직 무심할 수 있은 다음에야 천의를 대신할 수 있다. 하늘이 무슨 말을 하는가! 사 계절은 운행되고 만물은 생겨나니 하늘이 무슨 말을 하는가!44 그래서 오직 말이 없는 후에야 천언을 대신할 수 있다. 구름이 지나가고 비가 오며 갖가지 만물이 흘러 형체를 이루니45 하늘이 무엇을 의도하겠는가! 그래서 오직 의도하지 않은 후에야 천공과 천사를 대신할 수 있다.

[9-2-6]

又謂其能以上識天時, 下盡地理, 中盡物情, 通照人事者焉.

또 위로 천시天時를 알 수 있고 아래로 지리地理를 모두 파악할 수 있으며 그 사이에 만물의 실정을 모두 다 헤아리고 인간사에 두루 비출 수 있는 자를 말한다.

[9-2-6-0]

知陰陽消長之道, 故能上識天時. 知剛柔夷險之理, 故能下盡地理. 知巨細品類之別, 故能中盡物情. 達利害成敗之幾, 故能通照人事.

음양이 줄어들고 늘어나는 도를 알기 때문에 위로 천시를 알 수 있다. 강유가 평이하고 험한 리理를 알기 때문에 아래로 지리를 모두 파악할 수 있다. 크고 작은 품등과 종류의 차이를 알기 때문에 그 사이로 사물의 실정을 다 헤아릴 수 있다. 이로움과 해로움 성공과 실패의 기미에 통달했기 때문

---

44 『論語』「陽貨」: "子曰, '予欲無言.' 子貢曰, '子如不言, 則小子何述焉?' 子曰, '天何言哉? 四時行焉, 百物生焉, 天何言哉?'"

45 『周易』「乾卦·象傳」: "象曰, 大哉乾元! 萬物資始, 乃統天. 雲行雨施, 品物流形. 大明終始, 六位時成, 時乘六龍以御天. 乾道變化, 各正性命, 保合太和, 乃利貞. 首出庶物, 萬國咸寧."

에 인간사를 두루 알 수 있다.

[9-2-7]

又謂其能以彌綸天地, 出入造化, 進退古今, 表裏人物者焉.

또 천지의 도를 모두 다 포괄하여 조리를 세우고[46] 조화造化를 드리기도 하고 내기도 하며 고금을 왔다갔다 하고[47] 사람과 만물을 드러내고 간직할 수 있는 자를 말한다.[48]

[9-2-7-0]

能與天地參, 故能彌綸天地. 能顯諸仁藏諸用, 故能出入造化. 能通乎晝夜之道, 故能進退古今. 能盡人之性以盡物之性, 故能表裏人物.

천지와 함께 셋이 될 수 있기 때문에 천지를 다스릴 수 있다. 인仁을 드러내고 그 작용을 감출 수 있기[49] 때문에 조화에 드나들 수 있다. 낮과 밤의 도에 통달할 수 있기 때문에 고금을 왔다갔다 할 수 있다. 사람의 본성을 다 실현하여 만물의 본성을 다 실현할 수 있기[50] 때문에 사람과 만물을 모두 다할 수 있다.

[9-2-8]

噫! 聖人者, 非世世而效聖焉, 吾不得而目見之也. 雖然, 吾不得而目見之, 察其心, 觀其跡, 探其體, 潛其用, 雖億千萬年, 亦可以理知之也.

아! 성인은 시대마다 성인다움을 본받을 수 있는 것이 아니어서 내가 직접 볼 수가 없다. 그러나 내

---

46 『周易』「繫辭上」 4장: "易與天地準, 故能彌綸天地之道. 仰以觀於天文, 俯以察於地理, 是故知幽明之故, 原始反終, 故知死生之說, 精氣爲物, 遊魂爲變, 是故知鬼神之情狀." 주자는 彌를 彌縫의 뜻으로 연합한다는 의미로 풀었고 綸을 조리를 선택한다는 뜻으로 풀었다. 주자는 이렇게 설명하고 있다. "易道, 本與天地齊準, 所以能彌綸之. 蓋天地有許多道理, 易上都有故易能彌綸天地之道, 而聖人用之也. 彌如封彌之彌, 糊合使无縫罅, 綸如綸絲之綸, 自有條理言, 雖是彌得外面无縫罅, 而中則事事物物, 各有條理. 彌如大德敦化, 綸如小德川流, 彌而非綸, 則空疎无物, 綸而非彌, 則判然不相干. 此二字見得聖人下字甚密也. 又曰, 天地有未至處, 易卻能彌綸得它."(『朱子語類』 권74)

47 『性理群書句解』: "지금의 마땅함을 참작하여 옛날의 도를 행하니 진퇴에 올바름을 잃지 않는다.(酌今之宜, 行古之道, 進退不失其正.)"

48 『性理群書句解』: "成己成物, 合內外之道." 『中庸』, "誠者非自成己而已也. 所以成物也, 成己仁也, 成物知也, 性之德也, 合內外之道也, 故時措之宜也."

49 이 구절의 해석은 '작용에 감출 수 있다.'와 '작용을 감출 수 있다.'로 해석할 수 있다. 주자는 『周易』「繫辭上」의 "顯諸仁 藏諸用"에 대해 다음과 같이 풀이하고 있다. "顯은 안으로부터 밖에 나오는 것이고 仁은 조화의 공을 말하니 덕의 발현이다 藏은 밖으로부터 안으로 들어가는 것이고 用은 機緘의 묘함이니 공업의 근본이다."

50 『中庸』 22장: "惟天下至誠, 爲能盡其性, 能盡其性, 則能盡人之性, 能盡人之性, 則能盡物之性, 能盡物之性, 則可以贊天地之化育, 可以贊天地之化育, 則可以與天地參矣."

가 직접 볼 수는 없지만 그 마음을 살피고 그 행적을 관찰하며 그 체體를 탐구하고 그가 행한 용用을 깊이 생각한다면 억만년 천만년이 떨어져 있을지라도 이치[理]로써 알 수 있다.[51]

[9-2-8-0]

聖人不世出也, 故曰非世世而效聖焉. 察心觀迹探體潛用, 先聖後聖, 其道一也. 或見而知之, 或聞而知之. 故雖億千萬年, 亦可以理知之, 猶旦暮之間也.

성인은 시대마다 나오는 것이 아니기 때문에 시대마다 성인다움을 모방할 수 있는 것이 아니다. 마음을 살피고 흔적을 관찰하고 그 체를 탐구하고 그가 행한 용을 깊이 생각한다면 앞선 성인이건 나중의 성인이건 그 도는 하나이다. 혹 보아서 알고 혹 들어서 알기도 한다. 그러므로 억만년 천만년이 떨어져 있을지라도 이치로써 알 수 있으니 성인과의 거리가 아침과 저녁 사이처럼 가깝다.

[9-2-9]

人或告我曰, ‘天地之外別有天地萬物, 異乎此天地萬物,’ 則吾不得而知之. 非唯吾不得而知之也, 聖人亦不得而知之也. 凡言知者, 謂其心得而知之也, 言言者, 謂其口得而言之也. 旣心尙不得而知之, 口又惡得而言之乎? 以心不可得知而知之, 是謂妄知也, 以口不可得言而言之, 是謂妄言也. 吾又安能從妄人而行妄知妄言者乎!

어떤 사람이 나에게 말하기를 ‘천지 밖에 따로 천지 만물이 있어서 지금 여기의 천지만물과 다르다.’고 말한다면 나는 그것을 알 수가 없다. 오직 나만 알 수 없을 뿐만 아니라 성인도 알 수 없을 것이다. ‘안다’라고 말하는 것은 그 마음으로 알 수 있는 것을 말하고, ‘말한다’는 것은 그 입으로 말할 수 있는 것을 말한다. 마음으로 알 수가 없는데 입으로 어떻게 또 말할 수 있겠는가? 마음으로도 오히려 알지 못하는데도 안다는 것은 거짓된 앎이라고 하고 입으로 말할 수 없는데도 말하는 것을 거짓된 말이라고 말한다. 내가 또 어떻게 거짓된 사람을 쫓아서 거짓된 앎과 거짓된 말을 행할 수 있겠는가![52]

---

51 王植, 『皇極經世書解』: “생각하건대 앞에서 색·성·기·미로 사물의 형체를 삼았고 목·이·비·구로 사람의 작용을 삼은 것은 理로 말한 것이고 여기서 체용으로 마음과 흔적을 나눈 것은 사람으로 말한 것이니 큰 뜻은 서로 통할 수 있다. 마음을 이해하면 사람이 스스로 터득할 수 있다.(愚案前以色聲氣味爲物之體, 目耳鼻口爲人之用, 以理言也, 此以體用, 分屬心迹, 以人言也, 大意可以相通. 會心, 人自能得之.)”

52 철저히 경험적이고 과학적인 태도이다. 황기의 다음과 같은 말은 소강절이 말하는 내용의 맥락을 이해하는 데에 도움이 된다. 소강절은 천지를 초월한 세계와 천당과 극락세계와 같은 것은 경험하여 알 수 없고 말로 표현할 수 없는 것이라고 했다. “천지 만물의 리는 나의 마음과 세상 사람들이 동일한 것이다. 추연으로부터 바다 밖에 九州가 있다는 설이 나오고 불교도들이 함부로 四大部州를 말해서 이에 부추겨 화답하니 이때부터 지식인들이 경쟁적으로 세상 밖에 별도로 천지가 있고 극락세계가 있어 만물이 이상하다고 전하였다. 그러나 이런 것은 인간 세상이 아니고 황당하고 환상적인 것인데 미혹되는 사람들이 많다. 선천의 학문은 誠으로부터 明에 이르는 것일 뿐이니 1일을 근본으로 하여 1元을 알고 낮과 밤을 통하여 천지가 열리고 닫힘을 안다. 마음으로 알 수 있고 말로 할 수 있으니 공자가 ‘덜고 더하는 것’과 맹자가 그 故를 구하는 것과 더불어

[9-2-9]

天地萬物皆一本, 故雖萬殊, 理無異致. 乾坤之道, 簡易而已. 易簡而天下之理得矣. 妄言妄知者, 不知易簡之道, 奮私智肆邪說以滅天理, 孟子所謂惡夫鑿者也.

천지만물은 모두 근본이 하나이므로 만물이 갖가지로 다르지만 이치는 다름이 없다. 건곤의 도는 간명하고 쉬울 뿐이다. 쉽고 간명하여 천하의 리理를 얻는다.[53] 거짓된 말과 거짓된 앎은 간명한 도를 알지 못하고서 사사로운 꾀를 다하고 그릇된 학설을 제멋대로 내어 천리天理를 없애니 맹자가 천착하는 것을 미워한다[54]고 했던 것이다.[55]

觀物內篇之三 관물내편 3

[9-3-1]

易曰, '窮理盡性以至於命.' 所以謂之理者, 物之理也. 所以謂之性者, 天之性也. 所以謂之命者, 處理性者也. 所以能處理性者, 非道而何?

『역』에서 '리理를 궁구하고 성성을 모두 실현시켜서 명에 이른다.'[56]고 했다. 여기서 리라고 말하는

모두 하나의 도이다.(天地萬物之理, 吾心與天下之人, 所同然者也. 自鄒衍, 海外九州之說出, 而佛氏妄言四大部洲, 以附和之, 於是文士競傳別有天地極樂世界, 萬物瑰異. 非復人間, 荒唐空幻, 人多惑焉. 若先天之學, 誠明而已, 本一日以知一元, 通晝夜而知開闢, 心可知而言可道, 與仲尼之所損益, 孟子之求其故者, 皆一道也)

53 『周易』「繫辭上」1장 : "乾知大始, 坤作成物. 乾以易知, 坤以簡能, 易則易知, 簡則易從, 易知則有親, 易從則有功, 有親則可久, 有功則可大, 可久則賢人之德, 可大則賢人之業. 易簡, 而天下之理得矣, 天下之理得, 而成位乎其中矣."

54 맹자는 작은 지혜[智]를 미워하는 이유가 천착하기 때문이라고 말하고 있다. 그것은 順理대로 행하지 않는 것을 말한다. 『孟子』「離婁下」26장 : "孟子曰, 天下之言性也, 則故而已矣. 故者以利爲本. 所惡於智者, 爲其鑿也. 如智者若禹之行水也, 則無惡於智矣. 禹之行水也, 行其所無事也. 如智者亦行其所無事也, 則智亦大矣."

55 王植, 『皇極經世書解』 : "이 편은 성인을 살펴본 것이나, 성인으로 말미암아 천지만물에까지 이른 것은 천지만물의 리를 오직 성인만이 갖추고 있어서 거짓된 앎과 거짓된 말로 이단을 연 것은 믿을 것이 못되기 때문이다. 천지를 말하는 것은 마땅히 성인에 의지해야만하니 천지만물을 관찰하려면 성인을 관찰하지 않을 수 없음을 볼 수 있다. 『天原發微』에서 이렇게 말했다. '하늘은 어디에 의지해 있는가. 땅에 의지해 있다. 땅은 어디에 붙어 있는가. 하늘에 붙어 있다. 그렇다면 하늘과 땅은 어디에 의지하고 어디에 붙어 있는가. 스스로 의지하고 붙어 있다. 하늘은 형체[形]에 의지하고 땅은 氣에 붙어 있으니 형체는 끝이 있고 기는 끝이 없다. 유와 무가 서로 생겨나고 형체와 기가 서로 자라나게 해서 끝나면 시작이 있으니 끝남과 시작 사이에 천지가 존재하는 것이다.' 소강절께서 말한 '마음에서 알 수 있고 입으로 말할 수 있는 것'이라는 것이 이와 같다.(此篇觀聖人也, 又由聖人而及天地萬物者, 天地萬物之理, 惟聖人能備之, 以妄知妄言, 闢異端之不足信. 正見言天地者, 當夷之聖人, 觀天地萬物, 不可無以觀聖人也. 漁樵問對云, 天何依, 曰依乎地, 地何附, 曰附乎天, 曰然則天地何依何附, 曰自相依附, 天依形, 地附氣, 其形也有涯, 其氣也無涯, 有無之相生, 形氣之相息, 終則有始, 終始之間, 天地之所存乎. 邵子所謂心得而知, 口得而言者, 蓋如是.)"

것은 사물의 이치이다. 성이라고 말하는 것은 하늘이 부여한 본성이다. 명이라고 말하는 것은 사물의 이치와 하늘이 내려준 본성을 각각 깃들게 하는 것이다.[57] 사물의 이치와 하늘이 내려준 본성을 깃들게 할 수 있는 것이 도가 아니라면 무엇이겠는가?

[9-3-1-0]

理性命皆一也. 至於命, 則理性之所處矣. 三者皆在於道, 故曰所以能處理性者, 非道而何.

사물의 이치와 하늘이 내려준 본성과 명은 모두 하나이다. 명에 이르는 것은 사물의 이치와 인간의 본성을 제 자리 잡게 하는 것이다. 3가지는 모두 도道에 달려 있다. 그래서 '사물의 이치와 하늘이 내려준 본성을 제 자리 잡게 할 수 있는 것이 도가 아니라면 무엇이겠는가.'라고 했다.[58]

[9-3-2]

是知道爲天地之本,

이에 도가 천지의 근본이고,[59]

[9-3-2-0]

道生天地, 故道爲天地之本.[60]

---

56 『周易』「說卦傳」1장: "昔者聖人之作易也, 幽贊於神明而生蓍, 參天兩地而倚數, 觀變於陰陽而立卦, 發揮於剛柔而生爻, 和順於道德而理於義, 窮理盡性以至於命."

57 王植의 『皇極經世書解』에서 황기는 명을 다음과 같이 설명한다. "명은 상제가 사물의 이치와 하늘이 내려준 본성을 주재하는 것이다.(命則上帝主宰乎物理天性者.)" 이와 같이 황기는 사물의 이치와 본성을 상제가 내려준 명령과 같은 의미로 풀이했다. 『性理群書句解』: "이치와 본성을 구분하여 안배해서 사람과 사물에게 부여했다.(區處理性而付於人物也.)"

58 王植, 『皇極經世書解』: "이장은 만물을 관찰하는 것이다. 만물을 관찰하는 것은 그 이치를 볼 뿐이기 때문에 『周易』의 '궁리진성지명'을 인용하여 '리라는 것은 사물의 이치'라고 한 후에 성으로부터 명을 언급하고 도로 돌아갔다. 사물에서 이치는 아버지가 자애롭고 아들이 효도하고 손은 공손하고 발은 정중한 것으로 만물에 각각 갖추어진 하나의 이치가 이것이다. 하늘이 부여한 성이란 인의예지와 하나의 사물에 각각 갖추어진 하나의 성이 이것이다. 리는 성에 근본하고 성은 명에 근본하니 하늘에서 명한 후에 리와 성이 있다. 그래서 리와 성을 구분하여 안배한 것을 도라고 했으니 태극이 바로 이것이다. 외편 6장에서 '하늘이 나에게 이것이 있도록 했으니 명이고 명이 나에게 있는 것이 성이고 성이 사물에게 있는 것이 리이다.'라고 했으니 '그렇게 되도록 한다.'는 處라는 글자의 의미이다. 소백온의 말은 명확하고 적절하지 못하다.(此篇觀萬物也. 觀萬物者, 觀其理而已, 故引易窮理盡性至命, 而曰所以謂之理者, 物之理也, 然後由性及命而歸之於道. 蓋在物爲理, 如父之慈子之孝手之恭足之重, 以及萬物之各具一理是也. 天所賦爲性, 如仁義禮智以至一物各具一性是也. 理本於性, 性本於命, 命之于天, 而後有理與性. 故曰所以處理性者, 所謂道爲太極是也. 外篇之六云, '天使我有是之謂命, 命之在我之謂性, 性之在物之謂理.' 若使之然即處字意, 伯子語未明切.)"

59 張行成, 『皇極經世索隱』: "태극이 8괘로 변했다.(太極變八卦)"

60 뒷구절에 반복되고 있다. 『性理大全』에는 이 소백온의 설명을 반복하고 있다.

도가 천지를 낳으므로 도가 천지의 근본이다.

[9-3-3]

天地爲萬物之本.

천지가 만물의 근본임을 안다.[61]

[9-3-3-0]

天地生萬物, 故天地爲萬物之本.[62]

천지가 만물을 낳으므로 천지는 만물의 근본이다.

[9-3-4]

以天地觀萬物, 則萬物爲物, 以道觀天地, 則天地亦爲萬物.

천지로써 만물을 보면 만물은 만물이고[63] 도로써 천지를 보면 천지 역시 만물이다.[64]

[9-3-4-0]

道生天地, 故道爲天地之本. 以道觀天地, 則天地爲道之物也. 天地生萬物, 故天地爲萬物之本, 以天地觀萬物, 則萬物爲天地之物也. 道則無有邊際, 天地則有盡. 有盡, 則所以爲道之物也. 天地則無不覆載, 物則有窮. 有窮, 則所以爲天地之物也.

도가 천지를 낳으므로 도가 천지의 근본이다. 도로 천지를 보면 천지는 도의 사물이 된다. 천지는 만물을 낳으므로 천지는 만물의 근본이다. 천지로써 만물을 보면 만물은 천지의 사물이다. 도는 무한하지만 천지는 다함이 있다. 다함이 있으니 도의 사물이 되는 것이다. 하늘은 만물을 덮고 땅은

----

61 張行成의 『皇極經世索隱』에서는 이 구절을 "8괘가 64괘로 변했다.(八卦變六十四卦.)"고 설명하지만 祝泌의 『觀物編解』에서는 "8괘가 256괘로 변했다.(八卦變二百五十六卦)"라고 설명한다.

62 뒷구절에 반복되고 있다. 『性理大全』에는 이 소백온의 설명을 반복하고 있다.

63 王植의 『皇極經世書解』에는 만물로 되어 있지만 『性理大全』은 만물이 아니라 물로 되어 있다.

64 王植의 『皇極經世書解』에서 황기는 이상의 내용을 괘와 수를 연결시켜 설명하고 있다. "'역에 태극이 있다.'는 말은 도이다. 태극이 나뉘어 둘이 되어 먼저 움직여 양이 되면 이때부터 하늘이고 선천에서 건괘가 도표의 왼쪽에 있고 뒤에 고요해져 음이 되면 이때부터 땅이고 선천에서 곤괘가 도표의 오른쪽에 있다. 그래서 양의가 천지의 할아버지이니 이 도가 천지의 근본이다. 건은 큰 4상(陰陽太小)을 통솔하고 곤은 작은 4상(剛柔太少)을 통솔하여 8*8이 256괘로 변해 동식물의 통수에 이르니 이것이 천지가 만물의 근본이 되는 이유이다. 동식물은 천지 가운데 있고 천지는 도 가운데 있어 통달한 사람이 크게 보면 하나일 뿐이다. 이것은 동식물의 통수로 건곤일지라도 그 사이에 있다.(易有太極者, 道也, 太極分而爲二, 先動爲陽, 自此爲天, 在先天則乾居圖左, 後靜爲陰, 自此爲地, 在先天則坤居圖右. 故曰兩儀者, 天地之祖也, 此道所以爲天地之本. 乾統大四象, 坤統四小象, 八八變二百五十六卦, 終於動植通數, 此天地所以爲萬物之本. 動植, 在天地之中, 天地在道之中, 達人大觀, 一而已矣. 此動植通數, 雖乾坤亦在其間也.)"

싣지 않음이 없지만 사물은 다함이 있다. 다함이 있으므로 천지가 낳은 사물이 된다.[65]

[9-3-5]

道之道, 盡之于天矣,

도의 도는 천天에서 다 실현되고

[9-3-5-0]

有道然後有天, 天本乎道者也.

도가 있은 다음에 천이 있으니 천은 도에 근본하는 것이다.

[9-3-6]

天之道, 盡之于地矣.

천의 도는 지地에서 다 실현되고

[9-3-6-0]

有天然後有地, 地本乎天者也.

천이 있은 다음에 지가 있으니 지는 천에 근본하는 것이다.

[9-3-7]

天地之道, 盡之于物矣.

천지의 도는 만물[66]에서 다 실현된다.

[9-3-7-0]

有天地然後有萬物, 物本乎天地者也.

천지가 있은 다음에 만물이 있으니 만물은 천지에 근본하는 것이다.

. . . .

65 王植, 『皇極經世書解』: "만물을 보면 천지 역시 사물일 뿐이니 천지로써 만물을 보면 만물은 사물이고 도로써
천지를 보면 천지도 사물일 뿐이다. 위 구절에서 리·성·명을 말하고 도로 귀결시킨 것은 도로써 천지를
사물화시킨 것이지 도에 중점이 있는 것은 아니다. 「外篇」에서 '천지로 만물을 낳으니 만물로써 사물을 삼고
도로써 천지를 낳으니 천지 역시 만물이다.'라고 했다. 이는 모두 근원으로 거슬러 논한 것이다. 소백온이
'천지에 한계가 있고 만물에 끝이 있다.'고 한 것은 본래의 뜻이 아니다.(觀萬物, 則天地亦萬物之一而已, 以天
地觀萬物, 則萬物爲物, 以道觀天地, 則天地亦爲物. 上節言理性命而歸之道者, 正欲以道物天地, 非歸重於道也.
外篇之一云, '以天地生萬物, 則以萬物爲萬物, 以道生天地, 則天地亦萬物.' 蓋皆由源頭溯來. 邵伯子謂天地有
盡物有窮, 亦非本義.)"
66 왕식본에는 物이 아니라 萬物로 되어 있다.

[9-3-8]

天地萬物之道, 盡之于人矣.

천지 만물의 도는 사람에서 다 실현된다.

[9-3-8-0]

人者天地五行之秀氣, 受天地之中以生, 爲萬物之至靈而備天地萬物者也. 故能配天地而命萬物.

사람은 천지 오행 가운데 가장 빼어난 기로서 천지의 '중中'을 받아서 생겨나 만물 가운데 가장 영명하고 천지만물의 도를 모두 갖추고 있는 자이다. 그래서 천지와 짝하여[67] 만물을 명령할 수 있다.[68]

[9-3-9]

人能知其天地萬物之道所以盡于人者, 然後能盡民也.

사람이 그 천지 만물의 도가 사람에게 다 실현되어 있다는 점을 알 수 있는 다음에야 백성의 삶을 극진히 할 수 있다.[69] [70]

. . . .

67 『中庸』 26장 : "故至誠無息. 不息則久, 久則徵, 徵則悠遠, 悠遠則博厚, 博厚則高明. 博厚, 所以載物也; 高明, 所以覆物也; 悠久, 所以成物也. 博厚配地, 高明配天, 悠久無疆." 주자는 配를 "성인은 천지와 체를 같이 한다. (聖人與天地同體.)"라고 푼다.

68 왕식 판본에는 이 구절이 보이지 않는다.

69 王植, 『皇極經世書解』 : "(황기가 말하길) 도는 無爲하고 천 또한 무위하다. 천이 도를 본받기 때문에 도의 도가 천에서 다 실현되고 건은 위대하게 생겨나고 곤 또한 광대하게 생겨나는데 오직 지가 천을 본받기 때문에 천의 도가 지에서 다 실현된다. 천지가 있고 난 후에 만물이 있고 만물은 모두 음양이 있으니 천지의 도가 거기에서 다 실현된다. 사람은 천지의 中을 받아서 생겨나고 만물의 이치가 모두 나에게 갖추어져 있다. 用은 천의 일월성신이기 때문에 이목구비가 모두 머리가 되고 體는 지의 수화토석이 되기 때문에 성색기미가 모두 몸이 되니 천지만물의 도가 다 실현된다. 사람이 그 소이연을 연구할 수 있으면 도가 사람으로부터 시행되어 천지와 함께 동체가 되어 만물을 명령하고 權道와 변화로 미루어 이행하면서 황제왕패의 백성의 삶을 실현하는 것이 모두 사업이 된다.(道無爲, 天亦無爲. 惟天法道, 故道之道盡於天, 乾大生, 坤亦廣生, 惟地法天, 故天之道盡於地. 有天地, 然後有萬物, 萬物皆有陰陽, 則天地之道盡之矣. 人受天地之中以生, 而萬物皆備於我. 用爲天之日月星辰, 故耳目鼻口共爲首, 體爲地之水火土石, 故聲色氣味共爲身, 則天地萬物之道盡之矣. 人能窮究其所以然, 道自人而行, 配天地而命萬物, 權變推移, 以盡皇帝王伯之民者, 皆事業也.)"

70 이상의 내용을 도표화하면 이렇다.

道之道	太極	
天之道	日月星辰之道	天에서 모두 실현된다.
地之道	水火土石之道	地에서 모두 실현된다.
天地之道	變化感應之道	萬物에서 실현된다.
天地萬物之道	權變推移之道, 事業	인간, 백성에서 모두 실현된다.

[9-3-9-0]

惟聖人能知天地萬物之道皆備於我. 能知天地萬物之道皆備於我, 則能盡天下之理, 能盡天下之理, 則能盡民而後可以治民矣.

오직 성인만이 천지 만물의 도가 모두 나에게 갖추어져 있다는 점을 알 수 있다. 천지 만물의 도가 모두 나에게 갖추어져 있다는 점을 알 수 있다면 세상의 이치를 다 실현할 수 있고 세상의 이치를 다 실현할 수 있다면 백성의 삶을 다 실현할 수 있고 그 후에 백성을 다스릴 수 있다.[71]

[9-3-10]

天之能盡物, 則謂之曰昊天,

천이 만물을 모두 실현할 수 있는 것을 '호천昊天'[72]이라고 하고,

[9-3-10-0]

天之於物, 無不發生, 故能盡物.

천이 만물을 발생시키지 않음이 없기 때문에 만물을 모두 실현할 수 있다.

[9-3-11]

人之能盡民, 則謂之曰聖人.

사람이 백성의 삶을 다 실현할 수 있는 것을 '성인'이라고 한다.

[9-3-11-0]

聖人之於民也, 無不仁愛, 故能盡人.

---

71 王植, 『皇極經世書解』: "이것은 도로 말미암아 천지인에 번갈아 언급한 것이다. 사람이 천지만물이 본래 동일한 도라는 점을 알아 자신에게 모두 실현할 수 있은 연후에 백성에게 모두 실현할 수가 있으니 아래 글에서 말한 성인이다. 만물이라 하고 사람이라 하고 백성이라 하는 것은 사람들에게 다 실현하는 것이 곧 자신에게 실현하는 것이니 천지에 상대해서 말한다면 사람을 말하고, 백성에게 다 실현한다는 것은 사람에게 다 실현한다는 것이니 사람에 상대해서 말한다면 백성을 말한다. '다한다'는 것은 『中庸』에서 '그 본성을 다 실현할 수 있다면 타인과 만물의 본성을 다 실현할 수 있다.'는 뜻이다.(此由道而遞及於天地人, 人能知天地萬物之本同一道而, 盡之於已, 然後能盡之於民, 即下文之聖人也. 曰物又曰人曰民者, 盡於人, 即盡於已, 對天地而言則曰人也, 盡民即盡人, 對人而言則曰民也. 盡即中庸能盡其性則能盡人物之性意.)"

72 『爾雅』「釋天」에서 "여름이 호천이다.(夏爲昊天.)"라고 했고 이에 대해 郭璞은 "기가 밝아 성한 것을 말한다." (言氣皓旰.)고 주를 달았다. 『詩經』「王風·黍離」에는 "悠悠蒼天"이라고 했는데 孔穎達은 今文尙書에서 구양생이 "봄을 호천이라 말한다.(春曰昊天.)"는 말을 인용하고 있다. 昊의 기본적인 뜻은 여름날 원기가 왕성하여 만물이 성장한다는 뜻이다. 『書經』「堯典」에서 "乃命羲和, 欽若昊天, 曆象日月星辰, 敬授人時."라고 했는데 이에 대해서 주자는 "호천이란 광대한 뜻이다.(昊天, 廣大之意.)"라고 설명하고 있듯이 푸른 하늘[蒼天]을 의미하고 昊란 원기가 왕성한 모습을 말한다.

성인이 백성을 사랑하지 않음이 없기 때문에 백성의 삶을 다 실현할 수 있다.

[9-3-12]

謂昊天能異乎萬物, 則非所以謂之昊天也. 謂聖人能異乎萬民, 則非所以謂之聖人也. 萬民與萬物同, 則聖人固不異乎昊天者矣. 然則聖人與昊天爲一道. 聖人與昊天爲一道, 則萬民與萬物亦可以爲一道, 一世之萬民與一世之萬物旣可以爲一道, 則萬世之萬民與萬世之萬物亦可以爲一道也明矣.

호천昊天이 만물과 다를 수 있다고 한다면 호천이라 할 이유가 없다. 성인이 만백성과 다를 수 있다고 한다면 성인이라고 할 이유가 없다. 만백성과 만물은 같으니 성인은 호천과 실로 다르지 않다. 그렇다면 성인과 호천은 하나의 도이다. 성인과 호천이 하나의 도라면 만백성과 만물 역시 하나의 도일 수 있고 한 세대의 만백성과 한 세대의 만물이 이미 하나의 도가 될 수 있다면 만 세대의 만백성과 만 세대의 만물 역시 하나의 도인 것이 명백하다.

[9-3-12-0]

昊天之與萬物同乎一道, 故不異乎萬物. 聖人之與萬民同乎一道, 故不異乎萬民. 萬民與萬物同乎一道, 則聖人與昊天亦同乎一道矣. 一世之萬民與一世之萬物同乎一道, 則萬世之萬民與萬世之萬物亦同乎一道矣. 天下無二道, 聖人無兩心. 物也, 民也, 聖人也, 天也, 其道一也. 故古之聖人以一心而推萬心, 以一物而觀萬物, 以一世而知萬世者, 蓋由斯道也.

호천은 만물과 하나의 도로 같기 때문에 만물과 다르지 않다. 성인은 만백성과 하나의 도로 같기 때문에 만백성과 다르지 않다. 만백성과 만물이 하나의 도로 같다면 성인과 호천도 하나의 도로 같다. 한 세대의 만백성과 한 세대의 만물이 하나의 도로 같다면 만 세대의 만백성과 만 세대의 만물 역시 하나의 도로 같다. 세상에는 두 가지 도가 없고 성인은 두 가지 마음이 없다. 만물과 백성과 성인과 천은 그 도가 하나이다. 그러므로 옛 성인이 하나의 마음으로 만 가지 다양한 마음을 헤아리고 하나의 사물로 만물을 살피고 한 세대로 만 세대를 아는 것은 이 도 때문이다.[73]

· ·

73 王植, 『皇極經世書解』. 왕식은 결론적으로 만물을 관찰한다는 것은 단지 객관적이고 과학적인 관찰만이 아니라 그 사물의 원리를 현실에 모두 실현하는 데에 있다는 점을 분명하게 밝히고 있다. 이상의 내용을 다음과 같이 정리하고 있다. "이것은 윗글을 이어서 하늘과 성인을 가지고 중요한 점은 만백성과 만물이 같다는 데에 있음을 말한 것으로, 이 편이 만물을 관찰하기 위한 것임을 알 수 있다. 호천이 만물과 다를 수 없고 성인이 만백성과 다를 수가 없는 것은 하나의 도이기 때문이다. 만백성과 만물이 하나의 도이고 성인과 호천이 하나의 도이고 만 세대의 만백성과 만 세대의 만물이 하나의 도가 아님이 없다. 그래서 이 도가 천과 성인과 만물에 관통하여 天時가 이로써 운행되고 성인의 법도가 이로써 만들어진다. 만물을 관찰하는 것은 단지 관찰하는 것뿐만이 아니라 반드시 그것을 모두 실현하는 바가 있어야만 하니 이것이 만물을 관찰하는 실제이며 그 궁극적인 목표이다.(此承上文, 而以天與聖, 並言重在萬民與萬物同, 正見此篇之爲觀萬物也. 昊天之不能異於萬物, 聖人之不能異於萬民者, 一道故也, 萬民與萬物一道, 聖人與昊天一道, 萬世之萬民與萬世

夫昊天之盡物, 聖人之盡民, 皆有四府焉. 昊天之四府者, 春夏秋冬之謂也, 陰陽升降于其
間矣. 聖人之四府者, 易書詩春秋之謂也, 禮樂汚隆于其間矣. 春爲生物之府, 夏爲長物之
府, 秋爲收物之府, 冬爲藏物之府. 號物之庶謂之萬, 雖曰萬之又萬, 其庶能出此昊天之四
府者乎! 易爲生民之府, 書爲長民之府, 詩爲收民之府, 春秋爲藏民之府. 號民之庶謂之萬,
雖曰萬之又萬, 其庶能出此聖人之四府者乎! 昊天之四府者時也, 聖人之四府者經也. 昊天
以時授人, 聖人以經法天, 天人之事, 當如何哉!

호천이 만물을 모두 실현하고 성인이 만백성의 삶을 모두 실현하는 것은 모두 4가지 부府[부서]가 있
다. 호천의 4가지 부서는 춘·하·추·동春夏秋冬을 말하는데 음과 양이 그 사이에서 상승하고 하강
한다.[74] 성인의 4가지 부서는 역·서·시·춘추易書詩春秋를 말하는데 예와 악이 그 사이에서 쇠퇴하
고 융성한다. 봄은 사물을 낳는 부서이고 여름은 사물을 성장시키는 부서이고 가을은 사물을 수렴하
는 부서이고 겨울은 사물을 저장하는 부서이다. 사물이 많은 것을 만萬이라고 부르는데 만에 만 배
라 하더라도 그 많은 것이 이 호천의 4가지 부서를 벗어날 수 있겠는가! 『주역』은 백성을 낳는 부서
이고 『서경』은 백성을 성장시키는 부서이고 『시경』은 백성을 수렴하는 부서이고 『춘추』는 백성을
저장하는 부서이다. 백성이 많은 것을 만萬이라 부르는데 만에 만 배라 하더라도 그 많음이 성인의
4가지 부서를 벗어날 수 있겠는가! 호천의 4부서는 시時[사계절]이고 성인의 4부서는 경經[경전]이다.
호천은 천시天時로써 사람에게 주고 성인은 경전經典으로 천天을 본받았으니 하늘과 인간의 일은 과
연 어떠한 것이겠는가![75]

· ·

之萬物, 無非一道. 此道之所以貫乎天與聖人與物, 而天時以行, 聖經以作也. 蓋觀萬物者,
非但觀之而已, 必有所以盡之, 此觀萬物之實際與其究竟也.)"

74 황기는 "부서란 크게 받아들일 수 있는 것을 말하여 가득 부어도 넘치지 않고 따라도 마르지 않아서 그 형체
[體]는 드러나지 않지만 그 작용[用]은 넓으니 하늘과 성인이 동일한 것이다.(府者能大受之謂也, 注焉而不滿,
酌焉而不竭, 其體隱, 其用費, 其天與聖人之所同然者乎.)"라고 설명하고서 음양이 상승하고 하강하는 것을 12
벽괘에서 음양이 상승하고 하강하는 것과 연관지어 설명하고 있다. 12벽괘는 다음과 같다.

復	臨	泰	大壯	夬	乾	姤	遯	否	觀	剝	坤
䷗	䷒	䷊	䷡	䷪	䷀	䷫	䷠	䷋	䷓	䷖	䷁
11월	12월	1월	2월	3월	4월	5월	6월	7월	8월	9월	10월
(子)	(丑)	(寅)	(卯)	(辰)	(巳)	(午)	(未)	(申)	(酉)	(戌)	(亥)

75 王植, 『皇極經世書解』. 황기는 歷과 律을 구분하여 다음과 같이 말하고 있다. "歷은 양에 거해서 음을 다스리
는 것이므로 일월성신으로 천시를 서술하여 二帝와 三王 시대에 해당시켜 禮를 행한 것이고, 律은 음에 거하
여 양을 다스리는 것이므로 수화토석으로 音을 조절하여 黃鐘과 大呂의 자리를 해당시켜 樂(악)을 일으킨
것이다. 『易』은 뜻을 숭상하여 백성을 낳고 『書』는 말을 숭상하여 백성을 성장시키고 『詩』는 공을 숭상하여
백성을 수렴하고 『春秋』는 일을 숭상하여 백성을 저장하니 모두 한 가지 이치이다. 그것을 구별하여 4부서로
하면 예악이 그 사이에 성하고 쇠한다. '음양이 상승하고 하강한다.'고 했으니 운수가 태평함과 막힘이 있는
것이 天道이고 '예악이 성하고 쇠한다.'고 했으니 천시에 덜고 보탬이 있는 것은 모두 성인의 도이다. 천시를
사람들에게 가르쳐주니 천도가 이행되고 경전으로 하늘을 본받으니 人極이 세워진다. 하늘과 사람의 일이

昊天以四府盡物, 聖人以四府盡民. 天之四府時也, 聖人之四府經也. 天時聖經, 相因而成. 天時則陰陽升降而爲春夏秋冬. 聖經則禮樂汚隆而爲易書詩春秋. 春夏秋冬易書詩春秋, 皆有生長收藏之道. 其道更相爲消長汚隆, 萬物萬民盡于其間矣. 故皆謂之曰四府.

호천은 4가지 부서로 만물을 다 실현시키고 성인은 4가지 부서로 만백성의 삶을 다 실현시킨다. 천의 4가지 부서는 시時이고 성인의 4가지 부서는 경經이다. 천시天時와 성경聖經은 서로 원인이 되어 이루어진다. 천시는 음과 양이 상승하고 하강하여 춘·하·추·동이 된다. 성경은 예와 악이 더럽혀 지고 융성하여 역·서·시·춘추가 된다. 춘·하·추·동과 역·서·시·춘추는 모두 생·장·수· 장生長收藏의 도가 있다. 그 도는 서로 번갈아 줄어들고 늘어나며 쇠퇴하고 융성하니 만물과 만백성이 그 사이에서 모두 실현된다. 그래서 모두 4가지 부서라고 말했다.[76]

....

여기서 벗어나지 않는다. '어떠한 것인가.'라고 물었던 것은 사람들이 깊이 생각해서 스스로 터득하게 하려는 것이다.(歷居陽治陰, 故日月星辰以敍時, 當二帝三王之世而禮行焉, 律居陰治陽, 故水火土石以制音, 當黃鍾大 呂之位而樂興焉. 易生民以尙意, 書長民以尙言, 詩收民以尙功, 春秋藏民以尙事, 皆一理也. 其別而爲四, 則禮 樂汚隆於其間矣. 曰陰陽升降, 則運有否泰, 皆天道也. 曰禮樂汚隆, 則時有損益, 皆聖人之道也. 以時授人則天 道行, 以經法天則人極立, 天人之事, 不過如此, 而顧以如何問焉者, 欲人深思而自得之也.)"

[76] 王植, 『皇極經世書解』. "소강절이 말했다. '日月星辰이 모여 하늘이 되고 水火土石이 모여 땅이 되며 耳目鼻 口가 모여 머리가 되고 髓血骨肉이 모여 몸이 된다.' 위로 떠오르면 태허의 정기가 빛을 쌓아서 해가 밝게 빛나니 이것이 일월성신이다. 사람의 몸에 이목비구가 있어 머리에서 생겨 貌言視聽이 나오는 것과 같다. 아래에서 엉기면 촉촉하고 흘러가거나 혹은 건조하고 빛나고 불타거나 해서 부드러운 것은 성글고 평평해지 고 강한 것은 엉겨 붙어 우뚝하니, 이것이 수화토석이 된다. 마치 사람의 몸에 아래로 수혈골육이 되어 나누어 몸의 여러 부분이 되고 運動奔走交感生育의 일이 나오는 것과 같다. 수혈골육과 이목구비는 각각 하나의 사물이 된다고 하는 것이 옳겠는가? 옳지 않다. 푸르고 푸른 하늘에 색이 있고 넓고 넓어 경계가 없는 것을 우러러 하늘이라 하여 氣는 크다고 여기고, 아래로 굽어보아 땅이 붙어 있어서 형체[形]는 낮게 여기지만 기는 형체가 아니면 기는 무엇에 의지하고 형체는 기가 아니라면 무엇으로 채우겠는가? 합하여 하나가 되어 야 氣化가 있고 기가 대체되어 점차로 形化가 이루어진다. 소강절이 말했다. '하늘은 어디에 의지하는가. 땅에 의지한다. 땅은 어디에 붙어 있는가. 하늘에 붙어 있다. 하늘과 땅이 어디에 의지하며 어디에 붙어 있는가. 스스로가 서로 의지하고 서로 붙어 있다.' 有와 無가 서로 생겨나고 형체[形]과 氣가 서로 살리는 것이다. 그러니 그 氣가 어느 때인들 서로 통섭하지 않겠으며 그 형체[體]가 어느 것인들 서로 호응하지 않겠는가? 그러니 둘이라고 할 수 있겠는가? 사람의 생명은 손으로 머리를 호위할 수 있지만 가슴은 등을 엿볼 수 없고 손가락은 팔뚝으로 나갈 수 있지만 눈은 귀를 볼 수 없어 한 몸인데도 서로 한 몸에 속해있음을 알지 못하니 하늘과 땅 같이 큰 것이 어떻게 한 몸인줄 알겠는가. 내가 하늘은 땅의 밖을 감싸고 있고 氣가 땅 가운데를 운행하는 것을 보건데 動靜이 서로 감응하는 것이 하나의 性이고 왕성한 기운이 서로 섞이는 것은 하나의 機이다. 그러므로 해와 별이 비추어 운행해서 아래로 하늘과 산의 기운을 통하게 하고 비와 이슬이 젖게 하여 위로 구름과 무지개의 빛을 발하게 하니, 몸[體]이 다른 몸이 아니고, 해와 달의 운행이 넓은 바다를 순환하여 밀물과 썰물이 숨쉬어 초하루와 보름으로 서로 호응하니 氣가 다른 기가 아니다. 그렇 다면 하늘과 땅이 하나의 사물임을 도로써 알 수 있으니 하늘과 땅이 본래 두 가지 사물이 아니라는 것은 사람으로서 알 수 있다. 또한 사람의 몸과 뼈가 비록 나뉘어 있지만 마음이 뜻하는 바는 반드시 손가락으로 가리키고 눈으로 맛보게 되고 위장이 느껴서 열이 속에 쌓이면 땀이 나고 등이 추우면 살에 소름이 끼치는

觀物內篇之四 관물내편 4

[9-4-1]

觀春則知易之所存乎!

봄을 살피면 『역』이 담고 있는 뜻을 알 것이다!

[9-4-1-0]

易者, 三皇之事業也. 三皇之時如春.

『역』은 삼황三皇의 사업이다.[77] 삼황의 시대는 봄과 같다.

[9-4-2]

觀夏則知書之所存乎?

여름을 살피면 『서』가 담고 있는 뜻을 알 것이다!

[9-4-2-0]

書者, 五帝之事業也. 五帝之時如夏.

『서』는 오제五帝[78]의 사업이다. 오제의 시대는 여름과 같다.

· ·

것은 사람의 몸이 하나이지 둘이 아니기 때문이니, 이것을 알면 천지를 말할 수 있다.(邵子曰日月星辰共爲天, 水火土石共爲地, 耳目鼻口共爲首, 髓血骨肉共爲身. 蓋浮於上則太虛之精, 積光日熠, 是爲日月星辰, 如人之一身, 上有耳目鼻口, 生於元首而貌言視聽, 寄焉, 凝於下則或濕潤而流行, 或燥烈而光熠, 柔疎而平, 剛凝而峻, 是爲水火土石. 如人之一身, 下爲髓血骨肉, 分之百體而運動奔走交感生育之事, 寄焉. 謂髓血骨肉與耳目鼻口, 各爲一物可乎, 不可. 若夫蒼蒼者有色, 浩浩者無垠, 仰矚曰天, 氣則大之, 俯依乎地, 形則卑之, 然而氣非形, 何依, 形非氣, 何充. 合而一焉, 乃有氣化, 氣得代焉, 漸以形化. 邵子曰, 天何依, 依乎地, 地何附. 附乎天. 天地何依何附, 曰, 自相依附. 有無之相生, 形氣之相息. 然則其氣何時不相攝, 其體何一不相應也. 二之云乎. 惟夫人之生也, 手能衞首而胸不能窺背, 指即附臂而目不能見耳, 一身也而不知其相屬, 兩大也而烏能知其一體乎哉. 予觀夫天包地外而氣行地中, 動靜相感者, 一性, 氤氳相盪者, 一機. 是以日星昭回, 下通天嶽之氣, 雨露滋潤, 上藉雲霆之光, 體非異體也, 兩曜之運行, 周環乎溟滄, 潮汐之喘息, 相應於朔望, 氣無殊氣也. 然則天地之亦爲一物, 以道知之, 天地之本非二物, 即以人知之. 且人之體骸雖分也而心之所志, 指視必隨, 口之所甘, 腸胃亦適, 熱蘊於中而面液出, 寒觸於背而膚粟生, 惟其一而不二故也, 知此可以語天地.)"

77 三皇: 『史記』에서는 天皇, 地皇, 人皇이라고 한다. 일반적으로 복희·신농·황제를 말한다. 복희는 8괘를 만들었고 신농은 농업을 일으켰고 황제는 궁실과 의상을 발명했다.

78 五帝: 『史記』에서는 복희·신농·황제·요·순이라 하고, 少昊·顓頊·帝嚳·요·순이라고도 하고 黃帝·전욱·제곡·요·순이라고도 하며, 伏羲·신농·黃帝·소호·전욱을 말하기도 한다. 소강절은 少昊·顓頊·帝嚳·요·순으로 보는 것이 적절하다고 보았다.

[9-4-3]

觀秋則知詩之所存乎?

가을을 살피면 『시』가 담고 있는 뜻을 알 것이다!

[9-4-3-0]

詩者三王之事業也. 三王之時如秋.

『시』은 삼왕三王[79]의 사업이다. 삼왕의 시대는 가을과 같다.

[9-4-4]

觀冬則知春秋之所存乎?

겨울을 살피면 『춘추』가 담고 있는 뜻을 알 것이다![80]

[9-4-4-0]

春秋者五伯之事業也. 五伯之時如冬.

『춘추』는 오패五覇의 사업이다. 오패의 시대는 겨울과 같다.[81]

[9-4-5]

易之易者, 生生之謂也, 易之書者, 生長之謂也, 易之詩者, 生收之謂也, 易之春秋者, 生藏之謂也. 書之易者, 長生之謂也, 書之書者, 長長之謂也, 書之詩者, 長收之謂也, 書之春秋者, 長藏之謂也. 詩之易者, 收生之謂也, 詩之書者, 收長之謂也, 詩之詩者, 收收之謂也, 詩之春秋者, 收藏之謂也. 春秋之易者, 藏生之謂也, 春秋之書者, 藏長之謂也, 春秋之詩者, 藏收之謂也, 春秋之春秋者, 藏藏之謂也.

『역』의 역은 낳음 가운데 낳음을 말하고 『역』의 서는 낳음 가운데 성장함을 말하고 『역』의 시는 낳음 가운데 수렴함을 말하고 『역』의 춘추는 낳음 가운데 저장함을 말한다. 『서』의 역은 성장함 가운

---

79 三王: 하나라 우왕, 은나라 탕왕, 주나라 문왕을 말한다.

80 소강절은 역·서·시·춘추의 정신을 生長收藏으로 표현하고 있다. 『易經』은 萬物資始하고 萬物資生한다고 했으니 만물을 끊임없이 낳는 生이고 『書經』은 만물을 성장시키는 것으로 "克明俊德, 以親九族, 平章百姓, 協和萬邦."이라고 했으니 만물을 성장시키는 長이고 『詩經』은 만물과 만사를 노래하고 찬미하므로 거두는 收이고 『春秋』는 난신적자들이 모두 두려워했을 정도이니 역사를 저장하는 藏에 해당한다.

81 王植, 『皇極經世書解』, "1장에서 천도를 말했고 이장의 큰 뜻도 治道를 말했다. 그러나 '천지도 만물이다.'라고 했고 또 '萬民은 萬物과 같다.'고 했으니 성인과 만민이 다를 수가 없다면 하늘을 관찰하는 것이나 성인을 관찰하는 것이나 사물을 관찰하는 것일 뿐이다. 그래서 네 구절의 춘하추동 첫머리에 모두 관찰한다고 했다. (首篇大意言天道, 此篇大意則言治道. 연上篇曰, 天地亦萬物, 又曰, 萬民與萬物同. 聖人不能異於萬民, 則觀天與觀聖, 無非觀物而已. 故首四句於春夏秋冬皆曰觀.)"

데 낳음을 말하고 『서』의 서는 성장함 가운데 성장함을 말하고 『서』의 시는 성장함 가운데 수렴함을 말하고 『서』의 춘추는 성장함 가운데 저장함을 말한다. 『시』의 역은 수렴함 가운데 낳음을 말하고 『시』의 서는 수렴함 가운데 성장함을 말하고 『시』의 시는 수렴함 가운데 수렴함을 말하고 『시』의 춘추는 수렴함 가운데 저장함을 말한다. 『춘추』의 역은 저장함 가운데 낳음을 말하고 『춘추』의 서는 저장함 가운데 성장함을 말하고 『춘추』의 시는 저장함 강운데 수렴함을 말하고 『춘추』의 춘추는 저장함 가운데 저장함을 말한다.[82]

[9-4-5-0]

天時迭爲消長, 聖經更爲汚隆, 其道如此. 可以意會, 不可以言求也.

천시天時는 번갈아 줄어들고 늘어나며 성경聖經은 번갈아 쇠퇴하고 융성하여 그 도가 이와 같다. 뜻으로 이해해야지 말로 구해서는 안 된다.[83]

[9-4-6]

生生者, 修夫意者也, 生長者, 修夫言者也, 生收者, 修夫象者也, 生藏者, 修夫數者也. 長生者, 修夫仁者也, 長長者, 修夫禮者也, 長收者, 修夫義者也, 長藏者, 修夫智者也. 收生者, 修夫性者也, 收長者, 修夫情者也, 收收者, 修夫形者也, 收藏者, 修夫體者也. 藏生者, 修夫聖者也, 藏長者, 修夫賢者也, 藏收者, 修夫才者也, 藏藏者, 修夫術者也.

낳음 가운데 낳음은 뜻을 수행修行하는 것이고 낳음 가운데 성장함은 말을 수행하는 것이고 낳음 가운데 수렴함은 형상[象]을 수행하는 것이고 낳음 가운데 저장함은 수[數]를 수행하는 것이다. 성장함 가운데 낳음은 인仁을 수행하는 것이고 성장함 가운데 성장함은 예禮를 수행하는 것이고 성장함 가운데 수렴함은 의義를 수행하는 것이고 성장함 가운데 저장함은 지智를 수행하는 것이다. 수렴함 가운데 낳음은 성질[性]을 수행하는 것이고 수렴함 가운데 성장함은 실정[情]을 수행하는 것이고 수렴함 가운데

. . . .

82 이상의 내용을 도표화하면 이렇다.

易之易	生生	書之易	長生	詩之易	收生	春秋之易	藏生
易之書	生長	書之書	長長	詩之書	收長	春秋之書	藏長
易之詩	生收	書之詩	長收	詩之詩	收收	春秋之詩	藏收
易之春秋	生藏	書之春秋	長藏	詩之春秋	收藏	春秋之春秋	藏藏

83 王植, 『皇極經世書解』: "소백온이 '뜻으로 이해해야 하지 말로 구해서는 안 된다.'라고 했는데 이는 옳은 말이지만 하나의 경전 가운데에는 모두 각각 경전의 뜻을 겸비하고 있다. 예를 들어 호씨의 『春秋傳』 서문에서 '좋아하고 미워하는 것을 공정하게 한 것은 『詩經』의 정서가 드러난 것이고 고금을 참작한 것은 『書經』의 일을 관통하고 있는 것이고 권도로 제제하는 것을 드러낸 것은 『易經』의 변화를 다 드러낸 것이다.'라고 하고서 소주에 또 각각 그에 대한 사실과 글을 들어서 실증했으니 소강절이 이 말을 한 것 역시 단지 뜻만 취함이 아니다.(邵伯子謂, 可意會, 不可求, 固是然. 每一經中, 皆兼有各經之義. 如胡氏春秋傳序謂, 公好惡則發乎詩之情, 酌古今則貫乎書之事, 著權制則盡乎易之變, 而小註又各擧其事與文以實之, 則邵子之爲此言, 亦非但取意而已也.)"

수렴함은 형체[形]를 수행하는 것이고 수렴함 가운데 저장함은 체질[體]을 수행하는 것이다. 저장함 가운데 낳음은 성스러움[聖]을 수행하는 것이고 저장함 가운데 성장함은 현명함[賢]을 수행하는 것이고 저장함 가운데 수렴함은 재주[才]를 수행하는 것이고 저장함 가운데 저장함은 술수[術]를 수행하는 것이다.[84]

[9-4-6-0]

意言象數, 言其本末. 仁義禮智, 言其先後. 性情形體, 言其大小. 聖賢才術, 言其優劣.

뜻·말·형상·수는 그 근본과 말단을 말한다. 인·의·예·지는 그 앞과 뒤를 말한다. 성질·실정·형체·체질은 그 크고 작음을 말한다. 성스러움·현명함·재주·술수는 그 우월함과 열등함을 말한다.

[9-4-7]

修夫意者, 三皇之謂也, 修夫言者, 五帝之謂也, 修夫象者, 三王之謂也, 修夫數者, 五伯之謂也.

뜻을 수행하는 것은 삼황을 말하고 말을 수행하는 것은 오제를 말하고 형상을 수행하는 삼왕을 말하고 수를 수행하는 오패를 말한다.

[9-4-7-0]

皇帝王霸之道如此.

(뜻·말·형상·수는)[85] 삼황·오제·삼왕·오패의 도가 이와 같다.

[9-4-8]

修夫仁者, 有虞之謂也, 修夫禮者, 有夏之謂也, 修夫義者, 有商之謂也, 修夫智者, 有周之謂也.

인을 수행하는 것은 순임금을 말하고 예를 수행하는 것은 우왕을 말하고 의를 수행하는 것은 탕왕을 말하고 지를 수행하는 것은 문·무왕을 말한다.

---

84 이상의 내용을 도표화하면 이렇다.

生生	意		長生	仁		收生	性		藏生	聖	
生長	言	本末	長長	義	先後	收長	情	大小	藏長	賢	優劣
生收	象		長收	禮		收收	形		藏收	才	
生藏	數		長藏	智		收藏	體		藏藏	術	

85 왕식 판본에는 괄호의 내용이 있다. 의미상 삽입해서 해석했다.

[9-4-8-0]

仁義禮智, 在人則與性俱生, 在時則有先後之序.

인·의·예·지는 사람에서는 성性과 함께 생겨나지만 시간에서는 선후의 순서가 있다.

[9-4-9]

修夫性者, 文王之謂也, 修夫情者, 武王之謂也, 修夫形者, 周公之謂也, 修夫體者, 召公之謂也.

성질을 수행하는 것은 문왕을 말하고 감정을 수행하는 것은 무왕을 말하고 형체를 수행하는 것은 주공을 말하고 체질을 수행하는 것은 소공召公을 말한다.

[9-4-9-0]

德有大小, 則化有淺深.

(성질·감정·형체·체질은) 덕에 크고 작은 것이 있으니 영향력을 미치는 데에 얕고 깊음이 있다.

[9-4-10]

修夫聖者, 秦穆之謂也, 修夫賢者, 晉文之謂也, 修夫才者, 齊桓之謂也, 修夫術者, 楚莊之謂也.

성스러움을 수행하는 것은 진秦나라 목공을 말하고 현명함을 수행하는 것은 진晉나라 문후를 말하고 재주를 수행하는 것은 제나라 환공을 말하고 술수를 수행하는 것은 초나라 장왕을 말한다.[86]

[9-4-10-0]

秦穆改過自誓, 得聖之事已.

진나라 목공이 허물을 고치고 스스로 맹세한 것은 성인의 일을 얻은 것이다.[87]

....

86 이상의 내용을 도표화하면 이렇다.

	易	書	詩	春秋
春生易	三皇修意	五帝修言	三王修象	五伯修數
夏長書	有虞修仁	有夏修禮	有商修義	有周修智
秋收詩	文王修性	武王修情	周公修形	召公修體
冬藏春秋	秦穆修聖	晉文修賢	齊桓修才	楚莊修術

87 王植, 『皇極經世書解』, "외편 9장에서 '황제왕패는 단지 삼황·오제·삼왕·오패만을 말한 것이 아니다. 단지 무위(의도적인 개입이 없음)의 정치를 하면 황이고 은혜와 신의를 사용하면 제이고 공정하게 정치를 하면 왕이고 지모와 권력을 쓰면 패다.'라고 했으니 이것이 의·언·상·수의 뜻이다. 외편 9장에서 또 말하기를 '진 목공이 주나라에 공이 있고 허물을 고쳐서 선으로 옮겨갈 수 있었으니 패자 중에 으뜸이다. 진나라 문후는 대대로 왕을 권면했고 평왕을 낙양으로 천도하게 했으니 그 다음이다. 제나라 환공은 아홉 번이나 제후를 회합했지만 무력을 동원하지 않았으니 또 그 다음이다. 초나라 장왕은 강대하니 또 그 다음이다.'라고 했다.

[9-4-11]

皇帝王伯者, 易之體也, 虞夏商周者, 書之體也, 文武周召者, 詩之體也, 秦晉齊楚者, 春秋之體也.

황·제·왕·패는 『역경』의 체體이고 우·하·상·주虞夏商周는 『서경』의 체이고 문왕·무왕·주공·소공은 『시경』의 체이고 진秦나라·진晉나라·제나라·초나라는 『춘추』의 체이다.

[9-4-11-0]

易以道陰陽, 陰陽消長唯其時而已, 故皇帝王伯所以爲易之體也. 書以道事, 帝王之迹存焉, 故虞夏商周所以爲書之體也. 詩以道志, 始於二南而終於雅頌, 故文武周召所以爲詩之體也. 春秋以道名分, 至於五伯, 名分亂矣, 仲尼以春秋正其名分, 春秋皆五伯之事也, 故秦晉齊楚者, 春秋之體也.

『역』은 음양을 말하니 음양의 줄어들고 늘어나는 것은 오직 시간일 뿐이기 때문에 황·제·왕·패는 『역』의 체가 되는 것이다. 『서』는 일을 말하니 제왕들의 행적이 보존된 것이기 때문에 순·우·탕·문무虞夏商周는 『서』의 체가 되는 것이다. 『시』는 뜻志(정취)을 말하니 「주남」과 「소남」에서 시작하여 아雅와 송頌에서 끝나기 때문에 문왕·무왕·주공·소공은 『시』의 체가 되는 것이다. 『춘추』는 명분名分을 말하니 오패에 이르러 명분이 혼란해져서 공자가 『춘추』로 명분을 바로잡으려고 했으므로 『춘추』는 모두 오패의 일이기 때문에 진목공·진문후·제환공·초장왕은 『춘추』의 체가 되는 것이다.

[9-4-12]

意言象數者, 易之用也, 仁義禮智者, 書之用也, 性情形體者, 詩之用也, 聖賢才術者, 春秋之用也.

뜻·말·형상·수는 『역』의 용用이고 인·의·예·지는 『서』의 용이고 성질·감정·형체·체질은 『시』의 용이고 성스러움·현명함·재주·술수는 『춘추』의 용이다.[88]

. . . .

여기에 근거하면 晉文은 진나라 文侯를 말할 것이고 文公을 말한 것이 아니다. 진나라 목공을 문후보다 후대의 사람인데 앞에 서술한 것은 외편 9장에서 '진나라 목공이 정나라를 쳐서 패했으나 허물을 뉘우치고 맹세했다.'고 했으니 이것은 패자의 일에 그치는 것이 아니라 거의 왕도에 가까운 일이다. 뉘우칠 수 있으면 허물이 없으니 아마도 소강절의 견해가 이와 같기 때문이다.(外篇之九云, 所謂皇帝王霸者, 非獨謂三皇五帝三王五霸而已. 但用無爲則皇也, 用恩信則帝也, 用公正則王也, 用智力則霸也. 此卽意言象數之謂. 外九又云, 秦穆公, 有功於周, 能遷善改過爲霸者之最. 晉文侯, 世世勤王, 遷平王於洛, 次之. 齊桓公, 九合諸侯, 不以兵車, 又次之. 楚莊, 强大, 又次之, 據此則晉文, 謂文侯, 非文公也. 秦穆, 在文侯之後而敍之於前者, 外九又云, 秦穆公, 伐鄭敗而有悔過自誓之言, 此非止霸者之事, 幾於王道. 能悔則無過矣, 蓋邵子之所見如此.)"

88 이상의 내용을 도표화하면 이렇다.

三皇脩夫意, 五帝脩夫言, 三王脩夫象, 五伯脩夫數, 易具是四者, 故意言象數爲易之用. 有虞脩夫仁, 有夏脩夫禮, 有商脩夫義, 有周脩夫智, 故仁義禮智爲書之用. 文王脩夫性, 武王脩夫情, 周公脩夫形, 召公脩夫體, 故性情形體爲詩之用. 秦穆脩夫聖, 晉文脩夫賢, 齊桓脩夫才, 楚莊脩夫術, 故聖賢才術所以爲春秋之用也.

삼황은 뜻을 수행했고 오제는 말을 수행했고 삼왕은 형상을 수행했고 오패는 수를 수행했으니 『역』은 이 4가지를 구비한 것이다. 그래서 뜻·말·형상·수가 『역』의 용用이 되는 것이다. 순임금은 인을 수행했고 우왕은 예를 수행했고 탕왕은 의를 수행했고 문·무왕은 지를 수행했다. 그래서 인·의·예·지가 『서』의 용이 되는 것이다. 문왕은 성질을 수행했고 무왕은 감정을 수행했고 주공은 형체를 수행했고 소공은 체질을 수행했다. 그래서 성질·감정·형체·체질이 『시경』의 용이 되는 것이다. 진나라 목공은 성스러움을 수행했고 진나라 문후는 현명함을 수행했고 제나라 환공은 재주를 수행했고 초나라 장왕은 술수를 수행했다. 그래서 성스러움·현명함·재주·술수가 『춘추』의 용이 되는 것이다.

[9-4-13]

用也者, 心也, 體也者, 跡也, 心跡之間有權存焉者, 聖人之事也.

용用이라는 것은 마음이고 체體라는 것은 행적이고 마음과 행적 사이에 권도權道가 보존되는 것은 성인의 일이다.[89]

[9-4-13-0]

心無所在而無所不在, 故以用言, 迹有方所, 故以體言. 心迹體用之間有權存焉, 則所謂體無定用, 惟變是用, 用無定體, 惟化是體者. 如是, 則心迹體用俱以泯矣. 文中子所謂適造者不知其殊也. 惟聖人爲能盡之. 竊嘗論之, 心迹之義大矣哉. 聖人方其寂然不動, 則烏有所謂心迹者焉. 雖鬼神莫得而窺也. 及其酬酢應變, 吉凶與民同患, 則心迹於是乎判矣. 莊子所謂迹者人之所履, 豈其所履哉, 信斯言也. 徒徇聖人之迹而不達聖人之心, 是膠柱鼓瑟

易之體	書之體	詩之體	春秋之體
皇帝五伯	虞夏商周	文武周召	秦晉齊楚
易之用	書之用	詩之用	春秋之用
意言象數	仁義禮智	性情形體	聖賢才術

89 王植, 『皇極經世書解』. 황기는 다음과 같이 설명하고 있다. "마음이란 신령함이 보존되어 있는 곳이므로 용으로 말했다. 흔적이란 사람이 밟아 온 것이므로 체로 말했다. 權이란 사물을 저울질하여 경중하는 것이니 마음과 흔적 사이에 운용하여 상황에 따라서 조치하면 신묘하여 구체적인 장소에 따라 차이가 없다. 事란 행위이고 사업의 시작이다."(心者, 神之所存也, 故以用言. 迹者, 人之所履也, 故以體言. 權稱物而知輕重者也, 運用於心迹之間而時措之宜, 則神妙無方矣. 事爲也, 業之始也.)

刻舟求劍者也.

마음은 있는 곳도 없고 있지 않은 곳도 없기 때문에 용_用으로 말했고 행적은 공간적인 위치가 있기 때문에 체_體로 말했다. 마음과 행적, 체와 용 사이 권도가 보존되어 있다는 것은 이른바 "체體는 일정한 용用이 없으니 오직 변變을 용으로 삼고 용用은 일정한 체體가 없고 화化를 체體로 삼는다."는 것이니 이와 같다면 마음과 흔적, 체와 용은 모두 없어져 버린다. 문중자가 말한 "도에 나아간 자는 그 다른 것을 알지 못한다."[90]라는 것이다. 이는 오직 성인만이 그것을 모두 실현할 수가 있다. 논의해 본 적이 있는데 마음과 행적의 의미는 크다. 성인이 고요하게 마음이 움직이지 않는다면 어찌 마음과 행적이라고 말할 것이 있겠는가. 귀신일지라도 그것을 엿볼 수가 없다. 그러나 성인이 만물에 응대하고[91] 변화에 대응해서 길함과 흉함을 백성과 함께 근심하면 마음과 행적이 이에 나뉜다. 『장자』에 "행적이란 사람이 밟아온 자취나 어찌 밟아온 자취만이겠습니까."[92]라고 했다. 이 말은 믿는다면 단지 성인의 행적만을 따라서 하고 성인의 마음을 통달하지 못한다면 비파의 기러기발에 아교칠을 하고 비파를 치거나 강을 따라 흘러가는 배에 표시를 하고 강에 떨어진 칼을 찾는 것과 같다.[93]

蓋天下之理一涉于事物, 則必有迹, 有迹則有方所. 若聖人之心, 則無所在, 亦無所不在, 無方所者也. 古之善學聖人者, 求其心而不求其迹. 如曾子謂孔子言'喪欲速貧, 死欲速朽', 有子獨以謂非君子之言, 有爲而言之也. 苟直以其言爲然而不知其所以言, 則失聖人之心矣. 是泥乎迹者也. 若有子可謂能知聖人之心者也. 嗚呼, 不知聖人之心而徒徇聖人之迹, 則害於道. 害於道者, 楊墨之徒是也, 學者宜有以辨之. 竊聖人之迹而爲姦爲惡者, 則害於國家. 害於國家者, 莽卓之徒是也, 人君宜有以辨之. 學者不知辨, 則卒至於無父無君. 人君不知辨, 則至於竊國弑君. 嗚呼, 自非聖智, 其孰能辨之哉.

세상의 이치가 사물에 한 번 관여되면 반드시 행적이 있게 마련이고 행적이 있다면 구체적인 장소가 있다. 그러나 성인의 마음은 있는 곳도 없고 없는 곳도 없기 때문에 구체적인 장소가 없다. 옛날에 성인을 잘 배운 자는 그 마음을 구했지 그 행적을 구하지 않았다. 예를 들면 증자가 '공자는 벼슬하다가 잃으면 빨리 가난해지려 하고 죽으면 빨리 썩는 것이 낫다.'고 했는데 유자는 홀로 '이는 군자의 말이 아니다. 아마도 까닭이 있어서 말 한 것이다.'라고 했다.[94] 다만 그 말을 옳다고 여기면서 그

. . . .

90 『中說』권5「問易」: "而適造者不知其殊也." 다음과 같은 주석이 달려 있다. "適造, 謂我適至於道, 乘時而用, 則安知心與迹果殊哉."

91 『周易』「繫辭上」9장: "是故可與酬酢可與祐神矣." 주자는 酬酢을 應對로 풀이한다.

92 육경을 공부하여 군주에게 선왕의 도와 행적을 유세하며 밝혔지만 군주에게 등용되지 못했다는 공자의 말에 노자가 답하는 것이다. 즉 육경이란 선왕이 남긴 행적을 말하는 것인데 어찌 그것이 진짜 참다운 모습이겠는가라고 노자가 답하는 내용 가운데 한 구절. 행적은 현실의 발걸음 자체는 아니라는 것이다. 『莊子』「天運」: "夫迹, 履之所出, 而迹豈履哉!"

93 膠柱鼓瑟은 『史記』「廉頗藺相如傳」에 나온 말이고 刻舟求劍은 『韓非子』에 나온 말로서 고지식하여 조금도 융통성이 없음을 의미한다.

말을 한 이유를 알지 못하면 성인의 마음을 잃게 된다. 이것이 행적에 구애되는 것이다. 유자의 경우는 성인의 마음을 알았다고 말할 수 있다. 아, 성인의 마음을 알지도 못하고 성인의 행적만을 따른다면 도를 해친다. 도를 해치는 자는 양주와 묵자의 무리들이 이러한 자들이니 배우는 사람은 마땅히 이를 분별해야 한다. 성인의 행적을 훔쳐서 간사함과 악함을 행하는 자는 국가를 해친다. 국가를 해치는 자는 왕망과 동탁의 무리가 이런 자들이니 군주는 마땅히 분별해야 한다. 배우는 사람이 분별하지 못하면 마침내 아버지를 무시하고 군주를 무시하는 지경에 이른다. 군주가 분별하지 못하면 신하가 나라를 훔치고 군주를 시해하는 데에 이르니 아! 만약 성인의 지혜가 아니라면 누가 분별할 수 있겠는가.[95]

[9-4-14]

三皇同意而異化, 五帝同言而異教, 三王同象而異勸, 五伯同術而異率. 同意而異化者必以 道, 以道化民者, 民亦以道歸之, 故尙自然. 夫自然者, 無爲無有之謂也. 無爲者, 非不爲也,

. . . .

94 『禮記』「檀弓上」: "有子問於曾子, 曰問喪於夫子乎. 曰, 聞之矣. 喪欲速貧, 死欲速朽. 有子曰, 是非君子之言 也. 曾子曰, 參也聞諸夫子也. 有子又曰, 是非君子之言. 曾子曰, 參也與子游聞之. 有子曰, 然, 然則夫子有爲 言之也." 이에 대해서 자유가 이 이야기를 듣고서 유자의 말을 칭찬하면서 이 말을 한 것은 사마와 남궁경숙에게 한 말이라고 구체적인 맥락을 들고 말하고 있다. 즉, 공자가 송나라에 있을 때 환사마가 자신의 석곽을 만드는데 3년이 더 걸리는 것을 보고 '이와 같이 사치하게 한다면, 죽어 빨리 썩게 하는 것이 더 낫다.'고 했고 남궁경숙이 관직을 잃고 국외로 갔다가 귀국해서 재물을 싣고 와 뇌물을 뿌리며 지위를 회복하는 것을 보고 '이렇게 재물로 복위를 꾀한다면 벼슬을 잃었을 때 빨리 가난해지는 것이 낫다.'고 구체적으로 그 맥락을 설명하고 있다.(曾子以斯言告於子游. 子游曰, 甚哉. 有子之言似夫子也. 昔者, 夫子居於宋, 見桓司馬自爲石椁 三年而不成, 夫子曰, 若是其靡也, 死不如速朽之愈也. 死之欲速朽, 爲桓司馬言之也. 南宮敬叔反, 必載寶而朝. 夫子曰, 若是其貨也, 喪不如速貧之愈也. 喪之欲速貧爲敬叔言之也)

95 王植, 『皇極經世書解』: "첫 구절 이하로부터 네 경전을 통해서 생장수장의 뜻을 보고 생장수장으로부터 의언상수, 인의예지, 성정형체, 성현재술의 각 뜻이 나왔다. 그리고 이어서 의언상수로 황제왕패에 분속시키고 인의예지로 우하상주에 분속시키고 성정형체로 문무주소에 분속시키고 성현재술로 진진제초로 분속시킨 후에 윗 글을 모두 총괄하여 네 경전에 귀결시켜서 첫 구절과 서로 호응을 이루게 하고 권도라는 글자로 끝맺었다. 권도는 마음으로 이치를 헤아려서 경중의 마땅함을 살펴 흔적에 구애되는 것이 아니니 경전을 잘 사용하는 것이다. 외편 9장에서 '한나라 유학자들은 경에 반하지만 도에 합치된다는 것으로 권을 생각했지만 한 측면만을 본 것이다. 권이란 사물의 경중을 고르게 하는 것이니 성인이 권도를 행하는 것은 경중을 헤아려서 행동하되 그 마땅함에 합치하도록 할 뿐이다.'라고 했다. 이 장에서 마음과 흔적 사이에 '권도가 보존된다.'고 했는데 이는 사람이 성인의 흔적에 얽매이지 말고 성인의 마음을 이해하게 한 것이다. 소백온은 '마음과 흔적·형제와 작용이 모두 섞여있다.'고 했는데 이는 심학의 학설로 빠진 것이니 소강절의 뜻이 아니다. 그래서 삭제했다.(自首節以下, 由四經, 看出生長收藏之義, 由生長收藏, 看出意象數仁義禮智性情形體聖賢才術 各義. 乃以意言象數分屬之皇帝王伯, 以仁義禮智分屬之虞夏商周, 以性情形體分屬之文武周召, 以聖賢才術分 屬之秦晉齊楚, 然後總收上文, 仍歸到四經, 與首節相應而以權字結之. 權, 以心度理, 審輕重之宜而不泥於迹, 正所以善經之用也. 外篇之九云, 漢儒以反經合道爲權, 得一端者也. 權所以平物之輕重, 聖人行權, 酌其輕重而 行之各其宜而已. 此篇於心迹之間, 曰有權存焉, 蓋欲人勿泥聖人之迹而會其心. 邵伯子謂, 心迹體用俱以泯, 似 涉心學之說, 非邵子之意也. 故乙之.)"

不固爲者也, 故能廣. 無有者, 非不有也, 不固有者也, 故能大. 廣大悉備而不固爲固有者, 其惟三皇乎! 是故知能以道化天下者, 天下亦以道歸焉. 所以聖人有言曰, '我無爲而民自化, 我無事而民自富, 我好靜而民自正, 我無欲而民自樸', 其斯之謂歟!

삼황은 뜻이 같지만 화육하는 것이 다르고 오제는 말은 같지만 교육하는 것이 다르고 삼왕은 겉모습이 같지만 권면하는 것이 다르고 오패는 술수는 같지만 통솔함이 다르다. 뜻은 같지만 화육하는 것은 반드시 도로써 하는 것이니 도로써 백성에게 화육하는 자는 백성 역시 도로 귀의하므로 자연스러움을 존중한다. 자연스러움이란 작위함이 없고 소유함이 없는 것을 말한다. 작위함이 없는 것은 하지 않는 것이 아니라 의도적으로 하지 않는 것이므로 화육함이 넓어질 수가 있다. 소유함이 없는 것은 소유하지 않는 것이 아니라 의도적으로 소유하지 않는 것이므로 소유함이 클 수가 있다. 영향력이 넓고 소유함이 커서 모든 것을 갖추고 있으면서 의도적으로 하지 않고 의도적으로 소유하지 않는 자는 오직 삼황일 것이다! 그래서 도로써 세상을 화육하는 자는 세상 사람들 역시 도로써 귀의한다. 그래서 성인이 '내가 작위하지 않아서 백성은 저절로 교화되고 내가 억지로 일을 벌이지 않아서 백성은 스스로 부유하게 되고 내가 고요함을 좋아해서 백성은 저절로 바르게 되고 내가 욕심을 부리지 않아서 백성은 저절로 소박해진다.'[96]고 했으니 이것을 말할 것이다![97]

[9-4-14-0]

含容不顯之謂意. 意在理中, 未見乎迹者也. 任理則無爲, 所以爲三皇. 帝則有教, 有教則有言. 王則事功著, 故有象, 霸則任智力, 故曰同數而異率. 任理無爲, 天何言哉, 以道化天下者也. 以道化天下, 故天下以道歸焉.

마음속에 머금어 품고서 드러내지 않는 것을 뜻이라 한다. 뜻은 리理에 있어서 행적으로 드러나지 않는 것이다. 리에 맡기면 작위함이 없으니 삼황이 된다. 오제는 가르침이 있어서 가르침이 있으면 말이 있게 마련이다. 삼왕은 일의 공적이 드러나므로 모습이 있고 오패는 지모와 권력에 맡겨 행하므로 술수는 같지만 통솔함이 다르다고 말했다. 리에 맡겨 작위함이 없으니 하늘이 무슨 말을 하겠으며 도로 세상 사람을 화육하는 자이다. 도로 세상 사람을 화육하므로 세상 사람도 도로써 귀의한다.

[9-4-15]

三皇同仁而異化, 五帝同禮而異教, 三王同義而異勸, 五伯同智而異率. 同禮而異教者必以

---

96 『老子』57장 : "以正治國, 以奇用兵, 以無事取天下, 吾何以知其然哉, 以此, 天下多忌諱, 而民彌貧, 民多利器, 國家滋昏, 人多伎巧, 奇物滋起, 法令滋彰, 盜賊多有, 故聖人云, 我無爲而民自化, 我好靜而民自正, 我無事而民自富, 我無欲而民自樸." 노자의 말과는 순서가 다르다.

97 王植, 『皇極經世書解』: "뜻이란 마음이 이르는 것으로 흔적이 없고, 말은 마음이 드러나서 흔적이 있다. 형상은 그 흔적이 드러난 것이고 수란 말이 자세하고 계산을 한다.(意者, 心之所至而無迹, 言者, 心之所宣, 則有迹矣. 象則其迹著, 數則其言詳而用計矣.)"

德, 以德教民者, 民亦以德歸之, 故尚讓. 夫讓也者, 先人後己之謂也. 以天下授人而不爲輕, 若素無之也. 受人之天下而不爲重, 若素有之也. 若素無素有者, 謂不己無己有之也. 若己無己有, 則擧一毛以取與於人, 猶有貪吝之心生焉, 而況天下者乎! 能知其天下之天下非己之天下者, 其惟五帝乎? 是故知能以德教天下者, 天下亦以德歸焉. 所以聖人有言曰, '垂衣裳而天下治, 蓋取諸乾坤', 其斯之謂歟!

삼황은 인仁은 같지만 화육이 다르고 오제는 예禮가 같지만 가르침이 다르며 삼왕은 의義가 같지만 권면함이 다르고 오패는 지모가 같지만 통솔함이 다르다. 예가 같지만 가르침이 다른 것은 반드시 덕으로써 행하는 것이니 덕으로써 백성을 가르치는 자는 백성 역시 덕으로 귀의하므로 겸양을 존중한다. 겸양이란 상대를 먼저 배려하고 자신을 나중에 생각하는 것을 말한다. 온 세상을 남에게 주지만 세상을 함부로 하지 않으니 본래 자신의 소유가 아닌 것처럼 한다. 남의 세상을 받고도 부담을 갖지 않으니 본래 자신의 소유인 것처럼 한다. 본래 자신의 소유가 아닌 듯하고 본래 자신의 소유인 것처럼 하는 것은 나에게 없었던 것이나 있었던 것이 아님을 말한다. 나에게 없었던 것이나 있었던 것이라면 터럭 하나를 들어 남에게 주거나 받더라도 탐내고 인색한 마음이 생기는데 하물며 온 세상은 어떻겠는가! 그 세상 사람들의 세상이지 나의 세상이 아니라는 것을 알 수 있는 자는 오직 오제일 것이다! 그래서 덕으로 천하를 가르칠 수 있는 자는 세상 사람들 역시 덕으로써 귀의함을 알 수 있다. 그래서 성인이 '의상을 드리웠는데도 세상이 다스려지니 아마도 건괘와 곤괘[98]에서 취한 것이다.'[99]라고 했으니 이것을 말할 것이다![100]

[9-4-15-0]

幷包徧覆之謂仁, 三皇之道也. 帝則有儀有物, 故曰同禮而異教. 王則有刑有政, 故曰同義而異勸. 伯則智力相尚, 故曰同智而異率. 有儀有物, 以德教天下者也. 故天下以德歸焉.

모두 포용하고 두루 덮어주는 것을 인仁이라고 하니 삼황의 도이다. 오제는 예의와 예물이 있으므로 예禮는 같지만 가르침이 다르다고 하였다. 삼왕은 형벌이 있고 정치가 있으므로 의義는 같지만 권면함이 다르다고 하였다. 오패는 지모와 권력을 서로 숭상하므로 지모는 같지만 통솔함이 다르다고 하였다. 예의와 예물이 있다는 것은 덕으로 천하를 가르치는 것이다. 그래서 세상 사람들 역시 덕으로써 귀의한다.

---

98 주희는 『本義』에서 건곤을 "變化而無爲"라고 해석하고 있다. 즉 건곤은 無爲를 의미한다.

99 『周易』「繫辭下」 2장: "黃帝堯舜垂衣裳而天下治, 蓋取諸乾坤."

100 王植, 『皇極經世書解』: "(황기는 말했다.) 인이란 마음의 덕으로 모두 함께 포괄하여 두루 감싸 안아서 흔적이 없고, 예란 마음에서 모범과 법도가 생겨난 것으로 흔적이 있다. 義는 형벌과 정치가 있어 조절하고 제어하는 것이고 智는 계산을 하는 것이다.(仁者, 心之德, 幷包徧覆而無迹, 禮則心發於儀則而有迹矣. 義則有政刑以裁制之, 智則用謀矣.)"

[9-4-16]

三皇同性而異化, 五帝同情而異敎, 三王同形而異勸, 五伯同體而異率. 同形而異勸者必以功, 以功勸民者, 民亦以功歸之, 故尙政. 夫政也者, 正也, 以正正夫不正之謂也. 天下之正莫如利民焉. 天下之不正莫如害民焉. 能利民者正, 則謂之曰王矣. 能害民者不正, 則謂之曰賊矣. 以利除害, 安有去王耶? 以王去賊, 安有弑君耶? 是故知王者正也. 能以功正天下之不正者, 天下亦以功歸焉. 所以聖人有言曰, '天地革而四時成, 湯武革命, 順乎天而應乎人', 其斯之謂歟?

삼황은 성性이 같지만 화육은 다르고 오제는 정情이 같지만 가르침이 다르며 삼왕은 형形이 같지만 권면함이 다르고 오패는 체體가 같지만 통솔함이 다르다. 형이 같지만 권면함이 다른 것은 반드시 공로로 행하는 것이니 공로로 백성들을 권면하는 자는 백성 역시 공로로 귀의하므로 정치를 존중한다. 정치란 바로잡는 것이니 올바름으로 바르지 않은 것을 바로 잡는 것을 말한다. 세상의 올바름은 백성을 이롭게 하는 것 만한 것이 없다. 세상의 바르지 않음은 백성을 해롭게 하는 것 만한 것이 없다. 백성을 이롭게 할 수 있는 자는 올바름이니 왕王이라고 한다. 백성을 해롭게 할 수 있는 자는 바르지 않음이니 도적이라고 한다. 이로움으로 해로운 것을 제거하니 어찌 왕을 제거하는 일이 있겠는가! 왕도로 도적을 제거하니 어찌 군주를 시해하는 일이 있겠는가! 그래서 왕은 올바름을 알 수 있다. 공로로 세상의 바르지 못한 것을 바로 잡을 수 있는 자는 세상 역시 공로로써 귀의한다. 그래서 성인이 말하기를 '천지가 바뀌어 사계절이 이루어지며 탕왕과 무왕이 명을 바꾸어 하늘의 뜻을 따르고 세상 사람들의 뜻에 호응한다.'[101]라고 했으니 이것을 말할 것이다![102]

[9-4-16-0]

皇盡性而已. 帝則見於事矣, 故曰同情. 王則法度備, 故曰同形. 伯則威力窮極矣, 故曰同體. 法度備則形見於天下矣. 形見於天下, 以功勸天下者也. 以功勸天下, 故天下以功歸焉.

삼황은 성性을 모두 실현할 뿐이다. 오제는 일에 드러나기 때문에 정情은 같다고 했다. 삼왕은 법도가 갖추어져 있기 때문에 형形이 같다고 했다. 오패는 위세와 힘을 끝까지 발휘했기 때문에 체體가 같다고 했다. 법도가 갖추어지면 형이 세상에 드러난다. 형이 세상에 드러난다는 것은 공로로 세상을 권면하는 것이다. 공로로 세상을 권면하기 때문에 세상 사람은 공로로써 귀의한다.

. . . .

101 『周易』「革卦·象傳」: "象曰, 革, 水火相息, 二女同居, 其志不相得, 曰革. 己日乃孚, 革而信之, 文明以說, 大亨以正, 革而當, 其悔乃亡. 天地革而四時成, 湯武革命, 順乎天而應乎人, 革之時大矣哉!"

102 王植, 『皇極經世書解』: "性은 마음의 理이다. 情은 사물에 감응하여 움직이는 것이니 흔적에 드러난다. 형체[形]는 세상에 흔적이 드러나고 肢體는 형체가 나뉘어져 미세하게 된 것이다.(性者, 心之理也. 情則感物而動, 見於迹矣. 形則迹見於天下, 體則形分而微矣.)"

三皇同聖而異化, 五帝同賢而異教, 三王同才而異勸, 五伯同術而異率. 同術而異率者必以力, 以力率民者, 民亦以力歸之, 故尚爭. 夫爭也者, 爭夫利者也, 取與利, 不以義, 然後謂之爭. 小爭交以言, 大爭交以兵, 爭夫强弱者也. 猶借夫名焉者, 謂之曲直. 名也者, 命物正事之稱也. 利也者, 養人成務之具也.

삼황은 성스러움[聖]은 같지만 화육은 다르고 오제는 현명함[賢]은 같지만 교육은 다르며 삼왕은 재능[才]은 같지만 권면함이 다르고 오패는 술수[術]는 같지만 통솔함이 다르다. 술수는 같지만 통솔함이 다른 것은 반드시 힘으로써 행하니 힘으로 백성을 통솔하는 자는 백성 역시 힘으로써 귀의하므로 다툼을 숭상한다. 다툼이란 이익을 다투는 것이니 주고 받는 데에 이익대로 하고 의義로 하지 않은 뒤에 다툼이라고 말한다. 작은 다툼은 말로 싸우고 큰 다툼은 군사력으로 싸워서 강함과 약함을 다투는 것이다. 다투면서 오히려 명분을 내거는 것을 시비곡직曲直[曲眞]이라고 한다. 명분이라는 것은 사물을 이름 짓고 일을 바로 잡는 칭호이다. 이익이란 사람을 기르고 일을 이루는 도구이다.[103]

名不以仁, 無以守業. 利不以義, 無以居功. 利不以功居, 名不以業守, 則亂矣. 民所以必爭之也. 五伯者, 借虛名以爭實利者也. 帝不足則王, 王不足則伯, 伯又不足則夷狄矣. 然則五伯不謂無功于中國[104] 語其王[105]則未也. 過夷狄則遠矣. 周之東遷, 文武之功德于是乎盡矣. 猶能維持二十四君, 王室不絶如綫, 夷狄[106]不敢屠害中原者, 猶[107]五伯借名之力也. 是故知能以力率天下者, 天下亦以力歸焉. 所以聖人有言曰, '眇能視, 跛能履, 履虎尾, 咥人凶, 武人爲于大君', 其斯之謂歟!

명분은 인仁으로 하지 않으면 업적을 지킬 수가 없고 이익은 의義로써 하지 않으면 공을 누릴 수가 없다. 이익이 공을 누리지 못하고 명분이 업적을 지키지 못한다면 혼란해진다. 그러면 백성이 반드시 다투게 된다. 오패는 헛된 명분을 내걸고 실리를 다투는 자들이다. 제帝가 되기에 부족한 자가 왕王이고 왕 되기에 부족한 자가 패霸이고 패가 되기에 부족한 자가 오랑캐가 된다. 그러하니 오패는 중국에 공로가 없다고 할 수는 없다. 왕에 비교해 말하면 아직 부족하지만 오랑캐보다는 훨씬 낫다. 주나라가

. . . .

103 이상의 내용을 도표화하면 이렇다.

三皇	五帝	三王	五伯
同意異化	同言異教	同象異勸	同數異率
同仁異化	同禮異教	同義異勸	同智異率
同性異化	同情異教	同形異勸	同體異率
同聖異化	同賢異教	同才異勸	同術異率

104 다른 판본에는 國中으로 되어 있다.
105 다른 판본에는 正으로 되어 있다.
106 다른 판본에는 戎賊 혹은 秦楚라고 되어 있다.
107 다른 판본에는 由로 되어 있다.

동쪽으로 수도를 옮기자 문왕과 무왕의 공로와 덕이 여기에서 다 끝났다. 그런데도 24 군주[108]를 유지하면서 왕실이 실낱처럼 명맥이 끊이지 않았고 오랑캐는 감히 중원을 도륙하지 못했던 것은 오패들이 인의의 명분을 빌린 힘 때문이었다. 그러므로 힘으로 천하를 통솔할 수 있는 자는 세상 사람들 역시 힘으로써 귀의한다는 것을 알 수 있다. 그래서 성인은 '애꾸눈이 볼 수가 있고 절름발이가 걸을 수 있다. 호랑이 꼬리를 밟아 사람을 무니 흉하다. 무인이 군주가 된다.'[109]고 했으니 이것을 말하는 것이리라![110]

[9-4-17-0]

三皇之治不見形迹, 莫得而名焉. 故不言而民自化. 其道則同, 其所以爲化則異, 故曰同聖而異化. 五帝則有言有敎, 故曰同賢而異敎. 五帝固聖矣, 而謂之同賢者, 其道則聖, 其事則已見乎迹, 方之於三皇之道則爲賢也. 三王興事造業惟恐不及, 故曰同才而異勸. 五伯則詭譎相勝, 無所不至, 然猶假乎正也, 故曰同術而異率.

삼황의 다스림은 형체와 행적을 드러내지 않아서 형언할 수가 없다. 그래서 말하지 않아도 백성은 저절로 교화된다. 그 도는 같지만 그 교화된 바는 다르므로 '성스러움[聖]은 같지만 교화하는 바는 다르다.'고 했다. 오제는 말이 있고 교육이 있으므로 '현명함[賢]은 같지만 교육은 다르다.'고 했다. 오제는 분명 성스러운데 현명함이 같다고 한 것은 그 도는 성스럽지만 그 일은 행적에 드러났으니 삼황의 도에 비교해 보면 현명함 밖에 못되기 때문이다. 삼왕은 일을 벌이고 업적을 만들 때에 미치지 못할까 염려했기 때문이므로 '재능은 같지만 권면함이 다르다.'고 했다. 오패는 거짓과 속임수로 서로 이겨서 하지 않는 것이 없지만 여전히 올바름을 가탁했으므로 '술수는 같지만 통솔함이 다르다.'고 했다.

五伯用術以率, 則專用變詐威力矣, 故天下以力歸焉. 力有强弱, 故尚爭. 尚爭者, 爭乎利者也. 五伯爭利而猶假虛名者, 尚有所畏憚也. 然名不以仁, 利不以義, 此所以爲伯也. 王者則唯仁義而已. 五伯雖不若王, 猶能有功于時, 過於夷狄遠矣. 周之東遷, 與滅亡無異, 尚能維持數百年者, 蓋由五伯有尊王室之名也. 能以力率天下, 有尊王室之名, 是猶眇能視, 跛能履, 履虎尾, 咥人凶, 武人爲于大君者也. 履之九三, 以剛處剛者也. 以剛處剛而不中, 故有武人爲于大君之象, 伯者之事有類于此.

108 24군주: 13대 宣王 다음의 14대 桓王에서 37대 赧王까지 24 군주이다.
109 『周易』「履卦」: "六三, 眇能視, 跛能履, 履虎尾, 咥人凶, 武人爲大君."
110 王植, 『皇極經世書解』: "(황기가 말했다.) 성스러움이란 위대하여 영향력이 있는 것으로 혼연히 흔적이 없고 어짊이란 내면의 덕이 가득 차고 빛나서 흔적이 있다. 재주도 능력으로 드러난 것이고 술수는 거짓과 속임수로 명분을 구하는 것이다.(聖者, 大而化之, 渾然無迹, 賢則充實光輝而有迹矣. 才又以能著者, 術則詭譎以邀名焉.)"

오패는 술수를 사용하여 통솔하여 변칙과 속임과 위세와 힘만을 사용하기 때문에 세상 사람들이 힘으로 귀의한다. 힘에는 강함과 약함이 있기 때문에 다툼을 숭상한다. 다툼을 숭상하는 것은 이익을 다투는 것이다. 오패가 이익을 다투면서도 헛된 명분에 가탁하는 것은 아직도 두려워하고 꺼리는 바가 있는 것이다. 그러나 명분을 인仁으로써 하지 않고 이익을 의義로써 취하지 않으니 이것이 패자가 되는 까닭이다. 그러나 왕자王者는 오직 인과 의로 할 뿐이다. 오패가 삼왕보다는 못하지만 그래도 그 시대에 공로가 있을 수 있었으니 오랑캐[111]보다 훨씬 나은 것이다. 주나라가 동쪽으로 수도를 옮긴 것은 멸망한 것과 다름이 없지만 그래도 수 백년을 유지할 수 있었던 것은 오패가 왕실을 존중하는 명분을 가지고 있었기 때문이다. 힘으로 세상을 통솔하면서도 왕실을 높이는 명분을 지켰으니 이는 '애꾸눈이 볼 수 있고 절름발이가 걸을 수 있으며 호랑이 꼬리를 밟아 사람을 무니 흉하고 무인이 군주가 된 것이다.'고 하는 것과 같다. 리괘履卦의 구삼효는 강한 자가 강한 자리에 있는 것이다. 강한 자가 강한 자리에 있으면서 중中을 얻지 못했기 때문에[112] 무인이 군주가 되는 상이 있으니 패자의 일이 이것과 비슷하다.

[9-4-18]

夫意也者, 盡物之性也. 言也者, 盡物之情也. 象也者, 盡物之形也. 數也者, 盡物之體也. 仁也者, 盡人之聖也. 禮也者, 盡人之賢也. 義也者, 盡人之才也. 智也者, 盡人之術也. 盡物之性者謂之道, 盡物之情者謂之德, 盡物之形者謂之功, 盡物之體者謂之力. 盡人之聖者謂之化, 盡人之賢者謂之敎, 盡人之才者謂之勸, 盡人之術者謂之率.

뜻[意]이라는 것은 사물의 본성[性]을 다 실현하는 것이다. 말[言]이라는 것은 사물의 실정[情]을 다 실현하는 것이다. 형상[象]이란 사물의 형체[形]를 다 실현하는 것이다. 수數란 사물의 체질[體]을 다 실현하는 것이다. 인仁이란 사람의 성스러움을 다 실현하는 것이다. 예禮란 사람의 현명함을 다 실현하는 것이다. 의義란 사람의 재능[才]을 다 실현하는 것이다. 지智란 사람의 술수[術]를 다 실현하는 것이다. 사물의 본성을 다 실현하는 것을 도道라고 하고 사물의 실정을 다 실현하는 것을 덕德이라 하고 사물의 형체를 다 실현하는 것을 공功이라 하고 사물의 체질을 다 실현하는 것을 힘[力]이라고 한다. 사람의 성스러움을 다 실현하는 것을 교화[化]라고 하고 사람의 현명함을 다 실현하는 것을 교육[敎]이라고 하며 사람의 재능을 다 실현하는 것을 권면함[勸]이라 하고 사람의 술수를 다 실현하는 것을 통솔함[率]이라 한다.[113] [114]

....

111 夷狄이라는 말이 다른 판본에서는 '僭竊' 즉, 참탈과 도둑질이라는 말로 되어있다. 『性理大全』에서는 모두 이적이라는 말로 바꾸었다.

112 리괘의 이 효는 구삼효가 아니라 육삼효이다. 소백온이 뭔가를 착각하고 설명한 것 같다.

113 王植, 『皇極經世書解』: "(황기가 말했다.) 뜻으로 얻은 것이 性이고 말로 전하는 것이 情이고 형상으로 구하는 것이 形이고 술수로 취하는 것이 體이니 사물을 다 실현하는 것이다. 인하고 순수한 것이 성스러움이고 예로 회복한 것이 어짊이고 의로서 정밀한 것이 재주이고 지로 달통한 것이 술수이니 백성의 삶을 다 실현하는 것이다. 도·덕·공·힘으로 영향력·가르침·권면함·통솔함을 이룬 것은 體를 따라 用을 일으킨 것이

[9-4-18-0]

意言象數, 性情形體, 仁義禮智, 聖賢才術, 道德功力, 化敎勸率, 此皇帝王伯之事, 皆相因而成者也.

뜻·말·형상·수, 본성·실정·형체·체질, 인·의·예·지, 성스러움·현명함·재능·술수, 도·덕·공·힘, 교화·교육·권면함·통솔함, 이것은 황·제·왕·패의 일이 모두 서로 연속하여 이루어지는 것이다.[115]

[9-4-19]

道德功力者, 存乎體者也. 化敎勸率者, 存乎用者也. 體用之間有變存焉者, 聖人之業也. 夫變也者, 昊天生萬物之謂也. 權也者, 聖人生萬民之謂也. 非生物非生民, 而得謂之權變乎?

. . . .

지만 체에는 일정한 용이 없고 오직 變이 용이다. 영향력·가르침·권면함·통솔함으로 도·덕·공·힘을 이룬 것은 작용을 통섭하여 체로 돌아간 것이지만 용에는 일정한 체가 없고 오직 化가 체이다. 그래서 체와 용 사이에 상황에 따라 변화하여 도를 따르면 각각 마땅한 업적이 이루어지고 일을 잘 끝마치게 된다. 처음에는 경전으로 하늘을 본받고 지금은 하늘이 나로부터 나와서 황·제·왕·패가 사 계절과 함께 행하니 어찌 업적이 아니겠는가.(意得者性, 言傳者情, 象求者形, 數取者體, 以盡物也. 仁純者聖, 禮復者賢, 義精者才, 智達者術, 以盡民也. 以道德功力爲化敎勸率者, 從體以起用也, 然體無定用惟變是用. 以化敎勸率爲道德功力者, 攝用以歸體也, 然用無定體惟化是體, 體用之間隨時變易以從道, 則各有所宜業成也, 事之終也. 始則以經法天, 今則天自我出, 皇帝王伯, 與四時行矣, 豈非聖人之業哉.)"

114 이상의 내용을 도표화하면 이렇다.

意	盡物之性	仁	盡人之聖	道	盡物之性	化	盡人之聖
言	盡物之情	禮	盡人之賢	德	盡物之情	敎	盡人之賢
象	盡物之形	義	盡人之才	功	盡物之形	勸	盡人之才
數	盡物之體	智	盡人之術	力	盡物之體	率	盡人之術

115 王植,『皇極經世書解』: "뜻은 같지만 영향력을 미치는 것은 다르다'는 문장 이하에 황·제·왕·패로 화·교·권·술의 네 뜻을 구분하여 도·덕·공·력으로 이름 지었고, 이어서 의·언·상·수와 성·정·형·체를 합해서 말하고 인·의·예·지와 성·현·재·술을 합해서 말했으며, 또 성·정·형·체와 도·덕·공·력을 합해서 말하고 성·현·재·술과 화·교·권·술을 합해서 말했다. 그 가운데 '사물을 다 실현한다.' '사람의 본성을 다 실현한다.'고 말한 구절이 멀리 전편 3장 5절의 '호천은 만물을 다 실현하고 성인은 백성의 삶을 다 실현한다.'는 뜻을 잇은 다음에 위 구절을 모두 수렴해서 도·덕·공·력과 화·교·권·솔로 체와 용을 나누어서 앞 글의 '마음과 흔적'이라는 구절과 서로 호응을 이루고 變자로 귀결해서 다스리는 도가 때를 따르는 데에 있음을 드러냈다. 외편의 9장에 '천도의 변화는 왕도의 권도이다.'라고 해서 천도를 따라서 왕도를 보았으니 함축된 바가 크다.(同意異化以下, 以皇帝王伯分化敎勸率四義, 而以道德功力名之, 乃以意言象數, 與性情形體合言, 以仁義禮智, 與聖賢才術合言, 又以性情形體, 與道德功力合言, 以聖賢才術, 與化敎勸率合言, 其曰盡物, 曰盡人者, 遙承前篇昊天盡物聖人盡民之意, 然後總收上文而以道德功力與化敎勸率, 分體用, 與前心迹節相應而以變字結之, 見治道在乎因時. 外篇之九云, '天道之變, 王道之權也.' 從天道看出王道, 所該者大矣.)"

도·덕·공로·힘은 체體에 보존되어 있는 것이다. 교화·교육·권면·통솔은 용用에 보존되어 있는 것이다. 체와 용 사이에 변화가 보존되어 있는 것이 성인의 업적이다. 변화란 호천昊天이 만물을 낳는 것을 말한다. 권도權란 성인이 만백성을 살리는 것을 말한다. 만물을 살리는 것이 아니고 만백성을 살리는 것이 아니라면 권도와 변화라고 할 수 있겠는가!116

[9-4-19-0]

有道德功力而後有化教勸率. 道德功力不同, 故化教勸率有異, 時使之然也. 存乎體者, 言乎其體也. 存乎用者, 言乎其用也. 體用之間有權存焉者, 變以隨時也. 變以隨時, 聖人之事也. 天道不變, 生成息矣. 聖人無權, 教化隳矣. 非生物非生民而謂之權變, 則一歸於詐而已矣, 惡孰大焉! 得謂之權變乎!

도·덕·공로·힘이 있고 난 후에 교화·교육·권면·통솔이 있다. 도·덕·공로·힘이 다르므로 교화·교육·권면·통솔에 차이가 있으니 때가 그렇게 하도록 한 것이다. '체體에 보존되어 있다'는 것은 그 체를 말한 것이다. '용에 보존되어 있다.'는 것은 그 용을 말한다. '체와 용 사이에 권도가 보존되어 있다.'는 것은 변화하여 때에 따른다는 말이다. 변화하여 때에 따르는 것이 성인의 일이다. 천도天道가 변하지 않는다면 낳고 이루어지는 과정이 멈춘다. 성인에게 권도가 없다면 교육과 교화가 무너질 것이다. 만물을 살리지도 못하고 만백성을 살리지도 못하면서 권도와 변화라고 말한다면 이는 모두 거짓으로 돌아갈 뿐이니 그 죄악 중에 무엇이 이보다 크겠는가! 어떻게 권도와 변화라고 할 수 있겠는가!117

....

116 王植, 『皇極經世書解』: "(황기가 말했다.) 호천은 의도적으로 행하지 않고 성인은 강제하는 마음이 없다. 나누어 말하자면 변화는 天時에 속하여 깊은 겨울이 없으면 만물이 생겨나지 않으며, 권도는 인간사의 일로 세상을 패도의 세상이 아니라면 만백성을 살게 하지 못한다. 그래서 『春秋』에 기록한 것은 모두 천자의 일이지만 왕도의 권도로 행한 것이다. 이것이 태양이 한번 북쪽을 향하니 만물이 생겨나는 것이다.(昊天無爲而聖人無心. 分言之, 則變屬天時, 不以隆冬, 而不生萬物, 權爲人事, 不以伯世, 而不生萬民. 故春秋所書, 皆天子之事, 以王道之權行之, 是日一北而萬物生也.)" 이와 같이 황기는 패도의 역할을 적극적으로 긍정하는 방향으로 해석하고 있다.

117 王植, 『皇極經世書解』: "권도와 변화 두 글자는 소강절이 하늘과 성인을 관찰한 탁월한 식견이다. 『天原發微』에서 말하기를 '크도다 권도와 변화여. 성인이 아니라면 모두 다 실현할 수 없다. 변화한 후에야 천지의 줄어남과 늘어남을 알고 권도를 행한 후에야 세상의 경중을 아니, 줄어남과 늘어남은 때이고 경중은 일이다. 때에는 막힌 상황과 태평한 상황이 있고 일에는 덜어냄과 보탬이 있으니 성인이 상황에 따라 막히고 태평한 도를 모르면 어떻게 변화가 일어나는 것을 알고 때에 따라 덜어냄과 보탬의 도를 알지 못하면 어떻게 권도를 행하는 방법을 알겠는가. 줄어듦과 늘어남을 운용하는 것이 변화이고 경중을 처리하는 것이 권도이니 권도와 변화는 성인의 동일한 도임을 알 수 있을 뿐이다."라고 했으니 이것은 본편와 다음편의 뜻을 주소한 것이다.(權變二字, 乃邵子觀天觀聖之特識. 漁樵問對云, 大哉權之與變乎. 非聖人, 無以盡之. 變然後知天地之消長, 權然後知天下之輕重, 消長時也, 輕重事也. 時有否泰, 事有損益, 聖人不知隨時否泰之道, 奚由知變之所爲乎. 聖人不知隨時損益之道, 奚由知權之所爲乎. 運消長者, 變也, 處輕重者, 權也, 是知權之與變, 聖人之一道耳. 此即本篇與下篇之義疏也.)"

[9-5-1]

善化天下者, 止于盡道而已. 善教天下者, 止于盡德而已. 善勸天下者, 止于盡功而已. 善率天下者, 止於盡力而已. 以道德功力爲化者, 乃謂之皇矣. 以道德功力爲教者, 乃謂之帝矣. 以道德功力爲勸者, 乃謂之王矣. 以道德功力爲率者, 乃謂之伯矣.

세상 사람들을 잘 교화하는 것은 도를 모두 실현하는 데에 그칠 뿐이다. 세상 사람들을 잘 교육하는 것은 덕을 모두 실현하는 데에 그칠 뿐이다. 세상 사람들을 잘 권면하는 것은 공을 모두 실현하는 데에 그칠 뿐이다. 세상 사람들을 잘 통솔하는 것은 힘을 모두 실현하는 데에 그칠 뿐이다. 도·덕·공로·힘으로 교화하는 것을 황이라고 한다. 도·덕·공로·힘으로 교육하는 것을 제라고 한다. 도·덕·공로·힘으로 권면하는 것을 왕이라고 한다. 도·덕·공로·힘으로 통솔하는 하는 것을 패라고 한다.

[9-5-1-0]

化教勸率, 道德功力, 皇帝王伯之事也, 時異則人異, 人異則事異, 故不同如此.

교화·교육·권면·통솔, 도·덕·공로·힘은 황·제·왕·패의 일이니 때가 다르면 사람이 다르고 사람이 다르면 일이 다르므로 이와 같이 차이가 난다.

[9-5-2]

以化教勸率爲道者, 乃謂之易矣. 以化教勸率爲德者, 乃謂之書矣. 以化教勸率爲功者, 乃謂之詩矣. 以化教勸率爲力者, 乃謂之春秋矣. 此四者, 天地始則始焉, 天地終則終焉, 始終隨乎天地者也.

교화·교육·권면·통솔로 도를 삼은 것을 『역』이라고 한다. 교화·교육·권면·통솔로 덕을 삼은 것을 『서』라고 한다. 교화·교육·권면·통솔로 공로를 삼은 것을 『시』라고 한다. 교화·교육·권면·통솔로 힘을 삼은 것을 『춘추』라 한다. 이 네 가지는 천지가 시작되면 시작하고 천지가 끝나면 끝마쳐서 처음과 끝이 천지를 따르는 것이다.

[9-5-2-0]

皇帝王伯, 時也. 易書詩春秋, 經也. 天時聖經, 相爲表裏, 皆相因而成也.

황·제·왕·패는 천시이다. 『역』·『서』·『시』·『춘추』는 경전이다. 천시와 성경은 서로 표리를 이루어서 모두 서로 연관되어 이루어진다.[118]

....

118 王植, 『皇極經世書解』: "이편은 현재와 과거를 보는 것을 말한다. 앞 장의 황·제·왕·패, 도·덕·공·력,

[9-5-3]

夫古今者, 在天地之間猶旦暮也. 以今觀今, 則謂之今矣. 以後觀今, 則今亦謂之古矣. 以今觀古, 則謂之古矣. 以古自觀, 則古亦謂之今矣. 是知古亦未必爲古, 今亦未必爲今, 皆自我而觀之也. 安知千古之前, 萬古之後, 其人不自我而觀之也!

과거와 현재는 천지 사이에 아침 저녁과 같다. 현재로 현재를 보면 현재라고 한다. 미래에서 현재를 보면 현재 역시 과거라고 한다. 현재로 과거를 보면 과거라고 한다. 과거로 과거 자체를 보면 과거 역시 현재라고 한다. 그래서 과거 역시 반드시 과거가 되지 않고 현재 역시 반드시 현재가 되지 않으니 모두 자신으로부터 본 것임을 안다. 그러니 천 년 전과 만 년 이후를 그 사람이 자신으로부터 보지 않는다는 것을 어찌 알겠는가!

[9-5-3-0]

有今故有古, 有古故有今, 以今觀今, 則謂之今. 以後觀今, 則今亦謂之古矣. 如是, 則今亦未必爲今也. 以今觀古, 則謂之古矣. 以古自觀, 則古亦謂之今矣. 如是, 則古亦未必爲古也. 古亦未必爲古, 今亦未必爲今, 皆自我而觀之也. 自我而觀之者, 觀之以道也. 以道觀之, 則何古今之有焉. 無古無今, 則古今猶旦暮之間也. 聖人通乎晝夜之道而知, 能通晝夜之道, 則能通古今. 能通古今, 則能通萬世. 故雖千古之前, 萬古之後, 皆可以自我而觀之也.

현재가 있으므로 과거가 있고 과거가 있으므로 현재가 있다. 현재로서 현재를 보면 현재라고 말한다. 미래에서 현재를 보면 현재 역시 과거라고 말한다. 이러하므로 현재 역시 반드시 현재가 되지 않는다. 현재로 과거를 보면 과거라고 말한다. 과거를 과거 자체로 보면 과거 역시 현재라고 말한다. 이러하므로 과거 역시 반드시 과거가 되지 않는다. 과거 역시 반드시 과거가 되지 않고 현재 역시 반드시 현재가 되지 않으니 모두 자신으로부터 보는 것이다. 나를 통해서 본다는 것은 도로써 본다는 것이다. 도로써 보면 어찌 과거와 현재의 차이가 있겠는가? 과거도 없고 현재도 없으니 과거와 현재는 아침과 저녁 사이와 같다. 성인은 낮과 밤의 도를 통달해서 안다. 낮과 밤의 도를 통달할 수 있으면 과거와 현재를 통달할 수 있다. 과거와 현재를 통달할 수 있으면 만 세대를 통달할 수 있다. 그러므로 천 년 전의 과거와 만 년 후의 미래일지라도 모두 자신으로부터 볼 수 있다.[119]

· ·

화 · 교 · 권 · 술의 말을 이어서 성인의 경전으로 돌아왔으니 성인의 경전은 해와 달이 하늘을 지나는 것과 같고 강과 하수가 땅을 흐르는 것과 같다. 그래서 천지와 더불어 시작하고 끝마치니 천지가 시작하고 끝마침은 곧 아래의 현재와 과거를 말한다.(此篇言觀古今也. 承前篇皇帝王伯道德功力化敎勸率, 歸到聖人之經. 聖經之垂, 如日月經天, 江河行地. 故與天地始終, 天地始終卽下文古今之謂也.)"

119 王植, 『皇極經世書解』: "이것은 과거와 현재가 하나의 도라는 것으로써 아래 글 과거와 현재 성인, 天時, 聖經이 줄어들고 늘어나며 답습하고 변혁하는 뜻을 드러내었다. 문장에서는 중간에 단지 한번 뿐이지만 '과거와 현재가 아침 저녁과 같다.'는 말은 원 · 회 · 운 · 세 세편을 포괄하였고 과거를 보고 현재를 보는 것이 나를 통해서 본 것이라는 말은 실로 이편의 올바른 뜻이다. 답습하고 변혁하며 덜고 더하는 가운데에 과거와 현재를 합하여 보는 것이다.(此以古今一道, 起下文, 古今聖人, 天時聖經消長因革之義, 於文, 祗作中

[9-5-4]

若然, 則皇帝王伯者, 聖人之時也, 易書詩春秋者, 聖人之經也.

만약 그렇다면[120] 황·제·왕·패는 성인의 때이고 역·서·시·춘추는 성인의 경전이다.

[9-5-4-0]

天時聖經不異. 唯聖人爲能知時作經以爲民極.

천시와 성경은 다르지 않다. 오직 성인만이 천시를 알고 경전을 지어 백성의 표준을 세울 수 있다.

[9-5-5]

時有消長, 經有因革. 時有消長, 否泰盡之矣, 經有因革, 損益盡之矣.

때에는 줄어듦과 늘어남이 있고 경전에는 계승과 변혁이 있다. 때에 줄어듦과 늘어남이 있는 것은 막힘과 통함으로 다하고 경전에 계승과 변혁이 있다는 것은 덜어냄과 더함으로 다한다.

[9-5-5-0]

時有消長, 故有否泰. 經有因革, 故有損益. 非聖人不能體消長, 知損益.

때에 줄어듦과 늘어남이 있으므로 막힘과 통함이 있다. 경전에 계승과 변혁이 있으므로 덜어냄과 더함이 있다. 성인이 아니면 때의 줄어듦과 늘어남을 체득하고 덜어냄과 더함을 알 수 없다.

[9-5-6]

否泰盡而體用分, 損益盡而心迹判. 體與用分, 心與迹判, 聖人之事業于是乎備矣.

막힘과 통함이 다하여 체와 용이 나누어지고 덜어냄과 더함이 다하고 난 후에 마음과 행적이 갈라진다. 체와 용이 나누어지고 마음과 행적이 갈라져서 성인의 일과 업적이 이에 갖추어진다.

[9-5-6-0]

時有否泰之異, 故體用於是乎分. 事有損益之異, 故心迹於是乎判. 聖人之事業在乎體用心迹之間. 體用心迹之間, 蓋有權與變存焉. 知權與變, 然後能盡體用心迹. 體用心迹, 一也. 因時而有所分判, 然未嘗分判也, 卒歸乎一而已矣.

때에는 막힘과 통함의 다름이 있으므로 체와 용이 여기서 나누어진다. 일에는 덜어냄과 더함의 다름이 있으므로 마음과 행적이 여기서 갈라진다. 성인의 일과 업적은 체와 용 그리고 마음과 행적 사이

間一過, 然古今猶旦暮一語, 已包括元會運世三篇, 而所謂觀古觀今, 自我而觀之者, 實此篇之正旨. 蓋於因革損益之中, 合古今而觀焉者也.)"

120 王植, 『皇極經世書解』: "(황기가 말했다.) '만약 그렇다면'이란 말은 도로써 본다는 것이다.(若然, 謂觀之以道也.)"

에 있다. 체와 용 그리고 마음과 행적 사이에 권도와 변화가 보존되어 있기 때문이다. 권도와 변화를 알고 난 후에야 체와 용 그리고 마음과 행적을 모두 다할 수 있다. 체와 용 그리고 마음과 행적은 하나이다. 때에 따라서 나누어지고 갈라지는 것이 있지만 나누어지고 갈라져 본 적이 없으니 결국은 하나로 귀결될 뿐이다.[121]

[9-5-7]

所以自古當世之君天下者其命有四焉. 一曰正命, 二曰受命, 三曰改命, 四曰攝命. 正命者, 因而因者也. 受命者, 因而革者也. 改命者, 革而因者也. 攝命者, 革而革者也. 因而因者, 長而長者也. 因而革者, 長而消者也. 革而因者, 消而長者也. 革而革者, 消而消者也.

그래서 옛날부터 당대 천하의 군주가 되는 자에게는[122] 그 명이 4가지가 있다. 첫째는 정명正命(올바른 명)이고[123] 둘째는 수명受命(받은 명)이고[124] 셋째는 개명改命(바꾼 명)이고[125] 넷째는 섭명攝命(대신한 명)이다.[126] 정명이란 계승하여 계승한 것이다.[127] 수명은 계승하되 변혁한 것이다.[128] 개명은 변혁하여 계승

. . . .

121 王植, 『皇極經世書解』: "이것은 앞의 첫 장의 뜻을 이어서 성인의 때와 성인의 경전으로써 함께 말한 것이지만 때에는 줄어나고 늘어남이 있어서 경전에도 답습함과 변혁함이 있는 것이다. 막힘과 태평함은 치란을 말하고 덜어냄과 더함은 빼고 보태는 것임을 알 수가 있다. 그러니 반드시 『周易』의 괘 이름과 짝지어 맞출 필요는 없다. 괘체를 끌어들여서 황기의 설과 같이 하면 도리어 바른 뜻을 잃게 된다. 막힘과 태평함으로 다 드러난다는 구절은 한 기운이 내려간 것으로 때에는 줄어들고 늘어남이 있어서 양이 늘어나면 음이 줄어들어서 태평하고 음이 늘어나면 양이 줄어서 막히니, 성인이 막힘과 태평함을 처리하는 바가 있는 것이다. 경전에 답습하고 변혁함이 있어서 답습하는 가운데에서 답습해야하면 더하고, 답습하는 가운데에서 변혁해야 하면 빼내는 것이니, 성인이 더하고 빼내는 바가 있는 것이다. 체와 용 그리고 마음과 행적은 또한 멀리 앞 장의 뜻을 이어서 막힘과 태평함 그리고 덜어냄과 더함으로 말한 것이다. 막힘과 태평함은 체로서 막힘이 전환되어 태평함이 되는 것이 용이고, 덜어냄과 더함은 행적으로 때에 따라서 덜어내고 더하는 것은 마음이니 체가 행적이고 용이 마음이다. 체와 용 그리고 마음과 행적을 합해야 성인의 사업이 여기서 갖추어진다. 그러나 줄어들고 들어나며 막히고 태평함이 있어서 답습하고 변혁하며 덜어내고 더함이 있다. 그래서 아래 문장에서 답습하고 변혁함과 덜어내고 더함으로 말했으니 그 뜻은 공자를 중시한 것이다.(此承明首節之意, 以聖人之時聖人之經並言, 然惟時有消長, 是以經有因革. 否泰治亂之謂, 損益即損益可知之義, 不必因偶合卦名. 遂牽入卦體, 如黃氏之說, 反失正意. 否泰盡數句, 一氣而下, 蓋時有消長陽長陰消則泰, 陰長陽消則否, 聖人有所以處否泰者焉, 經有因革, 因中有因則益, 因中有革則損, 聖人有所以爲損益者焉. 體用心迹, 亦遙承前篇之意, 就否泰損益言之. 否泰, 體也, 所以轉否爲泰者, 用也, 損益, 迹也, 所以因時損益者, 心也, 體即迹用即心. 合體用心迹而聖人之事業, 於是備焉, 然有消長否泰, 乃有因革損益. 故下文以因革損益言之, 而意重在孔子.)"
122 『性理羣書句解』: "옛날에서부터 나와 한 세대의 군주가 되는 자(自古出而爲一世之君者)"
123 『性理羣書句解』: "천명의 올바름을 얻은 것으로 삼황의 일이다.(謂得天命之正皇之事也)"
124 『性理羣書句解』: "전해져 계승된 명으로 오제의 일이다.(謂受傳襲之命帝之事也)"
125 『性理羣書句解』: "세대를 바꿔서 군주가 된 것으로 삼왕의 일이다.(謂易代而爲君王之事也)"
126 『性理羣書句解』: "이미 올바른 군주가 있지만 그 명령을 대신 시행하는 것으로 오패의 일이다.(謂已有正君攝行其命令伯之事也)"

한 것이다.[129] 섭명은 변혁하고 변혁한 것이다.[130] 계승하여 계승한 것은 자라고 다시 자라는 것이다.[131] 계승했다가 변혁한 것은 자랐다가 줄어든 것이다. 변혁하여 계승한 것은 줄어들었다가 자란 것이다. 변혁하고 변혁한 것은 줄어들었다가 다시 줄어든 것이다.

[9-5-7-0]

正命, 天命之也. 受命, 人授之也. 人授之者, 受之於人也, 如書所謂正月上日, 受終于文祖是也. 改命, 有所改革, 如易所謂湯武革命是也. 其事雖不同, 皆天也. 攝命者, 以臣行君之事者也. 此明皇帝王伯之事也. 因而因, 則無爲而已. 因而革, 舜循堯道而有所變以隨時也. 革而因者, 武王伐商, 乃反商政, 政由舊是也. 革而革者, 時變之極, 則一切變矣. 長而長爲春, 長而消爲夏, 消而長爲秋, 消而消爲冬. 時之消長, 其變如此.

정명은 하늘이 명한 것이다. 수명은 사람이 준 것이다. 사람이 주었다는 것은 사람에게서 받은 것이니, 『서경』에서 "정월 초하루에 문조文祖에게서 제위帝位를 받았다."[132]는 것이 이것이다. 개명은 고쳐 바꾼 것이 있다는 것이니, 『주역』에서 "탕왕과 무왕이 명을 변혁했다."[133]는 것이 이것이다. 두 가지 일은 다르지만 모두 하늘의 명이다. 섭명은 신하가 군주의 일을 대신하는 것이다. 이것은 황·제·왕·패의 일을 밝힌 것이다. '계승하고 계승하는 것'은 의도적으로 행함이 없는 것(도를 어기지 않는 것)이다. '계승하되 변혁하는 것'은 순 임금이 요 임금의 도를 따르되 변혁하여 때에 따르는 바가 있는 것이다. '변혁하여 계승하는 것'은 무왕이 상나라를 정벌하여 상나라의 정치를 돌이킨 것으로 정치를 옛 것으로 바꾸게 한 것이 이것이다. '변혁하고 변혁한 것'은 때가 극도로 변하면 모든 것이 변하는 것이다. '자라나고 다시 자라는 것'은 봄이고 '자랐다가 줄어드는 것'은 여름이고 '줄어들다가 자라는 것'은 가을이고 '줄어들고 다시 줄어드는 것'은 겨울이다. 때의 줄어듦과 자라남은 그 변화가 이와 같다.

[9-5-8]

革而革者, 一世之事業也. 革而因者, 十世之事業也. 因而革者, 百世之事業也. 因而因者, 千世之事業也. 可以因則因, 可以革則革者, 萬世之事業也. 一世之事業者, 非五伯之道而

127 『性理羣書句解』: "천명이 나에게 속하기 때문에 그에 따라서 군주가 된 것이다.(因天命之屬我因以爲君也)"
128 『性理羣書句解』: "전해져 계승된 명을 계승했다가 나에게서 변혁한 것이다.(因傳襲之命革於我者也)"
129 『性理羣書句解』: "이전 세대의 명을 개혁하여 그에 따라서 군주가 된 것이다.(改前代之命因而爲君也)"
130 『性理羣書句解』: "또 변혁하고 다시 변혁한 것이다.(又改而又改者也)"
131 『性理羣書句解』: "양이 늘어날 때에 다시 늘어나는 것이다.(正是陽長之時又長者也)"
132 『書經』「虞書·舜典」: "정월 초하루에 문조에서 받았다.(正月上日, 受終于文祖.)" 『集傳』에서는 "上日, 朔日."이라고 하였다.
133 『周易』「革卦·象傳」: "彖曰, 革, 水火相息, 二女同居, 其志不相得, 曰革. 己日乃孚, 革而信之, 文明以說, 大亨以正, 革而當, 其悔乃亡. 天地革而四時成, 湯武革命, 順乎天而應乎人, 革之時大矣哉!"

何! 十世之事業者, 非三王之道而何! 百世之事業者, 非五帝之道而何! 千世之事業者, 非三皇之道而何! 萬世之事業者, 非仲尼之道而何? 是知皇帝王伯者, 命世之謂也, 仲尼者, 不世之謂也.

변혁하고 변혁하는 것은 한 세대의 사업이다. 변혁하여 계승하는 것은 열 세대의 사업이다. 계승하되 변혁하는 것은 백 세대의 사업이다. 계승하여 계승하는 것은 천 세대의 사업이다. 계승할 만하면 계승하고 변혁할 만하면 변혁하는 것은 만 세대의 사업이다. 한 세대의 사업은 오패의 도가 아니라면 무엇이겠는가! 열 세대의 사업은 삼왕의 도가 아니라면 무엇이겠는가! 백 세대의 사업은 오제의 도가 아니라면 무엇이겠는가! 천 세대의 사업은 삼황의 도가 아니라면 무엇이겠는가! 만 세대의 사업은 공자의 도가 아니라면 무엇이겠는가! 황·제·왕·패는 명세命世(한 세대에서 유명한 것)를 말하고[134] 공자는 불세不世(세상에 나오기 드문 것)를 말한 것임[135]을 알 수 있다.[136]

[9-5-8-0]

伯以力服人. 以力服人者止于其身, 故其事業一世而已. 王者以功及民. 以功及民者, 其效遠, 故其事業可以至于十世. 帝以德教民. 以德教民者, 得其心, 漸民也深, 故其事業可以至于百世. 皇以道化民. 道能久, 故其事業可以至于千世. 可因則因, 可革則革, 通萬世而無弊者, 孔子之事業也. 故孟子謂生民以來, 未有夫子也.[137] 命世, 謂得位而在上者也. 不世, 謂不得位而在下者也. 雖然, 孔子不得位而在下, 其道實出帝王之上, 而能用乎皇帝王伯者也, 故孟子謂孔子集大成也.

오패는 힘으로 사람을 복종시켰다. 힘으로 사람을 복종시킨 것은 단지 그 사람에게 그치기 때문에 그 사업이 한 세대에 그칠 뿐이다. 삼왕은 공로로 백성에게 미쳤다. 공로로 백성에게 미친 것은 그 효과가 멀리까지 미치기 때문에 그 사업이 열 세대에 이를 수 있다. 오제는 덕으로 백성을 교육했다. 덕으로 백성에게 교육한 것은 마음을 얻어서 백성을 물들이는 것이 깊기 때문에 백 세대에 이를 수 있다. 삼황은 도로써 백성을 교화시켰다. 도는 오래도록 지속될 수 있기 때문에 그 사업이 천 세대에 이를 수 있다. 계승할 만하면 계승하고 변혁할 만하면 변혁해서 만 세대에 걸쳐 폐단이 없는 것은 공자의 사업이다. 그래서 맹자는 "사람이 있은 이래로 공자와 같은 사람은 없었다."고 했다.

- - - - - - - - - - - - - - - - - - - -

134 『性理羣書句解』: "세상에 따라서 이름지을 수 있는 것이다.(隨世而得名者也)"
135 『性理羣書句解』: "세상에 있지 않은 것이다.(不世有者也)"
136 지금까지 내용을 도표화하면 이렇다.

仲尼之道				萬世事業
三皇之道	正命	因而因者	長而長者	千世事業
五帝之道	受命	因而革者	長而消者	百世事業
三王之道	改命	革而因者	消而長者	十世事業
五伯之道	攝命	革而革者	消而消者	一世事業

137 『孟子』「公孫丑上」: "伯夷 伊尹於孔子, 若是班乎?" 曰, "否, 自有生民而來, 未有孔子也."

'명세命世'는 지위를 얻어서 윗자리에 있는 것을 말한다. '불세不世'는 지위를 얻지 못해 아래 자리에 있는 것이다.[138] 공자는 지위를 얻지 못해 아래 자리에 있었지만 그 도는 실로 제왕보다 뛰어나서 황·제·왕·패의 도리를 쓸 수 있었으므로 맹자가 "공자는 집대성했다."[139]고 했다.

[9-5-9]

仲尼曰, "殷因於夏禮, 所損益可知也. 周因於殷禮, 所損益可知也. 其或繼周者, 雖百世可知也." 如是則何止于百世而已哉! 億千萬世皆可得而知之也.

공자는 "은나라는 하나라의 예법을 계승했으니 덜고 더한 것을 알 수 있고 주나라는 은나라의 예법을 계승했으니 덜고 더한 것을 알 수 있다. 혹시라도 주나라를 계승하는 자가 있다면 비록 백 세대 뒤의 일일지라도 알 수 있다."[140]라고 말했다. 이와 같다면 어찌 백 세대 이후의 일에만 그칠 것인가! 억천만 세대의 일이라도 모두 알 수 있을 것이다.

[9-5-9-0]

商周革命者也, 而亦有所因, 故商因於夏禮, 周因於商禮. 禹湯武王皆聖人也, 其道則同, 不得不因, 其時則異, 不得不革, 故皆有所損益. 唯聖人不苟同, 亦不苟異, 與時偕行, 知所損益, 以一世而知萬世, 故雖億千萬年皆可得而知之, 何止于百世可知而已! 所以可得而知之者, 豈有他哉! 以理知之故也.

상나라 주나라는 명을 변혁한 것이지만 계승한 바도 있었기 때문에 상나라는 하나라의 예법을 계승했고 주나라는 상나라의 예법을 계승했다. 우왕·탕왕·무왕은 모두 성인으로 그 도가 같아서 계승하지 않을 수 없었지만 그 때가 달라서 변혁하지 않을 수도 없었기 때문에 모두 덜고 보태는 것이 있었다. 오직 성인만이 구차스럽게 같게 하지도 않고 또 구차스럽게 다르게 하지도 않아서 시의에 따라 시행하여 덜고 보태는 것을 알고, 한 세대로써 만 세대를 알기 때문에 억천만 년일지라도 모두 알 수 있는 것이니, 어찌 백 세대만 아는데 그치겠는가! 알 수 있는 것이 어찌 다른 것이 있겠는가! 이치로써 알기 때문이다.[141]

---

138 王植, 『皇極經世書解』: "명세란 맹자가 '세상에 이름난다(名世)'는 뜻이고 불세란 세대로써 계산할 수 없다는 것이다. 소백온이 지위를 얻고 얻지 못한 것으로써 말한 것은 옳지 않다.(命世, 猶孟子名世之意, 不世者, 不可以世計也. 邵伯子以得位不得位言未是.)"

139 『孟子』「萬章下」: "伯夷, 聖之清者也, 伊尹, 聖之任者也, 柳下惠, 聖之和者也, 孔子, 聖之時者也. 孔子之謂集大成. 集大成也者, 金聲而玉振之也. 金聲也者, 始條理也, 玉振之也者, 終條理也. 始條理者, 智之事也, 終條理者, 聖之事也."

140 『論語』「爲政」: "子張問十世可知也. 子曰, '殷因於夏禮, 所損益, 可知也, 周因於殷禮, 所損益, 可知也. 其或繼周者, 雖百世, 可知也.'"

141 王植, 『皇極經世書解』: "(황기가 말했다.) 소자께서 一元을 읊은 시에서 이렇게 말했다. '중간의 삼 천년은 지금까지 흔적을 나열한 것으로, 다스려짐과 어지러움 흥망과 쇠락이, 전적에 드러나 있으니, 내가 하나로 꿸 수만 있다면, 모두 내가 체험한 것과 같다.'고 했으니 하나로 꿰는 것은 나의 마음이 아는 것이다. 또

[9-5-10]

人皆知仲尼之爲仲尼, 不知仲尼之所以爲仲尼. 不欲知仲尼之所以爲仲尼則已, 如其必欲知仲尼之所以仲尼, 則捨天地將奚之焉! 人皆知天地之爲天地, 不知天地之所以爲天地. 不欲知天地之所以爲天地則已, 如其必欲知天地之所以爲天地, 則捨動靜將奚之焉!

사람들은 모두 공자가 공자임을 알지만 공자가 공자인 이유를 알지 못한다. 공자가 공자인 이유를 알려고 하지 않는다면 그만이지만, 반드시 공자가 공자인 이유를 알려고 한다면 천지를 버리고 어디에서 찾을 것인가! 사람들은 모두 천지가 천지임을 알지만 천지가 천지인 이유를 알지 못한다. 천지가 천지인 이유를 알려고 하지 않는다면 그만이지만, 반드시 천지가 천지인 이유를 알려고 한다면 동정動靜을 버리고 어디에서 찾을 것인가!

[9-5-10-0]

仲尼之道不異天地. 欲知仲尼, 觀天地則知仲尼矣. 天地之道不過動靜而已. 欲知天地, 觀動靜則知天地矣. 立天之道, 曰陰與陽, 立地之道, 曰柔與剛, 陰陽剛柔者, 動靜之本也. 然天地何嘗有心於動靜哉! 蓋時焉而已矣. 仲尼之不異天地, 亦時焉而已矣. 故孟子謂孔子聖之時者也.

공자의 도는 천지와 다르지 않다. 공자를 알려고 할 때에는 천지를 관찰하면 공자를 알 수 있다. 천지의 도는 동動과 정靜에 지나지 않을 뿐이다. 천지를 알려고 할 때에는 동정을 관찰하면 천지를 알 수 있다. 천의 도를 세운 것을 음과 양이라 하고 땅의 도를 세운 것을 유와 강이라 한다.[142] 음양과 강유는 동과 정의 근본이다. 그러나 천지가 어찌 동정에 마음을 둔 적이 있었는가! 그것을 때에 에 맞게 할 뿐이다. 공자가 천지와 다르지 않는 것도 그것을 때에 맞게 했을 뿐이다. 그래서 맹자는 '공자는 성인 중에 때에 맞게 한 사람이다.'[143]라고 했다.[144]

다른 시에서 말했다. '황·제·왕·패와 부·자·군·신의, 네 가지 도리가 진나라에 막혔다.' 진나라에 이르러서 삼대의 예법이 시행되지 못했다. 그러나 답습해야할 것은 사람의 큰 인륜이고, 덜고 보태야 할 것은 제도와 문식에 불과하다. 패도가 한 번 변하면 왕도에 이르고, 왕도가 한 번 변하여 제왕의 도에 이르면 그 도를 알 수 있을 것이니, 참으로 진나라가 그 도를 막을 수 있는 것이 아니다.(邵子一元吟有曰, '中間三千年, 迄今之陳迹, 治亂與興衰.' 著見於方策, 吾能一貫之, 皆如身所歷.' 所以貫者, 吾心之知也. 又詩曰, '皇帝王伯, 父子君臣, 四者之道, 理限於秦, 至秦而三代之禮, 不得行矣, 然所因者, 人之大倫, 損益, 不過制度文爲而已. 伯一變至於王, 王一變至於帝, 其道可知, 固非秦所能限也.)"

142 『周易』「說卦傳」: "昔者聖人之作易也, 將以順性命之理. 是以立天之道曰陰與陽, 立地之道曰柔與剛, 立人之道曰仁與義. 兼三才而兩之, 故易六畫而成卦, 分陰分陽, 迭用柔剛, 故易六位而成章."

143 『孟子』「萬章下」: "伯夷, 聖之淸者也, 伊尹, 聖之任者也, 柳下惠, 聖之和者也, 孔子, 聖之時者也."

144 王植, 『皇極經世書解』: "(황기가 말했다.) 황·제·왕·패로부터 시작해서 공자에 귀결시키는 것은 『皇極經世』의 통체이다. 또한 8괘와 4상이 태극에 귀결되는 것과 같을 뿐이다. 그러나 천지와 동정으로부터 말한 것은 천지는 태극의 온전한 체이고 동정은 태극의 신묘한 용이기 때문이다.(自皇帝王伯,而歸於仲尼, 皇極之統也. 亦猶自八卦四象而歸於太極爾. 然必自天地動靜言者, 天地, 即太極之全體, 動靜, 即太極之妙用.)"

夫一動一靜者, 天地至妙者歟! 夫一動一靜之間者, 天地人之至妙至妙者歟! 是故知仲尼之所以能盡三才之道者, 謂其行無轍迹也. 故有言曰, "予欲無言", 又曰, "天何言哉! 四時行焉, 百物生焉", 其斯之謂歟!

한 번 움직이고 한 번 고요한 것은 천지의 지극한 신묘함일 것이다! 한 번 움직이고 한 번 고요함의 사이는 하늘과 땅과 사람의 지극한 신묘함이고 지극한 신묘함일 것이다! 그래서 공자가 삼재三才의 도를 다 실현할 수 있는 까닭을 알 수 있는 것은 공자의 행동에는 자취를 남긴 바가 없기 때문[145]이라고 말한다. 그래서 공자는 "나는 말이 없고자 한다."고 했고 또 "하늘이 무슨 말을 하겠는가! 사계절은 운행하고 만물은 생겨난다."[146]고 했으니 이것을 말하는 것이리라![147]

[9-5-11-0]

一動一靜者, 天地之妙用也. 一動一靜之間者, 天地人之妙用也. 陽闢而爲動, 陰闔而爲靜, 所謂一動一靜者也. 不役乎動, 不滯乎靜, 非動非靜而主乎動靜者, 一動一靜之間者也. 自靜而觀動, 自動而觀靜, 則有所謂動靜. 方靜而動, 方動而靜, 不拘於動靜, 則非動非靜者也. 易曰, 復其見天地之心乎. 天地之心, 蓋於動靜之間有以見之. 夫天地之心, 於此而見之. 聖人之心, 卽天地之心也, 亦於此而見之.

한 번 움직이고 한 번 고요한 것은 천지의 신묘한 작용이다. 한 번 움직임과 한 번 고요함의 사이는 하늘과 땅과 사람의 신묘한 작용이다. 양으로 열려서 움직임이 되고 음으로 닫혀서 고요함이 되는 것이 한 번 움직이고 한 번 고요함이라는 것이다. 애써 움직이려고 힘쓰지도 않고 고요함에 머물러 있지도 않아, 움직임도 아니고 고요함도 아니면서 움직임과 고요함을 주재하는 것은 한 번 움직임과 한 번 고요함의 사이이다. 고요함에서 움직임을 보고 움직임에서 고요함을 보면, 움직임과 고요함이라고 하는 것이 있다. 고요하면서도 움직이고 움직이면서도 고요하여 움직임과 고요함에 구애받지 않는 것은 움직이는 것도 아니고 고요한 것도 아니다. 『주역』에서 "복괘에서 천지의 마음을 본다."고 했으니 천지의 마음은 움직임과 고요함의 사이에서 보는 것이다. 천지의 마음을 여기에서 보고 성인

. . . .

145 『老子』: "善行無轍迹."

146 『論語』「陽貨」: "子曰, '予欲無言.' 子貢曰, '子如不言, 則小子何述焉!' 子曰, '天何言哉! 四時行焉, 百物生焉, 天何言哉!'"

147 王植, 『皇極經世書解』: "주자가 말했다. '강절이 말하는 '한번 움직이고 한번 고요한 것이 천지의 신묘함이고 한번 움직이고 한번 고요함의 사이는 하늘과 땅과 사람의 지극히 신묘한 것이다.'라고 했는데 하늘은 움직이는 것일 뿐이고 땅은 고요한 것일 뿐이다. 사람에게서 움직임과 고요함을 겸하니 이것이 천지의 신묘한 곳이다. 그래서 '사람은 천지의 마음'이라고 했다. 사람의 형체로 말하자면 하나의 그릇이지만 그 운용하는 곳으로 말하면 곧 도의 이치이다.(朱子曰, 康節言一動一靜者, 天地之妙也, 一動一靜之間者, 天地人之至妙也, 蓋天, 祇是動, 地, 祇是靜, 到得人便兼動靜, 是妙於天地處. 故曰人者, 天地之心, 論人之形, 雖祇是器, 言其運用處, 却是道理.)"

의 마음이 천지의 마음이란 것도 여기에서 본다.

雖顚沛造次, 未嘗離乎此也. 中庸曰, "道不可須臾離也, 可離非道也." 退藏於密則以此洗
心焉, 吉凶與民同患, 則以此齋戒焉. 夫所謂密, 所謂齋戒者, 其在動靜之間乎. 此天地之
至妙至妙者也.

위급하고 다급한 상황일지라도 여기서 벗어난 적이 없다. 『중용』에서 '도란 잠시라도 떠날 수가 없으
니 떨어질 수 있으면 도가 아니다.'[148]라고 했다. 물러나 은밀한 데 숨으면 이것으로 마음을 씻고
길흉을 백성과 함께 근심하면 이것으로 재계한다.[149] 은밀함이라고 말하고 재계한다고 하는 것은
움직임과 고요함 사이에 있는 것이다. 이것이 천지의 지극히 신묘하고 지극히 신묘한 것이다.

聖人作易, 蓋本於此. 世儒昧於易本, 不見天地之心, 見其一陽初復, 遂以動爲天地之心,
乃謂天地以生物爲心. 噫, 天地之心何止於動而生物哉. 見其五陰在上遂以靜爲天地之心,
乃謂動復則靜, 行復則止. 噫, 天地之心何止於靜而止哉.

성인이 『역』을 지은 것도 여기에 근본했다. 세상의 유학자들이 역의 근본에 어두워서 천지의 마음을
보지 못하고, 일양一陽이 최초로 회복하는 것을 보고는 마침내 움직임을 천지의 마음으로 여기고서
천지는 만물을 낳는 것을 마음으로 삼는다고 말한다. 아! 천지의 마음이 어찌 움직여서 만물을 낳는
데에만 그치겠는가! 혹은 그 다섯 음이 위에 있는 것을 보고는 고요함을 천지의 마음으로 여기고서
움직임이 복귀하면 고요해지고 행동이 복귀하면 멈춘다고 말한다. 아! 천지의 마음이 어찌 고요하여
머물러 있는 데에만 그치겠는가.

爲虛無之論者則曰, 天地以無心爲心. 噫, 天地之心一歸于無, 則造化息矣. 蓋天地之心不
可以有無言而未嘗有無, 亦未嘗離乎有無者也, 不可以動靜言而未嘗動靜, 亦未嘗離乎動
靜者也. 故於動靜之間有以見之. 然動靜之間, 間不容髮, 豈有間乎? 唯其無間, 所以爲動
靜之間也.

허무虛無를 논하는 자들이 말하기를 천지는 무심함을 마음으로 삼는다고 한다. 아! 천지의 마음이
한결 같이 무로 복귀하면 조화는 멈추게 된다. 천지의 마음은 있다 없다로 말할 수가 없어서 있거나
없는 적이 없고 또 있고 없음에서 벗어난 적도 없는 것이며, 움직임과 고요함으로 말할 수 없으니,
움직이거나 고요한 적이 없고, 또 움직이거나 고요함에서 벗어난 적도 없는 것이다. 그래서 움직임과
고요함 사이에서 보는 것이다. 그러나 움직임과 고요함 사이는 터럭만큼의 틈새도 허용될 수가 없으

---

148 『中庸』「首章」: "道也者, 不可須臾離也, 可離非道也. 是故君子戒愼乎其所不睹, 恐懼乎其所不聞."
149 『周易』「繫辭上」: "聖人以此洗心, 退藏於密, 吉凶與民同患, 神以知來, 知以藏往. 其孰能與此哉? 古之聰明叡
知, 神武而不殺者夫. 是以明於天之道, 而察於民之故, 是興神物以前民用. 聖人以此齊戒, 以神明其德夫."

니 어찌 틈이 있겠는가! 오직 틈이 없기 때문에 움직임과 고요함의 사이가 되는 것이다.

獨揚子雲知易之本以作玄, 始于中首, 象中孚, 次以周首, 象復. "中者天下之大本", 所謂天地之心也. 故其首辭曰, '陽氣潛萌于黃鐘之宮, 信無不在其中,' 天地之道可謂至信矣. 所謂信者, 有以見天地之心乎, 在人則誠也. 故天地聖人之心, 至信至誠, 悠久而不息, 所以爲天地人之至妙至妙者也.

오직 양자운揚雄[150]만이 역의 근본을 알아서 『태현경太玄經』을 지었으니 중中이라는 괘로부터 시작하여 중부中孚괘를 상징했고 다음은 주周라는 괘로 시작하여 복復괘를 상징했다. "중이란 천하의 대본大本이라"[151]는 것은 이른바 천지의 마음을 말한다. 그래서 그 머리말에서 '양기가 황종黃鐘의 궁궁宮에서 잠복해 싹트니 신실信實함이 그 가운데 있지 않음이 없다.'[152]고 했는데 천지의 도가 지극히 신실하다고 할 수 있다. 신실함이라는 것은 그것을 통해 천지의 마음을 볼 수 있으니 사람에게서는 성誠이다. 그래서 천지와 성인의 마음은 지극히 믿음직하고 지극히 성실하여 오래도록 지속하여 그치지 않는다. 그래서 하늘과 땅과 사람이 지극히 신묘하고 지극히 신묘하게 되는 것이다.

雖然, 天地之心所可見者, 亦不過乎因時順理而已. 因時順理, 所以謂之道也. 聖人由道而行, 豈有轍迹哉! 嗚呼! 所謂動靜之間者, 千聖之所歸, 萬生之所息. 能至此, 則可以知變化之道, 可以知死生之說. 不能至此, 則非所以謂之聖人也, 不能知此, 則非所以謂之賢人也. 外于此者, 皆邪說妄行也. 先君皇極經世書蓋本於此. 所以觀物篇首明天地動靜, 而此又明動靜之間天地人之至妙至妙者焉. 學者欲求其至, 在乎默而識之, 不可以言傳也.

하지만 천지의 마음을 볼 수 있는 것은 또한 때를 따라서 이치에 순응하는 것에 불과할 뿐이다. 때를 따라서 이치에 순응하는 것이 도라고 하는 것이다. 성인은 도를 따라서 행하니 어찌 흔적을 남기겠는가! 아! 움직임과 고요함 사이라는 것은 천 사람의 성인이 귀결하는 바이고 온갖 생명이 번성하는 바이다. 여기에 이를 수 있다면 변화의 도를 알 수 있고 생사生死의 학설을 알 수가 있다.

- - - - - - - - - - - - - - - - - - - -
150 揚雄(B.C.53~A.D.18) : 자는 子雲이다. 四川省 成都 출생이다. 청년시절에 동향의 선배인 司馬相如의 작품을 통하여 배운 문장력을 인정받아, 成帝 때 궁정문인의 한 사람이 되었다. 성제의 여행에 수행하며 쓴 『甘泉賦』, 『河東賦』, 『羽獵賦』, 『長楊賦』 등은 화려한 문장이면서도 성제의 사치를 꼬집는 풍자도 잊지 않았다. 시대에 적응하지 못한 자신의 불우한 원인을 묘사한 『解嘲』, 『解難』도 독특한 여운을 주는 산문이다. 학자로서 각 지방의 언어를 집성한 『方言』, 『易經』에 기본을 둔 철학서 『太玄經』과 『論語』의 문체를 모방한 수상록 『法言』 등을 저술하였다. 王莽이 정권을 찬탈한 뒤 새 정권을 찬미하는 문장을 썼고 괴뢰정권에 협조하였기 때문에, 지조가 없는 사람으로 宋學 이후에는 비난의 대상이 되기도 하였으나, 그의 식견은 漢나라를 대표하였다.
151 『中庸』「首章」: "喜怒哀樂之未發, 謂之中; 發而皆中節, 謂之和. 中也者, 天下之大本也; 和也者, 天下之達道也."
152 『太玄經』: "中, 陽氣潛萌於黃宮, 信無不在乎中."

여기에 이르지 못하면 성인이라고 말할 수 있는 것이 아니고, 이것을 알지 못하면 현인이라고 말할 수 있는 것이 아니다. 여기서 벗어난 것은 모두 올바르지 못한 학설이며 허망한 행위이다. 아버지의 『황극경세서』는 여기에 근본한다. 그래서 관물편 머리에 천지의 움직임과 고요함을 밝혔고 여기서 또 움직임과 고요함 사이가 하늘과 땅과 사람의 지극히 신묘하고 지극히 신묘한 것임을 밝혔다. 배우는 자가 그 지극함을 구하고자 한다면 묵묵히 깨달아야 하는 데에 있는 것이지 언어로 전달할 수는 없다.[153] [154]

觀物內篇之六 관물내편 6

[9-6-1]

孔子贊易自犧軒而下, 序書自堯舜而下, 刪詩自文武而下, 修春秋自桓文而下. 自犧軒而下, 祖三皇也, 自堯舜而下, 宗五帝也, 自文武而下, 子三王也, 自桓文而下, 孫五伯也.

공자가 『역』을 편찬할 때 복희씨와 헌원씨로부터 했고, 『서』를 서술했을 때 요임금과 순임금으로부터 했고, 『시』를 산정하였을 때 문왕과 무왕으로부터 했고, 『춘추』를 편수했을 때 제나라 환공과 진나라 문공으로부터 하였다. 복희씨와 헌원씨로부터 한 것은 삼황三皇을 시조로 삼은 것이고, 요임금과 순임금으로부터 한 것은 오제五帝를 종조宗祖로 삼은 것이고, 문왕과 무왕으로부터 시작한 것은 삼왕三王을 아들로 삼은 것이고, 제 환공과 진 문공으로부터 시작한 것은 오패五伯를 손자로 삼으신 것이다.

[9-6-1-0]

　易書詩春秋皇帝王伯, 聖人之事業盡在于是矣. 仲尼祖三皇, 宗五帝, 子三王, 孫五伯, 其

. . . .

153 이 소백온의 말은 왕식 판본에서는 많은 부분이 생략되어 있다.

154 王植,『皇極經世書解』: "천지가 천지가 되는 이유를 밝혔고 공자와 천지가 같음을 말했으니 이것이 과거와 현재를 넓게 살펴보아도 공자 같은 분이 없는 까닭이다. 한번 움직이고 한번 고요한 사이는 곤괘와 복괘 사이다. 외편의 2장에서 '무극의 앞은 음이 양을 머금고 있고 상이 있은 후에 양이 음을 분리한다.'고 했는데 주돈이가 말한 태극과는 반드시 모두 같지는 않지만, 외편의 1장에서 '마음이 태극이다.'라고 했고 또 '도가 태극이다.'라고 했으니 주자와 또한 모두 다르지는 않다. 주자는 천지를 움직임과 고요함으로 나누고 사람이 움직임과 고요함을 아우르게 하여 천지에서 신묘한 곳으로 삼았는데 소강절의 뜻과 조금 차이가 난다. 끝에 서 공자는 행하는 데에 흔적이 없는 것으로 하늘이 때에 따라서 만물을 낳는 것에 비유했고 황기는 행하는 것에 흔적이 없는 것과 때에 따라 행하여 만물을 낳는 것을 움직임과 고요함에 나누어 속하게 했으니 또한 통한다.(明天地之所以爲天地, 而謂孔子與天地同, 此所以曠觀古今, 未有如孔子也. 一動一靜之間, 卽坤復之間. 外篇之二云, 無極之前陰含陽也, 有象之後陽分陰也. 與周子所言太極, 不必盡同, 然外篇之一云, 心爲太極, 又曰, 道爲太極, 與周子, 亦不必盡異. 朱子, 以天地分動靜, 以人兼動靜, 爲妙於天地處, 似與邵子微別. 末以孔子行無轍迹, 擬天之時行而物生, 黃氏以行無轍迹時行物生, 分屬動靜亦通.)"

道大德尊如此. 中庸曰"仲尼祖述堯舜"而不曰三皇, 尊之而不可以言名也. 憲章文武而不及五伯, 卑之而有所不足道也. 此則兼擧之矣.

역・서・시・춘추와 황・제・왕・패는 성인의 사업이 여기에서 다한 것이다. 공자가 삼황을 시조로 삼고 오제를 종조로 삼고 삼왕을 자식으로 삼고 오패를 손자로 삼은 것은 그의 도가 크고 그 덕이 존귀함이 이와 같기 때문이다. 『중용』에서 "공자가 요임금과 순임금을[155] 조종祖宗으로 삼아 계승하였다."라고만 했고 삼황을 말하지 않았는데, 이는 삼황을 높이기는 하지만 언어로 이름 지을 수 없기 때문이다. "문왕과 무왕을 본받아 지켰다."라고만 하고 오패를 말하지 않았는데, 오패를 낮추어서 말할 만하지 못한 것이 있었기 때문이다. 그러나 여기서는 아울러 열거했다.

孫五伯, 可謂卑之也. 然聖人作春秋, 雖五伯猶或取之, 以其有功于一時也. 故曰, 桓公九合諸侯, 不以兵車, 管仲之力也. 微管仲, 吾其被髮左衽矣. 聖人之心公天下也如此.
春秋者, 聖人之刑賞也. 五伯雖得罪於聖人, 及其有功, 亦在所不掩也. 嗚呼, 治天下者, 賞善刑惡如聖人之心以公天下, 則四海之內無思不服, 儻徇好惡之私, 則刑賞濫矣. 刑賞濫而天下未有不亂者也.

오패를 손자로 삼은 것은 낮추었다고 말할 수 있다. 그러나 성인이 『춘추』를 지어서 오패라 할지라도 오히려 간혹 취한 것이 있으니, 한 시대에 공이 있기 때문이다. 그래서 "제나라 환공이 아홉 번 제후를 화합했지만 군사력을 동원하지 않은 것은 관중의 힘이다."[156]라고 했고 "관중이 없었다면 나는 머리를 풀고 옷깃을 왼편으로 하는 오랑캐가 되었을 것이다."[157]라고 했으니 성인의 마음이 천하를 공명정대하게 대하는 것이 이와 같다.
『춘추』라는 것은 성인이 벌을 주고 상을 주는 것이다. 오패가 성인에게 죄를 지었더라도 세상에 공을 이룬 것에 미쳐서는 또한 감추지 않는 점이 있다. 오호라! 세상을 다스리는 자는 선을 상주고 악을 벌주니 이러한 성인의 마음으로 세상을 공명정대하게 대할 수 있다면 온 세상 사람들이 복종하지 않는 이가 없고[158] 다만 사사로운 호오好惡에 따른다면 상과 형벌이 남발될 것이다. 형벌과 상이

155 『中庸』30장 : "공자는 요임금과 순임금을 祖宗으로 삼아 계승하고 문왕과 무왕을 본받아 위로 천시를 따르고 아래로 水土를 따랐다.(仲尼祖述堯舜, 憲章文武; 上律天時, 下襲水土.)" 주자는 祖述을 "멀리 그 도를 높이는 것(遠宗其道)"으로 풀고 憲章을 "가까이 그 법을 지키는 것(近守其法)"이라고 해석하고 있다.
156 『論語』「憲問」: "子曰, '桓公九合諸侯, 不以兵車, 管仲之力也. 如其仁! 如其仁!'"
157 『論語』「憲問」: "자공이 말했다. '관중은 인자가 아닐 것입니다. 환공이 공자규를 죽였는데 죽지 못하고 또 환공을 도와주었습니다.' 공자가 말했다. '관중이 환공을 도와 제후의 패자가 되게 하여 한 번 천하를 바로잡아 백성들이 지금까지 그 혜택을 받고 있으니, 관중이 없었다면 나는 머리를 풀고 옷깃을 왼편으로 하는 오랑캐가 되었을 것이다. 어찌 필부들이 작은 신의를 위해 스스로 목매 죽어서 시신이 도랑에 뒹굴어도 사람들이 알아주는 이가 없는 것과 같이 하겠는가?'(子貢曰, '管仲非仁者與? 桓公殺公子糾, 不能死, 又相之.' 子曰, '管仲相桓公, 霸諸侯, 一匡天下, 民到于今受其賜. 微管仲, 吾其被髮左衽矣. 豈若匹夫匹婦之爲諒也, 自經於溝瀆而莫之知也.')
158 『詩經』「大雅・文王有聲」: "自西至東, 自南至北, '無思不服.'"

남발되면서 세상이 혼란해지지 않는 경우란 없었다.

[9-6-2]
祖三皇, 尚賢也, 宗五帝, 亦尚賢也. 三皇尚賢以道, 五帝尚賢以德. 子三王, 尚親也, 孫五伯, 亦尚親也. 三王尚親以功, 五伯尚親以力.

삼황을 시조로 삼는 것은 현자를 존중하는 것이고, 오제를 조종으로 삼은 것도 현자를 존중하는 것이다. 삼황은 도로써 현자를 존중했고, 오제는 덕으로 현자를 존중했다. 삼왕을 자식으로 삼은 것은 친한 사람을 존중한 것이고, 오패를 손자로 삼은 것도 친한 사람을 존중한 것이다. 삼왕은 공로로써 친한 사람을 존중했고, 오패는 힘으로 친한 사람을 존중했다.

[9-6-2-0]
三皇五帝之治皆尚賢者也, 而三皇以道, 五帝以德. 三王五伯之治皆尚親者也, 而三王以功, 五伯以力. 以道則爲化, 以德則爲教, 以功則爲勸, 以力則爲率, 道德則無親疎之間, 功力則有違從之異. 然而力率天下而親之, 則狹矣. 此皇帝王伯之所以分也.

삼황과 오제의 다스림은 모두 현자를 존중했지만 삼황은 도로써 존중했고 오제는 덕으로써 존중했다. 삼왕과 오패의 다스림은 모두 친한 사람을 존중했지만 삼왕은 공로로써 존중했고 오패는 힘으로써 존중했다. 도로써 한 것은 교화가 되고 덕으로 한 것은 교육이 되며 공로로써 한 것은 권면하는 것이 되고 힘으로써 한 것은 통솔하는 것이 되니, 도와 덕은 친하고 소원한 관계 사이의 차이가 없었고 공로와 힘은 어기고 따르는 사람 사이의 차이가 없었다. 그러나 힘으로 세상을 통솔하여 친해지려 하는 것은 협소하다. 이것이 삼황·오제·삼왕·오패가 구분되는 까닭이다.

[9-6-3]
嗚呼! 時之旣往, 億千萬年. 時之未來, 亦億千萬年. 仲尼中間生而爲人, 何祖宗之寡而子孫之多耶? 所以重贊堯舜, 至禹曰, "禹吾無間然矣."

오호라! 이미 지나간 때가 억만 천년이고 아직 오지 않은 때 역시 억만 천년이다. 공자는 그 사이에서 태어나 사람이 되었으니, 어찌 시조와 조종은 적은데 자손은 많은가? 이것이 요임금과 순임금을 거듭 찬미하고, 우임금에 이르러 말하기를 "우임금은 내가 흠잡을 데가 없으시다."[159]라고 한 것이다.

----

159 『論語』 「泰伯」 : "공자가 말했다. '우임금은 내가 흠잡을 데가 없다. 평소의 음식은 간소하면서도 제사에는 귀신에게 정성을 다하고, 평소의 의복은 검소하면서도 黻과 冕에는 아름다움을 다하고, 궁실은 낮게 하면서도 도랑을 만드는 치수사업에는 힘을 다했으니, 우임금은 내가 흠잡을 데가 없다.'(子曰, '禹, 吾無間然矣. 非飮食, 而致孝乎鬼神, 惡衣服, 而致美乎黻冕, 卑宮室, 而盡力乎溝洫. 禹, 吾無間然矣.')"

[9-6-3-0]

時之旣往, 時之未來, 皆有億萬之數, 所以爲古今也. 仲尼在古今之間, 何祖宗之寡子孫之多, 謂治世少而亂世多, 聖君少而庸君多也. 三王方三皇五帝, 時雖不同, 然固已鮮矣. 後世不止雜乎伯而伯亦有所不足也. 仲尼贊堯則曰, 唯天爲大, 唯堯則之. 贊舜則曰, 君哉舜也, 無爲而治者其舜也歟. 至禹則曰, 菲飮食而致孝乎鬼神, 惡衣服而致美乎黻冕, 卑宮室而盡力乎溝洫, 禹吾無間然矣. 文王則曰, 三分天下有其二, 以服事殷, 周之德, 可謂至德也. 湯武則曰, 順乎天而應乎人. 嗚呼! 文王之德與舜禹並, 可謂至矣.

지나간 때와 오지 않은 때는 모두 억만년의 수가 있어서 과거와 현재가 된다. 공자는 과거와 현재 사이에 있는데 '어찌 조종으로 삼는 것이 적고 자손으로 삼는 것이 많은 것인가?'라는 것은 다스려지는 세상이 적고 혼란한 세상이 많으며 성인다운 군주는 적고 용렬한 군주는 많다는 말이다. 삼왕을 삼황과 오제에 대비한다면 때가 비록 다르지만 삼왕도 매우 드물었다. 후세에는 오패가 섞였을 뿐만 아니라 오패 역시 부족한 바가 있었다. 공자가 요임금을 찬미하여 "오직 하늘이 위대한데 요임금만이 그것을 본받았다."[160]고 했고, 순임금을 찬미하여 "임금답구나, 순이여, 작위함이 없이 다스리는 자는 순임금일 것이다."[161]라고 했고, 우임금에 이르러 "평소의 음식은 간소하면서도 제사에는 귀신에게 정성을 다하고, 평소의 의복은 검소하면서도 불黻과 면冕에는 아름다움을 다하시고, 궁실은 낮게 하면서도 도랑을 만드는 치수사업에는 힘을 다했으니, 우임금은 내가 흠잡을 데가 없다."고 했다. 문왕은 "천하를 3등분하여 그 둘을 소유하고도 복종하여 은나라를 섬겼으니 주나라 문왕의 덕은 지극한 덕이라 할 수 있다."[162]라고 하였다. 탕왕과 무왕은 "천명을 따르고 사람에 호응하였다."[163]고 하였다. 오호라! 문왕의 덕을 순임금·우임금과 나란히 하였으니 지극하다고 할 수 있다.[164] [165]

· · · · · · · · · · · · · · · · · · · ·

160 『論語』「泰伯」: "위대하다. 요의 군주됨이여. 높고 크다! 오직 하늘이 위대하니 요임금이 그것을 본받았다. 그 공덕이 넓고 넓어 백성들이 형용하지 못하다.(大哉堯之爲君也! 巍巍乎! 唯天爲大, 唯堯則之. 蕩蕩乎! 民無能名焉.)"

161 『論語』「衛靈公」: "작위함이 없이 다스리 자는 요임금일 것이다. 무엇을 인위적으로 했겠는가? 몸을 공손히 하고 바르게 하여 남면하였을 뿐이다."(無爲而治者, 其舜也與? 夫何爲哉, 恭己正南面而已矣.)

162 『論語』「泰伯」: "순임금이 어진 신하 다섯 사람을 두어 천하가 다스려졌다. 무왕이 말했다. '나는 나라를 잘 다스리는 신하 열 사람을 두었다.' 공자가 말했다. '인재를 얻기 어렵다는 말이 맞는 말이 아니겠는가? 唐虞(당우)의 때만이 이때보다 성대하였으나 열 사람 중에 부인이 있었으니 아홉 사람일 뿐이다. 문왕은 천하를 3등분하여 그 둘을 소유하고도 은나라를 복종하여 섬겼으니 주나라 문왕의 덕은 지극한 덕이라 할 수 있다.'(舜有臣五人而天下治. 武王曰, '予有亂臣十人.' 孔子曰, '才難, 不其然乎? 唐虞之際, 於斯爲盛. 有婦人焉, 九人而已. 三分天下有其二, 以服事殷. 周之德, 其可謂至德也已矣.')"

163 『周易』「革卦·彖傳」: "彖曰, 革, 水火相息, 二女同居, 其志不相得, 曰革. 已日乃孚, 革而信之, 文明以說, 大亨以正, 革而當, 其悔乃亡. 天地革而四時成, 湯武革命, 順乎天而應乎人, 革之時大矣哉!"

164 王植, 『皇極經世書解』: "(황기가 말했다.) 현자를 어질게 여기는 도가 행해지면 반드시 존중되어야 할 것을 존중한다. 그래서 삼황을 시조로 해서 그 도를 존중하고 오제를 조종으로 삼아 그 덕을 존중한다. 친한 사람을 친하게 여기는 도가 행해져도 반드시 현자를 어질게 여길 것이다. 그래서 삼왕을 자식으로 삼아서 그 공로를 높이고 오패를 손자로 삼아서 그 힘을 높인다. 오호라! 감탄스럽다. 과거를 느끼고 현재를 개관하

[9-6-4]

仲尼後禹千五百餘年, 今之後仲尼又千五百餘年. 雖不敢比夫仲尼上贊堯舜禹, 豈不敢比孟子上贊仲尼乎?

공자가 우임금 이후로 1,500여년이고, 지금은 공자 이후로 1,500여년이다. (지금 하는 일이) 공자가 요임금·순임금·우임금을 찬미하는 것에 견줄 수는 없지만 어찌 맹자가 공자를 찬미한 것에 견줄 수가 없겠는가?

[9-6-4-0]

仲尼後禹千五百餘年, 今之後仲尼又千五百餘年. 蓋道之相傳, 無古今之異. 仲尼傳堯舜禹者也, 孟子傳仲尼者也, 吾先君子蓋學孔孟者也.

공자가 우임금 이후로 1,500여년이고, 지금은 공자 이후로 1,500여년이다. 도가 서로 전해지는 것에는 과거와 현재의 차이가 없다. 공자는 요임금·순임금·우임금의 도를 전한 자이고, 맹자는 공자의 도를 전한 자이며, 나의 선군자[邵雍]는 공자와 맹자를 배운 분이다.

[9-6-5]

人謂仲尼惜乎無土. 吾獨以爲不然, 獨夫以百畝爲土, 大夫以百里爲土, 諸侯以四境爲土, 天子以九州爲土, 仲尼以萬世爲土. 若然, 則孟子言, 自生民以來未有如孔子, 斯亦未爲之過矣.

는 것이 깊다. 그래서 運으로 世를 경유하여 요순은 건괘의 대유괘에 해당하고, 하우 8년은 구괘에서 건괘로 간다. … 대체로 운이 구괘에 이르면 한 음이 생겨나 세상의 도가 쇠락하여 문왕이 지극한 덕이 있었지만 은나라에 복종해서 섬기고, 공자도 천하를 소유하지 못한 것이니, 이것은 자연의 수이다.(賢賢之道行, 則必尊所尊, 是故祖三皇以尊其道, 宗五帝以尊其德. 親親之道行, 亦必賢其賢, 是故子三王以賢其功, 孫五伯以賢其力. 嗚呼發嘆! 其感古慨今者, 深矣. 故以運經世, 堯舜, 當乾之大有, 夏禹八年, 則入姤之乾. … 蓋運至於姤一陰生, 而世道降, 文王雖有至德, 猶服事殷, 仲尼亦不有天下, 此固自然之數也.)"

165 王植,『皇極經世書解』: "현자를 존중한다는 것은 현자로서 여기는 것이고, 친한 이를 존중한다는 것은 친하게 한다는 말이니, 옛 학설이 옳지 않다. '시조로 삼고 조종으로 삼고 자식으로 삼고 손자로 삼는다.'는 말 역시『中庸』의 '祖述'에서 나온 것이니, 도통을 논한 것이고 宗系를 논한 것이 아니다. 황기가 '공자가 주나라를 따르겠다고 했으니 삼왕을 아들로 삼을 수 없다.'고 하니, 또한 지나치게 잘못된 학설이다. '지나간 때가 억천만년이고 오지 않은 때 또한 억천만년이다.'고 한 것은『皇極經世』가 과거와 현재를 관찰한 것임을 밝힌 것이고, 때는 과거와 현재가 있으나 삼황과 오제는 다시 오지 않고, 현명한 군주 또한 그 사이에 일어났기 때문에 '조종은 적고 자손은 많다.'고 했다. 아래에서 거듭 요임금과 순임금을 찬미했지만, 우임금에 대해서는 높이고 낮춤이 없지 않아 위의 뜻과 호응하니, 소백온의 해석은 충분하지 못하다.(尙賢謂賢之也, 尙親謂親之也, 舊說未是. 祖宗子孫之云, 由中庸祖述字生出, 蓋論道統, 非論宗系也. 黃氏謂孔子旣從周, 自不敢子厥先王, 亦過爲曲說矣. 曰時之旣往億千萬年, 時之未來亦億千萬年, 明其爲觀古今之意, 時有古今, 皇帝不再出而賢君亦間作, 故曰, 祖宗寡而子孫多. 下重贊堯舜而於禹不無軒輊, 正應上意, 邵伯子之解未允.)"

사람들은 공자가 다스리는 땅이 없었음을 애석해 한다. 그러나 나만 홀로 그렇지 않다고 생각하니, 한 사람의 농부는 백 무畝를 땅으로 삼고, 대부大夫는 백 리里를 땅으로 삼고, 제후諸侯는 사방의 국경 안을 땅으로 삼고, 천자는 구주九州를 땅으로 삼지만 공자는 만세萬世를 땅으로 삼는다. 그러하다면 맹자가 "백성이 생겨난 이래 공자만한 사람이 없었다."[166]고 했는데, 이는 역시 지나친 말은 아니다.

[9-6-5-0]

一夫之土百畝而已, 大夫之土百里而已, 諸侯之土四境而已, 天子之土九州而已, 皆有窮極者也. 仲尼之道通萬萬世而無弊, 萬世之所尊者也, 故曰仲尼以萬世爲土. 非特萬世也, 亘古今, 窮天地, 一人而已. 故孟子曰, 自生民以來未有夫子也.

한 농부의 땅은 백 무일 뿐이고, 대부의 땅은 백 리일 뿐이고, 제후의 땅은 사경四境[사방의 국경]일 뿐이고, 천자의 땅은 구주일 뿐이니, 모두 다하는 한계가 있다. 공자의 도는 만세를 통해서 닳아 없어지지 않아 만세토록 존중을 받는 사람이므로 "공자는 만세를 땅으로 삼는다."고 했다. 단지 만세 만이 아니라 과거와 현재를 통틀고 하늘과 땅을 다하여 한 사람일 뿐이다. 그래서 맹자는 "백성이 생겨난 이래 공자만한 사람이 없었다."고 했다.[167]

[9-6-6]

夫人不能自富, 必待天與其富然後能富. 人不能自貴, 必待天與其貴然後能貴. 若然, 則富貴在天也, 不在人也. 有求而得之者, 有求而不得者矣. 是繫乎天者也. 功德在人也, 不在天也. 可脩而得之, 不脩則不得. 是非繫乎天也, 繫乎人者也. 夫人之能求而得富貴者, 求其可得者也. 非其可得者, 非所以能求之也. 昧者不知, 求而得之, 則謂其己之能得也, 故矜之, 求而失之, 則謂其人之不與也, 故怨之. 如知其己之所以能得, 人之所以能與, 則天下安有不知量之人耶!

사람이 스스로는 부자가 될 수 없고 반드시 하늘이 부유함을 준 연후에야 부자가 될 수 있다. 사람은 스스로 귀하게 될 수가 없고 반드시 하늘이 그 귀함을 준 연후에야 귀하게 될 수 있다. 그렇다면 부귀는 하늘에 달린 것이지 사람에게 달린 것이 아니다. 구하려고 해서 얻은 경우도 있고 구하려 했지만 얻지

---

166 『孟子』「公孫丑上」: "'백이와 이윤이 공자에 대해서 이와 같이 동등합니까?' 맹자가 말했다. '아니다. 백성이 생겨난 이래 공자만한 사람이 없었다.' 공손추가 말했다. '그렇다면 같은 점이 있습니까.' 맹자가 말했다. '있다. 백 리 되는 땅을 얻어 군주 노릇하면 모두 제후에게 조회를 받고 천하를 소유하지만 한 가지 일이라도 불의를 행하며 한 사람이라도 죄 없는 이를 죽이고서 천하를 소유하려는 것을 하지 않을 것이니, 이것이 같다.'('伯夷·伊尹於孔子, 若是班乎?' 曰, '否. 自有生民以來, 未有孔子也.' 曰, '然則有同與?' 曰, '有. 得百里之地而君之, 皆能以朝諸侯有天下. 行一不義·殺一不辜而得天下, 皆不爲也. 是則同.')"

167 王植, 『皇極經世書解』: "우임금 이래로 소강절 선생 때까지 3,000년은 곧 원회운세 세 편에 서술한 연대이니, 황씨가 매번 운의 세로 말한 것은 이것일 뿐이다.(自禹以後至邵子時, 三千餘年, 即元會運世三篇所敍之年也. 黃氏每以運世言之, 是已.)" 왕식은 『皇極經世』를 지은 것이 『春秋』를 본받은 것이라고 설명한다.

못한 경우도 있다. 이것이 하늘에 달린 것이다. 그러나 공로와 덕은 사람에게 달려 있지 하늘에 달려있지 않다. 수양하면 얻을 수 있고 수양하지 않는다면 얻을 수 없다. 이것은 하늘에 달린 것이 아니라 사람에게 달린 것이다. 사람이 구하여 부귀를 얻을 수 있는 경우는 얻을 수 있는 것을 구한 것이다. 구해 얻을 수 있는 것이 아닌 것은 구할 수가 없는 것이다. 어리석은 자는 이를 알지 못하고 구하여 얻게 되면 자기가 얻을 수 있는 것이라고 말하니 그래서 자만하고, 구하여 얻지 못하면 세상 사람들이 주지 않은 것이라 말하니 그래서 원망한다. 자신이 얻을 수 있는 것과 사람이 줄 수 있는 것을 안다면 세상에 어찌 자신의 한계[量]를 알지 못하는 사람이 있겠는가!

[9-6-6-0]

富貴在天, 不可求而得. 功德在人, 所可脩而至. 不可求而得, 故必曰有命. 所可脩而至, 故不可不勉. 世之人不務脩其所可至而務求其所不可得, 惑之甚也. 故未得之, 則患得之, 旣得之, 則患失之, 得之則矜誇, 失之則怨懟. 苟能知己得之, 人與之, 皆天也, 如是, 則安有不知量之人哉!

부귀는 하늘에 달렸으니 구해서 얻을 수 없다. 공로와 덕은 사람에게 달렸으니 수양하여 이를 수 있다. 구해서 얻을 수 없기 때문에 반드시 '명이 있다'[168]고 했다. 수양하여 이를 수 있기 때문에 힘쓰지 않을 수가 없다. 세상 사람들은 이를 수 있는 것을 수양하는 데에 힘쓰지 않고 얻을 수 없는 것을 구하려고 힘쓰니 미혹됨이 심하다. 그래서 얻지 못했다면 얻을 것을 근심하고 얻고 나서는 잃을 것을 근심하니, 얻으면 자만하고 과시하며 잃으면 원망하고 근심한다. 실로 자신이 얻은 것과 사람이 준 것이 모두 하늘이 그렇게 한 것이라는 점을 안다면 어찌 자신의 한계를 모르는 사람이 있겠는가!

[9-6-7]

天下至富也, 天子至貴也, 豈可妄意求而得之也? 雖曰天命, 亦未始不由積功累行. 聖君艱難以成之, 庸君暴虐以壞之, 是天歟, 是人歟? 是知人作之咎, 固難逃已. 天降之災, 禳之奚益! 積功累行, 君子常分, 非有求而然也. 有求而然者, 所謂利乎仁者也. 君子安有餘事于其間哉? 然而有幸有不幸者, 始可以語命也已.

천하는 지극히 부유한 것이고 천자는 지극히 존귀한 것이니 어찌 망령되게 구하여 얻을 수 있겠는가? 천명이라고 하지만 또한 처음부터 공로를 쌓고 덕행을 쌓아서 얻을 수 있는 것이 아니다. 성스러운 군주는 힘들고 어렵게 이를 이루지만 용렬한 군주는 잔혹하고 포악하게 허물어뜨리니, 이것이 하늘이

....

168 『孟子』「盡心上」: "구하면 얻고 버리면 잃으니, 이 구함은 얻음에 유익함이 있어서 자신에게 있는 것을 구하는 것이다. 구함에 도가 있고 얻음에 명이 있으니, 이 구함은 얻음에 유익함이 없으니 밖에 있는 것을 구하는 것이다.(求則得之, 舍則失之, 是求有益於得也, 求在我者也. 求之有道, 得之有命, 是求無益於得也, 求在外者也.)"

한 것이겠는가, 사람이 한 것이겠는가? 사람이 만든 허물은 참으로 피하기가 어렵다는 것을 알 수가 있다. 하늘이 내린 재앙은 제사를 드려 본들 무슨 보탬이 있겠는가! 공로를 쌓고 덕행을 쌓는 것은 군자의 떳떳한 분수이고, 구하는 것이 있어서 그렇게 하는 것은 아니니, 구하는 것이 있어서 그러한 것은 인을 행하는 것이 이롭다고 말하는 것이다.[169] 군자가 어찌 인을 행하는 사이에 다른 생각이 있겠는가?[170] 그러나 행운이 있는 경우도 있고 행운이 없는 경우도 있기 때문에[171] 비로소 이때에 명을 말할 수 있을 뿐이다.[172]

[9-6-7-0]

“聖人之大寶曰位”, 天實命之, 故堯命舜, “天之曆數在爾躬,” 舜亦以此命禹. 天位豈容求而得者! 不可求而得, 況可以不道而取之邪! 此篇戒亂臣賊子使之知天命之可畏也. 積功累行, 人之所當爲, 君子豈有求而然! 必自積行累功以得之, 不積行累功以得之者或有之矣, 終亦必亡而已. 積行累功而不得者亦有之矣, 君子乃謂之命也已.

“성인의 큰 보배는 지위이다.”[173]라는 것은 하늘이 실로 명하는 것이므로 요임금이 순에게 명하여 “하늘의 역수가 너의 몸에 있다.”[174]고 했으니 순 임금 또한 이 말로 우에게 명했다. 하늘의 지위가 어찌 구한다고 해서 얻을 수 있는 것이겠는가! 구해서 얻을 수 없는데 어떻게 도가 아닌 방법으로 그것을 취할 수 있겠는가! 이 편은 나라를 어지럽히는 신하와 어버이를 해치는 자식을 경계해서 천명이 두려운 것을 알게 했다. 공로를 쌓고 덕행을 쌓는 것은 사람이 마땅히 해야할 바이니 군자가 어떻게 다른 것을 구하려고 그것을 행하겠는가! 반드시 덕행을 쌓고 공로를 쌓아서 얻게 되는 것이니 덕행을 쌓고 공로를 쌓지 않고 얻는 경우도 간혹 있지만 결국에는 반드시 망하게 될 뿐이다. 덕행을 쌓고 공로를 쌓고도 얻지 못하는 경우도 있으니 군자는 이를 운명이라고 말할 뿐이다.

. . . .

169 『性理羣書句解』: “인을 이롭게 여긴다는 것은 인을 행하는 것이 선하다는 것을 알고서 행하는 것이다.(利仁者知仁之爲善而行之也.)”

170 『性理羣書句解』: “군자라는 사람은 당연히 해야할 바를 행할 뿐이니 어찌 그것을 행하는 데에 힘을 들이겠는가!(君子之人行所當然何所用力於其中哉.)”

171 『性理羣書句解』: “행운이 없으면 재앙을 입고 또 행운이 있으면 복을 얻는다.(不幸而被禍又有幸而得福者)”

172 『性理羣書句解』: “이것은 운명으로 돌릴 수 있다.(此乃可歸之於命也)”

173 『周易』「繫辭下」: “천지의 위대한 덕은 생명을 낳는 것이고, 성인의 큰 보배는 지위이다. 어떻게 지위를 지키는가? 인을 행할 뿐이다. 어떻게 사람을 모으는가? 재물이다. 재물을 올바로 다스리고 말을 올바르게 하며 백성이 옳지 않은 일을 하는 것을 금지하는 것이 義이다.(天地之大德曰生, 聖人之大寶曰位. 何以守位? 曰仁. 何以聚人? 曰財. 理財正辭禁民爲非曰義.)”

174 『論語』「泰伯」: “요임금이 말했다. ‘아! 너 순아, 하늘의 역수가 너의 몸에 있으니, 진실로 그 중도를 잡아라. 사해가 곤궁하면 하늘의 녹봉이 영원히 끊길 것이다.’ 순 임금 또한 이 말로 우임금에게 명했다.(堯曰, “咨! 爾舜! 天之曆數在爾躬. 允執其中. 四海困窮, 天祿永終.” 舜亦以命禹.)”

[9-6-8]

夏禹以功有天下, 夏桀以虐失天下. 殷湯以功有天下, 殷紂以虐失天下. 周武以功有天下, 周幽以虐失天下. 三者雖時不同, 其成敗之形一也.

하나라 우임금은 공로로 천하를 소유했고, 하나라 걸왕은 잔혹함으로 천하를 잃었다. 은나라 탕왕은 공로로 천하를 소유했고 은나라 주왕은 잔혹함으로 천하를 잃었다. 주나라 무왕은 공로로 천하를 소유했고, 주나라 유왕은 잔혹함으로 천하를 잃었다. 세 가지는 비록 시대는 다르지만 그 성공과 패망의 형세는 하나이다.

[9-6-8-0]

夏禹商湯周武, 其功德在民深矣. 其創法垂統至矣. 後世子孫雖中才之君, 能保惜其基業, 謹守其法度, 兢兢業業而勿失, 雖百世可也. 夏則太康已失邦而其後有桀. 商太甲已不明而其後有紂. 周昭王已南征不返而其後有幽厲. 詩云, "赫赫宗周, 褒姒滅之." 蓋周至幽厲, 雖曰未亡, 其實亡矣. 獨以文武之澤未斬, 國之典刑尚存, 故至赧王而後失之. 其祖宗之艱難積累以得之, 其後亡國敗家之人庸愚暴虐以失之, 若出一塗. 書曰, "爲善不同, 同歸于治, 爲惡不同, 同歸于亂", 此之謂也.

하나라 우왕·상나라 탕왕·주나라 무왕은 그 공로와 덕이 사람들에게 깊었고, 그 법을 창시하고 왕통을 세운 것이 지극하다. 후세 자손들이 중간 정도 재주의 군주라도 그들의 기업基業을 보전하고 그 법도를 삼가 지킬 수 있으니, 조심스럽고 두려워하면서 잃지 않았다면 백세가 되더라도 가능했을 것이다. 하나라는 태강太康왕이 이미 나라를 잃었고 그 뒤로 걸왕이 있었다. 상나라는 태갑太甲이 지혜롭지 못했고 그 뒤로 주왕이 있었다. 주나라는 소왕昭王이 남쪽으로 정벌하다가 돌아오지 못했고 그 후로 유왕과 여왕이 있었다. 『시』에서 말하기를 "혁혁한 종주宗周를 포사가 멸하리라."[175]라고 했다. 주나라가 유왕과 여왕에 이르러 비록 망하지 않았다고는 하지만 실제로 망한 것이다. 그러나 오직 문왕과 무왕의 은택이 없어지지 않아서 나라의 전형典刑은 그대로 있었기 때문에 난왕에 이른 후에야 잃었던 것이다. 그 조종祖宗이 어렵고 힘들게 공덕을 쌓아서 얻은 것을 그 후에 나라를 망치고 집안을 없애는 사람이 용렬하고 어리석고 포악하고 잔학하여 잃어버린 것이 한 길에서 나온 것과 같다. 『서』에서 말하기를 "선한 일을 한 것은 같지 않지만 다스려지는 데로 돌아가는 것은 같고, 악한 일을 한 것은 같지 않지만 혼란으로 돌아가는 것은 같다."[176]고 했으니 이것을 말한 것이다.

---

175 『詩經』「小雅·正月」: "마음의 근심함이여, 혹 맺혀 있는 듯하도다. 지금 정사는 어찌 이리도 사나운고. 불길이 한창 성함을 누가 박멸할 수 있으리. 혁혁한 종주를 포사가 멸하리라.(心之憂矣, 如或結之. 今玆之正, 胡然厲矣. 燎之方揚, 寧或滅之. 赫赫宗周, 褒姒滅之.)"

176 『書經』「蔡仲之命」: "皇天無親, 惟德是輔, 民心無常, 惟惠之懷, 爲善不同, 同歸于治, 爲惡不同, 同歸于亂."

[9-6-9]

平王東遷, 無功以復王業, 赧王西走, 無虐以喪王室, 威令不逮一小國諸侯, 仰存於五伯而
己, 此又奚足道哉?

주나라 평왕이 동쪽으로 도읍을 옮겼으나 왕업王業을 회복할 만한 공이 없었고, 난왕이 서쪽으로 달
아나서 왕실을 잃을 만한 학정이 없었으나 위엄과 명령이 작은 나라 제후에도 미치지 못했다. 우러
러 오패를 보고 있었을 뿐이니 이것을 또 어떻게 말할 것이 있겠는가?

[9-6-9-0]

平王東遷, 文武之業盡矣, 故無功以復王室. 赧王西走, 危亡之勢極矣, 故無虐以喪王室.
皆不足道也.

평왕이 동쪽으로 도읍을 옮겨가서 문왕과 무왕의 왕업이 다했으므로 공로가 없었는데도 왕실을 회복
한 것이다. 난왕이 서쪽으로 도망가서 위험하고 망해가는 형세가 극에 달했으므로 잔혹함이 없었는
데도 왕실을 잃었다. 모두 말할 것이 못된다.

竊嘗論之. 桀紂幽厲, 皆暴君也. 自平王至赧, 皆庸君也. 庸暴雖殊, 皆足以亡其國. 然暴君
身爲不善, 其亡也速, 其爲天下害也淺. 庸君未必能爲大惡, 而天下之爲惡者皆得以肆其
惡, 其亡也緩, 其爲天下害也深. 故桀紂身爲不善, 湯武誅放而天下寧. 幽厲亦可謂暴矣.
獨以文武之澤未泯, 止亡其身而國之未亡, 幸也. 自平至赧, 無顯著之惡而其庸則甚矣. 其
後有五伯有戰國, 有暴秦, 民墜塗炭五百餘年而天下受其害, 至漢而後始定.

자세하게 논해보자. 걸왕·주왕·유왕·여왕은 모두 포악한 군주이다. 평왕에서 난왕에 이르기까지
모두 용렬한 군주이다. 용렬하고 포악한 것은 비록 다르지만 모두 그 나라를 망하기에는 족하다.
그러나 포악한 군주는 몸소 불선을 행하여 그 망함이 빠르고 천하를 해롭게 하는 것이 얕다. 용렬한
군주는 반드시 큰 악을 행할 수 있지는 않아도, 천하의 악을 행하려는 자가 모두 그 악을 자행할
수 있어서 그 망함은 느리지만 천하를 해롭게 하는 것은 깊다. 그래서 걸왕과 주왕은 몸소 불선을
행하여 탕왕과 무왕이 주벌하고 방벌하여 천하가 편안해졌다. 유왕과 여왕 역시 포악하다고 할 수
있다. 유독 문왕과 무왕의 은택이 없어지지 않아서 그 자신은 망했지만 나라가 망하지 않은 것은
다행이었다. 그러나 평왕에서 난왕에 이르러 현저하게 드러나는 악행은 없었지만 그 용렬함은 심했
다. 그 후에 오패가 있었고 전쟁하는 나라들이 있었고 포악한 진나라가 있어서 백성이 토탄에 빠져
5백여 년 동안 세상이 그 피해를 입었다가 한나라에 이른 후에 비로소 안정되었다.

考之歷代, 亦莫不然, 西漢自元成而下, 皆庸君也, 卒致新室之亂. 幸天下未厭漢, 光武中
興. 東漢自桓靈而下, 皆庸君也, 卒致董卓之亂, 而後有三國, 有南北朝, 又分而爲十六國,
羯胡腥羶瀆汚中原, 民墜塗炭, 又四百餘年而天下受其害, 至隋而後始定. 隋煬帝, 暴君也,

身爲不善以亡其國, 不旋踵有唐以興而天下寧. 唐自肅宗而下, 多庸君也, 當時藩鎭固以暴. 橫于外, 宦豎又且擅權于內, 其後有五季, 又分而爲十國, 皆得以肆其惡, 民墮塗炭又二百年至本朝而後大定. 則暴君之爲天下害也淺, 庸君之爲天下害也深, 槩可見矣.

이후의 역대歷代를 살펴보아도 그렇지 않은 적이 없었다. 서한西漢은 원성元成(원제와 성제) 이래로 모두 용렬한 군주였으니 결국 신실新室(왕망)[177]의 난이 이른 것이다. 다행이 천하가 한나라를 싫어하지 않아서 광무제에 중흥했다. 동한은 환영桓靈(환제와 영제) 이래로 모두 용렬한 군주였으니 결국 동탁董卓[178]의 난을 초래하고 나서 삼국三國이 있고 남북조가 있고 또 나뉘어 16국이 있게 되었다. 북방의 오랑캐 갈호羯胡가 중원을 더럽혀서 백성들이 도탄에 빠지고 또 4백 여 년 동안 세상이 그 피해를 입다가 수나라에 이른 후에 비로소 안정되었다. 수나라 양제는 포악한 군주로서 몸소 불선을 행하여 나라를 망하게 했지만 신속하게 당나라가 일어나서 천하가 안정되었다. 당나라는 숙종 이래로 용렬한 군주가 많아서 당시 번진이 실로 포악했다. 외부에서 함부로 하면서 환관들이 또 안에서 권력을 함부로 자행하여 그 후에 오계五季가 있었고 또 나뉘어 10국이 있었으니 모두 그 악행을 자행하여 백성이 도탄에 빠지고 또 2백여 년이 흘러 본조本朝에 이른 후에 크게 안정되었다. 이러하니 포악한 군주가 천하에 피해를 입히는 것은 얕지만 용렬한 군주가 천하에 피해를 입히는 것은 매우 깊다는 점을 알 수가 있다.

[9-6-10]

但時無眞王者出焉, 雖有虛名, 與杞宋其誰曰少異? 是時也, 春秋之作不亦宜乎?

그러나 그 당시 진정한 왕이 나타나지 않았으니 천자라는 허명虛名은 있더라도 그 누가 기나라나 송나라와 같은 제후국과 조금이라도 다르다고 말하겠는가? 이 같은 때에 『춘추』를 지은 것이 또한 마땅하지 않겠는가?

[9-6-10-0]

當是時也, 天下無王矣. 孔子之作春秋, 所以明王道而存王者之禮法也. 使之得位, 則行之矣. 孟子告齊梁之君亦必以王道者, 以此也.

. . . .

177 新室 : 기원전 8년 왕망이 한나라를 참칭하여 황제라 칭하고 국호를 新이라 하였다. 후에 그 왕조를 '신실'이라고 칭했다.

178 董卓 : 자는 仲穎이다. 처음에는 羌族의 추장을 회유하여 세력을 길렀다. 189년 외척 何進이 환관을 토멸하고자 할 때 이에 호응하여 군사를 거느리고 낙양으로 향하였으나 하진은 도리어 환관에게 죽고, 환관들은 袁紹의 군대에 몰살되었다. 그러나 동탁은 그대로 낙양에 입성하여 獻帝를 옹립하고 정권을 잡았다. 이에 대해 원소를 맹주로 하는 동탁 토벌군이 조직되자, 190년 낙양성을 소각하고 長安으로 천도하였다. 천도 후에도 횡포가 심하였고, 그 때문에 司徒 王允의 모략에 걸려 부장 呂布에게 살해되었다. 동탁이 죽은 후에 장안은 부장들의 다툼으로 혼란이 거듭되었고 헌제는 장안을 탈출, 曹操에게 보호되어 조조가 중국 천하를 제패하는 계기를 만들었다.

당시에는 천하에 왕이 없었다. 공자가 『춘추』를 지은 것은 왕도를 밝히고 왕의 예법을 보존하기 위해서였다. 그에게 천자의 지위를 얻게 했으면 그것을 시행했을 것이다. 맹자가 제나라와 양나라 군주에게 고할 때[179] 역시 왕도로써 말한 것은 이 때문이다.

[9-6-11]

仲尼修經周平王之時, 書終于晉文侯, 詩列爲王國風, 春秋始于魯隱公, 易盡于未濟卦.

공자는 경전을 주나라 평왕 때부터 지었는데, 『서』를 진나라 문후에서 마쳤으며, 『시』는 왕이 국풍의 반열에 놓였고[180], 『춘추』는 노나라 은공부터 시작하고, 『역』은 미제괘에서 마쳤다.

[9-6-11-0]

孟子曰, "王者之迹熄而後詩亡, 詩亡然後春秋作." 周平之時, 王者之迹熄矣, 故春秋之所以作也. 書終於文侯之命, 周之東遷, 晉鄭焉依, 文侯猶知尊周, 有功于時. 故聖人取之始于典謨, 終之以文侯之命與秦誓, 則其時其事可知之矣. 王者之迹熄而雅頌不作, 周室之微不絶如綫, 四郊之外皆非己有, 與一小國亦何以異, 所存獨王者之虛名耳, 故黍離之詩列于國風也. 春秋始于魯隱. 魯周公之國, 周公之禮樂典章具在于魯, 至隱公之世, 周公之業衰矣, 此春秋之所以始隱, 又當周平之時也. 易終于未濟卦, 一治一亂而未始有窮也.

맹자가 말하기를 "왕의 행적이 종식되어 『시』가 없어졌으니 『시』가 없어진 후에 『춘추』가 나왔다."[181] 주나라 평왕 때에는 왕의 행적이 종식되었기 때문에 『춘추』가 지어졌다. 『서』는 「문후의 명」 편에서 끝마친 것은 주나라가 동쪽으로 도읍을 옮길 때 진나라와 정나라가 함께 갔으니, 문후는 아직 주나라를 존중할 줄 알아서 그 당시에 공로가 있었다. 그래서 성인이 취하여 전모典謨[182]로부터 시작하여 「문후의 명」 편과 「진서秦誓」에서 끝마친 것이니 그 당시와 일들을 알 수가 있다. 왕의 행적이 없어져서 아송雅頌을 짓지 못하고, 주나라 왕실이 쇠미하여 마치 실같이 끊어지지 않았으나 사방의 밖이 모두

---

179 맹자가 제나라 선왕에게 고한 것은 이렇다. "맹자가 제나라 선왕에서 말했다. '군주가 신하 보기를 수족과 같이 하면 신하가 군주 보기를 腹心과 같이 여기고, 군주가 신하 보기를 개와 말처럼 하면 신하가 군주 보기를 國人과 같이 여기고, 군주가 신하 보기를 土芥와 같이 하면 신하가 군주 보기를 원수와 같이 하는 것입니다.'(孟子告齊宣王曰, '君之視臣如手足, 則臣視君如腹心, 君之視臣如犬馬, 則臣視君如國人, 君之視臣如土芥, 則臣視君如寇讐.')"

180 『詩經』의 國風에 王風이 포함되어 있다. 권4가 王이다. 즉 주나라에 해당하는 왕풍이 국풍의 반열에 동일하게 놓였음을 의미한다. 그만큼 제후국들과 같이 취급되었다는 점을 드러낸 것이다.

181 『孟子』「離婁下」: "왕자의 자취가 종식되어 『詩』가 없어졌으니 『詩』가 없어진 후에 『春秋』가 나왔다. 진나라의 『乘』과 초나라의 『도杌』과 노나라의 『春秋』가 똑같은 것이다. 그 일은 제나라 환공과 진나라 문공의 일이고 문체는 사관의 문체이다. 공자가 말하기를 '그 의미는 내가 속으로 취했다.'고 했다.(王者之跡熄而詩亡, 詩亡然後春秋作. 晉之乘, 楚之檮杌, 魯之春秋, 一也. 其事則齊桓·晉文, 其文則史. 孔子曰, '其義則丘竊取之矣.')"

182 '典'은 「堯典」과 「舜典」이고 '謨'는 「大禹謨」와 「皐陶謨」이다.

자기의 소유가 아니니, 하나의 작은 제후국과 또한 무엇이 다르겠으며 오직 있는 것이라고는 왕이라는 헛된 이름뿐이기 때문에 서리黍離 시가 국풍의 반열[183]에 놓였다. 춘추는 노나라 은공으로부터 시작했다. 노나라는 주공의 나라로 주공의 예악과 전장典章이 노나라에 모두 있었지만, 은공의 때에 이르러 주공의 업적이 쇠퇴했으니 이것이 『춘추』가 은공으로부터 시작하는 이유이고 또 주나라 평왕 때에 해당한다. 『역』은 미제괘에서 마쳤으니[184] 한 번 다스려지고 한 번 혼란해져서 끝이 있는 것이 아니기 때문이다.[185]

[9-6-12]

予非知仲尼者, 學爲仲尼者也. 禮樂賞罰自天子出而出自諸侯, 天子之重去矣. 宗周之功德自文武出而出自幽屬, 文武之基息矣. 由是犬戎得以侮中國. 周之諸侯非一, 獨晉能攘去戎狄, 徙王東都洛邑, 用存王國, 爲天下伯者之倡, 秬鬯圭瓚之所錫, 其能免乎?

나는 공자를 아는 사람이 아니고 공자를 배우는 자이다. 예악과 정벌은 천자로부터 나와야 하는데 제후로부터 나오니, 천자의 위중함이 없어진 것이다. 종실인 주나라의 공로와 덕은 문왕과 무왕으로부터 나오는 것인데 유왕과 여왕으로부터 나오니, 문왕과 무왕의 기업이 무너졌다. 그래서 오랑캐들이 중국을 모독했다. 주나라 제후국은 하나가 아닌데도 유독 진나라가 오랑캐를 물리쳐서 왕을 동쪽 낙읍으로 옮겨, 왕국을 존속하게 해서 천하 패자의 주창자가 되니, 울창주[186]와 옥 제기[187]를 하사받음을 면할 수 있겠는가?

[9-6-12-0]

聖人人倫之至, 能盡君君臣臣父父子子兄兄弟弟夫夫婦婦之道, 正心誠身以治天下國家, 此蓋孔子之志也. 禮樂征伐, 威福之大柄也. 臣下得而擅之, 則人君之權移于下矣. 蓋由君非其君, 臣非其臣, 欲不亂, 其可得乎! 周之幽屬, 小人而乘君子之器者也, 盜斯奪之矣, 故

183 『詩經』「王」편에 '서리'라는 시가 있다. 「王」 편은 원래 '周風'이라고 해야 하지만 아직 왕이라는 호칭이 있었으므로 왕풍이라고 한 것이다. 그만큼 권세가 떨어졌지만 왕으로서의 권위를 인정한 것이다.

184 『周易』은 첫 번째 건괘로부터 시작하여 63번째 완성을 의미하는 '旣濟괘'에서 64번째 완성되지 못함을 의미하는 '미제괘'로 끝난다.

185 王植, 『皇極經世書解』: "『書』가 「문후의 명」에서 마친 것은 공로가 신하로 말미암아 세워진 것이고, 『詩』가 왕이 국풍의 반열에 놓인 것은 권세가 신하와 같아진 것이고, 『春秋』를 노나라 은공에서 시작한 것은 정치를 신하로써 벼리를 삼은 것이다. 왕의 행적이 없어진 것이 여기까지 이르니 성인이 이에 그 뜻을 『周易』의 미제괘에 붙인 것이다.(書終文侯之命, 功由臣建, 詩列爲王國風, 勸與臣同, 春秋始魯隱公, 政以臣紀, 王者之迹, 其熄至此, 聖人於是, 寓其意於易之未濟卦.)"

186 秬鬯: 고대에 검은 기장과 향기로운 풀로 빚어 만든 술을 말한다. 제사의 강신할 때와 공로가 있는 제후에게 상을 줄 때 사용한다. 『書經』「周書·洛誥」: "伻來毖殷, 乃命寧予以秬鬯二卣." 『禮記』「表記」: "天子親耕, 粢盛秬鬯, 以事上帝."

187 圭瓚: 고대에 옥으로 만든 제기를 말한다. 『書經』「文侯之命」: "平王錫晉, 文侯秬鬯圭瓚."

犬戎得以侮中國. 晉文侯獨能攘戎狄而遷周于洛, 知有君臣之義未同於夷狄, 其功亦可尚
矣. 此書所以有文侯之命也.

성인은 인륜人倫의 지극함으로 군주는 군주답고 신하는 신하답고 아버지는 아버지답고 자식은 자식
답고 형은 형답고 동생은 동생답고 지아비는 지아비답고 아내는 아내다운 도리를 다할 수 있고,
마음을 올바로 하고 몸을 성실하게 하여 천하와 국가를 다스리니, 이것이 공자의 뜻이다. 예악과
정벌은 위엄과 복을 내리는 큰 권한이다. 신하가 그것을 가지고 함부로 한다면 군주의 권한이 아래
사람에게로 넘어간 것이다. 이것은 군주가 군주답지 못하고 신하가 신하답지 못하기 때문이니, 혼란
스럽게 되지 않으려 해도 가능하겠는가! 주나라 유왕과 여왕은 소인이면서 군자의 기물을 탄 것이니
도적이 이를 빼앗으려고 하므로[188] 오랑캐들이 중국을 모독할 수 있었던 것이다. 진나라 문후만이
오랑캐들을 물리치고 낙읍으로 주나라를 옮겼으니, 군주와 신하의 의리가 있어서 오랑캐와 동화되지
않았음을 알 수 있고, 그 공로 또한 높이 살만하다. 이것이 『서』에 「문후의 명」 편이 있는 까닭이다.

[9-6-13]

傳稱子貢欲去魯告朔之餼羊, 孔子曰, "賜也, 爾愛其羊, 我愛其禮." 是知名存實亡者, 猶愈
于名實俱亡者矣. 禮雖廢而羊存, 則後世安知有不復行禮者矣? 晉文公尊王雖用虛名, 猶能
力使天下諸侯知有周天子, 而不敢以兵加之也. 及晉之衰也, 秦由是敢滅周. 斯愛禮之言,
信不誣矣.

『논어』에서 자공이 초하룻날 태묘에 바치는 희생양을 없애려고 하자, 공자가 "사야! 너는 그 양을
아까워하느냐, 나는 그 예를 아까워한다."[189]라고 했다. 이는 명분만 있고 실질이 없는 것이 명분과
실질이 모두 없는 것보다 낫다는 점을 알 수 있다. 예가 비록 없어졌으나 희생양이 있으면 후세에
다시 예를 실행할 자가 없으리라고 어찌 알겠는가? 진나라 문공이 왕을 높인 것은 헛된 명분만을 쓴
것이지만 힘으로 천하의 제후들이 주나라 천자가 있음을 알게 하여 감히 군사로 덤비지 못하게 할

----

188 『周易』 解괘 육삼효의 효사가 "六三, 負且乘, 致寇至, 貞吝."이다. 이 효에 대해서 「繫辭傳」에서는 이렇게
설명하고 있다. "『周易』에서 말했다. '짊어져야 할 사람이 수레를 탔다. 도적이 이르게 된다.' 짊어진다는
것은 소인의 일이다. 타는 것은 군자의 기물이다. 소인이면서 군자의 기물을 탔기 때문에 도적이 빼앗으려고
생각한다. 윗사람이 거만하게 하고 아랫사람이 난폭하니 도적이 칠 것을 생각한다. 감춤을 태만히 하는
것이 도적을 부르는 것이며 용모를 다듬는 것이 음탕함을 부르는 것이다. 『周易』에서 '짊어져야 할 사람이
수레를 탔다'고 한 것은 도적을 스스로 불러들이는 것이다.(易曰, '負且乘, 致寇至.' 負也者, 小人之事也, 乘也
者, 君子之器也. 小人而乘君子之器, 盜思奪之矣, 上慢下暴, 盜思伐之矣. 慢藏誨盜, 冶容誨淫. 易曰, '負且乘,
致寇至', 盜之招也.)"

189 『論語』 「八佾」 : "子貢欲去告朔之餼羊. 子曰, '賜也, 爾愛其羊, 我愛其禮.'" 告朔의 예에 대해서 주자는 다음과
같이 설명한다. "옛날에 천자가 항상 섣달에 다음해 12개월의 달력을 제후들에게 반포하면 제후들은 이것을
받아서 祖廟太廟의 사당에 보관하였다가 매월 초하룻날이 되면 희생양을 가지고 사당에 告由하고 청하여
시행하였다.(告朔之禮, 古者天子常以季冬, 頒來歲十二月之朔于諸侯, 諸侯受而藏之祖廟. 月朔, 則以特羊告
廟, 請而行之.)"

수 있었다. 진晉나라가 쇠퇴하는 데 이르러 진秦나라가 이에 주나라를 멸망시켰다. 이것으로 공자가 예를 사랑한다고 했던 말이 실로 거짓이 아니다.

[9-6-13-0]

孔子之時, 魯國告朔之禮廢已久矣, 而餼羊猶存. 子貢獨見其禮已久廢, 餼羊徒有虛名, 故欲去之. 聖人用心深遠, 以謂爾愛其羊, 我愛其禮, 禮雖廢而羊猶存, 後世安知不有因其羊而行禮, 循其名而求其實者乎. 豈不愈於羊禮俱廢名實皆亡者也! 故晉文公有尊王之名而尚能有功一時, 所以聖人亦取之也.

공자의 시대에 노나라에서 초하룻날 태묘에 제사하는 예가 폐지된 지 오래되었지만 희생양은 여전히 보존되었다. 자공은 그 예가 폐지된 지 오래 되었는데도 희생양은 도리어 헛된 명분으로 남아 있음을 알았기 때문에 없애려고 한 것이다. 성인의 마음 씀은 깊고 넓어서 "너는 그 양을 아까워하느냐, 나는 그 예를 아까워한다."고 말하였으니, 예가 비록 폐지되었지만 양이 보존되어 있으면 후세에 그 양으로 인하여 예를 시행하여 그 명분에 따라서 그 실질을 구하려는 자가 있지 않을 것이라고 어찌 알겠는가? 어찌 양과 예가 모두 없어져 명분과 실질이 모두 없어지는 것보다 낫지 않겠는가! 그래서 진나라 문공이 왕을 높이는 명분이 있어서 여전히 한 시대의 공로가 있었던 것이니, 성인이 또한 이를 취한 것이다.

孟子謂"好名之人能讓千乘之國", 好名之人於道雖爲未至, 已能讓千乘之國, 則與夫見利忘義貪取苟得無所顧藉者, 蓋有間矣. 或曰, 好名之人, 矯僞不情, 烏足貴哉? 愚獨不然, 矯僞爲善, 豈不賢於矯僞爲惡者乎? 竊嘗論之. 爲人君者能知堯舜之名爲可好, 則莫不願爲堯舜. 好之而不已, 行之而彌久, 是亦堯舜而已. 爲人臣者能知稷契之名爲可好, 則莫不願爲稷契. 好之而不已, 行之而彌久, 是亦稷契而已. 志於道者能知孔顔之名爲可好, 好之而不已, 行之而彌久, 是亦孔顔而已. 嗚呼! 名者治世修身之具也, 烏可一日關於天下! 但患人不知所以好之耳, 豈不貴哉!

맹자가 "명분을 좋아하는 사람은 천승의 나라를 사양할 수 있다."[190]고 했는데, 명분을 좋아하는 사람은 도에 이르지 않았을지라도 천승의 나라를 양보할 수 있으니 이익을 보면 의로움을 잊고서 탐욕스럽게 취하고 구차하게 얻으면서도 애석해하지 않는 자와는 차이가 있기 때문이다. 어떤 사람이 "명분을 좋아하는 사람은 거짓으로 꾸며 진정이 아니니 어찌 귀하다고 할 수 있겠는가?"라고 묻는다면 나는 그렇지 않다고 생각한다. 거짓으로 꾸며 선을 행하는 것이 어찌 거짓으로 꾸며 악을 행하는 것보다 현명하지 않은가? 상세하게 논해 보자. 군주된 자로 요임금과 순임금의 명분이 좋아할 만한

190 『孟子』「盡心下」: "명분을 좋아하는 사람은 천승의 나라를 사양할 수 있으니, 마일 그럴 만한 사람이 아니면 한 그릇 밥과 국에도 얼굴빛에 진심이 드러난다.(好名之人, 能讓千乘之國; 苟非其人, 簞食豆羹見於色.)"

것이라는 것을 알 수가 있다면 요임금과 순임금이 되기를 바라지 않는 사람이 없을 것이다. 그 명분을 좋아하여 그치지 않고, 그것을 행하여 더욱 오래되면 그 역시 요임금과 순임금이 될 뿐이다. 신하된 자로 직稷과 설契[191]의 명분이 좋아할 만한 것이라는 것을 알 수가 있다면 직과 설이 되기를 바라지 않는 사람이 없을 것이다. 그 명분을 좋아하여 그치지 않고, 그것을 행하여 오래되면 그 역시 직과 설이 될 뿐이다. 도에 뜻을 둔 자로 공자와 안연의 명분이 좋아할 만한 것이라는 것을 알 수가 있어서 그것을 좋아하여 그치지 않고, 행하여 오래되면 그 역시 공자와 안연이 될 뿐이다. 오호라! 명분이란 것은 세상을 다스리고 자신을 수양하는 도구이니 어찌 하루라도 천하에서 없앨 수 있겠는가! 단지 사람이 그것을 좋아해야 하는 까닭을 알지 못하는 것이 근심스러울 뿐이니, 어찌 귀하지 않겠는가![192] [193]

[9-6-14]

齊景公嘗一日問政于孔子, 孔子對曰, 君君臣臣, 父父子子. 公曰, 善哉! 信如君不君, 臣不臣, 父不父, 子不子, 雖有粟, 吾得而食諸? 是時也, 諸侯僭天子, 陪臣執國命, 祿去公室, 政出私門, 景公自不能上奉周天子, 欲其臣下奉己, 不亦難乎? 厥後齊祚卒爲田氏所移. 夫齊之有田氏者, 亦猶晉之有三家者, 亦猶周之有五佰也. 韓趙魏之于晉也, 旣立其功, 又分其地. 旣卑其主, 又專其國. 田氏之于齊也, 旣得其祿, 又專其政. 旣殺其君, 又移其祚. 其如天下之事, 豈無漸乎? 履霜之戒, 寧不思乎?

제나라 경공이 어느 날에 공자에게 정치를 묻자, 공자가 대답했다. "군주는 군주다워야 하고 신하는 신하다워야 하며, 아버지는 아버지다워야 하고 자식은 자식다워야 한다." 공이 말하였다. "좋은 말씀입니다. 진실로 군주가 군주답지 못하고 신하가 신하답지 못하며 아버지가 아버지답지 못하고 자식이 자식답지 못하다면 곡식이 있은들 내가 그것을 먹을 수 있겠습니까?"[194] 이때에는 제후가 천자를 참칭하고 배신陪臣[195]이 나라의 명령을 집행하여 녹봉이 공실公室에서 없어지고 정치가 사사로운 집안으로부터 나와서, 경공이 스스로 위로 주나라 천자를 받들 수가 없었으니, 자신의 신하가 자기를 받들려고

· ·

191 稷契 : 堯의 신하로 농사를 관장했던 稷과, 禹를 도와 治水를 잘하였던 契을 말한다.

192 이 단락은 왕식 판본에는 생략되어 있다.

193 王植, 『皇極經世書解』 : "이 아래는 춘추시대의 왕과 제후를 논한 것이다. 이 절과 윗 절은 모두 평왕을 말한 것이다. 그러나 윗 절은 주나라를 말했고 이 절은 진나라를 말한 것이다. 진나라 문후를 앞에서 말하고 진나라 문공을 뒤에 말했으니, 문후는 평왕 시절이고 문공은 양왕 시절이어서 서로 120년의 차이가 나지만 문후를 패자의 주창자로 삼은 것은 소강절의 독특한 견해이다.(愚按以下論春秋時之王侯. 此與上節, 皆言平王, 然上節言周, 而此節則言晉也. 前言晉文侯, 後言晉文公, 文侯在平王時, 文公在襄王時, 相距一百二十餘年. 以文侯爲伯者之倡, 邵子之特見也.)"

194 『論語』 「顏淵」 : "齊景公問政於孔子. 孔子對曰, '君君, 臣臣, 父父, 子子.' 公曰, '善哉! 信如君不君, 臣不臣, 父不父, 子不子, 雖有粟, 吾得而食諸?'"

195 陪臣 : 고대에서 천자는 제후를 신하로 삼고 제후는 대부를 신하로 삼고 대부도 가신을 두었다. 대부가 천자에게, 가신이 제후에게 스스로를 배신이라고 불렀다.

가더라도 또한 어렵지 않았겠는가? 그 뒤에 제나라의 복이 결국 전씨 집안으로 옮겨갔으니, 제나라에 전씨가 있는 것이 진나라에 세 가문이 있는 것과 같으며, 주나라에 오패가 있는 것과 같다. 한·위·조가 진나라에게 공을 세웠고 또 그 땅을 나누어 가졌으며, 군주를 낮추고 또 그 나라를 전횡했다. 전씨가 제나라에게 그 녹봉을 얻었고 또 그 정치를 마음대로 했으며, 그 군주를 시해하고 또 그 복을 옮겼다. 세상의 일이 어찌 점차로 커지지 않겠는가? 서리를 밟으면 굳은 얼음이 이를 것이라는 경계[196]를 어찌 생각하지 않을 수 있겠는가?

[9-6-14-0]

君臣父子, 天下之達道, 人之大倫, 所以維持天下者以此. 用之則治, 捨之則亂, 古今一也. 周之衰, 三綱五常絶矣. 簒君弑父, 無所不至, 以君臣父子之道不明故也. 諸侯旣僭天子矣, 大夫安得不僭諸侯, 大夫旣僭諸侯矣, 陪臣安得不僭大夫! 故雖管仲, 邦君樹塞門, 管氏亦樹塞門, 邦君爲兩君之好有反坫, 管氏亦有反坫. 管氏猶不知禮, 況其餘乎! 其甚則魯之三家以雍徹, 用八佾舞于庭, 是以陪臣僭天子也. 陪臣而僭天子, 況於執國命乎! 始於僭踰, 卒於攘奪勢必然也. 故田氏之於齊, 韓趙魏之於晉, 終逐其君而盜其國. 嚮使齊晉之君不敢僭周, 則所謂田氏與三大夫者. 其敢逐其君而盜其國乎! 上之所好下必有甚焉, 出乎爾者反乎爾矣. 不思之甚矣. 易曰履霜堅冰至. 君子方履霜之時, 固已知堅冰之必至, 宜辨之早也.

군주와 신하, 아버지와 자식의 관계는 세상에서 통용되는 도리이며 위대한 인륜으로 세상을 이것으로 유지하는 것이다. 이것을 사용하면 다스려지고 버리면 혼란하게 되는 것은 과거나 지금이나 동일하다. 주나라가 쇠락하여 삼강오륜이 끊어졌다. 군주를 찬탈하고 아버지를 죽여서 이르지 않는 바가 없게 된 것은 군주와 신하, 아버지와 자식의 도리를 분명하게 밝히지 못했기 때문이다. 제후들이 천자를 찬탈하는데 대부가 어찌 제후를 찬탈하지 않을 것이며 대부가 제후를 찬탈하는데 배신陪臣이 어찌 대부를 찬탈하지 않을 것인가!

그래서 관중일지라도 "나라의 군주이어야 병풍으로 문을 가릴 수 있는데 관씨도 병풍으로 문을 가렸으며, 나라의 군주이어야 두 군주가 우호로 만날 때 술잔을 되돌려 놓는 자리를 둘 수 있는데 관씨도 술잔을 되돌려 놓는 자리를 두었다."[197] 관씨일지라도 예를 알지 못했는데 그 나머지 사람들은 어찌 했겠는가! 심한 것은 노나라의 세 가문이 『시경』의 옹장雍章을 노래하면서 철상撤床을 하였고[198] 팔일무를 사용하여 뜰에서 춤을 추었다.[199] 이는 배신이 천자를 참칭한 것으로 배신이 천자를 참칭하는

---

196 『周易』「坤卦」: "初六, 履霜, 堅冰至."
197 『論語』「八佾」: "子曰, '管仲之器小哉! 或曰, '管仲儉乎?' 曰, '管氏有三歸, 官事不攝, 焉得儉?' '然則管仲知禮乎?' 曰, '邦君樹塞門, 管氏亦樹塞門, 邦君爲兩君之好, 有反坫, 管氏亦有反坫. 管氏而知禮, 孰不知禮?'"
198 『論語』「八佾」: "三家者以雍徹. 子曰, '相維辟公, 天子穆穆', 奚取於三家之堂?' 세 가문이란 노나라 대부 맹손·숙손·계손의 집안을 말한다. 옹장이란 『詩經』周頌의 편명을 말한다. 철상이란 제사를 마치고 제사 도구를 치우는 것을 말한다. 천자의 종묘에서만 옹장으로 철상할 수 있는데 이때 세 가문이 참월한 것이다.
199 『論語』「八佾」: "孔子謂季氏, '八佾舞於庭, 是可忍也, 孰不可忍也?'"

데 나라의 명령을 집행하는 것이야 어떠하겠는가! 참칭하고 참월하는 데서부터 시작하여 결국에는 공격하고 약탈하는 것에 이르는 것은 형세가 반드시 그러한 것이다. 그래서 전씨가 제나라에 대해, 한·조·위씨가 진나라에 대해 결국에는 군주를 내쫓고 나라를 빼앗았던 것이다. 그전에 제나라와 진나라의 군주가 주나라를 감히 참월하지 못하게 했다면 전씨와 세 대부가 군주를 내쫓고 나라를 빼앗을 수 있었겠는가! 윗사람이 좋아하는 것을 아랫사람은 반드시 더 심하니, 너에게서 나온 것이 너에게로 돌아간다. 깊이 생각하지 못한 것이다. 『주역』에서 "서리를 밟으면 굳은 얼음이 이른다."고 했으니 군자는 서리를 밟을 때 이미 굳은 얼음이 반드시 올 것이라는 것을 아니, 마땅히 일찍 분별해야 한다.

[9-6-15]

傳稱"王者往也," 能往天下者可以王也. 周之衰也, 諸侯不朝天子久矣. 及楚預中國會盟, 仲尼始進爵爲子, 其僭王也, 不亦陋乎!

"왕은 백성이 향하게 하는 것이다."[200]라고 했으니 세상 사람들을 모두 향하게 할 수 있다면 왕이 될 수 있다. 주나라가 쇠락하여 제후가 천자에게 조회하지 않은 것이 오래 되었다. 초나라가 중국과 회맹하게 되자 공자는 비로소 초나라의 작위를 올려 '자'子라 썼으니 왕을 참칭한 것이 또한 비루한 것이 아니겠는가!

[9-6-15-0]

楚蠻夷之國, 春秋書曰楚子, 而僭王, 僭之甚者也.

초나라는 오랑캐의 나라로서 『춘추』에 초자楚子라고 썼으니 왕을 참칭한 것으로 참칭한 것이 심한 것이다.

[9-6-16]

夫以力勝人者, 人亦以力勝之. 吳嘗破越而有輕楚之心. 及其破楚又有驕齊之志. 貪婪攻取, 不顧德義, 侵侮齊晉, 專以夷狄爲事, 遂復爲越所滅. 越又不監之, 其後復爲楚所滅. 楚又不監之, 其後復爲秦所滅. 秦又不監之, 其後復爲漢所代, 恃强凌弱, 與豺虎何以異乎! 非所以謂之中國義理之師也.

힘으로 남을 이기는 자는 다른 사람도 그를 힘으로 이기게 된다. 오나라가 월나라를 격파하고 초나라를 가볍게 보는 마음이 있었고, 급기야 초나라를 격파하고 또 제나라를 깔보는 뜻이 있었다. 탐욕이 심하고 공격해 빼앗고서 덕과 의로움을 돌아보지 않고, 제나라와 진나라를 침략하여 깔보고서 오랑캐 같은 일만 일삼다가 다시 월나라에게 멸망했다. 월나라는 또 이것을 거울삼지 않다가 그 후에 다시 초나라에게 멸망했다. 초나라는 또 이것을 거울삼지 않다가 그 후에 진나라에게 멸망했다. 진나라는 또 이것을

200 『大戴禮記』 권8 「子張問入官」: "法政而德不衰故曰王也"라는 말에 "王者往也, 民所歸也."라고 하고 있다.

거울삼지 않다가 그 후에 한나라에게 멸망했으니 강함만 믿고 약한 사람들을 능멸하는 것이 호랑이나 이리 같은 짐승과 무엇이 다르겠는가! 이것이 중원의 예의禮義를 지키는 군사라고 할 수 없는 까닭이다.

[9-6-16-0]

吳楚秦越皆蠻夷之國, 恃强凌弱, 不顧德義, 方之齊晉有間矣.

오나라와 초나라 진나라와 월나라는 모두 오랑캐들의 나라로 강함만을 믿고 약한 사람들을 능멸하면서 덕과 의로움을 돌아보지 않으니 제나라와 진나라에 비하면 차이가 있다.

[9-6-17]

宋之爲國也, 爵高而力卑者乎? 盟不度德, 會不量力, 區區與諸侯並驅中原, 恥居其後其于伯也, 不亦難乎?

송나라는 작위는 높았지만 힘이 낮았던가? 동맹하는 데에 덕을 고려하지 않고 회맹하는 데에 힘을 헤아리지 못해서, 구구하게 제후와 더불어 중원中原에 들어와서 치욕스럽게 그 패자의 뒷자리에 있었으니, 또한 송나라가 패권을 잡는 것이 또한 힘들지 않겠는가?

[9-6-17-0]

宋襄公亦嘗主盟而衰弱無術, 不足道也.

송나라 양공 역시 회맹을 주도했지만 쇠약하고 술책이 없어서 말할 것이 못된다.

[9-6-18]

周之同姓諸侯而克永世者, 獨有燕在焉. 燕處北陸之地, 去中原特遠, 苟不隨韓趙魏齊楚較利刃爭虛名, 則足以養德待時, 觀諸侯之變, 秦雖虎狼, 亦未易加害. 延十五六年後, 天下事未可知也.

주나라와 같은 성씨의 제후로 영세토록 유지된 것이 오직 연나라가 있었다. 연나라는 북쪽 내륙의 땅에 있어 중원과의 거리가 특히 멀어서 한·조·위·제·초나라를 따라 헛된 명분을 다투지 않았으니, 덕을 기르고 때를 기다려서 제후들의 변화를 관찰할 수 있었다면, 진나라가 호랑이와 이리 같았을 지라도 또한 쉽게 해를 입히지 못했을 것이다. 15,6년을 뒤로 연기 했다면 세상일을 알 수 없었을 것이다.

[9-6-18-0]

燕居朔方, 固爲强大, 與齊趙相抗, 苟不與諸國爭勝負而修召公之政以治其國, 有可以興王之理也. 而乃遣一刺客以入暴秦, 自取滅亡, 可哀也已.

연나라는 북쪽에 있고 실로 강대하여 제나라·조나라와 서로 맞먹었으니, 제후국들과 승부를 다투지 않고 소공의 정사를 닦아서 그 나라를 다스렸다면 왕도를 일으킬 수 있는 이치가 있었다. 그런데 하나의 자객을 파견하여 포악한 진나라에 들어가게 해서 멸망을 자초했으니 슬플 따름이다.

[9-6-19]

中原之地方九千里, 古不加多而今不加少, 然而有祚長祚短地大地小者, 攻守異故也. 自三代以降, 漢唐爲盛, 秦界于周漢之間矣. 秦始盛于穆公, 中于孝公, 終于始皇. 起于西夷, 遷于岐山, 徙于咸陽, 兵瀆宇內, 血流天下. 吞吐四海, 庚革古今. 雖不能比德三代, 非晉隋可同年而語也. 其祚之不永, 得非用法太酷, 殺人之多乎! 所以仲尼序書終于秦誓一事, 其旨不亦遠乎?

중원의 땅은 9천리로 옛날에도 넓어지지 않았고 지금도 좁아지지 않았지만 나라의 복이 길고 짧음이 있고 땅에 크고 작은 것이 있는 것은 공격하고 지키는 것이 달랐기 때문이다. 3대 이후로 한나라와 당나라가 융성했고 진나라는 주나라와 한나라 사이에 있었다. 진나라는 처음에 목공 때에 융성했고 효공 때에 중흥했고 진시황 때에 마쳤다. 서이西夷에서 일어나 기산岐山으로 옮기고 함양咸陽으로 옮겨서 전쟁으로 나라를 더럽히고 세상에 피가 흘렀다. 사해를 병탄하여 과거와 현재를 개혁했다. 덕을 3대에 견줄 수는 없지만 진나라와 수나라를 서로 함께 논할 수 없다. 그 복이 영원하지 못한 것은 법이 가혹하여 사람을 너무 많이 죽였기 때문이 아니겠는가! 그래서 공자가 『서』를 서술할 때 「진서秦誓」 편을 마지막에 놓은 것은 그 뜻이 또한 심원하지 않은가?

[9-6-19-0]

秦穆公能改過自誓, 伯之優者也, 故序書上自典誥, 下及秦誓, 聖人猶取之而不廢, 是亦不得中行而與之必也狂狷乎之義也. 王者不作, 近於王道者雖一善必錄, 聖人之心如此. 然終于秦誓, 則世之盛衰道之汚隆可知之矣. 穆公有此一善可稱, 宜乎國以盛强. 其後始皇幷吞海內而乃尚刑好殺, 止於二世以取滅亡. 蓋秦夷狄之國, 尚刑好殺, 乃其所習. 又況本以商鞅之法, 其貽謀慘刻少恩, 有自來矣.

진나라 목공은 허물을 고치고 스스로 맹세할 수 있었으니 패자의 으뜸이므로 『서』를 서술하는 데에 첫 번째로 「전典」과 「고誥」로 하고 아래로 「진서」에 이르니 성인이 진나라를 취하여 없애지 않은 것이다. 이 또한 "중도를 행하는 자를 얻어 함께 할 수 없다면 반드시 광자와 견자를 취할 것이다."[201] 라는 뜻이다. 왕도가 일어나지 않으니 왕도에 근접한 것은 한 가지 선한 일일지라도 반드시 기록하였으니 성인의 마음이 이러하다. 그러나 「진서」로 끝맺었으니 세상의 성함과 쇠함 그리고 도의 더럽혀짐과 융성함을 알 수가 있다. 목공에게는 이와 같이 칭찬할 만한 한 가지 선한 일이 있었으니 그 나라가 강성해진 것도 당연하다. 그 후에 진시황이 사해를 병탄하였으나, 형벌을 숭상하고 살인을 좋아해서 두 세대에 그쳐서 멸망을 자초했다. 진나라는 오랑캐의 나라로 형벌을 숭상하고 살인을

· ·

201 『論語』「子路」: "중도를 행하는 자를 얻어 함께 할 수 없다면 반드시 광자와 견자를 취할 것이다. 광자는 진취적이고 견자는 하지 않는 바가 있다."(子曰, "不得中行而與之, 必也狂狷乎! 狂者進取, 狷者有所不爲也.")

좋아하는 것이 그 습속이다. 또한 하물며 상앙의 법을 근본으로 삼았으니 어떠하겠는가! 후손에 남긴 모략이 참혹하고 각박하며 은혜가 적으니 자초한 바이다.

[9-6-20]

夫好生者, 生之徒也. 好殺者, 死之徒也. 周之好生也以義, 漢之好生也亦以義. 秦之好殺也以利, 楚之好殺也亦以利. 周之好生也以義, 而漢且不及, 秦之好殺也以利, 而楚又過之. 天之道, 人之情, 又奚擇于周秦漢楚哉? 擇乎善惡而已. 是知善也者, 無敵于天下而天下共善之, 惡也者, 亦無敵于天下而天下亦共惡之. 天之道, 人之情, 又奚擇于周秦漢楚哉? 擇乎善惡而已.

살리는 것을 좋아하는 자는 생명의 무리이고 죽이는 것을 좋아하는 자는 죽음의 무리이다. 주나라는 살리는 것을 좋아함에 의로움으로 했고, 한나라는 살리는 것을 좋아함에 또한 의로움으로 했다. 진나라는 죽이는 것을 좋아함에 이로움을 했고 초나라는 죽이는 것을 좋아함에 또한 이로움으로 했다. 주나라가 살리는 것을 좋아함에 의로움으로 했던 것은 한나라가 또 미치지 못했고, 진나라가 죽이는 것을 좋아함에 이로움으로 했던 것은 초나라가 또 더했다. 하늘의 도와 사람의 인정을 또한 어떻게 주나라·진나라·한나라·초나라에서 택하겠는가? 선과 악을 택할 뿐이다. 선함이란 세상에서 대적할 것이 없고 세상이 모두 좋아하며, 악함이란 또한 세상에서 대적할 것이 없지만 세상이 모두 증오한다는 것을 알 수 있다. 하늘의 도와 사람의 인정은 또한 어떻게 주나라·진나라·한나라·초나라를 택하겠는가? 선과 악을 택할 뿐이다.

[9-6-20-0]

仁者好生, 不仁者好殺. 好生者王, 好死者亡. 好生者天祐之, 人愛之, 好殺者天怒之, 人惡之. 周漢以好生而興, 秦楚以好殺而廢. 天之興廢, 人之去就, 在乎仁與不仁而已.

인한 사람은 살리는 것을 좋아하고 불인한 사람은 죽이는 것을 좋아한다. 살리는 것을 좋아하는 자가 왕이 되고 죽이는 것을 좋아하는 자는 망한다. 살리는 것을 좋아하는 자는 하늘이 도와주고 사람들이 좋아하며, 죽이는 것을 좋아하는 자는 하늘이 분노하고 사람들이 증오한다. 주나라와 한나라는 살리는 것을 좋아해서 흥했고, 진나라와 초나라는 죽이는 것을 좋아해서 망했다. 하늘이 흥하게 하고 망하게 하며, 사람들이 버리고 취하는 것은 인하느냐 불인하느냐에 달려 있다.

皇極經世書四 황극경세서 4

觀物內篇之七 관물내편 7

[10-7-1]

昔者孔子語堯舜則曰, 垂衣裳而天下治, 語湯武則曰, 順乎天而應乎人. 斯言可以該古今帝
王受命之理也. 堯禪舜以德, 舜禪禹以功. 以德帝也, 以功亦帝也, 然而德下一等則入於功
矣. 湯伐桀以放, 武伐紂以殺. 以放王也, 以殺亦王也, 然而放下一等則入於殺也. 是知時
有消長, 事有因革, 前聖後聖非出乎一途哉.

옛날에 공자가 요임금과 순임금을 "의상을 드리우고 천하를 다스렸다."[1]고 했고, 탕왕과 무왕을 "천명
을 따르고 사람에게 호응했다."[2]고 했다. 이 말은 과거와 현재의 제왕이 천명을 받는 이치를 포괄할
수 있다. 요임금이 덕으로 순임금에게 선양하고 순임금이 공로로 우왕에게 선양했다. 덕으로 선양한
사람은 제帝이고, 공로로 선양한 사람 역시 제이지만 덕 아래로 한 등급 내려가면 공로로 들어간다.
탕왕은 걸왕을 정벌하여 내쫓았고 무왕은 주왕을 정벌하여 죽였다. 내쫓은 사람은 왕王이고 죽인 사람
역시 왕이지만 내쫓은 것이 아래로 한 등급 내려가면 죽이는 것에 들어간다. 이것으로 시대에는 늘어남
과 줄어남이 있고 일에는 계승함과 변혁함이 있어서 앞의 성인과 뒤의 성인이 한 가지 길에서 나온
것이 아님을 알 수 있다.[3]

1 『周易』「繫辭下」: "黃帝堯舜垂衣裳而天下治, 蓋取諸乾坤."
2 『周易』「革卦・象傳」: "象曰, 革, 水火相息, 二女同居, 其志不相得, 曰革. 己日乃孚, 革而信之, 文明以說, 大亨
以正, 革而當, 其悔乃亡. 天地革而四時成, 湯武革命, 順乎天而應乎人, 革之時大矣哉!"
3 王植, 『皇極經世書解』: "(황기가 말했다.) 요임금과 순임금의 선양과 탕왕과 무왕의 정벌은 그 일이 덕으로
하고 형벌로 한 차이가 있는 것같지만 그 마음은 백성을 살리는 데 있었으니 동일하다. 양은 음이 아니면
한 해를 이룰 수 없고 공로와 덕은 형벌이 아니라면 백성의 피해를 제거할 수가 없으니 때에 따라 일을
제어함에 어찌 中에 집착하여 권도가 없을 수가 있겠는가! 요임금과 순임금은 건괘의 때에 해당했으니 그때는

[10-7-1-0]

堯舜禪讓, 湯武征伐, 其事則異, 其道則同. 以德以功, 以放以殺, 時之消長, 事之因革, 不同如此. 至於征伐放殺非聖人之所欲, 蓋有不得已者焉. 聖人所同者心, 所異者跡. 故前聖後聖非出於一途, 而聖人求乎心之所同, 而不求乎跡之所同. 苟姑同乎跡而不同乎心, 則爲姦爲惡何所不至! 不可不辨也. 然所謂下一等者, 孔子序書贊堯舜禹亦有詳備. 謂韶盡美矣, 又盡善也. 武盡美矣, 未盡善也. 聖人蓋有深意焉.

요임금과 순임금이 선양하고 탕왕과 무왕이 정벌했으니 그 일이 다르지만 그 도는 동일하다. 덕으로 혹은 공로로 선양하고 내쫓고 혹은 죽였으니 때의 줄어듦과 늘어남 그리고 일의 계승과 변혁이 이와 같이 다르다. 정벌하여 내쫓고 죽인 것은 성인이 바라던 바가 아니니 어쩔 수 없는 것이 있었기 때문이었다. 성인이 동일한 것은 마음이고 다른 것은 행적이다. 그래서 앞의 성인과 뒤의 성인은 한 가지 길에서 나온 것이 아니니 성인은 마음의 동일함을 구하지 행적의 동일함을 구하지 않는다. 행적만 같고 마음이 다르다면 간사함이 되고 악행이 되니 무엇이든 하지 못하겠는가! 분별하지 않을 수 없다. 그러나 '아래로 한 등급 내려간 것'이라고 말한 것은 공자가 『서』를 서술하여 요임금과 순임금과 우왕을 찬양함에 상세히 갖추어져 있다. "소韶 음악은 극진히 아름답고 또 극진히 좋다." "무武 음악은 극진히 아름답지만 극진히 좋지는 못하다."[4]고 하였으니, 성인이 깊은 뜻이 있었을 것이다.

[10-7-2]

天與人相爲表裏, 天有陰陽, 人有邪正. 邪正之由, 繫乎上之所好也. 上好德, 則民用正, 上好佞, 則民用邪, 邪正之由, 有自來矣. 雖聖君在上不能無小人, 是難其爲小人. 雖庸君在上不能無君子, 是難其爲君子. 自古聖君之盛未有如唐堯之世, 君子何其多耶? 時非無小人也, 是難其爲小人也. 故君子多也, 所以雖有四凶不能肆其惡. 自古庸君之盛未有如殷紂之世, 小人何其多耶? 時非無君子也, 是難其爲君子. 故小人多也, 所以雖有三仁不能遂其善. 是知君擇臣臣擇君者, 是繫乎人也, 君得臣臣得君者, 是非繫乎人也, 繫乎天者也.

하늘과 사람은 서로 겉과 안이 되어 하늘에는 음양이 있고 사람에게는 올바르지 못함과 올바름이 있다. 올바르지 못함과 올바름이 유래하는 것은 군주가 좋아하는 것에 달려 있다. 윗사람이 덕을 좋아하면 백성은 올바르게 행동하고 윗사람이 아첨을 좋아하면 백성은 올바르지 못하게 행동하니, 올바르지

....

양이 늘어나서, 그 일은 계승해야 하고, 그 마음은 나중의 성인을 기다려 의혹이 없는 것이다. 탕왕과 무왕은 구괘에 해당했으니 그때는 줄어들고, 그 일은 변혁해야 하고, 그 마음은 앞의 성인을 고려하여 어긋남이 없었다. 그렇지 않다면 신나라의 왕망과 위나라의 조비가 요임금이 순임금에게 선양한 것을 모방하여 방자하게 간사하고 악한 일을 한 것으로 하지 못할 일이 무엇이겠는가! 그래서 분별하지 않을 수가 없다.(堯舜之禪, 湯武之伐, 其事若有德刑之異, 而其心在生民則同. 蓋陽非陰, 不能成歲, 功德非刑, 不能除民害, 隨時制事, 豈可執中而無權哉! 堯舜當乾, 其時則長, 其事則因, 其心俟後聖而不惑, 湯武當姤, 其時則消, 其事則革, 其心考前聖而不謬. 不然則新莽魏丕, 法堯禪舜, 肆爲姦惡, 何所不至! 故不可不辨也.)

4 『論語』「八佾」: "子謂韶, '盡美矣, 又盡善也.' 謂武, '盡美矣, 未盡善也.'"

못함과 올바름의 유래는 이것으로부터 온다. 성인다운 군주가 윗자리에 있더라도 소인이 없을 수가 없지만 소인들이 함부로 행동하기가 어렵고,[5] 용렬한 군주가 윗자리에 있더라도 군자가 없을 수가 없지만 군자가 도를 행하기가 어렵다.[6] 예부터 성인다운 군주가 융성함이 요임금만한 세상이 없었으니 어떻게 군자가 그렇게 많았는가? 그 때에도 소인이 없었던 것은 아니지만 소인들이 함부로 행동하기 어려웠다. 그래서 군자가 많았기 때문에 사흉四凶[7]이 있었지만 그 악행을 함부로 할 수가 없었다. 예부터 용렬한 군주가 융성함이 은나라 주왕만한 세상이 없었으니 어떻게 소인이 그렇게 많았는가? 그 때에도 군자가 없었던 것은 아니지만 군자가 도를 행하기 어려웠다. 그래서 소인들이 많았기 때문에 삼인三仁[8]이 있었지만 그 선을 수행할 수가 없었다. 이로부터 군주가 신하를 선택하고 신하가 군주를 선택하는 것은 사람에게 달려 있지만, 군주가 신하를 얻고 신하가 군주를 얻는 것은 사람에게 달려 있는 것이 아니라 하늘에 달려 있다는 점을 알겠다.

[10-7-2-0]

天與人, 常相須而成者也. 天有陰陽, 人有邪正, 正爲君子, 邪爲小人. 君子小人相爲盛衰, 猶陰陽之相爲消長. 聖人之於易否泰言之詳矣. 且治世非無小人也, 亂世非無君子也, 君子在內, 小人在外, 所以爲泰而天下治矣, 君子在外, 小人在內, 所以爲否而天下亂矣. 君子小人, 無世無之, 在乎人君所好所用而已. 人君好德, 則民用正而君子進小人退矣. 人君好佞, 則民用邪而小人進君子退矣. 唐堯之時非無小人也. 君子在內而衆, 小人在外而寡, 則小人不勝君子也. 故雖有四凶亦不能害君子. 商紂之世非無君子也. 君子在外而寡, 小人在內而衆, 則君子不能勝小人也. 故雖有三仁而不能去小人.

하늘과 사람은 항상 서로 의지하여 이루어지는 것이다. 하늘에 음양이 있고 사람에게 올바르지 않음과 올바름이 있으니 올바르면 군자이고 올바르지 않으면 소인이다. 군자와 소인이 서로 성하고 쇠함은 음양이 서로 늘어나고 줄어드는 것과 같다. 성인은 『역』의 태괘와 비괘에서 상세하게 말했다. 또한 질서가 잡힌 세상에도 소인이 없는 것은 아니고 혼란한 세상에도 군자가 없는 것이 아니다. 군자가 안에 있고 소인이 밖에 있으면 태괘가 되어 세상이 다스려지고, 군자가 밖에 있고 소인이 안에 있으면 비괘가 되어 세상이 혼란해진다. 군자와 소인이 없는 세상은 없으니 군주가 좋아하고 등용하는 바에 달려 있을 뿐이다. 군주가 덕을 좋아하면 백성은 올바름을 써서 군자는 나아가고 소인은 물러난다. 군주가 아첨을 좋아하면 백성은 올바르지 않은 것을 사용하여 소인이 나아가고 군자는 물러난다. 요임금 때에 소인이 없었던 것은 아니었지만 군자가 안에 있고 많으며 소인이 밖에 있고 적어서 소인은 군자를 이길 수가 없다. 그래서 사흉이 있더라도 군자를 해칠 수가 없었다.

---

5 『性理群書句解』: "그러나 소인들이 그 뜻을 함부로 하기 어렵다.(但爲小人者難肆其志.)"
6 『性理群書句解』: "그러나 군자들이 그 도를 행하기가 어렵다.(但爲君子者難行其道.)"
7 四凶: 순 임금 때의 네 사람의 惡人인 共工·驩兜·三苗·鯀을 말한다.
8 三仁: 중국 殷나라 말기의 인자로서 微子·箕子·比干을 말한다.

은나라 주왕의 세상에서도 군자가 없었던 것은 아니었지만, 군자가 밖에 있고 적으며 소인이 안에 있고 많으면 군자는 소인을 이길 수가 없다. 그래서 삼인이 있더라도 소인을 제거할 수 없었다.

所謂內外者, 不獨在位在野而已. 但信而任之則爲內, 疎而遠之則爲外. 上好正而信任君子, 則小人遠矣, 不必待屛絶誅竄而後爲外也. 上好邪而信任小人, 則君子遠矣, 不必待斥逐放棄而後爲外也. 所謂小人者, 聖人亦未嘗疾之已甚也, 但使君子在上小人在下, 各得其所而已. 君子在上, 則足以制小人. 小人在下, 則順以從君子. 如是, 則天下未有不治者也. 若夫疾惡而不能去, 去惡而無其術者, 適所以致禍亂之道也. 嗚呼! 君子小人用與不用, 實繫上之所好, 上之所好, 實係天下治亂, 可不愼哉!

안과 밖이라는 것은 단지 정치적 지위에 있는 것과 재야에 있는 것만이 아니다. 신임하여 위임하면 안이 되고, 소원하여 멀리하면 밖이 되는 것이다. 윗사람이 올바름을 좋아하여 군자를 신임하면 소인은 멀어지니, 반드시 소인을 막아 끊고 주살하고 유배를 보낸 후에 밖에 있는 것은 아니다. 윗사람이 올바르지 않음을 좋아하여 소인을 신임하면 군자는 멀어지니, 배척하고 내쫓고 버린 후에야 밖에 있는 것이 아니다. 소인이라는 자들을 성인은 매우 심하게 미워했던 것이 아니라 단지 군자가 위에 있고 소인이 아래에 있게 하여 각각 그 마땅한 자리를 얻도록 했을 뿐이었다. 군자가 위에 있으면 소인을 제어할 수가 있고, 소인이 아래 있으면 군자에게 순종하여 따른다. 이러하면 다스려지지 않은 세상은 없었다. 만약 악한 이를 미워하면서도 제거할 수가 없고 악한 이를 제거하려고 하면서도 술책이 없다면 바로 재앙과 혼란을 부르는 길이다. 오호라! 군자와 소인을 쓰고 안 쓰는 일은 실로 윗사람이 좋아하는 바에 달렸고, 윗사람이 좋아하는 것은 실로 세상의 질서와 혼란이 달렸으니, 삼가 조심하지 않을 수 있겠는가!

[10-7-3]
賢愚人之本性, 利害民之常情, 虞舜陶于河濱, 傅說築于巖下, 天下皆知其賢而百執事不爲之擧者, 利害使之然也. 吁! 利害叢于中而矛戟森于外, 又安知有虞舜之聖而傅說之賢哉? 河濱非禪位之所, 巖下非求相之方. 昔也在億萬人之下, 而今也在億萬人之上, 相去一何遠之甚耶? 然而必此云者, 貴有名者也.

현명하고 어리석음은 사람의 본성이고 이로움과 해로움은 인지상정이라서 순임금이 강가에서 질그릇을 구웠고⁹ 부열傅說¹⁰이 부암傅巖이라는 바위 아래에서 일꾼으로서 집을 지으니¹¹, 세상 사람들이 모두 그 현명함을 알았지만 집사執事들이 그를 천거하지 않았던 것은 이로움과 해로움이 그렇게 했던 것이

• •

9 『史記』「五帝本紀」: "舜耕歷山 … 陶河濱, 河濱器皆不苦窳."
10 傅說: 중국 은나라 高宗 때의 宰相이다. 토목 공사의 일꾼이었는데, 당시의 재상으로 등용되어 중흥의 대업을 이루었다.
11 『書經』「說命上」: "說築傅巖之野." 『史記』「殷本紀」, "得說於傅險中. 是時, 說爲胥靡, 築於傅險."

다. 아! 이로움과 해로움이 마음속에 무성하여 뾰족한 창처럼 바깥으로 피어났으니[12] 또 어떻게 순임금의 성스러움과 부열의 현명함을 알겠는가? 강가는 왕위를 선양할 만한 장소가 아니고[13] 바위 아래는 재상을 구하는 장소가 아니다.[14] 전에는 수억만 사람 아래에 있다가 지금은 수억만 사람 위에 있으니 한번만에 서로 거리가 어찌 이렇게도 먼가? 그러나 반드시 이와 같이 말하는 것은 명분이 있는 것을 귀하게 여긴 것이다.

[10-7-3-0]

唐堯之擧舜, 商宗之用說, 蓋有素矣. 猶歷試諸難, 稽之夢卜, 所以厭天下之心也. 雖舜之聖說之賢, 苟爲利害所蔽, 人亦安知其聖賢哉! 故堯高宗不得不如此, 貴乎有名也.

요임금이 순임금을 발탁하고 은나라 고종이 부열을 등용한 것은 그 바탕이 있었기 때문이다. 그러나 여러 어려운 일로 시험하고 해몽과 점으로 계고해서 세상 사람들의 마음을 제압했다. 순임금의 성스러움과 부열의 현명함일지라도 이로움과 해로움에 의해서 가려졌으니 사람들도 어찌 그 성스러움과 현명함을 알았겠는가! 그래서 요임금과 고종은 부득이하게 이렇게 했던 것이니, 명분이 있는 것을 귀하게 여긴 것이다.[15]

[10-7-4]

易曰, "坎有孚, 維心亨, 行有尙." 中正行險, 往且有功. 雖危無咎, 能自信故也. 伊尹以之. 是知古之人患名過實者有之矣. 其間有幸與不幸者, 雖聖人, 人力有不及者矣. 伊尹行家宰, 居責成之地, 借使避放君之名, 豈曰不忠乎? 則天下之事去矣, 又安能正嗣君成終始之大忠者乎? 吁! 若委寄予匪人, 三年之間, 其如嗣君何? 則天下之事亦去矣, 又安有伊尹也? 坎有孚, 維心亨, 不亦近之乎?

『역』(감괘)에서 "위험이니[坎] 믿음이 있어서 오직 마음이 형통하니 행하면 가상함이 있다."[16]고 했다. 중정中正으로 험난함을 행하고 가면 또 공이 있다는 말이다. 비록 위험하더라도 허물이 없는 것은 스스로를 신뢰할 수 있기 때문이다. 이윤伊尹이 이를 본받았다. 여기에서 옛 사람들이 이름이 실질보다

12 『性理羣書句解』: "모극은 병기로서 뾰족한 물건이다. 뾰족함이 밖으로 드러났다.(矛戟, 皆兵器, 鋒稜之物. 鋒稜遂見於外.)"
13 『性理羣書句解』: "하 강가는 복을 내려주는 곳이 아니다.(河濱非傳祚之地也)"
14 『性理羣書句解』: "부암은 재상을 낳는 곳이 아니다.(傳岩非産相之所也)"
15 王植, 『皇極經世書解』: "요임금이 순을 천거한 것은 『書』「堯典」편에 보이고 고종이 부열을 등용한 것은 『書』「열명」편에 보이고 순임금이 역산에서 밭을 갈고 강가에서 그릇을 구웠던 일은 『史記』「本紀」편에 나오고 순임금과 부열을 함께 말한 것은 『孟子』에서 '순임금은 밭이랑에서 발탁하고, 부열은 집짓는 곳에서 발탁했다.'는 말에 근거하고 있다.(堯擧舜, 見書堯典, 高宗用傳說, 見書說命, 舜耕歷山陶河濱, 見史記舜本紀, 而舜與說並言, 又本孟子舜發畎畝中說擧版築間語也.)"
16 『周易』「欽卦」: "習坎, 有孚, 維心亨, 行有尙."

지나친 것을 근심한 자가 있음을 알 수가 있다. 그러나 그 사이에 행운과 불행이 있는 것은 성인일지라도 인력으로 미칠 수 없는 것이 있다. 이윤이 총재家宰[17]를 행하고 군주의 책임을 완수하도록 책망하는 자리에 있었으니, 가령 군주를 내쫓았다는 오명을 피하려고 했더라도[18] 어찌 불충하다고 말하겠는가? 그러니 천하의 일을 버렸다면 또 어떻게 왕위를 이을 군주를 바르게 해서 시종일관 커다란 충성을 이룰 수 있었겠는가? 아! 나라를 그릇된 사람에게 맡겼다면 3년 동안 왕위를 이을 군주에게 어떻게 했겠는가? 천하의 일을 또한 버렸다면 어찌 이윤이 있을 수 있겠는가? 감괘에서 말한 "믿음이 있어서 오직 마음이 형통하다."고 한 것이 또한 가깝지 않은가?[19]

[10-7-4-0]

> 有伊尹之位, 有伊尹之時, 有伊尹之德, 有伊尹之心, 忠於社稷, 公於天下, 則可. 雖曰放君, 所不避也. 苟無其位, 無其時, 無其德, 無其心, 不忠不公, 則爲簒也. 烏可哉! 故必如坎之維心亨行有尙, 而後可以濟乎坎也.

이윤의 지위가 있고 이윤의 때가 있고 이윤의 덕이 있고 이윤의 마음이 있어서 사직에 충성하고 천하에 공정하다면 괜찮다. 군주를 내쫓았다고 세상 사람들이 말하더라도 피하지 않을 것이다. 그러나 그 지위가 없고 그 때가 없고 그 덕이 없고 그 마음이 없어서 충성스럽지도 않고 공정하지도 않으면 찬탈한 것이다. 어찌 괜찮겠는가! 그래서 반드시 감괘의 "오직 마음이 형통하고 행하면 가상함이 있다."고 한 후에야 험난함을 건널 수 있다.

. . . .

17 家宰: 주나라 관명이다. 육경 가운데 으뜸으로 太宰라고도 한다. 『書經』「周官」: "家宰掌邦治, 統百官, 均四海."

18 탕왕을 도운 후에 太甲이 즉위했는데 태갑이 방탕하게 행동하고 정치를 제대로 하지 못해 이윤이 桐宮으로 내쫓은 후 3년 만에 복위시켰다. 『書經』「伊訓」: "惟元祀十有二月乙丑伊尹祠於先王." 『左傳』「襄公二十一年」: "伊尹放大甲而相之, 卒無怨色."

19 王植, 『皇極經世書解』: 황기는 좀더 자세하게 말하고 있다. "변화에 처하여 권도를 행하면서 상도의 원칙을 잃지 않은 자는 군주는 탕왕과 무왕이 있고 신하는 이윤과 주공이 있다. 그래서 함께 거론했다. 이름은 실질의 손님이고 모함은 이름에 반하는 것이니 모두 본래 명분이 있는 것을 귀하게 여기는 것에 근본하여 논한 것이다. 사람이 이루고자 하는 것은 이름이고 피하려고 하는 것은 모함이다. 태갑이 동궁에 내쫓기는 것을 근심했는데 이윤이 어떻게 천하로 하여금 충성되지 못하다고 모함하지 않게 할 수 있었겠는가! 그것을 피하지 않은 것은 스스로 자신감을 가지고 있었기 때문이다. 군주의 임무를 완성하도록 책임이 있는 자리에서 군주를 내쫓는 오명을 피하고서 어리석은 군주에게 일임했다면 왕위를 이을 군주는 결국에는 깨우치지 못했을 것이다. 자신감이 없어서 행하지 않았다면 위험에 처한 자신조차도 보호하지 못했을 것인데 어떻게 군주를 바르게 하는 공로를 이룰 수 있었겠는가! 그래서 '위험이니 믿음이 있어서 오직 마음이 형통하다.'고 했다.(處變行權而不失常經者, 君則湯武, 臣則伊尹周公, 故並擧言之. 名者, 實之賓, 謗者, 名之反, 皆本貴有名者而論也. 人之所欲成者, 名, 所欲避者, 謗. 太甲宅憂桐宮, 伊尹豈能使天下, 不以不忠謗之哉! 其所以不避者, 則以自信之至也. 使居責成之地, 避放君之名, 一委於匪人, 則嗣君終於不明矣. 自信不至而不行, 則常在險中身且不保, 何所爲而成正君之功! 故曰坎有孚維心亨.)"

[10-7-5]

易曰, "由豫, 大有得, 勿疑, 朋盍簪." 剛健主豫, 動而有應, 群疑乃亡, 能自強故也. 周公以之. 是知聖人不能使人無謗, 能處謗者也. 周公居總己, 當任重之地, 借使避滅親之名, 豈曰不孝乎? 則天下之事去矣, 又安能保嗣君成終始之大孝乎? 吁! 若委寄于匪人, 七年之間, 其如嗣君何? 則天下之事亦去矣, 又安有周公也? 由豫大有得勿疑朋盍簪, 不亦近之乎?

『역』에서 "즐거움이 말미암는 사람이다. 크게 얻음이 있으니 의심하지 않으면 벗이 비녀를 합한다."[20] 강건함이 즐거움을 주도하여 움직이면서 호응이 있으므로 여러 의심이 없어지니 스스로 강직했기 때문이다. 주공이 이를 본받았다. 이것으로 성인은 사람들이 모함하지 않게 할 수는 없지만 모함에 처신할 줄 아는 사람임을 알 수 있다. 주공[21]은 백관을 총괄하는 직책[22]에 자리 잡고서 중요한 임무를 맡은 지위에 있었으니, 설사 친척을 멸하는 오명을 피한다고 하여 어찌 세상 사람들이 불효하다고 말하겠는가? 세상의 일을 버렸다면 또 어떻게 왕위를 이을 군주를 보필하여 끝을 잘 맺고 시작을 잘 이루는 큰 효를 이룰 수가 있었겠는가? 아! 나라를 그릇된 사람에게 맡겼다면 7년 동안 왕위를 잇는 군주에게 어찌 했겠는가? 천하의 일을 또한 버렸다면 어찌 주공이 있을 수 있겠는가? 예괘에서 말한 "즐거움이 말미암는 사람이다. 크게 얻음이 있으니 의심하지 않으면 벗이 비녀를 합한다."고 한 것이 또한 가깝지 않은가?

[10-7-5-0]

有周公之位, 有周公之時, 有周公之德, 有周公之心, 忠於社稷, 公於天下, 則可. 雖曰誅兄放弟, 所不避也. 苟無其位, 無其時, 無其德, 無其心, 不忠不公, 則是大惡也. 烏可哉! 故必如豫之大有得勿疑朋盍簪, 而後可以主豫也.

주공의 지위가 있고 주공의 때가 있고 주공의 덕이 있고 주공의 마음이 있어서 사직에 충성하고 천하에 공정하다면 괜찮다. 형을 주살하고 동생을 내쫓았다고 세상 사람들이 말하더라도 피하지 않을 것이다. 그러나 그 지위가 없고 그 때가 없고 그 덕이 없고 그 마음이 없어서 충성스럽지 않고 공정하지 않다면 이는 큰 악이다. 어찌 괜찮겠는가! 그래서 반드시 예괘의 "크게 얻음이 있으니 의심하지 않으면 벗이 비녀를 합한다."고 한 후에 즐거움을 주도할 수가 있다.

[10-7-6]

夫天下將治, 則人必尚行也, 天下將亂, 則人必尚言也. 尚行, 則篤實之風行焉, 尚言, 則詭

---

20 『周易』「豫卦·九四爻」: "九四, 由豫, 大有得, 勿疑, 朋盍簪."
21 周公: 어린 조카 성왕을 대신해서 7년간 섭정했다. 이 동안에 동생 관숙과 채숙을 귀양보내 죽였다. 세상 사람들이 조카를 밀어내고 스스로 왕이 될 것이고, 형제를 죽이는 불효를 저질렀다고 비난했다. 『書經』「周書」편에 나와 있다.
22 總己: 백관을 총괄하는 직책을 말한다. 『書』「伊訓」: "百官總己以聽冢宰."

譎之風行焉. 天下將治, 則人必尚義也, 天下將亂, 則人必尚利也. 尚義, 則謙讓之風行焉, 尚利, 則攘奪之風行焉.

세상이 다스려지려면 사람은 반드시 행위를 숭상하고, 세상이 어지러워지려면 사람들이 반드시 말을 숭상한다. 행위를 숭상하면 돈독하고 성실한 풍속이 행해지고, 말을 숭상하면 기만하고 속이는 풍속이 행해진다. 세상이 다스려지려면 사람들이 반드시 의로움을 숭상하고, 세상이 어지러워지려면 사람들이 반드시 이득을 숭상한다. 의로움을 숭상하면 겸손과 양보의 풍속이 행해지고, 이득을 숭상하면 싸우고 빼앗는 풍속이 행해진다.

[10-7-6-0]

治世務本, 故尚行. 亂世務末, 故尚言. 務本則君子之事也, 故篤實之風所以行也. 務末則小人之事也, 故譎詐之風所以行也. 治世樂與, 故尚義. 亂世樂取, 故尚利. 尚義則君子之事也, 故謙讓之風所以行也. 尚利則小人之事也, 故攘奪之風所以行也. 皆本乎上之所好與夫君子小人之進退而已.

다스려진 세상은 근본에 힘쓰니 행위를 숭상한다. 혼란한 세상은 말단에 힘쓰니 말을 숭상한다. 근본에 힘쓰는 것은 군주의 일이므로 돈독하고 성실한 풍속이 행해지게 된다. 말단에 힘쓰는 것은 소인의 일이므로 기만하고 속이는 풍속이 행해지게 된다. 다스려진 세상은 주는 것을 즐거워하므로 의로움을 숭상한다. 혼란한 세상은 빼앗은 것을 즐거워하므로 이득을 숭상한다. 의로움을 숭상하는 것은 군주의 일이므로 겸손과 양보의 풍속이 행해지게 된다. 이득을 숭상하는 것은 소인의 일이므로 다투고 빼앗는 풍속이 행해지게 된다. 모두 윗사람이 좋아하는 것과 군자와 소인이 나아가고 물러나는 것에 근본할 뿐이다.

[10-7-7]

三王尚行者也, 五伯尚言者也. 尚行者必入于義也, 尚言者必入于利也. 義利之相去, 一何遠之如是耶.

삼왕은 행위를 숭상한 자이고, 오패는 말을 숭상한 자이다. 행위를 숭상한 자는 반드시 의로움에 들어가고 말을 숭상한 자는 반드시 이득에 빠진다. 의로움과 이득의 거리가 한번만에 어찌 이와 같이 먼가?[23]

....

23 王植, 『皇極經世書解』: "(향기가 말했다.) 처음에 요순을 말하고 복희와 황제를 말하지 않은 것은 복희와 황제는 계승하고 계승해서 숭상하는 것이 작위함이 없는 것이니, 의로움을 행하는 것을 말할 필요가 없다. 마지막에 왕도와 패도를 말하고 요순을 언급하지 않은 것은 요순은 계승하여 변혁해서 숭상하는 것이 덕과 사양이니 의로움을 실행하는 것이 충분히 포함되어 있다. 탕왕과 무왕은 변혁하여 계승하였으니 처음부터 의로움을 숭상한 것이고, 제나라 환공과 진나라 문공은 변혁하고 변혁했으니 행실이 부족하고 말에는 남음이 있어 말을 숭상한 것을 말하고, 의로움은 부족하고 이득은 남음이 있어 이득을 숭상한 것을 말한다. 행위를 숭상하면 의로움으로 저절로 들어가서 의롭지 않은 일은 절대로 행하지 않는다. 제나라 환공의 소릉의 군사

[10-7-7-0]

三王用忠信以行實事, 故尚行. 五伯用譎詐以假虛名, 故尚言. 所尚不同如此, 王伯之所以異也.

삼왕은 충직과 신뢰로 실제적인 일을 행했으므로 행위를 숭상한다. 오패는 기만하고 속이는 것으로 헛된 명분을 빌렸으므로 말을 숭상한다. 숭상하는 것이 이와 같이 다르니 왕도와 패도가 다른 것이다.

[10-7-8]

是知言之于口, 不若行之于身, 行之于身, 不若盡之于心. 言之于口, 人得而聞之, 行之于身, 人得而見之, 盡之于心, 神得而知之. 人之聰明猶不可欺, 況神之聰明乎! 是知無愧于口, 不若無愧于身, 無愧于身, 不若無愧于心. 無口過易, 無身過難, 無身過易, 無心過難, 旣無心過, 何難之有! 吁! 安得無心過之人而與之語心哉! 是知聖人所以能立于無過之地者, 謂其善事于心者也.

입으로 말하는 것은 몸으로 행동하는 것보다 못하고, 몸으로 행동하는 것은 마음으로 다하는 것보다 못하다는 것을 알 수 있다. 입으로 말하는 것을 사람은 들을 수가 있고, 몸으로 행동하는 것을 사람은 볼 수가 있고, 마음으로 다하는 것은 정신[神]이 알 수가 있다. 사람의 총명함은 기만할 수가 없는데 정신의 총명함을 어떻게 기만할 수 있겠는가! 입에 부끄러움이 없는 것은 몸에 부끄러움이 없는 것보다 못하고, 몸에 부끄러움이 없는 것은 마음에 부끄러움이 없는 것보다 못하다는 것을 알 수 있다. 입에 허물이 없는 것은 쉽지만 몸에 허물이 없는 것은 어렵고, 몸에 허물이 없는 것은 쉽지만, 마음에 허물이 없는 것은 어려우니, 마음에 허물이 없다면 무슨 어려움이 있겠는가! 아! 어떻게 마음에 허물이 없는 사람을 얻어서 함께 마음을 얘기할 수 있을까! 이것으로 성인이 허물이 없는 곳에 설 수 있는 것은 그가 마음을 잘 다스렸기 때문임을 알 수 있다.

같은 것은 스스로 '이렇게 많은 무리로 싸우면 누가 막을 수 있겠는가.'라고 하고 사람들에게 힘을 과시했으나 초나라의 비웃음거리가 되었고, 진나라 문공은 한번 싸움에 초나라를 이겨 하의 맹주가 되었으나 기만하고 올바르지 못했기 때문에 성인이 미워했으니, 입을 숭상하여 궁하게 되었고 움직여 이득에 빠져 사람들을 굴복시킬 수가 없었던 것이다. 의로움은 다스림의 기초이고 이득은 혼란의 시작이니, 그 거리가 어찌 하늘과 땅의 차이와 같을 뿐이겠는가! 첫머리에 세상이 다스려지려하고 혼란해지려 한다고 한 것은 왕도와 패도를 논하기 위해서이다. 먼저 이것을 말해서 아래의 글을 일으킨 것이다.(首言堯舜, 不言羲軒者, 羲軒因而因, 所尚者無爲, 行義不足以言之. 終言王伯, 不及堯舜者, 堯舜因而革, 所尚者德讓, 足以該乎行義. 湯武革而因, 則始以行義爲尚矣. 桓文革而革, 則行不足而言有餘, 是尚言之謂也, 義不足而利有餘, 是尚利之謂也. 尚行自入於義, 行一不義, 決所不爲. 若齊桓召陵之師, 自謂以此衆戰, 誰能禦之, 矜人以力, 爲楚所笑, 晉文一戰勝楚, 遂主夏盟, 譎而不正, 聖人惡焉則其尚口乃窮, 動入於利, 不足以服人矣. 義者, 治之基, 利者, 亂之始, 其相去奚啻天壤哉! 首言天下將治將亂云者, 將論王伯. 先言此以起下文也.)"

[10-7-8-0]

君子"言之不出, 恥躬之不逮." 故徒言之, 不若躬行之. 行之者, "或安而行之, 或利而行之, 或勉强而行之." 安而行之者, 行之以無事, 盡于心者也. 孟子所謂"舜由仁義行"者是也. 利而行之勉强而行之者, 雖曰行之, 而心或有所未盡, 故不若盡心之爲善也. 旣能行之, 久而必有所至. "及其成功則一"矣. 言之于口, 則人得而聞之, 行之于身, 則人得而見之, 盡之于心, 則神得而知之.

군자가 "말을 함부로 내지 않는 것은 몸소 행하는 것이 미치지 못함을 부끄러워해서이다."[24] 그래서 헛되이 말만하는 것은 몸소 행하는 것보다 못하다. 행하는 것에는 "편안히 이것을 행하고 혹은 이롭게 여겨서 이것을 행하고 혹은 억지로 힘써서 이것을 행하는"[25] 것이 있다. 편안히 행하는 것은 인위적으로 함이 없이 행하여 마음에서 다하는 것이다. 맹자가 "순임금은 인의仁義로부터 행한다."[26]고 한 것이 바로 이것을 말한다. 이롭게 여겨서 행하고, 억지로 힘써서 행하는 것은 행동한다고 하지만 마음에는 미진한 바가 있으므로 마음을 다해서 선을 행하는 것보다는 못하다. 그러나 행할 수가 있어서 오래되면 반드시 편안히 행하는 경지에 이른다. 그래서 『중용』에서 "공을 이루는 것에서는 마찬가지이다."라고 했다. 입으로 말하면 사람은 들을 수 있고, 몸으로 행동하면 사람은 볼 수가 있고, 마음으로 다하면 정신이 알 수가 있다.

所謂盡之于心者, "默而成之, 不言而信"者也. 不言而信, 則神得而知之者也. 故君子不欺暗室, 不愧屋漏, 以神之聰明不可欺也. 無愧于口, 不若無愧于身, 無愧于身, 不若無愧于心. 謂行之于身不若盡之于心也. 無口過易, 能愼言語則無口過矣. 無身過難, 能踐履則無身過矣. 無身過易, 無心過難. 旣無心過, 何難之有! 所謂心過者, 不必待見于事爲之際. 思慮一萌, 苟離于道, 是爲過矣. 旣無心過, 何思何慮! 寂然不動感而遂通, 何難之有也!

・・・・・・・・・・・・・・・・・・・・・・・・

24 『論語』「里仁」: "子曰, '古者言之不出, 恥躬之不逮也.'"

25 『中庸』20장: "或生而知之, 或學而知之, 或困而知之, 及其知之一也; 或安而行之, 或利而行之, 或勉强而行之, 及其成功一也."

26 『孟子』「離婁下」: "인간이 금수와 다른 것은 얼마 안 되니, 백성들은 이를 버리고 군자는 이것을 보존한다. 순임금은 여러 사물의 이치에 밝고 인륜에 상세하였으니, 인의를 따라 행한 것이지, 인의를 행한 것이 아니었다.(人之所以異於禽於獸者幾希, 庶民去之, 君子存之. 舜明於庶物, 察於人倫, 由仁義行, 非行仁義也.)" 이에 대해서 주자는 다음과 같이 주석하고 있다. "사물의 이치를 도외시할 것은 아니지만 인륜이 몸에 더욱더 절실하므로 앎에는 상세하고 간략한 차이가 있다. 순임금의 경우는 나면서부터 안 사람이다. 인의를 따라 행하지, 인의를 행하지 않으면 인의가 마음에 뿌리두고 있었기 때문에 행하는 바가 모두 이것에 따라 나온다. 인의를 아름답다고 생각한 다음에 억지로 힘써 행한 것이 아니니, 『中庸』에서 말하는 '편안히 이것을 행한다.'는 것이다. 이것은 성인의 일이니, 보존하려고 기다리지 않아도 보존되지 않음이 없는 것이다.(物理固非度外, 而人倫尤切於身, 故其知之有詳略之異. 在舜則皆生而知之也. 由仁義行, 非行仁義, 則仁義已根於心, 而所行皆從此出. 非以仁義爲美, 而後勉强行之, 所謂安而行之也. 此則聖人之事, 不待存之, 而無不存矣.)

마음으로 다한다는 것은 "묵묵히 이루고 말하지 않아도 믿는 것"[27]이다. 말하지 않아도 믿는다면 정신이 알 수가 있다. 그래서 군자는 어두운 방에서도 스스로를 기만하지 않고, 사람이 보이지 않는 곳에서도 스스로 부끄러움이 없는 것[28]은 영혼의 총명함으로 스스로를 기만할 수 없기 때문이다. 입에 부끄러움이 없는 것은 몸에 부끄러움이 없는 것보다 못하고, 몸에 부끄러움이 없는 것은 마음에 부끄러움이 없는 것보다 못하다는 것은 몸에 행동하는 것이 마음에 다하는 것보다 못하다는 것이다. 입에 허물이 없는 것은 쉬우니 말을 조심할 수 있다면 입에 허물이 없다. 몸에 허물이 없는 것은 어려우니 실천할 수 있다면 몸에 허물이 없다. 몸에 허물이 없는 것은 쉽지만 마음에 허물이 없는 것은 어렵다. 이미 마음에 허물이 없다면 무슨 어려움이 있겠는가! 마음의 허물이라는 것은 반드시 일이나 행동하는 데에 드러나는 것은 아니다. 사려가 한번 싹터서 도를 떠나게 되면 이것이 허물이 된다. 마음에 허물이 없다면 무엇을 생각하고 무엇을 근심하겠는가! '고요하게 움직이지 않다가 감하여 마침내 통하니'[29] 무슨 어려움이 있겠는가!

能無心過者, 其惟聖人乎! 聖人與天地合其德, 與日月合其明, 與四時合其序, 與鬼神合其吉凶, 何過之有! 未至於聖人, 則未能無過. 故孔子謂顏淵爲好學, 則曰不貳過. 又曰有不善未嘗不知, 知之未嘗復行. 始可以謂之無身過者也. 及其問仁, 則告之以非禮勿視, 非禮勿聽, 非禮勿言, 非禮勿動. 至於非禮勿動, 則使之進於無心過之地也. 故又曰回也其心三月不違仁. 夫心有一所動而在乎非禮, 則遠于仁矣. 顏子至於三月不違仁, 則幾于聖者也. 此道之妙不可以言傳, 學者當盡心焉.

마음에 허물이 없을 수 있는 자는 오직 성인일 것이다! 성인은 천지와 그 덕을 합치고 해와 달과 그 밝음을 합하며 사계절과 그 순서를 합하며 귀신과 그 길흉을 합하니[30] 무슨 허물이 있겠는가? 성인에 이르지 못하였다면 허물이 없을 수가 없다. 그래서 공자가 안연은 배움을 좋아한다고 했으니 "허물을 두 번 반복하지 않는다."[31] 또 "불선함이 있다면 알지 못한 적이 없고 알았다면 다시 행한 적이 없다."[32]고 했다. 이래야 비로소 몸에 허물이 없는 자라고 말할 수 있다. 안연이 인을 묻는데

---

27 『周易』「繫辭上」 12: "極天下之蹟者存乎卦, 鼓天下之動者存乎辭, 化而裁之存乎變, 推而行之存乎通, 神而明之存乎其人, 黙而成之, 不言而信, 存乎德行."

28 『中庸』 32장: "『詩經』에서 말했다. '네가 홀로 방안에 있음을 살펴보니, 오히려 방귀퉁이에도 부끄럽지 않다.' 그러므로 군자는 마음이 동하지 않아도 공경하며, 말하지 않아도 믿는 것이다.(詩, "相在爾室, 尚不愧于屋漏." 故君子不動而敬, 不言而信.)

29 『周易』「繫辭上」: "易无思也, 无爲也, 寂然不動, 感而遂通天下之故."

30 『周易』「乾卦·文言傳」: "夫'大人'者, 與天地合其德, 與日月合其明, 與四時合其序, 與鬼神合其吉凶. 先天而天弗違, 後天而奉天時. 天且弗違, 而況於人乎? 況於鬼神乎?"

31 『論語』「雍也」: "哀公問, '弟子孰爲好學?' 孔子對曰, '有顏回者好學, 不遷怒, 不貳過. 不幸短命死矣! 今也則亡, 未聞好學者也.'"

32 『周易』「繫辭下」: "子曰, '顏氏之子, 其殆庶幾乎? 有不善, 未嘗不知, 知之, 未嘗復行也. 易曰, '不遠復, 无祇悔, 元吉.'"

이르자 "예가 아니면 보지 말고 예가 아니면 듣지 말며 예가 아니면 말하지 말고 예가 아니면 마음이 동하지 말라."[33]고 답했다. 예가 아니면 행동하지 말라는 데 이른 것은 그로 하여금 마음에 허물이 없는 경지에 이르도록 한 것이다. 그래서 또 "안연은 그 마음이 3개월 동안 인을 어기지 않았다."[34]라고 했다. 마음에 조금이라도 동하는 바가 있어서 예가 아닌 것이 있으므로 인에서 멀어진 것이다. 안연이 3개월 동안 인을 어기지 않는 데에 이르렀으니 성인과 가까운 자이다. 이 도의 오묘함은 말로 전할 수가 없으니 배우는 자는 마땅히 마음을 다해야 한다.

觀物內篇之八　관물내편 8

[10-8-1]

仲尼曰, 韶盡美矣, 又盡善也, 武盡美矣, 未盡善也. 又曰, 管仲相桓公, 霸諸侯, 一匡天下, 民到于今受其賜. 微管仲, 吾其被髮左衽矣. 是知武王雖不逮舜之盡善盡美, 以其解天下之倒懸, 則下于舜一等耳, 桓公雖不逮武之應天順人, 以其霸諸侯, 一匡天下, 則高于狄亦遠矣. 以武比舜, 則不能無過, 比桓, 則不能無功. 以桓比狄, 則不能無功, 比武, 則不能無過. 漢氏宜立乎桓武之間矣.

공자가 말했다. "소韶 음악은 극진히 아름답고 또 극진히 좋다. 무武 음악은 극진히 아름답지만 극진히 좋지는 못하다."[35] 또 말했다. "관중이 환공을 도와 제후의 패자가 되게 하여 한 번 천하를 바로잡아 백성들이 지금까지 그 혜택을 받고 있으니, 관중이 없었다면 나는 머리를 풀고 옷깃을 왼편으로 하는 오랑캐가 되었을 것이다."[36] 이것으로 무왕은 순 임금의 극진히 좋고 극진히 아름다운 것에는 미치지 못했지만 천하의 거꾸로 매달린 것을 풀어주었으니[37] 순임금보다 한 등급 낮을 뿐이고, 환공은 무왕이

33 『論語』「顔淵」: "顔淵問仁. 子曰, '克己復禮爲仁. 一日克己復禮, 天下歸仁焉. 爲仁由己, 而由人乎哉?' 顔淵曰, '請問其目.' 子曰, '非禮勿視, 非禮勿聽, 非禮勿言, 非禮勿動.' 顔淵曰, '回雖不敏, 請事斯語矣.'

34 『論語』「雍也」: "子曰, '回也, 其心三月不違仁, 其餘則日月至焉而已矣.'"

35 『論語』「八佾」: "子謂韶, '盡美矣, 又盡善也.' 謂武, '盡美矣, 未盡善也.'"

36 『論語』「憲問」: "자공이 말했다. '관중은 인자가 아닐 것입니다. 환공이 공자규를 죽였는데 죽지 못하고 또 환공을 도와주었습니다.' 공자가 말했다. '관중이 환공을 도와 제후의 패자가 되게 하여 한 번 천하를 바로잡아 백성들이 지금까지 그 혜택을 받고 있으니, 관중이 없었다면 나는 머리를 풀고 옷깃을 왼편으로 하는 오랑캐가 되었을 것이다. 어찌 필부들이 작은 신의를 위해 스스로 목매 죽어서 시신이 도랑에 뒹굴어도 사람들이 알아주는 이가 없는 것과 같이 하겠는가?'(子貢曰, '管仲非仁者與? 桓公殺公子糾, 不能死, 又相之.' 子曰, '管仲相桓公, 霸諸侯, 一匡天下, 民到于今受其賜. 微管仲, 吾其被髮左衽矣. 豈若匹夫匹婦之爲諒也, 自經於溝瀆而莫之知也.')"

37 『孟子』「公孫丑上」: "지금의 때를 당하여 만승의 나라가 인정을 행한다면 백성들이 기뻐함이 거꾸로 매달린 것을 풀어준 것과 같을 것이다.(當今之時, 萬乘之國行仁政, 民之悅之, 猶解倒懸也.)"

하늘을 호응하고 사람들을 따른 것에는 미치지 못했지만 제후의 패자가 되어 한번 천하를 바로 잡았으니 오랑캐보다 뛰어남이 또한 더욱더 그러함을 알 수 있다. 무왕을 순임금과 비교하면 허물이 없을 수가 없지만 환공에 비교한다면 공로가 없을 수가 없다. 환공을 오랑캐와 비교하면 공로가 없을 수가 없지만 무왕과 비교한다면 허물이 없을 수가 없다. 한나라 고조는 무왕과 환공의 중간에 서는 것이 마땅하다.[38]

[10-8-1-0]

此言帝王之異. 霸之於王固遠, 然亦有功于時, 故聖人猶取之. 漢不純乎王而雜乎霸者也. 舜武皆聖人也. 所以異者, 時不同故也.

이것은 오제와 삼왕의 차이를 말한 것이다. 패도와 왕도의 차이는 멀지만 또한 시대에 공로가 있었으므로 성인이 취하였다. 한나라 고조는 왕도에 순수하지 못하고 패도에 섞던 자이다. 순임금과 무왕은 모두 성인이다. 차이가 나는 것은 시대가 달랐기 때문이다.

[10-8-2]

是時也, 非會天下之民厭秦之暴且甚, 雖十劉季百子房, 其如人心之未易何?

이때는 천하의 백성들이 진나라의 포악함을 미워함이 또한 심하지 않았다면 열 사람의 유계[39]와 백 명의 장자방[40]일지라도 바뀌지 않는 사람들의 마음을 어찌할 수 있었겠는가?

....

38 王植,『皇極經世書解』: "(황기가 말했다.) 무왕은 천하의 거꾸로 매달린 것을 풀어주었으니 그 공로가 크고 허물이 적어 성인이 되는 데에 문제가 없고, 환공은 천하의 왼편 옷깃을 바로잡았으니 그 공로가 크지만 그 허물 역시 커서 오랑캐보다 한 등급 높아 현자가 되는 것이 다행이다. 한나라가 일어난 것은 또한 천하의 거꾸로 매달린 것을 풀어준 것이니 그 행적은 주나라 무왕과 비교될 수 있지만 그 마음으로 논하지만 왕도로서 순수하지 않고 패도가 섞여서, 제나라 환공과 크게 다르지 않으므로 무왕과 환공 사이에 세운다고 했으니 무왕의 아래이면서 환공의 위이다. 3대 이래로 나라의 정통을 얻은 것은 한나라만한 것이 없기 때문에 이 편의 첫머리에 두었다.(武王, 解天下之倒懸, 其功大, 其過小, 猶不失爲聖人, 桓公正天下之左衽, 其功大, 其過亦大, 高狄一等, 得爲賢者, 幸矣. 漢之興也, 固亦解天下之倒懸也, 則其迹擬於周武, 徒以其心論之, 不純乎王而雜乎霸, 無以大異於齊桓, 故曰立乎武桓之間, 則是武之下桓之上也. 三代而下得國之正者, 莫如漢, 故此篇首論之.)"

39 劉季 : 漢太祖 高皇帝 劉邦(기원전 247년~기원전 195년)을 말한다. 진나라의 장수이며 기원전 206년 한나라를 건국하였다. 기원전 202년 項羽를 격파하고 중국을 통일하였다. 묘호는 太祖, 시호는 高皇帝이다. 일반적으로 高祖라고 부른다. 고조는 군현제와 봉건제를 병용한 군국제를 실시하였다

40 張子房 : 張良(?~기원전 189년)을 말한다. 중국 한나라의 정치가이자, 건국 공신이다. 자는 子房이고 시호는 文成이다. 蕭何·韓信과 함께 한나라 건국의 3걸로 불린다. 유방으로부터 "군막에서 계책을 세워 천리 밖에서 벌어진 전쟁을 승리로 이끈 것이 장자방이다."라는 극찬을 받았다. 전국시대 한나라 재상 희평의 아들로 한나라가 진나라에 멸망하자 복수를 하기 위해 진시황제를 박랑사에서 죽이려 하였으나 실패하고 하비에서 숨어서 황석공으로부터 태공병법을 배웠다. 그 후 유방이 군사를 일으키자 1백여 명의 종을 데리고 따랐다가, 項梁에 의해 한성이 韓王에 옹립되자 한나라 사도에 임명되었다. 이후 한성이 項羽에게 죽자 다시 유방에게

[10-8-2-0]

人君所恃以安者, 人心而已. 人心旣去, 一夫而已. 故書謂之獨夫紂也.

군주가 믿어서 편안한 것은 사람의 마음뿐이다. 사람의 마음이 떠난다면 한 사람의 필부일 뿐이다. 그래서 『서경』에서 은나라 주紂왕을 외로운 필부 주[41]라고 했다.

[10-8-3]

且古今之時則異也, 而民好生惡死之心非異也. 自古殺人之多未有如秦之甚, 天下安有不厭之乎! 夫殺人之多不必以刃, 謂天下之人無生路可移也, 而又況以刃多殺天下之人乎!

또한 과거와 현재의 때가 다르지만 백성들이 살리는 것을 좋아하고 죽이는 것을 미워하는 마음은 다르지 않다. 옛날부터 사람을 죽이는 사람이 많았지만 진나라보다 심한 경우는 없었으니 세상이 어찌 싫어하지 않겠는가! 사람을 죽이는 경우가 많았지만 반드시 칼로만 하는 것이 아니라 세상 사람들이 옮겨가서 살아나갈 수 있는 길이 없는 것을 말하는 것인데 하물며 게다가 칼로 세상 사람들을 많이 죽이기까지 했으니 어떠하겠는가!

[10-8-3-0]

得民心以仁, 失民心以不仁. 仁者好生, 不仁者好殺. 以虐政殺之, 以白刃殺之, 其殺一也. 然白刃之所殺猶有能免者, 虐政之所殺則無所逃矣. 故虐政甚於白刃也. 己殺之, 使人殺之, 其殺一也. 己殺之, 所殺猶寡, 使人殺之, 則所殺者衆矣. 故使人殺之甚於己殺之也. 使人殺之, 謂以虐政殺之也. 以虐政殺之者, 謂天下之人無生路可趨也. 故虐政甚於白刃也. 又況旣以虐政殺之, 而又加之以白刃殺之耶! 于是時也, 天下之生靈墜于塗炭可知之矣.

백성의 마음을 인으로 얻고 백성의 마음을 불인으로 잃는다. 인한 사람은 살리는 것을 좋아하고 불인한 사람은 죽이는 것을 좋아한다. 잔학한 정치로 죽이나 흰 칼로 죽이나 죽이는 것은 마찬가지이다. 그러나 날카로운 칼로 죽이는 것은 피할 수가 있지만 잔학한 정치로 죽이는 것은 도망칠 수가

....

귀순하고 이때부터 유방의 중요 참모가 되어 홍문연에서 유방을 구하고 한신을 천거하는 등, 그는 전략적인 지혜를 잘 써서 유방이 한나라를 세우고 천하를 통일할 수 있도록 도와주었다. 한나라 건국 후에는 정치에 일체 관여하지 않았으며 단지 후계자 문제로 여후에게 자문을 해줬다고 한다. 그 후에 留侯에 봉해졌다.

41 『書經』에는 獨夫紂가 아니라 獨夫受로 되어 있다 獨夫를 주자는 "천명이 끊기고 인심이 떠났다."고 설명하고 있다. 『書經』「周書·太誓下」: '옛 사람이 말하기를 '나를 어루만져 주면 임금이고, 나를 학대하면 원수이다.' 라고 하였으니, 외로운 필부인 受가 크게 위엄을 세우니, 바로 너희들 대대로의 원수이다. 덕을 세움에는 불어나게 함을 힘써야 하고 악을 제거함에는 근본을 힘써야 한다. 이러므로 나 소자가 크게 너희 여러 군사들을 데리고 너희들의 원수를 끊고 섬멸하려 하노니, 너희 여러 군사들은 부디 과감하고 용감하게 행동하여 너희 군주를 성공시키도록 하라. 공이 많으면 후한 상이 있고, 과감하고 용감하게 행동하지 못하면 드러난 죽임이 있을 것이다.(古人有言曰, 撫我則后, 虐我則讎. 獨夫受洪惟作威, 乃汝世讎. 樹德務滋, 除惡務本. 肆予小子, 誕以爾衆士殄殲乃讎, 爾衆士其尙迪果毅, 以登乃辟. 功多有厚賞, 不迪有顯戮.)"

없다. 그러므로 잔학한 정치는 날카로운 칼보다 더 심하다. 자신이 죽이거나 사람을 시켜서 죽이거나 죽이는 것은 마찬가지이다. 자신이 죽였을 때는 죽인 사람이 적지만 사람을 시켜서 죽였을 때는 죽인 사람이 많다. 그러므로 사람을 시켜서 죽이는 것이 자신이 죽이는 것보다 더 심하다. 사람을 시켜서 죽이는 것은 잔학한 정치로 죽이는 것을 말하고, 잔학한 정치로 죽이는 것은 세상 사람들이 쫓아서 살아갈 수 있는 길이 없는 것을 말한다. 그러므로 잔학한 정치는 날카로운 칼보다 더 심하다. 게다가 잔학한 정치로 사람을 죽여놓고 또 날카로운 칼로 사람을 죽인 경우는 어떠하겠는가! 이때에 세상 사람들이 도탄에 빠졌음을 알 수가 있다.

[10-8-4]

秦二世, 萬乘也, 求爲黔首而不能得. 漢劉季, 匹夫也, 免爲元首而不能已. 萬乘與匹夫, 相去有間矣. 然而有時而代之者, 謂其天下之利害有所懸之耳.

진나라 이세二世[42]는 만승의 천자로서 서민이 되려고 했지만 될 수가 없었다.[43] 한나라 고조 유계는 필부로서 원수元首가 되는 것을 면하려고 했지만 할 수 없었다.[44] 만승의 천자와 필부는 서로 지위의 차이가 현격하다. 그러나 때에 따라 대신하게 되는 것은 세상의 이해利害가 관계되어 있을 뿐이라고 하는 것이다.[45]

[10-8-4-0]

利民則匹夫可以爲元首. 害民則元首欲爲匹夫而不能. 利害之間如此, 可不畏哉! 可不愼哉!

· · · · · · · · · · · · · · · · · · ·

42 秦二世 : 성은 嬴, 이름은 胡亥이며, 秦의 제2대 皇帝로서 二世皇帝 혹은 秦二世라고 한다. 시황제의 막내아들로 태어났으나, 기원전 210년 승상인 李斯와 환관 趙高에게 옹립되어 제2대 皇帝가 되었다. 기원전 207년, 조고의 전횡 때문에 章邯마저 項羽에게 투항하면서 진나라는 반란군에 대항할 힘을 잃고 각지에서 반란군에 패퇴하였다. 劉邦의 군대가 咸陽 武關까지 진격해 오자, 황제에게 책임을 추궁을 당할 것을 두려워한 조고는 사위인 閻樂과 함께 정변을 일으켰다. 咸陽令의 직위에 있던 염악은 병사들을 이끌고 望夷宮으로 쳐들어와 胡亥를 압박하였고, 호해는 결국 自殺하였다. 호해는 平民으로 葬禮가 치러졌다고 한다.

43 『性理彙書句解』 : "백성이 되려했지만 그렇게 되지 못하였다. 趙高가 閻樂을 시켜서 이세를 시해했다. 이세는 백성이 되고자 했지만 염악이 허락하지 않았다. 검수란 백성이다.(欲爲百姓而不可得, 史趙高使閻樂弑二世, 二世願爲黔首閻樂弗許. 黔首, 百姓也.)"

44 『性理彙書句解』 : "원수는 군주이다. 사람 위에 있다는 뜻을 취하여 천하의 군주가 되려는 것을 면해보려 했지만 할 수 없었다.(元首君也. 取在人上之義, 欲免爲天下君而不能得.)"

45 王植, 『皇極經世書解』 : "하늘과 사람은 하나일 뿐이니 어찌 필부와 만승의 천자를 가리겠는가! 도가 있고 도가 없음을 가리는 것은 이로움과 해로움으로 서로 관계되어 있을 뿐이다. 이것으로 보건데 한나라 고조가 신하를 잘 썼기 때문도 아니고 장자방이 그 작용을 숨겼기 때문도 아니다. 진나라의 가혹한 정치를 제거하고 법을 3장으로 간략하게 했으니 관중에 들어간 초엽에 이미 하늘과 사람이 서로 그에게 왕위를 주었다.(天人一而已矣, 何擇乎匹夫萬乘哉! 擇乎有道無道, 則直以利害相懸之故耳. 由此觀之, 非高帝能用其臣, 亦非子房善藏其用也. 除秦苛政, 約法三章, 入關之初, 天人已交與之矣.)"

백성을 이롭게 하면 필부일지라도 원수가 될 수 있다. 백성을 해롭게 하면 원수가 필부가 되고 싶어도 그렇게 할 수가 없다. 이로움과 해로움 사이가 이러하니 두렵지 않을 수 있는가! 조심하지 않을 수가 있는가!

[10-8-5]

天之道非禍萬乘而福匹夫也, 謂其禍無道而福有道也, 人之情非去萬乘而就匹夫也, 謂其去無道而就有道也. 萬乘與匹夫, 相去有間矣. 然而有時而代之者, 謂其直以天下之利害有以懸之耳.

하늘의 도는 만승의 천자에게 재앙을 주고 필부에게 복을 주는 것이 아니고 도가 없는 사람에게 재앙을 주고 도가 있는 사람에게 복을 주는 것을 말하고, 인정은 만승의 천자를 버리고 필부에게 취하는 것이 아니라 도가 없는 사람을 버리고 도가 있는 사람에게 나아가는 것을 말한다. 만승의 천자와 필부는 그 지위의 차이가 현격하다. 그러나 때에 따라 달라지는 것은 그것이 세상의 이해利害와 관련되어 있을 뿐이라고 하는 것이다.

[10-8-5-0]

天之禍福, 視民之去就. 民之去就, 視君之仁與不仁. 君之仁與不仁, 在乎利民害民而已. 利民, 則天降之福, 害民, 則天降之禍. 人君始于利民害民, 而天之禍福卒及其身, 及其子孫. 可不畏哉! 可不愼哉!

하늘의 재앙과 복은 백성이 버리는가 취하는가를 통해 보고, 백성이 바리고 취할 때는 군주가 인한지 불인한지를 본다. 군주가 인한지 불인한지는 백성을 이롭게 하고 백성을 해롭게 하는 것에 달려 있을 뿐이다. 백성을 이롭게 하면 하늘은 그에게 복을 내려주고, 백성을 해롭게 하면 하늘은 그에게 재앙을 내려준다. 군주가 백성을 이롭게 하고 백성을 해롭게 하기 시작하면 하늘의 재앙과 복은 결국 그 자신에게 미치고 그 자손에게까지 미친다. 두렵지 않을 수 있는가! 조심하지 않을 수가 있는가!

[10-8-6]

日旣沒矣, 月旣望矣, 星不能不希矣. 非星之希, 是星難乎其爲光矣. 能爲其光者, 不亦希乎! 漢唐旣創業矣, 呂武旣擅權矣, 臣不能不希矣. 非臣之希, 是臣難乎其爲忠矣. 能爲其忠者, 不亦希乎!

해가 떨어지고 달은 보름달이 되었으니 별이 드물지 않을 수가 없다. 별이 드문 것이 아니라 이것은 별이 그 빛을 발하기가 어려운 것이다. 그 빛을 발할 수 있는 자가 또한 드물지 않겠는가? 한나라와 당나라가 창업했고 여후呂后[46]와 측천무후則天武后[47]가 권세를 마음대로 하니 신하들이 드물지 않을 수가 없다. 신하가 드문 것이 아니라 이것은 신하가 그 충성을 다하기가 어려웠던 것이다. 그 충직을 다할 수 있는 자가 또한 드물지 않겠는가!

[10-8-6-0]

忠臣之節見於危難. 故曰不亦希乎.

충직한 신하의 절개는 위험하고 어려운 때에 나타난다. 그래서 또한 드물지 않겠는가라고 했다.

[10-8-7]

是知任天下事易, 死天下事難, 死天下事易, 成天下事難. 苟能成之, 又何計乎死與生也!
如其不成, 雖死奚益! 況其有正與不正者乎! 與其死於不正, 孰若生於正! 與其生於不正,
孰若死於正! 在乎忠與智者之一擇焉. 死固可惜, 貴乎成天下之事也, 如其敗天下之事, 一
死奚以塞責! 生固可愛, 貴乎成天下之事也, 如其敗天下之事, 一生何以收功!

이것으로 세상의 일을 책임지기는 쉽지만 세상의 일을 위해 죽기는 어렵고, 세상의 일을 위해 죽기는
쉽지만 세상의 일을 이루기는 어렵다는 것을 알 수 있다. 실로 그것을 이룰 수만 있다면 또 어찌 죽음과
삶을 계산하겠는가! 그것을 이루지 못한다면 죽은들 무슨 이득이겠는가! 게다가 그 일에 올바름과
올바르지 않음이 있는 경우는 어찌하겠는가![48] 올바르지 않은 것에 죽는 것보다는 올바름을 위해 사는
것이 낫지 않겠는가! 올바르지 않는 것을 위해 사는 것보다 올바름을 위해 죽는 것이 낫지 않겠는가!
충직한 자와 지혜로운 자 가운데에서 하나를 택하는 것에 달려 있다. 죽음은 실로 애석하지만 세상의
일을 이루는 것이 중요하니, 세상의 일을 실패한다면 한 사람의 죽음으로 어떻게 책임을 다하겠는가![49]
삶은 실로 좋지만 세상의 일을 성공시키는 것이 중요하니, 세상의 일을 실패한다면 한 사람의 삶으로
어떻게 공을 거두겠는가![50][51]

. . . .

46 呂后 : 성은 呂이고 자는 娥姁이며 이름은 雉이다. 무명의 유방과 결혼하여 平定事業을 도왔고, 유방이 죽은
뒤 아들 惠帝를 즉위시키고 실권은 자신이 잡았다. 혜제가 23세의 나이로 죽자, 혜제의 후궁에서 출생한
여러 왕자들을 차례로 등극시키면서 황제를 대행했고, 여씨 일족을 고위고관에 등용시켜 사실상의 여씨 정권
을 수립하였다. 또 유방의 寵妃 戚夫人의 수족을 자르고 변소에 가두는 등 횡포를 자행하였다. 특히, 유씨만을
侯王으로 책봉하라는 유방의 遺訓을 어기고 동생 呂産, 呂祿을 후왕으로 책봉하였는데 이것이 유씨 옹호파의
반발을 불러일으켜 그녀가 죽자 곧 여씨 誅滅 사건이 일어났다. 여씨 정권은 붕괴하고 고조의 차남 劉恒이
즉위하여 文帝가 되었다.

47 則天武后 : 당나라 제3대 高宗의 황후로 중국 역사상 유일한 女帝이다. 이름은 武曌(曌는 측천무후가 만든
照의 新字)이다. 뛰어난 미모로 태종 12년(638)에 太宗의 후궁이 되고 황제가 죽자 비구니가 되었는데, 고종의
총애를 받아 다시 후궁으로 들어갔다. 그 후 간계로써 황후 王氏를 모함하여 쫓아내고 고종 6년(655)에 황후
가 되었다. 그 뒤 병약한 고종을 대신하여 정무를 맡아 권력을 휘둘렀는데, 고종이 죽자 아들인 中宗・睿宗을
차례로 즉위시켰다가 폐위시키고, 마침내 나라 이름을 周로 바꾸고 스스로 황제라 칭하여 중국 역사상 유일한
여제로서 중국을 통치하였다.

48 『性理羣書句解』: "게다가 올바름을 얻고 죽거나 올바름을 얻지 못하고 죽는 경우는 어찌하겠는가?(況有得其
正而死與不得其正而死乎)"

49 『性理羣書句解』: "비록 죽더라도 그 책임을 어떻게 충분히 다하겠는가!(雖死何足以稱塞其責)"

50 『性理羣書句解』: "살더라도 어떻게 그 공을 충분히 성취하겠는가?(雖生何足以成就其功.)"

51 王植, 『皇極經世書解』: (황기가 말했다.) "충성스런 자는 죽음을 어려워하지 않지만 선택하는 것을 어려워하

任天下之事易於死天下之事. 死天下之事易於成天下之事. 故聖人貴成天下之事而不計乎
死與生也. 生而敗天下之事, 生以奚益! 死而不能成天下之事, 死以奚益! 生也, 死也, 君子
未嘗有所擇. 所擇者, 正與不正而已. 不正而死, 不若正而生. 不正而生, 不若正而死. 君子
無求生以害仁, 不貴乎苟生以敗天下之事也. 有殺身以成仁, 貴乎成天下之事而死之以正
也. 至于死, 則非君子之所得已. 不得已而死, 死而能有所成, 則死猶生也, 故君子必死之.

세상의 일을 책임지는 것은 세상의 일을 위해 죽는 것보다는 쉽다. 세상의 일을 위해 죽는 것은
세상의 일을 이루는 것보다 쉽다. 그러므로 성인은 세상의 일을 이루는 것을 중요하게 여기고 삶과
죽음을 계산하지 않는다. 살아서 세상의 일을 실패한다면 사는 것이 무슨 이득인가! 죽어서 세상의
일을 이룰 수 없다면 죽는 것이 무슨 이득인가! 삶과 죽음은 군자가 선택한 적이 없는 것이다. 선택하
는 것은 올바름과 올바르지 않음 뿐이다. 올바르지 않고서 죽는 것은 올바르면서 사는 것보다 못하
다. 올바르지 않으면서 사는 것은 올바르면서 죽는 것보다 못하다. 군자는 삶을 구하려고 인을 해치
지 않고 구차하게 살면서 세상의 일을 실패하는 것을 중요하게 여기지 않는다. 몸을 죽여서 인을
이루는 것이 있으니 세상의 일을 성공시키고 올바름을 위해 죽는 것을 중요하게 여긴다. 죽음에
이르는 것은 군자가 그만둘 수 있는 바가 아니다. 그만둘 수가 없어 죽거나 죽어서 일을 이룰 수
있다면 죽는 것이 사는 것이니, 그러므로 군자는 반드시 죽는다.

雖然, 唯聖人無死地. 無死地者, 不獨能知幾, 而又且見于未萌也. 所以能見於未萌者, 以
明乎理故也. 如舜不爲象所害, 孔子不爲匡人桓魋所殺, 是也. 凡能爲人所害所殺者, 謂之
仁謂之難則可, 不可以謂之聖. 然聖人非臨難苟免, 蓋不至於苟免之地也. 苟不能見於
未萌, 不幸而至于難, 權輕重而義有所在, 死其所當死, 亦聖人之所許也. 若子路之死於蒯
聵, 可以死可以無死, 死傷勇者也.

그러하지만 오직 성인만이 죽을 곳이 없다. 죽을 곳이 없다는 것은 기미를 미리 알 뿐만이 아니라
싹트기 전에 알 수가 있기 때문이다. 싹트기 전에 볼 수 있는 까닭은 이치에 밝기 때문이다. 예를
들어 순임금이 상象으로부터 해를 입지 않았고 공자는 광땅 사람과 환퇴에 의해 죽임을 당하지 않았
던 것이 바로 그것이다. 사람에게 해를 입을 수 있고 죽임을 당할 수 있는 것을 인하다고 하고 어렵다
고 할 수 있지만 성인이라고 말할 수는 없다. 그러나 성인은 어려움에 임하여 구차하게 면하려고
하지 않으니, 이는 구차하게 면하는 경우에까지 이르지 않기 때문이다. 실로 싹트기 전에 알 수 없어

고, 지혜로운 자는 선택하는 것을 어려워하지 않지만 죽음을 어려워한다. 만약 죽고 사는 때에 선택하여
항상 그 올바름을 얻어 처신하면, 충성과 지혜를 모두 다한다. 살아서 반드시 공을 거두고 죽어서 반드시
책임을 다하니 헛되이 살고 죽는 사람을 보면 그 차이가 매우 크다.(忠者, 不難於死, 而難於擇. 智者, 不難於
擇, 而難於死. 使其能擇於死生之際, 常得其正者而居之, 則是忠智兩盡. 生必有以收功, 死必有以塞責, 其視徒
生徒死者, 相去萬萬也.)"

서 불행하게 어려움에 이르렀다면 경중을 헤아려 의로움이 있는 곳을 보고, 죽어야만 할 일에 죽는 것이 또한 성인이 허락하는 바이다. 예를들어 자로가 괴외에게 죽임을 당한 것은 죽을 수도 있었고 죽지 않을 수도 있었으니 죽음이 용기를 해친 것이다.

故孔子謂"柴也其來乎, 由也其死矣." 孔子不以柴之來爲非, 則知由之死未爲是也. 方子路之未死, 孔子已謂若由也不得其死然, 則知子路之死, 聖人之所不取也. 子畏於匡, 顏淵後, 孔子曰, "吾以女爲死矣." 顏淵曰, "子在, 回何敢死!" 使孔子死於匡, 則顏淵必死之矣. 若顏淵, 可謂知所事知所死矣. 後世之人不明義理, 不擇所事, 而死於其難者有之矣, 是特犬馬之忠而已. 比之賣主以爲利者固有間, 然皆不得其死者也. 嗚呼, 君子之出處, 所與所事, 實死生之所繫, 可不擇哉!

그래서 공자는 "자고는 돌아왔는데 자로는 죽었구나."[52]라고 했다. 공자는 자고가 돌아온 것은 옳지 않다고 여긴 것은 아니니 자로의 죽음이 옳지 않음을 알 수 있다. 자로가 죽지 않았을 때 공자는 "자로는 제대로 죽지 못할 것이다."[53]라고 했으니 자로의 죽음을 성인이 취하지 않았던 것을 알 수 있다. 공자가 광땅에서 경계하는 마음을 품고 있을 때 안연이 뒤쳐져 있었는데 공자가 "나는 네가 죽었을 것이라고 생각했다."라고 하자, 안연이 "선생께서 살아 계시니 제가 어찌 감히 죽겠습니까!"라고 했다.[54] 공자가 광땅에서 죽었다면 안회는 반드시 죽었을 것이다. 안연의 경우 해야 할 일과 죽어야 할 바를 알았다고 말할 수 있다. 후세 사람들이 의리에 밝지 못하여 해야 할 일을 선택하지 못하면서 어려움에 죽는 경우가 있는데 이는 개와 말의 충성일 뿐이다. 주인을 팔아서 이익을 얻는 것에 비한다면 실로 차이가 있지만 모두 그 마땅한 죽음을 얻지 못한 것이다. 아! 군자의 출처出處와 참여하고 일삼는 일이 실로 죽음과 삶이 달려 있으니 선택하지 않을 수 있겠는가!

· ·

52 『史記』「衛康叔世家」에 나온 말이다. 위나라는 영공의 부인인 南子의 세력과 태자인 蒯聵(후에 위 장공이 됨)의 세력 간에 권력 투쟁이 심해 나라 상황이 혼란했다. 또한 南子에 대한 암살사건으로 인해 태자인 괴외가 晉나라로 망명하였다. 이후 위 영공이 죽자 손자인 輒이 군주가 되었는데 위나라 출공이다. 망명 중이던 괴외는 晉나라의 지지와 지원을 얻어 위나라로 귀국하여 자신의 아들인 輒이 이은 군주의 자리를 빼앗고자 하였으나, 輒은 병력을 동원하여 아버지인 괴외의 귀국을 막았다. 괴외는 자신의 누이인 백희(공문자의 처 : 공야장 14장)의 아들인 공회에게 반란을 일으키자고 제의하여 출공을 내쫓고 위나라 장공이 되었다. 이 반란이 일어났을 때 자로는 성안에 없었다가 출공을 구하기 위해 달려 오는 길에 子羔를 만났는데 자고는 겁을 먹고 도망치는 길이었다. 자고에게 이런 환난을 보고 어찌 도망갈 수 있겠는가라고 말하고 혼자 성으로 달려가 괴외에게 죽임을 당했다.

53 『論語』「先進」: "민자건은 옆에서 모실 적에 온화하였고, 자로는 굳세었고, 염유와 자공은 강직하였으니, 공자가 즐거워하였다. '자로는 제대로 죽지 못할 것이다.'(閔子侍側, 誾誾如也, 子路, 行行如也, 冉有子貢, 侃侃如也. 子樂. '若由也, 不得其死然.')"

54 『論語』「先進」: "子畏於匡, 顏淵後. 子曰, '吾以女爲死矣.' 曰, '子在, 回何敢死?'"

[10-8-8]

噫! 能成天下之事, 又能不失其正而生者, 非漢之留侯唐之梁公而何! 微斯二人, 則漢唐之祚或幾乎移矣. 豈若虛生虛死者焉? 夫虛生虛死者譬之蕭艾, 忠與智者不由乎其間矣.

아! 세상의 일을 성공시킬 수 있고, 또 올바름을 잃지 않으면서 살 수 있었던 자는 한나라의 유후留侯[55]와 당나라의 양공梁公[56]이 아니라면 누구이겠는가! 이 두 사람이 아니었다면 한나라와 당나라의 복이 거의 옮겨질 뻔 했을 것이다. 어찌 헛되이 살고 헛되이 죽는 사람과 같겠는가! 헛되이 죽고 헛되이 사는 자는 비유하자면 쑥이나 풀과 같으니 충성스럽고 지혜로운 자는 그 사이에서 연유하지 않는다.[57]

[10-8-8-0]

留侯梁公於漢唐, 其功大矣. 古之成大事者, 不務爲區區之小忠以投人之耳目, 志於遠者大者而已.

유후와 양공은 한나라와 당나라에 대해서 공로가 크다. 옛날에 큰 일을 이룬 사람은 구구한 작은 충성으로 사람들의 이목을 끌지 않았으니 뜻을 멀고도 큰 곳에 두었을 뿐이었다.

觀物內篇之九 관물내편 9

[10-9-1]

仲尼曰, "善人爲邦百年, 亦可以勝殘去殺, 誠哉是言也." 自極亂至于極治, 必三變矣.

<hr />

55 留侯는 張子房, 즉 장량을 말한다. 다른 판본에는 유후가 아니라 絳侯로 되어 있다. 강후는 周勃을 말한다. 『性理羣書句解』에서도 주발을 예로 들고 있다. "어찌 한나라 주발이 아니었다면 여후가 전제했겠는가? 여후가 난을 일으키자 주발이 일어나 주살하였다.(豈非漢室之周勃, 呂后顓制, 諸呂作難, 勃起而誅之.)" 周勃은 한 나라 高祖 때 사람으로 유방의 공신이다. 고조를 도와 천하를 평정하였고, 呂氏 일가를 죽이고 漢室을 편안하게 하여, 벼슬이 丞相에까지 올랐다.

56 『性理羣書句解』: "또 어찌 당나라 적인걸이 아니었다면 무후가 전제했겠는가? 외척들이 함부로 하자 적인걸이 일어나 주살했다.(又豈非唐之狄仁傑, 武后專制, 外戚擅私, 仁傑起而誅之)" 梁公은 적인걸이다. 狄仁傑은 중국의 則天武后가 세운 武周 시대의 宰相으로, 中宗을 다시 태자로 세우도록 하여 唐 왕조의 부활에 공을 세웠으며 수많은 인재들을 천거하여 唐의 중흥에도 크게 기여하였다.

57 王植, 『皇極經世書解』: "(황기가 말했다.) 여후와 측천무후 때에는 신하되기가 어려웠는데 강후 주발과 양공 적인걸이 천하의 일을 자신으로 이루고, 또 그 바름을 잃지 않고 살았으니, 그 충성과 지혜는 헛되이 살고 헛되이 죽는 것으로 본다면 어찌 같은 것으로 말할 수 있겠는가! 앞 두편과 이편은 모두 세상을 경영하는 큰 일로서 그 지위에서 잘 처신할 수 있는 것이니 천도와 변화와 왕도의 권도이다.(呂武之際, 難乎其爲臣矣, 而絳侯周勃梁公狄仁傑, 天下之事, 由我而成, 且不失其正而生焉, 此其爲忠與智, 視處身於虛生虛死之地者, 豈可同年而語哉! 前二篇及此篇, 皆經世大事, 當其位而能善處, 則天道之變, 王道之權也.)"

공자가 말하기를, "'선한 사람이 나라를 백 년 동안 다스리면 잔혹한 사람을 교화시키고 사형을 없앨 수 있다.'고 하니, 이 말은 참되다."[58]라고 했다. 매우 혼란한 때에서 매우 질서 잡힌 때(잘 다스려진 때)에 이르려면 반드시 세 번의 변화를 거쳐야 한다.[59]

[10-9-1-0]

變極亂爲極治, 亦必有漸, 故必至于三變也.

매우 혼란한 때가 변화하면 잘 다스려진 때가 되는 것 또한 반드시 점차적인 과정이 있어야 하므로 반드시 세 번의 변화를 거쳐야 한다.[60]

．．．．．．．．．．．．．．．．．

58 『論語』「子路」. 주자는 『集註』에서 다음과 같이 설명하고 있다. "'勝殘'은 잔혹한 사람을 교화시켜서 악행을 하지 못하게 하는 것이고, '去殺'은 백성들이 선으로 교화되어 형벌을 쓰지 않을 수 있다는 말이다.(勝殘, 化殘暴之人, 使不爲惡也. 去殺, 謂民化於善, 可以不用刑殺也.)"

59 王植, 『皇極經世書解』: "(황기가 말했다.) 이것은 또 앞의 세 장의 큰 뜻을 총괄하여 사람들에게 경세의 도를 보인 것이다. 3번 변한다는 것은 매우 혼란할 때로부터 매우 잘 다스려진 때에 이르기까지 그 사이에 小康의 시기가 있다는 말이다. 한 번 변하는 것은 30년이니 세 번 변하는 것은 백 년으로 대략의 수를 말한 것이다. 오패로서 삼왕을 바라보면 삼왕의 때가 또한 잘 다스려졌다고 말할 수 있지만 그 사이에 소강의 시기가 없지 않고, 오패로서 오제를 바라보면 오제의 때가 매우 잘 다스려졌다고 말할 수 있지만 그 사이에 또한 소강의 시기가 없지 않다. 선한 사람이 공을 쌓고 오래도록 행위를 누적하여 생명을 살리는 일에 이르지만 살리는 일이 없어진 후에는 점차로 소생시키지 않을 수 없다. 이것이 세 번 변해야 패도에서 皇의 시기에 이르는 것이다. 따스하기가 봄과 같으면 반드시 죽음이 없을 것이고, 춥기가 겨울과 같으면 반드시 살리는 일이 없을 것이며, 덥기가 여름과 같으면 살리고 죽이는 것이고 서늘하기가 가을과 같으면 죽이고 살리는 것이다. 하늘이 시절에 대해서 반드시 봄으로부터 세 번 변하여 겨울에 이르니 사물을 죽이는 데에 급작스럽게 하지 않고 겨울에서 한 번 변하여 봄에 이르니 사물을 살리는 것은 매우 빠르다는 것을 알 수 있다. 하늘이 운행하는 신묘함이 이와 같으니 어찌 선한 사람이 알 수 있겠는가. 반드시 성인의 造化가 있는 연후에 昊天의 조화에 합치할 수 있다. 그래서 '일년이면 기강을 펼 수 있고, 삼년이면 치적을 이룰 수 있다.'고 했다. (此又總前三篇大意, 而示人以經世之道. 言三變者, 自極亂至於極治, 其間, 有小康焉. 一變而三十年, 三變而曰百年, 舉大數言也. 以五伯而望三王, 雖三王亦可謂之極治, 而其間不無小康之時矣, 以五伯而望五帝, 則五帝固可謂之極治, 而其間亦不無小康之時焉. 善人積功累行, 以至於生, 盖無生之後, 不得不以其漸耳, 此所以三變而自伯至於皇. 溫其如春則必無殺矣, 冽其如冬則必無生矣, 燠其如夏則生而殺, 淒其如秋則殺而生也. 天之於時也, 必自春三變而至於冬, 以見其殺物之不驟也, 自冬一變則即至於春矣, 以見其生物之至銳也. 回斡之神如此, 豈非人所能知. 必有聖人之造化而後, 可以合昊天之造化. 故曰朞月而已可也, 三年有成.)"

60 이 단락에 대해서 왕식은 왕식본 『皇極經世書解』에서 다음과 같이 설명한다. "이것은 위의 두 편의 뜻을 이어서 도에 귀결시키고 도는 인륜에 귀결시키고 마지막으로 사람에 귀결시켰으니 먼저 나라를 백년 동안 다스린다는 것으로 지극한 도를 이끌어 내었다. 그 뜻은 선한 사람이 잔혹한 사람을 교화시키고 사형을 없앨 수 있다는 데에 중점이 있는 것이 아니라 백년에 세 번 변한다는 점에 중점이 있으니 세 번 변한다는 뜻은 또한 공자가 '한 번 변하여 노나라 경지에 이르고 한 번 변하여 도에 이른다.'는 것으로부터 온 것이다.(此承上二篇之意而歸之于道, 道歸之倫而末歸之人, 先以爲邦百年, 引起至道. 意不重善人之勝殘去殺, 重在百年三變, 三變意亦自孔子一變至魯一變至道來.)"

[10-9-2]

三皇之法無殺, 五伯之法無生, 伯一變, 至于王矣, 王一變, 至于帝矣, 帝一變, 至于皇矣. 其于生也, 非百年而何!

삼황의 법은 죽이는 일이 없고 오패의 법은 살리는 일이 없어서 패伯가 한 번 변화하면 왕王에 이르고, 왕이 한 번 변화하면 제帝에 이르고, 제가 한 번 변화하면 황皇에 이르니, 살리는 일에 백 년이 걸리지 않으면 어떻게 하겠는가!

[10-9-2-0]

古者謂三十年爲一世. 天時人事更一世則變. 變極治而爲極亂, 變極亂而爲極治, 皆有漸次. 世變至于三, 則幾百年也.

옛날에는 30년을 한 세대라고 했다. 천시天時와 인간사는 한 세대가 지나면 변화한다. 잘 다스려진 때가 변화하여 매우 혼란한 때가 되고 매우 혼란한 때가 변하여 잘 다스려진 때가 되는 것은 모두 점차적인 과정이 있다. 세대 변화가 3번째에 이르면 거의 백 년이다.

[10-9-3]

是知三皇之世如春, 五帝之世如夏, 三王之世如秋, 五伯之世如冬. 如春, 温如也, 如夏, 燠如也, 如秋, 凄如也, 如冬, 冽如也.

이것으로 삼황三皇의 시대는 봄과 같고 오제五帝의 시대는 여름과 같고 삼왕三王의 시대는 가을과 같고 오패五伯의 시대는 겨울과 같음을 알 수가 있다. 봄과 같다는 것은 따스한 것이고, 여름과 같다는 것은 더운 것이고, 가을과 같다는 것은 서늘한 것이고, 겨울과 같다는 것은 차가운 것이다.

[10-9-3-0]

皇帝王伯, 春夏秋冬, 其時如此, 温燠凄冽, 其變如此.

황·제·왕·패는 봄·여름·가을·겨울로서 그 때가 이와 같고, 따스함·더움·서늘함·차가움으로 그 변화가 이와 같다.

[10-9-4]

春夏秋冬者, 昊天之時也. 易書詩春秋者, 聖人之經也. 天時不差, 則歲功成矣, 聖經不忒, 則君德成矣.

봄·여름·가을·겨울은 호천昊天[61]의 때이다. 역·서·시·춘추는 성인의 경전이다. 하늘의 때가 어

---

61 호천: 『爾雅』「釋天」에서 "여름이 호천이다.(夏爲昊天.)"라고 했고 이에 대해 郭璞은 "기가 밝아 성한 것을 말한다.(言氣皓旰.)"고 주를 달았다. 『詩經』「王風·黍離」에는 "悠悠蒼天"이라고 했는데 孔穎達은 今文尙書에서 구양생이 "봄을 호천이라 말한다.(春曰昊天.)"는 말을 인용하고 있다. 昊의 기본적인 뜻은 여름날 원기가

굿나지 않으면 한 해의 공功[62]이 완성되고, 성인의 경전이 어긋나지 않으면 군주의 덕이 완성된다.

[10-9-4-0]

天時聖經, 其道一也. 歲功君德, 由此而成也.

하늘의 때와 성인의 경전은 그 도가 하나이다. 한 해의 공과 군주의 덕은 이것으로부터 완성된다.

[10-9-5]

天有常時, 聖有常經. 行之正, 則正矣, 行之邪, 則邪矣. 邪正之間, 有道在焉. 行之正, 則謂之正道, 行之邪, 則謂之邪道. 邪正由人乎? 由天乎?

하늘에는 일정한 때가 있고 성인에게는 일정한 경전이 있다. 그것을 시행하는 데에 올바르면 바르게 되고, 그것을 시행하는 데에 사특하면 사특하게 된다. 사특함과 올바름 사이에는 도가 있다. 그것을 시행하는 데에 올바르면 정도正道라고 하고, 그것을 시행하는 데에 사특하면 사도邪道라고 한다. 사도와 정도는 인간으로부터 비롯되는가? 아니면 하늘로부터 비롯되는가?[63]

. . . .

왕성하여 만물이 성장한다는 뜻이다. 『書經』 「堯典」에서 "이에 희와 화에게 명하시어 호천을 경건히 하여 따르게 하고, 해와 달과 별과 해·달의 만나는 자리를 역법으로 헤아려 농민의 경작 시기를 경건히 주라고 하셨다.(乃命羲和, 欽若昊天, 曆象日月星辰, 敬授人時.)"라고 했는데 이에 대해서 蔡沈 『集傳』에서는 "호천이란 광대한 뜻이다.(昊天, 廣大之意.)"라고 설명하고 있듯이 푸른 하늘(蒼天)을 의미하고 昊란 원기가 왕성한 모습을 말한다.

62 한해의 功: 歲功은 일 년의 시서時序를 말한다. 『漢書』 「律曆志上」: "權者, 銖兩斤鈞石也. … 四萬六千八十銖者, 萬一千五百二十物曆四時之象也. 而歲功成就, 五權謹矣."

63 王植, 『皇極經世書解』: "(황기가 말했다.) 장행성이 말하기를 도는 하나일 뿐이니 하늘은 하나로써 사계절을 주관한다. 양으로써 음을 통솔하면 올바르지 않음이 없다. 도는 둘이니, 인과 불인일 뿐이고, 땅이 둘로써 사방을 주관한다. 음이 양을 따르지 않으면 어질지 않고 올바르지 않으며 이것이 도에 사도와 정도가 있게 되는 것이다. 바르지 못한 사람이 되고 사도를 행하는 것은 누구의 잘못인가? 사람의 과실이고 하늘의 과실이 아니다. 中和를 지극히 하면 양을 안으로 하고 음을 밖으로 하며 군자를 안으로 하고 소인을 밖으로 하니 세상의 도리가 날로 올라가고 예악이 날로 융성하지만, 중화를 이루지 못하면 음을 안으로 하고 양을 밖으로 하며 소인을 안으로 하고 군자를 밖으로 하니 세상의 도리가 날로 떨어지고 예악이 날로 더럽혀진다. 이로부터 말하자면 과연 사람의 과실이지 하늘의 과실이 아니다.(張氏行成曰, 夫道一而已矣, 天以一主四時, 陽以統陰, 則無不正, 道二, 仁與不仁而已矣, 地以二主四維, 陰不從陽, 則不仁而不正, 此道所以有邪正也. 爲邪人行邪道, 誰之過歟? 曰人也, 非天也. 致中和, 則內陽而外陰, 內君子而外小人, 世道日升而禮樂日以隆, 不中不和, 則內陰而外陽, 內小人而外君子, 世道日降而禮樂日以汚. 由此言之, 果人也, 非天也.)" 장행성,『皇極經世觀物外篇衍義』: "한 번 음하고 한 번 양하는 것을 도라고 하니 그것을 잇는 것이 선이다. 음과 양은 본래 도에 모두 선하니 어찌 올바르지 않고 올바른 것이 있겠는가? 도에는 선하지 않음이 없으나 쓰임은 하나를 종주로 삼으니 하늘의 하나이다. 그러므로 맹자는 도는 하나일 뿐이라고 했다. 땅의 도에 올바르지 않음과 올바른 것이 있으니 體가 둘에서 세워지니 땅의 둘이다. 그러므로 공자는 '도는 둘이니 인과 불인이다.'라고 하였다. 체에는 정해진 用이 없으니 체와 용은 서로 바꾸어 사람이 셋이다.(一陰一陽之謂道, 繼之者善也. 陰陽本皆善, 道豈有邪正乎? 盖道無非善者, 用宗於一, 天之一也. 故孟子曰夫道一而已矣. 地道有邪正者, 體立於兩, 地之二

[10-9-5-0]

君子則正, 小人則邪. 邪正在人, 而所以使邪正之得行則在天, 故曰"由人乎, 由天乎?" 君子
小人, 正道邪道, 猶天之有消息盈虛. 消息盈虛莫非天也. 雖曰天, 亦由乎人也. 故聖人獨
責於人, 盡人事而後可以言天也. 苟一切歸之於天, 則人事廢矣. 是猶未嘗播種耕耘而罪歲
者也.

군자는 올바르고 소인은 사특하다. 사특함과 올바름은 사람에게 있으나 사특함과 올바름을 시행되게
하는 것은 하늘에 달려있다. 그래서 "인간으로부터 비롯되는가 아니면 하늘로부터 비롯되는가?"라고
했다. 군자와 소인, 정도와 사도는 하늘에 사라지고 자라나며 꽉 차고 텅 비는 것이 있는 것과 같다.
사라지고 자라나며 꽉 차고 텅 비는 것은 하늘이 행하는 것이 아님이 없다. 비록 하늘이라고 하지만
또한 사람으로부터 비롯된다. 그래서 성인은 오직 사람에게 책임 지운다. 인간사에 최선을 다한 뒤에
야 하늘을 말할 수 있다. 모든 책임을 하늘에게 돌리게 되면 인간사가 없어지게 된다. 이것은 마치
파종도 않고 밭을 갈지도 않고서 세월을 탓하는 것[64]과 같다.[65]

[10-9-6]

天由道而生, 地由道而成, 物由道而形, 人由道而行. 天地人物則異也, 其于由道一也.

하늘은 도를 따라 생겨나고 땅은 도를 따라 이루어지며 만물은 도를 따라 형성되고 사람은 도를 따라
행한다. 하늘과 땅, 사람과 만물은 다르지만 그것들이 도를 따르는 것은 한 가지이다.

[10-9-6-0]

嘗謂萬物莫不由之之謂道. 天地人物, 皆由乎道者也.

일찍이 생각해 보았는데, 만물이 따르지 않음이 없는 것을 도라고 한다. 하늘과 땅, 사람과 만물은
모두 도를 따른다.

[10-9-7]

夫道也者, 道也. 道無形, 行之則見于事矣. 如道路之道, 坦然使千億萬年行之, 人知其歸
者也.

- -

也. 故孔子曰'道二仁與不仁也.' 體無定用, 用無定體, 體用相易, 人之三也.)"

64 罪歲 : 죄를 그 해의 천재지변에 돌리는 것을 말한다. 『孟子』「梁惠王上」: "王無罪歲, 斯天下之民至焉."

65 王植, 『皇極經世書解』: "하늘의 때와 성인의 경전이라는 말은 3편에서 '때는 하늘에 있고 경전은 성인에게
있다.'는 것을 드러낸 것으로 행하는 것은 모두 사람에게 있고 행하는 데에 사도와 정도가 있어서 도의 올바름
과 바르지 못함이 나뉘게 된다. 이 도는 공자가 '도가 둘'이라고 할 때의 도로서 '하나는 바르고 하나는 바르지
못한 두 길이 있다.'고 한 것과 같다. '사람으로부터 비롯되겠는가 아니면 하늘로부터 비롯되겠는가.'라고
한 것은 사람으로부터 비롯된다는 점을 말한 것이다.(天時聖經, 見第三篇時在天經在聖, 而行之則皆在人, 行
有邪正, 而道之邪正分焉. 此道, 如孔子曰, 道二之道, 猶言有此兩路一正一邪, 曰由人乎由天乎謂由人也.)"

도라고 하는 것은 길이다. 도는 드러난 형체가 없지만 행하게 되면 그것이 일에서 드러난다. 마치 도로의 길이 평탄하여 천억만 년 동안 그 길을 가더라도 사람들이 돌아가는 곳을 아는 것과 같다.[66]

[10-9-7-0]

道無形跡, 故名之曰道, 以謂如道路之道. 名之曰道, 則已在乎形跡之間矣. 然則道果何在乎? 易曰, "一陰一陽之謂道," 孟子曰, "萬物莫不由之之謂道," 又曰, "道若大路然, 使天下之人由此而求之也." 聖人語道, 止可至此. 在學者潛心焉, 旣由乎道, 則知所歸矣.

도는 형체와 행적이 없으므로 이름을 지어 도라고 하여 도로의 길과 같다고 한다. 이름을 지어 도라고 했으니 이미 형체와 행적 사이에 드러난 것이다. 그렇다면 도가 과연 어디에 있겠는가?『역』에서 "한 번 음하고 한 번 양하는 것을 도라고 한다."[67]고 했고 맹자는 "만물이 이를 말미암지 않음이 없는 것을 도라고 한다."[68]고 했고 또 "도는 대로와 같다. 세상 사람들이 이를 말미암아 구하도록 한 것이다."[69]라고 했다. 성인이 도를 말한 것은 단지 여기에 이를 수 있을 뿐이다. 배우는 사람은 이점에 대해서 마음을 깊게 집중해야 한다. 이미 도를 말미암게 되었으면 돌아갈 바를 알 것이다.

[10-9-8]

或曰, "君子道長, 則小人道消, 君子道消, 則小人道長, 長者是, 則消者非也, 消者是, 則長者非也, 何以知正道邪道之然乎!" 吁, 賊夫人之論也.

어떤 사람이 말했다. "군자의 도가 자라나면 소인의 도는 줄고 군자의 도가 줄면 소인의 도는 자라난다. 자라나는 것이 옳다면 사라지는 것은 그르고, 사라지는 것이 옳다면 자라나는 것이 그른 것이니, 어찌 정도와 사도가 그러하다는 점을 알겠는가!"라고 한다. 아! 이는 사람을 해치는 논의이다.

---

66 王植,『皇極經世書解』: "이것은 도의 뜻을 밝혀서 두 층차로 나눈 것이다. 형체 이전에 있는 도로써 말하면 천지와 사람 및 만물은 도 가운데 있지 않은 것이 없으니 '도가 천지를 낳고 천지가 사람과 만물을 낳는다.'는 말이 이것이다. 이치가 구체적인 상황에 드러나게 되면 형체 이전에서부터 형체 이후까지 성으로부터 따르는 것과 사람이 말미암는 것까지 '도는 큰 길과 같다.'는 것이어서 구체적인 상황에서 드러나지만 도라고 말하지 않을 수가 없는 것이다. 사람은 고금을 막론하고 이를 행하며 모두 그 귀숙처를 알기 때문에 '사람으로부터 말미암는 것이지 하늘로부터 말미암는 것이 아니다.'라고 했다.(此申明道之義, 分兩層. 以形上之道言, 則天地人物莫不在道中, 所謂道生天地, 天地生人物者, 此也, 及理著於事, 則自形上而形下, 自性所率而爲人所由, 所謂道若大路然, 見之於事, 亦不可不謂之道也. 人無古今行之, 而皆知其所歸, 故曰由人而不由天也.)"
67 『周易』「繫辭傳上」5장
68 『孟子』에는 이 말이 보이지 않는다. 왕식본에서는 이 말이 생략되어 있다.
69 『孟子』「고자하」 "맹자가 말했다. '도는 대로와 같으니, 어찌 알기가 어렵겠는가! 사람들이 구하지 않는 것이 병통일 뿐이다. 그대가 돌아가 찾는다면 남은 스승이 있을 것이다.(曰, '夫道若大路然, 豈難知哉! 人病不求耳. 子歸而求之, 有餘師.')"『孟子』에 나온 말을 다른 식으로 풀어서 말했다.

有君子之道, 有小人之道. 君子小人之進退, 猶陰陽之消長也. 一陰一陽, 一消一長, 天之
道也. 然聖人未嘗不助陽而抑陰, 進君子而退小人. 蓋陽之與君子, 助而進之猶不足, 陰之
與小人, 抑而退之猶不能, 人事不可以不盡. 人事旣盡, 其成敗則繫乎天, 非人力之所及也.
故治亂, 天也. 君子不謂之天, 有人事存焉故也.

군자의 도가 있고 소인의 도가 있다. 군자와 소인의 나아가고 물러남은 음과 양이 사라지고 자라남과
같다. 한 번 음하고 한 번 양하며 한번 사라지고 한번 자라나는 것이 하늘의 도이다. 그러나 성인은
양을 돕고 음을 억누르며 군자를 나아가게 하고 소인을 물러나게 하지 않은 적이 없다. 이것은 양과
군자를 돕고 나아가게 하더라도 부족함이 있고 음과 소인은 억누르고 물러나게 하더라도 불가능함이
있기 때문이니, 인간사에서 최선을 다하지 않을 수 없다. 인간사에 최선을 다했다면 그 성패는 하늘
에 달린 것이지 인간의 힘이 미칠 수 있는 바가 아니다. 그래서 잘 다스려지고 어지러워짐은 하늘에
달렸다. 그러나 군자가 그것을 하늘에 달린 것이라고 말하지 않는 것은 인간사에서도 할 일이 있기
때문이다.

不日, 君行君事, 臣行臣事, 父行父事, 子行子事, 夫行夫事, 妻行妻事, 君子行君子事, 小
人行小人事, 中國行中國事, 夷狄行夷狄事, 謂之正道. 君行臣事, 臣行君事, 父行子事, 子
行父事, 夫行妻事, 妻行夫事, 君子行小人事, 小人行君子事, 中國行夷狄事, 夷狄行中國
事, 謂之邪道.

그러나 왜 이렇게 말하지는 않는가? "군주는 군주의 일을 행하고 신하는 신하의 일을 행하며, 아버지는
아버지의 일을 행하고 아들은 아들의 일을 행하며, 남편은 남편의 일을 행하고 아내는 아내의 일을
행하며, 군자는 군자의 일을 행하고 소인은 소인의 일을 행하며, 중국은 중국의 일을 행하고 오랑캐는
오랑캐의 일을 행하는 것을 정도正道라 한다. 군주가 신하의 일을 행하고 신하가 군주의 일을 행하며,
아버지는 아들의 일을 행하고 아들은 아버지의 일을 행하며, 지아비가 아내의 일을 행하고 아내가
지아비의 일을 행하며, 군자는 소인의 일을 행하고 소인은 군자의 일을 행하며, 중국은 오랑캐의 일을
행하고 오랑캐는 중국의 일을 행하는 것을 사도邪道라 한다."[70]

. . . .

70 王植, 『皇極經世書解』: "(황기가 말했다.) 음양이 자라나고 사라지는 것은 군자와 소인의 나아가고 물러남에
드러나니, 진실로 도의 사라지고 자라나는 것을 나아가고 물러나는 것으로 삼아서 사도와 정도를 논하지
않는다면 성인이 군자를 자라게 하고 소인을 사라지게 하는 도가 아닐 것이다. 그러므로 '사람을 해치는
논의'라고 했다. 천도가 사라지고 자라나는 것은 형체가 없지만 인간사에서 사도와 정도가 있는 것은 흔적이
있다. 그래서 인간사를 보면 천도가 밝게 드러난다. 군주는 신하의 벼리가 되니 신하는 결코 임금의 자리를
침범할 수 없으며, 아버지가 아들의 벼리가 되니 아들은 결코 아버지의 명령을 거역할 수가 없으며, 지아비는
아내의 벼리가 되니 아내는 결코 지아비인 양을 감당할 수가 없으며, 군자는 소인을 반드시 다스리니 소인은
결코 군자의 능력[器]을 업신여길 수 없으며, 중국은 오랑캐를 반드시 통솔하니 오랑캐는 결코 중국의 국경을

君行君事, 臣行臣事, 父行父事, 子行子事, 夫行夫事, 妻行妻事, 君子行君子事, 小人行小人事, 中國行中國事, 夷狄行夷狄事, 則上下各得其所而天下治矣. 故謂之正道. 反此則亂矣, 故謂之邪道.

군주가 군주의 일을 행하고 신하가 신하의 일을 행하며, 아버지가 아버지의 일을 행하고 아들이 아들의 일을 행하며, 남편이 남편의 일을 행하고 아내가 아내의 일을 행하며, 군자가 군자의 일을 행하고 소인이 소인의 일을 행하며, 중국이 중국의 일을 행하고 오랑캐가 오랑캐의 일을 행하면 상하가 각각 그 마땅한 곳을 얻어 세상이 잘 다스려진다. 그러므로 정도라 한다. 이와 반대되면 혼란하니 그러므로 사도라 한다.[71]

[10-9-10]

至于三代之世治, 未有不治人倫之爲道也. 三代之世亂, 未有不亂人倫之爲道也. 後世之慕三代之治世者, 未有不正人倫者也. 後世之慕三代之亂世者, 未有不亂人倫者也.

삼대의 대대로 잘 다스려진 데에 이르러서는 인륜이 도가 되는 것을 다스리지 않은 적이 없었고, 삼대의 대대로 혼란한 데에서는 인륜이 도가 되는 것이 혼란하지 않은 적이 없었고, 후세에 삼대의 잘 다스려진 시대를 흠모한 사람은 인륜을 바르게 하지 않은 자가 없었고, 후세의 혼란한 시대를 흠모한 사람은 인륜을 혼란하게 하지 않은 자가 없었다.

[10-9-10-0]

所以謂之人倫者, 尊卑上下皆得其理而已. 得其理則治, 失其理則亂. 治則興, 亂則亡, 自古皆然也. 嗚呼! 人倫不明而欲治天下, 其可得乎! 堯以是傳之舜, 舜以是傳之禹. 三代之

침략할 수 없다.(陰陽消長, 見於君子小人之進退, 苟以道之消長, 爲進退而不論其邪正, 則非聖人長君子消小人之道矣, 故曰賊夫人之論也. 天道消長, 無形, 人事邪正, 有迹, 是故觀於人事, 而天道明矣. 君爲臣綱, 臣決不可以干君之位, 父爲子綱, 子決不可以逆父之命, 夫爲妻綱, 妻決不可以當夫之陽, 君子必治小人, 小人決不可以乘君子之器, 中國必統夷狄, 夷狄決不可犯中國之疆.)

71 王植,『皇極經世書解』: "이것은 거듭 정도와 사도의 차이를 밝힌 것으로 어떤 사람의 '군자와 소인은 각각 그 길이 있으니 이것은 사람으로부터 비롯된 것이 아니라 하늘의 뜻으로부터 비롯된 것이다.'라는 질문을 상정한 것이다. '不曰'이라는 말은 '어찌 그렇다고 말하지 않는가?'라는 말과 같다. 예를 들어『論語』에서 '견고하다고 하지 않겠는가. 희다고 하지 않겠는가?'라는 말과 같다. 상하, 존비, 中外가 각각 자신의 분수를 편안하게 지키면 정도가 되니 군자의 도가 자라나는 때이고 그르다고 할 수가 없지만, 이와 반대되면 사도가 되니 군자의 도가 사라지는 때이고 옳다고 할 수 없다. 정도와 사도의 구분은 이와 같으니 진실로 정도와 사도가 사람으로부터 비롯되는 것이지 하늘로부터 비롯된 것이 아니다.(此申明正道邪道之分, 因設或人之問君子小人各有其道, 此即不由人而由天之意也. 不曰者, 猶言豈不曰, 若論語不曰堅乎, 不曰白乎之云. 上下尊卑中外, 各安其分則爲正道, 即君子道長之時, 不得以爲非也, 反是則爲邪道, 即君子道消之時, 不得以爲是也. 正道邪道之分, 如此, 信乎邪正由人而不由天也.)"

聖君, 莫不由此以治天下. 孔孟莫不以此垂教於萬世. "楊氏爲我, 是無君也, 墨氏兼愛, 是無父也. 無父無君, 是禽獸也." 爲我兼愛, 豈不美哉! 其弊則至於無父無君, 爲天下之害也大矣.

인륜이라고 말하는 것은 존비尊卑·상하上下가 모두 그 이치를 얻은 것일 뿐이다. 그 이치를 얻으면 다스려지고 그 이치를 잃으면 혼란하다. 다스려지면 흥성하고 혼란하면 망하는 것은 옛날부터 모두 그러했다. 아! 인륜을 분명하게 밝히지 않고서 세상을 다스리려고 하면 가능하겠는가! 요임금은 이 도道로 순임금에게 전달했고 순임금은 이 도로 우임금에게 전달했다. 삼대의 성군聖君은 이것을 말미암아 세상을 다스리지 않음이 없었다. 공자와 맹자는 이 도로 가르침을 만세에 드리웠다. 맹자는 "양주의 위아爲我는 군주를 무시하는 것이고 묵자의 겸애兼愛는 아버지를 무시하는 것이다. 군주를 무시하고 아버지를 무시하는 것은 금수와 같다."[72]고 했다. 위아와 겸애가 어찌 아름답지 않겠는가! 그러나 그 폐단이 아버지를 무시하고 군주를 무시하는 데에 이르게 되니 세상에 끼치는 해로움이 크다.

[10-9-11]

自三代而下, 漢唐爲盛. 未始不由治而興, 亂而亡. 況其不盛于漢唐者乎?

삼대 이하로는 한나라와 당나라가 성대했다. 잘 다스림으로부터 흥하고 혼란함으로부터 망하지 않은 적이 없다. 하물며 한나라와 당나라보다 성대하지 않았던 경우는 어떠하겠는가?

[10-9-11-0]

三代之盛王皆由明人倫而興. 其後世皆由廢人倫而亡. 漢唐不逮三代之盛, 其興也亦莫不由此而興, 其亡也亦莫不由此而亡. 如唐之太宗, 人倫已不甚明矣, 故其後世數致禍亂. 嗚呼! 有天下者, 人之大倫, 其可廢乎? 捨是則與禽獸夷狄奚擇? 夷狄之相殘, 禽獸之相食, 以無人倫故也.

삼대의 성대한 왕은 모두 인륜을 밝혀서 성대해졌다. 그 후세는 모두 인륜을 폐했기 때문에 망했다. 한나라와 당나라가 삼대의 성대함에 미치지 못하지만, 그 흥성함도 이로 말미암아 흥성했던 것이고, 그 망함도 이로 말미암아 망하지 않음이 없었다. 당태종 같은 이는 인륜을 분명하게 밝히지 못했기 때문에 그 후세가 자주 재앙과 혼란을 겪었다. 아! 천하를 소유한 자가 사람의 큰 인륜을 폐할 수가 있겠는가? 이를 버리면 금수와 오랑캐를 어떻게 선별하겠는가? 오랑캐가 서로 싸우고 금수가 서로 잡아 먹는 것은 인륜이 없기 때문이다.

[10-9-12]

其興也, 又未始不由君道盛, 父道盛, 夫道盛, 君子之道盛, 中國之道盛, 其亡也, 又未始不

72 『孟子』「滕文公下」

由臣道盛, 子道盛, 妻道盛, 小人之道盛, 夷狄之道盛.

흥성할 때에는 또한 군주의 도가 흥성하고, 아버지의 도가 흥성하고, 군자의 도가 흥성하고 중국의 도가 흥성한 것으로부터 비롯되지 않은 적이 없었고, 망할 때에는 또 신하의 도가 흥성하고, 아들의 도가 흥성하고 아내의 도가 흥성하고, 소인의 도가 흥성하고, 오랑캐의 도가 흥성한 것으로부터 비롯되지 않음이 없었다.[73]

[10-9-12-0]

臣不尊君, 子不順父, 妻不從夫, 夷狄之凌中國, 小人之勝君子, 皆亂之道也.

신하가 군주를 존중하지 않고, 아들이 아버지를 따르지 않고, 아내가 남편을 순종하지 않고 오랑캐가 중국을 능멸하고, 소인이 군자를 이기는 것이 모두 혼란의 도이다.[74]

[10-9-13]

噫! 二道對行, 何故治世少而亂世多邪, 君子少而小人多邪? 曰, "豈不知陽一而陰二乎?"

오호라! 두 도가 대립하여 행해지는데 어떤 이유로 잘 다스려진 시대가 적고 혼란한 시대가 많으며 군자가 적고 소인이 많은가? 대답했다. "어찌 양은 하나고 음은 둘인 것을 모르는가?"[75]

[10-9-13-0]

亂世多而治世少, 小人多而君子少, 由天之陰陽, 陽數奇而陰數耦, 陰常多於陽而陽常少於陰. 故君子之進也常難, 而退也常易, 小人之進也常易, 而退也常難. 理如是也.

혼란한 시대가 많고 잘 다스려진 시대가 적으며 소인이 많고 군자가 적은 것은 하늘의 음양에 양의 수가 홀수이고 음의 수가 짝수이며[76] 음이 항상 양보다 많고 양이 항상 음보다 적기 때문이다. 그래서

---

73 王植, 『皇極經世書解』: "(황기가 말했다.) 잘 다스려짐으로부터 흥성한 것은 삼대의 잘 다스려진 세상을 흠모한 사람이고 혼란으로부터 망한 것은 이른바 삼대의 혼란한 세상을 흠모한 사람이다.(由治而興, 所謂慕三代之治世者也, 由亂而亡, 所謂慕三代之亂世者也.)"

74 王植, 『皇極經世書解』: "이것은 인륜으로 도의 실체를 삼은 것이니 군주의 도리, 아버지의 도리, 군자와 중국의 도로써 바로 인륜을 말한다.(此以人倫爲道之實, 盖君道父道夫道君子中國之道, 正所謂人倫也.)"

75 王植, 『皇極經世書解』: "(황기가 말했다.) 두 도가 대립되어 행해지면 이것과 저것이 균등해야 하는데 다스려지는 날은 항상 적고 혼란한 날은 항상 많으며 군자는 항상 적고 소인은 항상 많으니 이는 어째서인가? 양은 홀수이니 하나이고, 음은 짝수이니 둘이기 때문이다. 이것을 알면 양은 도와주지 않을 수 없고 음은 억누르지 않을 수 없으니, 진실로 성인의 뜻이다.(二道對行, 則彼此均矣, 而治日常少, 亂日常多, 君子常少, 小人常多, 是何也. 以陽奇而一, 陰耦而二故也. 知此, 則陽不可不扶, 陰不可以不抑. 固聖人之意也.)"

76 『周易』 「繫辭傳下」 4장: "양의 괘는 음이 많고 음의 괘는 양이 많다. 그 이유는 무엇인가? 양의 괘는 홀수이고 음의 괘는 짝수이다. 그 덕행은 어떠한가? 양은 하나의 군주와 둘의 백성이니 군자의 도이고 음은 둘이 군주이고 하나의 백성이니 소인의 도이다.(陽卦多陰, 陰卦多陽. 其故何也? 陽卦奇, 陰卦耦. 其德行何也? 陽一君而二民, 君子之道也, 陰二君而一民, 小人之道也.)"

군자가 나아가는 것은 항상 어렵고 물러나는 것은 항상 쉬우며 소인의 나아감은 항상 쉬우며 물러남은 항상 어렵다. 이치가 이와 같다.[77]

[10-9-14]

天地尙由是道而生, 況其人與物乎? 人者, 物之至靈者也. 物之靈未若人之靈, 尙由是道而生, 又況人靈于物者乎? 是知人亦物也, 以其至靈, 故特謂之人也.

하늘과 땅도 이 도로부터 비롯되어 생겨나니 하물며 인간과 만물은 어떠하겠는가? 사람은 만물 가운데 가장 영특한 것이다. 만물의 영특함은 사람의 영특함만 같지 않은데도, 이 도로부터 비롯되어 생겨났거늘 또 만물보다 뛰어난 사람의 영특함은 어떠하겠는가? 이것으로부터 사람 역시 만물이지만 지극히 영특하기 때문에 특별히 사람이라고 한 것을 알 수가 있다.[78]

[10-9-14-0]

天地人物, 皆由道而生. 人靈於物者也. 靈於物, 故能宰萬物.

하늘과 땅, 사람과 만물은 모두 도를 말미암아 비롯되어 생겨났다. 사람이 만물보다 영특한 것이다. 만물보다 영특하기 때문에 만물을 주재할 수 있다.[79]

. . . .

77 王植, 『皇極經世書解』: "여기에서 삼대 이하의 잘 다스려진 시대가 적고 혼란한 시대가 많은 이유를 말했으니 하늘의 도는 한번 음하고 한번 양하는 것을 말한다. 성인이 도를 체득했으니 반드시 양을 돕고 음을 억누른다.(此言三代以下, 治少亂多之故, 盖道雖一陰一陽之謂, 聖人體道, 則必扶陽而抑陰也.)"

78 王植, 『皇極經世書解』: "(황기가 말했다.) 하늘과 땅은 매우 크고 만물은 매우 작다. 크건 작건 모두 이 도 가운데에서 비롯되어서 밖으로 나갈 수가 없다. 사람은 하늘과 땅에 비해서 보면 작지만 만물에 비해 보면 크다. 게다가 또 만물 가운데 지극히 영특하거늘 인간으로서 만물보다 못할 수가 있겠는가?(天地, 至大也, 物, 至小也. 無小無大, 皆由於是道之中, 莫得而外焉. 人視天地固小, 視物則大矣, 況又爲物之至靈, 可以人而不如物乎?)"

79 王植, 『皇極經世書解』: "여기서는 천도는 올바르고 사특함이 없는 데로 귀결된다는 것을 볼 수 있으니 사람은 천지가 낳은 것 가운데 가장 영특한 것으로 이 도로부터 비롯되어 생겨난 것이 아님이 없지만 하늘에만 모든 일을 위탁할 수는 없고 사람이 하늘을 이길 수 있음을 생각해야 한다. 세 번 변해서 皇에까지 이르는 것이 사람의 책임이 아니고 누구의 책임이겠는가? 그래서 반복해서 근원을 추론해서 사람에게 귀결 시켜지만 그 뜻을 말로 다하지 않은 것은 사람들이 깊이 생각하여 스스로 터득하게 하려고 한 것이다. 황기는 이 편을 앞의 세 편의 큰 뜻을 총괄해서 사람들이 세상을 경영하는 도리를 보인 것이라고 했는데, 분명 그러하지만 앞의 세 편만을 총괄한 것은 아니다. 도가 천지 만물의 근본이니 첫 번째 편과 두 번째 편의 뜻이고, 하늘의 때와 성인의 경전은 세 번째 편과 다섯 번째 편의 뜻이며, 황제왕패로 춘하추동을 나눈 것은 네 번째 편의 뜻이며 마지막에 사람 역시 만물이라는 말로 일깨웠으니 觀物의 뜻이 된다는 점을 총괄적으로 보였다.(此見天道究歸於有正而無邪, 盖人爲天地所生之最靈, 無不由是道而生者, 則不得諉之於天, 而當思人能勝天, 三變至皇, 非人之責而誰責歟? 故反覆推原, 仍歸之人, 而者言不盡, 欲人深思而自得之也. 黃氏, 以此篇爲總前三篇大意, 而示人以經世之道, 固是然, 不但總前三篇而已. 道爲天地萬物之本, 即第一篇二篇之意也, 天時聖經, 即第三篇五篇之意也, 皇帝王伯, 分春夏秋冬, 即第四篇之意也, 末以人亦物也一語, 點醒, 總見其爲觀物之指也.)"

[10-10-1]

日經天之元, 月經天之會, 星經天之運, 辰經天之世. 以日經日, 則元之元可知之矣, 以日經月, 則元之會可知之矣, 以日經星, 則元之運可知之矣, 以日經辰, 則元之世可知之矣. 以月經日, 則會之元可知之矣, 以月經月, 則會之會可知之矣, 以月經星, 則會之運可知之矣, 以月經辰, 則會之世可知之也. 以星經日, 則運之元可知之矣, 以星經月, 則運之會可知之矣, 以星經星, 則運之運可知之矣, 以星經辰, 則運之世可知之矣. 以辰經日, 則世之元可知之矣. 以辰經月, 則世之會可知之矣. 以辰經星, 則世之運可知之矣. 以辰經辰, 則世之世可知之矣.

일日[해]은 하늘의 원元을 경위經緯[80]하고 월月[달]은 하늘의 회會를 경위하고 성星[별]은 하늘의 운運을 경위하고 신辰(별자리)은 하늘의 세世를 경위한다.[81] 일로써 일을 경위하면 원元의 원元임을 알 수 있고, 일로써 월을 경위하면 원의 회임을 알 수 있고 일로써 성을 경위하면 원의 운임을 알 수 있고, 일로써 신을 경위하면 원의 세임을 알 수 있다. 월로써 일을 경위하면 회會의 원元임을 알 수 있고, 월로써 월을 경위하면 회의 회임을 알 수 있고, 월로써 성을 경위하면 회의 운임을 알 수 있고 월로써 신을

---

80 經緯 : 왕식은 經을 經緯의 뜻이라고 말하고 있고 황기가 "하늘이 經(날줄)이면 땅은 緯(씨줄)가 된다."고 말한 것을 잘못이라고 비판한다. '경위'란 직물의 가로줄과 세로줄이라는 의미이지만 사물의 조리나 질서를 의미하고 나아가 사물을 구획하여 다스린다는 의미이기도 하다. 여기서는 사물을 구획하여 다스린다는 의미이다.

81 황기는 乾兌離震이라는 괘를 대입하고 천문학에서 해와 달과 별의 주기적 변화를 가지고 설명하고 있다. 王植, 『皇極經世書解』: "일은 건괘가 되고, 월은 태괘가 되고 성은 이괘가 되고 신은 진괘가 되니 하늘의 四象이다. 해[日]가 하늘을 따라 도니 한 바퀴 돌고 다시 시작하면 한 해가 되므로 '元'이란 시작始이다. 달[月]은 해를 따라서 운행하니 반드시 해와 교차하여 반드시 合朔하면 한 달이 되므로 '會'란 교차交이다. 별[星]은 달을 따라서 드러나니 밤에 운행하여 그것을 헤아리면 하루가 되므로 '運'이란 운행行이다. 辰은 해와 달과 별이 모이는 곳으로 12개의 별자리가 있으니 위치를 순환하면서 별자리를 교대하여 옮겨서 한 時辰이 된다. 그래서 '世'는 차례대로 교대함代이다. 달과 별과 별자리는 모두 해를 중심으로 삼고 해가 365와 1/4일을 돌아서 하늘과 회합하면 한 해의 수가 동지에서 시작하니 이것이 이른바 歷元[역법]의 시작이다. 이로부터 달이 해와 교차하여 朔[초하루]이 되고 별이 12자리를 다 돌아 한 해가 이루어진다. 그래서 '한 해年를 들면 달月을 알 수 있고 달을 들면 날日을 알 수 있고 날을 들면 시간時을 알 수 있으니 陽이 음을 통솔한다. 이것이 하늘의 네 가지 변화가 땅의 네 가지 변화를 함축하는 것이고 일日의 변화가 月星辰의 변화를 함축하는 것이다.'(日爲乾, 月爲兌, 星爲離, 辰爲震, 天之四象也. 日隨天而轉, 則周而復始爲一歲, 是故元者始也. 月隨日而行, 則交必合朔爲一月, 是故會者交也. 星隨月而見, 則行以夜, 測爲一日, 是故運者行也. 辰則日月星之所集, 有十二次焉, 循環地位, 次以代遷爲一時, 是故世者代也. 凡月與星辰, 皆視日爲主, 日周三百六十五四分日之一而與天會, 歲數起於冬至, 此所謂歷元也. 自是月與日會而爲朔, 星窮於次而歲成. 故曰擧年見月, 擧月見日, 擧日見時, 陽統陰也. 是天四變含地四變, 日之變含月與星辰之變也.)"

경위하면 회의 세임을 알 수 있다. 성星으로써 일日을 경위하면 운運의 원元임을 알 수 있고, 성으로써 월을 경위하면 운의 회임을 알 수 있고, 성으로써 성을 경위하면 운의 운임을 알 수 있고, 성으로써 신을 경위하면 운의 세임을 알 수 있다. 신辰으로써 일日을 경위하면 세世의 원元임을 알 수 있고, 신으로써 월을 경위하면 세의 회임을 알 수 있고, 신으로써 성을 경위하면 세의 운임을 알 수 있고, 신으로써 신을 경위하면 세의 세임을 알 수 있다.[82]

[10-10-1-0]

皇極經世, 則日月星辰元會運世以相經, 而皆有數存焉.

황극경세는 일 · 월 · 성신, 원 · 회 · 운 · 세로 서로 경위했고 모두 유수有數가 있다.

[10-10-2]

元之元一, 元之會十二, 元之運三百六十, 元之世四千三百二十. 會之元十二, 會之會一百四十四, 會之運四千三百二十, 會之世五萬一千八百四十. 演[83]運之元三百六十, 運之會四千三百二十, 運之運一十二萬九千六百, 運之世一百五十五萬五千二百. 世之元四千三百二十, 世之會五萬一千八百四十, 世之運一百五十五萬五千二百, 世之世一千八百六十六萬二千四百.

원의 원은 1이고 원의 회는 12이고 원의 운은 360이고 원의 세는 4,320이다. 회의 원은 12이고 회의 회는 144이고 회의 운은 4,320이고 회의 세는 51,840이다. 운의 원은 360이고 운의 회는 4,320이고

- -

82 황기는 왕식본『皇極經世書解』에서 '以日經日'을 乾괘에, '以日經月'을 履괘에, '以日經星'을 同人괘에, '以日經辰'을 无妄괘에 배당하고서 건괘가 모두를 포괄한다고 말하고, '以月經日'을 夬괘에, '以月經月'을 兌괘에, '以月經星'을 革괘에, '以月經辰'을 隨괘에 배당하고서 쾌괘가 모두를 포괄한다고 하고, '以星經日'을 大有괘에, '以星經月'을 睽괘에, '以星經星'을 離괘에, '以星經辰'을 噬嗑괘에 배당하고 대유괘가 모두를 포괄한다고 하고, '以辰經日'을 大壯괘에 '以辰經月'을 歸妹괘에 '以辰經星'을 豐괘에 '以辰經辰'을 震괘에 배당하고서 대장괘가 모두를 포괄한다고 설명한다. 그리고 이렇게 말하고 있다. "한나라 이래로 歷數로 유명한 학파는 오직 太初 (한나라 무제에 나온 책력)와 大衍(당나라 일행 스님이 만든 책력)이다. 태초는 4,617년을 元으로 하고 81로 分을 삼았으며, 대연은 16,374,595,200을 원으로 하고 3,040을 분으로 삼았으나 모두 견강부회하여 천지의 수를 구하였으니 어찌 어긋남이 없겠는가? 두 학파는 지극히 소략하지만 황극경세는 매우 정밀하다. 그러나 七政을 미루어 살피고 위와 아래 수천만년을 거슬러 살피고 미루어 구하고 단서를 가지고 나머지를 모아서 모두 甲子에 모은 것은 대략 유사하니, 日甲, 月子, 星甲, 辰子로 한 것을 살펴보면 알 수 있다. 모든 日法은 많아야 10,000분일 뿐이지만 황극경세는 오직 129,600으로 일법을 삼고 10,800으로 時를 삼고, 360으로 分을 삼고, 12로 秒를 삼으니 이것이 황극경세가 지극히 정밀한 것이다.(由漢以來, 以歷數名家者, 惟太初大衍耳. 太初以四千六百一十七歲爲元, 以八十一爲分, 大衍以一百六十三億七千四百五十九萬五千二百爲元, 三千四十爲分, 皆附會牽合, 以求天地之數, 豈得無差哉? 二家至疎, 經世至密. 然推步七政, 逆考順求上下數千萬年, 履端歸餘, 總會於甲子, 則大備相似, 觀於日甲月子星甲辰子, 則可見矣. 凡日法多則萬分而已, 惟經世以一十二萬九千六百爲日法, 一萬八百爲時, 三百六十爲分, 十二爲秒, 此其所以爲至密歟.)"

83 演: 황기는 "원나라 대덕본에 '연자가 하나 더 있으나 삭제하는 것이 마땅하다."고 말하고 있다.

운의 운의 129,600이고 운의 세는 1,555,200이다. 세의 원은 4,320이고 세의 회는 51,840이고, 세의 운은 1,555,200이고 세의 세는 18,662,400이다.[84][85]

[10-10-2-0]

以日經日爲元之元, 其數一, 日之數一故也. 以日經月爲元之會, 其數十二, 月之數十二故也. 以日經星爲元之運, 其數三百六十, 星之數三百六十故也. 以日經辰爲元之世, 其數四千三百二十, 辰之數四千三百二十故也. 則是日爲元, 月爲會, 星爲運, 辰爲世, 此皇極經世一元之數也. 一元象一年, 十二會象十二月, 三百六十運象三百六十日, 四千三百二十世

· · · · · · · · · · · · · · · · · · · ·

84 이상의 내용을 도표화하면 이렇다.

원의 원 1	원의 회 12	원의 운 360	원의 세 4,320
회의 원 12	회의 회 144	회의 운 4,320	회의 세 51,840
운의 원 360	운의 회 4,320	운의 운 129,600	운의 세 1,555,200
세의 원 4,320	세의 회 51,840	세의 운 1,555,200	세의 세 18,662,400

이 도표의 내용은 1원은 12회, 360운, 4,320세, 129,600년으로 이루어졌음을 말하고 있다. 기본적으로 1원은 12회이고, 1회는 30운이고, 1운은 12세이고, 1세는 30년이다. 그래서 1元은 12회, 360운, 4,320세, 129,600년이고, 1會는 30운, 360세, 10,800년이고, 1運은 12세, 360년이며 1世는 30년이다. 그래서 1年(日)은 12月로 이루어졌고 1달은 30日로 이루어졌으며 하루는 12시진(辰)로 이루어진 것과 동일하다. 1년은 12달이고 360일이며 4,320시진이듯이 1원은 12회이고 360운이며 4,320세이다.

85 왕식, 『皇極經世書解』, 황기는 이 내용을 구체적으로 설명하고 있다. 즉 '원의 원'이 1인 것은 수가 1·1에서 일어나 바뀔 수 없는 것이고, 12는 첫 번째로 1에 12를 곱한 것이고, 360은 두 번째로 30으로 12를 곱한 것이고, 4,320은 세 번째로 12로 360을 곱한 것이다. '회의 원'이 12인 것은 12가 본래 원의 회의 수이고, 144는 12로 12를 곱한 것이고, 4,320은 30으로 144를 곱한 것이고 51,840은 12로 4,320을 곱한 것이다. '운의 원'이 360인 것은 360이 본래 원의 운의 수이고, 4,320은 12로 360을 곱한 것이고, 129,600은 30으로 4,320을 곱한 것이고, 1,555,200은 12로 129,600을 곱한 것이다. '세의 원'이 4,320인 것은 4,320이 본래 '원의 세'의 수이고, 51,840은 12로 4,320을 곱한 것이고, 1555,200은 30으로 51,840을 곱한 것이고, 18,662,400은 12로 1555,200을 곱한 것이라고 한다. 그리고 이어서 이렇게 말하고 있다. "일반적으로 1,2,3,4는 기수이며 生數라고 하고, 6,7,8,9는 책수이며 成數라 하니, 원회운세와 연월일시분초로 속한다. 생수는 5에서 극한에 이르게 되니 5를 만나면 변화해서 1이 되고, 성수는 10에서 극한에 이르게 되니 10을 만나면 변화해서 1이 된다. 이것은 마치 원회운세가 年에 이르면 5가 변화해서 1이 되고, 월일시분이 초에 이르면 10이 변해서 1이 되는 것과 같다. 원에 부착되어 있는 것은 1이고, 숫자가 일어나는 것이니 오직 1이 1이 되는 까닭을 알고 난 후에야 천지의 시작과 끝이 혼돈스러워 예측할 수 없다는 것에 찬연하게 순서가 있게 된다.(凡一二三四, 奇數, 曰生數, 六七八九, 策數, 曰成數, 以元會運世年月日時分秒屬之. 生數極於五, 遇五則變而爲一, 成數極於十, 遇十則變而爲一, 如元會運世, 至年五變爲一, 月日時分, 至秒十變爲一, 而元之所麗者一也, 數所由起也, 惟知一之所以爲一, 然後天地之終始, 渾然不測者, 粲然有序矣.)"

象四千三百二十時也. 蓋一年有十二月, 三百六十日, 四千三百二十時故也. 經世一元十二會, 三百六十運, 四千三百二十世, 一世三十年, 是爲一十二萬九千六百年, 是爲皇極經世一元之數. 一元在大化之間, 猶一年也. 自元之元更相變而至于辰之元, 自元之辰更相變, 而至于辰之辰而後數窮矣. 窮則變, 變則生, 生而不窮也. 皇極經世但著一元之數, 使人引而伸之, 可至于終而復始也. 其法皆以十二三十相乘. 十二三十, 日月之數也. 其數見于前, 此不復詳. 其消息盈虛之説不著于書, 使人求而得之, 蓋藏諸用也. 此易所謂天地之數也.

일日로써 일을 경위하는 것이 원의 원이 되는데 그 수가 1인 것은 해日의 수가 1이기 때문이다. 일로써 월月을 경위하는 것이 원의 회가 되는데 그 수가 12인 것은 달月의 수가 12이기 때문이다. 일로써 성星을 경위하는 것이 원의 운이 되는데 그 수가 360인 것은 별星의 수가 360이기 때문이다. 일로써 신辰을 경위하는 것이 원의 세가 되는데 그 수가 4,320인 것은 별자리辰의 수가 4,320이기 때문이다. 이것은 일日이 원元이 되고 월月이 회會가 되고 성星이 운運이 되고 신辰이 세世가 되는 것이고, 이것이 황극경세의 1원의 수이다. 1원은 1년을 상징하고, 12회는 12달을 상징하고 360운은 360일을 상징하고 4,320세는 4,320시진을 상징한다. 1년에는 12달이 있고 360일이 있고 4,320시진이 있기 때문이다. 황극경세의 1원은 12회이고 360운이며 4,320세인데 1세는 30년이므로 모두 129,600년으로 이것이 황극경세의 1원의 수이다. 1원元은 우주의 거대한 변화 사이에 있어서 1년과 같으니 원의 원에서부터 다시 서로 변하여 신의 원에 이르고, 원의 신으로부터 다시 서로 변하여 신의 신에 이른 후에 그 수가 궁해진다. 궁하면 변하고 변하면 생겨나니 생겨나서 끝이 없다. 『황극경세』는 다만 1원의 수를 써놓아서 사람들이 그것을 더 유추해서 넓혀 보도록 했으니 끝에 이르면 다시 시작할 수 있다. 그 방법은 모두 12와 30을 서로 곱한다. 12와 30은 1년과 한 달의 수이다. 그 수가 앞에 나타났기 때문에 여기서는 다시 상세하게 말하지 않겠다. 그것이 줄어들고 자라나며 가득차고 이지러지는 설명을 책에 쓰지 않아서 사람들이 구하여 그것을 알 수 있도록 했으니 작용 속에 감추어 둔 것이다.[86] 이것이 『역』에서 말하는 천지의 수[87]이다.

[10-10-3]
元之元, 以春行春之時也, 元之會, 以春行夏之時也, 元之運, 以春行秋之時也, 元之世, 以春行冬之時也. 會之元, 以夏行春之時也, 會之會, 以夏行夏之時也, 會之運, 以夏行秋之時也, 會之世, 以夏行冬之時也. 運之元, 以秋行春之時也, 運之會, 以秋行夏之時也, 運之運, 以秋行秋之時也, 運之世, 以秋行冬之時也. 世之元, 以冬行春之時也, 世之會, 以冬行夏之時也, 世之運, 以冬行秋之時也, 世之世, 以冬行冬之時也.

86 『周易』「繫辭傳上」5장
87 『周易』「繫辭傳上」9장

원의 원은 봄으로써 봄의 때를 운행함이고, 원의 회는 봄으로써 여름의 때를 운행함이고, 원의 운은 봄으로써 가을의 때를 운행함이고, 원의 세는 봄으로써 겨울의 때를 운행함이다. 회의 원은 여름으로써 봄의 때를 운행함이고, 회의 회는 여름으로써 여름의 때를 운행함이고, 회의 운은 여름으로써 가을의 때를 운행함이고, 회의 세는 여름으로써 겨울의 때를 운행함이다. 운의 원은 가을로써 봄의 때를 운행함이고, 운의 회는 가을로써 여름의 때를 운행함이고, 운의 운은 가을로써 가을의 때를 운행함이고, 운의 세는 가을로써 겨울의 때를 운행함이다. 세의 원은 겨울로써 봄의 때를 운행함이고, 세의 회는 겨울로써 여름의 때를 운행함이고, 세의 운은 겨울로써 가을의 때를 운행함고, 세의 세는 겨울로써 겨울의 때를 운행함이다.[88][89]

[10-10-3-0]

春夏秋冬一歲之運, 其變如此. 在大運亦然, 不過乎陰陽消長而已.

봄·여름·가을·겨울은 한 해의 운행으로 그 변화가 이와 같다. 거대한 운행 역시 그러하니 음양의 줄어듦과 자라남에 불과할 뿐이다.[90]

[10-10-4]

皇之皇, 以道行道之事也, 皇之帝, 以道行德之事也, 皇之王, 以道行功之事也, 皇之伯, 以

---

88 이상의 내용을 도표화하면 이렇다.

원(元) - 봄(春)	회(會) - 여름(夏)	운(運) - 가을(秋)	세(世) - 겨울(冬)
春之春	夏之春	秋之春	冬之春
春之夏	夏之夏	秋之夏	冬之夏
春之秋	夏之秋	夏之秋	冬之秋
春之冬	夏之冬	夏之冬	冬之冬

89 王植, 『皇極經世書解』: "(황기가 말했다.) 廖應淮가 말하기를 '땅의 동서남북은 하나로 고정되어 바뀌지 않지만 하늘의 봄·여름·가을·겨울은 다양하게 변하여 끝이 없다.'고 하니, 어찌 일 년만이 그러하겠는가? 한 달을 7일반씩 나눠보면 합삭은 봄이 되고, 상현은 여름이 되고, 보름이 가을이 되고, 하현은 겨울이 된다. 하루의 아침과 낮, 저녁과 밤, 한 시간의 앞뒤 4刻에서 순식간의 1초의 미세함도 그러하지 않음이 없다.(廖氏應淮曰, '地之東西南北, 一定而不易, 天之春夏秋冬, 萬變而不窮.' 豈獨一歲爲然? 以一月各七日半分之, 合朔爲春, 上弦爲夏, 既望爲秋, 下弦爲冬. 一日之旦晝夕夜, 一時之上下四刻, 以至瞬息一秒之微, 莫不皆然.)"

90 王植, 『皇極經世書解』: "사람들이 줄어드는 것을 바꾸어 늘어나게 하는 기틀과 혼란을 바꾸어 다스려지는 이치를 알게 해서 천지의 낳고 낳아서 끊임이 없는 도에 합치하게 하고자 한 것이다. 그러므로 앞의 다섯 편 이하는 줄어들고 자라나며 인습하고 개혁하는 의미를 말했고, 이 편과 아래 두 구절은 줄어들고 자라나는 원인과 인습하고 개혁하는 마땅함을 확실하게 말했다. 이 절에서 원회운세와 춘하추동으로 서로 섞어서 뜻을 드러낸 것은 아래 문장의 '때에는 줄어들고 늘어나는 것이 있어서 사계절로 나누지만 사계절에는 모두 봄의 뜻이 없는 곳이 없다.'고 했으니 仁이 네 가지 덕의 으뜸이 되어 자라나는 주체가 되고 줄어드는 것을 제어하는 기틀이 되는 것이 이것이다.(蓋欲人知易消爲長之機, 轉亂爲治之理, 以合於天地生生不窮之道. 故五篇以下, 言消長因革之義, 此與下二節, 乃確言消長之所以然與因革之所宜然也. 此節以元會運世與春夏秋冬, 錯互見義, 即下文所謂時有消長也, 雖分四時而春意無不在焉, 猶仁爲四德之元, 所以爲長之主而制消之幾者, 此也.)"

道行力之事也. 帝之皇, 以德行道之事也. 帝之帝, 以德行德之事也. 帝之王, 以德行功之事也. 帝之伯, 以德行力之事也. 王之皇, 以功行道之事也. 王之帝, 以功行德之事也. 王之王, 以功行功之事也. 王之伯, 以功行力之事也. 伯之皇, 以力行道之事也. 伯之帝, 以力行德之事也. 伯之王, 以力行功之事也. 伯之伯, 以力行力之事也.

황皇의 황은 도道로 도의 일을 행하고, 황의 제帝는 도로 덕德의 일을 행하고, 황의 왕王은 도로 공功의 일을 행하고 황의 패伯는 도로써 힘[力]의 일을 행한다. 제帝의 황은 덕으로 도의 일을 행하고, 제의 제는 덕으로 덕의 일을 행하고, 제의 왕은 덕으로 공로의 일을 행하고 제의 패는 덕으로 힘의 일을 행한다. 왕의 황은 공로로 도의 일을 행하고, 왕의 제는 공로로 덕의 일을 행하고, 왕의 왕은 공로로 공로의 일을 행하고 왕의 패는 공로로 힘의 일을 행한다. 패의 황은 힘으로 도의 일을 행하고, 패의 제는 힘으로 덕의 일을 행하고, 제의 왕은 힘으로 공로의 일을 행하고 패의 패는 힘으로 힘의 일을 행한다.[91][92]

• • • • • • • • • • • • • • • • • • • •

91 이상의 내용을 도표화하면 이렇다.

皇道		帝德		王功		伯力	
皇之皇	道之事	帝之皇	道之事	王之皇	道之事	伯之皇	道之事
皇之帝	德之事	帝之帝	德之事	王之帝	德之事	伯之帝	德之事
皇之王	功之事	帝之王	功之事	王之王	功之事	伯之王	功之事
皇之伯	力之事	帝之伯	力之事	王之伯	力之事	伯之伯	力之事

92 王植, 『皇極經世書解』. 황기는 황제왕패의 일들을 하늘의 운행과 연결하면서 설명하는데 『易』의 각 괘들을 배당시켜서 설명하고 있다. "전편에서 황제왕패는 성인의 때가 되고 춘하추동은 昊天의 때가 되니 하늘과 사람은 본래 하나이다. 그래서 모두 때[時]로써 말했으니 여기서 때와 상황[事]을 나누었지만 실제로는 하나일 뿐이다. 원회운세의 16자리가 춘하추동 가운데에서 각각 춘하추동을 운행하여 사람과 만물이 성하고 쇠하는 것이 여기에 달려 있으니 또한 성인의 때이다. 황제왕패 16자리가 道德功力 가운데에서 각각 도덕공력을 운행하여 기운의 기틀이 올라가고 내려가는 것이 여기에 달려 있으니 또한 호천의 때이다. 天度를 나누어 日數를 정하는 것은 乾이 日(해)이 되기 때문이다. 해가 북쪽에 가까우면 땅과의 거리가 멀어서 해가 뜨는 것은 이르지만 지는 것은 느리기 때문에 낮이 길어서 봄과 여름이 된다. 해가 남쪽에 가까우면 땅과의 거리가 가까워서 해가 뜨는 것은 늦지만 지는 것은 이르기 때문에 낮이 짧아 가을과 겨울이 되는 것이다. 하늘은 복괘에서 일어나 동쪽으로 가고 해는 박괘에서 일어나 북쪽으로 간다. 해가 서북쪽에 있으면 天氣가 입춘이 되어 태괘가 되고 해가 奎宿에 있으면 임괘가 춘분 卯方의 중앙에 해당하니 이것을 日中이라고 한다. '별[星]은 鳥宿이고, 알맞은 중춘이다.'고 한 것은 원의 원이 운행하여 원의 회에 이르러 삼황이 도로부터 덕에까지 미치게 된 때가 아닌가! 이것이 서남쪽에 있으면 입하가 되어 건괘가 되고 東井宿에 이르면 구괘로 하지인 午方의 중앙에 해당하니 이것을 日永이라고 한다. '별은 大火이고 바른 仲夏가 된다.'고 말한 것은 회의 원이 운행하여 회의 운에 이르고 오제가 덕으로부터 공로에 미치게 된 것이다. 다시 하늘이 구괘에 이르러 서쪽으로 가고 해가 쾌괘에 이르러 남쪽으로 가서 해가 동남쪽에 있으면 천기가 입추가 되어 否괘가 되고, 해가 남쪽에 있으면 승괘로 추분과 酉方의 중앙에 해당하니, 이것을 日中이라고 한다. '별은 虛宿이고 알맞은 중추가 된다.'고 한 것은 운의 원이 운행하여 운의 세에 이르고 삼왕이 공로로부터 힘[力]에 미치는 때가 아닌가! 이것이 동북쪽에 있으면 입동으로 곤괘가 되어 견우성에 이르면 복괘로 동지의 子方의 중앙에 해당하니 '日短'이라고 한다. '별은 昴宿이고 바른 중동이 된다.'고 한 것은 세의 원이 운행하여 원에 이르러 오괘가

[10-10-4-0]

皇帝王伯一世之事, 其道如此. 在萬世亦然, 不過乎因革而已.

황·제·왕·패는 한 세대의 일로서 그 도가 이와 같다. 만세라도 그러하니 인습하고 개혁하는 데에 불과할 뿐이다.

[10-10-5]

時有消長, 事有因革, 非聖人無以盡之. 所以仲尼曰, "可與共學, 未可與適道, 可與適道, 未可與立, 可與立, 未可與權." 是知千萬世之時, 千萬世之經, 豈可畫地而輕言哉!

천시天時는 줄어들고 늘어나는 것이 있고 인간사에는 인습하고 개혁하는 때가 있으니 성인이 아니라면 이 모든 것을 다할 수 없다. 그래서 공자는 "함께 배울 수는 있지만 함께 도에 나아갈 수가 없고, 함께 도에 나아갈 수는 있지만 함께 도를 현실에 세울 수는 없고, 함께 도를 현실에 세울 수는 있지만 함께 권도權道를 시행할 수 없다."[93]고 했다. 이것으로 천만세의 때와 천만세의 경經을 아니 어찌 한정을 해서 경솔히 말하겠는가![94]

[10-10-5-0]

時有消長, 事有因革, 消長之有變, 因革之有權. 千萬世之時, 千萬世之事, 非變非權, 其孰能盡之? 能盡權變者, 其惟聖人乎! 賢人則猶有所未盡也. 小人而曰權變, 則詐而已矣.

천시天時에는 줄어들고 늘어나는 것이 있고 인간사에는 인습하고 개혁하는 때가 있어서 줄어들고 늘어나는 데에는 변화가 있고 인습하고 개혁하는 데에는 권도가 있다. 천만세의 때와 천만세의 인간

....

힘으로부터 도로 돌아가는 것이다.(前篇皇帝王伯爲聖人之時, 春夏秋冬爲昊天之時, 天人本一也. 故皆以時言之, 此雖分時與事, 其實一耳. 盖元會運世一十六位, 春夏秋冬之中各行春夏秋冬, 而人物盛衰繫之, 是亦聖人之時也. 皇帝王伯一十六位, 道德功力之中各行道德功力, 而氣機升降繫之, 是亦昊天之時也. 夫分天度以定日數者, 乾爲日故也. 日近北則去地遠而出早入遲, 故晝長而爲春爲夏. 日近南則去地近而出遲入早, 故晝短而爲秋爲冬. 盖天起於復而東, 日起於剝而北及. 日在西北維, 則天氣立春而爲泰, 日在奎, 則臨當春分卯中, 是謂日中, 星鳥以殷仲春, 非元之元行至於會, 三皇由道及德之時乎! 此在西南維立夏爲乾, 至東井, 則姤當夏至午中矣, 是謂日永. 星火以正仲夏, 會之元行至於運, 五帝由德及功者也. 天至於姤而西, 日至於夬而南, 及日在東南維, 則天氣立秋而爲否, 日在南, 則升當秋分酉中, 是謂日中. 星虛以殷仲秋, 非運之元行至於世, 三王由功及力之時乎! 此在東北維, 立冬爲坤, 至牽牛則復當冬至子中矣, 是謂日短, 星昴以正仲冬, 世之元行至於元, 五伯由力而反諸道者也.)"

93 『論語』「子罕」

94 王植, 『皇極經世書解』: "(황기가 말했다.) 때에는 줄어들고 들어나는 것이 있어서 상황이 그것을 감응하고, 상황에는 인습하고 개혁하는 때가 있어서 때가 그것에 호응한다. 그러나 천명은 오직 하나의 마음에 달려 있으니 반드시 권도가 있어 그것이 지나치게 과도한 것을 제어하고 그 미치지 못하는 것을 끌면 줄어들고 늘어나는 것과 인습하고 변혁하는 것이 마땅히 변해야 할 것을 변혁하게 하니 어디를 간들 바른 도가 아니겠는가!(時有消長而事感之, 事有因革而時應之. 維天之命存乎一心, 必有權以裁其太過, 引其不及, 則消長因革變其所當變, 何往而非正道哉!)"

사를 변화와 권도가 아니라면 그 누가 다할 수 있겠는가? 그 권도와 변화를 다할 수 있는 자는 오직 성인일 뿐이다! 현인은 오히려 다하지 못하는 점이 있다. 소인이 권도와 변화를 행한다고 말하면 그것은 거짓일 뿐이다.[95]

[10-10-6]

三皇, 春也, 五帝, 夏也, 三王, 秋也, 五伯, 冬也. 七國, 冬之餘冽也. 漢王而不足, 晉伯而有餘. 三國, 伯之雄者也, 十六國, 伯之叢者也. 南五代, 伯之借乘也. 北五朝, 伯之傳舍也. 隋, 晉之子也, 唐, 漢之弟也. 隋季諸郡之伯, 江漢之餘波也, 唐季諸鎭之伯, 日月之餘光也. 後五代之伯, 日未出之星也.

삼황은 봄이고 오제는 여름이고 삼왕은 가을이고 오패는 겨울이다. 7국[96]은 겨울의 남은 냉기이다. 한나라는 왕도보다 부족하고[97] 진晉나라는 패도보다 낫다.[98] 3국[99]은 패도의 영웅이고 16국은 패도의 무더기이다.[100] 남조 오대五代는[101] 패도가 빌려 탄 수레이고 북조 오조五朝는[102] 패도의 여관[傳舍][103]이

. . . .

95 王植, 『皇極經世書解』: "줄어들고 늘어나며 인습하고 개혁하는 것을 권도로 귀결시켰으니 권도에는 내편 4편의 '變'이라는 뜻이 있다. 그 뜻은 권도와 변화하는 데에 있다면 때와 함께 실행해서 상황에 따라서 마땅함에 합치하여 상도에 집착하거나 하나에 고집하지 않아서 원회운세의 이치에 통달하여 도덕공력의 작용을 잘 사용하는 자이니 성인이 아니라면 누가 이렇게 할 수 있겠는가!(消長因革, 歸之於權, 權中有四篇變字, 意在權變, 則與時偕行, 隨事合宜, 不膠於常不執於一. 洞達乎元會運世之理, 以善其道德功力之用者也, 非聖人其孰能之!)"

96 七國: 七雄. 전국시대에 할거하던 일곱 개의 강국으로 秦, 楚, 燕, 齊, 趙, 魏, 韓을 말한다.

97 漢나라는 왕도보다 부족하고: 소강절은 송나라 이전의 모든 역사를 황제왕패의 기준으로 분류하고 있다. 춘추 오패와 전국 칠웅에 이어서 秦나라가 천하를 통일하지만 소강절은 진나라를 언급하지 않고 있다. 폭정 때문에 망했으므로 거론할 필요도 없기 때문인지도 모른다. 그 후에 한나라는 왕도가 되기에는 부족하다고 말한다. 한나라는 한 고조에 의해 세워진 후에 西漢(기원전 206~8)과 東漢(25~220)으로 나누어지고 서한은 평제 때에 왕망의 新(8~23)나라에 의해 찬탈되기도 했다. 후에 한나라 광무제가 다시 중흥하여 동한을 세우고 헌제에 이르러 조비 정권에 의해서 찬탈되어 魏·蜀·吳 삼국으로 鼎立된다. 또 위나라는 蜀漢을 멸망시키지만 동시에 司馬昭의 아들 司馬炎에 의해서 찬탈된다. 사마염은 국호를 晉나라로 고치고 삼국의 혼란을 통일한다. 한나라는 무제 때에 유교를 國敎로 삼았지만 왕도에 비교하여 부족하다고 말한 것은 이러한 분열의 시기를 거치기 때문이다.

98 晉나라는 패도보다 낫다: 265년에 사마소가 죽고 晉나라 왕의 자리를 계승한 사마염은 위나라 영제인 조환을 협박하여 선위를 요구했다. 선위를 받은 후에 조환을 陳留王으로 봉하고, 낙양에서 국호를 晉으로 바꾸고 황제의 자리에 오른다. 나중에 司馬睿가 세운 東晉(317~420)과 구별하기 위하여 西晉(265~317)이라 한다.

99 三國: 魏(220~266)·蜀(221~263)·吳(229~280) 삼국을 말한다.

100 16국은 패도의 무더기이다: 위나라와 晉나라를 이은 시대를 흔히 남북조 시대라고 한다. 그러나 진나라 다음에 5호 16국이라는 시대가 있었고 그 이후의 시대를 남북조 시대라고 한다. 삼국을 통일한 진나라가 8왕의 난 등 혼란한 상황으로 몰락하면서 강북 지역에서는 匈奴·羯(흉노의 별종)·鮮卑(터키계)·氐(티베트계)·羌(티베트계)이라는 5胡 즉 다섯 오랑캐 정권들이 정권을 수립하여 서로 흥망을 되풀이하였다. 이를 16국이라고 한다. 진나라는 양자강 이남으로 내려가 동진을 수립하고 양자강 이북에서는 16국끼리 싸우다가

다. 수나라는 진晉나라의 아들이고[104] 당나라는 한나라의 동생이다.[105] 수나라 말기에 여러 군郡의 패도는 강수江水와 한수漢水의 여파이고 당나라 말기에 여러 진鎭의 패도는 해와 달의 남은 빛이다.[106] 당나라 뒤 오대五代[107]의 패도는 해가 나오기 전의 별이다.[108]

[10-10-6-0]

三皇不言而化, 故於時爲春. 五帝典章備矣, 故於時爲夏. 三王法度成矣, 故於時爲秋. 五伯刑殺尚矣, 故於時爲冬. 得時之正者, 皇帝王伯而已. 漢雜乎伯, 故王而不足. 晉劣於漢, 故伯而有餘. 三國, 伯之盛強者也. 自十六國至于南北朝, 皆不足乎伯者也. 隋方之於晉, 猶父子也. 唐方之於漢, 猶兄弟也. 皆不足於王而雜乎伯者也. 隋季諸郡, 唐季諸鎭, 及乎五季, 皆不足道也. 故曰江漢之餘波, 日月之餘光, 日未出之星也.

삼황은 말하지 않고서도 교화시켰으므로 천시天時[109]로는 봄에 해당한다. 오제는 전장典章[110]을 갖추

前秦의 符堅에 의해 통일되었다. 이후 부견의 전진이 멸망하고 양자강을 기준으로 남쪽과 북쪽을 기준으로 남북조 시대가 되었다.

101 남조 오대: 宋(420~479), 齊(479~502), 梁(502~557), 陳(557~589)을 말한다.

102 북조 오조: 北魏(386~534), 東魏(534~550), 西魏(535~556), 北齊(550~577), 北周(556~581)를 말한다.

103 傳舍: 고대에 관원들이 휴식을 취하려고 묵었던 장소를 말한다. 지금의 여관에 해당한다.

104 수나라는 晉나라의 아들이고: 수나라(581~618)가 천하를 통일한 후에 煬帝의 폭정으로 이어져 晉나라의 폭정보다 더했다. 煬은 악랄한 황제를 뜻한다고 한다. 형인 황태자 勇을 살해하여 스스로 황태자가 되었고 간신인 楊素와 결탁하여 제위에 올랐는데, 그때 아버지 文帝를 살해하고 그 妃를 범하였다. 만리장성을 건설하고 대운하를 완성하는 등 대규모의 토목공사를 자주 벌임으로써 백성에게 과중한 부담을 주었다. 그 때문에 수나라는 진나라의 아들이라고 평가한다.

105 당나라는 한나라의 동생이다: 당나라(618-907)는 당태종이 즉위한 후에 현신을 천거하고 仁政을 베풀었고 貞觀之治를 이루었다. 한나라 고조가 秦나라의 형법을 간소화하고 학정을 없앤 뒤 문제와 경제가 文景之治를 이룬 것과 비교하였기 때문에 한나라의 동생이라고 평가한다.

106 수나라 말기에 … 빛이다: 수나라 말기와 당나라 말기는 천하의 혼란기로서 군웅이 할거하고 모두 황제를 참칭했다. 그래서 강수와 한수의 여파이고 해아 달의 남은 빛이라고 평가한다.

107 五代: 당나라 말에 다섯 왕조가 자주 뒤바뀐 시대를 季世라고 하는데 중국의 後五代를 말한다. 곧 당나라 말기 後梁·後唐·後晉·後漢·後周의 시대를 말한다.

108 王植, 『皇極經世書解』. 황기는 夬괘의 乾괘가 唐虞(요임금 순임금)가 되고 姤괘의 乾괘가 三代가 되지만 漢나라와 晉나라 이후로는 乾괘에 해당하는 것이 없다는 등 각 시대를 괘와 관련하여 설명하면서 世數와 運數가 다했다고 말한다. 우주의 운행과 기운의 변화를 『易』에서의 64괘의 변화에 견주어서 설명하고 있는 것이다. 그리고 마지막으로 "소강절이 송나라를 언급하지 않았지만 그 의도는 송나라를 해日로 삼은 것이니 어찌 송나라가 그 하늘이 된다고 생각한 것이 아니겠는가? 송나라가 나라를 세우고 위대한 강령의 올바름이 한나라보다 우월하고 만가지 조목의 정비가 당나라보다 열등하니 왕도와 패도의 사이일 뿐이다.(邵子此語, 雖不及宋, 然其意, 則實以宋爲日也, 豈不以宋其所天者乎? 宋之立國, 大綱之正, 優於漢, 萬目之張, 劣於唐, 是亦王伯之間爾矣.)"라고 하였다. 사실 소강절은 송나라를 해로 여긴 것이지만 황기는 왕도와 패도의 중간이라고 평가하고 있다.

었으므로 시기로는 여름에 해당한다. 삼왕은 법도法度[111]를 완성하였으므로 시기로는 가을에 해당한다. 오패는 형살刑殺[112]를 숭상하였으므로 시기로는 겨울에 해당한다. 천시의 올바름을 얻은 자는 삼황·오제·삼왕·오패일 뿐이다. 한나라는 패도와 뒤섞였으므로 왕도가 되지만 부족하다. 진晉나라는 한나라보다 열등하므로 패도가 되고도 남음이 있다. 삼국은 패도가 강성했던 것들이다. 16국에서 남북조에 이르기까지는 모두 패도가 되기에는 부족하다. 수나라는 진晉나라에 비교하면 아버지와 아들의 관계이다. 당나라는 한나라와 비교하면 형과 동생의 관계이다. 모두 왕도가 되기에는 부족하고 패도와 섞여있다. 수나라 말기 여러 군郡과 당나라 말기 여러 진鎭으로부터 오계五季까지는 모두 말할 것도 못된다. 그러므로 강수와 한수의 여파이고 해와 달의 남은 빛이고 해가 나오기 전의 별이라고 말했던 것이다.[113] [114]

[10-10-7]

自帝堯至于今, 上下三千餘年, 前後百有餘世, 書傳可明紀者. 四海之內, 九州之間, 或合或離, 或治或隳, 或强或贏, 或唱或隨, 未始有兼世而能一其風俗者, 吁! 古者謂三十年爲一世, 豈徒然哉? 俟化之必洽, 敎之必浹, 民之情始可以一變矣. 苟有命世之人繼世而興焉,

109 시기 : 時를 번역한 말이다. 여기서는 계절이라는 의미이지만 뒤에 '때의 올바름'(時之正)이라는 말과 연결하여 생각할 때 계절로 번역하기보다는 '시기'로 해석하는 것이 적절하다. 왜냐하면 시기 혹은 때에는 바르고 바르지 않은 적절함이 있기 때문이다.
110 典章 : 모든 제도와 법령과 예법을 통칭한다.
111 法度 : 法令, 度量衡 등의 제도의 규범과 기준을 말한다.
112 刑殺 : 사형에 처하는 것을 말한다.
113 王植, 『皇極經世書解』: "황제왕패로 황극경세의 삼천여년의 사적을 열거해서 논단했지만 모두 왕도가 되기에는 부족하고 패도의 위와 아래 정도에 머무르는 시대이니, 어찌 위로 오제의 시대나 그 위로 삼황의 시대를 바랄 수 있겠는가?(因皇帝王伯而歷擧經世三千餘年事, 論斷之, 皆不足於王而居伯之上下者也, 焉望上而帝又上而皇乎?)"
114 이상의 내용을 황기가 설명하고 있는 것과 관련하여 도표화하면 이렇다.

	三皇 - 春	五帝 - 夏	三王 - 秋	五伯 - 冬
元	元之元	元之會	元之運	元之世
	春之春	春之夏	春之秋	春之冬
	乾卦	履卦	同人卦	无妄卦
會	會之元	會之會	會之運	會之世
	夏之春	夏之夏	夏之秋	夏之冬
	夬卦	兌卦	革卦	隨卦
運	運之元	運之會	運之運	運之世
	秋之春	秋之夏	秋之秋	秋之冬
	大有卦	睽卦	離卦	噬嗑卦
世	世之元	世之會	世之運	世之世
	冬之春	冬之夏	冬之秋	冬之冬
	大壯卦	歸妹卦	豊卦	震卦

則雖民如夷狄, 三變而帝道可擧. 惜乎時無百年之世, 世無百年之人. 比其有代, 則賢之與不肖, 何止于相半也? 時之難, 不其然乎! 人之難, 不其然乎!

요임금부터 지금에 이르기까지 위와 아래로 3천 여 년과 앞과 뒤로 백여 세대이니 전기傳記에서 연대를 분명하게 밝힐 수 있다. 사해四海의 안과 구주九州 사이에서 여러 나라들이 합치하기도 하고 분리하기도 하며, 다스려지기도 하고 멸망하기도 하며, 강성해지기도 하고 약해지기도 하며, 앞서 주도하기도 하며 뒤로 따르기도 하여 처음부터 세상을 모두 아우르며 그 풍속을 하나로 할 수 있었던 사람이 없었으니, 슬프다! 옛날에 30년을 한 세대로 한 것이 어찌 아무런 이유도 없이 그렇게 했겠는가? 교화가 반드시 흡족하게 되고 교육이 반드시 스며들기를 기다려야 백성의 실정이 비로소 한번 변화될 수 있다. 진실로 뛰어난 사람이 세대를 이어서 나오면 백성들이 오랑캐와 같을 지라도[115] 세 번 변화시켜 제帝의 도를 일으킬 수 있을 것이다. 시대에는 백년이 이어지는 세대가 없고 세대에는 백년을 사는 사람이 없으니 애석하다. 좋은 시대가 있었던 것과 비교해 보면 현자와 불초한 사람이 어찌 단지 서로 절반쯤 되는데 그치겠는가? 때를 만나기가 어려우니 그렇지 아니한가! 인재를 얻기 어려우니 그렇지 아니한가![116]

[10-10-7-0]

上論歷代之治, 此又論治世少亂世多. 蓋自堯舜以來, 一治一亂, 興廢之間, 不過一二世, 而其風已衰矣. 自極亂而至極治, 俟化之必洽, 敎之必浹, 天下始一變矣. 古者謂三十年爲一世, 不獨天時之變如此, 在人事一變, 亦非三十年則不可. 苟有命世之人繼世而興, 雖民如夷狄, 三變而帝道可擧. 三變則百年矣, 故必百年而後功成治定也. 然時無百年之世, 世無百年之人, 比其有代, 子孫又未必皆賢, 而不克嗣述者多矣. 時之難如此, 人之難又如此, 則治世所以少而亂世所以多也.

위에서는 역대의 다스림을 논했고 여기서는 또 다스려진 시대는 적고 혼란한 시대는 많다는 점을 논했다. 요순 이래로 한 번 다스려지고 한 번 혼란하여 흥함과 망함 사이가 한 두 세대에 불과하여 그 풍속이 쇠락해졌다. 매우 혼란한 시대로부터 아주 잘 다스려진 시대에 이르기까지 교화가 반드시 흡족하게 되고 교화가 반드시 스며들기를 기다려야 세상이 비로소 한 번 변화한다. 옛날에 30년을 한 세대로 한 것은 단지 천시天時의 변화가 이와 같기 때문만이 아니라 인간사가 한 번 변하는 것 역시 30년이 아니라면 불가능하기 때문이다. 실로 뛰어난 사람이 세대를 이어서 나오면 백성들이 오랑캐와 같을 지라도 세 번 변하여 제의 도를 일으킬 수 있을 것이다. 세 번 변하면 백 년이므로

---

115 왕식본에는 "오패의 뒷일지라도(雖五伯之後)"라고 되어 있다. 소강절의 판본은 원래 이러한데 『性理大全』을 편찬하는 사람이 고쳤을 가능성이 많다.

116 관물내편 9장은 이렇게 시작한다. "공자가 말했다. '「선한 사람이 나라를 백 년 동안 다스리면 잔혹한 사람을 교화시키고 사형을 없앨 수 있다.」고 하니, 이 말은 참되다.'라고 했다. 매우 혼란한 때에서 매우 잘 다스려진 때에 이르려면 반드시 세 번의 변화를 거쳐야 한다.(仲尼曰, '善人爲邦百年, 亦可以勝殘去殺, 誠哉是言也.' 自極亂至于極治, 必三變矣.)" 여기서도 알 수 있듯이 소강절은 나라를 다스리는 데에는 3번 변화해야 한다고 생각하고 있는데 그것은 1세대 30년이 3번 변하는 것으로 대략 100년이다.

반드시 백 년이 지난 후에야 공이 이루어지고 다스림이 안정된다. 그러나 시대에는 백년이 이어지는 세대가 없고 세대에는 백년을 사는 사람이 없으니 좋은 시대가 있었던 것과 비교해 보면 자손도 반드시 모두 현자인 적이 없어서 선조를 계승하지 못한 자가 많다. 때를 만나기가 어려운 것이 이와 같고 인재를 만나기가 어려운 것도 이와 같으니 잘 다스려진 시대가 적고 혼란한 시대가 많은 이유이다.[117]

觀物內篇之十一 관물내편 11

[10-11-1]

太陽之體數十, 太陰之體數十二, 少陽之體數十, 少陰之體數十二. 少剛之體數十, 少柔之體數十二, 太剛之體數十, 太柔之體數十二.

進太陽少陽太剛少剛之體數, 退太陰少陰太柔少柔之體數, 是謂太陽少陽太剛少剛之用數. 進太陰少陰太柔少柔之體數, 退太陽少陽太剛少剛之體數, 是謂太陰少陰太柔少柔之用數. 太陽少陽太剛少剛之體數一百六十, 太陰少陰太柔少柔之體數一百九十二. 太陽少陽太剛少剛之用數一百一十二, 太陰少陰太柔少柔之用數一百五十二.

以太陽少陽太剛少剛之用數唱太陰少陰太柔少柔之用數, 是謂日月星辰之變數. 以太陰少陰太柔少柔之用數和太陽少陽太剛少剛之用數, 是謂水火土石之化數. 日月星辰之變數一萬七千二十四, 謂之動數, 水火土石之化數一萬七千二十四, 謂之植數. 再唱和日月星辰水火土石之變化通數二萬八千九百八十一萬六千五百七十六, 謂之動植通數.

태양의 체수體數는 10이고 태음의 체수는 12이며, 소양의 체수는 10이고 소음의 체수는 12이다. 소강의 체수는 10이고 소유의 체수는 12이며 태강의 체수는 10이고 태유의 체수는 12이다.[118][119]

---

117 王植, 『皇極經世書解』: "변화시켜서 황제의 도를 일으킬 수 있으면 그것으로 계승하고 변혁하여 줄어들고 자라나는 권도를 장악하는 것이 곧 황극경세 3편의 최종적인 목적이니 위와 아래로 옛날과 지금의 사물을 관찰하는 탁월한 식견이다.(變而帝道可擧, 則以因革, 握消長之權, 乃經世三篇之究竟, 而上下古今觀物之特識也.)"

118 王植, 『皇極經世書解』: "(황기가 말했다.) 윗 편의 원회운세는 歷이고 이 편의 음양강유는 律이다. 歷이란 양에 자리하여 음을 다스리므로 오로지 하늘만을 말하고 律은 음에 자리하여 양을 다스리므로 땅을 겸하여 말했다. 陽數는 1이 불어나서 10이 된 것으로 하늘의 1이 하늘의 9와 합하여 시작과 끝이 된 것이니 剛이 이와 같다. 陰數는 2가 불어나서 12가 된 것으로 땅의 2가 땅의 10과 합하여 시작과 끝이 되는 것이니 柔 또한 이와 같다. 먼저 1을 얻어 1이 되어 사계절을 주관하여 하늘이 되니 5에서 가운데가 되고, 나중에 1을 얻어 2가 되어 사방을 주관하여 땅이 되니 6에서 가운데가 된다. 陽剛의 體數는 모두 10인데 이것과 저것의 구분이 없는 것은 태극의 5로부터 함께 나와서 배로 곱한 것이기 때문이고, 陰柔의 체수는 모두

태양·소양·태강·소강의 체수를 늘리고 태음·소음·태유·소유의 체수를 물린 것이 태양·소양·태강·소강의 용수用數라고 한다. 태음·소음·태유·소유의 체수를 늘리고 태양·소양·태강·소강의 체수를 물린 것을 태음·소음·태유·소유의 용수라고 한다. 태양·소양·태강·소강의 체수는 160이고, 태음·소음·태유·소유의 체수는 192이다. 태양·소양·태강·소강의 용수는 112이고[120] 태음·소음·태유·소유의 용수는 152이다.[121][122][123]

∙∙∙∙∙∙∙∙∙∙∙∙∙∙∙∙∙∙∙∙∙∙∙∙∙∙∙

12인데 이것과 저것의 구분이 없는 것은 태극의 6으로부터 함께 나와서 배로 곱한 것이기 때문이다. 태양·태음을 먼저하고 소양·소음을 나중에 한 것은 乾·兌·離·震의 순서이기 때문이고, 소강·소유를 먼저하고 태강·태유를 나중에 한 것은 巽·坎·艮·坤의 순서이기 때문이다. 이것들이 유행하는 가운데 각각 對待가 있어서 이것이 바로 체수가 되는 까닭인 것이다! 歷은 하늘과 땅을 다스리고 律은 만물을 다스리니 만물에는 색깔, 소리, 냄새, 맛이 있고 그 가운데 소리가 가장 성하다. 순식간 1초의 미세한 사이에도 律呂로 조화하여 일을 일으키고 때에 호응하는 데에 이것으로부터 말미암지 않는 것이 없으니 이것이 聲音唱和가 消長因革의 뒤에 이어진 까닭이다.(上篇元會運世歷也, 此篇陰陽剛柔律也. 歷居陽治陰, 故專言天；律居陰治陽, 故兼言地. 陽數, 一衍之爲十, 天一, 合天九, 以爲始終者也, 剛如之. 陰數, 二衍之爲十二, 地二, 合地十, 以爲始終者也, 柔亦如之. 盖先得一爲一, 以主四時爲天, 中於五者也；後得一爲二, 以主四維爲地, 中於六者也. 陽剛之體數, 皆十, 無彼此之分者, 以其同出於太極之五而倍之也, 陰柔之體數, 皆十二, 無彼此之分者, 以其同出於太極之六而倍之也, 先太陽太陰後少陽少陰者, 乾兌離震之序, 先少剛少柔後太剛太柔者, 巽坎艮坤之序. 流行之中, 各有對待, 此其所以爲體數歟! 歷以紀天地, 律以紀萬物, 物有色聲氣味, 惟聲爲盛. 瞬息一秒之微, 以律呂協之, 興事應時, 莫不由此, 此聲音唱和, 所以繼乎消長因革之後也.)" 이 황기의 주석에 대해서 왕식은 다음과 같이 설명한다. "이것은 聲音唱和를 설명해서 만물의 수에 해당시킨 것이다. 양수가 10이 되고 음수가 12가 되는 까닭은 외편 1장에서 '양수는 1이 불어나서 10이 되니 十干과 같은 부류이고, 음수는 2가 불어나서 12가 되니 十二支와 12월의 부류이다.'라고 했으니 1은 10의 시작이고 10은 1의 끝이며, 2는 12의 시작이고 12는 2의 끝이다.(此詮聲音唱和, 以當萬物之數也. 陽數所以十, 陰數所以十二者, 外篇之一云, 陽數一衍之而十, 十干之類也, 陰數二衍之而十二, 十二支十二月之類也. 一即十之始, 十即一之終, 二即十二之始, 十二即二之終也.)"

119 이상의 내용을 황기의 설명과 함께 도표화하면 이렇다.

12	10	12	10	12	10	12	10
太柔	太剛	少柔	少剛	少陰	少陽	太陰	太陽
水	火	土	石	辰	星	月	日
坤	艮	坎	巽	震	離	兌	乾
☷	☶	☵	☴	☳	☲	☱	☰

120 태양·소양·태강·소강은 모두 양에 속한다. 그래서 각각의 體數는 양의 수 10인데 모두 합하면 40이다. 40을 4씩 늘리면 160이 된다. 여기서 태음·소음·태유·소유의 체수 48을 빼면 112가 되고 이것이 태양·소양·태강·소강의 用數이다.

121 태음·소음·태유·소유는 모두 음에 속한다. 그래서 각각의 體數는 음의 수 12인데 모두 합하면 48이다. 48을 4씩 늘리면 192가 된다. 여기서 태양·소양·태강·소강의 체수 40을 빼면 152가 되고 이것이 태음·소음·태유·소유의 用數이다.

122 王植, 『皇極經世書解』: "(황기가 말했다.) 나아가는 것進은 때를 당해 用이 되는 것이고 물러나는 것退은 용에 반드시 근본을 보존하는 것이니 하늘과 땅 각각 四象이 있어 體가 세워진 후에 用이 시행된다. 나아가는 것은 4배로 해서 나아가는 것이고 물러나는 것은 1배로 하여 물러나니 이것은 체는 4이고 작용은 3임을

태양·소양·태강·소강의 용수로써 태음·소음·태유·소유의 용수를 부른 것을 일·월·성·신日月星辰의 변수變數라고 한다. 태음·소음·태유·소유의 용수用數로써 태양·소양·태강·소강의 용수에 화답하는 것을 수·화·토·석水火土石의 화수化數라고 한다. 일·월·성·신의 변수 17,024를 동수動數라고 하고, 수·화·토·석의 화수 17,024를 식수植數라고 한다.[124] 일·월·성·신과 수·화·토·석의 변變과 화化가 다시 부르고 화답한 것이 통수通數 289,816,576이니 동수와 식수의 통수通數[125]라고 한다.[126] [127]

· ·

말한다. 陽剛太少는 체수가 모두 10이니 40을 4배하여 160이 되고, 陰柔太少는 체수가 모두 12이니 48을 4배하여 192가 된다. 40으로부터 160이 된 것은 나아간다고 말할 수 있고 4배 씩 나아가는 가운데 48을 물러나서 陰柔를 제거했으니 이 160이 바뀌어 112가 된 까닭이다. 48로부터 192가 된 것은 나아간다고 말할 수 있고 4배 씩 나아가는 가운데 40을 물러서 陽剛을 제거했으니 이것이 192가 바뀌어 152가 된 까닭이다.(進者當時爲用, 退者用必存本, 盖天地各有四象, 體立而後用行焉. 進者以四進, 退者以一退, 體四用三之謂也. 陽剛太少, 體數皆十, 四其四十爲一百六十 ; 陰柔太少, 體數皆十二, 四其四十八爲一百九十二. 自四十而一百六十, 可謂進矣 ; 於四進之中而退四十八, 以除陰柔, 此一百六十所以易而爲一百一十二也. 自四十八而一百九十二, 可謂進矣 ; 於四進之中而退四十, 以除陽剛, 此一百九十二所以易而爲一百五十二也.)"

123 王植, 『皇極經世書解』: "위의 절은 하늘과 땅 사상의 체수이고 이 절은 용수이다. 음양에서 나아가고 물러나는 것이 있는 것은 양 가운데 음이 있고 음 가운데 양이 있는 것이니 저 체수를 물러서 이 용수를 얻는다. 체는 움직이지 않지만 움직인 후에 變과 化가 생겨난다. 그래서 수를 말하는 자들은 그 用에서부터 말한다.(上節天地四象之體數, 此節其用數也, 陰陽所以有進退者, 陽中有陰, 陰中有陽, 退彼體數, 乃得此用數也. 體則不動, 動而後變化生焉. 故言數者, 皆自其用處言之.)"

124 태양·소양·태강·소강의 용수인 112와 태음·소음·태유·소유의 용수인 152를 곱하면 일·월·성·신의 변수, 즉 동수인 17,024가 나오고, 태음·소음·태유·소유의 용수인 152와 태양·소양·태강·소강의 용수인 112를 곱하면 수·화·토·석의 화수, 즉 식수인 17,024가 나온다.

125 왕식본에는 通變으로 되어 있다.

126 동수인 17,024와 식수인 17,024를 곱하면 동식의 通數인 289,816,576이 나온다.

127 王植, 『皇極經世書解』: "(황기가 말했다.) 처음 부르고 화답하는 때는 아직 교류하지 않아서 다만 動數와 植數만을 말했고 두 번째 부르고 화합하는 때는 교류하였기 때문에 通數를 말한다. 부른대唱는 것은 하늘이 땅을 조화[呂]하는 것이고, 그 變數는 暑寒晝夜가 그로부터 나오는 것이다. 일·월·성·신의 四象은 서로 곱하여 16이 되고, 양의 체수인 10으로 16을 곱하면 또한 160이 되니 여기서 음과 유의 체수 48을 제하면 112를 얻어서 또한 일·월·성·신의 用數이다. 화답한대和는 것은 땅이 하늘을 조율[律]하는 것이고 그 化數는 雨風露雷가 그로부터 나오는 것이다. 水火土石의 사상은 서로 곱하여 16이 되고 음의 체수인 12로 16을 곱하면 또한 192가 되니 여기서 양과 강의 체수 40을 제하면 152를 얻어서 또한 수·화·토·석의 용수다. 이는 작용했어도 아직 교제하지 않은 것인가! 112로 152를 부르면 17,024를 얻으니 이를 動數라고 하는 것은 하늘의 性情形體가 땅의 走飛草木과 아직 교류하지 않은 것이며, 152로 112를 화답하면 또한 17,024를 얻으니 植數라고 하는 것은 땅의 주·비·초·목이 하늘의 성·정·형·체와 아직 교류하지 않은 것이다. '부르고 화답한다'고 말한 것은 이것과 저것을 서로 곱하는 것을 말하므로 각각 17,024를 얻고, 다시 부르고 화합한다고 말한 것은 17,024로 17,024를 곱하므로 289,816,576을 얻는다. 동수, 식수, 통수를 말한 것은 하늘의 성·정·형·체가 땅의 주·비·초·목과 이미 교류한 것이고 땅의 주·비·초·목이 하늘의 성·정·형·체와 이미 교류했기 때문이다.(始唱和則未交, 止言動植, 再唱和則已交, 故言通數. 唱者, 天之所以呂地, 而其變數則暑寒晝夜之所從出也. 日月星辰四象, 相因而爲十六, 以十因十六, 亦爲一百六十, 除陰柔

日爲太陽, 其數十. 月爲太陰, 其數十二. 星爲少陽, 其數十. 辰爲少陰, 其數十二. 石爲少剛, 其數十. 土爲少柔, 其數十二. 火爲太剛, 其數十. 水爲太柔, 其數十二.

太陽少陽太剛少剛之本數四十. 太陰少陰太柔少柔之本數四十有八. 以四因四十, 得一百六十, 以四因四十八, 得一百九十二, 是謂太陽少陽太陰少陰太剛少剛太柔少柔之體數. 一百六十數之內退四十八, 得一百一十二, 一百九十二數內退四十, 得一百五十二, 是謂太陽少陽太陰少陰太剛少剛太柔少柔之用數也. 陰陽剛柔互相進退, 去其體數而所存者謂之用數. 陰陽剛柔所以相進退者, 陽中有陰, 陰中有陽, 剛中有柔, 柔中有剛, 天地交際之道也. 以一百一十二因一百五十二, 得一萬七千二十四, 謂之水火土石之化數. 以一百五十二因一百一十二, 得一萬七千二十四, 謂之日月星辰之變數. 變數謂之動數, 化數謂之植數. 以一萬七千二十四因一萬七千二十四, 得二萬八千九百八十一萬六千五百七十六, 是謂動植之通數. 此易所謂萬物之數也. 或曰, 經世之數與大衍之數不同, 何也? 曰, 易用九六, 經世用十二. 用十二, 用極數也. 十去其一則九矣, 十二分而爲二則六矣. 故曰陽也, 止于十, 月陰也, 止于十二, 此之謂極數.

大衍經世皆本於四, 四者, 四象之數也. 故大衍四, 四因九得三十六, 是爲乾一爻之策數. 四因六得二十四, 是爲坤一爻之策數. 六因三十六得二百一十有六, 是爲乾一卦之策數. 六因二十四得百四十有四, 是爲坤一卦之策數. 乾坤之策凡三百六十也. 三十二因二百一十六得六千九百一十有二, 是爲三十二陽卦之策數. 三十二因百四十有四得四千六百有八, 是爲三十二陰卦之策數. 合二篇之策凡萬有一千五百二十也. 如太玄之數則用三數, 聖賢立法不同, 其所以爲數則一也.

일日은 태양太陽이 되니 그 수가 10이다. 월月은 태음太陰이 되니 그 수가 12이다. 성星은 소양少陽이 되니 그 수가 10이다. 신辰은 소음少陰이 되니 그 수가 12이다. 석石은 소강少剛이 되니 그 수가 10이다. 토土는 소유少柔가 되니 그 수가 12이다. 화火는 태강太剛이 되니 그 수가 10이다. 수水는 태유太柔가 되니 그 수가 12이다.

태양·소양·태강·소강의 본수本數는 40이다. 태음·소음·태유·소유의 본수는 48이다. 4로 40을

_____

體數四十八, 得一百一十二, 亦日月星辰之用數也. 和者, 地之所以律天, 而其化數則雨風露雷之所從出也, 水火土石四象, 相因而爲十六, 以十二因十六, 亦爲一百九十二, 除陽剛體數四十, 得一百五十二, 亦水火火土石之用數也. 此則用而未交者歟! 以一百一十二遍唱一百五十二則得一萬七千二十四, 謂之動數者, 天之性情形體, 未交於地之走飛草木也, 以一百五十二遍和一百一十二, 亦得一萬七千二十四, 謂之植數者, 地之走飛草木, 未交於天之性情形體也. 曰唱和者, 彼此相乘之謂也, 故各得萬有七千二十四, 曰再唱和者, 即以萬有七千二十四, 乘其萬有七千二十四, 故得二萬八千九百八十一萬六千五百七十六, 曰動植通數者, 天之性情形體, 已交於地之走飛草木, 地之走飛草木, 已交於天之性情形體故也.)"

곱하면 160을 얻고 4로 48을 곱하면 192를 얻으니, 이것을 태양·소양·태강·소강과 태음·소음·태유·소유의 체수體數라고 한다. 160의 수 안에서 48을 물러나게 하면 112를 얻고 192의 수 안에서 40을 물러나게 하면 152를 얻으니, 이것을 태양·소양·태강·소강과 태음·소음·태유·소유의 용수用數라고 한다. 음양과 강유가 서로 나아가고 물러나면서 그 체수를 제거하고 보존된 것을 용수라고 한다. 음양과 강유가 서로 나아가고 물러나는 것은 양 가운데 음이 있고 음 가운데 양이 있으며 강 가운데 유가 있고 유 가운데 강이 있는 것이니, 하늘과 땅이 서로 교제하는 도이다.

112로 152를 곱하여 얻은 17,024를 수·화·토·석水火土石의 화수化數라고 한다. 152로 112를 곱하여 얻은 17,024를 일·월·성·신日月星辰의 변수變數라고 한다. 변수는 동수動數라고 하고 화수는 식수植數라고 한다. 17,024로 17,024를 곱하여 얻은 289,816,576을 동수와 식수의 통수通數라고 한다.[128] 이 것이 『역』에서 말하는 만물의 수이다. 어떤 사람은 이렇게 묻는다. "황극경세의 수와 대연大衍의 수는 다른데 그 이유는 무엇인가?"[129] 이렇게 답하겠다. 『역』은 9와 6을 쓰고 황극경세는 10과 12를 쓴다. 10과 12를 쓰는 것은 극한의 수를 쓴 것이다. 10에서 1을 빼면 9이고 12를 나누어 둘로 하면 6이 된다. 그래서 일日은 양이므로 10에서 그치고 월月은 음이므로 12에서 그치니 이것을 극수極數극

128 이상의 내용을 도표화하면 다음과 같다.

天의 四象		地의 四象	
태양, 태음, 소양, 소음		태유, 태강, 소유, 소강	
日, 月, 星, 辰		水, 火, 土, 石	
10, 12, 10, 12		12, 10, 12, 10	
* 양강(陽剛)의 체수(體數) = (10+10+10+10)*4 = 40*4 = **160** * 양강의 용수(用數) = 160-48 = **112** * 동수(動數): 일월성신의 변수(變數) = 112*152 = **17,024**		* 음유(陰柔)의 체수(體數) = (12+12+12+12)*4 = 48*4 = **192** * 음유의 용수(用數) = 192-40 = **152** * 식수(植數): 수화토석의 화수(化數) = 152*112 = **17,024**	
* 동수와 식수의 통수(通數) = 17,024*17024 = 289,816,576			

129 만물의 수와 대연의 수: 『周易』「繫辭傳」에서 만물의 수는 11,520이고 대연의 수는 50이다. 『周易』「繫辭上」 9장: "하늘은 1이고 땅은 2, 하늘은 3이고 땅은 4, 하늘은 5이고 땅은 6, 하늘은 7이고 땅은 8, 하늘은 9이고 땅은 10이다. 하늘의 수는 다섯이고 땅의 수가 다섯이니 다섯 자리가 서로 얻으며 각각 합이 있어서, 하늘의 수가 25이고 땅의 수는 30이다. 하늘과 땅의 수는 55이니 이것이 변화를 이루고 귀신을 행하게 한다. 大衍의 수는 50이나 그 사용은 49이다. 나누어 둘로 해서 兩儀를 상징하고 하나를 걸어서 三才를 상징하고 네 개로 세어서 사계절을 상징하고 나머지를 손가락에 끼워서 윤달을 상징하니 다섯 해에 두 번 윤달을 두기 때문에 두 번 낀 다음에 건다. 건의 策數가 216이고, 곤의 책수가 144이다. 모두 360이니 1년의 날짜에 해당한다. 두 편의 책수가 11,520이니 만물의 숫자에 해당한다.(天一, 地二, 天三, 地四, 天五, 地六, 天七, 地八, 天九, 地十. 天數五, 地數五, 五位相得而各有合. 天數二十有五, 地數三十, 凡天地之數五十有五. 此所以成變化而行 鬼神也. 大衍之數五十, 其用四十有九. 分而爲二以象兩, 掛一以象三, 揲之以四以象四時, 歸奇於扐以象閏, 五 歲再閏, 故再扐而後掛. 乾之策二百一十有六, 坤之策百四十有四, 凡三百有六十, 當期之日. 二篇之策, 萬有一 千五百二十, 當萬物之數也.)"

한의 쉬라고 한다.

대연의 수와 황극경세의 수는 모두 4에 근본하니 4는 사상四象의 수이다. 그러므로 대연의 수는 4이고, 4로 9를 곱해서 36을 얻으니 이것은 건괘 한 효의 책수策數[130]가 된다. 4로 6을 곱해서 24를 얻으니 이것은 곤괘 한 효의 책수가 된다. 6으로 36을 곱해서 216을 얻으니 이것은 건괘 한 괘의 책수가 된다. 6으로 24를 곱해서 144를 얻으니 이것은 곤괘 한 괘의 책수가 된다. 건괘와 곤괘의 책수는 모두 360이다. 32로 216을 곱하면 6,912를 얻으니 이것은 32개 양괘의 책수이다. 32로 144를 곱하면 4,608을 얻으니 이것은 32개 음괘의 책수이다. 두 편의 책수를 합하면 모두 11,520이 된다. 『태현경』의 수는 3의 수를 쓰니 성현聖賢이 법을 세우는 것이 다르지만 그 수가 되는 원인은 동일하다.[131]

[10-11-2]

日月星辰者, 變乎暑寒晝夜者也; 水火土石者, 化乎雨風露雷者也. 暑寒晝夜者, 變乎性情形體者也; 雨風露雷者, 化乎走飛草木者也. 暑變飛走木草之性. 寒變飛走木草之情, 晝變飛走木草之形, 夜變飛走木草之體. 雨化性情形體之走. 風化性情形體之飛. 露化性情形體之草. 雷化性情形體之木.

일·월·성·신日月星辰은 서·한·주·야暑寒晝夜를 변變하게 하는 것이고, 수·화·토·석水火土石은 우·풍·로·뢰雨風露雷를 화化하게 하는 것이다. 서·한·주·야는 성·정·형·체性情形體를 변하게 하는 것이고, 우·풍·로·뢰는 주·비·초·목走飛草木을 화하게 하는 것이다. 서暑는 주·비·초·목의 성性을 변하게 하고 한寒은 주·비·초·목의 정情을 변하게 하며 주晝는 주·비·초·목의 형形을 변하게 하고 야夜는 주·비·초·목의 체體를 변하게 한다. 우雨는 성·정·형·체의 주走를 화하게

<hr>

130 策數: 책수란 시초를 세는 방법에서 괘를 만들 때 세는 시초수를 말한다. 대연의 수가 50이므로 50개의 시초를 가지고 6획괘를 만든다. 『周易』「繫辭上」9장에 시초를 세는 방법을 설명하고 있다.

131 王植, 『皇極經世書解』: "이것은 만물의 수를 말한 것이다. 變數는 동물에 속하고 化數는 식물에 속한 것은 變은 하늘을 말하고 化는 땅을 말하기 때문이다. 「外篇」에서 '기운이 변하고 형체가 화한다.'고 했으니 기운은 하늘에 있고 형체는 땅에 있기 때문에 사물이 하늘에 근본한 것은 위와 친하고 땅에 근본한 것은 아래와 친한다. 사물의 수를 말하면서 '부른다', '화답한다'고 말한 것은 그 聲音으로 만물의 수를 나타낸 것임을 밝힌 것이다. 그래서 112와 152는 서로 부르고 화답하는 것은 聲의 112로 부르고 音의 152로 화답하는 것과 같지 않음이 없다. 『易』계사전에 '두 편의 책수는 11,520이니 만물의 수에 해당한다.'고 했는데 여기서는 289,816,576이 動植의 통수가 되는 것은, 만물이라는 것은 그 많음을 극대화해서 한 말이므로 정해진 숫자가 있는 것이 아니기 때문에 위의 두 가지 수는 모두 처음 일으키는 수로부터 차례로 곱해서 가장 많은 수를 얻은 것이다. 그래서 모두 만물의 수라고 한 것이다.(此言萬物之數也. 變數, 屬動物, 化數, 屬植物者, 變言天化言地. 外篇云, 氣變而形化, 氣在天, 形在地, 故物本天者親上, 本地者親下也. 言物之數而曰唱曰和, 明其以聲音, 見萬物之數. 故一百一十二, 與一百五十二, 相爲唱和, 與聲之以一百一十二唱, 音之以一百五十二和, 無不同者. 易大傳, 曰二篇之策, 萬有一千五百二十, 當萬物之數, 此以二萬八千九百八十一萬六千五百七十六, 爲動植通數者, 盖萬物者, 極其多之名, 非果有定數, 上二數, 皆自初起之數, 遞乘以得最多之數. 故皆曰萬物之數也.)"

하고 풍風은 성·정·형·체의 비飛를 화하게 하고 노露는 성·정·형·체의 초草를 화하게 하고 뇌雷는 성·정·형·체의 목木을 화하게 한다.[132][133]

[10-11-2-0]

有日月星辰則有暑寒晝夜. 蓋日爲暑, 月爲寒, 星爲晝, 辰爲夜也. 有水火土石則有雨風露雷. 蓋水爲雨, 火爲風, 土爲露, 石爲雷也. 有暑寒晝夜則有性情形體. 蓋暑變物之性, 寒變

. . . .

132 이상의 변과 화의 내용을 도표화하면 이렇다.

變	化
日 → 暑 → 性	水 → 雨 → 走
月 → 寒 → 情	火 → 風 → 飛
星 → 晝 → 形	土 → 露 → 草
辰 → 夜 → 體	石 → 雷 → 木

133 王植, 『皇極經世書解』: "(황기가 말했다.) 위 글의 부르고 화답한다는 것을 이어서 말했다. 하늘과 땅 사이에 가득 찬 것은 만물인데 만물이 있으면 聲과 音이 있고 성과 음이 있으면 律과 呂가 있으니 성음과 율려가 하늘과 땅의 기운과 유통하고 관철하여 간격이 없으므로 하늘의 기운은 아래로 내려가고 땅의 기운은 위로 올라가서, 양은 앞에서 부르고 음은 뒤에서 화답한 후에 만물이 생겨난다. 성의 變은 160가지인데 그 쓰이는 성 112가지를 취하여 율이 되어 땅을 呂하고, 음의 化는 192가지인데 그 쓰이는 음 152가지를 취하여 여가 되어 하늘을 율하니 그 성음이 있는 것은 글자가 없더라도 모두 크고 작고 높고 낮은 사물이 그 낳고 기르는 것을 수행하는 것이다. 만약 성은 있고 음은 있으며 음은 없으며 성이 없다면 음 홀로 생겨나지 못하고 양 홀로 이루지 못하니, 하늘과 땅이 서로 부르고 화답하지 않으면 그 지위가 있을지라도 실제로는 사물이 없는 것이다. 體는 넷인데 셋만을 쓰는 것은 이 때문일 것이다. 하늘의 聲은 日月星辰에 속하고 땅의 音은 水火土石에 속하니, 일·월·성·신은 하늘에 象이 매달려 있으나 반드시 땅을 돌아 나와야 變하여 暑寒晝夜가 되고, 水火土石은 땅에서 形이 드러나지만 반드시 하늘과 통하여 올라가야 化하여 雨風露雷가 된다. 性情形體는 서·한·주·야에 영향을 받아 변한 것으로 112로 152를 부르면 17,024가 되고, 走飛草木은 우·풍·로·뢰에서 베풀어져 화한 것으로 152로 112를 화답하면 또한 17,024가 된다. 이것은 특히 음양과 강유가 각각 서로 교류한 것일 뿐이니 서·한·주·야가 다시 변하고 우·풍·로·뢰가 다시 화한 것이다. 하늘의 성·정·형·체는 모두 땅의 주·비·초·목과 교류하고 땅의 주·비·초·목은 모두 하늘의 성·정·형·체와 교류하니 부른 것이 다시 부르고 화답한 것이 다시 화답하면 17,024가 서로 곱하여 289,816,576이 된다.(承上文唱和而言. 盈天地之間, 有萬物, 有萬物則有聲音, 有聲音則有律呂, 聲音律呂與天地之氣, 流通貫徹, 無有間隔, 故天氣下降, 地氣上躋, 陽唱於前, 陰和於後, 然後物生焉. 盖聲之變, 一百六十, 取其用聲一百一十二, 爲律以呂地, 音之化, 一百九十二, 取其用音一百五十二, 爲呂以律天, 其有聲音者, 雖無字, 皆洪纖高下之物, 遂其生育者也. 若有聲無音, 有音無聲, 則獨陰不生, 獨陽不成, 天地不相唱和, 雖有其位, 實無其物也. 體四用三, 其以此歟! 天聲, 屬日月星辰, 地音, 屬水火土石, 日月星辰, 懸象於天, 然必繞地而出, 乃變而爲暑寒晝夜, 水火土石, 著形於地, 然必通天而升, 乃化而爲雨風露雷. 性情形體, 受於暑寒晝夜之所變者也, 以一百一十二, 而唱一百五十二, 則爲萬有七千二十四, 走飛草木, 施於雨風露雷之所化者也, 以一百五十二, 而和一百一十二, 亦爲萬有七千二十四. 此特陰陽剛柔, 各自相交者耳, 暑寒晝夜之再變, 雨風露雷之再化也. 天之性情形體, 皆交於地之走飛草木, 地之走飛草木, 皆交於天之性情形體, 唱者再唱, 和者再和, 則萬有七千二十四, 彼此相乘, 爲二萬八千九百八十一萬六千五百七十六矣.)"

物之情, 晝變物之形, 夜變物之體也. 有雨風露雷則有飛走木草. 蓋雨化物之走, 風化物之飛, 露化物之草, 雷化物之木也. 暑寒晝夜雨風露雷又相交感而變化焉, 此萬物之所以生也.

일·월·성·신日月星辰이 있으면 서·한·주·야暑寒晝夜가 있다. 일日은 더위가 되고 월月은 추위가 되며 성星은 낮이 되고 신辰은 밤이 된다. 수·화·토·석水火土石이 있으면 우·풍·로·뢰雨風露雷가 있다. 수水는 비가 되고 화火는 바람이 되며 토土는 이슬이 되고 석石은 우레가 된다. 서·한·주·야가 있으면 성·정·형·체性情形體가 있다. 서暑는 만물의 성性을 변화시키고 한寒은 만물의 정情을 변화시키며 주晝는 만물의 형形을 변화시키며 야夜는 만물의 체體를 변화시킨다. 우·풍·로·뢰가 있으면 주·비·초·목飛走草木이 있다. 우雨는 만물의 주走를 화하게 하고 풍風은 만물의 비飛를 화하게 하며 노露는 만물의 초草를 화하게 하고 뢰雷는 만물의 목木을 화하게 한다. 서·한·주·야와 우·풍·로·뢰는 또 서로 교감하여 변하고 화하니 이것이 만물이 생겨나는 까닭이다.[134]

[10-11-3]

性情形體者, 本乎天者也. 飛走木草者, 本乎地者也. 本乎天者, 分陰分陽之謂也, 本乎地者, 分柔分剛之謂也. 夫分陰分陽分柔分剛者, 天地萬物之謂也, 備天地萬物者, 人之謂也.

성·정·형·체性情形體는 하늘에 근본한다. 주·비·초·목走飛草木은 땅에 근본하는 것이다. 하늘에 근본하는 것은 음陰으로 나뉘고 양陽으로 나뉘는 것을 말하고 땅에 근본하는 것은 유柔로 나뉘고 강剛으로 나뉘는 것을 말한다. 음으로 나뉘고 양으로 나뉘며 유로 나뉘고 강으로 나뉘는 것은 천지 만물을 말하고 천지와 만물을 모두 갖춘 것은 사람을 말한다.[135]

· · · · · · · · · · · · · · · · · · · ·

134 王植, 『皇極經世書解』: "이것은 하늘과 땅의 四象이 만물을 낳는 원인을 말한 것이니 1편의 뜻으로서 그 말을 개괄하여 말하여 사물이 각각 하늘과 땅의 사상에 근본하고 있음을 보였다. 그러므로 동물의 수는 일·월·성·신의 用數와 서로 부합하고 식물의 수는 수·화·토·석의 용수와 서로 부합한다. 사상의 뜻은 陽 가운데 陰이 있고 음 가운데 양이 있으며 剛 가운데 柔가 있고 柔 가운데 剛이 있어서 음과 양 그리고 강과 유가 서로 체용이 된다. 그래서 「外篇」의 1편에서 '사상이 착종되어 작용하면 日月은 하늘의 음·양이고 水火는 땅의 음·양이며 星辰은 하늘의 剛柔이고 土石은 땅의 강·유이다. 그러므로 하늘과 땅의 화함에서부터 만물이 생겨나는 데까지 1로서 음양과 강유 네 가지를 갖추지 않은 것은 없다.'고 했다. 暑는 비·주·목·초의 性을 변하게 하고 雨는 성·정·형·체의 走를 화하게 한다는 등의 말은 모두 이러한 뜻이다. 일·월·성·신, 수·화·토·석, 성·정·형·체, 주·비·초·목은 각각 음양과 강유로 나누어 보면 그 뜻이 저절로 분명해진다. 주·비·초·목을 비·주·목·초라고 바꾸어 말한 것은 위의 구절 우·풍·로·뢰의 차례를 따라서 말한 것이다.(此言天地四象, 所以生萬物之故, 即首篇之意而槩括其詞言之, 見物各本於天地之四象, 故動物之數, 與日月星辰之用數相符, 植物之數, 與水火土石之用數相符也. 蓋四象之義, 陽中有陰, 陰中有陽, 剛中有柔, 柔中有剛, 而陰陽剛柔又互爲體用, 外篇之一云, '夫四象若錯綜而用之, 日月, 天之陰陽, 水火, 地之陰陽, 星辰, 天之剛柔, 土石, 地之剛柔. 故自天地之化以至萬物之生, 無不以一而備陰陽剛柔之四者.' 暑變飛走木草之性, 雨化性情形體之走等語, 皆此義也. 日月星辰, 水火土石, 暑寒晝夜, 雨風露雷, 性情形體, 走飛木草, 各分陰陽剛柔看, 其義自明. 易走飛草木, 爲飛走木草者, 順上句雨風露雷之次而言也.)"

135 王植, 『皇極經世書解』: "하늘에 근본하는 것은 땅에 속하는 것이 부족하고 땅에 근본하는 것은 하늘에 속하는 것이 부족하다. 하늘과 땅에도 부족한 점이 있으니 만물이 각각 편벽된 것만을 얻은 것은 당연하지만

天地陰陽, 萬物由之以生. 人備天地萬物而靈于萬物者也.

천지와 음양은 만물이 이를 말미암아 생겨난다. 인간은 천지와 만물을 구비하고서 만물 가운데 가장
영특한 것이다.[136]

觀物內篇之十二 관물내편 12

[10-12-1]

有日日之物者也, 有日月之物者也, 有日星之物者也, 有日辰之物者也. 有月日之物者也,
有月月之物者也, 有月星之物者也, 有月辰之物者也. 有星日之物者也, 有星月之物者也,
有星星之物者也, 有星辰之物者也. 有辰日之物者也, 有辰月之物者也, 有辰星之物者也,
有辰辰之物者也.

일日 가운데 일日의 사물이 있고 일 가운데 월月의 사물이 있고 일 가운데 성星의 사물이 있고 일 가운데
신辰의 사물이 있다. 월月 가운데 일의 사물이 있고 월 가운데 월의 사물이 있고 월 가운데 성의 사물이
있고 월 가운데 신의 사물이 있다. 성 가운데 일의 사물이 있고 성 가운데 월의 사물이 있고 성 가운데

오직 인간은 하늘과 땅의 中을 얻어서 생겨나 음양이 강유와 교류하고 강유가 음양과 교류하므로 그 안에
八象을 구비하고 또한 다시 그 밖에 팔상을 구비했다. 안으로는 양과 강이 교류하여 心肺를 낳고, 음과
유가 교류하여 肝膽을 낳고, 유와 음이 교류하여 신장과 방광을 낳고, 강과 양이 교류하여 脾胃를 낳는
것이 이것이고, 밖으로는 乾은 눈이 되고 巽은 뼈가 되며, 兌는 귀가 되고 坎은 근육이 되며, 離는 코가
되고 艮은 골수가 되며, 震은 입이 되고 坤은 피가 된다고 하는 것이 이것이다. 천지 만물에서 부족한 것을
인간은 갖추지 않음이 없으니, 이것이 만물의 영특한 것이 되는 까닭이다. 律呂는 사람에게 귀속하였으니
그 뜻이 은미하다.(本乎天者, 不足於地, 本乎地者, 不足於天. 在天地, 猶有所不足, 則萬物各得其偏也, 宜矣,
惟人受天地之中以生, 陰陽交於剛柔, 剛柔交於陰陽, 故具八象於其內, 亦復具八象於其外. 內則所謂陽與剛交
而生心肺, 陰與柔交而生肝膽, 柔與陰交而生腎膀胱, 剛與陽交而生脾胃, 是也, 外則所謂乾爲目而巽爲骨, 兌
爲耳而坎爲肉, 離爲鼻而艮爲髓, 震爲口而坤爲血, 是也. 凡天地萬物之所不足者, 人則無不備焉, 此其所以爲
萬物之靈歟! 律呂歸宿於人, 其旨微矣.)" 구체적으로 인간의 육체적 요소와 관련하여 설명하는 부분이 특이
하다.

136 王植, 『皇極經世書解』: "하늘과 땅 그리고 인간과 만물로부터 사람에게 귀결시키니 1편의 뜻과 같다. 성·
정·형·체는 하늘에 근본하니 陰陽으로 나누어보면 性은 양이고 情은 음이며 形은 양이고 體는 음이다.
주·비·초·목은 땅에 근본하니 剛柔로 나누어 보면 飛는 강이고 走는 유이며 木은 강이고 草는 음이다.
인간은 이 모두를 갖추었다. 「外篇」 11장에서 '사람의 귀함은 만 가지 종류를 겸비하는 데에 있으니 스스로
중시하고 그 귀함을 얻었기 때문에 만 가지 종류를 사용할 수 있다.(由天地人物而歸之人, 與首篇同義. 蓋性
情形體本乎天, 而分陰陽, 性陽而情陰, 形陽而體陰也. 走飛草木本乎地, 而分剛柔, 飛剛而走柔, 木剛而草柔
也. 人則備矣. 外篇十一云, 人之貴, 兼乎萬類, 自重而得其貴, 所以能用萬類.)"

성의 사물이 있고 성 가운데 신의 사물이 있다. 신 가운데 일의 사물이 있고 신 가운데 월의 사물이 있고 신 가운데 성의 사물이 있고 신 가운데 신의 사물이 있다.[137][138]

[10-12-1-0]

日日之物, 太陽之太陽者也, 日月之物, 太陽之太陰者也, 日星之物, 太陽之少陽者也, 日辰之物, 太陽之少陰者也. 月日之物, 太陰之太陽者也, 月月之物, 太陰之太陰者也, 月星之物, 太陰之少陽者也, 月辰之物, 太陰之少陰者也. 星日之物, 少陽之太陽者也, 星月之物, 少陽之太陰者也, 星星之物, 少陽之少陽者也, 星辰之物, 少陽之少陰者也. 辰日之物, 少陰之太陽者也, 辰月之物, 少陰之太陰者也, 辰星之物, 少陰之少陽者也, 辰辰之物, 少陰之少陰者也. 物之感化如此.

일 가운데 일의 사물은 태양 가운데 태양이고 일 가운데 월의 사물은 태양 가운데 태음이며 일 가운

. . . .

137 소강절은 원·회·운·세 안에 다시 원회운세를 나누었고, 춘·하·추·동과 황·제·왕·패도 다시 황제왕패로 나누어 설명하고 있다. 마찬가지로 일·월·성·신도 다시 일·월·성·신으로 나뉘며 이는 태양·태음·소양·소음이 다시 태양·태음·소양·소음으로 나뉘는 것과 같다. 성·정·형·체와 주·비·초·목도 마찬가지이다. 이는 4·4=16이라는 구조가 계속해서 반복되는 것이다. 즉 a, b, c, d라는 것이 있다면 그것은 다음과 같이 분류된다.

aa	ba	ca	da
ab	bb	cb	db
ac	bc	cc	dc
ad	bd	cd	dd

138 王植,『皇極經世書解』: "(황기가 말했다.) 日日, 日星, 星日, 星星은 양 가운데 양이 있는 것이고 日月, 日辰, 星月, 星辰은 양 가운데 음이 있는 것이며, 月月, 月辰, 辰月, 辰辰은 음 가운데 음이 있는 것이고 月日, 月星, 辰日, 辰星은 음 가운데 양이 있는 것이니, 단지 일월성신으로 음양을 나누면 성정형체도 음양으로 나뉘는 것 또한 그 가운데 있다.(日日日星星日星星爲陽中陽, 日月日辰星月星辰爲陽中陰, 月月月辰辰月辰辰爲陰中陰, 月日月星辰日辰星爲陰中陽, 但以日月星辰而分陰陽, 則性情形體之分陰陽者, 亦在其中矣.)"

張行成,『皇極經世索隱』: "하늘과 땅의 두 기운이 합쳐져서 만물을 낳으니 사물이 생겨나면 하늘을 따른다. 아버지와 어머니의 두 기운이 합쳐져서 자식을 낳으니 자식이 생겨나면 아버지를 따른다. 그래서 이 편에서 일월성신을 위주로 했고 수화토석을 말하지 않은 것은 하나의 하늘을 宗으로 삼았기 때문이다. 하나의 하늘을 종주로 삼았기 때문에 사람과 만물은 하늘의 7등급(等)을 동일하게 사용한다. 그러나 건도가 남자를 이루고 곤도가 여자를 이루니 두 기운이 비록 하나의 사물을 함께 이루지만 하나의 사물은 반드시 다시 두 부류로 나뉘니 건·태·리·진과 손·감·간·곤은 음양의 상으로 다르고 원·회·운·세와 연·월·일·시진에서 많고 적음의 수가 다르다. 그래서 괘기도에서는 256괘를 사용하고 율려도에서는 수·화·토·석으로 일·월·성·신에 호응하지만 실제로 512개의 지위를 사용한다.(合天地二氣而生物, 物既生則從天. 合父母二氣而生子, 子既生則從父. 故此篇以日月星辰爲主, 不言水火土石者, 宗于一天也. 宗于一天, 故人物同用天之七等. 然乾道成男坤道成女, 二氣雖共成一物, 一物必復分二類, 乾兌離震與巽坎艮坤, 陰陽之象, 不同, 元會運世與年月日辰, 多少之數不同. 故卦氣圖用二百五十六卦, 律呂圖雖以水火土石應日星辰, 實用五百一十二位也.)"

데 성의 사물은 태양 가운데 소양이고 일 가운데 신의 사물은 태양 가운데 소음이다. 월 가운데 일의 사물은 태음 가운데 태음이고 월 가운데 월의 사물은 태음 가운데 태음이며 월 가운데 성의 사물은 태음 가운데 소양이고 월 가운데 신의 사물은 태음 가운데 소음이다. 성 가운데 일의 사물은 소양 가운데 태양이고 성 가운데 월의 사물은 소양 가운데 태음이며 성 가운데 성의 사물은 소양 가운데 소양이고 성 가운데 신의 사물은 소양 가운데 소음이다. 신 가운데 일의 사물은 소음 가운데 태양이고 신 가운데 월의 사물은 소음 가운데 태음이며 신 가운데 성의 사물은 소음 가운데 소양이고 신 가운데 신의 사물은 소음 가운데 소음이다. 사물의 감하고 화하는 것이 이와 같다.[139][140]

[10-12-2]

日日物者, 飛飛也, 日月物者, 飛走也, 日星物者, 飛木也, 日辰物者, 飛草也. 月日物者, 走飛也, 月月物者, 走走也, 月星物者, 走木也, 月辰物者, 走草也. 星日物者, 木飛也, 星月物者, 木走也, 星星物者, 木木也, 星辰物者, 木草也. 辰日物者, 草飛也, 辰月物者, 草走也, 辰星物者, 草木也, 辰辰物者, 草草也.

일 가운데 일의 사물은 나는 것 가운데 나는 것[飛]이고 일 가운데 월의 사물은 나는 것 가운데 달리는 것[走]이며 일 가운데 성의 사물은 나는 것 가운데 나무[木]이고 일 가운데 신의 사물은 나는 것 가운데 풀[草]이다. 월 가운데 일의 사물은 달리는 것 가운데 나는 것이고 월 가운데 월의 사물은 달리는 것 가운데 달리는 것이며 월 가운데 성의 사물은 달리는 것 가운데 나무이고 월 가운데 신의 사물은 달리는 것 가운데 풀이다. 성 가운데 일의 사물은 나무 가운데 나는 것이고 성 가운데 월의 사물은 나무 가운데 달리는 것이며 성 가운데 성의 사물은 나무 가운데 나무이고 성 가운데 신의 사물은 나무 가운데 풀이다. 신 가운데 일의 사물은 풀 가운데 나는 것이고 신 가운데 월의 사물은 풀 가운데 나는 것이며 신 가운데 성의 사물은 풀 가운데 나무이고 신 가운데 신의 사물은 풀 가운데 풀이다.[141][142]

---

139 王植, 『皇極經世書解』: "이 편은 바로 관물이라는 이름으로 편을 만든 것의 뜻을 밝히고 있으니 이 절과 아래 절에서는 사물物을 가지고 말했다. 소강절이 '감하고 화하는 것이 이와 같다.'고 했으니 감하고 화하는 것은 감하는 것으로 말미암아 화가 이루어지는 것이지만, 오직 감하고 화하는 것이 다르기 때문에 아래 글에서 기의 종류가 다른 것이다.(此篇, 正明觀物名篇之意, 此與下節, 以物言. 伯子謂 '感化如此.' 感化者, 由所感而化也, 惟感化不同, 故下文氣類不同.)"

140 이상의 내용을 도표화하면 다음과 같다.

日	月	星	辰
일 가운데 일(日日) 太陽 가운데 太陽	월 가운데 일(月日) 太陰 가운데 太陽	성 가운데 일(星日) 少陽 가운데 太陽	신 가운데 일(辰日) 少陰 가운데 太陽
일 가운데 월(日月) 太陽 가운데 太陰	월 가운데 월(月月) 太陰 가운데 太陰	성 가운데 월(星月) 少陽 가운데 太陰	신 가운데 월(辰月) 少陰 가운데 太陰
일 가운데 성(日星) 太陽 가운데 少陽	월 가운데 성(月星) 太陰 가운데 少陽	성 가운데 성(星星) 少陽 가운데 少陽	신 가운데 성(辰星) 少陰 가운데 少陽
일 가운데 신(日辰) 太陽 가운데 少陰	월 가운데 신(月辰) 太陰 가운데 少陰	성 가운데 신(星辰) 少陽 가운데 少陰	신 가운데 신(辰辰) 少陰 가운데 少陰

飛飛者, 飛之捷者也, 飛走者, 飛而走者也, 飛木者, 飛而類乎木者也, 飛草者, 飛而類乎草者也.

走飛者, 走而飛者也, 走走者, 走而走者也, 走木者, 走而類乎木者也, 走草者, 走而類乎草者也.

木飛者, 木之類乎飛者也, 木走者, 木之類乎走者也, 木木者, 木之木者也, 木草者, 木之類乎草者也.

草飛者, 草之類乎飛者也, 草走者, 草之類乎走者也, 草木者, 草之類乎木者也, 草草者, 草之草者也. 物之氣類如此.

나는 것 가운데 나는 것은 나는 것이 민첩한 것[143]이고 나는 것 가운데 달리는 것은 날면서 달리는 것이며 나는 것 가운데 나무는 날면서 나무의 부류에 속하는 것이고 나는 것 가운데 풀은 날면서 풀의 부류에 속하는 것이다.

· · · · · · · · · · · · · · · · · · · ·

141 이상의 내용을 도표화하면 이렇다.

日月星辰		陰陽剛柔	飛走木草	
日	日日之物	太陽之太陽	飛	飛飛之物
	日月之物	太陽之太陰		飛走之物
	日星之物	太陽之少陽		飛木之物
	日辰之物	太陽之少陰		飛草之物
月	月日之物	太陰之太陽	走	走飛之物
	月月之物	太陰之太陰		走走之物
	月星之物	太陰之少陽		走木之物
	月辰之物	太陰之少陰		走草之物
星	星日之物	少陽之太陽	木	木飛之物
	星月之物	少陽之太陰		木走之物
	星星之物	少陽之少陽		木木之物
	星辰之物	少陽之少陰		木草之物
辰	辰日之物	少陰之太陽	草	草飛之物
	辰月之物	少陰之太陰		草走之物
	辰星之物	少陰之少陽		草木之物
	辰辰之物	少陰之少陰		草草之物

142 王植, 『皇極經世書解』: "(황기가 말했다.) 飛飛, 飛木, 木飛, 木木은 剛 가운데 강이 있는 것이고, 飛走, 飛草, 木走, 木草는 강 가운데 유가 있는 것이며, 走走, 走草, 木走, 草草는 유 가운데 유가 있는 것이고, 走飛, 走木, 草飛, 草木은 유 가운데 강이 있는 것이다. 그러나 주비초목으로 강유를 나누었으니 석토화수가 柔剛으로 나뉘는 것도 그 가운데 있다.(飛飛飛木木飛木木, 爲剛中剛, 飛走飛草木走木草, 爲剛中柔, 走走走草草走草草, 爲柔中柔, 走飛走木草飛草木, 爲柔中剛. 但以走飛草木而分剛柔, 則石土火水之分柔剛者, 亦在其中矣.)"

143 왕식본에는 "날면서 나는 것(飛而飛者也)"으로 되어 있다.

달리는 것 가운데 나는 것은 달리면서 나는 것이고 달리는 것 가운데 달리는 것은 달리면서 달리는 것이며 달리는 것 가운데 나무는 달리면서 나무의 부류에 속하는 것이고 달리는 것 가운데 풀은 달리면서 풀의 부류에 속하는 것이다.

나무 가운데 나는 것은 나무 가운데 나는 것의 부류에 속하는 것이고 나무 가운데 달리는 것은 나무 가운데 달리는 것의 부류에 속하는 것이며 나무 가운데 나무는 나무의 나무이고 나무 가운데 풀에 속하는 것은 나무 가운데 풀의 부류에 속하는 것이다.

풀 가운데 나는 것은 풀 가운데 나는 것의 부류에 속하는 것이고 풀 가운데 달리는 것은 풀 가운데 달리는 것의 부류에 속하는 것이며 풀 가운데 나무는 풀 가운데 나무의 부류에 속하는 것이고 풀 가운데 풀은 풀의 풀이다. 사물의 기운의 부류가 이와 같다.[144]

[10-12-3]

有皇皇之民者也, 有皇帝之民者也, 有皇王之民者也, 有皇伯之民者也. 有帝皇之民者也, 有帝帝之民者也, 有帝王之民者也, 有帝伯之民者也. 有王皇之民者也, 有王帝之民者也, 有王王之民者也, 有王伯之民者也. 有伯皇之民者也, 有伯帝之民者也, 有伯王之民者也, 有伯伯之民者也.

황皇 가운데 황의 백성이 있고 황 가운데 제帝의 백성이 있으며 황 가운데 왕王의 백성이 있고 황 가운데 패伯의 백성이 있다. 제 가운데 황의 백성이 있고 제 가운데 제의 백성의 있으며 제 가운데 왕의 백성이 있고 제 가운데 패의 백성이 있다. 왕 가운데 황의 백성이 있고 왕 가운데 제의 백성이 있으며 왕 가운데 왕의 백성이 있고 왕 가운데 패의 백성이 있다. 패 가운데 황의 백성이 있고 패 가운데 제의 백성이 있으며 패 가운데 왕의 백성이 있고 패 가운데 패의 백성이 있다.[145]

[10-12-3-0]

無爲之謂皇, 尚德之謂帝, 尚功之謂王, 尚力之謂伯. 皇皇之民者, 皇之皇者也, 皇帝之民者, 皇之帝者也, 皇王之民者, 皇之王者也, 皇伯之民者, 皇之伯者也. 帝皇之民者, 帝之皇者也,

---

144 王植,『皇極經世書解』: "飛走, 走飛, 木草, 草木과 같은 부류는 이해하기 어려운 점이 있지만「外篇」에서 '날개가 있으면서 달리는 것이 있고, 다리가 있으면서 나는 것이 있고, 풀 가운데 나무가 있고 나무 가운데 풀이 있다.'고 했고, '나는 것 가운데 달리는 것은 닭과 오리의 부류가 이것이고, 달리는 것 가운데 나는 것은 용과 말의 종류가 이것이다.'라고 했다. 이것으로 추론하건데 소강절의 格物의 학문은 매우 깊으니 반드시 한 글자라도 경망하게 쓰지 않았다.(飛走走飛木草草木之類, 若有難解者, 外篇之十云, '有羽而走者, 足而騰者, 草中有木, 木中有草也.' 又云, '飛之走雞鳧之類是也, 走之飛龍馬之屬是也.' 推此則邵子格物之學, 至深, 必不妄下一字矣.)"

145 王植,『皇極經世書解』: "(황기가 말했다.) 백성은 하늘과 땅 및 만물을 갖추고 있으니 일월성신으로 나눌 수 없는 것이다. 그러나 또한 황제황패의 구분이 있으니 또한 성정형체의 차이가 있는 것과 같다."(民則備乎天地萬物, 不可以日月星辰分之者也. 然而亦有皇帝王伯之分, 則亦猶之乎性情形體之異也.)

帝帝之民者, 帝之帝者也, 帝王之民者, 帝之王者也, 帝伯之民者, 帝之伯者也. 王皇之民者, 王之皇者也, 王帝之民者, 王之帝者也, 王王之民者, 王之王者也, 王伯之民者, 王之伯者也. 伯皇之民者, 伯之皇者也, 伯帝之民者, 伯之帝者也, 伯王之民者, 伯之王者也, 伯伯之民者, 伯之伯者也. 均爲皇也, 均爲帝也, 均爲王也, 均爲伯也, 其世變汚隆不同如此.

작위함이 없는 것[無爲]을 황皇이라 하고 덕을 숭상하는 것을 제帝라 하며 공로를 숭상하는 것을 왕王이라 하며 힘을 숭상하는 것을 패伯라 한다. 황 가운데 황의 백성이 황의 황이고 황 가운데 제의 백성이 황의 제이며 황 가운데 왕의 백성이 황의 왕이고 황 가운데 패의 백성이 황의 패이다. 제 가운데 황의 백성이 제의 황이고 제 가운데 제의 백성이 제의 제이며 제 가운데 왕의 백성이 제의 왕이고 제 가운데 패의 백성이 제의 패이다. 왕 가운데 황의 백성이 왕의 황이고 왕 가운데 제의 백성이 왕의 제이며 왕 가운데 왕의 백성이 왕의 왕이고 왕 가운데 패의 백성이 왕의 패이다. 패 가운데 황의 백성이 패의 황이고 패 가운데 제의 백성이 패의 제이며 패 가운데 왕의 백성이 패의 왕이고 패 가운데 패의 백성이 패의 패이다. 모두 고르게 황이 되고 모두 고르게 제가 되고 모두 고르게 왕이 되고 모두 고르게 패가 되지만 그것이 세상의 변화에서 오염되고 융성해지는 것이 이와 같이 다르다.[146]

[10-12-4]

皇皇民者, 士士也, 皇帝民者, 士農也, 皇王民者, 士工也, 皇伯民者, 士商也. 帝皇民者, 農士也, 帝帝民者, 農農也, 帝王民者, 農工也, 帝伯民者, 農商也. 王皇民者, 工士也, 王帝民者, 工農也, 王王民者, 工工也, 王伯民者, 工商也. 伯皇民者, 商士也, 伯帝民者, 商農也, 伯王民者, 商工也, 伯伯民者, 商商也.

황 가운데 황의 백성은 사士 가운데 사士이고 황 가운데 제의 백성은 사 가운데 농부[農]이며 황 가운데 왕의 백성은 사 가운데 공인[工]이고 황 가운데 패의 백성은 사 가운데 상인[商]의 백성이다. 제 가운데 황의 백성은 농부 가운데 사이고 제 가운데 제의 백성은 농부 가운데 농부이며 제 가운데 왕의 백성은 농부 가운데 공인이고 제 가운데 패의 백성은 농부 가운데 상인이다. 왕 가운데 황의 백성은 공인 가운데 사이고 왕 가운데 제의 백성은 공인 가운데 농부이며 왕 가운데 왕의 백성은 공인 가운데 공인이고 왕 가운데 패의 백성은 공인 가운데 상인이다. 패 가운데 황의 백성은 상인 가운데 사이고 패 가운데 제의 백성은 상인 가운데 농부이며 패 가운데 왕의 백성은 상인 가운데 공인이고 패 가운데 패의 백성은 상인 가운데 상인이다.[147][148]

. . . .

146 王植, 『皇極經世書解』: "이 절과 아래 구절은 백성으로 말했으니 백성 역시 만물 가운데 하나이다. 소백온은 세상의 변화와 백성의 풍속을 나누어 말했으니 세상의 변화 역시 백성으로 말한 것으로 세상에 따라서 변한다.(此與下節以民言, 民亦物之一也. 伯子分世變民俗言之, 世變亦以民言, 因世而變也.)"

147 王植, 『皇極經世書解』: "(황기가 말했다.) 백성은 하늘과 땅 및 만물을 갖추고 있으니 비·주·목·초로 나눌 수가 없다. 그러나 사, 농부, 공인, 상인의 구분이 있는 것은 또한 석·토·화·목의 차이가 있는 것과

由道之謂士, 務本之謂農, 興作之謂工, 趨利之謂商. 皇帝王伯世變不同如此, 故士農工商民俗之澆淳不同如此.

도를 따르는 자를 사士라 하고, 농사에 힘쓰는 자를 농부라 하고, 문명의 기물을 만드는[興作]149 자를 공인이라 하고, 이익을 쫓는 자를 상인이라 한다. 황제왕패로 세상이 이렇게 다르게 변화하므로 사, 농부, 공인, 상인으로 이루어진 백성의 풍속이 경박하거나 순박하게 변화하는 것이 이렇게 차이가 난다.150 151

[10-12-5]

飛飛物者, 性性也, 飛走物者, 性情也, 飛木物者, 性形也, 飛草物者, 性體也. 走飛物者, 情性也, 走走物者, 情情也, 走木物者, 情形也, 走草物者, 情體也. 木飛物者, 形性也, 木走物者, 形情也, 木木物者, 形形也, 木草物者, 形體也. 草飛物者, 體性也, 草走物者, 體情也, 草木物者, 體形也, 草草物者, 體體也.

• • • • • • • • • • • • • • • • • • • •

같다.(民則備乎天地萬物, 不可以飛走木草分之者也. 然而亦有士農工商之分, 則亦猶之乎石土火木之異也.)"

148 이상의 내용을 도표하면 이렇다.

	皇	帝	王	伯
士	皇皇 士士	帝皇 農士	王皇 工士	伯皇 商士
農	皇帝 士農	帝帝 農農	王帝 工農	伯帝 商農
工	皇王 士工	帝王 農工	王王 工工	伯王 商工
商	皇伯 士商	帝伯 農商	王伯 工商	伯伯 商商

149 興作 : 자연의 조건을 이용하여 문명의 기물을 만드는 것을 말한다. 『禮記』「禮運」에 "그래서 정치는 반드시 하늘에 근본하여 그것을 본받아 명령을 내려야 한다. … 산천에 명령을 내리는 것을 興作이라고 한다.(是故大政必本於天, 殽以降命 … 降於山川之謂興作.)"라고 되어 있는데 정현은 이에 대해서 "법령을 산천에 따라서 내리는 것을 말한다. 산천에는 풀과 나무와 금수가 있으니 기물을 만들어서 나라의 일에 공급할 수 있다.(謂教令由山川下者也. 山川有草木禽獸, 可作器物共國事.)"고 설명하였다.

150 소백온은 원·회·운·세와 일·월·성·신이라는 자연적 변화 즉 天時의 변화에 따라 황·제·왕·패라는 인간사의 변화가 이루어지지고 또 이 황·제·왕·패라는 정치적 권력 변화에 따라서 사·농·공·상이라는 백성들의 풍속도 등급별로 변한다고 말하고 있다. 그래서 世變, 즉 정치적 권력 변화에 따라서 民俗이 변한다고 말하는 것이다.

151 王植, 『皇極經世書解』: "황의 세상은 도로써 서로 높이고, 제의 세상은 순박하므로 사와 농부의 구분이 있다. 그러나 왕의 세상은 정치로 서로 숭상하고 패의 세상은 이익으로 서로 비교할 뿐이니 공인과 상인이 아니라면 무엇이겠는가? 이것은 형체가 유사함이 가장 닮은 것이다.(皇之世以道相高, 帝之世淳而樸矣, 故有士與農之分. 王之世以政相尚, 伯之世以利相校而已, 非工與商而何? 此形似之最眷者也.)"

나는 것 가운데 나는 것은 성性 가운데 성이고 나는 것 가운데 달리는 것은 성 가운데 정情이며 나는 것 가운데 나무는 성 가운데 형形이고 나는 것 가운데 풀은 성 가운데 체體이다. 달리는 것 가운데 나는 것은 정 가운데 성이고 달리는 것 가운데 달리는 것은 정 가운데 정이며 달리는 것 가운데 나무는 정 가운데 형이고 달리는 것 가운데 풀은 정 가운데 체이다. 나무 가운데 나는 것은 형 가운데 성이고 나무 가운데 달리는 것은 형 가운데 정이며 나무 가운데 나무는 형 가운데 형이고 나무 가운데 풀은 형 가운데 체이다. 풀 가운데 나는 것은 체 가운데 성이고 풀 가운데 달리는 것은 체 가운데 정이며 풀 가운데 나무는 체 가운데 형이고 풀 가운데 풀은 체 가운데 체이다.[152][153]

[10-12-5-0]

性情形體有同異, 所以物之有氣類也.

성·정·형·체에는 같고 다름이 있으니 그래서 사물에 기운의 종류가 있다.

[10-12-6]

士士民者, 仁仁也, 士農民者, 仁禮也, 士工民者, 仁義也, 士商民者, 仁智也. 農士民者, 禮仁也, 農農民者, 禮禮也, 農工民者, 禮義也, 農商民者, 禮智也. 工士民者, 義仁也, 工農民者, 義禮也, 工工民者, 義義也, 工商民者, 義智也. 商士民者, 智仁也, 商農民者, 智禮也, 商工民者, 智義也, 商商民者, 智智也.

사 가운데 사의 백성은 인仁 가운데 인이고, 사 가운데 농부의 백성은 인 가운데 예禮이며, 사 가운데 공인인 백성은 인 가운데 의義이고, 사 가운데 상인인 백성은 인 가운데 지智이다. 농부 가운데 사의 백성은 예 가운데 인이고, 농부 가운데 농부인 백성은 예 가운데 예이며, 농부 가운데 공인인 백성은 예 가운데 의이고, 농부 가운데 상인인 백성은 예 가운데 지이다. 공인 가운데 사의 백성은 의 가운데 인이고, 공인 가운데 농부인 백성은 의 가운데 예이며, 공인 가운데 공인인 백성은 의 가운데 의이고,

---

152 이상의 내용을 도표화하면 이렇다.

	飛	走	木	草
性	飛飛 性性	走飛 情性	木飛 形性	草飛 體性
情	飛走 性情	走走 情情	木走 形情	草走 體情
形	飛木 性形	走木 情形	木木 形形	草木 體形
體	飛草 性體	走草 情體	木草 形體	草草 體體

153 王植, 『皇極經世書解』: "(황기가 말했다.) 이것은 우·풍·로·뢰가 化하는 것으로 서·한·주·야의 변함이 있기 때문이니 일·월·성·신에 중요성을 귀속시킨다.(此則雨風露雷之所化, 以其有暑寒晝夜之所變, 歸重於日月星辰者也.)"

공인 가운데 상인인 백성은 의 가운데 지이다. 상인 가운데 사의 백성은 지 가운데 인이고, 상인 가운데 농부인 백성은 지 가운데 예이며, 상인 가운데 공인인 백성은 지 가운데 의이고, 상인 가운데 상인인 백성은 지 가운데 지이다.[154][155]

[10-12-6-0]

仁禮義智有等差, 民俗之所以不同也.

인예의지에는 차등이 있으니 그래서 백성의 풍속이 다르다.[156]

[10-12-7]

飛飛之物一之一, 飛走之物一之十, 飛木之物一之百, 飛草之物一之千. 走飛之物十之一, 走走之物十之十, 走木之物十之百, 走草之物十之千. 木飛之物百之一, 木走之物百之十, 木木之物百之百, 木草之物百之千. 草飛之物千之一, 草走之物千之十, 草木之物千之百, 草草之物千之千.

나는 것 가운데 나는 사물은 1의 1이고, 나는 것 가운데 달리는 사물은 1의 10이고, 나는 것 가운데

- - - - - - - - - - - - - - - - - - - -

154 王植, 『皇極經世書解』: "(황기가 말했다.) 이것은 주·비·목·초가 호응하지 않음이 없는 것이니, 그 성·정·형·체가 감발하지 않음이 없기 때문에 황·제·왕·패에 중요성이 귀결된다. 위에서 성·정·형·체와 비·주·목·초로 일월성신에 분속하는 것은 사물의 수이고 여기서 인·의·예·지와 사·농·공·상으로 황·제·왕·패에 분속하는 것은 인간의 수이다.(此則飛走木草無不應, 以其性情形體無不感, 歸重於皇帝王伯者也. 上以性情形體飛走木草, 分屬日月星辰者, 物數也, 此以仁義禮智士農工商, 分屬皇帝王伯者, 人數也.)"

155 이상의 내용을 도표화하면 이렇다.

	士	農	工	商
仁	士士 仁仁	農士 禮仁	工士 義仁	商士 智仁
禮	士農 仁禮	農農 禮禮	工農 義禮	商農 智禮
義	士工 仁義	農工 禮義	工工 義義	商工 智義
智	士商 仁智	農商 禮智	工商 義智	商商 智智

156 王植, 『皇極經世書解』: "위의 2절에 또 비·주·초·목과 성·정·형·체로 섞어 서로 말하고 사·농·공·상과 인·의·예·지로 섞어 말했으니 제 1편, 4편, 10편의 글과 서로 비슷하다. 사·농·공·상은 앞의 각 장에는 없는데 이 장에서 또 이런 뜻을 만들어냈으니 소강절은 매사를 4가지로 만들고 또 4로 번갈아 더하여서 하늘과 땅 그리고 옛날과 지금의 사람과 만물의 부류의 변화를 다하였다. 그래서 그 글자를 사용하는 것이 이따금 이와 같다.(上二節, 又以飛走木草與性情形體錯互言之, 以士農工商與仁義禮智錯互言之, 與第一第四第十篇文字相似, 士農工商前各篇所未有, 此篇又生出此義, 盖邵子每事看作四片, 又以四遞加之, 以盡天地古今人物事類之變. 故其用字立文恔恔如此.)"

나무의 사물은 1의 100이고, 나는 것 가운데 풀의 사물은 1의 1,000이다. 달리는 것 가운데 나는 것은 10의 1이고, 달리는 것 가운데 달리는 것은 10의 10이고, 달리는 것 가운데 나무의 사물은 10의 100이고, 달리는 것 가운데 풀의 사물은 10의 1,000이다. 나무 가운데 나는 사물은 100의 1이고, 나무 가운데 달리는 사물은 100의 10이고, 나무 가운데 나무의 사물은 100의 100이고, 나무 가운데 풀의 사물은 100의 1,000이다. 풀 가운데 나는 사물은 1,000의 1이고, 풀 가운데 달리는 사물은 1,000의 10이고, 풀 가운데 나무의 사물은 1,000의 100이고, 풀 가운데 풀의 사물은 1,000의 1,000이다.[157]

[10-12-7-0]

> 飛飛之物一之一, 謂爲一物而兼兆物者也. 自此各有等差, 以至於草草之物, 物之極細者也. 故爲千之千物之巨細如此.

나는 것 가운데 나는 사물이 1의 1이란 것은 하나의 것이 1조兆의 사물을 겸한 것을 말한다. 이것으로부터 각각 차등이 있는데 풀 가운데 풀의 사물에 이르러서 사물 가운데 가장 미세한 것이 된다. 그러므로 천의 천이 되니 사물의 크고 작은 것이 이와 같다.

[10-12-8]

> 士士之民一之一, 士農之民一之十, 士工之民一之百, 士商之民一之千. 農士之民十之一, 農農之民十之十, 農工之民十之百, 農商之民十之千. 工士之民百之一, 工農之民百之十, 工工之民百之百, 工商之民百之千. 商士之民千之一, 商農之民千之十, 商工之民千之百, 商商之民千之千.

사 가운데 사의 백성은 1의 1이고, 사 가운데 농부의 백성은 1의 10이며, 사 가운데 공인인 백성은 1의 100이고, 사 가운데 상인인 백성은 1의 1,000이다. 농부 가운데 사의 백성은 10의 1이고, 농부 가운데 농부인 백성은 10의 10이며, 농부 가운데 공인인 백성은 10의 100이고, 농부 가운데 상인인 백성은 10의 1,000이다. 공인 가운데 사의 백성은 100의 1이고, 공인 가운데 농부인 백성은 100의 10이며, 공인 가운데 공인인 백성은 100의 100이고, 공인 가운데 상인인 백성은 100의 1,000이다. 상인 가운데 사의 백성은 1,000의 1이고, 상인 가운데 농부인 백성은 1,000의 10이며, 상인 가운데 공인인 백성은 1,000의 100이고, 상인 가운데 상인인 백성은 1,000의 1,000이다.[158]

. . . .

157 이상의 내용을 도표화하면 이렇다.

	飛(1)	走(10)	木(100)	草(1,000)
飛(1)	飛飛(一之一)	飛走(一之十)	飛木(一之百)	飛草(一之千)
走(10)	走飛(十之一)	走走(十之十)	走木(十之百)	走草(十之千)
木(100)	木飛(百之一)	木走(百之十)	木木(百之百)	木草(百之千)
草(1,000)	草飛(千之一)	草走(千之十)	草木(千之百)	草草(千之千)

158 이상의 내용을 도표화하면 이렇다.

士士之民一之一, 謂爲一人而兼兆人者也. 自此各有等差, 以至於商商之民, 民之極細者也. 故爲千之千. 人之賢愚如此.

사 가운데 사의 백성이 1의 1이라는 것은 한 사람이 1조兆의 사람들을 겸한 것을 말한다. 이것으로부터 각각 차등이 있는데 상인 가운데 상인의 백성에 이르러 백성 가운데 가장 미천한 것이 된다. 그러므로 천의 천이 되니 사람의 현명함과 우매함이 이와 같다.

[10-12-9]

一一之飛當兆物, 一十之飛當億物, 一百之飛當萬物, 一千之飛當千物, 十一之走當億物, 十十之走當萬物, 十百之走當千物, 十千之走當百物. 百一之木當萬物, 百十之木當千物, 百百之木當百物, 百千之木當十物. 千一之草當千物, 千十之草當百物, 千百之草當十物, 千千之草當一物.

1의 1인 나는 것이 1조의 사물을 감당하고, 1의 10의 나는 것이 1억의 사물을 감당하며, 1의 100인 나는 것이 1만의 사물을 감당하고 1의 1,000인 나는 것이 1천의 사물을 감당한다. 10의 1인 달리는 것이 1억의 사물을 감당하고, 10의 10인 달리는 것이 1만의 사물을 감당하며, 10의 100인 달리는 것이 1천의 사물을 감당하고 10의 1,000인 달리는 것이 1백의 사물을 감당한다. 100의 1인 나무가 1만의 사물을 감당하고, 100의 10인 나무가 1천의 사물을 감당하고 100의 100인 나무가 1백의 사물을 감당하고, 100의 1,000인 사물가 열의 사물을 감당한다. 1,000의 1인 풀이 1천의 사물을 감당하고, 1,000의 10인 풀이 1백의 사물을 감당하고, 1,000의 100인 풀이 열의 사물을 감당하고, 1,000의 1,000인 풀이 하나의 사물을 감당한다.[159]

	士(1)	農(10)	工(100)	商(1,000)
士(1)	士士(一之一)	士農(一之十)	士工(一之百)	士商(一之千)
農(10)	農士(十之一)	農農(十之十)	農工(十之百)	農商(十之千)
工(100)	工士(百之一)	工農(百之十)	工工(百之百)	工商(百之千)
商(1,000)	商士(千之一)	商農(千之十)	商工(千之百)	商商(千之千)

159 이상의 내용을 도표화하면 이렇다.

	飛(1)	走(10)	木(100)	草(1,000)
飛(1)	飛飛(一之一) 1조의 사물 감당	飛走(一之十) 1억의 사물 감당	飛木(一之百) 1만의 사물 감당	飛草(一之千) 1천의 사물 감당
走(10)	走飛(十之一) 1억의 사물 감당	走走(十之十) 1만의 사물 감당	走木(十之百) 1천의 사물 감당	走草(十之千) 1백의 사물 감당
木(100)	木飛(百之一) 1만의 사물 감당	木走(百之十) 1천의 사물 감당	木木(百之百) 1백의 사물 감당	木草(百之千) 열의 사물 감당
草(1,000)	草飛(千之一) 1천의 사물 감당	草走(千之十) 1백의 사물 감당	草木(千之百) 열의 사물 감당	草草(千之千) 하나의 사물 감당

[10-12-9-0]

此物之所以有巨細也.

이것이 사물에 크고 작은 차이가 있는 까닭이다.

[10-12-10]

一一之士當兆民, 一十之士當億民, 一百之士當萬民, 一千之士當千民. 十一之農當億民, 十十之農當萬民, 十百之農當千民, 十千之農當百民. 百一之工當萬民, 百十之工當千民, 百百之工當百民, 百千之工當十民. 千一之商當千民, 千十之商當百民, 千百之商當十民, 千千之商當一民.

1의 1인 사가 1조의 백성을 감당하고, 1의 10의 사가 1억의 백성을 감당하며, 1의 100인 사가 1만의 백성을 감당하고, 1의 1,000인 사가 1천의 백성을 감당한다. 10의 1인 농부가 1억의 백성을 감당하고, 10의 10인 농부가 1만의 백성을 감당하며, 10의 100인 농부가 1천의 백성을 감당하고, 10의 1,000인 농부가 1백의 백성을 감당한다. 100의 1인 공인이 1만의 백성을 감당하고, 100의 10인 공인이 1천의 백성을 감당하고 100의 100인 공인이 1백의 백성을 감당하고, 100의 1,000인 공인이 열의 백성을 감당한다. 1,000의 1인 상인이 1천의 백성을 감당하고, 1,000의 10인 상인이 1백의 백성을 감당하고, 1,000의 100인 상인이 열의 백성을 감당하고, 1,000의 1,000인 상인이 하나의 백성을 감당한다.

[10-12-10-0]

此人之所以有賢愚也.

이것이 사람에게 현명한 자와 우매한 자가 있는 까닭이다.[160]

[10-12-11]

爲一一之物能當兆物者, 非巨物而何? 爲一一之民能當兆民者, 非巨民而何? 爲千千之物能分一物者, 非細物而何? 爲千千之民能分一民者, 非細民而何?

1의 1인 사물이 1조의 사물들을 감당할 수 있으니 거대한 사물이 아니고 무엇이겠는가? 1의 1인 백성이 1조의 백성들을 감당할 수 있으니 거대한 백성이 아니고 무엇이겠는가? 1,000의 1,000인 사물이 하나의 사물을 분담하니 작은 사물이 아니고 무엇이겠는가? 1,000의 1,000인 백성이 하나의 백성을 분담하니

---

160 王植, 『皇極經世書解』: "위의 4절은 멀리 제2편의 '1의 사물, 10의 사물, 1가운데 1의 사물, 1조의 사물' 등의 말들을 이어서 밝게 말한 것이다. 사물에는 주비초목으로 차등을 삼고 백성은 사농공상으로 차등을 삼으며 수는 일십백천으로 차등을 삼고, 또 수에서 적은 것으로 많은 것에 배당시켜서 차례로 차등을 두었는데, 그 가운데 해석하기 어려운 것이 있는 것은 글자와 구절 이외에서 의미를 이해해야 좋을 것이다.(上四節遙承第二篇, 一物之物, 十物之物, 一一之物, 兆物之物等語而暢言之. 物以飛走木草爲等差, 民以士農工商爲等差, 數以一十百千爲等差, 又以數之少而當多者, 以次爲等差, 其中有難解者會意於字句之外可也.)"

작은 백성이 아니고 무엇이겠는가?

[10-12-11-0]

爲一一之物能當兆物者, 謂以一物而可以兼兆物, 物之至者也. 爲一一之民能當兆民者, 謂以一民而可以兼兆民, 人之至者也. 爲千千之物而分一物者, 物之細者也. 爲千千之民而分一民者, 人之細者也.

1의 1인 사물이 1조의 사물을 감당하는 것은 하나의 사물이 1조의 사물을 겸할 수 있음을 말함이니, 사물의 지극한 것이다. 1의 1인 백성이 1조의 백성들을 감당하는 것은 하나의 백성이 1조의 백성을 겸할 수 있음을 말함이니 사람의 지극한 것이다. 1,000의 1,000인 사물이 하나의 사물을 분담하는 것은 사물의 작은 것이다. 1,000의 1,000인 백성이 하나의 백성을 분담하는 것은 사람의 작은 것이다.

[10-12-12]

固知物有大小, 民有賢愚, 移昊天生兆物之德而生兆民, 則豈不謂至神者乎? 移昊天養兆物之功而養兆民, 則豈不謂至聖者乎? 吾而今而後知踐迹爲大, 非大聖大神之人, 豈有不負於天地者矣!

실로 사물에 크고 작은 것이 있고 백성에 현명한 자와 우매한 자가 있다는 것을 알 수 있으니 호천昊天이 1조의 사물을 낳는 덕을 본받아서 1조의 백성을 낳는다면 어찌 지극히 신묘한 것이라고 할 수 없겠는가? 호천이 1조의 사물을 기르는 공로를 본받아 1조의 백성을 기른다면 어찌 지극한 성인이라고 할 수 없겠는가? 나는 지금에서야 하늘이 내려준 천성을 실천하는 것[161]이 위대한 일임을 알았다. 위대한 성인과 위대한 신인이 아니라면 하늘과 땅을 등에 지지 않는 일이 어찌 있겠는가![162]

. . . .

161 하늘이 내려준 … 것: 왕식을 따라 踐跡은 踐形으로 해석했다. 『孟子』「盡心上」: "형체와 안색은 하늘이 내려준 천성이다. 오직 성인이 된 후에만 하늘이 내려준 천성을 실천할 수 있다.(形色, 天性也, 惟聖人然後可以踐形.)" 송나라 祝泌의 『관물편해』와 송나라 장해성의 『皇極經世索隱』에서는 모두 '踐跡'으로 되어 있는데 왕식의 『皇極經世書解』 및 다른 판본에서는 '踐形'으로 되어 있다. 황기는 '천형'을 '천적'이라고 했는데 왕식은 이점을 비판하고 있다. "황기는 원나라 대덕본을 따라서 '踐形'을 '踐迹'이라 했지만 여기서는 송나라 판본을 따랐고 끝 구절에 '豈有'에서 豈자는 末자로 해야 옳다.(踐形元大德本作踐迹, 今從宋本, 末句豈有之豈疑當作末.)"

162 王植, 『皇極經世書解』: "(황기가 말했다.) 사물의 거대하고 미세한 것을 크고 작은 것으로 분류한 것은 形과 體일 뿐이다. 백성의 위대하고 미천한 것을 현명함과 우매함으로 분류한 것은 性과 情을 아우른 것이다. 여러 어리석은 사람들 가운데에 현명한 자가 있으니 실로 위대하지만 여러 현명한 사람 가운데 神聖이 있으니 위대한 가운데 또 위대한 자가 아니겠는가? 이것이 昊天과 더불어 하나가 되는 길이다. 그러므로 하늘이 만물을 낳는 것을 옮겨서 백성을 낳고, 또 하늘이 만물을 양육하는 바를 옮겨서 백성을 양육하면 그 덕이 호천의 덕이고 공로가 호천의 공로이다. 하늘의 덕으로 낳으니 '神'이라 하고 하늘의 공로로 양육하니 '聖'이라고 한다. 한 사람의 몸이 '신'이 되고 '성'이 되니 1의 1인 사람이 1조의 백성을 감당하는 것이 아니겠는가? 이 형체가 있으면 그 형체의 理를 채울 수 있는 것을 실천이라고 한다. 한 백성의 이치로부터

[10-12-12-0]

物有巨細, 民有賢愚, 皆由所禀而然. 萬物各得天地之一端, 萬物之中, 復有巨細, 人能兼萬物而亦有賢愚之異, 猶物之有巨細也. 聖人則旣兼兆物矣, 又能兼兆民. 非獨兼人兼物也, 又能兼天地. 能兼天地, 故能彌綸天地. 能兼兆物, 故能曲成萬物. 能兼兆民, 故能通天下之志. 此所以能生兆物養兆民也. 人之一身, 實具天地萬物, 唯聖人則能反身而誠, 踐而履之. 如是則不負于天地矣.

사물에는 크고 작은 것이 있고 백성에는 현명하고 우매한 사람이 있으니 모두 품수받은 것으로부터 그렇게 되었다. 만물은 각각 하늘과 땅 가운데에서 하나의 단서를 얻었으니, 만물 가운데에는 다시 크고 작은 것이 있고, 인간은 만물을 겸할 수 있지만, 또한 현명하고 우매한 차이가 있어서 사물에 크고 작은 차이가 있는 것과 같다. 성인은 1조의 사물들을 겸하고 또 1조의 백성들을 겸할 수가 있다. 사람과 사물을 겸할 뿐 아니라 또 하늘과 땅을 겸하고 있다. 하늘과 땅을 겸할 수 있으므로 하늘과 땅의 도를 모두 다 포괄하여 조리를 세울 수 있다.[163] 1조의 사물을 겸할 수 있으므로 만물을 곡진하게 이룰 수 있다.[164] 1조의 백성들을 겸할 수 있으므로 세상 사람들의 뜻을 통하게 할 수 있다.

. . . .

확충하여 1조의 백성의 이치에 이르면 갖추지 않음이 없고, 또 하나의 사물의 이치로부터 1조의 사물들의 이치에 이르면 또한 갖추어지지 않음이 없다. 하늘과 땅 사이의 형색에서 나의 천성이 아닌 것이 하나도 없으니 그렇다면 하늘과 땅에서 무엇을 저버리겠는가? 그러므로 '생명을 낳고 여러 종류를 기르는 것은 천지가 공을 이룬 것이지만, 생명을 구별하고 그 종류를 분류하는 일은 성인이 천지의 기능을 이루는 것이다.'라고 했다.(物之巨細以大小分者, 形體而已. 民之巨細以賢愚分者, 則兼性情焉. 於羣愚之中而有賢, 固已巨矣, 於羣賢之中而有神聖, 非巨之又巨者乎? 是乃與昊天爲一道者也, 故能移天之所以生物者而生民, 又能移天之所以養物者而養民, 則其德即昊天之德, 功即昊天之功矣. 生之以天德則謂之神, 養之以天功則謂之聖. 一人之身而爲神爲聖, 非一之一而當兆民者歟? 有是形而能充其理, 是之謂踐. 夫自一民之理廓而充之, 以至於兆民之理無所不備, 又自一物之理廓而充之, 以至於兆物之理亦無所不備. 凡形色於兩間者無一物非吾天性矣. 夫然則於天地乎何負? 故曰, '生生長類, 天地成功, 別生分類, 聖人成能.')"

163 『周易』「繫辭上」4장: "易은 天地와 똑같다. 그러므로 천지의 道를 '彌綸'한다. 우러러 봄에는 天文을 관찰하고 굽어봄에는 地理를 살핀다. 그러므로 幽·明의 원인을 알며, 시작을 근원하여 終에 돌이켜 연구한다. 그러므로 死·生의 논의를 알며, 精과 氣가 물건이 되고, 魂이 돌아다녀 變이 된다. 이 때문에 鬼·神의 情狀을 아는 것이다.(易與天地準, 故能彌綸天地之道. 仰以觀於天文, 俯以察於地理, 是故知幽明之故, 原始反終, 故知死生之說, 精氣爲物, 遊魂爲變, 是故知鬼神之情狀.)" 위의 '彌綸'에 대해, 주자는 彌를 彌縫의 뜻으로 연합한다는 의미로 풀었고 綸을 조리를 선택한다는 뜻으로 풀었다. 주자는 이렇게 설명하고 있다. "易道, 本與天地齊準, 所以能彌綸之. 蓋天地有許多道理, 易上都有故易能彌綸天地之道, 而聖人用之也. 彌如封彌之彌, 糊合使无縫罅, 綸如綸絲之綸, 自有條理言, 雖是彌得外面无縫罅, 而中則事事物物, 各有條理. 彌如大德敦化, 綸如小德川流, 彌而非綸, 則空疎无物, 綸而非彌, 則判然不相干. 此二字見得聖人下字甚密也. 又曰, 天地有未至處, 易卻能彌綸得它."(『朱子語類』 권74)

164 「繫辭上」4장: "천지의 조화를 범위하여 지나치지 않게 하고 만물을 곡진히 이루어 빠뜨림이 없게 하며 밤낮의 도리를 통하여 안다. 그래서 신은 일정한 장소가 없고 역은 일정한 체가 없다.(範圍天地之化而不過, 曲成萬物而不遺, 通乎晝夜之道而知, 故神无方而易无體.)" 주자는 이렇게 설명한다. "범이란 쇠를 주조할 때 모형이 있는 것과 같고 위란 틀을 말한다. 천지의 변화는 무궁하지만 성인이 이를 범위하여 中道에서 지나치

皇極經世書四 · 525

이것이 1조의 사물을 낳게 하고 1조의 백성을 양육할 수 있는 까닭이다. 사람의 한 몸에는 천지만물의 모든 이치가 실로 구비되어 있지만 오직 성인만이 자신의 몸을 돌이켜 보아 진실하고 성실하게 하여 그것을 실천하고 실현한다.[165] 이와 같이 하면 하늘과 땅을 저버리지 않는 것이다.[166]

[10-12-13]

夫所以謂之觀物者, 非以目觀之也; 非觀之以目而觀之以心也, 非觀之以心而觀之以理也.

관물觀物이라고 하는 것은 눈으로 관찰하는 것이 아니며, 눈으로 관찰하는 것이 아니라 마음으로 관찰하는 것이며, 마음으로 관찰하는 것이 아니라 이치로 관찰하는 것이다.

[10-12-13-0]

以目觀物, 見物之形; 以心觀物, 見物之情; 以理觀物, 盡物之性.

눈으로 사물을 관찰하는 것은 사물의 형체를 보는 것이고, 마음으로 사물을 관찰하는 것은 사물의 정情을 보는 것이고, 이치로 사물을 관찰하는 것은 사물의 성性을 다 실현하는 것이다.

[10-12-14]

天下之物莫不有理焉, 莫不有性焉, 莫不有命焉. 所以謂之理者, 窮之而後可知也. 所以謂

. . . .

지 않도록 한다. 이것이 마름질하여 이룬다는 말이다.(範, 如鑄金之有模範, 圍, 匡郭也. 天地之化无窮, 而聖人爲之範圍, 不使過於中道, 所謂裁成者也.)" 주자는 曲成을 마름질하여 이룬다는 뜻으로 해석하고 있고 그것을 中道를 실현한 것으로 설명하고 있다.

165 다른 판본에서는 '履之'가 '復之'로 되어 있다. 그럴 때 "실천하여 회복한다."로 해석할 수 있다.

166 王植, 『皇極經世書解』: "생각하건데, 이것은 위에서 말한 사물을 수렴하여 천성을 실천하는 성인으로 귀결시켜서 아래 관물의 뜻을 일으켰다. '巨'란 크다는 뜻으로 외편 9장에서 '커서 천지와 짝을 이룬 것이 사람인데 오직 인한 사람만이 실로 사람이라고 할 수 있다.'고 했다. '천성을 실천한다.'는 말은 본래 『孟子』에 근본하지만 소강절이 사람과 사물의 구분에서 形體로 말한 경우가 많다. 사람의 형체는 본래 사물의 형체와 같지 않지만 천성을 저버리지 않는다는 말은 본성을 다 실현할 수 있는 이치가 구비되어 있는 것이다. 첫편에서 '눈은 만물의 색을 잘 보고 귀는 만물의 소리를 잘 듣고, 코는 만물의 기를 잘 냄새맡고, 입은 만물의 맛을 잘 본다.'고 했으니 만물보다 영묘한 것이 마땅하지 않은가? 외편 10장에서 '하늘과 땅에는 8가지 상이 있고 사람에게는 16가지 상이 있다.'고 했고, 또 '손가락 마디로 하늘을 볼 수 있고, 손바닥 무늬로 땅을 살필 수 있다.'고 했고, 또 '달리는 것은 풀을 먹고, 나는 것은 나무를 먹고, 사람은 나는 것과 달리는 것을 겸했으므로 만물 가운데 가장 귀하다.'고 했다. 그렇다면 '경건하게 5가지 일을 쓴다.'는 것은 『書經』「洪範」편의 엄숙[肅], 재주[乂], 명철[哲], 도모[謀], 성스러움[聖]이고, 『禮記』「玉藻」편의 9가지 용모'는 성대한 덕의 행동거지와 용모의 周旋이 예에 맞고 천성을 실천하는 것이다. 이것은 성인이 아니라면 무엇이겠는가?(愚按此總收上言物而歸之踐形之聖人, 以起下觀物之意. 巨, 大也, 外篇之九云, '巨配天地之謂人, 惟仁者眞可謂之人矣.' 踐形本於孟子, 而邵子於人物之分, 尤多以形體言之. 人之形本不同於物形, 不負形即盡性之理具是矣. 首篇云, '目善萬物之色, 耳善萬物之聲, 鼻善萬物之氣, 口善萬物之味, 靈於萬物不亦宜乎?' 外篇之十三, '天地有八象, 人有十六象.' 又云, '指節可以觀天, 掌文可以察地.' 又云, '走者食草, 飛者食木, 人兼飛走, 故最貴於萬物.' 然則敬用五事, 即禹範之肅乂哲謀作聖, 玉藻九容, 即盛德之動容周旋, 中禮踐形. 非聖人而何?)"

之性者, 盡之而後可知也. 所以謂之命者, 至之而後可知也. 此三知者, 天下之眞知也. 雖聖人無以過之也. 而過之者非所以謂之聖人也.

세상의 사물에는 리理가 없는 것이 없고 성性이 없는 것이 없으며 명命이 없는 것이 없다. 리라고 하는 것은 궁구한 뒤에야 알 수 있다. 성性이라고 하는 것은 모두 다 실현한 뒤에야 알 수 있다. 명이라고 하는 것은 그것에 이른 뒤에야 알 수 있다. 이 세 가지를 아는 것이 세상의 참된 앎이다. 성인일지라도 이것을 넘어서지 않는다. 이것을 넘어서는 자는 성인이라고 할 수 없다.[167]

[10-12-14-0]

窮理盡性以至于命, 是謂眞知. 聖人亦不過如是而已矣.

리를 궁구하고 성을 다하여 천명에 이르는 것이 진짜 앎이다. 성인 역시 이와 같은 것에 불과할 뿐이다.[168]

. . . .

167 王植,『皇極經世書解』: "(황기가 말했다.) 눈으로 보지 않고 마음으로 관찰하고 마음으로 관찰하지 않고 이치로 관찰한다는 말은 마음은 허령하여 헤아릴 수가 없으나 리는 사물에 있어서 근거할 수 있기 때문이다. 세상의 사물로 말하자면 하늘과 땅, 사람과 사물은 모두 사물이다. 위로 하늘을 관찰하면 일월성신의 리가 있고 아래로 땅을 관찰하면 수화토석의 리가 있고, 가까이는 나를 관찰하면 성정형체의 리가 있고 멀리는 사물을 관찰하면 비주목초의 리가 있다. 리란 성이 사물에 있는 것이고 성이란 리가 마음에 있는 것이며 명이란 성이 하늘에 있는 것이니 성인일지라도 어찌 이것을 지나칠 수 있겠는가?(曰不以目而以心, 不以心而以理者, 心虛靈而不測, 理在物而可據故也. 以天下之物言之, 天地人物皆物也. 仰觀於天則有日月星辰之理, 俯察於地則有水火土石之理, 近取諸身則有性情形體之理, 遠取諸物則有飛走木草之理. 理即性之在物者, 性即理之在心者, 命即性之在天者, 雖聖人, 豈有過於此哉?)"

168 王植,『皇極經世書解』: "생각하건대 이 절은 위에서 사물을 말한 것이 부류별로 나누어 번갈아 추측하여 상세하지 않은 것이 없다. 이것은 '관찰한다.'는 의미를 설명했다. '사물을 관찰한다.'(觀物)는 두 글자를 돌연히 꺼내 관물편의 뜻을 가리켜 말했다. 마치『繫辭傳』에서 '역은 천지와 똑같다. 역은 넓고 크다. 역은 지극하다.'라고 했으니『易』이라는 책을 지적하여 말한 것과 같다. '관찰한다.'라는 말은 이치로 관찰한다는 것으로 一心의 참된 앎에 근본하는 것이지, 사사로운 지혜로 천착하여 과도함에 흘러가는 것이 아니다. 지나치게 과도한 것은 성인이라고 할 수 없다. 예컨대『中庸』에서 '지혜로운 사람은 중용을 지나친다.'고 했고『孟子』에 '지혜에 대해서 미워하는 것은 천착하기 때문'이라고 말한 것과 같으니 어떻게 성인의 참된 앎이라고 하겠는가? 이때에 소강절이 미래를 아는 것을 사람들이 놀랍고 기이하게 여겨 아름답게 전해서 그에게 이상한 술수가 있을 것이라고 의심했다. 그래서 소강절은 이편에서 바로 보여주었다. 그러나 이것이 천기를 누설한 곳이다. 주자가 말했다. '어떤 사람이 소강절의 數學을 물으니,「알 필요 없다. 수에는 원래 이치가 있으니 생겨나는 것이 있다면 죽는 것이 있고 번성함이 있으면 쇠락함이 있다. 예컨대 한 떨기의 꽃이 꽃망울을 머금고 있을 때 장차 열리게 될 것이고, 꽃이 필 때 성하게 될 것이고 활짝 피었을 때 곧 쇠퇴해서 떨어지게 될 때인 것과 같다. 또 사람으로 보면 기운이 번성하고 쇠함에서 그 사람의 죽고 사는 것을 알 수 있는 것과 같다.」고 했다. 그 학문은 이치를 밝히는 데에 근본하고 있다. 그러므로 명도는 하늘과 땅의 운행과 조화를 관찰한 뒤에 공손히 순하여 그침 없이 돌아간다라고 하였다. 그 사람을 미래의 일을 알 수 있다고만 말하면 세상 사람들의 점쟁이 기술과 무엇이 다르겠는가? 도와는 거리가 머니 그것은 소강절을 아는 것이 지엽적이다.' 또 말했다. '그는 이 이치를 완숙하게 터득하여 사물이 눈 앞에 오면 곧 알아서

[10-12-15]

夫鑑之所以能爲明者, 謂其能不隱萬物之形也. 雖然, 鑑之能不隱萬物之形, 未若水之能一萬物之形也. 雖然, 水之能一萬物之形, 又未若聖人能一萬物之情也. 聖人之所以能一萬物之情者, 謂其聖人之能反觀也.

거울이 밝을 수 있는 것은 만물의 형체를 숨기지 않을 수 있다는 것을 말한다. 그렇다고 해도 거울이 만물의 형체를 숨기지 않을 수 있는 것은 물이 만물의 형체를 동일하게 드러낼 수 있는 것만 못하다. 그렇다고 해도 물이 만물의 형체를 동일하게 드러낼 수 있는 것은 또한 성인이 만물의 정情을 동일하게 드러낼 수 있는 것만 못하다. 성인이 만물의 정을 동일하게 드러낼 수 있다는 것은 성인이 돌이켜 관찰할 수 있다는 것을 말한다.

[10-12-15-0]

鑑以金爲之, 工出人手. 鎔冶模範有所不同, 則其明之照物有時乎差矣, 故不若水之爲明, 出於自然也. 水能照表, 不能照裏, 微風過之, 淸明動於上, 重濁亂於下, 則不得大形之正矣, 故不若聖人之明也. 聖人之明, 表裏洞照, 幽明必燭, 天下之物無出之者, 以其能反觀也. 能反觀者, 以萬物皆備於我, 自我而觀之也. 自我而觀物, 則能物物而不物於物. 不物於物, 故能以物觀物, 能以物觀物者, 能無我故也.

거울은 구리를 가지고 사람의 손으로 만든 것인데 녹이고 도야하여 모형을 만드는 데에 동일하지 않은 바가 있으면 그 밝음이 사물을 비추는 데에 때에 따라 차이가 있다. 그러므로 물의 밝음이 저절로 그러함으로부터 나온 것만 못하다. 물은 겉을 비출 수 있지만 속을 비출 수가 없어서 미세한

다시 생각할 필요가 없었다.' 또 '성인은 천명을 이치로써 알고 강절은 술수로만 알지만 술수의 정밀한 곳에 이르면 술수만으로 다 알 수 있는 것은 아니다.'라고 했고, 또 '이치는 수 안에 있고 수도 이치 안에 있으니 강절은 하나의 성쇠소장의 이치를 터득했기 때문에 알 수 있는 것이다. 그가 아는 어떤 것만 말하면 이것은 강절을 아는 것이 비루한 것이다.'라고 했다. 이러한 몇 가지 조목으로 보면 소강절이 이치로 관찰한다는 것이 세상의 참된 앎이 된다라고 한 것은 곧 사물을 관찰하는 실제이고 미래의 유래를 아는 것 역시 여기서 벗어나지 않는다.(愚按此節以上所以言物者, 分類遞推, 無所不詳矣. 此乃正發觀字之義. 突提觀物二字, 乃自指其觀物篇言之. 如大傳'易與天地準. 夫易廣矣, 大矣, 易其至矣乎!' 正指易之書言也. 所謂觀者, 觀之以理, 而本一心之眞知, 不以私智穿鑿而流於過也. 過者非所以謂之聖人. 如中庸言, '智者過之', 孟子謂所惡於智者爲其鑿也, 豈聖人眞知之謂乎? 於時, 邵子之前知, 人皆驚異而艶傳之, 必疑其有異術焉. 故邵子於此篇正示之. 然乃其洩漏天機處. 朱子曰, '或問康節數學, 曰, 且未須理會. 數自是有此理, 有生便有死, 有盛便有衰. 且如一朵花, 含蘂時是將開, 罍放時是正盛, 爛熳時是衰謝. 又如看人, 即其氣之盛衰, 便可以知其生死.' 盖其學本於明理. 故明道謂其觀天地之運化, 然後頹能乎其順, 浩然其歸. 若曰渠能知未來事, 則與世間占覆之術何異? 其去道遠矣, 其知康節者末矣. 又曰, '他玩得此理熟了, 事物到面前便見, 更不待思量.' 又曰, '聖人知天命以理, 康節只是以術, 然到得術之精處, 亦非術之所能盡.' 又曰, '理在數內, 數又在理內, 康節是他見得一個盛衰消長之理. 故能知之. 若只説他知的甚事, 此知康節之淺陋者也.' 合此數條觀之, 則邵子所謂觀之以理爲天下之眞知者, 即其觀物之實, 而其前知之由來亦不出乎此矣.)"

바람이 지나가더라도 맑고 밝은 것이 위에서 움직이고 무겁고 탁한 것은 아래에서 요란하니 큰 형체도 바르게 비출 수 없다. 그러므로 성인의 밝음만 못하다. 성인의 밝음이 겉과 안을 통찰하여 비춰내어 어두운 것과 밝은 것을 반드시 밝히니, 세상의 사물들이 이것보다 뛰어나지 못한 것은 성인은 스스로 돌이켜 관찰할 수 있기 때문이다. 돌이켜 관찰할 수 있는 것은 만물의 이치가 모두 자신에게 갖추어져[169] 자신으로부터 관찰할 수 있기 때문이다. 자신으로부터 사물을 관찰하면 사물을 사물 그 자체로 대할 수 있어서 사물에 부림을 당하지 않을 수 있다. 사물에 부림을 당하지 않으므로 사물로써 사물을 관찰할 수 있다. 사물로써 사물을 관찰할 수 있는 것은 나의 주관을 없앨 수 있기 때문이다.

[10-12-16]

所以謂之反觀者, 不以我觀物也. 不以我觀物者, 以物觀物之謂也. 旣能以物觀物, 又安有我於其間哉?

반관反觀한다는 것은 나를 기준으로 사물을 관찰하지 않는 것이다. 나를 기준으로 사물을 관찰하지 않는 것은 사물로써 사물을 관찰하는 것을 말한다. 사물로써 사물을 관찰할 수 있게 되면 또 어떻게 그 사이에 내가 개입되겠는가?[170]

[10-12-16-0]

能明乎理, 則能反觀. 能反觀, 則能無我. 不以我觀物者, 能無我故也. 爲天下之害者莫大乎有我. 有我, 則無自而可矣. 世之人所以至於以是爲非, 以非爲是, 以善爲惡, 以惡爲善, 以治爲亂, 以亂爲治, 以君子爲小人, 以小人爲君子, 顚倒錯亂無所不至者, 皆以我爲之蔽也. 故君子之患在蔽於我. 衆人之患在蔽於物. 蔽於我蔽於物, 君子衆人雖不同, 其害道一也.

이치에 밝으면 돌이켜 관찰할 수 있다. 돌이켜 관찰할 수 있으면 자신을 무화시킬 수 있다. 자신으로

---

169 『孟子』「盡心上」

170 王植, 『皇極經世書解』: "스스로 돌이켜 관찰할 수 있으면 안에도 이 이치이고 밖도 이 이치이다. 이것이 만물의 정을 하나로 할 수 있는 것이다. 이는 곧 한 마음으로 만 가지 마음을 보고 한 몸으로 만 가지 몸을 보며 한 사물로 만 가지 사물을 보며 한 세대로 만가지 세대를 본다는 것이다. 그러므로 눈으로 관찰하지 않고 마음으로 관찰한다고 했으니 이것은 나의 마음이 있는 것이고 마음으로 관찰하지 않고 이치로 관찰한다고 했으니 이것이 나의 마음이 없는 것이다. 나에게 있는 사사로움을 제거하면 항상 무아의 상태일 수가 있으니 마음이 곧 이치이고 이치가 곧 마음이다. 마음으로 사물을 관찰한다고 말했지만, 실제로는 이치로 사물을 관찰하는 것이고, 자신으로 사물을 관찰한다고 말했지만, 실제로는 사물로 사물을 관찰하는 것이니 내가 사물을 관찰하는 것을 사물이 스스로를 관찰하는 것 같이 하는 것이 바로 돌이켜 관찰하는 것을 말한다.(能反觀則内此理, 外亦此理. 此所以能一萬物之情也. 其即所謂以一心觀萬心, 以一身觀萬身, 以一物觀萬物, 以一世觀萬世者歟! 故不以目而以心, 此有我之心也, 不以心而以理, 此無我之心也. 去其有我之私, 常能無我, 則心即理, 理即心. 雖曰以心觀物, 其實以理觀物, 雖曰以我觀物, 其實以物觀物. 凡我觀物如物自觀, 此反觀之謂也.)"

써 사물을 관찰하지 않는 것은 자신을 무화시킬 수 있기 때문이다. 세상에서 해로운 것은 나를 내세운 것보다 큰 것이 없다. 나를 내세우면 어떤 경우이건 옳을 것이 없다. 세상 사람들이 옳은 것을 그른 것으로, 그른 것을 옳은 것으로, 선한 것을 악한 것으로, 악한 것을 선한 것으로, 다스려지는 것을 혼란으로, 혼란을 다스려지는 것으로, 군자를 소인으로, 소인을 군자로 여겨 전도착란하여 못하는 짓이 없는 까닭은 모두 내가 가리기 때문이다. 그래서 군자의 근심은 나에 가려지는 것에 있고 일반사람들의 근심은 사물에 가려지는 것에 있다. 나에 가려지고 사물에 가려지는 것에서 군자나 세상 사람들은 같지 않지만 도를 해치는 것은 마찬가지이다.

[10-12-17]

是知我亦人也, 人亦我也, 我與人皆物也.

이것으로 나 또한 타인이고 타인 역시 나이며 나와 타인은 모두 사물임을 알 수 있다.

[10-12-17-0]

人之生也, 同乎天地. 我之與人, 人之與物, 本乎一道. 故聖人盡己之性以盡人之性, 盡人之性以盡物之性, 親親而仁民, 仁民而愛物, 老吾老以及人之老, 幼吾幼以及人之幼. 其趨利避害好生惡死之心, 我之與人, 人之與物未嘗異也. 一有我於其間, 則責於己無所不恕, 責於人無所不備, 施於己無所不厚, 施於人無所不薄. 推是心以往, 則無所不至, 是皆聖人之罪人也.

사람이 태어난 때에는 천지天地와 동일하다. 나와 타인 그리고 타인과 사물들은 하나의 도에 근본한다. 그러므로 성인은 자신의 본성을 다하여 타인의 본성을 다하고 타인의 본성을 다하여 사물의 본성을 다하며,[171] 친족을 친애하여 백성을 사랑하고 백성을 사랑하여 만물을 아끼며, 나의 노인을 모시듯이 남의 노인을 모시며 나의 어린아이들을 돌보듯이 남의 어린아이를 돌본다.[172] 이익을 추구하고 해로움을 피하며 사는 것을 좋아하고 죽는 것을 싫어하는 마음은 나와 타인 그리고 타인과 만물이 다른 적이 없었다. 그 사이에 조금이라도 나를 두면 자신에게 요구할 때에는 너그럽지 않는 바가 없게 하고, 남에게 요구할 때에는 완비되지 않는 바가 없게 하며, 자신에게 베풀 때에는 후하지 않음이 없게 하고 타인에게 베풀 때에는 박하지 않음이 없게 한다. 이러한 마음을 미루어 나아가면 못할 짓이 없으니 이것이 모두 성인의 죄인이다.

[10-12-18]

此所以能用天下之目爲己之目, 其目無所不觀矣; 用天下之耳爲己之耳, 其耳無所不聽矣; 用天下之口爲己之口, 其口無所不言矣; 用天下之心爲己之心, 其心無所不謀矣. 夫天下之

---

171 『中庸』 22장
172 『孟子』 「양혜왕上」

觀, 其于見也不亦廣乎? 天下之聽, 其于聞也不亦遠乎? 天下之言, 其于論也不亦高乎? 天下之謀, 其于樂也不亦大乎?

이것이 세상 사람의 눈을 자신의 눈으로 삼아 그 눈이 관찰하지 않는 바가 없게 되는 까닭이고, 세상 사람의 귀를 자신의 귀를 삼아 그 귀가 듣지 못하는 바가 없게 되는는 까닭이며, 세상 사람의 입을 자신의 입을 삼아 그 입이 말하지 않는 바가 없게 되는 까닭이고, 세상 사람의 마음을 자신의 마음으로 삼아 그 마음이 도모하지 못하는 것이 없게 되는 까닭이다. 세상 사람의 눈으로 관찰하니 그 보는 것이 또한 넓지 않겠는가? 세상 사람의 귀로 들으니 그 듣는 것이 또한 멀지 않겠는가? 세상 사람의 입으로 말하니 그 논의가 또한 높지 않겠는가? 세상 사람의 마음으로 도모하니 그 즐거움이 또한 크지 않겠는가?

[10-12-18-0]

聖人能同乎天. 能同乎天, 故能同乎人. 能同乎人, 故能用天下之目爲己之目, 天下之耳爲己之耳, 天下之口爲己之口, 天下之心爲己之心. 孟子曰, 大舜善與人同. 所以能明四目達四聰, 蓋由斯道也.

성인은 하늘과 동일할 수 있다. 하늘과 동일할 수 있으므로 남과 동일할 수 있다. 남과 동일할 수 있으므로 세상 사람의 눈을 자신의 눈으로 삼을 수 있고, 세상 사람들의 귀를 자신의 귀로 삼을 수 있으며, 세상 사람들의 입을 자신의 입으로 삼을 수 있고, 세상 사람들의 마음을 자신의 마음으로 삼을 수 있으니 맹자가 말하는 "위대한 순은 선을 남과 함께 했다."[173]는 것이다. 그래서 "사방 사람의 눈을 밝게 하고 사방 사람의 귀를 통하게 했다."[174]는 것은 바로 이 도를 통해서이다.[175]

---

173 『孟子』「公孫丑上」: "맹자가 말했다. '자로는 사람들이 그에게 허물이 있음을 말해주면 기뻐하였다. 우왕은 좋은 말을 들으면 절하셨다. 대순은 이보다 더 위대함이 있었으니 선을 남과 함께 하시어 자신을 버리고 남을 따르며 남에게서 취하여 선을 하는 것을 좋아했다.(孟子曰, "子路, 人告之以有過, 則喜. 禹聞善言, 則拜. 大舜有大焉, 善與人同, 捨己從人, 樂取於人以爲善.)"

174 『書經』「舜典·虞書」: "정월 원일에 순이 문조 사당 신위에 나아갔다. 사악에게 물어 사방의 문을 열어놓고, 사방의 눈을 밝히고 사방의 귀를 통하게 하셨다.(月正元日, 舜格于文祖, 詢于四岳, 闢四門, 明四目, 達四聰.)"

175 王植, 『皇極經世書解』: "생각하건대 이것은 위의 '자아를 없앤다.'는 뜻을 밝힌 것이다. 나 역시 사람이니 어느 것이 나인가? 나와 사람은 모두 사물이니 어느 것이 사물인가? 이는 사람을 관찰하는 지혜로 말한 것이지 사물을 공명정대하게 대하는 인으로 말한 것이 아니다. 소백온이 '성인이 자신의 본성을 다하여 사람의 본성을 다하고 사람의 본성을 다하여 사물의 본성을 다하며, 친족을 친애하여 백성을 사랑하고 백성을 사랑하여 만물을 아끼며, 나의 노인을 모시듯이 남의 노인을 모시며 나의 어린아이들을 돌보듯이 남의 어린아이를 돌본다.'라고 했으나 이 장의 뜻과는 합치되지 않는다.(愚按此申上無我之意. 我亦人也, 何者爲我? 我與人皆物也, 何者爲物? 以觀人之智言, 不以公物之仁言. 伯子謂聖人盡己之性以盡人物之性, 親親而仁民, 仁民而愛物, 老吾老以及人之老, 幼吾幼以及人之幼, 與此章之意不合.)"

[10-12-19]

夫其見至廣, 其聞至遠, 其論至高, 其樂至大. 能爲至廣至遠至高至大之事而中無一爲焉, 豈不謂至神至聖者乎? 非唯吾謂之至神至聖者乎! 而天下謂之至神至聖者乎! 非唯一時之天下謂之至神至聖者乎! 而千萬世之天下謂之至神至聖者乎! 過此以往, 未之或知也已.

그 보는 것이 지극히 넓고, 그 듣는 것이 지극히 멀며, 그 논의하는 것이 지극히 높고 그 즐거움이 지극히 크다. 지극히 넓고 지극히 멀며 지극히 높고 지극히 큰 일들을 할 수 있으면서 마음속에서는 하나도 인위적으로 하는 것이 없으니 어찌 지극히 신묘하고 지극히 성스러운 자라고 하지 않겠는가? 오직 나만이 지극히 신묘하고 지극히 성스러운 자라고 말할 뿐만 아니라, 세상 사람들도 지극히 신묘하고 지극히 성스러운 자라고 말할 것이다! 오직 한 시대의 세상 사람들이 지극히 신묘하고 지극히 성스러운 자라고 말할 뿐만이 아니라, 천만 세대의 사람들도 지극이 신묘하고 지극히 성스러운 자라고 말할 것이다! 이것보다 더 나아간 것은 알 수 없을 뿐이다.[176]

[10-12-19-0]

此篇明觀物之大旨. 所以謂之觀物者, 天地亦物也, 而況於己乎? 己亦物矣, 而況於人乎? 人亦物矣, 而況於物乎? 夫天地人物至于於一己皆同乎物矣, 然後能觀物, 觀物之旨, 不亦深乎? 天地之大, 有生之類, 皆物也. 物皆有理, 自非有道者, 其孰能觀之哉? 所以謂之觀物者, 非以目觀之, 而觀之以心也. 非觀之以心, 而觀之以理也. 以目觀物者, 見於前而忘其後, 得於近而遺於遠, 烏足以盡天下之物哉? 以心觀物者, 有所忿懥則不得其正, 有所恐懼則不得其正, 有所好樂則不得其正, 有所憂患則不得其正, 烏足以盡天下之物哉?

이 편은 사물[物]을 관찰하는 큰 뜻을 밝혔다. 사물을 관찰한다고 말하는 까닭은 천지도 사물이기 때문이니 하물며 자신은 어떻겠는가? 자신도 사물인데 타인은 어떻겠는가? 타인도 사물인데 물건들은 어떻겠는가? 천지, 사람과 물건으로부터 자신에 이르기까지 모두 사물과 같은 뒤에야 사물을 관찰할 수가 있는 것이니 사물을 관찰하는 뜻이 또한 깊지 않은가? 천지처럼 큰 것과 생명을 가진 부류는 모두 사물이다. 사물에는 모두 이치가 있으니 도를 깨달은 자가 아니면 그 누가 그것을 관찰할 수 있겠는가? 사물을 관찰한다고 하는 까닭은 눈으로 관찰하는 것이 아니라 마음으로 관찰하고, 마음으로 관찰하는 것이 아니라 이치로 관찰하는 것이기 때문이다. 눈으로 사물을 관찰하는 것은 앞을

---

176 王植, 『皇極經世書解』: "(황기가 말했다.) 나를 없앤다면 세상의 귀, 눈, 마음, 입을 합하여 하나로 한다. 자신의 식견이 넓고 듣는 것이 멀고 논의가 고원하고 즐거움이 큰 것은 저절로 그러함[自然]으로부터 나와서 마음 속에 조금도 사욕의 마음이 없다. 이것이 천지의 도가 큰 것으로 스스로 터득하지 않음이 없는 것이다. 어찌 지극히 신묘하여 예측할 수 없고, 지극히 성스러워 통하지 않는 것이 없는 것이 아니겠는가? 마지막 편에 『易』 「繫辭傳」의 말을 인용하여, 하나도 인위적으로 하는 것이 없는 것이 곧 위와 통하는 신묘함을 증명했다.(無我則用天下之耳目心口合爲一. 己見之廣聽之遠論之高樂之大, 出於自然, 而中無一欲爲之心焉. 是即天地之道, 未嘗以大爲自得者也. 豈非至神妙不可測, 至聖睿無不通者乎? 終篇引易大傳以證中無一爲乃上達之妙.)"

보지만 뒤는 잊어버리고 가까운 데에 대해서는 얻지만 먼 데에 대해서는 빠뜨리니 어찌 세상의 사물을 모두 다 관찰할 수 있겠는가? 마음으로 사물을 관찰하는 것은 분노가 있으면 그 올바름을 얻지 못하고, 두려움이 있으면 그 올바름을 얻지 못하며, 좋아함이 있으면 그 올바름을 얻지 못하고 걱정함이 있으면 올바름을 얻지 못하니[177] 어찌 세상의 사물을 모두 다 관찰할 수 있겠는가?

以理觀物, 則是是非非, 善善惡惡, 無遠無近, 無前無後, 無得而逃於吾之所觀矣. 無得而逃於吾之所觀, 則天下之理皆得矣. 天下之理皆得, 所以能窮理盡性以至於命也. 理者窮之而後知, 性者盡之而後知, 命者至之而後知. 此三知者, 聖人之眞知也. 知是三者, 則其於天下之事何所不知矣?

이치로 사물을 관찰하면 옳은 것을 옳게 여기고 그른 것을 그르게 여기며 선한 것을 좋아하고 악한 것을 싫어하여, 먼 것과 가까운 것, 앞과 뒤를 막론하고 내가 관찰하는 것으로부터 벗어날 수가 없다. 내가 관찰하는 것으로부터 벗어날 수가 없으면 세상의 이치를 모두 얻는다. 세상의 이치를 모두 얻기 때문에 이치를 궁구하여 본성을 다하여 천명에 이를 수 있다. 이치는 궁구한 후에 알고, 본성은 다한 후에야 알며, 천명은 도달한 후에야 안다. 이 세 가지의 앎이 성인의 참된 앎이다. 이 세 가지를 알면 세상의 일에 대해서 알지 못하는 것이 무엇이겠는가?

夫鑑之能不隱萬物之形, 不若水之能一萬物之形. 水之能一萬物之形, 不若聖人之能一萬物之情. 聖人之能一萬物之情, 以其能反觀也. 所以謂之反觀者, 不以我觀物也. 不以我觀物者, 以物觀物之謂也. 如是, 則以身觀身, 以家觀家, 以國觀國, 以天下觀天下, 亦從而可知矣. 且我亦人也, 則烏有所謂我哉? 我與人皆物也, 則烏有所謂物哉? 無物無人無我矣, 然後能用天下之目爲己之目, 用天下之耳爲己之耳, 用天下之口爲己之口, 用天下之心爲己之心. 能合天下之耳目心口, 其於聞見謀論不亦廣大高遠乎? 唯其用天下聞見謀論以爲聞見謀論, 則夫何爲哉? 無爲而已矣. 故曰能爲至廣至遠至高至大之事而中無一爲焉, 豈不謂至神至聖者乎? 如是, 則天下之能事畢矣. 故曰過此以往, 未之或知也.

거울이 만물의 형체를 숨기지 않는 것은 물이 만물의 형체를 동일하게 드러낼 수 있는 것만 못하다. 물이 만물의 형체를 동일하게 드러낼 수 있는 것은 성인이 만물의 실정(情)을 동일하게 드러낼 수 있는 것만 못하다. 성인이 만물의 실정을 동일하게 드러낼 수 있는 것은 돌이켜 관찰할 수 있기

---

177 『大學』 7장 : "몸을 수양하는 것은 그 마음을 바르게 하는 데에 있다고 하는 것은 몸에 분노가 있으면 그 올바름을 얻지 못하고, 두려움이 있으면 그 올바름을 얻지 못하며, 좋아함이 있으면 그 올바름을 얻지 못하고, 걱정함이 있으면 올바름을 얻지 못한다는 것이다. 마음이 있지 않으면 보아도 보지 못하고 들어도 듣지 못하며 먹어도 맛을 모른다. 이것이 몸을 수양하는 것은 그 마음을 바르게 하는 데에 달려 있다는 말이다.(所謂脩身在正其心者, 身有所忿懥, 則不得其正; 有所恐懼, 則不得其正; 有所好樂, 則不得其正; 有所憂患, 則不得其正. 心不在焉, 視而不見, 聽而不聞, 食而不知其味. 此謂脩身在正其心.)"

때문이다. 돌이켜 관찰한다고 말하는 까닭은 나로써 사물을 관찰하는 것이 아니기 때문이다. 나로써 사물을 관찰하는 것이 아닌 것은 사물로써 사물을 관찰하는 것을 말한다. 이와 같다면 몸으로써 몸을 관찰하고 가족으로써 가족을 관찰하고 국가로써 국가를 관찰하고 천하로써 천하를 관찰하는 것 또한 저절로 따라서 알 수 있다. 나 역시 사람이니 어찌 나라고 말할 바가 있겠는가? 나와 사람이 모두 사물이니 어찌 사물이라고 말할 바가 있겠는가? 사물도 없고 사람도 없고 나도 없는 연후에야 세상 사람들의 눈으로 나의 눈을 삼을 수 있고 세상 사람들의 귀로 나의 귀를 삼을 수 있으며 세상 사람들의 입으로 나의 입을 삼을 수 있고 세상 사람들의 마음으로 나의 마음을 삼을 수 있다. 세상 사람들의 귀와 눈과 마음과 입을 합할 수 있으면 듣고 보고 도모하고 논의하는 것 역시 넓고 크고 높고 멀지 않겠는가? 오직 세상이 듣고 보고 도모하고 논의하는 것을 자신의 듣고 보고 도모하고 논의하는 것으로 삼으면 무엇을 작위하겠는가? 작위함이 없을 뿐이다. 그러므로 지극히 넓고 지극히 멀고 지극히 높고 지극히 큰 일을 할 줄 알면서 마음속에서는 하나도 인위적으로 하는 것이 없으니 어찌 지극히 신묘하고 지극히 성스러운 자라고 하지 않겠는가? 이렇다면 세상의 일들을 끝마칠 수 있다. 그러므로 "이 이상에 대해서는 알 수 없을 뿐이다."라고 했다.[178]

---

178 이상의 내용이 「觀物·內篇」 12장이다. 다른 편과는 달리 이 내편은 소강절이 직접 쓴 글이다. 내편이란 이름은 원래 없었지만 후대 사람들이 「외편」과 구별하기 위해서 붙인 이름이다. 黃畿는 왕식본 『皇極經世書解』에서 이렇게 평하고 있다. "『皇極經世』에 관물 내편이 있는 것은 『易』에 「繫辭傳」이 있는 것과 같다. 모두 12편으로 전체 책의 큰 뜻을 통괄해서 논했으니 정밀하게 연구하고 생각을 극진하게 하여 곡진하고 두루두루 통하게 되면 『易』에서 밝히지 못한 바를 확대할 수 있다.(皇極觀物之有內篇, 猶易之有繫辭也. 凡十有二篇統論一書之大旨, 硏精極思, 曲暢旁通, 擴大易所未發.)" 각 편의 요지는 사물을 관찰하고 백성들을 다스리는 도를 밝히고 있다. 결국에는 이치[理], 본성[性], 천명[命]으로 귀결되고 있는 것이 주목할 만한 내용이다. 그리고 그것을 眞知, 즉 진짜 앎이라고 말한다. 1편부터 6편은 천지만물의 이치를 말하고 그것이 모두 인간에게 구비되어 있음을 말하면서 성인이 그것을 통해서 權變을 실천해야 함을 강조하고 있다. 7편에서 12편까지는 성인의 權變을 말하고 있는데 이것은 결국 理에서 벗어나지 않는다. 소강절의 관물은 數와 밀접하게 연관되지만 스스로 돌이켜서 관찰하는 反觀을 통해 觀物을 하는 것이고 또 그것을 통해 '窮理盡性至於命'에 이르는 것이다.

해제解題

성리대전 권5~6 「정몽正蒙」 해제

I. 장재의 생애

장재의 생애에 대해서는 『서명』해제 참조

II. 장재의 『정몽』

장재는 1057년(37세) 진사시에 합격한 후 벼슬길에 나서게 되며 기주사법참군, 단주운암현령, 위주군사판관에 임명된다. 장재의 덕치로 그의 명성이 높아지게 되었고 조정에 천거되었으나 사양하자 숭문원교서를 제수받게 된다. 당시는 왕안석王安石(1021~1086)을 중심으로 한 구법당과 사마광司馬光(1019~1086)을 중심으로 하는 구법당 간 정치적으로 대립이 고조되었을 때였다. 장재는 중립적인 입장을 취하기는 하였지만, 그의 기본적인 정치적 입장은 고대 하·은·주의 태평성대로 돌아가자는 복고의 입장을 취하고 있었고 왕안석의 제안을 거절하면서 갈등의 조짐을 갖게 되었다. 1570년(51세) 그는 천거를 받아 다시 조정에 불려가지만 동생 장전張戩(1036~1076)이 왕안석에 의해 좌천되는 것을 보자 정치에 회의를 느껴 횡거진으로 은거하게 된다.

장재는 고향에 들어 온 뒤 강학과 저술 집필에 몰두하였다. 『송원학안』에서 고심苦心, 역색力索, 정사精思로 그의 학문적 자세를 적실하게 묘사한 바 있는데, 그 시기에 쓰여진 『정몽』은 그의 학문적 자세가 잘 반영되어 있는 저술이다. 1076년(57세) 장재는 『정몽』을 완성하여 제자들에게 보여주었는데, 제자인 소병蘇昞[字 季明]이 『정몽』의 내용이 방대하여 내용별로 분류하였으면 좋겠다는 제안을 하고, 소병은 『정몽』의 내용을 주제별로 분류하여 17편으로 분류하였다. 각 편의 구성은 『논어』와 『맹자』의 편제를 참조하였으며, 각 편을 시작하는 구절에서 두 글자를 발췌하여 편명을 붙였다. 현전하는 『정몽』은 소병에 의하여 17편으로 재구성된 것이며, 성리대전에 수록된 『정몽』은 소병의 분류한 것을 저본으로 주석을 하되, 「서명」을 분리시켜 별도의 책으로 함께 수록한 것이다. 장재는 『정몽』의 분류 작업에는 간여하지 않았으며, 제자에 의해서 분류된 것으로 각 편의 외적 형식과 대강의 내용은 나름의 체계를 갖고 있지만, 구체적 내용의 치밀성이나 정밀한 이론 전개는 되지 않는다.

　장재의 제자인 범육[范育[字 巽之]]은 『정몽』 서문에서 『정몽』은 육경이 싣지 못한 것과 성인이 말하지 못한 것을 담고 있다고 하였고, 『주자[名 熹, 號 晦庵]』(1130~1200)는 이 책의 본원을 살펴보면 『논어』와 『맹자』를 벗어나지 않는다며 『논어』와 『맹자』를 충분히 이해해야 『정몽』의 광대한 이치를 궁구할 수 있다고 하였다. 이렇게 볼 때 『정몽』은 송대 리학의 경전에 대한 입문서로 저술된 것이라 할 수 있다.

Ⅲ. 『정몽』의 내용

　『정몽』은 제목 그대로 몽함을 바로잡는다는 뜻이다. 몽[蒙]은 어둡다[昧] 혹은 어리다[稚]고 풀이된다. 이것은 무성하게 자란 풀에 덮여 있는 어두운 모습과 태어나 어릴 때 몽매한 것에서 유래한다. 『정몽』 제8편 「중정」편 중 몽에 대하여 풀이하고 있는 부분이 '정몽'의 뜻을 잘 요약하고 있다. 장재는 몽괘 단사의 "어릴 때[蒙]에 바른 것을 기른다[蒙以養正]"는 말을 인용하며, 몽매한 사람으로 하여금 바름을 잃지 않게 하는 것이 바로 가르치는 사람의 공덕이며, 그 도를 다하는 것은 오직 성인뿐이라고 풀이해 주고 있다. 산수 몽[蒙](☶)괘는 주역 62괘 중 네 번째 괘로 만물이 태동하는 최초의 시기여서 아직 환하게 드러나지 않은 상태를 나타낸다.

　산수몽[山水蒙]괘는 64괘 중에서 세 번째 수뢰둔[水雷屯]괘와 다섯 번째 수천수[水天需]괘 사이에 있다. 몽은 간괘[艮卦](☶, 山)에 감괘[坎卦](☵, 水)가 거듭된 것으로 산 밑에 샘이 남을 상징하는데, 몽매한 어린아이를 교육시키듯 무지한 백성을 계몽하는 방도에 관하여 설명으로 풀이할 수 있다. 건괘와 곤괘 뒤에 배치된 둔[屯]괘는 생명이 처음 생겨남에 통하지 못함을 나타내는데, 풀이 처음 딱딱한 땅을 뚫고 나와서 아직 피지 못함을 상징한다. 몽괘는 생명의 탄생 이후 성장을 의미한다. 주역, 서괘전에서 "천지 사이에 가득한 것이 만물이다. 그러므로 둔으로 받았으니, 둔은 가득 참이며 곧 물건이 처음 나온 것이다. 물건이 나오면 반드시 어리므로 기른다는 몽으로 받았다. 몽은 어림이니 물건이 어린 것이다. 물건이 어리면 기르지 않을 수 없으므로 수로써 받았으니 수는 음식의 도이다."라고 했다. 힘겹게 탄생한 만물이 아직 어리석고 무지몽매한 상태이므로 잘 가르치고 잘 길러야 한다. 이렇게 볼 때 몽을 바르게 한다는 『정몽』은 왕도정치의 실현, 백성의 계몽을 지향한다 할 수 있다.

　『정몽』은 제목이 단적으로 보여주고 있듯이 우주 본체론과 인성론을 정립하고 군주의 통치이념의 전형을 보여주는 도덕정치이론서이며, 리기론적 사유체계 확립을 위한 송대 리학의 계몽서라 할 수 있다. 『정몽』의 대표적 이론은 송대 리학의 본체론적 논의인 리일분수이며, 태허와 태화 등의 개념 정립과 기론적 생성변화를 신과 화, 귀와 신 등으로 풀이한 것 등 개념의 정립, 천과 인간의 유비적 이해 및 천인합일적 사유체계, 인성론의 정립과 천지지성과 기질지성 등의 개념 구분과 변화기질의 가능성, 성과 경을 통한 수양론 확립, 견문지와 덕성지를 구분하며 마음의 지각 문제를 제기 등을 들 수 있다. 그리고 부차적이긴 하지만 도교와 불교 이론에 대한 비판과 유가 이론의 정당성 확보 등의 문제도 포함하고 있다. 『정몽』 17편의 내용을 정리해 보면 다음과 같다.

1. 「태화太和」

「태화」편은 리학의 우주 본체론을 체계적으로 잘 구성해 주고 있다. 우주 본체의 실체를 태화로 설정하고, 그 태화가 도이며, 그 도는 기의 모임과 흩어짐에 의해서 구체적으로 전개되는데, 기가 흩어진 상태인 기의 본체를 태허라고 보았다. 태허 즉 기가 취산하는 모습을 역의 인온絪縕과 장자의 아지랑이[野馬]로 형용하기도 하였는데, 불교의 헛된 세계관과 도교의 무와 같은 심오한 세계관과 대비되는 구체적인 생성변화를 설명하고 있다. 「태화」는 모든 만물의 생성변화하는 것을 총칭한 것으로 크게 조화로움을 의미한다면, 태허는 형체가 없는 실체를 상징하는 말로 기로 충만해 있되, 모임과 흩어짐을 통해 만물에서 기로, 기에서 만물로 변화하는 상태를 나타내는 말이다. 천과 도와 심과 성의 개념 정립하는 한편 이와 관련된 본체론적 논의들과 인성론적 논의들을 체계적으로 유비시켜 전개한다. 이를 통해 천지만물의 실재를 설명하는 한편 인륜의 실천 근거를 마련하고자 하였다. 이 편에서는 리기론이 정립되기 직전 기일원의 본체론 전개를 태허 즉 기에서 만물로, 만물에서 태허인 기로 돌아가는 끊임없는 순환을 말한다. 특히 기의 모임과 흩어짐을 통해 만물의 생성변화를 설명하면서 신神과 화化의 설명 방식으로 리의 영역을 확보하여 놓았다. 기가 태허에서 모이고 흩어지는 끊임없는 변역의 생성변화 이치를 얼음이 물에서 얼었다 녹았다 하는 방식으로 비유하기도 하였는데, 천문학적 지식을 전제로 한 우주만물의 생성변화와 마음의 만 가지로 달라지는[萬殊] 지각 활동을 하나의 유기체적 방식으로 설명하는 이론적 체계를 제시하였다. 리에 대해서는 단편적으로 언급할 뿐 개념의 함의와 내포와 외연을 구체화시키지는 않았지만, 리기론적 사유의 원형을 보여주었다.

2. 「삼량參兩」

「삼량」편은 주역에서 하늘의 운행을 태극과 양의, 셋을 하나로 여기는 본성을 삼參으로, 땅에서 비롯되는 굳셈과 부드러움, 남자와 여자의 대립적 특성을 나누어 본받는 준칙을 량兩으로 정의한다. 하나의 물이면서 두 체가 기인데, 하나이기 때문에 신묘하고, 둘이기 때문에 변화하는 이치를 지구에서 보는 일월의 변화와 금성, 수성, 토성[鎭星], 화성, 목성, 토성 등 천체의 변화를 통해서 한 해의 상을 설명하는 한편, 추위와 더위, 낮과 밤, 밀물과 썰물, 달의 이지러짐과 참, 윤달이 생기는 이유 등 천지의 변화에 대하여 구체적으로 다루고 있다. 그리고 통달과 닫음을 위주로 하는 양과 음의 덕에 따른 비, 구름, 우레, 천둥 등 자연의 변화와 목, 금, 수, 화, 토 즉 오행의 인과 관계에 따른 자연의 변화를 음양과 연관시켜 우주만물의 생성변화의 구체적 소재들을 체계적으로 정리해 주었다.

3. 「천도天道」

「천도」편은 사계절이 운행되고 만물이 생겨나는 것으로, 성인의 행동과 대비적 구도로 설정하여 천도에서 볼 수 있는 지극한 교화와 성인이 보여주는 지극한 덕을 유비적 관계로 설명하고 있다. 하늘의 일은 감응함이 있어서 반드시 통하고, 성인의 행함은 할 수 있는 것을 행하는 것이다. 하늘은 성실하고 사사로움이 없어 진실되고 위엄을 갖춘 것처럼 보이며, 헤아릴 수 없으면서도 일정한 신묘함을 갖는다. 하늘은 나타내지 않아도 드러나고, 감동시키지 않아도 변화하며, 작위함이 없이도 저절로 이루게 된다. 사람들은 천도의 저절로 그러함을 알면서도, 아직 저절로 그러함이 체가 됨을 알지 못한다며 하늘의 덕이 있음을 바르게 밝히고[正明] 바르게 본[正觀] 다음에야 천지의 도에 대해서 한 마디로 말할 수 있다는 것을 드러내 주었다.

4. 「신화神化」

「신화」편은 역의 변화가 하나의 기가 구체적 만물로 전개되는 신묘함을 천덕, 변화를 천도로 보고 이것을 체용의 논리로 설명하는 한편, 인의의 변화가 곧 일동일정한 음양의 신묘한 변화로 설명될 수 있음을 보여주고 있다. 신과 화는 장재『정몽』의 중요한 특징을 잘 함축하고 있다. 기에는 음양이 있는데, 기의 점차적인 과정이 화이고, 하나로 합치하여 헤아릴 수 없는 것이 신이다. 그것이 사람에게서 지혜와 의로움을 이롭게 사용한다면 신과 화의 일이 갖추어 질 수 있다. 그런데 신과 화는 하늘의 양능이지 사람이 할 수 있는 것이 아니다. 그러므로 사람은 크게 천덕을 갖춘 뒤에야 신을 궁구하고 화를 알 수 있다. 신을 궁구하고 화를 아는 것은 지혜와 힘으로 억지로 할 수 있는 것이 아니라 덕의 왕성함과 인의 숙련됨으로 이룰 수 있다. 따라서 외물에 따르거나 사물에 얽매이지 말고 사사로움을 없애고 자기를 바르게 하는 것이 필요하다.

5. 「동물動物」

이 편은 하늘을 근본으로 하는 숨을 쉬는 동물과 땅을 근본으로 하는 숨을 쉬지 않는 식물, 동물과 식물의 태어남과 성장함, 그리고 죽음(흩어짐)의 변화의 방식 사람의 삶과 죽음을 기가 모이고 흩어짐[聚散]과 하늘의 순서[天序]와 하늘의 차례[天秩]로 설명하고 있다. 이들 사이의 생성변화는 마치 바닷물이 얼면 얼음이 되고, 뜨면 거품이 되지만, 얼음의 재질과 성질의 존망은 그 자체의 성질이지 바다가 관여할 수 있는 것이 아니라는 리일분수의 은유적 비유를 들어 이 편의 대강을 파악할 수 있게 하였다. 사람이 숨을 쉼, 깨어있고 꿈을 꾸는 것이나 형체, 소리, 냄새, 맛, 따뜻함과 서늘함, 움직임과 고요함 등에는 오행이 분별되고 다름의 변화가 있는데, 이 자연스런 법칙과 질서를 잘 살펴 알아야 법도가 바르게 되고, 질서를 잘 알게 되면 예의가 행해질 수 있다고 보았다.

6. 「성명誠明」

이 편은 중용의 성誠과 명明 즉 밝음으로 말미암아 성해진다[自明誠]는 것과 성으로 말미암아 밝아진다[自誠明]을 리를 궁구하는 것[窮理]과 본성을 다하는 것[盡性]으로 풀이하여 사람이 도모해야 할 바와 방법을 제시하고 있다. 위로 도달하는 자(군자)는 천리로 돌아오고, 아래에 도달하는 자(소인)는 인욕을 따르는 자로 대비시켜 천리와 인욕의 문제를 대립적 구도로 설정하고, 담일한 기의 근본과 감각에 치우치게 되는 기의 욕구를 대비시켜 인간의 본성을 천지지성과 기질지성을 구분하되, 군자는 기질의 성을 성으로 보지 않으니, 기를 수양하여 근본으로 되돌리고 치우침이 없으면 본성에 극진하여 하늘같이 된다는 변화 가능성을 열어주었다.

장재는 삶과 죽음, 오래 사는 것과 일찍 죽는 것과 같이 바뀌지 않는 것과 궁리를 통하여 본성을 다하게 되면 본연의 기로 변화되는 것을 구분함으로써 인간이 수양 - 궁리진성을 통하여 천지의 본성을 회복할 수 있다고 본 것이다. 이를 통하여 천지만물 속의 리일분수 문제를 리의 관점에서 볼 때와 기의 관점에서 볼 때의 차이를 구별해 설명해 주는 한편, 인간의 마음의 본성의 문제로 확대시켜 설명하여 그 변화 가능성을 제시함으로써, 이치를 궁구하고 본성을 다하면 하늘의 덕을 본성으로 삼고 하늘의 이치를 명으로 삼을 수 있는 본래 상태를 회복할 수 있다는 리학의 수양론적 논의를 전개한다.

7. 「대심大心」

「대심」편은 그 마음을 크게 하면 세상의 만물을 체인할 수 있다는 리학의 지각론적 논의를 전개한다. 성인과 일반인들의 지각의 차이를 구분하는 한편, 견문의 앎과 덕성의 앎을 구분하여 리학적 지각론의 틀을 마련해 주고 있다. 하늘의 이치로 자신을 체인할 수 있으면 만물의 이치를 체인할 수 있으니, 사물을 체인하고 자신을 체인하는 것은 도의 근본이고, 자신으로 도를 체인해야 한다는 것이 대심편의 요지이다. 불교의 현실을 인정하지 않는 인식론을 지양하고, 천리를 통찰하는 것과 인욕을 궁구하는 것을 밝음과 어둠을 향하는 것으로 대비시켜 리학의 수양론과 지각론이 결합된 융합적 인식론을 제시하고 있다.

8. 「중정中正」

「중정」편은 『정몽』의 전체 큰 뜻을 잘 함축 정리해 주고 있다. 「중정」은 중정한 뒤에 천하의 도를 관통하니, 이것이 군자가 正함에 크게 거처하는 것을 말하고 있다. 이 편에서 제시한 중정은 성명편에 나타난 수양론적 방법과 대심편에 나타난 바 수양론을 전제로 한 리학적 지각론을 통해 도달하고자 하는 목표를 나타낸다. 배우는 이가 추구해야 하는 바이고, 성인과 군자가 도달한 경지이다. 이 편에서는 수양론적 지각론을 구체적 현실로 옮기는 실천론적 논의와 이에 따른 문제들을 주의하라는 경계의 권고도 함께 제시된다. 배움에 뜻을 두고 도에 나아가 인에 의지하고 예를 강화한 후 미혹되지 않아야 조화롭게 되고, 문을 넓힘으로써 의로움을 모으고[博文以集義], 의로움을 모음으로써 법도를 바르게 하고[集義以正經], 바르게 한 후 세상의 도를 관통할 수 있다고 배우는 이들의 목표를 제시하고 있다. 『논어』「자한」편의 공자가 끊은 4가지[毋意, 毋必, 毋固, 無我]와 예기 학기편의 학자들이 쉽게 빠질 수 있는 네가지 실수[四失] 등을 들어 학자들이 경계해야 할 구체적 내용도 알려주고 있다. 특히 사람을 가르치는 자와 배우는 자가 취해야 할 태도를 제시하면서, 어릴 때 바르게 기르는 것[蒙以養正]의 중요함을 강조하였는데, 『정몽』의 제목이 함축하고 있는 뜻을 잘 드러내주고 있다.

9. 「지당至當」

「중정」편이 리학적 지각론을 통해 도달하고자 하는 목표라면, 「지당」편은 그것이 이상적으로 실현된 결과라 할 수 있다. 지극히 마땅함은 덕德이고, 모두 순조로움은 복福인데, 덕은 복의 기초이고, 복은 덕이 이룬 것이다. 천하의 이치를 따르는 원리적인 것을 도라고 하고 천하의 이치를 얻음을 덕이라고 한다면 복은 그것이 실현된 공효가 된다. 하늘의 법도를 나의 본성으로 삼은 뒤에야 인의가 행해지는데, 인은 그 본성을 통달하여 구현하는 것이며, 의는 그 아는 것을 행하는 것이다. 인의 지극함은 공경하고 절제하고 사양하여 예를 밝힘은 법도를 따르며 겸양으로 예를 밝히는 것이다. 따라서 사람은 자연이 보여주는 지극히 마땅한 덕목을 실천해야 한다. 하늘의 도는 곧음으로써 만물을 기르니, 하늘을 대신하여 만물을 기르는 자 역시 백성들이 잘 생활하도록 이루어주면서도 그 곧음을 해치지 않아야 한다는 것이 그것이다. 실천의 두 방편적 덕목으로 경敬과 의義를 제시하며, 실현의 주체인 사람이 뜻을 크게 세우고[志大] 오래 지속시켜[志久] 쉽고 간단한[易簡] 이치를 터득하면 조짐을 알 수 있고[知幾], 조짐을 알고 난 후에야 법도가 바르게 되는 것이 곧 지당이고 역易이 행해지는 것이다.

10. 「작자作者」, 11. 「삼십三十」

「작자」편과 「삼십」편은 대심을 갖고 중정하여 지당하게 된 예들을 기록하여 본보기로 예시한 것이다. 「작자」편은 법도를 제정하고 왕도를 일으킨 복희, 신농, 황제, 요, 순, 우, 탕 7 황제의 업적을 드러내 「지당」의 구체적 업적들을 열거하는 한편, 논어 미자편에 나오는 주나라의 8선비와 중이重耳[晋文公], 소백小白[齊桓公], 관중管仲[管夷吾], 안영晏嬰[晏子], 중니仲尼[孔子] 자산子産[公孫僑], 맹헌孟獻[仲孫蔑] 등의 역사적 기록 등을 통해 학자들이 지향하고 삼가야야 할 교훈들을 예시하여 주고 있다. 한편 삼십편은 논어 위정편에서 공자가 나이별로 학문의 단계와 경지를 언급한 것, 구체적으로는 삼십의 입立, 사십의 불혹不惑, 오십의 지천명知天命, 육십의 이순耳順 칠십세 종심소욕불유구從心所慾不踰矩 등에 대한 장재의 주해와 공자의 생애 중 몇 사례를 통하여 공자가 보여준 학문하는 데 따른 구체적 모습, 그리고 안회顔回[顔淵], 중유仲由[子路] 등 공문제자들의 특장점들을 제시하면서 공부하는 학자들이 따르고 경계해야 할 실례를 정리해 주었다

12. 「유덕有德」, 13. 「유사有司」

「유덕」편과 「유사」편은 군자나 덕을 갖추어야 할 학자인 유덕자와 정치를 맡고 있는 관리인 유사를 대상으로 말과 행동의 지침을 제시해 주고 있다. 유덕편은 의에 따르면서 예로 절제되고 말이 도리에 맞고 행동이 닦여지는 유덕자, 즉 이상적인 군자의 모습을 정립시켜 놓았다. 말에는 따라야 할 가르침이 있고, 행동에는 따라야 할 법도가 있다. 예와 악을 적절히 조화하되, 교만함이

나 안일함에 빠지지 않아야 함을 강조하고 있다. 자기 자신을 성찰하고 검속하며 자기를 미루어 남에게 미루어 베풀 수 있음을 말하였다. 한편 「유사」편은 유사(관리)는 정치의 기강이라는 전제 하에 어질고 유능한 자의 등용과 덕으로써 몸소 앞장서며 수고로움을 아끼지 않고 정치를 해야 함을 말하고 있다. 상벌의 원칙과 세제의 형평성과 국가의 규모와 형편에 따른 지출 등 적절한 국가경영이 필요함을 말하고 있다.

14. 「대역大易」, 15. 「악기樂器」, 16. 「왕체王禘」

「대역」편과 「악기」편 그리고 「왕체」편은 장재가 경전을 읽으며 해석이 필요한 곳이나 의문이 들었던 점에 대한 주석들이다. 「대역」편은 건괘와 곤괘 그리고 주요 괘들에 대한 주역의 주석이 며, 「계사」편 등 주역의 기본 개념과 문제들에 대한 해설들로 구성되어 있다. 건괘에 대한 자세한 해설과 곤괘를 포함한 주요 괘에 대한 풀이가 덧붙여져 있다. 한편 「악기」편은 예기 악기편의 상相과 시경의 아雅 등에도 『정몽』이 주제로 삼는 역의 변화와 원칙 등이 담겨져 있는 구체적인 도의 모습임을 밝히면서 『시경』과 『서경』 중 설명이 필요한 곳과 성인의 도가 실현되고 있는 것들을 정리하며 주석하고 있다. 그리고 「왕체」편은 『예기』, 『주례』, 『의례』 등 예에 관한 경전들 과 춘주 및 논어의 몇 문제들에 대한 주해를 정리한 것이다.

17. 「건칭乾稱」

「건칭」편은 『정몽』의 대강이자 결론이라 할 수 있다. 『성리대전』 내 수록된 「건칭」편은 『성리 대전』의 편제가 권4 「서명」과 권5 『정몽』1 권6 『정몽』2로 구성됨에 따라 '건칭부乾稱父'부터 '몰오 영야沒吾寧也'까지, 즉 「서명」에 해당하는 253자와 그에 대한 주석 부분이 생략된 나머지 부분이 수록되어 있다. 「건칭」편의 마지막 부분인 동몽은 포함되어 있다.

남아 있는 「건칭」편은 크게 세 부분으로 나누어 볼 수 있다. 「건칭」편의 첫 부분은 원 「건칭」편 의 모두에 해당하는 「서명」의 변주에 해당한다. 형용할 수 있는 모든 존재를 유有와 상象과 기氣로 정의하고, 그 기의 성性을 신神한 것으로 전제한 후 지성至誠을 천성天性으로, 불식不息을 천명天命 으로 파악하였다. 사람이 지성하면 성性을 다하게 되고 신神을 궁구할 수 있으며, 불식不息하면 천명이 행해져 화化를 알 수 있게 되는데, 이 상태가 참된 얻음이 있는 상태라 하여 리학의 우주본 체론과 인성론, 그리고 수양론적 지각의 문제까지를 하나의 모노그라피로 정리해 주고 있다. 건칭 편의 중간 부분은 이러한 리학적 이론체계는 도가와 불교, 특히 불교의 주장과는 차별화된 논의임을 밝히면서 리학의 주요한 이론을 다시 정리해 주고 있다. 한 번 음하면서 한 번 양하여 우주만물의 생성변화를 미루어 운행함을 말하는 것을 도道, 그 헤아릴 수 없음을 신神, 낳고 낳음을 말하는 것을 역易으로 정의하면서 이것은 모두 하나의 것인데 이름을 달리한 것이며, 그 실상은 텅 빈 태허太虛이지만 만 갈래로 흩어지는 무궁한 변화로 나타나며, 이는 다시 원 상태로 돌아감 즉 기의 취산과 리일분수를 말하고 있다. 건칭편의 마지막 부분은 소위 동명에 해당하는 글이다. 「서명」에서부터 건칭편의 「동명」 앞까지의 내용이 기의 취산과 리일분수를 인간의 마음과 도덕 정치에 연결시킨 도덕형이상학적이라면, 동명은 그 이론적 내용을 현실로 옮길 수 있는 실천공부 와 관련된 글이다. 장난스러운 말과 행동戲言, 戲動, 지나친 말과 행동過言, 過動을 경계하여 간접 적으로 지성至誠, 불식不息해야 함을 말하면서 마치고 있다.

IV. 철학사 속의 『정몽』

송대 관중의 학자들은 『정몽』을 『논어』와 같은 수준으로 간주하였다. 주자는 횡거에 대하여 옛 것을 배우고 힘써 행하고, 뜻을 돈독히 하고, 禮를 좋아하는 관중 최고 스승이라고 평하면서, 만물의 이치를 다 궁구하고자 한 이 책(『정몽』)의 광대한 규모와 그 내용이 정밀하고 깊어서 헤아리기 어렵다고 언급한 바 있다. 장재의 제자인 범육은 『정몽』 서문에서 이 책에 대해 육경이 밝히지 못하고 성인이 말하지 못한 것을 밝힌 것으로 대중지정大中至正의 법도를 세운 것으로 성인이 다시 나더라도 『정몽』에서 말하는 것에 대해 이의를 달 것이 없다고까지 자신감 있게 말하고 있다. 주자도 이 책은 육경과 『논어』, 『맹자』에 근거하고 있다고 하면서 『논어』와 『맹자』 를 숙독하고, 이정과 문하들의 이론으로 『논어』 『맹자』를 탐구한 이후에 『정몽』을 보아야 한다고 『정몽』의 위상을 자리매김하여 주었다.

조선성리학사를 돌이켜 볼 때, 장재의 학설은 주돈이의 태극도설과 통서 등과 함께 장재의 『정몽』, 특히 「서명」이 주요하게 다루어졌다. 그 이유는 첫째 성리대전의 편제가 주렴계의 「태극도」, 『통서』, 장재의 「서명」, 『정몽』 순으로 수록되어 조선조 성리학입문서에서 다루어졌기 때문이며, 둘째 퇴계의 『성학십도』 중 제1도와 제2도에 「태극도」와 「서명도」가 소개된 것이 더 직접적인 요인으로 볼 수 있다. 굳이 비교하자면 조선 성리학에서 장재에 대한 논의가 차지하였던 비중은 공자와 맹자이후 오래 끊긴 성인의 도를 새롭게 계승하여 주창한 낸 송대 리학의 비조에 비해 상대적으로 미약하다. 그러나 장재의 『정몽』 중 「서명」은 학자들에 의해 근대초기까지 중요하게 다루어진다. 「태극도설」이 주돈이의 대표적 저작이라면, 『정몽』은 장재의 대표적 저작이다. 전자가 우주본체론과 인성론을 체계적으로 연계시켰다면, 후자는 우주본체론과 인성론에 대한 형이상학적 해석과 윤리학적 실천 문제를 일관된 체계로 제시한 글이라 할 수 있다.

현대에 접어들며 중화인민공화국이 마르크시즘을 건국이념으로 하면서 보수 부르주아 반동철학의 대명사가 된 리학을 포함한 전통 유교는 비판 속에 폐기처분된다. 그 나마 유학적 사유는 전통철학을 소개하는 과정에서 개괄적이나마 역사적 사실로 소개되는 수준에 그쳤지만, 마르크시즘을 관념론적 리론과 유물론적 기론의 갈등과 대립의 발전으로 해석하면서 청대의 기철학자인 왕부지의 기철학과 함께 장재의 기론에 대한 관심이 불러일으켜지며 그의 사상에 대한 재평가가 이루어진다. 국내에서는 철학사에서 송대 리학을 소개하면서 간략히 언급되는 인물이었다. 70년대 미미하나마 독립적으로 언급되었고, 80년대 이후 본격적으로 연구되기 시작하였으며 그 범위도 조선성리학에서 다루어졌던 『정몽』, 특히 「서명」에 국한되었다. 90년대 이후 장재 철학 전반에 관한 다각도의 논의가 최근까지 활발하게 연구되고 있다.

장횡거는 『정몽』의 내용을 구별을 지어 암기하는 것에 대한 물음에 답하면서, 이 책을 시든 나무와 돌잡이 상에 비유한 바 있다. "『정몽』은 시든 나무와 같아서 뿌리와 가지와 잎이 다 갖추어지지 않음이 없지만, 꽃을 피게 하는 것은 사람의 노력에 달려있다고 비유하면서 돌잡이 상에 다양한 것들이 차려져 있지만, 어떤 것을 잡는 지는 아이에게 달려있다고 비유하였다. 장재가 소개한 이 두 비유에 공통점을 풀이해 보면, 이 책의 내용을 어느 정도 이해했는지를 따지는 것보다 이 책을 읽는 독자들이 그 내용을 어떻게 받아들이고 실천으로 옮길 수 있느냐에 달려 있음을 말해주고 있다.

성리대전 권7~10 「황극경세서皇極經世書」 해제

Ⅰ. 소옹의 생애

소옹邵雍은 자가 요부堯夫, 시호는 강절康節이며, 북송 1011년(眞宗 大中祥符 4년)에서 태어나 1077년(神宗 熙寧 10년) 67세를 일기로 세상을 떠났다. 그의 선조는 범양范陽 사람이며 어려서 부친을 따라 공성共城지금 하남성 輝縣으로 옮겨와 살다가, 38세 때 다시 낙양洛陽으로 옮겨 살았다. 45세 때 제자들의 도움으로 결혼하여 아들 백온伯溫(1057~1134)을 낳았으며, 60세 때 여공저呂公著와 구양수歐陽修 등이 천거하였으나 이전 이미 두 차례 나아가지 않았음을 들어 끝내 나아가지 않고서 이때부터 도사道士 차림으로 살았다. 부필富弼과 사마광司馬光, 여공저 등 여러 명현들이 은퇴한 뒤 낙양에서 살면서 그를 존경하여 늘 함께 어울렸으며, 장재張載와 정호程顥·정이程頤 형제도 그를 자주 찾아 학문을 토론하여 뒷날 그들은 '북송오자北宋五子'로 일컬어졌다. 그는 주돈이周敦頤보다는 6세, 장재보다는 9세, 정호보다는 21세, 정이보다는 22세 많았다. 사후 원우元祐(송 哲宗, 1086~1094) 연간에 강절이란 시호가 내렸으며, 문묘에 배향되었다.

그의 학문은 낙양으로 이사 가기 전 공성에서 지내던 시절에 이미 그 바탕이 마련되었으며, 낙양으로 거처를 옮기면서 그의 명성은 전국적으로 알려졌다. 공성 서북쪽에는 소문산蘇門山 속 백원百源[1]이라는 곳이 있었는데, 그는 이곳에서 각고의 노력 끝에 학문적 성취를 이루었으므로, 뒷날 그의 학파를 백원학파라고 불렀다. 공성 시절 그는 이지재李之才에게서 역을 배운 것으로 알려져 있다. 이지재가 당시 공성의 영윤令尹으로 부임한 뒤 소옹이 호학한다는 소문을 듣고서 찾게 되는데, 두 사람의 만남을 그의 전에서는 다음과 같이 적고 있다.

> (이지재가) "그대는 또한 물리物理와 성명性命의 학에 대해 들어 보았는가?"라고 묻자, 소옹이 "가르쳐 주시면 행운이겠습니다."라고 대답하였다. 그리고서 소옹은 이지재를 모시고 「하도河圖」와 「낙서洛書」, 복희伏羲 팔괘八卦와 육십사괘六十四卦의 도상圖象에 대한 가르침을 받았다. 그러나 이지재가 전수한 것은 그 연원을 멀리 가지고 있었다. 소옹은 드러나지 않은 깊은 이치를 찾아내고 신묘함을 깨달아 정신과 합치되고 심오한 이치를 환하게 꿰뚫어 보아 드넓은 경지에 이르렀는데, 대부분 그 스스로 얻은 것이다.[2]

---

1 程顥가 지은 그의 「墓誌銘」에는 '百原'이라고 적혀 있다.

이지재의 전에도 이와 유사한 내용과 함께 소옹에게 전한 그의 학문적 연원이 진단陳摶에서 종방种放, 목수穆修 백장伯長을 거쳐 내려온 것임이 적혀 있다.[3] 그러나 이지재의 학문은 전해지는 것이 거의 없고 한둘 전해지는 것이나마 소옹의 것과 퍽 다르다.[4] 따라서 위의 전에서 '대부분 그 스스로 얻은 것이다'라고 말한 것이나, 정호가 「묘지명墓誌銘」에서 "스스로 터득한 바가 많다"[5] 고 말한 것을 볼 때, 소옹의 학문은 대부분 스스로 이룩했다고 보아도 무방할 것이다.

그가 낙양으로 옮겨온 뒤 가깝게 지내던 승상 부필이 원택園宅을 구입해 살게 하였는데, 그는 자신의 거처를 안락와安樂窩라 이름 붙이고 스스로 안락선생安樂先生이라 불렀다. 그는 안락와에서의 즐거운 삶을 다음과 같이 읊었다.

> 안락와 안에서 즐겁게 사는 사람이여
> 한가로이 네 가지 물건이 다행히도 서로 친하구나.
> 한 편의 시집은 꽃과 달을 거두고
> 한 질의 책은 엄정하여 귀신을 놀래누나.
> 한 개의 맑은 향은 우태宇泰에 가득하고
> 한 동이의 술은 담연하기 천진天眞이구나.
> 태평을 스스로 기뻐한 것이 얼마나 많은가
> 원컨대 군왕께서 만세수를 하시기를.[6]

이 시에 이어 그는 시와 책, 향, 술에 대해 각각 시를 지어 읊었는데, 여기에서 말한 한 질의 책이란 바로 자신의 철학을 담아 지은 『황극경세서皇極經世書』를 일컫는다. 그는 임종을 맞아 정호에게 자신의 「묘지명」을 써 줄 것을 부탁하였으며, 사마광이나 장재, 정이 등과 나눈 대화 또한 전해지고 있다.[7] 장재가 명命에 대해서 묻자, 그는 "천명이라면 이미 알고 있지만 세속에서 말하는 명이라면 나는 모른다."라고 말하였으며, 정이가 "선생께서는 이 경지에 이르셨는데 다른 사람은 힘쓸 방법이 없습니다. 직접 말씀 좀 해 주시지요."라고 말하니, 그는 "평생토록 도를 공부하였으니 어찌 이를 모르리오. 그러나 또한 말할 만한 것이 없다."라고 답하였다.

2 『宋史』, 「道學傳」 중 「邵雍傳」.
3 『宋史』, 「儒林傳」 중 「李之才傳」. 陳摶의 전은 『宋史』 「列傳」 중 「隱逸上」에 있고, 穆修의 전은 「文苑4」에 있다.
4 高懷民 지음, 곽신환 옮김, 『소강절의 선천역학』 예문서원, 2011, 24쪽 참조.
5 程顥·程頤, 『二程文集』, 卷3, 「邵堯夫先生墓誌銘」.
6 邵雍, 『擊壤集』, 卷3, 「安樂窩中四長吟」.
7 黃宗羲, 『宋元學案』, 卷9, 「百源學案」 참조.

어린 시절 부친의 손에 이끌려 소옹을 만났던 정호는 일찍이 그의 학문에 대해 "내성외왕內聖外王의 학이다."[8]고 감탄하였으며, 또한 "나는 요부선생을 좇아 배웠는데, 그의 의론議論을 들으면 천고의 세월을 흔드는 호걸과 같았다."[9]고 말하였다. 정이도 형 정호와 함께 그를 좇아 배우고서 "그의 마음은 텅 비고 밝았다."라고 높여 말하였지만, 그의 학문까지 기꺼이 받아들였는가에 대해서는 좀 더 살펴볼 여지가 있다.

Ⅱ. 『황극경세서』의 내용 구성과 제목

정호는 소옹의 「묘지명」에서 "선생에게는 저서 62권이 있는데 『황극경세서』라고 이름 붙였으며, 고율시古律詩 2000수가 있는데 『격양집擊壤集』이라고 제목을 붙였다."라고 적어 놓았다. 그리고 『송사』의 그의 전에는 그의 저술로 『황극경세서』와 「관물내외편觀物內外篇」, 「어초문대漁樵問對」, 그리고 시집으로 『이천격양집伊川擊壤集』이 있다고 적혀 있다. 그런데 본 번역의 저본인 『성리대전서性理大全書』 속 『황극경세서』에는 「관물내외편」과 「어초문대」가 이 속에 포함되어 있다.[10]

『황극경세서』는 『성리대전』의 권7에서 권13에 걸쳐 실려 있다. 자세히 보면, 『성리대전서』 권7에는 『황극경세서』1이, 『성리대전서』 권8에는 『황극경세서』2가, 『성리대전서』 권9에는 『황극경세서』3이, 『성리대전서』 권10에는 『황극경세서』4가, 『성리대전서』 권11에는 『황극경세서』5가, 『성리대전서』 권12에는 『황극경세서』6이, 『성리대전서』 권13에는 『황극경세서』7이 실려 있다.

다시 『황극경세서』1과 『황극경세서』2에는 채원정蔡元定(호 西山, 1135~1198)의 『황극경세지요皇極經世指要』를 편집해 「찬도지요纂圖指要」 상과 하로 나누고 각각에 5개와 6개의 도圖를 싣고 있다. 1의 5개 도는 「복희시획팔괘도伏羲始畫八卦圖」와 「팔괘정위도八卦正位圖」, 「팔괘중위육십사괘도八卦重爲六十四卦圖」, 「육십사괘방원도六十四卦方圓圖」, 「양구음육용수도陽九陰六用數圖」이며, 2의 6개 도는 「경세연역도經世衍易圖」, 「경세천지사상도經世天地四象圖」, 「경세천지시종지수도經世天地始終之數圖」, 「경세육십사괘수도經世六十四卦數圖」, 「경세일원소장지수도經世一元消長之數圖」, 「경세사상체용지수도經世四象體用之數圖」이다. 다시 그 아래 「성음창화聲音唱和: 사상천지지수도四象天地之數圖」가 덧붙여져 있다. 채원정은 「찬도지요상纂圖指要上」에서 『황극경세서』는 복희가 그린 괘도를 맨

8 『宋史』, 「道學傳」 중 「邵雍傳」.
9 黃宗羲, 『宋元學案』, 卷9, 「百源學案」 '附錄' 참조.
10 이에 대한 자세한 내용은 본 번역문 주 1) 참조.

앞에 두고 그 아래는 이 도들을 주석한 것임을 말하고 있다.

이어 『황극경세서』 3에는 「관물내편」 1에서 6까지, 『황극경세서』 4에는 「관물내편」 7에서 12까지가 실려 있으며, 『황극경세서』 5와 6에는 각각 「관물외편」 상과 하가, 그리고 『황극경세서』 7은 외서편外書篇으로 「어초문대」와 「무명공전無名公傳」, 「부록」이 실려 있다. 「어초문대」에서는 어부와 나무꾼 간의 문답 형식을 통해 소옹 자신의 생각을 드러내고 있으며, 「부록」에는 후대 학자들의 그에 대한 논의가 실려 있다.

『황극경세서』의 권두에는 소옹의 아들 소백온의 말을 다음과 같이 싣고 있다.

> 『황극경세서』는 모두 12권이다. 1권과 2권은 원元·회會·운運·세世의 수를 총괄했으니, 『주역』에서 말하는 천지의 수이다. 3권과 4권은 회에서 운을 경영하는 것으로, 세수世數와 갑자甲子를 나열하고 그 아래 요순에서 오대五代에 이르는 연대표를 기록하여 천하가 분열되고 통합되며 질서를 이루고 혼란했던 흔적을 드러냄으로써 천시天時를 통해 인사人事를 증험하였다. 5권과 6권은 운에서 세를 경영하는 것으로, 세수와 갑자를 나열하고 그 아래 요순에서 오대까지 역사책에 실린 흥하고 망하는 일과 다스려지고 혼란해지는 일들과 얻고 잃는 것들과 올바르고 사악한 것들의 행적을 기록하여 인사로 천시를 증험하였다. 7권에서 10권은 음양·강유剛柔의 수로 율려律몸·성음聲音의 수를 궁리하고, 율려·성음의 수로 동물·식물·날짐승·들짐승의 수를 궁리했으니, 『주역』에서 말하는 만물의 수이다. 11권에서 12권은 『황극경세서』를 쓰게 된 까닭을 논하였으니, 일·월·성·신과 날짐승·들짐승·동물·식물의 수를 궁리하여 천지만물의 이치를 다 드러내고 황·제·왕·패의 일을 서술하여 크고도 지극한 중정中正의 도를 밝힘으로써 음양의 늘어나고 줄어드는 것이나 옛날과 지금의 다스림과 혼란을 분명하게 볼 수 있게 하였다. 그래서 책 이름을 '황극경세'라 하고 편명을 '관물'이라 하였다.[11]

여기에서 소백온은 『황극경세서』란 「서명」과 「관물」이라는 편명이 수 곧 천지의 수인 원·회·운·세의 수와 만물의 수인 음양·강유와 율려·성음의 수를 통해 천지만물과 인간만물을 하나의 원리로 꿰뚫어 볼 수 있게 했으므로 붙여진 것임을 말하고 있다. 그는 또한 다른 곳에서 "지극히 큰 것을 황皇이라 하고, 지극히 중절한 것을 극極이라 하며, 지극히 바른 것을 경經이라 하고, 지극히 변화하는 것을 세世라 한다. 크고 중절하고 지극히 바르며 어떠한 변화에도 대응함을 도라고 한다."[12]고 말하기도 하였다. 『황극경세서』는 '대중지정大中至正'의 도를 밝히고 있으므로 만사만물을 대응함에 있어서도 더 없는 책임을 말하고 있다. 「관물」에 대해서도 다른 곳에 자세히 말하고 있다.

11　邵雍, 『皇極經世書』, 卷1, 「纂圖指要上」.
12　邵雍, 『皇極經世書』, 卷2, 「纂圖指要下」.

무릇 '사물을 본다[觀物]'는 것은 눈으로써 보는 것이 아니다. 눈으로써 보는 것이 아니라 마음으로써 보는 것이다. 마음으로써 보는 것이 아니라 이치로써 보는 것이다. 세상의 사물은 이치[理] 없는 것이 없고, …… 성인이 만물의 실정을 하나로 할 수 있는 것은 능히 '돌이켜서 볼[反觀]' 수 있기 때문이다. '돌이켜서 본다'는 것은 내가 만물을 보는 것이 아니다. 내가 만물을 보는 것이 아니라는 것은 곧 만물로써 만물을 보는 것이다. 이미 만물로써 만물을 볼 수 있다면 어찌 또 내가 그 사이에 있을 수 있었겠는가?[13]

소옹은 여기에서 만사만물은 이치를 가지고 있는 바 그것은 육안은 물론 내 마음으로도 볼 수 없고 오로지 사물의 관점에 설 때만 볼 수 있으며, 또한 그렇게 해야 함을 말한다. 이것이 바로 이치로써 사물을 보는 것이요, 그가 「관물」에서 말하고자 한 것이다. 이것은 소백온이 위에서 관물을 수를 통해 만사만물을 보는 것으로 말한 것과 다를 바 없다.

Ⅲ. 소옹의 선천역과 상수역

『황극경세서』에 나타난 소옹의 역학은 흔히 선천역先天易과 상수역象數易이라는 말로 일컬어진다. 이 중 선천역은 그에게서 비로소 시작된 것이며, 상수역은 한대漢代에 이르러 크게 흥성한 것인데 그의 상수역을 한대이래 전래의 상수역과 곧장 동일하게 바라보는 것은 문제가 있을 수 있다. 그의 상수역은 좀 더 정확히 말한다면 상역象易보다는 수역數易이라고 할 수 있으며, 그 수역도 한대이래의 상수역에서 역수易數를 말하는 것과는 사뭇 다른 점이 있다. 채원정은 다음과 같이 말하였다.

『황극경세서』는 소강절 선생의 선천학先天學으로 그 도는 일관되게 복희의 팔괘도에 근본하고 있다. 그러나 그가 쓴 글은 일가를 이루었고 경전의 뜻을 인용한 것은 별도로 한 학설이 되었다. 그러므로 학자들에게 의혹을 받은 점이 많았다. …… 하늘은 홀수 땅은 짝수로 획을 긋고, 양은 9 음은 6으로 수를 정하며, 4,096가지 변화와 11,520가지 책수策數에 무엇을 더할 것이 있겠는가! 소강절의 학문은 비록 작용은 다르지만 그 내용은 복희가 그린 괘이다. 그러므로 이 책은 일·월·성·신과 수·화·토·석으로 천지의 체體와 용用을 다 드러냈고, 더위·추위·낮·밤과 비·바람·이슬·우레로 천지의 변變과 화化를 다 드러냈으며, 성性·정情·형形·체體와 들짐승·날짐승·풀·나무로 만물의 감感과 응應을 다 드러냈고, 원·회·운·세와 세歲·월月·일日·진辰으로 천지의 처음과 끝을 다 드러냈으며, 황皇·제帝·왕王·패霸와 역易·서書·시詩·춘

13 邵雍, 『皇極經世書』, 卷4, 「觀物內篇」12.

추春秋로 성현들의 사업을 다 드러냈으니, 진한秦漢이래로 오직 한 사람이 있을 뿐이다.[14]

채원정의 『황극경세서』에 대한 생각은 앞에서 본 소백온의 그것과 다르지 않다. 채원정은 "『황극경세서』는 수를 부여하고 상을 정하여 스스로 일가를 이루었으니, 예전에 있지 않았고 학자들이 미처 보지 못한 것이다."[15]라고 말하기도 하였다. 곧 그는 소옹의 역학은 선천역이며, 복희의 팔괘도에 근본을 두고 있되 수역으로 일가를 이루어 공자 이후 최고의 인물이라고 높게 평가하였다. 그렇다면 소옹이 과연 공자의 역학을 충실히 이었다고 볼 수 있는가? 여기에서 공자의 역학이란 『주역』의 「역전」을 주로 가리키는데, 소옹이 공자를 존숭하고 「역전」의 내용을 중시한 것은 맞다. 그렇지만 공자의 역학을 소옹처럼 선천역과 상수역으로 보기에는 아무래도 무리가 있을 것이다. 결국 소옹의 선천역과 상수역은 공자나 문왕文王보다 더 이전으로 거슬러 올라갈 필요가 있다. 바로 채원정이 말한 것처럼 소옹의 역학은 복희의 팔괘에 뿌리를 두고 있는 것으로 보는 것이 더 타당할 것이다.

일단 소옹은 「역전」에서 말한 태극太極에서 양의兩儀, 사상四象, 팔괘八卦로 생성되는 설을 수용하여 건일乾一, 태이兌二, 이삼離三, 진사震四, 손오巽五, 감육坎六, 간칠艮七, 곤팔坤八의 순서로 배열하였다. 이것은 그가 말하는 선천에서 괘의 순서로 「설괘전說卦傳」에서의 순서와 다르다. 그리고 8괘에서 64괘에 이르는 배열방식 또한 다르다. 『주역』에서는 8괘를 중첩시켜 64괘를 만드는 중괘법重卦法을 쓰고 있는데, 그는 정호가 말한 '가일배법加一倍法'을 철저히 따르고 있다. 곧 그는 태극에서 64괘에 이르는 과정을 1(태극), 2(양의), 4(사상), 8(팔괘), 16, 32, 64의 수열로 풀었다.

> 태극이 나뉘어 양의가 세워진다. 양은 아래로 음과 교합하고 음은 위로 양과 교합하여 사상이 생겨난다. 양은 음과 교합하고 음은 양과 교합하여 하늘의 사상을 낳고, 강剛은 유柔와 교합하고 유는 강과 교합하여 땅의 사상을 낳아 팔괘가 이루어진다. 팔괘가 서로 뒤섞여 만물이 생겨난다. 그러므로 1이 나뉘어 2가 되고, 2가 나뉘어 4가 되고, 4가 나뉘어 8이 되고, 8이 나뉘어 16이 되고, 16이 나뉘어 32가 되고, 32가 나뉘어 64가 된다. 그러므로 "음과 양으로 나누고 강과 유를 번갈아 사용하여 역의 육위六位[六爻]가 나타나게 된다."고 말하였다.[16]

이것은 『주역』의 중괘법과 다를 뿐만 아니라 동시대에 살았던 주돈이周敦頤가 『태극도설太極圖說』에서 1(태극), 2(음양), 5(오행), 만물의 순으로 배열한 것과도 퍽 달라 좋은 대비를 보여주고

14 邵雍, 『皇極經世書』, 卷1, 「纂圖指要上」.
15 邵雍, 『皇極經世書』, 卷1, 「纂圖指要上」.
16 邵雍, 『皇極經世書』 卷12, 「觀物外篇」.

있다. 『태극도설』이 비록 한대에 유행한 음양·오행설을 『주역』과 적극적으로 연결시키고자 했지만 그 본래의 내용은 아니라는 점에서, 소옹의 관점은 『태극도설』보다 『주역』의 본 모습에 더 가깝지만, 그렇다고 양자가 일치하는 것은 아니다.

특히 소옹의 역학에서 두드러진 특징은 오행을 철저하게 배제하고 있다는 점이다. 따라서 소옹의 수역에서 '5'라는 숫자는 아무런 위상을 갖지 못한다. 한대 이후 송대 이전과 그 이후를 돌아볼 때, 오행이 이렇게까지 배제된 경우는 찾아보기 어렵다. 반면 그는 철저하게 '4'라는 숫자를 고수한다. 일단 이것은 『주역』의 사상四象을 그대로 가져 온 것이라고 볼 수 있겠다. 그런데 그는 오행론자들이 천지와 만물을 '5'의 숫자에 배열하였듯이 '4'의 숫자에 철저하게 배열하였다. 가령 하늘에 해당하는 원·회·운·세와 일·월·성·신, 세·월·일·진이 그렇고 땅에 해당하는 수·화·토·석과 더위·추위·낮·밤, 비·바람·이슬·우레, 성·정·형·체, 들짐승·날짐승·풀·나무가 그러하며, 사람에 해당하는 황·제·왕·패와 역·서·시·춘추가 그렇다. 그야말로 그는 '4'의 숫자로 천지만물과 삼라만상을 배열하였다. 이것은 단순히 네 가지로 유형별 분류를 한 것이 아니라 도 곧 태극이 넷으로 자신의 모습을 드러낸 것이라고 소옹은 생각하였다. 이러한 생각은 『주역』에서는 찾아볼 수 없는 그만의 독특한 것이다.

이렇게 천지만물을 '4'라는 숫자를 가지고 관통시키는 그의 수역 바탕에는 원·회·운·세의 설이 있다. 1세는 30년, 1운은 12세, 1회는 30운, 1원은 12회로 이 모든 숫자를 곱하면 1원이 129,600년이라는 결과가 나온다. 천지는 1원 곧 129,600년마다 전혀 다른 모습으로 대순환을 하며, 이에 따라 선천과 후천이라는 개념이 생겨났다. 이처럼 천지가 1원마다 대순환을 할 뿐만 아니라 그 안에서도 회, 운, 세가 각각 12와 30이라는 숫자를 주기로 끊임없이 순환한다. 1년의 경우도 1년은 12달, 1달은 30일, 1일은 12시간과 같이 순환의 주기는 12와 30이다. 그의 눈에는 이 대우주와 그 속 삼라만상이 4와 더불어 12, 30이라는 숫자가 연출해내는 파노라마와 같은 것이었다. 그는 1원 12회를 각각 하나의 괘에 해당시켜 12벽괘설十二辟卦說을 말하였다. 그 순서는 복괘復卦에서 시작하여 임괘臨卦, 태괘泰卦, 대장괘大壯卦, 쾌괘夬卦, 건괘乾卦, 구괘姤卦, 돈괘遯卦, 비괘否卦, 관괘觀卦, 박괘剝卦를 거쳐 곤괘坤卦에서 마치게 된다. 그는 1회 복괘 때 하늘이 열리고開天, 2회 임괘 때 땅이 열리며開地, 3회 태괘 때 사람이 생겨난다고生人 말하였으며, 1회가 10,800년으로 12회가 다하면 천지마저도 붕괴되어 1원이 끝나고 곤괘가 작용하는 새로운 원이 시작된다고 보았다.

그가 북송오자의 한 사람으로 우뚝 서게 된 것은 자신의 독특한 선천수역을 통해 전래 유학의 우주론을 확장시키고 세밀하게 한 점과 더불어 그러한 우주론 아래 사람의 위치와 역할, 그리고 완성된 인간으로서 성현의 길을 열었기 때문이다. 그는 자신의 우주론에 따라 "사람도 또한 사물이며, 성인도 또한 사람이다."[17]고 말한 뒤 '관물'을 통한 성인에 이르는 길을 제시하였다.

무릇 '사물을 본다[觀物]'는 것은 눈으로 그것을 보는 것이 아니다. 눈으로 그것을 보는 것이 아니라 마음으로 그것을 보는 것이다. 마음[心]으로 그것을 보는 것이 아니라 이치[理]로 그것을 보는 것이다. …… 성인이 만물의 실정을 하나로 삼을 수 있는 것은 그가 '돌이켜 볼[反觀]' 수 있기 때문이다. 돌이켜 본다고 말한 것은 나의 입장에서 사물을 보는 것이 아니다. 나의 입장에서 사물을 보는 것이 아니라 사물의 입장에서 사물을 보는 것을 말한다.[18]

성인은 다른 사람과 사물을 바라볼 때 자신의 입장에 서지 않고 자신의 눈과 마음에 따르는 것이 아니라 사물의 입장에 서서 이치에 따르므로 만물의 실정을 하나로 삼을 수 있고 만물과 한 몸이 될 수 있다고 그는 말하고 있다. 이렇듯 드넓은 우주관 아래 우주적 자아를 설정하고 학문과 공부를 통해 스스로 완성된 인격 곧 성현에 이르고자 한 모습은 북송오자들에게서 공통적으로 발견된다.

IV. 후대의 영향과 평가

소옹은 북송오자로 일컬어지는 인물들과 약간의 나이 차이가 있기는 하지만 낙양 땅에서 서로 긴밀한 관계를 맺으며 살았다. 이정 형제는 어릴 적 그에게서 배운 적이 있으며, 앞에서 본 바와 같이 그의 인격을 존경한 면이 없지 않으나 학문적으로 높게 평가하거나 계승한 모습은 보이지 않는다. 정호는 "일찍이 요부의 시에 담겨 있는 뜻을 살펴보았는데, 겨우 도리를 알고 있을 뿐 유술儒術에 대해서는 얻은 바를 보지 못했다."[19]고 말하여 소옹의 학문이 유술을 벗어나 있음을 지적하였으며, 정이는 그의 학문이 먼저 이치[理]에 따라 의미[意]를 추구하여 상과 수를 말하고 천하의 이치가 모름지기 네 가지 것[四者]에서 나왔다고 말하였는데, 그것으로는 천하국가를 다스리기 어렵다고 말하였다.[20] 또한 정이는 임종시 그의 모습을 떠올리며 "소요부는 임종할 때 단지 농담을 주고받다 눈 깜짝할 사이에 돌아가셨다. 성인의 입장에서 보자면 옳지 않다. 아마도 무슨 뜻[意]이 있는 듯하다."[21]고 술회하였다. "그의 사람됨은 곧으나 예의가 없고 공손하지 않으며 오직 업신여기고 희롱할 줄만 안다."[22]고 한 말도 같은 문맥에서 이해할 수 있겠다. 이정이 소옹의 선천

17　邵雍,『皇極經世書』卷12,「觀物外篇」.
18　邵雍,『皇極經世書』卷12,「觀物外篇」.
19　程顥·程頤,『河南程氏遺書』,第10.
20　程顥·程頤,『河南程氏遺書』,第2上.
21　程顥·程頤,『河南程氏遺書』,第18.
22　程顥·程頤,『河南程氏遺書』,第2上.

수역을 계승하지 않은 것은 무엇보다 선천이라든가 수라는 말을 아예 입에 올리지 않은 것에서 잘 알 수 있다.[23]

반면 주희는 소옹의 선천역학을 높이 받들며『역학계몽易學啓蒙』을 저술하였다. 이『역학계몽』에는 주희의 상수역학이 잘 담겨 있는데, 그는 한나라 이래 상수역을 버리고 소옹의 선천역학을 적극적으로 받아들여 이 책을 저술하였던 것이다. 그는 제자와의 대화에서 다음과 같이 말하였다.

> 이것은 나의 설이 아니고 소강절의 설이다. 그렇지만 소강절의 설도 아니고 진희이陳希夷의 설이며, 진희이의 설도 아니고 공자의 설이다. 다만 오늘날 제유들은 그 전함을 잃어버렸지만, 방술과 외도의 무리들이 드러나지 않게 서로 주고받아 단약丹藥을 만드는 술법으로 삼았는데, 진희이와 소강절에 이르러 이것을 주역을 풀이하는 데로 되돌린 뒤 그 설이 비로소 세상에 알려지게 되었다.[24]

여기에서 주희는 자신의 상수역설 뿌리가 가까이로는 소옹과 진단陳摶[希夷]에게 있지만 멀리는 공자에게 있음을 말하고 있다. 곧 그는 자신의 상수역학이 송나라 이전 한나라 상수역과는 무관하며 오로지 소옹의 상수역과 관계된 것임을 분명하게 밝히고 있다. 나아가 그는 물론 소옹의 역학이 공자에서 거슬러 올라가 복희의「하도」·「낙서」에까지 닿아 있다고 본다.

우리는 주자학을 흔히 정주학이라는 말로 쓰기도 한다. 이것은 주희가 이정, 특히 정이의 학을 거의 그대로 계승하고 있음을 들어 쓴 말이다. 그런데 유독 주희가 이정의 관점을 그대로 따르지 않은 것은 역학이요, 그 핵심은 바로 소옹의 선천 상수역학이다. 각자 보는 바가 다르고, 이정은 그 나름 받아들이지 않은 이유가 있었을 것이요, 주희는 그 나름 받아들인 이유가 있었을 것이다.

현대의 학자 고회민高懷民은 소옹이 북송 당시에 미친 영향을 너무 소홀히 본 면이 있다고 지적하면서 리를 본격적으로 말한 것은 이정이지만, 소옹이 이에 대해 미친 영향을 간과해서는 안 된다고 말하였으며, 그의 선천역은 천도사상 중심의 복희역을 문왕과 공자가 인도사상 중심으로 바꾼 것을 문왕과 공자의 입장을 따르면서 한편으로는 원래의 천도사상으로 되돌려 놓은 것이라고 보고 있다.

. . . .

23 黃宗羲,『宋元學案』卷10,「百源學案」'附錄' 참조.
24 朱熹,『朱文公文集』卷38,「答袁機仲(樞)」.

性理大全 研究飜譯 役割 分擔表

卷	書名/大主題	飜譯	校閱	潤文	解題
	序・表	金在烈			尹用男, 金暎鎬
1	太極圖	尹用男			郭信煥
2~3	通書	李哲承			郭信煥
4	西銘	李哲承			李基鏞
5	正蒙 1	李哲承			李基鏞
6	正蒙 2	金炯錫			李基鏞
7~13	皇極經世書	沈義用			洪元植
14~17	易學啓蒙	尹元鉉			李善慶
18~21	家禮	秋琦淵			李迎春
22~23	律呂新書	尹元鉉			李善慶
24~25	洪範皇極內篇	秋琦淵			李迎春
26~27	理氣	李致億			李致億, 金演宰
28	鬼神	尹元鉉			李致億, 金演宰
29~31	性理 1~3	尹元鉉			李致億, 鄭相峯
32~34	性理 4~6	沈義用	共同研究員 李忠九	鄭修卿	李致億, 鄭相峯
35~37	性理 7~9	金炯錫			李致億, 鄭相峯
38	道統・聖賢	尹元鉉			沈義用, 金演宰
39~40	諸儒 1~2	金炯錫			沈義用, 金演宰
41~42	諸儒 3~4	沈義用			沈義用, 金演宰
43~45	學 1~3	李致億			沈義用, 鄭炳碩
46~48	學 4~6	沈義用			沈義用, 鄭炳碩
49~50	學 7~8	金炯錫			沈義用, 鄭炳碩
51	學 9	金眩炅			沈義用, 池俊鎬
52~54	學 10~12	尹元鉉			沈義用, 池俊鎬
55~56	學 13~14	李忠九			沈義用, 池俊鎬
57~58	諸子	金在烈			李忠九, 李相益
59~64	歷代	金在烈			李忠九, 李相益
65	君道	金在烈			李忠九, 李相益
66~69	治道	金在烈			李忠九, 李相益
70	詩・文	金在烈			李忠九, 池俊鎬

性理大全 研究飜譯 研究陣

완역 **성리대전 ❷**

초판 인쇄 2018년 7월 15일
초판 발행 2018년 8월 10일

역 주 자 | 윤용남·이충구·김재열·윤원현·추기연
          이철승·심의용·김형석·이치억·김현경
펴 낸 이 | 하운근
펴 낸 곳 | 學古房

주   소 | 경기도 고양시 덕양구 통일로 140 삼송테크노밸리 A동 B224
전   화 | (02)353-9908 편집부(02)356-9903
팩   스 | (02)6959-8234
홈페이지 | http://hakgobang.co.kr/
전자우편 | hakgobang@naver.com, hakgobang@chol.com
등록번호 | 제311-1994-000001호

ISBN   978-89-6071-762-6 94150
          978-89-6071-760-2 (세트)

값 : 800,000원 (전10책)